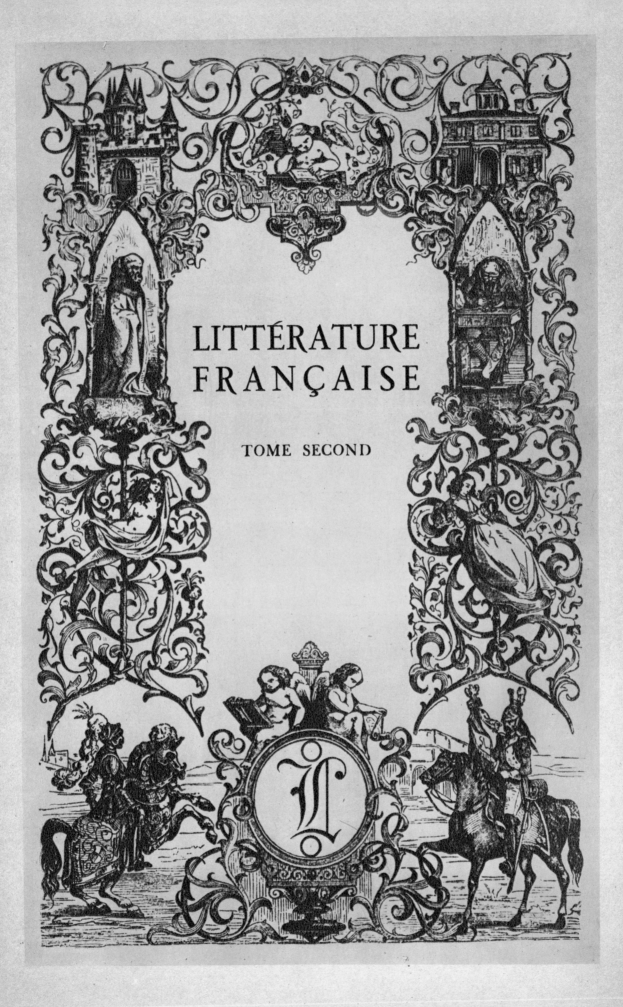

LITTÉRATURE FRANÇAISE

TOME SECOND

LITTÉRATURE FRANÇAISE

Publiée sous la direction de

JOSEPH BÉDIER
de l'Académie française

PAUL HAZARD
de l'Académie française

Nouvelle édition refondue et augmentée
sous la direction de

PIERRE MARTINO
Inspecteur général de l'Enseignement supérieur

TOME SECOND

542 GRAVURES
6 HORS-TEXTE EN COULEURS

LIBRAIRIE LAROUSSE — PARIS
13 à 21, rue Montparnasse, et boulevard Raspail, 114 (VIe)

ONT COLLABORÉ A CET OUVRAGE :

† Georges ASCOLI, professeur à la Sorbonne.

Jean BAILLOU, chef des services de l'Enseignement français à l'étranger.

† André BEAUNIER.

† Joseph BÉDIER, de l'Académie française.

† Henry BIDOU, homme de lettres.

Jean BOUDOUT, professeur de première supérieure au lycée Henri-IV.

Gustave CHARLIER, de l'Académie royale de Belgique, professeur à l'Université de Bruxelles.

André CHAUMEIX, de l'Académie française.

Charly CLERC, professeur de littérature française à l'école Polytechnique fédérale de Zurich.

Joseph DEDIEU, ancien professeur à la Faculté libre des lettres de Paris.

Edmond FARAL, membre de l'Institut, administrateur du Collège de France.

Lucien FOULET.

Max FUCHS, agrégé des lettres, secrétaire de la Société des historiens du théâtre.

René GAUTHERON, professeur émérite à l'Université Dalhousie, Halifax (Canada).

Jean GIRAUD, maître de conférences auxiliaire à la Sorbonne.

† Paul HAZARD, de l'Académie française.

Jean HYTIER, ancien directeur des Lettres au ministère de l'Éducation nationale, professeur à l'Université d'Alger, détaché à l'Université Columbia, New York.

Pierre JOURDA, professeur à l'Université de Montpellier.

Jacques LAVAUD, professeur à l'Université de Poitiers.

Raymond LEBÈGUE, professeur à la Sorbonne.

Pierre MARTINO, recteur d'Université, inspecteur général de l'Enseignement supérieur.

Pierre MOREAU, professeur à la Sorbonne.

Daniel MORNET, professeur à la Sorbonne.

René PINTARD, professeur à la Sorbonne.

† Jean PLATTARD, professeur à la Sorbonne.

† Désiré ROUSTAN, inspecteur général de l'Instruction publique.

† Joseph VIANEY, doyen de la Faculté des lettres de l'Université de Montpellier.

† Pierre VILLEY, professeur à l'Université de Caen.

LE XVIIIE SIÈCLE

LES GRANDS FAITS POLITIQUES ET SOCIAUX DE 1680 A 1750

La fin du règne de Louis XIV avait été une période de contrainte hypocrite imposée par la dévotion étroite du roi, et une période de difficultés financières et de misère populaire. Les guerres malheureuses, l'avidité des courtisans, l'autoritarisme du roi avaient créé un sourd mécontentement et un désir de réformes qui se retrouvent dans les œuvres d'un Vauban, d'un Boisguillebert, d'un Fénelon, d'un Saint-Simon. Aucune de ces œuvres, publiée ou non, n'est animée d'un esprit démocratique et ne s'élève contre le principe de la monarchie absolue. Elles se proposent seulement de donner à cette monarchie une organisation qui la défende contre les excès. En gros, elles proposent le respect des lois fondamentales et l'organisation des corps intermédiaires. Ces lois fondamentales sont ce que nous appellerions les libertés civiles (droit de propriété, interdiction d'emprisonner sans jugement, etc.). Quant aux corps intermédiaires on essaya de les créer après la mort de Louis XIV, pendant la Régence (Louis XV, arrière-petit-fils, n'avait que cinq ans). Ce fut la Polysynodie. Des conseils composés de dix membres nobles, conseillés eux-mêmes par des robins choisis dans la magistrature, remplacèrent les ministres. D'autre part, le parlement retrouvait le droit de remontrance aboli en fait par Louis XIV. Mais la confusion et l'incapacité des conseils, l'agitation égoïste et brouillonne du parlement les discréditèrent très vite, et l'on revint, dans l'ensemble, à l'ancienne organisation gouvernementale. La France fut gouvernée en fait par des premiers ministres, Dubois, le duc de Bourbon, et surtout le cardinal Fleury (à partir de 1726), dont la sage administration remit de l'ordre dans les finances et rendit au pays une sorte de prospérité.

La confusion politique et le besoin d'émancipation avaient, d'ailleurs, créé une sorte de curiosité pour les affaires de l'État, un désir de les examiner et de les améliorer. Dans la première moitié du siècle cette curiosité reste timide, enfermée dans un cercle restreint, et elle est étroitement surveillée et même réprimée par l'autorité gouvernementale. En revanche, la réaction contre la dévotion et le moralisme de Louis XIV est violente et durable. La société mondaine et la riche bourgeoisie affichent avec cynisme leur goût du plaisir et leur mépris des vertus domestiques. Ce libertinage sceptique et élégant s'étale dans les romans de Crébillon fils, de Duclos, etc.

Les finances étaient restées dans un état désespéré (par exemple, 69 millions de recettes pour 147 de dépenses). Après différentes mesures brutales, injustes et tout à fait inefficaces, on se décida à écouter les conseils du financier écossais Law (à partir de 1718).

Son système, « le système », repose sur le principe de la circulation des richesses et du crédit. Les richesses, sous la forme de l'or, sont insuffisantes. On les remplacera, pour une large part, on les accroîtra par des billets. Ces billets seront garantis, sinon par de l'or, du moins par les entreprises que l'argent nouveau aura permis de créer. Ces entreprises émettront à leur tour des actions dont la valeur sera attestée par les bénéfices ou dividendes que les sociétés ou compagnies distribueront à leurs actionnaires. Le système de Law tendait, par conséquent, à fonder les organisations capitalistes modernes. En fait, Law créa des sociétés coloniales (compagnie d'Occident pour la Louisiane, compagnie des Indes). Le système connut d'abord un prodigieux succès. Mais une spéculation effrénée et les imprudences de Law amenèrent bientôt son écroulement (1719). Un des résultats de la tentative fut un profond bouleversement des fortunes qui contribua à préparer le mélange des classes et à accroître l'importance de la classe riche aux dépens de la classe aristocratique.

Les guerres de la ligue d'Augsbourg et de la succession d'Espagne avaient affaibli et troublé la France; celles de la succession de Pologne et de la succession d'Autriche n'intéressèrent guère le pays, malgré la joie que donna la victoire de Fontenoy (1745); elles n'eurent pas d'influence sur la littérature.

ALLÉGORIE SUR LA RÉGENCE. Gravure de Bernard Picart figurant en tête de l'édition de 1720 du « Dictionnaire » de Bayle. — CL. LAROUSSE.

L'Enseigne de Gersaint, par Watteau (château de Charlottenbourg). — Cl. Staatl. Bildstelle.

PREMIÈRE PARTIE

LES LETTRES DE 1680 A 1750

I. — L'ESPRIT NOUVEAU

Les origines lointaines, les aspects essentiels de l'esprit nouveau, aperçus par Sainte-Beuve, ont été considérés par Brunetière (Études critiques, *t. III et IV*), *puis par G. Lanson* (Revue des cours et conférences, *1908-1909 ;* Revue du mois, *1910*). *Voir Paul Hazard,* la Crise de la conscience européenne, *1935.*

Au lieu de classer par siècles les faits de la politique et de la littérature, on trouve parfois quelque événement considérable — révolution, inauguration ou clôture d'un grand règne — qui semble avoir modifié, avec les destinées d'un peuple, ses principes intellectuels et ses goûts. Il arrive aussi que des périodes critiques dans la vie intérieure d'une nation n'aient pas été marquées par l'un de ces éclatants points de repère. Ainsi, le renouvellement de la pensée, de la littérature et de l'art français vers la fin du XVIIᵉ siècle ne se rattache pas à la mort de Louis XIV. Il est antérieur, il date de cette époque indécise où, après la période resplendissante du règne, l'application abusive des principes qui en avaient favorisé la gloire précipite les revers, provoque l'esprit d'opposition. D'ailleurs, si aucun événement ne précise et ne résume en France une évolution que dissimule la continuité d'un long règne, dans un pays voisin, la chute des Stuarts et l'avènement d'un prince qui s'appuie sur le vœu populaire sont un signe assuré des temps nouveaux.

Vers 1685, l'âge de création classique semble définitivement clos en France. Le Brun vieilli voit grandir le succès de peintres qui prétendent continuer son œuvre, mais en réalité l'assouplissent, l'agrémentent, la transforment. Dans les lettres, l'évolution n'est pas moins sensible : *les*

Femmes savantes datent de 1672, et Molière n'a pas été remplacé *Phèdre* est de 1677 : si Racine survit, il demeure silencieux. La Rochefoucauld est mort en 1680. Après 1683, Boileau ne produit plus guère et se borne à défendre son idéal attaqué. Bossuet prononce en 1687 sa dernière *Oraison funèbre.* L'art classique appartient désormais au passé. Un culte sincère et même superstitieux entoure encore les œuvres où il s'est exprimé; mais déjà Bayle et Fontenelle, La Bruyère et Fénelon, font paraître coup sur coup des livres où s'affirment d'autres tendances.

L'esprit classique se définissait volontiers lui-même par son respect de la nature et de la raison. Il disait naturel ce qui est, a été, sera toujours et partout conforme à la nature; raisonnable, ce que l'ensemble des hommes s'accorde à trouver juste et vrai. En tout il ne prenait que l'éternel, l'immuable, par suite ce qui est immédiatement intelligible à tous. Maîtresse d'ordre et de clarté, cette tendance a tout intellectualisé et hiérarchisé; elle a sacrifié le détail à l'ensemble, la couleur à la ligne, réduit l'idée le sentiment et la passion; elle a donné à la phrase son caractère sobre, uni et abstrait. Maîtresse d'autorité, elle a accepté, et même réclamé, pour soutenir toute création nouvelle, avec l'imitation des Anciens, un code de règles qui ne sont pas l'arbitraire décision de quelques-uns, mais comme l'expression du goût universel.

Les écrivains qui viennent ensuite gardent comme étendards les mots de nature et de raison; ils profitent de la victoire que leurs devanciers ont fait remporter à des principes dont ils modifient peu à peu le sens. Bientôt, être naturel, ce sera copier tout le réel; non plus dégager de chaque individu ce qu'il a de commun avec les autres, mais au contraire mettre en valeur ce qui, se présentant d'abord en lui, le distingue. Raisonnable ne s'appliquera plus à ce qui exige l'accord de tous les hommes, mais à ce qui est conforme à la propre raison de l'écrivain, libérée de tout préjugé. Au nom de la nature et de la raison, de tels esprits rechercheront justement ce dont se détournaient les classiques. Au lieu du type universel, ils accueilleront l'individu unique, exceptionnel. La vérité ne résidera plus dans l'abstraction intellectuelle, mais dans le fait sensible. L'expérience retiendra impérieusement l'attention, provoquera le libre examen. Le sentiment communiquera sa valeur à l'expression qui le rend.

Y a-t-il dans ce mouvement tant de nouveauté? Il ne représente, après tout, qu'une phase du conflit qui met éternellement aux prises les aspirations contraires de la nature humaine, à la fois idéaliste et réaliste, classique et romantique, traditionaliste et révolutionnaire. Ces tendances s'équilibrent parfois; plus souvent l'une d'elles prédomine; elles profitent de leurs mutuelles réactions et des circonstances nouvelles pour se nuancer et s'enrichir. Vers la fin du XVIIᵉ siècle, sans rupture brusque, sans bouleversement imprévu, en accord avec le mouvement général des idées, on assiste à la résurrection d'anciennes forces qui avaient été toutes-puissantes au temps de Rabelais, de Montaigne, et qui l'étaient restées jusqu'aux jours des débuts de Corneille. Un moment obscurcies, pendant que la formule classique l'emportait, elles avaient pourtant, même alors, perpétuellement affleuré : chez les burlesques, les précieux, les libertins, chez Corneille, La Fontaine, Molière et Mᵐᵉ de Sévigné, parfois même chez Boileau. Puis quand le fleuve classique si majestueux, et qui semblait inépuisable, se tarit, ne laissant plus qu'un lit profondément creusé, puissamment endigué, où les eaux nouvelles, d'où qu'elles viennent, devront pousser dorénavant leurs flots, voici que, sous l'afflux grossissant de sources diverses, le courant se reconstitue, bientôt homogène et impétueux.

Des agents essentiels de ce renouvellement, le plus ancien fut la tradition libertine, le plus puissant la méthode cartésienne; plus récemment intervint l'influence anglaise.

LA TRADITION LIBERTINE

L'histoire anecdotique des libertins a été contée par Perrens dans les Libertins en France *(1899). M. Frédéric Lachèvre leur a consacré des études documentées et très curieuses sous ce titre général* : le Libertinage au XVIIᵉ siècle. *On en trouvera la liste dans* les Successeurs de Cyrano de Bergerac, *1923.*

Les libertins au XVIIᵉ siècle ont eu leur système. Ils se ralliaient volontiers à l'épicurisme remis en honneur par quelques érudits et en cherchaient dans Lucrèce le développement logique et hardi. Les traductions du *De natura rerum* se multiplient : à celle que publie Des Coutures il faut joindre celle de Hénault et toutes celles, achevées ou interrompues, que leurs auteurs (Molière fut peut-être l'un d'eux) détruisirent par scrupule ou gardèrent soigneusement cachées. Gassendi accommode la doctrine de Lucrèce aux habitudes d'une pensée façonnée par plusieurs siècles de christianisme, et Bernier vulgarise en français cet épicurisme adouci.

Mais des indépendants supportent mal les atténuations que les traditions et la prudence imposent à qui s'adresse au public. Ils s'inquiètent de la contrainte où un corps de doctrine assujettit leur pensée mobile : Bernier, qui a publié en 1678, à des fins d'apologie, un *Abrégé de la philosophie de Gassendi*, ne se charge-t-il pas lui-même, quatre ans plus tard, d'élever des *Doutes* sur son propre ouvrage?

Les libertins n'aiment guère les livres surveillés et rigides : c'est dans la libre conversation, c'est en des lettres mi-sérieuses ou dans quelques vers légers et nuancés que leur pensée s'insinue et pour un instant se précise.

Ils forment des groupes discrets et divers : Molière réunit à Auteuil quelques intimes : Bernier, Chapelle, Des Barreaux. Dans le salon de Ninon de Lanclos, rue des Tournelles, dans celui de Mᵐᵉ de Mazarin à Londres, Saint-Évremond et de grands seigneurs beaux esprits gardent dans leur scepticisme des allures élégantes et aristocratiques. La société est plus mêlée au Temple : aux soupers du Grand-Prieur, de nobles personnages, La Fare et Sainte-Aulaire; des magistrats, comme les présidents de Mesmes et Ferrand, rencontrent des poètes : Campistron, Palaprat, le jeune Voltaire; des abbés, délicieux comme Chaulieu, l'aimable vieillard aveugle, l'Anacréon du siècle, inquiétants comme Courtin. Au café Procope, buvant, fumant et riant, des gens de lettres débraillés : Boindin, Fréret, bientôt Duclos et Marmontel, se laissent entraîner par leur esprit à plus de hardiesse.

Cependant les libertins provoquent rarement. Les plus audacieux sont souvent ceux dont la conviction est le moins ferme, ceux que des revers ou des maladies auront vite ramenés à la foi. Les autres sont pleins de réserve; ainsi Fréret confie à ses seuls intimes un manuscrit qu'il refuse de livrer au public, qu'il jettera au feu avant de mourir. Cette discrétion des libertins ne procède pas seulement d'une prudence très nécessaire; elle se fonde aussi sur le dédain des profanes, petits esprits indignes qu'on tente de les gagner, sur un respect sincère des bienséances, sur l'horreur d'élever la voix et d'imposer à autrui un sentiment, avant tout sans doute sur un scepticisme radical.

Ce scepticisme vient de Montaigne, dont les éditions se multiplient au XVIIᵉ siècle. Comme Montaigne, les libertins rabaissent l'orgueil humain; la raison, disent-ils, est impuissante dès qu'elle sort des apparences sensibles; ils ferment les yeux à cette grandeur de l'homme par où Pascal, après leur avoir fait tant de concessions, croit les éblouir et les ramener. Paresseux, et souvent incapables de discuter les dogmes (car, dit Bourdaloue, « rien pour l'ordinaire de plus ignorant en matière de religion que ce qu'on appelle les libertins du siècle »), ils opposent nonchalamment aux enseignements de la foi ou de la morale les constatations de leur expérience quotidienne et le sens commun. Ils ne s'aventurent pas jusqu'à la négation, mais ils multiplient les doutes, insinuent que le matérialisme semble le plus probable. L'éducation classique leur a fait rencontrer et admirer des vertus chez les païens; ce que la religion qualifie de péché ne leur paraît pas toujours condamnable; ils ne sauraient réprouver les mondains dont la vie est saine et innocente, et croient que c'est la dévotion qui, par excès de sévérité, détache les hommes de la vertu. Sans parler de l'ébranlement plus profond qu'ont provoqué dans les consciences les persécutions contre les protestants, contre les jansénistes, contre les quiétistes, Du Bos constate, en 1695, que les vives déclamations des prédicateurs contre le théâtre ne font que remplir les salles de spectacle; les adversaires du luxe n'obtiennent pas de meilleurs résultats. La morale libertine est réaliste, douce, tolérante : « Il n'y a rien de plus inutile, écrivait Saint-Évremond, que la sagesse de ces gens qui s'érigent d'eux-mêmes en réformateurs; c'est un personnage qu'on ne peut soutenir longtemps sans offenser ses amis et se rendre ridicule. » Molière n'enseigne point autre chose dans *le Misanthrope*, et Philinte, « le sage de la pièce », est le type achevé du libertin.

Selon les libertins, il ne faut point faire effort contre la nature : ils tiennent de Rabelais autant que de Montaigne. Ce sont eux qui ont transmis à travers l'époque classique le sentiment de la nature pittoresque. Théophile de Viau disait : « J'aime un beau jour, des fontaines claires, l'aspect des montagnes, l'étendue d'une grande plaine, de belles forêts, l'océan, ses vagues, son calme, ses rivages...

J'aime encore tout ce qui touche plus particulièrement les sens, la musique, les fleurs, les beaux habits, les beaux chevaux, les bonnes odeurs, la bonne chère. » Cette sensualité s'étale : tous les libertins font l'apologie des plaisirs. Baudot de Juilly, dont le ton ironique fait scandale, voit son *Dialogue sur les plaisirs* poursuivi et supprimé en 1700. Mais avant et après lui, combien d'autres s'expriment librement ! Y a-t-il rien de plus net que les *Épîtres au chevalier de Bouillon*, de Chaulieu :

> Heureux libertin qui ne fait
> Jamais rien que ce qu'il désire,
> Et désire tout ce qu'il fait !

C'est la règle de Thélème qu'on reprend. Cette apologie du plaisir naturel est dange-reuse. Elle permet le déchaî-nement des passions et risque de discréditer le libertinage

MADAME DE MAZARIN. Portrait gravé par Bernard Picart. — CL. LAROUSSE.

NINON DE LANCLOS. Peinture attribuée à Mignard (musée de Bruxelles). — CL. BRAUN.

d'esprit par le libertinage des mœurs, qui parfois l'accom-pagne, et qui aux jours de la Régence se suffit trop souvent à lui-même.

Pourtant, à l'épreuve, chez les hommes d'esprit les plaisirs se hiérarchisent. Les voluptés faciles lassent vite. Aux soupers du Temple, la fête est pour l'esprit et le goût plutôt que pour les sens. On élève, on élargit la notion du plaisir : le plaisir de chacun n'est complet que par la vue du plaisir d'autrui.

Boursault, qui dans son *Ésope à la cour* (1701) flagelle rudement les libertins, mais garde le souci d'être juste, prête à l'un d'eux cette noble définition de la volupté :

> J'appelle volupté proprement ce qu'on nomme
> Ne se reprocher rien et vivre en honnête homme,
> Appuyer l'innocent contre l'iniquité,
> Briller moins par l'esprit que par la probité,
> Du mérite opprimé réparer l'injustice,
> Ne souhaiter de bien que pour rendre service,
> Être accessible à tous par son humanité :
> Non, rien n'est comparable à cette volupté.

La sensibilité apparaît ici. Comme honteuse d'elle-même chez les purs classiques, elle se manifeste librement, au contraire, chez ceux qui se laissent aller à la nature. Du cœur qui s'ouvre l'émotion s'échappe, contagieuse. Le spi-rituel et froid Chaulieu y est lui-même sensible :

> Esprit, tu séduis, on t'admire,
> Mais rarement on t'aimera ;
> Ce qui sûrement touchera,
> C'est ce que le cœur nous fait dire.
> C'est le langage de nos cœurs
> Qui saisit l'âme, qui l'agite,
> Et de faire couler nos pleurs
> Tu n'auras jamais le mérite.

On se livre volontiers aux larmes, où l'intellectualisme et la religion ne voient qu'une faiblesse. De Ninon de Lanclos, Mlle de Scudéry dans sa *Clélie* vantait ce mérite particulier : « Elle a le cœur sensible et sait pleurer avec ses amies affligées » ; en un sonnet célèbre et touchant, Molière se flatte de consoler le libertin Le Vayer, parce qu'il sait justifier et partager ses pleurs. Dans « les sombres plaisirs d'un cœur mélancolique », on goûte une volupté fine et de valeur exquise. Lassé des joies grossières, le libertin délicat se complaît dans une vision attristée, par-fois pessimiste ; c'est le charme spécial de quelques poèmes de Mme Deshoulières : il fait pressentir les larmes abon-dantes qu'on versera bientôt.

Valeur de la sensibilité, bonté de la nature et de ses inspirations, individualisme, confiance dans le bon sens qui juge tout d'après les résultats plutôt que d'après des principes, voilà autant de caractères de l'esprit nouveau qui, discrètement, se développent dans le milieu libertin.

Cet empirisme ondoyant, qui le plus souvent se dérobe, a paru aux esprits disciplinés et religieux du temps un dangereux adversaire. Depuis le P. Garasse, tous ont cherché à le vaincre. C'est, croyons-nous, pour se plier à ses habitudes et lui rendre la religion abordable, que les jésuites ont adopté les méthodes adroites qui soulevèrent la réprobation de ceux qui ne voulaient pas pactiser avec l'ennemi, même pour le réduire. Plus intransigeant, le jansénisme livra une bataille plus ardente. L'*Apologie de la Religion* que préparait Pascal, et dont les *Pensées* nous présentent l'ébauche, était faite à l'intention des libertins et contre eux. Bossuet, au cours de sa vie apostolique, ne les perdit jamais de vue, tantôt cherchant à éclairer ces « pauvres voyageurs égarés », tantôt recourant à l'invec-tive : « Fausse capacité ! curiosité vague et superficielle ! vanité toute pure ! » Protestants et catholiques, Abbadie et Fénelon, associaient leurs efforts. Les laïques eux-mêmes prenaient part au combat. La Bruyère entre autres, qui, de 1688 à 1691, ne cesse d'enrichir son chapitre *Des esprits forts*. D'ailleurs, si nous en croyons Antoine Arnauld, Dieu avait providentiellement suscité contre eux, dès le milieu du siècle, Descartes, « un homme qui avait toutes les qualités que ces sortes de gens pouvaient dési-rer,... une grandeur d'esprit tout à fait extraordinaire pour les sciences les plus abstraites, une application à la seule philosophie qui ne leur est pas suspecte, une profes-sion ouverte de se dépouiller de tous les préjugés com-muns, ce qui est fort de leur goût ».

SAINT-ÉVREMOND

Charles de Saint-Denis, sieur de Saint-Évremond, est né en janvier 1616. Cadet de Normandie, fortement instruit, soldat et homme du monde, il écrit parfois, mais pour lui et ses amis. Les libraires, à qui il refuse ses œuvres, les publient à son insu, d'après de mauvaises copies. Sa verve railleuse s'attaque à tout : aux gens de lettres (la Comédie des Académistes, 1643), à ses chefs militaires, tantôt aux Frondeurs et tantôt à Mazarin.

FRONTISPICE de Bernard Picart pour les « Œuvres » de Saint-Évremond (1729). — CL. LAROUSSE.

Une Lettre sur le Traité des Pyrénées, *découverte par le pouvoir en 1661, l'oblige à s'exiler. Installé en Angleterre, il semble subir l'influence de ce milieu « où l'on pense profondément », et compose les plus sérieux de ses ouvrages, quelques traités sur l'histoire et les lettres antiques, surtout des* Réflexions sur les divers génies du peuple romain. *La Hollande savante l'attire, mais il y trouve la vie « sans plaisir et sans douceur » (1665-1670). Il regagne l'Angleterre et revient à moins d'austérité. Discret, toujours attaché au pouvoir présent, il éprouve successivement la faveur de Charles II, de Jacques II, de Guillaume III. Et quand, trop tard, Louis XIV l'engage à rentrer en France, il refuse. Il a trouvé à Londres, depuis 1675, dans la présence de l'impérieuse, fantasque et charmante M*me* de Mazarin, dans la société brillante et intelligente dont elle a su s'entourer, de quoi satisfaire son vieux cœur et son esprit toujours jeune. Il meurt le 20 septembre 1703, et est enterré à Westminster, dans le coin des poètes.*

Ses Œuvres mêlées, *publiées après sa mort, à plusieurs reprises (notamment en 1729, 5 vol. in-12), contiennent sa* Vie *par Des Maizeaux. Faute de mieux, on pourra consulter une édition moderne donnée par R. de Planhol, 1927. Voir : W. Melville Daniels,* Saint-Évremond en Angleterre, *1907 ; G. Cohen,* le Séjour de Saint-Évremond en Hollande, *1926.*

Saint-Évremond, dont la longue vie recouvre assez exactement l'époque du libertinage, est qualifié à plus d'un titre pour le représenter.

Ce qui frappe en lui, c'est son allure de gentilhomme.

Destiné à la robe, il préfère le galant métier des armes ; il se montre aussi brave en campagne que séduisant dans les salons. Plus tard, à Londres, il perdra de son élégance : « Chevalier de la Triste Figure ! » dit cruellement sa Dame. Mais le vieillard reste fidèle à ses goûts et prend pour son « héros » le charmant et léger chevalier de Grammont. Du grand seigneur il a la réserve hautaine, vivant avec les gens de cour « comme un bel esprit et un savant », avec les savants « comme un homme qui a vu la guerre et le monde » ; même à l'âge où l'on aime à se souvenir et à conter, il n'a jamais consenti à parler de lui. Courtois et constant dans ses convictions, qu'il n'affiche pas, mais qu'il ne renie jamais, même à l'heure de la mort ; ferme dans cet exil, qu'il accepte à cinquante ans et qu'il supporte tout le reste de sa vie, sans jamais protester contre la volonté du roi, mais sans jamais reconnaître qu'elle soit justifiée ; plus grand quand il pourrait rentrer en grâce, et que, sans un mot amer, avec l'expression d'une vive reconnaissance, il remercie et refuse ce qu'il a trop longtemps attendu : tel il apparaît, toujours maître de lui, parce qu'il a sans doute ignoré toute passion, même l'amour, dont il n'a fait que badiner.

N'abusant de rien, il jouit de tout ; il butine les plaisirs, raffine les plus grossiers, ceux de la table, que sa vieillesse apprécie trop. La musique le ravit, et les satisfactions de l'esprit lui sont les plus chères : la lecture (il se borne sagement à quelques auteurs choisis), la conversation surtout, pour laquelle seule il recherche le monde, tous les mondes ; il se plaît à la fois au commerce des seigneurs anglais, des Français du bel air que réunit Mme de Mazarin, des réfugiés modestes et savants.

Son intelligence souple et vive accueille toutes les connaissances, se prête à tous les travaux. Il écrit des comédies, qui sont spirituelles, sinon très vivantes. A l'occasion, il vise plus haut : ses *Réflexions sur les divers génies du peuple romain* sont l'un de nos premiers livres d'histoire philosophique, et guideront Montesquieu. Soutenu par ses études, son expérience, sa réflexion, Saint-Évremond distingue entre les époques de l'histoire, découvre les causes morales et sociales des événements, juge les hommes d'après leurs mérites, et non d'après leurs succès ou leur renommée. Cependant, son triomphe, c'est l'œuvre à demi légère, non point en vers, car la poésie, à l'en croire, ne s'accommode pas trop avec le bon sens, mais en prose : certaines de ses lettres, quelques-unes de ses dissertations sur des sujets de politique, de morale, de grammaire, sont des merveilles de finesse, de sobriété, d'élégance légère et animée. Faut-il rappeler *la Conversation du maréchal d'Hocquincourt avec le P. Canaye ?*

Il aime la vie d'une ardeur obstinée, excessive : « Huit jours de vie valent mieux, dit-il, que huit siècles de gloire après la mort. » Pour profiter de cette vie, il fuit la pensée de la mort, se livre au « divertissement ». Sans doute, il sait « disposer de ses sens avec empire, et ordonner lui-même de ses plaisirs » ; l'âge vient même où « la privation des douleurs rend sa condition assez heureuse ». Mais cette sagesse d'honnête homme ne quitte point terre. Saint-Évremond évite de se laisser trop conduire par le « sale » intérêt ; parfois il se montre généreux et dévoué, mais c'est qu'alors son cœur dépasse sa doctrine : il n'a pas su se dégager de ce que d'autres libertins voyaient de son temps, à savoir qu'une bonne partie de nos plaisirs se fonde sur le plaisir d'autrui. Son déisme le conduit naturellement à la tolérance ; dans les religions diverses, il ne veut voir que ce qui unit, et ferme les yeux à ce qui divise. Mais sa haine contre le persécuteur s'atténue de tout le dédain qu'il éprouve pour le persécuté, à ses yeux également fanatique. Il ne comprend pas ces réfugiés huguenots, si nombreux à Londres, et dont il est le premier à plaindre et à secourir la misère. Que n'ont-ils fait comme il ferait lui-même ? Pourquoi ne pas plier devant la volonté du maître, en se réservant de penser ce qu'on veut, sans le dire ? Respectueux de l'indépendance morale, Saint-Évremond ne connaît pas les devoirs de la conscience. Devant la mort seulement il paraît confusément sentir ce que Lassay plus tard exprimera d'une façon bien délicate : « Ne serait-ce point une idolâtrie d'adorer ce que ma raison, qui est mon unique guide, me dit que je ne dois pas adorer ? »

Si l'on peut regretter que Saint-Évremond ne se soit pas élevé à une doctrine plus épurée, du moins a-t-il donné au libertinage un lustre inouï. Sûr, sobre, plus riche de ce qu'il suggère que de ce qu'il énonce, son style vole, alerte, souriant ; il pénètre sans blesser ; il n'entraîne point, mais satisfait. C'est le style qui, de tout temps, a fait les délices de la France. Lesage l'imitera, puis Voltaire, qui le rendra plus acéré ; ce sera le style de Paul-Louis Courier et d'Anatole France.

De son vivant déjà, quand les libraires ne donnaient de ses écrits que des éditions grossièrement fautives, non avouées de l'auteur, le public se les arrachait. Mais quand, après sa mort, on découvrit le vrai Saint-Évremond, le succès fut immense. Des éditions nombreuses ne l'épuisèrent pas : pendant plusieurs générations, jusqu'au milieu du XVIIIᵉ siècle, dévots et incroyants goûtèrent à l'envi cet aliment substantiel et léger.

LA MÉTHODE CARTÉSIENNE

*Sur l'influence cartésienne, outre les études de Brunetière et de Lanson déjà citées, il faut consulter l'*Histoire de la philosophie cartésienne, *de Francisque Bouillier, 1854.*

Le cartésianisme est avant tout une méthode. L'esprit repousse toute affirmation qui ne se fonde pas sur l'évidence. Procédant par l'observation attentive des faits, il se forme à leur propos des idées claires sur lesquelles il construit un raisonnement de rigueur géométrique : besoin de logique, de clarté, d'évidence, bien antérieur dans notre histoire intellectuelle au *Discours de la méthode,* tendance essentielle de l'esprit français que Descartes a su admirablement satisfaire et que son enseignement a confirmée chez nous pour toujours. Descartes a échafaudé aussi une physique et une métaphysique, constructions plus fragiles qui, après s'être opposées à grand effort aux anciennes théories, deviendront à leur tour choses du passé.

La méthode de Descartes, sa physique, sa métaphysique sont des éléments distincts et de valeur inégale de la « philosophie nouvelle » : on n'était pas tenu d'accepter en bloc cette philosophie. Il en est résulté de curieuses contradictions : au XVIIIᵉ siècle, les défenseurs des systèmes cartésiens du monde et de l'âme, gagnés par leur accord avec les dogmes traditionnels ou par l'autorité du nom de Descartes, seront en réalité les moins cartésiens des hommes, tandis que les vrais héritiers de l'esprit et de la méthode du maître se trouveront les plus ardents adversaires de ses doctrines physiques ou métaphysiques.

Dès le début, tandis que l'idéalisme tranquille de Descartes rassurait les consciences traditionalistes, sa méthode s'était révélée comme une maîtresse d'indépendance. D'ailleurs, ne tenait-elle pas quelque chose de ces libertins dont elle prétendait ruiner le matérialisme hésitant ? C'est d'eux que venait cette défiance pour tout ce qui n'est pas évident et clair, d'eux aussi cette prudence de conduite qui avait engagé Descartes à réserver les matières délicates, à sacrifier à l'opinion sinon la liberté du for intérieur, du moins l'expression de certaines idées. Fidèle à ces origines, la méthode cartésienne a confirmé les données de l'expérience libertine plutôt qu'elle ne les a renversées. Vulgarisée par des conférences et par des livres, elle attaque l'autorité, ébranle le dogmatisme, partout où ils se rencontrent. Elle enseigne à faire usage du libre examen, même en ces sujets que le maître s'était interdits : fixe-t-on des limites à la raison qu'on libère ? Dans le domaine de la pensée individuelle, la méthode cartésienne critique les croyances, discute le dogme et tend à l'ébranler, en détache la morale, dont elle établit l'indépendance. Elle critique les connaissances, dirige la curiosité intellectuelle, en élargit le champ. Elle critique le goût, bat en brèche les règles jusqu'alors reconnues, nie l'autorité des modèles. Les mœurs de la société relèvent aussi de sa critique : elle pose des problèmes politiques et, bouleversant la hiérarchie établie entre les conditions sociales, modifie profondément les façons de penser et de sentir.

LA CRITIQUE DES CROYANCES

Les enseignements métaphysiques de Descartes, en apparence si respectueux de la foi, la compromettaient déjà. Sa définition de la substance étendue s'accordait-elle bien avec le dogme de la « présence réelle » ? Descartes le prétendait, mais ses disciples calvinistes devaient tirer parti de sa doctrine pour justifier l'attitude de leur église à l'égard de la transsubstantiation. — La distinction absolue qu'il avait établie entre l'âme et le corps, qui fournissait un argument si fort contre le matérialisme, soulevait des difficultés : elle avait posé le problème troublant de l'esprit des animaux ; et sans doute Descartes l'avait résolu sans inquiéter la foi, en concluant à l'automatisme des bêtes ; mais cette doctrine, acceptée par beaucoup de savants, par les jansénistes, ardents vivisecteurs, révoltait le sens commun. Avec Mᵐᵉ de Sévigné et La Fontaine, bien des gens la rejetaient, et pour y échapper, chacun, comme le fabuliste, risquait son hypothèse, parfois bien dangereuse. Enfin, une doctrine qui ne reconnaît d'existence réelle qu'à la pensée ne conduit-elle pas inévitablement ou aux conséquences voisines de l'hérésie qu'en tira Malebranche, ou aux protestations ironiques du bon sens ? Ne risque-t-elle pas de dévoyer la foi ou de l'affaiblir ?

On vit donc des théologiens, d'abord indulgents au cartésianisme, se défier de lui ; leur défiance venait bien tard, car le danger pour la foi résidait moins dans tel ou tel excès particulier de la doctrine que dans sa tendance profonde, dans cet optimisme intellectuel qui l'entraînait, dans cette hautaine confiance en la raison. Quelqu'un, dès le début, l'avait compris ; c'était Pascal : « Écrire contre ceux qui approfondissent trop les sciences : Descartes », lit-on dans ses *Pensées,* et à plusieurs reprises il a attaqué l'esprit géométrique, lourd et insuffisant, qui croit atteindre la vérité et se laisse grossièrement prendre à l'erreur. Messieurs de Port-Royal, choqués de cette irrévérence à l'égard de leur héros philosophique, avaient cru devoir, dans leur première édition des *Pensées,* atténuer ces attaques ; il leur fallut plus tard les reprendre eux-mêmes, et Arnauld engagea la lutte contre Malebranche.

Bossuet, de son côté, ouvrait à la réalité des yeux clairvoyants et terrifiés : « Je vois... un grand combat se préparer contre l'Église, sous le nom de la philosophie cartésienne. Je vois naître de son sein et de ses principes, à mon avis mal entendus, plus d'une hérésie et je prévois que les conséquences qu'on en tire contre les dogmes, que nos pères ont tenus, la vont rendre odieuse et faire perdre à l'Église tout le fruit qu'elle en pouvait espérer pour établir dans l'esprit des philosophes la divinité et l'immortalité de l'âme. De ces mêmes principes mal entendus, un autre inconvénient terrible gagne sensiblement les esprits, car, sous prétexte qu'il ne faut admettre que ce qu'on entend clairement, ce qui, réduit à de certaines bornes, est très véritable, chacun se donne la liberté de dire : « J'entends ceci et je n'entends pas cela, » et sur ce seul fondement, on approuve ou on rejette tout ce qu'on veut... Il s'introduit sous ce prétexte une liberté de juger qui fait que, sans égard à la Tradition, on avance témérairement tout ce qu'on pense » (*Lettre au marquis d'Allemans*, 21 mai 1687).

N'était-ce pas plutôt Bossuet, si perspicace maintenant, qui avait d'abord mal entendu les principes cartésiens ? Et si ces principes sont dangereux appliqués par des croyants sincères comme Descartes ou Malebranche, comme le pieux Massillon qui leur doit de n'oser plus prêcher le dogme, à quelles conséquences mèneront-ils des hommes déjà détachés du catholicisme, ou même du christianisme ? Non pas encore à l'athéisme, mais au déisme de Leibniz et de ce Spinoza dont l'influence souterraine, inavouée, est si profonde sur tant d'esprits qui l'ont, d'ailleurs, bien mal connu. Mais c'est Bayle qui tient, à ce point de vue, la plus grande place dans notre histoire intellectuelle. Moins puissante que celle des deux autres philosophes, sa pensée alerte fut plus aisément accessible et l'écho en a partout retenti.

BAYLE

Pierre Bayle est né en 1647 au Carla (comté de Foix). Il étudie à l'académie protestante de Puylaurens, puis à l'université de Toulouse ; ses études, très poussées, ébranlent, avec sa santé, ses convictions religieuses. Aisément détourné du protestantisme par des objections qui surprennent sa raison (1669), il se convertit au catholicisme ; mais de nouvelles difficultés heurtent son esprit et le ramènent bientôt à la confession réformée (août 1670). Relaps, il doit s'expatrier : il en souffrira toujours. A Genève, il se forme à la philosophie cartésienne, ignorée encore dans les écoles de France ; il va l'enseigner à Sedan (1675), et après la destruction de ce centre d'études protestant (1680), il obtient à Rotterdam une chaire de philosophie et d'histoire à l' « École illustre », récemment créée.

Il y poursuit un travail acharné et commence à produire. Sans parler des Nouvelles de la République des lettres, *où, de 1684 à 1687, sa curiosité s'exerce sur les actualités intellectuelles, il expose ses doctrines dans les* Pensées sur la Comète *(1682, remaniées en 1683, continuées en 1694 et en 1704) ; il publie ensuite le* Commentaire philosophique sur les paroles de Jésus-Christ : « Contrains-les d'entrer », *où l'on prouve... qu'il n'y a*
rien de plus abominable que de faire des conversions par contrainte *(1686), puis l'*Avis important aux Réfugiés sur leur prochain retour en France *(1690). Ce dernier livre cause un scandale que les adversaires de Bayle exploitent. Il perd sa chaire et sa pension (1693). En philosophe qui n'a pas de besoins, il se réjouit de sa disgrâce à la pensée des loisirs qu'elle lui laissera pour son travail. Il donne, en 1697, son* Dictionnaire historique et critique, *qu'il augmente aussitôt et réédite en 1702, qu'il complète par les diverses parties de sa* Réponse aux questions d'un Provincial *(publiée de 1704 à 1706). Le travail et de perpétuelles polémiques altèrent sa fragile santé. Il meurt à la fin de 1706.*

Une édition définitive de ses Œuvres *a été donnée par Des Maizeaux, avec une* Vie de M. Bayle. *Cette édition a été réimprimée plusieurs fois, notamment en 1730 et dans les années suivantes : 5 tomes in-folio pour le* Dictionnaire *et 4 pour les* Œuvres diverses. *La Correspondance qu'on y trouve doit être complétée par les publications de Gigas :* Choix de la Correspondance inédite de P. Bayle *(1890) et de Dom Denis (*Revue d'histoire littéraire de la France, *1912). A. Prat a publié pour la Société des textes français modernes une édition des* Pensées sur la Comète *(1911). L'étude de M*lle *Serrurier,* Pierre Bayle en Hollande *(1912), est diligente, mais doit être consultée avec précaution.*

Voir G. Ascoli, Revue des Livres anciens, *1916 ; E. Lacoste,* Bayle, journaliste et critique littéraire, *1929 ; H. Robinson,* Bayle the sceptic, *1931.*

Les conversions successives et tout intellectuelles de Bayle attestent combien sa raison fut exigeante. Plus curieux encore que raisonneur, il a « la démangeaison de savoir en gros et en général diverses choses » et s'applique à la littérature, à l'histoire, à la politique, à la métaphysique, même à la théologie. Il a le respect du fait et ne se laisse pas lier par des formules : « J'ai, dit-il, une forte habitude d'éviter les propositions universelles et d'avoir égard en certains cas aux exceptions les plus minces. » Esprit libéral et compréhensif, il sait voir chaque question sous toutes ses faces, dégage le fort et le faible de chaque parti et, sans décider lui-même, se contente d'avoir fourni à chacun des éléments pour se décider.

Sa vie austère et pure a fait la force d'une doctrine qui a inquiété, mais qu'on ne pouvait prétendre inspirée, comme celle des libertins, par le désir de favoriser des mœurs relâchées. Dévoué au travail, doux de caractère, ennemi du ton dogmatique, il a parfois maîtrisé un penchant naturel à la satire, supprimant ou désavouant ses œuvres pour couper court aux polémiques. Mais quand une fois on l'a entraîné malgré lui dans une controverse, il s'opiniâtre, veut avoir le dernier mot, non pas tant pour le plaisir du triomphe que par attachement inébranlable au vrai.

Doué d'une intelligence rare, il a peu de goût ; pour lui, la *Phèdre* de Racine et l'*Hippolyte* de Pradon sont également « deux tragédies très achevées ». Il a des dons innés d'écrivain, le mot juste et frappant, l'insinuation malicieuse, mais il compose sans art : diffus et prolixe, il n'écrit pas mal, mais trop vite et sans sévérité pour lui-même. La satire, s'il s'y était complu, lui eût sans doute réussi : le plus soigné et le mieux venu de ses ouvrages pourrait bien être cette *Harangue*

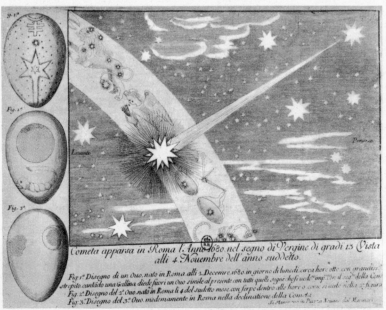

LA COMÈTE DE 1680, d'après une gravure italienne du temps (B. N., Cabinet des Estampes). — CL. LAROUSSE.

du maréchal de Luxembourg, qu'il n'a pas voulu publier. Comme critique, il séduit par son érudition abondante et légère : chacune de ses phrases instruit et divertit; il est un commentateur de génie, mais jamais un de ses développements, s'il occupe plusieurs pages, ne donne pleine satisfaction : indécis, incomplets, ils semblent railler narquoisement les promesses de leurs titres.

Le dessein de ses œuvres essentielles en marque l'originale hardiesse. Les *Pensées sur la Comète* font date dans l'histoire de la pensée française. Ce n'est point parce que Bayle y conteste les présages qu'on tire des comètes ou parce que du même coup il condamne toutes les superstitions; d'autres l'ont fait, vers le même temps, avec une égale vigueur; mais son livre présente, soutenue à l'aide d'arguments abondants et pressants, qu'adoucissent d'adroites réticences, une doctrine que les libertins n'énonçaient que comme une plausible hypothèse : la possibilité de séparer la morale et la foi.

Le *Commentaire philosophique*, ce pamphlet si différent des publications passionnées que la révocation de l'Édit de Nantes inspira, n'est pas moins nouveau : Bayle y pose froidement et fortement les assises rationnelles de la tolérance. Il mène à bien cette tâche délicate au temps où le préjugé public, chez les protestants aussi bien que chez les catholiques, s'acharnait contre le tolérant, c'est-à-dire contre l'indifférent, le sceptique, dangereux ennemi de l'État et de la foi. Intrépide, Bayle déclare les droits de la « conscience errante » : l'erreur de bonne foi, selon lui, n'est pas une faute morale. L'argument vaut pour les sectateurs de toutes les religions, même pour les mahométans et les juifs. De l'universelle tolérance il n'excepte, prudence ou conviction, que l'athéisme, et encore les doctrines qui vont contre les lois de l'État ou celles qui se montrent elles-mêmes intolérantes.

Ces réserves expliquent l'hostilité de Bayle à l'égard de ses voisins, les Réfugiés fanatiques, qui oubliaient leurs devoirs envers la France et leur roi, et provoquent cet *Avis aux Réfugiés*, ardent et violent, qu'il écrivit contre eux et qu'il attribue à « un catholique de France ». Parce qu'il s'adressait à des proscrits dont les malheurs expliquaient peut-être les fautes, l'*Avis* parut alors une trahison infâme, et c'est parce qu'ils le jugeaient sévèrement que bien des historiens ont cru pouvoir, pour l'honneur de Bayle, prétendre qu'il n'était pas de lui. Mais Bayle doit en être l'auteur, et le livre, juste, quoique sévère, exprime son invariable conviction : ses outrances de langage s'expliquent par le fait que c'est un catholique qui est censé parler.

Le grand œuvre de Bayle, c'est son *Dictionnaire*. Il n'a pas voulu composer, après d'autres, un répertoire complet d'histoire et de philosophie. De son ouvrage, conçu d'abord comme un dictionnaire des erreurs de ses devanciers, il fit plutôt un dictionnaire de leurs omissions. Ainsi il lui devint loisible de s'arrêter presque exclusivement, et sans scandale, là où il lui plut d'exprimer, avec sa prudence, mais aussi avec son adresse et sa malice coutumières, les idées hardies qu'il avait partout répandues et qu'il voulait confirmer.

Les articles historiques offrent souvent d'admirables

PIERRE BAYLE à vingt-huit ans. Gravure de Petit, reproduite en tête des éditions posthumes de son « Dictionnaire ». — CL. LAROUSSE.

leçons de méthode; Bayle rectifie des erreurs, élucide des difficultés, souligne partout l'éternelle tendance de l'homme à se leurrer, à répéter des légendes, à dorer la vérité. Il nous rappelle ironiquement au réel, humanise les héros de l'Antiquité, comme Saint-Évremond a fait des Romains. Ses articles philosophiques sont généralement courts et conformes aux doctrines orthodoxes. Mais, comme le note Des Maizeaux, « il semble que quelquefois le texte ait été fait pour les remarques »; et quelles remarques ! Nombreuses, enchevêtrées, plus volumineuses chacune que l'article lui-même, elles exposent les objections, insinuent ce qu'on n'oserait dire, dégonflent à coups d'épingle les saines opinions que l'article établissait avec une ironique assurance, minent les dogmes et s'attachent à les ruiner.

On a peine à imaginer la vogue de ces gros volumes, mais une dizaine d'éditions parues avant 1760 en témoignent. C'est dans le *Dictionnaire* que viendront chercher leurs armes les philosophes du XVIIIe siècle; Bayle les devançait sans leur ressembler tout à fait. Il est plus timide qu'eux : il établit les droits de la pensée, mais ne s'en prétend ni le champion ni le martyr, et, sans révolte comme sans lâcheté, il se soumet au pouvoir, auquel il ne songe pas à appliquer sa critique. Théoricien de la tolérance, qu'il finit par croire incompatible avec l'esprit vraiment religieux, il reconnaît qu'on doit renoncer à l'une ou à l'autre, mais ne décide pas explicitement du choix. Tout imprégné de christianisme, il a gardé la conviction que l'homme est naturellement pervers, fragile de corps, de cœur et de raison : sans doute il croit à l'efficacité de la pensée, puisque, au risque de se compromettre, il publie la sienne; mais il est loin de la confiance joyeuse dans la bonté, la force et les progrès de l'esprit humain, qui animera ses successeurs.

Riche d'idées et d'arguments, il enseigne aussi une tactique : il applique aux problèmes consacrés par la tradition ou la foi l'audacieuse critique historique et ramène tout à l'observation des faits. On trouve déjà chez lui les ruses dont les encyclopédistes feront usage : ce retour perpétuel aux idées qu'on veut implanter dans les esprits; ces objections qu'on présente naïvement en promettant une réfutation qui ne viendra pas, ou qu'on fera insuffisante; ces plaisanteries libres, grasses, qui assaisonnent la pensée austère; cette adresse déployée à abuser le pouvoir ou les adversaires; le recours à l'anonymat, à d'impudents désaveux : tout ce que l'on condamne aujourd'hui, chez lui comme chez Voltaire ou Diderot, au nom d'une stricte morale. On doit avoir plus d'indulgence et songer aux armes terribles que la coutume et la loi mettaient alors aux mains du pouvoir.

L'EXOTISME

Les esprits ont trouvé, vers le même temps, des faits curieux et des idées nouvelles dans les relations des pays lointains et des peuples étranges. Voir Pierre Martino, l'Orient dans la littérature française, 1906, et Gilbert Chinard, l'Amérique et le rêve exotique dans la littérature française au XVIIe et au XVIIIe siècle, 1913. Sur le développement de l'esprit scientifique, voir H. Brown,

Scientific organisations. Seventeenth century. France, *1934*.

Ces récits propres à alimenter les réflexions des libertins et les raisonnements des philosophes ont inspiré un certain nombre de voyages imaginaires, aujourd'hui trop oubliés, mais dont plusieurs eurent de deux à quatre éditions, par exemple la Terre Australe connue, *de G. de Foigny (1676), publiée aussi sous ce titre :* les Aventures de Jacques Sadeur. *Citons encore l'*Histoire des Sevarambes, *de Denis Veiras, d'Alais (1677-1679) ;* les Voyages et Aventures de Jacques Massé, *par Tyssot de Patot (1710) ; et aussi, pour son titre significatif, l'*Histoire de l'île de Calejava, ou l'île des Hommes raisonnables, avec le parallèle de leur morale et du christianisme, *de Claude Gilbert (1700).*

Sur les peuples de l'antique Asie et du Nouveau Monde américain on n'avait pas su grand-chose avant le XVIIᵉ siècle. Seule, la curiosité universelle d'un Montaigne s'y arrêtait parfois. Mais depuis, récits de voyages et descriptions du monde se sont multipliés et enrichis. Un petit in-quarto publié par Davity, en 1613, sur *les États, les Empires et les Principautés du monde,* successivement amélioré par Ranchin et Rocoles, se mue en 1660, accroissement symbolique, en un formidable ouvrage de six volumes in-folio.

Des livres nombreux que les voyageurs et les pères missionnaires consacrent à l'Amérique, se dégage une curieuse et ardente sympathie pour le sauvage ; on retrouve dans la tribu quelque chose de cette simplicité des anciennes républiques, où l'éducation classique accoutume à faire résider la vertu ; avant même d'être gagné au christianisme, le sauvage mène une vie plus conforme aux principes chrétiens que celle de bien des civilisés. Ainsi s'élabore peu à peu la théorie du « bon sauvage », chère aux philosophes du XVIIIᵉ siècle ; ainsi se confirment plusieurs tendances déjà signalées : la morale serait indépendante de la foi et les dogmes s'exposent à la critique de la raison. Quand le P. Lejeune rapporte de bonne grâce les objections que lui ont présentées les sauvages qu'il voulait

convertir (1637), ne croirait-on pas entendre un libertin ? « Il me souvient que, leur ayant parlé bien amplement de l'enfer et du paradis, du châtiment et de la récompense, l'un d'eux me dit : « La moitié de ton discours est bonne, l'autre ne vaut rien. Ne nous parle pas de ces feux, cela nous dégoûte. Parle-nous des biens du ciel, de vivre longtemps çà-bas, de vivre à notre aise, d'être dans les plaisirs après notre mort ; c'est par là que les hommes se gagnent. » Déjà s'annoncent les Hurons de La Hontan, de Gueudeville et de Voltaire.

L'Asie aussi éveille la curiosité, non pas seulement le Levant déjà familier, mais le lointain Orient : la Perse, le Siam, bientôt et surtout la Chine ; voilà les régions que font connaître en détail Tavernier, Chardin, Bernier, Tournefort, et les *Lettres édifiantes et curieuses,* régulièrement publiées par les missionnaires jésuites. Ici, point de sauvages, mais des peuples de civilisation très ancienne et très haute, et dont les institutions, politiques ou religieuses, sont en profond désaccord avec celles de l'Europe. De naïfs enthousiasmes s'éveillent, celui du savant Vossius, celui de tous les jésuites qui exaltent la Chine, le pays et ses habitants, Confucius et « le culte civil et politique qu'on lui rend », sa morale sublime, « puisée aux pures sources de la raison naturelle ». On reconnaît, imprudemment préparés, les arguments que Bernier et Bayle mettront en œuvre, que Voltaire à son tour utilisera d'une façon que les pères n'avaient pas prévue.

Désormais, il apparaît que les idées traditionnelles sur lesquelles on vivait, politiques, morales ou religieuses, ne sont que le lot d'une minorité, puisque, sur des espaces énormes, des peuples innombrables ignorent des principes qu'on croyait universels. Que sera-ce, quand cette terre, que l'on s'étonne de découvrir si grande et si diverse, n'apparaîtra que le moindre des mondes, un infiniment petit perdu dans l'univers ? L'homme prend conscience de sa petitesse au milieu de l'immensité.

A l'auteur qui s'efforce de dégager ses croyances et ses connaissances des préjugés de son milieu, la forme du récit de voyage s'offre naturellement. Il transporte son lecteur en quelque pays imaginaire où la raison est souveraine maîtresse, où toute religion tend au déisme, où il n'y a de morale que rationnelle, où l'organisation politique et sociale se libère des formules consacrées. Le genre offre le piquant avantage de prêter à la satire des mœurs européennes. De plus, la vraisemblance des récits, obtenue à grand renfort de dates précises et de données géographiques exactes, donne plus d'autorité aux idées que l'auteur exprime et dégage sa responsabilité : « Je fus là, telle chose m'advint » ; le voyageur ne s'en tient-il pas à rapporter, en observateur naïf, en témoin désintéressé, ce qu'il a vu et entendu ? Ainsi s'explique le succès de ces livres. Tous influencés par l'*Utopie* de Morus, ils se succèdent nombreux, des voyages interplanétaires de Cyrano de Bergerac aux aventures australes de Foigny, de Veiras ou de Tyssot de Patot. Ils inspirent Swift et de Foe qui,

MŒURS ET VERTUS RÉPUBLICAINES DES BONS SAUVAGES. Illustrations pour les « Nouveaux Voyages » du baron de La Hontan (1703). — CL. LAROUSSE.

Les académies au travail. Gravure de Sébastien Le Clerc (B. N., Cabinet des Estampes). — Cl. Larousse.

avec *Gulliver* et *Robinson*, donnent les chefs-d'œuvre du genre. Ils laissent leur trace dans maint roman de Lesage et de l'abbé Prévost, et aussi dans ces pièces « philosophiques » qu'on représente à la Foire, aux Italiens, même au Théâtre-Français : *l'Ile des Amazones* de Lesage et d'Orneval, toutes ces *Iles* et *Colonies* imaginaires *des Esclaves, de la Raison, des Femmes*, où se complut la fantaisie de Marivaux.

LA CRITIQUE DES CONNAISSANCES

On sait quelle curiosité, quelle fureur d'omniscience avaient animé Rabelais et ses contemporains. Si, après eux, le goût de l'érudition ne s'est pas perdu, la curiosité vraiment scientifique est née. On préfère, selon le mot pittoresque de Montaigne, à une tête bien pleine une tête bien faite : on critique, on discipline les connaissances. L'influence de Descartes invita les esprits à trop accorder au raisonnement abstrait, aux théories universelles, à construire des systèmes du monde, plutôt qu'à le bien connaître. Pourtant, la vieille tendance érudite maintenait les droits de la recherche analytique, dont d'autres influences confirmaient la nécessité : les principes de la méthode baconienne qui passe peu à peu en France; surtout le progrès des sciences physiques, naturelles, médicales, qui, bouleversant les idées admises, fondent leurs découvertes sur l'observation et l'expérience.

La valeur indiscutable de tout fait bien établi est une vérité dont on se pénètre : Bernier et Boileau dans leur *Requête burlesque* et leur *Arrêt burlesque*, Molière dans *le Malade imaginaire* satisfont le sentiment public en raillant ceux qui opposent aux faits les affirmations d'un maître. Mme de La Sablière manie le télescope; les auditeurs affluent aux leçons pratiques de chimie et de médecine que donnent Lémery et Du Vernay; des gens du monde fréquentent les laboratoires des savants ou en installent chez eux. L'Observatoire est fondé en 1667, le Jardin royal des plantes en 1671; l'Académie des sciences, dès

sa création (1666) et surtout quand elle se réorganise (1699), admet plus de physiciens et de naturalistes que de purs géomètres.

Assurément, le public français n'est pas dès lors gagné à la méthode expérimentale au point d'oublier son goût pour le raisonnement généralisateur; la tendance innée de la race, confirmée par l'effort cartésien, reste puissante : ce sera la faiblesse de tout le XVIIIe siècle que cette incapacité d'éviter, après une application loyale de la méthode analytique, les synthèses trop hâtives qui faussent les résultats de l'expérience. Mais si la méthode n'est pas parfaite, ne doit pas l'être de longtemps, du moins la curiosité scientifique s'est-elle orientée et partout répandue.

C'est elle qui fait éclore à travers la France ces sociétés savantes où les esprits cultivés des provinces peuvent s'enrichir par l'échange des idées et l'émulation des travaux. Parfois ce sont d'informes copies de l'Académie française, qui entretiennent les facultés oratoires plutôt que l'esprit scientifique. Plus souvent, mieux imprégnées des tendances nouvelles, elles modèlent leurs travaux sur ceux de l'Académie des inscriptions, ou même de l'Académie des sciences.

Au même besoin répondent les journaux : *le Journal des Savants*, qui paraît depuis 1665, *le Mercure*, depuis 1672, les recueils publiés par les protestants réfugiés en Hollande, enfin les *Mémoires de Trévoux*, publiés par les jésuites à partir de 1701. Parfois timides, encombrés encore de discussions théologiques, ils ne laissent pas de vulgariser les méthodes critiques de la philologie et de l'exégèse; souvent inféodés à des partis et créés spécialement pour la défense de certains principes, ils atteignent cependant un public varié, qui, négligeant leurs conclusions audacieuses ou suspectes, s'arrête à leurs analyses, s'accoutume au libre examen, se fait à propos de tout des idées claires et personnelles.

Le développement de l'esprit scientifique a fortement agi sur notre littérature. La langue s'est enrichie d'une foule de termes techniques, d'images nouvelles tirées des sciences à la mode ; elle a gagné en précision, en rapidité, en clarté. Des genres se transforment : l'histoire plus que tout autre, qui perd son caractère oratoire, recherche le fait et le document, s'attache à la psychologie des hommes, à l'évolution des mœurs et des lois, à la discussion des principes politiques et sociaux. Voltaire s'annonce et Montesquieu. Enfin des genres se créent : la science ose parler français, et Fontenelle, en vulgarisant l'astronomie, inaugure une tradition littéraire.

FONTENELLE

Bernard Le Bovier, sieur de Fontenelle, est né à Rouen en 1657. Neveu des Corneille, il s'enrôle naturellement parmi les adversaires de Racine et de Boileau. Par tradition familiale, il écrit des vers ; mais ses églogues comptent aussi peu dans son œuvre que ses tragédies, ses comédies et ses opéras. Du bel esprit où il s'est attardé, il se dégage peu à peu. En 1683, il publie des Dialogues des Morts, *fins, paradoxaux et suggestifs. Coup sur coup, il donne trois œuvres capitales : les* Entretiens sur la pluralité des mondes *(1686), l'*Histoire des oracles *(1687 ; édit. crit. p. Maigron, 1908 ; voir M. Bouchard, l'Histoire des oracles, 1947), petit livre vif et agréable tiré d'un lourd traité latin, où Fontenelle mène alertement et prudemment le combat contre le merveilleux, ébranle les miracles en ruinant les oracles, et seconde l'effort de Bayle ; la* Digression sur les Anciens et les Modernes *(1688), la mieux venue sans doute et la plus profonde des dissertations inspirées par la fameuse Querelle ; De l'origine des fables, éd. crit. p. J.-R. Carré, 1932.*

Gracieux, mesuré, discret par conduite et par goût,

ENTRETIENS SUR LA PLURALITÉ DES MONDES. Gravure de Bernard Picart ornant l'édition de 1728-1729 des « Œuvres diverses de M. de Fontenelle ». — CL. LAROUSSE.

*froid, mais moins égoïste qu'il ne l'a laissé croire, d'esprit universellement curieux, confiant en sa raison, mais exempt de pédantisme, il s'est imposé dans les salons. Toutes les académies ont tenu à honneur de l'accueillir : l'Académie française, celle des inscriptions et belles-lettres, celle des sciences, dont il fut longtemps le secrétaire, et pour laquelle il a composé l'*Histoire de l'Académie des sciences, *et des* Éloges d'académiciens. *La Société Royale de Londres, l'académie de Berlin avaient aussi voulu se l'attacher. C'est au milieu d'une considération unanime, après une vie consacrée à la pensée, qu'il mourut, à près de cent ans, en 1757.*

Ses Œuvres ont été souvent recueillies. L'édition de 1790, en 8 volumes, est la plus estimée. Voir : Maigron, Fontenelle, 1906 ; J.-R. Carré, la Philosophie de Fontenelle, 1932 ; F. Grégoire, Fontenelle, 1947.

Les *Entretiens* de Fontenelle *sur la pluralité des mondes* ont définitivement donné aux sciences leur droit de cité dans la littérature. Ils ont reçu un accueil enthousiaste, dû peut-être autant aux légers travers de l'auteur qu'à ses qualités éminentes ; mais le succès dura : le nombre des rééditions témoigne de l'influence profonde que ce petit livre a exercée sur la pensée française.

Fontenelle avait entrepris de « traiter la philosophie d'une manière qui ne fût pas philosophique ». Il a effectivement mis à la portée de tous les esprits les plus délicats problèmes de l'astronomie, et sans réclamer de ses lecteurs plus d'attention qu'ils n'en prêtaient à un roman, il n'a jamais manqué à la rigueur scientifique. Le plus sûr de ses agréments est la clarté. Il séduit par un exposé lumineux, par la forte simplicité de quelques comparaisons, par la limpidité engageante des hypothèses les plus hardies. Autre élément de succès, ce ton de badinage, cette coquetterie un peu mièvre qui surprend aujourd'hui et choquait déjà, de son temps, quelques esprits difficiles, mais qui ravissait la société mondaine où il vivait et pour laquelle il a écrit. Notons aussi l'heureuse mise en scène : par une nuit douce et belle, illuminée d'étoiles, dans un décor digne d'enchanter Jean-Jacques, Fontenelle dégage le charme poétique de l'heure et du lieu, en fait ressortir l'harmonieuse correspondance avec la joie sereine de la curiosité satisfaite. Puis ce sont des épisodes amusants ou pleins d'une grâce fine et pénétrante, comme l'apologue des roses, qui illustre si joliment le perpétuel devenir du monde. Enfin, partout se révèle un véritable talent pour intéresser le lecteur à une démonstration comme à un drame passionnant, pour lui faire souhaiter le succès d'un système avec autant d'impatience que le dénouement heureux d'une intrigue : « Figurez-vous un Allemand, nommé Copernic, qui fait main basse sur tous ces cercles différents et sur tous ces cieux solides qui avaient été imaginés par l'Antiquité. Il détruit les uns, il met les autres en pièces. Saisi d'une noble fureur d'astronome, il prend la terre et l'envoie bien loin du centre de l'univers, où elle s'était placée et, dans ce centre, il y met le soleil, à qui cet honneur était bien mieux dû. Les planètes ne tournent plus autour de la terre et ne la renferment plus au milieu du cercle qu'elles décrivent. Si elles nous éclairent, c'est en quelque sorte par hasard et parce qu'elles nous rencontrent en leur chemin. Tout tourne présentement autour du soleil. La terre y tourne elle-même et, pour la punir du long repos qu'elle s'était attribué, Copernic la charge le plus qu'il peut de tous les mouvements qu'elle donnait aux planètes et aux cieux. Enfin, de tout cet équipage céleste dont cette petite terre se faisait accompagner et environner, il ne lui est demeuré que la lune, qui tourne autour d'elle. »

Quelques idées qui se dégagent de ce livre en expliquent l'importance : il enseigne la défiance de toute affirmation qui ne s'appuie pas sur des faits contrôlés, le juste sentiment de ce que doit être, d'autant plus sûre qu'elle est plus simple, une loi scientifique; il enseigne la hardiesse à accueillir tout ce qui n'est pas impossible, ce « pourquoi non ? » que rien n'arrête; il enseigne surtout la relativité de notre être et de nos connaissances : l'immensité et la multiplicité des mondes que Fontenelle offre à notre imagination, les chiffres énormes qui expriment la grandeur ou la petitesse indéfinies, et également vertigineuses, des êtres, de l'espace et du temps, tout ruine le système où l'infirmité humaine s'obstinait orgueilleusement, et qui mettait l'homme au centre de l'univers. Fontenelle ne tire pas de ces idées les conséquences qui pourraient inquiéter le dogme; mais il affirme que cette saine vision du monde est le plus sûr bienfait de la science. N'est-ce pas déjà le principe de la philosophie voltairienne, le fondement le mieux assuré de la tolérance ? Que sont toutes les agitations humaines, vues de Jupiter ou de Sirius ? L'idée

FONTENELLE. Portrait conservé au musée de Versailles.
CL. BRAUN.

n'est pas neuve; mais elle n'avait jamais été présentée avec autant de force et d'indépendance. L'auteur de *Micromégas* raillera Fontenelle et ses élégances de menuet : le disciple ingrat ridiculise le maître à qui il doit d'écrire son conte et de l'adresser à un public prêt à le comprendre.

L'esprit moderne a d'autres obligations encore au rédacteur des *Éloges*; dans ces notices claires et intelligentes, Fontenelle fait mieux que rendre hommage à chaque savant, mieux que préciser l'état de chaque science. Il dégage et vulgarise le type sympathique du savant. Sans dissimuler ses travers, il note ses hautes qualités, la sincérité, l'oubli de soi, l'ardeur au travail; il appelle sur lui, et pour toujours, l'estime du public éclairé.

Fontenelle, avec moins de pénétration que Bayle, moins d'élégance aisée que Saint-Évremond, a uni l'agrément et le mérite essentiels de ces deux écrivains si différents.

LA CRITIQUE DU GOUT

Dans le domaine du goût pareillement, l'esprit d'indépendance trouva le dogmatisme installé, fort de l'autorité et des règles. L'histoire du combat qu'il livra est aisée à retracer, car les novateurs n'avaient point ici de mesures prudentes à observer. Les forces d'attaque étaient variées; elles furent encore disciplinées et menées par le rationalisme cartésien, dont les principes triomphent à l'issue de la longue querelle des Anciens et des Modernes. Mais l'esprit géométrique est un dangereux auxiliaire; en soumettant l'art à sa juridiction, peu s'en fallut qu'il ne l'anéantît. Le sentiment réclamera ses droits; le « cœur » devra intervenir pour contenir et tempérer l'effort de la raison, et c'est leur action combinée qui, peu à peu, renouvellera le goût.

LA QUERELLE DES ANCIENS ET DES MODERNES

Cette longue lutte se décompose en plusieurs épisodes : elle commence par quelques escarmouches comme la Querelle du Cid (1637-1638). — Puis Desmarets de Saint-Sorlin, dans les Délices de l'esprit humain (1658), dans la préface de sa Marie-Madeleine (1669) et dans

la préface de la réédition de son Clovis (1673), se justifie d'écrire des épopées modernes, fondées sur les traditions nationales et le merveilleux chrétien; mais Boileau, dans son Art poétique (1674), condamne sans appel les poèmes et la doctrine de Saint-Sorlin. — Vers le même temps, on commence à proclamer la prééminence de la langue française sur les langues anciennes. C'est l'attitude de Le Laboureur dans son livre des Avantages de la langue française sur la latine, 1669. En 1675, la querelle s'exaspère à propos d'un arc de triomphe qu'il s'agit de décorer d'une inscription : usera-t-on de la langue vulgaire ou de la langue savante ? Cette discussion se prolongera jusque vers l'an 1683, date du livre de Charpentier sur l'Excellence de la langue française. — La querelle principale consiste à mettre en parallèle les grands siècles littéraires et à préférer soit le siècle d'Auguste, soit le siècle de Louis XIV. Les hostilités s'ouvrent en 1687, dans la séance de l'Académie française où Charles Perrault lit son poème : le Siècle de Louis le Grand. La Fontaine riposte, au nom des Anciens, par son Épître à M. Huet (1687). Mais, presque aussitôt, Fontenelle publie sa Digression sur les Anciens et les Modernes et Perrault ses Parallèles des Anciens et des Modernes (1688 à 1695). Les discours de réception à l'Académie de Fontenelle (1691) et de La Bruyère (1693) sont de véritables passes d'armes. Les Réflexions sur Longin, de Boileau (1694), précèdent de peu l'apaisement, qui sera complet en 1700. — Enfin, un dernier et bref épisode, la querelle relative à Homère, est provoquée par l'Iliade mise en vers français, que publie Houdar de La Motte (1714). Mme Dacier proteste contre cette profanation (Causes de la corruption du goût, 1714). La Motte riposte (Réflexions sur la critique, 1715-1716) et Fénelon tente d'opérer une réconciliation dans sa Lettre à M. Dacier sur les occupations de l'Académie (écrite en 1714, publiée en 1716).

Voir: Hippolyte Rigault, Histoire de la Querelle des Anciens et des Modernes, 1656 ; Brunetière, la Formation de l'idée de progrès (Études critiques, t. V); Hubert Gillot, la Querelle des Anciens et des Modernes, 1914; F. Brunot, le Français en France et hors de France au XVIIe siècle, 1917; Sainte-Beuve, Lundis, t. V et t. XIII.

Il y eut, dans le parti des Modernes, bien des gens, des femmes notamment, qui admiraient les belles œuvres du temps par complaisante paresse et non par choix. Il y eut souvent chez eux d'inavouables ignorances; du moins, bien des sévérités s'expliquent par une connaissance imparfaite des œuvres qu'on jugeait. Au reste, tous en étaient là, même les défenseurs les plus convaincus des Anciens. Un Racine, un La Bruyère, un Fénelon savent le grec et goûtent les chefs-d'œuvre antiques; mais combien de lettrés, comme Boileau lui-même, en apprécient à faux les mérites ! Combien n'en ont jamais lu que les traductions, « les belles infidèles » de d'Ablancourt ou de ce « bourreau » de Tourreil ! Combien voient la Grèce et Rome avec les yeux de Mlle de Scudéry et vont reprochant à Racine d'avoir fait Pyrrhus et Achille trop barbares ! Quand on songe à cette Antiquité-là, on excuse ceux qui l'ont prise en dégoût.

Mais il y a aussi chez les Modernes un désir sincère de nouveauté, une indépendance qui regimbe devant la règle où l'on veut l'enfermer, une noble confiance en soi que méconnaît l'envie ou la sottise ; songeons aux précurseurs, Théophile, d'Urfé, Sorel, surtout songeons à Corneille, tout vibrant de hardiesse, qu'on courbe sous l'autorité après *le Cid*, qui se soumet, à demi convaincu, mais toujours prêt aux sursauts et aux écarts.

De plus, le parti des Modernes a attiré les esprits religieux qui protestent contre l'éternelle imitation des œuvres païennes, froides et choquantes pour des chrétiens. Desmarets de Saint-Sorlin a trouvé de quoi renforcer cette protestation. Pour défendre ses mauvais poèmes et avec eux ces épopées nationales ou religieuses que, de 1650 à 1675, Saint-Amant, Scudéry, Chapelain, Coras, Perrault composent à l'envi, n'a-t-il pas déjà nettement indiqué l'argument que Chateaubriand reprendra : « Il n'y a ni roman ni poème héroïque dont la beauté puisse être comparée à celle de la Sainte Écriture, soit en diversité de narration, soit en richesse de matière, soit en magnificence de descriptions, soit en tendresses amoureuses, soit en abondance, en délicatesse et en justesse d'expressions figurées » (1658). Boileau peut railler chez certains de ses contemporains le mélange ridicule du merveilleux païen et du surnaturel chrétien ; mais quand il se fait le défenseur intransigeant de l'épopée imitée d'Homère et condamne toute œuvre de sujet chrétien, Desmarets n'a-t-il pas raison contre lui ?

Plus souvent, les Modernes s'exaltent à défendre la langue française, le génie français, le règne du roi de France, bien digne de susciter des chefs-d'œuvre : l'argument séduit les cœurs et ne déplaît pas au pouvoir. Il anime le débat sur la prééminence de la langue française ; les latiniseurs s'inclinent devant lui, et devant le roi qui le fait sien. L'Académie française, gardienne et tutrice de la langue nationale, se doit de l'adopter : c'est à qui, dans les harangues académiques, comparera les langues entre elles, les siècles entre eux, Auguste à Louis, Athènes ou Rome à Paris ou à Versailles. Quand Perrault, en 1687, lit à l'Académie son poème sur *le Siècle de Louis le Grand*, siècle admirable par les victoires, par l'éclat des sciences, des arts, des lettres, il ne fait que prolonger une tradition et personne n'eût crié au scandale, si l'auteur n'avait, par défi, mis au centre de son poème une vive attaque contre Homère.

Mais c'est la « philosophie nouvelle » qui fournit aux Modernes les arguments décisifs, ceux qui affectent la rigueur de la science, et donnent à Perrault et à Fontenelle leur assurance narquoise. La *Digression* de Fontenelle *sur les Anciens et les Modernes* les présente dans leur élégante pureté.

Il pose d'abord le principe de la permanence des forces de la nature : « La question se réduit à savoir si les arbres d'autrefois étaient plus grands que ceux d'aujourd'hui. Il ne paraît pas que les chênes du moyen âge aient été moindres que ceux de l'Antiquité, ni les chênes modernes que ceux du moyen âge. La nature a entre les mains une certaine pâte qui est toujours la même... »

CHARLES PERRAULT. Portrait gravé par Édelinck, d'après Tortebat. — CL. LAROUSSE.

Fontenelle dégage un autre principe avec lequel les esprits commencent à se familiariser : l'influence des climats et des milieux. Les œuvres artistiques et littéraires la subissent comme l'homme lui-même : ce qui était adapté à la Grèce antique n'est sans doute pas ce qui convient le mieux aux Français d'aujourd'hui.

Enfin, il tire parti de l'idée de progrès indéfini, si puissante sur la pensée humaine. Bacon, Descartes, Pascal, bien d'autres avant lui avaient comparé l'humanité à un être dont l'Antiquité ne représente que la jeunesse inhabile, et qui arrive enfin à la maturité. Les connaissances récemment acquises s'ajoutent à celles qu'on avait autrefois ; les Modernes, juchés sur les épaules des Anciens, voient plus loin qu'eux ; munis de lunettes, ils voient plus clair.

Tous ces arguments sont incontestables dès que dans l'œuvre littéraire on ne considère que les idées : tous les Modernes sont près de croire, avec Perrault, qu'on juge plus sainement un ouvrage sur une traduction que sur l'original. Les Anciens se laissèrent entraîner sur ce mauvais terrain ; au lieu de faire valoir la beauté de *l'Iliade* et de *l'Odyssée*, ils s'obstinèrent à vanter la science universelle d'Homère, sa parfaite politesse, sa noblesse continue. Ce faisant, ils couraient à la défaite. C'était le principe même des Modernes qu'il eût fallu contester : que ne leur montrait-on qu'à négliger de parti pris la qualité de l'inspiration, la spontanéité des images, l'harmonie des vers, on satisfaisait peut-être la raison, mais, selon le mot du vieux Régnier, « on laissait sur le vert le noble de l'ouvrage » ?

Le succès des Modernes a eu de bons effets : il a permis le développement de genres jusqu'alors inconnus, ou réputés secondaires, de ce qu'il y a eu de plus intéressant et de plus substantiel dans la production du XVIIIe siècle. Sur les genres traditionnels, l'influence de leurs idées fut moins sensible qu'on n'eût pu le supposer. En effet, si les Modernes secouaient le joug des modèles antiques, leur raison, en se ralliant aux grandes œuvres du XVIIe siècle toutes nourries d'Antiquité, les ramenait en somme aux principes qu'ils se refusaient à recevoir de la tradition gréco-latine. C'est dire qu'ils s'en tinrent à un classicisme de seconde main, moins sincère, moins fécond, tout formel, où l'artifice imite l'art et le remplace. La Motte est d'accord avec l'*Art poétique* de Boileau quand il met en vers français et abrège *l'Iliade ;* il croit sceller l'union des deux partis, satisfaire les consciences modernes et désarmer les Anciens par son libéralisme : il se trompe, et la querelle se réveille pour quelque temps. Mais il ne s'agit déjà plus, à vrai dire, d'Anciens et de Modernes ; c'est la poésie, c'est l'art même qui sont en jeu.

LE DÉBAT SUR LA POÉSIE

Houdar de La Motte (1672-1731), qui est le héros de ce débat, est un personnage curieux. Volontiers respectueux des usages, déférent à l'égard des maîtres dont il s'approche, Boileau ou Fénelon, il est gagné par Fontenelle, dont il développe les théories littéraires avec une rare audace. Il devint, dès sa jeunesse, à demi paralytique et presque aveugle : on le recherchait pourtant dans les salons et les cafés. Spirituel, courtois, modeste, quoique enragé discuteur, il cultive tous les genres littéraires, et sur tous les problèmes exprime des idées ingé-

nieuses ; théoricien hardi et cô-toyant le paradoxe, il devance parfois les temps. Mais il resta timide dans l'exécution : son talent aimable et soigné n'a jamais produit une belle œuvre.

Le livre de Paul Dupont, Houdar de La Motte *(1898), a justement remis en honneur cet écrivain distingué. Ses Œuvres avaient été réunies en 11 volumes (1754). Signalons ici celles qui intéressent le débat sur la poésie :* les Odes, *avec un discours sur la poésie en général (1709) ;* les Œuvres de théâtre, *avec plusieurs discours sur la tragédie (1730) ; et, en réplique à la préface mise par Voltaire à son* Œdipe, *une* Suite des Réflexions sur la tragédie *(1730).*

En 1715, au cours du dernier épisode de la Querelle des Anciens et des Modernes, le débat s'était déplacé : dans l'œuvre d'Homère on attaquait la poésie même; mais personne ne semblait s'en être aperçu, tant à l'égard de la poésie la désaffection, l'incompréhension étaient générales.

D'abord, on ne la distingue guère de la versification. On trouve que ses règles étroites tyrannisent le bon sens, et un artiste tel que Fénelon la traite comme font ces législateurs d'Utopie qui la proscrivent de leurs pays imaginaires. Quelqu'un veut-il plaider pour elle ? Il ne reconnaît à l'art des vers d'autre mérite que sa difficulté. Tous ont oublié que le rôle essentiel de la poésie est d'agir sur la sensibilité, de gagner les cœurs.

Un théoricien se mit en tête de l'anéantir; ce fut La Motte, un homme qui, depuis sa jeunesse, se donnait pour poète : auteur d'odes, d'églogues, de fables, de tragédies, d'une *Iliade* rimée, il avait écrit en vers jusqu'à son discours de réception à l'Académie. Mais après avoir justifié la poésie, contre Fénelon, par le mérite de la difficulté vaincue, ce raisonneur finit par se demander si le résultat répondait au labeur. Constatant que le vers avait fait place à la prose dans l'épopée, grâce au *Télémaque*, et dans la grande comédie, grâce à Molière, il osa écrire une tragédie en prose, justifia son audace par de nombreux arguments, mais ne la poussa point jusqu'à faire représenter sa pièce. Bientôt, c'est une Ode en prose qu'il lit à l'Académie : il engage à fond le débat et le porte sur son véritable terrain.

Il distingue nettement la poésie de la versification : « La rime et la mesure, dit-il, peuvent subsister avec les idées les plus triviales et le langage le plus populaire. Et la poésie, qui n'est autre chose que la hardiesse des pensées, la vérité des images et l'énergie de l'expression, demeurera toujours ce qu'elle est, indépendamment de toute mesure. » Cette définition est capitale; elle montre la loyauté, la justesse et aussi l'insuffisance de la pensée chez La Motte : il condamne la versification de son temps à laquelle il a sacrifié lui-même; il a l'idée féconde que la poésie est indépendante de toute forme conventionnelle, et il devine qu'il peut y avoir de la poésie en prose. Mais sa définition, à certains égards si heureuse, ne tient compte que des qualités intellectuelles de la poésie, méconnaît sa puissance affective, réduit à rien la valeur rythmique, cette harmonie à laquelle il s'avouait sensible, mais que sa raison dédaignait : « Je fais quelque honte à des hommes raisonnables d'estimer plus un bruit mesuré que les idées

HOUDAR DE LA MOTTE (B. N., Cabinet des Estampes). — CL. LAROUSSE.

qui les éclairent, et les sentiments qui les touchent. »

Voltaire, qui lui a répondu, a signalé son erreur : tout pénétré lui-même de rationalisme, sensible avant tout aux mérites intellectuels d'un poème et au charme de la difficulté vaincue, il définit la poésie une éloquence, mais une « éloquence harmonieuse »; ce qui en elle « enchante toute la terre, c'est l'harmonie chantante qui naît de cette mesure difficile ». Voltaire sent juste; mais ce que ses contemporains goûtent dans la poésie, c'est surtout un plaisir d'habitude. Si l'on fait des vers tout le long du siècle, on n'y voit qu'un passe-temps, à la fois difficile et futile; et le plus grand éloge qu'on puisse faire d'un poème, c'est d'en dire, avec Duclos, qu'il est « beau comme de la prose ». Il faudra que Chénier vienne, et que viennent les Romantiques, pour rappeler aux Français le pouvoir spécifique du vers.

La Motte et Voltaire distinguaient tous deux un aspect de la vérité; plusieurs sans doute la pressentaient; l'abbé Du Bos l'avait plus nettement dégagée : adversaire de la rime, hostile à la versification du temps, mais dédaigneux de la poésie en prose, qu'il comparait à une froide estampe à côté d'un tableau, il concevait une poésie complète, œuvre unique de beauté, dont l'action saurait bouleverser le cœur. Mais, pour en arriver là, il fallait, à côté de la raison, établir les droits de la sensibilité. Ce fut l'œuvre de Du Bos.

L'ABBÉ DU BOS : APPARITION DE LA CRITIQUE DE SENTIMENT

L'abbé Du Bos (1670-1742), habitué de la Comédie et de l'Opéra, grand voyageur, diplomate mêlé aux affaires, ami des livres et des archives, a entretenu une correspondance avec tous les érudits du temps : son esprit était largement ouvert et bien meublé. De très hautes et neuves qualités d'historien, qu'on a coutume d'admirer chez Montesquieu, se rencontrent déjà chez lui ; mais plus que par son Histoire critique de la monarchie française *(1734), il nous intéresse par ses* Réflexions critiques sur la poésie et la peinture. *Elles ont paru en 1719. Complétées en 1733, elles ont été très lues et souvent rééditées pendant un demi-siècle. Voir Marcel Braunschvig,* l'Abbé Du Bos, rénovateur de la critique, *1904, et A. Lombard,* l'Abbé Du Bos, un initiateur de la pensée moderne, *1913.*

On a reproché à l'abbé Du Bos d'avoir repris une comparaison ancienne et dangereuse entre deux arts aussi différents que la poésie et la peinture, et il a lui-même marqué les capacités particulières et les limites de l'un et de l'autre. Le rapprochement lui a du moins permis d'établir une sorte de philosophie générale de l'art, de dégager la poésie de l'intelligence pour la rapprocher de la sensibilité.

L'œuvre d'art, dit-il, provoque en nous une émotion de même ordre, et plus agréable que la passion produite par l'objet qu'elle copie. Mais toute émotion est chose physique; celle-ci est la réaction d'un sens, comparable à l'ouïe ou à la vue, que Du Bos appelle le « sixième sens » et qui existe, plus ou moins développé, chez tous les individus. Le juge de l'œuvre d'art ne saurait donc être la raison, mais le sentiment, le « cœur ». Ainsi toute critique géométrique se trouve condamnée, toute discussion sur les règles ou les principes ; ou plutôt, s'il demeure légitime d'user du raisonnement, ce n'est que « pour justifier le jugement que le sentiment a porté ». Du Bos recourt, pour le faire entendre, à une pittoresque et forte comparaison : « La raison peut faire découvrir la faute qui a rendu la sauce mauvaise, mais le goût seul nous assure qu'elle est mauvaise. » C'est le triomphe de l'impressionnisme, de l'individualisme, de l'expérience en critique littéraire ; cela va contre les Anciens et leurs règles d'autorité, contre les Modernes et leurs argumentations logiques. La querelle des Anciens et des Modernes inspire, domine, explique le livre de Du Bos, qui la clôt.

Ses conclusions favorisent les Anciens. D'abord, contre les habitudes que les Modernes et l'esprit philosophique ont imposées à tout le monde, Du Bos surbordonne résolument le fond à la forme. Les Anciens sentaient ainsi quand ils parlaient de « ce je ne sais quoi » qui les séduisait chez leurs auteurs favoris et dont ils ne pouvaient rendre compte ; ils le sentaient, mais ne savaient ou n'osaient pas l'exprimer. Du Bos le proclame : l'essentiel dans l'œuvre poétique, ce n'est pas le fond, les idées ; c'est, au contraire, ce que la raison ne peut juger ou atteindre : la poésie du style, l'expression imagée et frappante, qui émeut le cœur ; c'est ensuite l'harmonie, le nombre, la vertu musicale. Parce qu'il ressent fortement ce mérite, Du Bos déplore l'insuffisance de la versification française, réduite aux pauvres effets de la rime.

S'il emprunte aux Modernes des arguments, comme cette influence des climats et des milieux qu'il analyse mieux que personne avant lui, il met en évidence les contradictions que les logiciens n'avaient pas aperçues entre leurs divers arguments. Il y a des pays prédestinés à l'éclosion de tels ou tels mérites artistiques ; « il y a des épidémies de génie, comme il y a des épidémies de peste et de fièvre » : cela n'interdit-il point de parler de progrès continu ? Du Bos établit solidement une thèse entrevue par Pascal, indiquée déjà par Boileau : il y a, dans le progrès, des vicissitudes, des hauts et des bas dus essentiellement à des causes physiques, et qui expliquent qu'en dépit de l'accumulation des connaissances et de l'accroissement des capacités techniques, l'œuvre des derniers venus se trouve parfois inférieure à celle d'artistes plus anciens.

Il n'est pas jusqu'à la tradition que Du Bos ne réhabilite à sa façon. Boileau, dont certaines outrances ne doivent pas faire oublier la pénétration, avait dit que l'antiquité d'un écrivain n'est pas un titre certain de son mérite, mais que « l'antique et constante admiration qu'on a toujours eue pour ses ouvrages est une preuve sûre et infaillible qu'on les doit admirer ». Du Bos reprend l'idée : l'unanimité des expériences individuelles dans une longue suite de générations confirme seule les données, toujours incertaines, de l'impressionnisme. La tradition est respectable, non pas comme une autorité devant laquelle on incline sa raison, mais comme un fait d'expérience dont il est légitime et nécessaire de tenir compte. Il ne faut pas oublier non plus qu'après avoir fait appel au goût et à l'expérience des siècles Du Bos en arrive à un idéal d'art qui est celui des classiques.

Les idées de Du Bos n'ont pas eu seulement une importance considérable dans l'histoire du goût litté-

raire, où elles ont peu à peu imposé leurs solutions conciliatrices ; elles ont agi sur toute la vie morale du temps, car elles étaient propres à contre-balancer la confiance superbe du XVIIIe siècle en la raison. Les poètes, les dramaturges et les romanciers ne seront pas seuls à y répondre. Cet appel au sentiment émeut aussi les moralistes et les politiques ; c'est une véritable révélation pour Vauvenargues qui, avant Rousseau, en tire toute une philosophie.

LA CRITIQUE POLITIQUE ET SOCIALE LES SALONS

Après la révocation de l'Édit de Nantes, quelques réfugiés publient à l'étranger et font passer en France des pamphlets qui agitent de graves problèmes politiques ; citons les Lettres pastorales *adressées aux fidèles de France par Jurieu (de 1686 à 1689) et les* Lettres sur les matières du temps, *par Tronchin du Breuil (1688).*

A Paris, en 1692, l'abbé de Choisy commence à réunir une sorte d'académie, qui n'a pas l'autorité d'une fondation royale, mais qui développe chez quelques-uns l'esprit historique, habitué à la critique des institutions. Des livres paraissent ; d'abord des traités théoriques dus à des juristes étrangers : Grotius est traduit par Courtin (1687, réédité en 1703), puis par Barbeyrac (1724) ; Pufendorf, par Barbeyrac (1706) ; des œuvres plus actuelles proposent des solutions aux problèmes du jour : le Détail de la France, *de Boisguillebert (1695, réédité en 1707) ; la* Dîme Royale, *de Vauban (1707), sans oublier le* Télémaque *(1699), dont on sait la fortune.*

Pendant quelques mois, autour du duc de Bourgogne, héritier du trône, se manifestent un grand espoir et un grand désir de réformes (1711). Puis vient la Régence avec ses expériences politiques. Boulainvilliers se plonge dans les études d'où sortiront son État de la France *(1727) et l'*Essai sur la noblesse de France *(1732). De nombreux citoyens se groupent, à la mode anglaise, dans le Club de l'Entresol (1724-1731) pour s'occuper du bien public ; la politique devient une manie et chacun s'y croit appelé par une vocation. Témoin l'abbé de Saint-Pierre, qui tous les ans apporte plusieurs projets relatifs à toutes les matières de gouvernement et d'administration. Voir É. Carcassonne,* Montesquieu et le problème de la constitution française au XVIIIe siècle, *1927. — Sur cet esprit curieux, pratique et raisonneur, intrigant et rêveur, voir J. Drouet, l'*Abbé de Saint-Pierre, l'homme et l'œuvre, *1912. — Sur le mouvement féministe, voir G. Reynier,* la Femme au XVIIe siècle, *1929.*

Nous avons jusqu'ici distingué, tout le long du XVIIe siècle, à l'écart de la voie royale, nombre de chemins moins fastueux, contre-allées, voies de traverse, par où s'écoule une foule dense et discrète, qui prépare l'avenir. Pourtant, il semble plus difficile de discerner la trace des préoccupations politiques, économiques, sociales, qui bientôt vont se mêler à toutes les œuvres, leur donner une allure militante et si neuve. Cette trace n'est-elle pas effacée depuis que règne la paix intérieure ? La littérature politique naît des dissensions civiles et du déclin de l'autorité. Un maître tout-puissant impose le silence ; bien plus, un bon esprit, ignorant des affaires et conscient de son incapacité, se tait de lui-même.

L'ABBÉ DU BOS, par Gaucher (B. N., Cabinet des Estampes). — CL. LAROUSSE.

C'était l'attitude de Descartes : « Je ne saurais, a-t-il écrit, aucunement approuver ces humeurs brouillonnes et inquiètes qui, n'étant appelées ni par leur naissance ni par leur fortune au maniement des affaires publiques, ne laissent pas d'y faire toujours en idée quelque nouvelle réformation, et si je pensais qu'il y eût la moindre chose en cet écrit par laquelle on me pût soupçonner de cette folie, je serais très marri de souffrir qu'il fût publié. » (*Discours de la méthode*, 2e partie.)

Sous Richelieu, une telle réserve est générale. La crise d'autorité que marque la Fronde provoque, dans des harangues parlementaires et des pamphlets de partis, quelques hardiesses de pensée. Mais sous Louis XIV, c'est, avec le silence du Parlement, le silence des écrivains, admirateurs sincères ou intéressés du pouvoir. La satire ne s'en prend qu'aux vices individuels; seuls, des prédicateurs, comme le P. Lejeune avant Bourdaloue et Soanen, haussent la voix, mais ces censeurs moraux n'incriminent pas les institutions. Bientôt, tout sera changé.

Les tendances qui se manifestent sont celles qui, au même moment, agissent sur le goût, la science ou la morale. Certains appliquent à l'examen des faits sociaux un esprit réaliste et indépendant qui les juge d'après leurs conséquences; d'autres, à ces données de l'expérience, préfèrent ou ajoutent le raisonnement généralisateur et cherchent à établir les lois de la vie sociale ou politique. Ici aussi, il y a des « libertins » et des raisonneurs, et c'est des uns comme des autres que tiendront les philosophes du XVIIIe siècle.

On rencontre d'abord des réalistes, et avant tous, mieux placé que personne pour connaître et apprécier les faits, Colbert. Cet administrateur, aux prises avec les difficultés quotidiennes du gouvernement, tire de leur considération quelques conclusions précises. Chargé de faire exécuter la justice, il aperçoit le danger des juridictions multiples, les abus de la procédure. En proie à la nécessité de faire rentrer les impôts, il ressent les inconvénients de leur multiplicité et de leur mauvaise assiette. Contraint, pour fournir aux besoins de l'État, de développer la richesse du pays, il conçoit les bienfaits de la paix et de ce qu'il appelle la « peuplade », l'importance du travail, le mérite des classes productrices. De là quelques principes de conduite; mais point de doctrine théorique. Il peut ressentir à l'occasion comme un enthousiasme intellectuel pour la grandeur des tâches auxquelles il s'applique; il ne s'y intéresse pourtant que dans la mesure où elles sont de sa fonction, il n'exprime ses idées que dans des rapports au roi et des instructions à ses commis. Ce réformateur du dedans, qui se heurte à des intérêts coalisés, n'aboutit point; il laisse seulement un grand souvenir et des idées fécondes.

Quelques réformateurs paraissent, hors du gouvernement. Ils veulent, eux aussi, remédier aux maux de l'heure; mais leur ton est tout autre : ce n'est plus au roi seulement qu'ils s'adressent, mais à leurs pairs, ou même au public; ils inaugurent l'appel à l'opinion. Ce sont, selon le mot de Colbert, qui ne les eût pas soufferts, des « particuliers sans mission », qui parlent « un seul au nom de tous », pour satisfaire leur conscience. Le premier est La Bruyère; il n'a pas eu la hardiesse originale que l'on a cru voir en lui, et d'ailleurs, s'il fait une large part à la satire des

FRONTISPICE ET PAGE DE TITRE du « Projet pour rendre la paix perpétuelle en Europe », de l'abbé de Saint-Pierre (1713). — CL. LAROUSSE.

conditions, il n'apporte pas de conclusions pratiques. On trouve au contraire dans le *Télémaque*, sous le voile du roman, une doctrine positive, inspirée des réalités contemporaines; on trouve aussi une doctrine dans les traités, publiés ou secrets, de Boisguillebert, de Vauban, de Saint-Simon et de Boulainvilliers. Grands seigneurs et hauts magistrats, qu'inquiète peu le droit naturel, mais qui considèrent les malheurs de la France et veulent y remédier, c'est toujours une situation déterminée, une erreur particulière qui commande leurs projets de réformes. Ils dénoncent les responsables : commis ou financiers, ministres, le roi lui-même, parfois le régime. D'ailleurs, ils sont d'esprit assez ouvert et d'assez bon sang français pour dégager après coup l'argument rationnel qui entraînera l'adhésion aux conclusions pratiques qu'ils ont tirées des faits.

D'autres politiques réalistes ébranlent plus rudement les idées traditionnelles; ce sont des protestants réfugiés en Hollande ou en Angleterre. La Révocation leur a montré que, l'autorité despotique d'un roi ayant pu détruire l'édit d'un autre prince, un tel régime offre peu de garanties aux sujets; que seule la nation, toujours identique à elle-même, peut prendre des décisions irrévocables; d'ailleurs, ils voient l'organisation politique des pays plus libres où ils vivent. Autre fait : les Camisards se maintiennent les armes à la main contre les troupes royales; leurs sacrifices et leur héroïsme émeuvent leurs coreligionnaires, qui, pour les disculper, affirment qu'à l'injustice du pouvoir la rébellion s'oppose justement. Aussi bien les événements d'Angleterre offrent-ils d'autres arguments de fait, qui mènent aux mêmes conclusions. L'expédition de Guillaume d'Orange, la chute de Jacques II, font réviser les principes établis, ceux qui ordonnent l'obéissance passive au souverain même malfaisant, ceux qui proclament le droit divin des rois. Louis XIV, après Ryswick, reconnaît Guillaume III, dont l'ambassadeur entre solennellement à Paris, alors que le roi détrôné traîne avec sa suite une vie misérable : voilà qui montre, après les tragiques événements de l'époque de Cromwell, qu'en fait, sinon en droit, la souveraineté des princes est précaire. A l'appui de ces considérations pratiques, on fait appel aux principes doctrinaux. Locke, Grotius, Pufendorf sont traduits et commentés. On se reporte aux idées autrefois formulées en France par les protestants et par les ligueurs ou par les politiques de la Fronde; on fait l'histoire rationnelle, et hypothétique, des sociétés; on affirme l'existence d'un contrat initial entre le peuple et le souverain; on démontre que les peuples qui ont fait les rois et leur ont donné la puissance, la possèdent naturellement, que leur droit ne saurait se prescrire et que vis-à-vis du souverain oppresseur le sujet se trouve délié du devoir consenti d'obéissance. Telles sont les idées que Jurieu exprime. Elles font horreur à bien des esprits, mais, en les discutant, Bossuet les répand. D'ailleurs, elles s'appuient sur le raisonnement cartésien. Dès 1673, un disciple de Descartes, Poulain de La Barre, avait tiré des principes du maître, et de quelques enseignements étrangers, une théorie complète de l'origine des sociétés, qui n'a peut-être pas eu grand retentissement alors, mais que Rousseau a méditée et transmise à la génération révolutionnaire.

Ainsi, du réalisme de Colbert à l'idéologie d'un Poulain de La Barre, nous avons reconnu tous les états d'esprit qui coexistent et se mêlent déjà chez quelques individus, comme l'abbé de Saint-Pierre. Ils concourent à préparer et à diriger la curiosité politique du siècle suivant, attentif aux réalités, mais souvent emporté par la manie logicienne.

Cette curiosité ne tarde pas à se manifester là où nous l'attendrions le moins; chez Fontenelle ou La Motte, chez les poètes et les auteurs tragiques, les devoirs des rois, le bien des peuples, la haine de la guerre sont des thèmes favoris, auxquels Voltaire reviendra avec insistance et plus d'éclat. Le ton, d'abord mesuré et calme, se modifie bientôt; quelques années ont passé sans apporter les améliorations espérées; on a vu imposer silence à ceux qui, comme Vauban ou Boisguillebert, osaient parler clair; l'abbé de Saint-Pierre a payé de son fauteuil académique l'indépendance de ses jugements. L'indignation gagne, la critique politique se fait plus véhémente, plus âpre, comme agressive. En outre, la sensibilité croissante trouve ici de quoi se satisfaire; le cœur s'intéresse autant que l'esprit au bien public; la sympathie humaine apparaît comme une source inépuisable d'émotions.

Un des effets les plus remarquables de la révision des valeurs sociales, c'est l'importance que prirent les femmes dans le monde. Si l'on compare les animatrices des salons nouveaux aux héroïnes des ruelles et de la Fronde, la différence est prodigieuse. Les femmes d'autrefois bornaient leur action à la galanterie et à l'intrigue : elles ont maintenant de tout autres prétentions. C'est qu'autrefois, en dépit des hyperboliques admirations de leurs adorateurs, les femmes se sentaient ravalées par le dédain des hommes. Il n'en est plus ainsi.

La simple considération des réalités quotidiennes a fait beaucoup contre l'ancien préjugé. Bien des gens, avec Molière, ont résolu la question du mariage en faveur de la femme. Ne réclame-t-il pas pour elle l'entière liberté de choisir ? Mariée contre son gré, elle a raison si elle se venge : ce n'est pas seulement propos de hardies soubrettes, ou de l'épouse perverse de George Dandin; la discrète et sage Henriette ne parle pas autrement, et les spectateurs approuvent. Au foyer conjugal librement fondé, Molière exige que règnent une confiance réciproque et l'indépendance morale de chacun. Il ridiculise les jaloux et ces « collets montés » qui, avec Arnolphe, voient dans la femme une esclave assujettie à la toute-puissance du mari. La mère, dès qu'elle a du bon sens, jouit dans la maison d'une autorité aussi respectable que celle du père.

D'ailleurs, la société fournit, sans qu'on crie au scandale ou à la merveille, l'exemple de femmes qui sont d'excellents chefs de famille : Mme de Sévigné, Mme de Lambert. La loi longtemps encore maintiendra le pouvoir absolu du père et du mari; mais les mœurs, comme il arrive souvent, devancent la loi, qu'elles tempèrent et assouplissent.

Le bon sens entrevoit une vérité peut-être plus hardie encore : à savoir qu'il n'y a pas deux morales, l'une pour les hommes, l'autre pour les femmes; les mêmes devoirs s'imposent aux deux sexes. Ninon de Lanclos se croyait le droit d'être « un honnête homme », ni moins ni plus.

Les faits aident aussi à l'émancipation intellectuelle des femmes. Comment leur interdire les satisfactions de l'esprit à l'heure où la philosophie et la science, mises en français, leur deviennent plus accessibles ? Et quels disciples pour la « philosophie nouvelle » que ces esprits libres de tout préjugé d'école ! Descartes avait trouvé dans la princesse palatine Élisabeth la plus chère de ses élèves; Malebranche croit que les femmes savent mieux lire ses livres que les hommes; Fontenelle écrit pour elles sa *Pluralité des mondes* (1686). Molière a cependant frappé un rude coup, en 1672, contre les femmes savantes, et ses vers heureux passent pour autant d'irréfutables arguments. Après lui, les partisans les plus convaincus de l'instruction féminine se montrent circonspects. Mme de Maintenon à Saint-Cyr, l'abbé Fleury dans un chapitre original et perspicace de son traité *Du choix et de la méthode des études* (1686), Fénelon dans *l'Éducation des filles*, et le P. de La Chaise dans son *Instruction chrétienne pour l'éducation des jeunes filles* (1687), même des indépendants comme Fontenelle et Mme de Lambert, tous font des concessions imposées par Molière : la femme s'instruira, mais cachera ses connaissances. Ce compromis montre à quel point les réformateurs se laissent guider par l'expérience mondaine; le raisonnement ne s'embarrasserait pas de semblables timidités.

Pourtant, certaines femmes, comme Armande et Philaminte, ne se satisfont pas de la large indépendance qu'on tend à leur accorder; et il y a des hommes avec elles qui, armés du raisonnement cartésien, font entendre de plus intransigeantes revendications. Le même Poulain de La Barre, dont nous signalions les audaces politiques, est un champion résolu de l'« égalité des sexes » : l'opinion vulgaire sur les femmes est un préjugé; assujetties à la loi du plus fort, celles-ci peuvent réclamer leur droit imprescriptible, se poser partout en égales des hommes. N'exagérons pas l'importance de hardiesses encore exceptionnelles, mais ne les négligeons pas, car dans moins d'un demi-siècle elles se retrouveront partout. D'ailleurs, c'est là que tendent naturellement, sans aller aussi loin que Poulain, tous les esprits imbus de cartésianisme. Des principes du maître ils tirent en même temps toutes les conséquences : Perrault, le Moderne, réplique en 1694 par une *Apologie des femmes* à la *Satire X* de Boileau, l'Ancien; ce sont deux querelles, mais c'est la même opposition de deux esprits. Les débats renforcent d'étroites solidarités : les Modernes défendent les femmes, et les femmes grossissent les rangs du parti moderne.

L'influence croissante des femmes explique en partie le développement du roman, cher aux femmes-auteurs aussi bien qu'aux lectrices. Leur imagination s'enchante de fantaisie, de surnaturel, de ces fées qu'après Perrault et avec Hamilton, Mme d'Aulnoye et tant d'autres dames mêlent à leurs récits. Quand ce genre lasse, l'exotisme offre un autre merveilleux; le décor prestigieux des contes orientaux ravit les femmes qui en lisent et en composent à la manière des *Mille et une Nuits* et des *Mille et un Jours*. Pour satisfaire cette imagination insatiable, on revient aux vieux romans; on rajeunit *le Roman de la Rose* (1735),

Jehan de Saintré (1724) ou *Amadis* (1750). On réédite, en les abrégeant, d'Urfé, La Calprenède et Scudéry.

La sensibilité féminine est exigeante, Mme de La Fayette lui avait fait une grande place dans le roman. La présidente Ferrand, bientôt Mme de Grafigny, surtout les lettres si émouvantes de *la Religieuse portugaise*, habituent le public aux libres élans du cœur. On veut retrouver cet attendrissement sur la scène, et les femmes assurent le succès du comique larmoyant.

C'est encore le goût féminin qui nuance ce libertinage élégant et discret, qui devient à la mode, si différent de la grivoiserie masculine. Hamilton triomphe dans ce genre ; et même des hommes pieux et honnêtes, lorsqu'ils veulent plaire à un auditoire de femmes, sont tentés, comme Massillon, de le caresser par des tableaux flatteurs, émouvants, presque voluptueux.

L'action des femmes s'exerce surtout par les salons qu'elles dirigent. La plus célèbre alors, mais peut-être la moins remarquable de ces divinités mondaines, est la duchesse du Maine. De curiosité universelle, mais incapable de sympathie, elle a fait de sa maison les « galères du bel esprit ». Proche encore des Frondeuses, dont elle partage le goût pour l'intrigue ; proche aussi des Précieuses, sans atteindre à leur infinie délicatesse, agitée et brouillonne, elle n'est pas une inspiratrice. Les merveilleux feux d'artifice qui illuminent les « grandes nuits » de Sceaux ou d'Anet sont l'image éclatante et fugitive de sa vie brillante, dont bientôt il ne restera rien.

Mme de Lambert a exercé une influence plus profonde et plus heureuse. Sans grande originalité, mais sensible aux multiples tendances de l'heure, elle les exprime dans ses ouvrages, les guide et les éclaire dans les discussions de ses « mardis » et de ses « mercredis ». Modèle dont s'inspirera Mme de Tencin, elle est vraiment l'initiatrice des salons philosophiques du siècle.

Lien vivant entre Sceaux et l'hôtel Lambert, type irritant et gracieux de la femme d'esprit du temps, il ne faut pas oublier Mlle de Launay. Victime de l'organisation sociale qui la confine dans un rôle médiocre et pénible de dame de compagnie auprès de la duchesse du Maine, elle profite cependant de tous les avantages que les idées nouvelles concèdent aux femmes. Intelligente et instruite, idole du vieux Chaulieu, du vieux Dacier, du vieux La Motte, de tous les mathématiciens et de tous les beaux esprits, amoureuse elle-même de jeunes seigneurs qui la dédaignent, elle finit par épouser un gentilhomme étranger, M. de Staal. Ainsi se conclut, prosaïquement et honnêtement, le roman aventureux de sa vie, où l'imagination et la sensibilité ont une part d'autant plus curieuse que l'héroïne est plus imprégnée de l'intellectualisme cartésien et scientifique.

LA CAUSE DES FEMMES (1687).   ARLEQUIN DÉFENSEUR DU BEAU SEXE (1694).

Deux pièces d'actualité (« Théâtre italien », de Gherardi, 1700), inspirées par le débat sur les mérites des femmes. — CL. LAROUSSE.

L'INFLUENCE ANGLAISE

Georges Ascoli, la Grande-Bretagne devant l'opinion française au XVIIe siècle, *2 vol. in-8°, 1930.*

Notre littérature, pour d'apparentes raisons de voisinage, de parenté intellectuelle et de politique, avait été très sensible aux influences méridionales. L'italien était, au XVIIe siècle, couramment compris des gens instruits, à qui les conteurs et les poètes de la péninsule étaient aussi familiers que les nôtres. Quant à la continuité de notre goût pour l'Espagne, elle est attestée par le succès des *Mémoires de la Cour d'Espagne* de Mme d'Aulnoye, par les traductions de Balthazar Gracian et de tant de nouvellistes, par le regain de faveur dont jouit *Don Quichotte* au début du XVIIIe siècle, enfin par toute l'œuvre de notre Lesage.

Cependant, au cours du XVIIe siècle, la curiosité s'est tournée vers l'Angleterre. La grandeur d'Élisabeth, le renom de Jacques Stuart, ami de tout ce qu'il y avait de lettré chez nous, accoutumèrent les esprits à joindre à l'Europe civilisée ces îles que les scrupules des géographes persistaient à en séparer. Le mariage de la fille d'Henri IV avec Charles Ier a fait prendre aux Français un intérêt plus étroit aux choses d'Angleterre. Après les troubles civils et l'exécution de Charles Ier, qui a douloureusement retenti, le refuge de la Cour anglaise en France permet de mieux connaître ces étrangers, bien proches de nous, et la grandeur que Cromwell donne à son pays impose l'admiration. La restauration de Charles II, le règne de ce prince attaché à la politique et aux mœurs françaises, les espoirs catholiques qui accompagnent Jacques II sur le trône, rapprochent encore l'Angleterre de la France. L'expédition de Guillaume d'Orange et, pendant qu'à nouveau l'exil amène chez nous un prince détrôné et ses partisans, une longue guerre contre la nation infidèle à ses rois, irritent les Français, mais leur révèlent la puissance et la valeur de ces adversaires. Aussi, quand, après Ryswick, Guillaume III a été reconnu par Louis XIV, une foule curieuse s'empresse à l'entrée de son ambassadeur à Paris. Point d'antipathie nationale, d'ailleurs ; si les drames récents réveillent parfois d'anciens ressentiments, ceux-ci sont fugitifs et sans amertume. La défiance qui subsiste est surtout religieuse ou politique ; elle souligne les différences des tempéraments et avive la curiosité.

On s'instruit sur l'Angleterre dans les descriptions du monde dues à de soigneux compilateurs, mieux encore dans les conversations ou les mémoires des voyageurs chaque jour plus nombreux, des protestants qui ont trouvé outre-Manche un refuge. Ces voyageurs, ces réfugiés, ont vu le pays et l'ont bien vu. Voltaire, un peu plus tard, n'ajoutera rien à la description des lieux et des hommes, qu'une composition plus serrée, son talent de narrateur, le style qui grave dans l'esprit, en termes inoubliables, ce qu'on avait entrevu et négligé dans l'indécision grise d'une relation froide et sans génie. Les traits essentiels du peuple anglais ont déjà frappé, quelquefois choqué, toujours surpris : on admire en lui le mépris des ambitions mesquines, de l'opinion et de l'autorité, la profondeur de pensée, le goût de l'action âpre, obstinée, qui doit réussir. Un type un peu conventionnel se dessine, qui n'est pas exempt de travers, séduisant dans son étrangeté, et qu'on ne sacrifie plus si vite à l'« honnête homme » de France.

En regardant de plus près le pays, qu'aperçoit-on ? Un régime libéral solidement installé, une nation peu chargée d'impôts, dont chaque membre jouit de la prospérité générale, s'intéresse à la chose publique et donne librement son avis : quel spectacle pour le « libertin » français prêt à accueillir la leçon des faits ! Au Club de l'Entresol on garde les yeux fixés sur le pays voisin ; Voltaire et Montesquieu trouvent en Angleterre un type idéal de gouvernement. Voilà qui est plus important pour l'histoire de nos idées politiques que les apologies pour les événements de 1650 ou de 1689, que toutes les thèses extrêmes contre l'obéissance passive et la souveraineté absolue.

L'influence religieuse est importante et continue. Avant que Voltaire y insiste avec complaisance, bien d'autres ont appris au public français, et Bossuet tout le premier, que là-bas les sectes vivent librement à côté les unes des autres. Le déisme, sans avoir besoin de recourir à des précautions adroites, s'y exprime avec netteté et franchise ; certains, sans être inquiétés, semblent même ne point s'arrêter au déisme.

Voilà ce qu'on sait en gros. Y a-t-il, avant 1730, des actions plus directes et plus précises ? N'oublions point que les Français ignorent généralement la langue anglaise, qui passe longtemps pour barbare et inutile. Seules atteignent le public les œuvres rédigées en latin et celles que des traducteurs ont mises en français, au hasard de leur goût personnel, de l'occasion, des préoccupations polémiques. Les journaux en analysent quelques autres : le *Journal des savants*, qui a eu de la peine à s'assurer un rédacteur maître de la langue ; les *Mémoires de Trévoux*, que n'effrayent point les penseurs hérétiques ; surtout les journaux des réfugiés, et, le XVIIIe s'avançant, *le Pour et Contre* (1733), où l'abbé Prévost consacre à l'Angleterre le meilleur de son effort.

Que connaît-on ? De la littérature proprement dite, peu de chose, et des poètes, presque rien. Abel Boyer, en 1713, s'indigne que « la plupart des étrangers ignorent le génie et le goût des Anglais pour la poésie ». De Milton, pendant longtemps, on n'a connu, et avec horreur, que l'œuvre politique ; entre 1715 et 1720 seulement on commence à soupçonner son génie poétique, et des traductions se préparent. Dryden n'est qu'un nom, comme l'avaient été Waller et Butler ; de Pope, on lira les poèmes philosophiques sur *la Critique* et sur *l'Homme* ; mais, s'il est plus accessible, c'est parce qu'il a profondément subi l'influence classique et qu'il est moins typiquement anglais.

Dans le roman, l'influence anglaise n'exerce encore que peu d'action. On voit publier partout des histoires anglaises, rhapsodies sans vérité ni couleur, dont les auteurs semblent ignorer tout de l'Angleterre, même s'ils y ont été, même s'ils y vivent. Dans la première moitié du XVIIIe siècle, l'influence est surtout dans l'autre sens ; ce sont les œuvres françaises qui inspirent ce Fielding et ce Richardson, que Desfontaines, La Place et Prévost traduiront, entre 1740 et 1750, et livreront à l'adoration des Français.

Du théâtre tragique, les Français connaissent quelques titres, quelques traits. Pendant le XVIIe siècle, Shakespeare et Ben Jonson sont à peine cités ; Voltaire donne le premier une idée plus précise du drame du temps d'Élisabeth : il croit l'imiter en usant de quelque liberté dans le choix des personnages, dans la composition ou la mise en scène. La seule pièce qu'on admire vraiment avant 1730, c'est justement la moins anglaise, *Caton*, où Addison s'est efforcé de naturaliser en Angleterre quelque chose qui ressemble à notre tragédie.

La comédie est peut-être moins méconnue. Saint-Évremond a écrit, dans le goût de Ben Jonson, *Sir Politick Would Be*. Des pièces de Wicherley et de Van Brugh ont été traduites, et adoucies, vers 1700. Plus tard, Destouches adapte, mais n'ose pas faire jouer, *le Tambour nocturne* d'Addison et quelques scènes des fantai-

LOUIS XIV REÇOIT JACQUES II A SAINT-GERMAIN (B. N., Cabinet des Estampes).
CL. LAROUSSE.

sies légères de Shakespeare. Les comédies émouvantes de Lillo et de Moore, *le Marchand de Londres* et *le Joueur*, vers le milieu du siècle, seront les premières à connaître vraiment le succès, et aideront à la formation et à la diffusion du drame bourgeois.

La pensée anglaise a déjà efficacement agi sur l'érudition, et aussi sur les sciences physiques. La Société Royale, dès sa constitution, et les *Transactions philosophiques* qu'elle publie jouissent d'une juste notoriété; on parle partout des belles expériences qu'on fait à Londres selon les principes de la méthode baconienne, et les Français de passage y assistent, émerveillés.

Bacon, au reste, est connu tout entier; ses œuvres ont passé en français, mais peut-être apprécie-t-on moins son *Novum Organum* que ses *Essais moraux* et ses *Essais moraux* que ses opuscules historiques. Hobbes a été connu en France aussi vite qu'en Angleterre; son *De Cive*, publié d'abord par des Français, bien vite traduit ainsi que le *Corps politique*, marque les esprits les plus divers : Saint-Évremond, Bossuet et les faiseurs de républiques utopiques. Mais c'est Locke qui exerce la plus grande influence philosophique. Ses traités essentiels ont tous été traduits avant 1700, parfois à plusieurs reprises : ses œuvres politiques, qui font la théorie du gouvernement issu de la révolution de 1688; son essai sur l'*Éducation des enfants*, fortement imprégné de Montaigne, mais qui précise une méthode; ses livrets religieux, *le Christianisme raisonnable*, la *Lettre sur la tolérance*, timides encore, mais d'un franc libéralisme, et qui agissent d'autant mieux qu'ils effarouchent moins; enfin, son grand œuvre, l'*Essai sur l'entendement humain*, dont la méthode aboutit là où menait en France le double effort libertin et cartésien. Locke a confiance dans la raison, mais il pose les bornes de son domaine; dédaigneux de la métaphysique, il habitue l'esprit à ne se fier qu'à l'expérience, il marque l'importance de la sensation, première éducatrice de l'homme, qui rend compte de tout ce qui est dans l'intelligence. Ce matérialisme affectif, qui enchantera Voltaire et animera Vauvenargues, a déjà conquis et dirigé Du Bos. La pensée de Locke, si souvent traduite et analysée, surtout par les protestants français dont elle satisfait les tendances, s'est infusée dans la pensée française. Voltaire en était inconsciemment imprégné : d'où l'enthousiasme qu'il ressent quand il croit le découvrir en Angleterre et s'y retrouve tout entier.

Plus que les philosophes doctrinaux, les psychologues et les moralistes mondains agissent sur les esprits français : le marquis d'Halifax, dont les *Étrennes ou conseils d'un homme de qualité à sa fille* seront traduits et retraduits à partir de 1692, modèle souvent plagié et qui promet le

PAGE DE TITRE des « Mémoires d'Angleterre », de Henri Misson (1698).
CL. LAROUSSE.

UNE COMÉDIE DANS LE GOUT ANGLAIS : « Sir Politick Would Be », de Saint-Évremond. Gravure de Bernard Picart. — CL. LAROUSSE.

succès à ses imitateurs; le chevalier Temple, Addison et Steele, dont le *Spectateur*, et d'autres périodiques, traduits ou imités pendant tout le siècle, répandent la pensée vive, claire, saine et ironique; enfin Shaftesbury, dont les ouvrages passent en français dès qu'ils paraissent : il a plus de part dans la diffusion du « philosophisme » que les maîtres qui, comme Locke, l'ont formé, mais à qui il ajoute l'agrément de sa verve caustique, de son élégance noble et vive; il satisfait tous ceux qu'a formés le libertinage, qui veulent une morale humaine et sont moins soucieux des principes que du bon sens et des nécessités pratiques. Ces hommes, et avec eux de Foe et Swift, qui joignent aux idées le piquant d'une fiction ingénieuse, sont les agents de la première crise d'anglomanie qui emporte le public français avant 1730, et assure à l'abbé Prévost et à Voltaire une foule de lecteurs d'avance conquis.

II. — MORALISTES ET POLITIQUES

LA BRUYÈRE

Jean de La Bruyère est né à Paris, en août 1645, d'une famille de petite bourgeoisie. Il y a fait des études de droit; licencié en 1665, reçu avocat au Parlement, il ne plaida point. A la mort de son oncle et parrain, un legs lui permet d'acheter la charge de trésorier des finances de la généralité de Caen (1673) : il n'est pas astreint à la résidence, et de son office, dont il sera titulaire jusqu'en 1686, il ne connaît que l'honnête revenu. Il vit donc à Paris, oisif et obscur, partageant sans doute son temps entre la promenade, la lecture, la comédie, le sermon, et aussi la composition littéraire, s'il est vrai que son grand ouvrage ait été entrepris dès 1668. Nous ne savons rien des cercles qu'il a fréquentés et de ses amis, sinon que Bossuet le fait entrer, le 15 août 1684, chez les Condé. Le voici, pour la vie, « domestique » dans cette maison, d'abord sous-précepteur du duc de Bourbon, bientôt, quand l'éducation de ce prince sera terminée (1687), gentilhomme de M. le Duc.

En 1688, il fait paraître les Caractères de Théophraste, traduits du grec, avec les Caractères ou les Mœurs de ce siècle. Il s'est abstenu de signer son ouvrage : par délicate réserve plutôt que par prudence, car le bruit se répand partout, et il ne le dément pas, qu'il en est l'auteur. Trois éditions s'épuisent en un an ; l'œuvre ne cesse de s'accroître et prend sa forme définitive avec la huitième édition, en 1694. La Bruyère vient d'être admis à l'Académie française (1693), et son élection a été un triomphe, difficilement obtenu, pour le parti des Anciens. Son Discours de réception, agressif, précédé d'une Préface plus vive encore, paraît dans cette même édition de 1694.

Après avoir, pendant quelques années, brillé sur la scène littéraire, il se retire à demi. De Chantilly, il s'intéresse en homme pieux à la controverse théologique qui met aux prises Bossuet et Fénelon, et s'efforce de soutenir la cause de son protecteur et ami par des Dialogues sur le Quiétisme. Il meurt à cinquante et un ans, le 11 mai 1696.

Ses Œuvres complètes ont été éditées par G. Servois, 3 vol., 1865-1868 (nouvelle édition 1923). Voir les études de Sainte-Beuve (Portraits littéraires, t. I), de Taine (Nouveaux Essais de critique et d'histoire), de Prévost-Paradol (Études sur les moralistes français). On lira avec profit Maurice Lange, La Bruyère critique des conditions et des institutions sociales, 1909 ; et G. Michaut, La Bruyère, 1936.

La Bruyère fut un de ces bourgeois français qui, à l'indépendance de l'esprit, joignent, par un sentiment inné de la mesure, le respect de l'opinion, cette forme vulgaire de l'esprit de tradition. Traditionaliste et indépendant, il l'était de race : des ancêtres ligueurs lui avaient transmis, avec une foi sincère, mais moins âpre, quelque chose de leur impétueuse impatience. Traditionaliste et indépendant, il l'était devenu plus encore pour avoir reçu cette éducation juridique qui dresse à la discussion, mais enseigne la force de la coutume.

Parisien attaché à sa ville, et qui trouvait trop longs les rares déplacements auxquels il ne put se soustraire, il s'assura les moyens de vivre à Paris dans une honorable liberté. On aimerait à le suivre pendant ces longues années où, baignant en pleine bourgeoisie, déjà préoccupé de son livre, il regarde de près la « Ville ». Ceux qui l'ont connu s'accordent à le dépeindre comme un fort honnête homme, de commerce agréable, gai, instruit, discret, soucieux de plaire ; mais parce que la nature, selon le mot de Boileau, « ne l'a point fait aussi agréable qu'il a envie de l'être », ses efforts lui donnent une allure contrainte, presque risible.

La situation qu'il occupe ensuite dans la maison des princes de Condé n'est pas pour atténuer cette gaucherie. Il s'estime peut-être heureux d'être mis à même de compléter son enquête de moraliste, d'étudier de près la « Cour », les « Grands », ceux qui dirigent la « République ». Mais combien de heurts douloureux pour une nature délicate ! Le grand Condé est un héros, admirable par des mérites éminents et divers auxquels La Bruyère rend hommage dans le fameux portrait d'Æmile, mais il lui manque les « moindres vertus », celles justement que les familiers souhaiteraient chez leur maître. Le prince meurt bientôt, et son fils a hérité surtout ses défauts. Quant à son petit-fils, ce duc de Bourbon à qui La Bruyère fut

spécialement attaché, c'est un jeune homme inattentif, indocile, qui ne se soucie guère, à seize ans, d'achever une instruction à demi faite, ou plutôt à demi manquée. Il a la violence de son père. Saint-Simon nous le montre « brutal, farouche » ; s' « il sait avoir des grâces » quand il veut, « il le veut très rarement » et ne se met guère en frais pour le précepteur dont la présence prolongée ne lui rappelle que des études sans agrément et sans fruit. La jeune princesse qu'il épouse, fille du roi et de Mme de Montespan, ne change rien à l'humeur de ces Condé, qui allient toujours la dureté à l'esprit. « Méprisante, moqueuse, piquante, dit Saint-Simon, implacable, féconde en artifices noirs et en chansons les plus cruelles, dont elle affublait gaîment les personnes qu'elle semblait aimer et qui passaient leur vie avec elle », elle est la digne belle-sœur de cette Louise-Bénédicte de Bourbon qui grandit alors et deviendra la duchesse du Maine ; elle est la digne épouse du persécuteur de Santeul. D'ailleurs, à côté de ces « Enfants des Dieux » qu'il faut adorer en les subissant, il y a, plus proches et d'autant plus odieux, les favoris, qui affectent et aggravent l'insolence et les vices des maîtres. Malheureusement nous sommes réduits aux demi-confidences de La Bruyère. Mal renseignés sur sa vie, ne disposant que de quelques témoignages, nous pouvons du moins nous représenter sa nature vivante et vibrante, grâce à son portrait, peint par Saint-Jean, dont un contemporain atteste qu'il donne « une parfaite idée de son visage ». On y remarque l'irrégularité des yeux, dont l'un est calme et l'autre douloureux ; sous les plis profonds qui la séparent des joues, la bouche fine se contracte : figure rude, sans grâce, qu'illumine une âme impressionnable et riche.

On a souvent tenté de découvrir dans *les Caractères* un plan logique qui serait le plan même de La Bruyère ; mais les résultats obtenus ne répondent guère à l'ingéniosité des efforts. Il semble plutôt que la composition en ait été factice, sans doute parce qu'il était difficile à La Bruyère de classer avec rigueur tant de remarques dispersées, peut-être aussi parce qu'il a recherché la variété et obéi à un souci de prudence. Sans parler des caricatures individuelles dont il ne s'était pas toujours gardé et qui assurèrent d'abord à son livre un succès de scandale, ses observations de portée plus générale sur les mœurs et les conditions des hommes auraient risqué, mieux groupées, de paraître audacieuses.

La satire morale ne se fonde pas, chez La Bruyère, sur une doctrine originale et profonde. M. Jasinski a montré de combien de souvenirs et d'emprunts est faite cette doctrine. Parfois on est tenté de le croire acquis à un pessimisme radical, mais il se charge bientôt de détruire cette opinion : sa vive sensibilité, qui est bien ce qu'il y a en lui d'essentiel et de plus nouveau, a vite réchauffé son âme et son livre. Moins systématique que tel autre moraliste, il est peut-être plus exact, mais moins puissant : on trouve dans son livre des vérités partielles et multiples ; on n'y trouve jamais cette vérité saisissante qui illumine jusqu'au fond de l'être, jamais un grand souffle qui entraîne le lecteur, révolté peut-être, mais dominé.

La satire sociale, chez La Bruyère, captive davantage. Sans doute, elle n'est pas complète : par souci de sincérité, La Bruyère laisse à peu près dans l'ombre ce qu'il n'a pas connu lui-même, la province et le peuple ; et sa partialité épargne la petite bourgeoisie, dont il sort. Il est timoré et conservateur. Il s'effare parfois sans conclure devant un conflit qu'il signale entre la loi écrite et le devoir moral (sur les fidéicommis : *De quelques Usages*, 60). Là où il semble le plus hardi, quand il s'élève contre les hommes d'argent, contre les grands sans mérite et sans âme, contre les abbés de cour ou les prédicateurs mondains, il est soutenu par les lois en vigueur, par les règlements civils ou ecclésiastiques, et par l'opinion publique ; il fait docilement écho à la voix des sermonnaires. Pourtant, l'intervention inouïe de ce laïque marque les progrès de l'esprit réformateur. C'en est fait de l'indifférence sociale; un vif sentiment de sympathie humaine, un élan démocratique emportent le livre. Avec quelle violence (*Des biens de Fortune*, 26) La Bruyère oppose le pauvre au riche ! Il ressent profondément les misères des paysans, ces pauvres animaux qui couvrent les campagnes (*De l'Homme*, 128). Pris d'effroi entre l'excès de leur malheur et l'excès non moins odieux des abus qui l'aggravent, il s'écrie anxieusement : « Je ne veux être, si je le peux, ni malheureux ni heureux ; je me jette et me réfugie dans la médiocrité » (*Des biens de Fortune*, 47) ; s'il faut opter cependant, c'est aux malheureux qu'il tend les bras : « Je ne balance pas, je veux être peuple » (*Des Grands*, 25).

La pensée de La Bruyère n'est pas partout aussi nette. On s'est étonné des contradictions qu'on y rencontre : on les a expliquées par la nervosité d'un homme qu'on n'hésite point à croire « soumis à une perpétuelle oscillation ». Il y a là quelque exagération. On ne tient pas assez compte du caractère complexe du livre que nous avons actuellement sous les yeux, accru à plusieurs reprises, sans que l'auteur ait presque rien biffé, même quand une idée nouvelle ne s'accordait pas avec une idée autrefois énoncée. Si l'on prête attention aux dates où les différents morceaux furent écrits, on s'aperçoit que des contradictions surprenantes s'expliquent par une très naturelle évolution. Nous ne nous étonnons pas de voir La Bruyère protester, en 1692, contre l'abus qu'on fait du mot « bel-esprit » (*Des Jugements*, 20) et reprendre à son compte, en 1694, ce mot, dans son nouvel emploi, pour en accabler Fontenelle : deux années écoulées lui ont permis de s'y accoutumer (*De la Société et de la Conversation*, 75).

Nous étonnerons-nous davantage si le temps a modifié ses idées sociales ? Parlant du peuple et des grands, il a chaque jour plus de hardiesse, et moins d'amertume. Mais c'est surtout à l'égard des hommes d'argent que l'évolution apparaît claire et significative. D'abord emporté par la haine de l'homme de pensée pour le sot qui s'est enrichi (*Des biens de Fortune*, 38 [1688-1690]), de l'homme sensible pour le riche dangereux (*ibid.*, 35 [1690]), La Bruyère s'adoucit, revient aux consolations hautaines de la morale traditionnelle (*ibid.*, 49 [1692]) ; enfin, dominant tout mépris et toute haine, il aboutit à l'ironie indulgente (*ibid.*, 55 [1694]). Incertain dans son caractère et dans sa doctrine, La Bruyère l'est aussi dans ses goûts littéraires. Formé lors de l'épanouissement du grand art classique, son jeune esprit a été conquis aux Anciens par leurs chefs-d'œuvre. Tout comme le chrétien sincère qu'il est se soumet à la foi et se détourne impatiemment des libertins orgueilleux, des « esprits forts », de même l'artiste, imprégné d'une forte culture antique, respecte les règles de l'art dominant et s'emporte contre l'impudence des Modernes, « semblables à ces enfants drus et forts d'un bon lait qu'ils ont sucé, qui battent leur nourrice ». Pourtant son œuvre fait assez voir qu'il est lui-même déjà loin du pur goût classique.

Est-ce l'effet de son tempérament impressionnable, chez qui toute sensation est vive et absor-

JEAN DE LA BRUYÈRE. Gravure de Drevet, d'après Saint-Jean. CL. LAROUSSE.

UN « PARTISAN » au temps de La Bruyère. Gravure de N. Bonnart. — CL. LAROUSSE.

bante? Est-il inconsciemment gagné par la tendance, familière à ses contemporains, à s'arrêter au fait d'expérience ? En tout cas, l'intellectualisme de l'école dont il se réclame n'est pas son fait. La maxime a rarement chez lui ce caractère universel et sentencieux où se plaisait La Rochefoucauld. C'est une réflexion nuancée, qui garde un aspect actuel; elle se mue souvent en une description pittoresque, en un portrait curieux, où l'idée, loin de se dégager, s'enveloppe d'un vêtement matériel, se réalise en un geste, en une ligne, quelquefois en une multiplicité de gestes et de lignes qui risquent de l'offusquer au lieu de l'illustrer.

Ces portraits sont la meilleure part du livre. L'idée n'en était pas tout à fait nouvelle. Les portraits du milieu du siècle, dans les romans ou traités à part, restent abstraits et flous. La Bruyère a pu se souvenir de ceux de l'Anglais Hales, traduits en français. Mais il a renouvelé le genre. D'édition en édition il a multiplié ces portraits. Il a pris plaisir à les nuancer et à les varier. C'est tantôt un « instantané » qui fixe une vision rapide et saisissante; tantôt une série de croquis, au trait léger, développe à nos yeux un « portrait biographique ». Plus souvent c'est une image animée, qui révèle les gestes les plus furtifs et donne l'impression de la vie mobile. Il arrive que ces portraits s'affrontent : Giton et Phédon, le riche et le pauvre; il faut alors admirer la souplesse de l'artiste, qui atténue ce qu'auraient d'affecté et de raide deux types qui s'opposent trait pour trait. Parfois enfin le peintre s'essaie à des groupes, où une composition sûre ordonne les masses, sans sacrifier la vérité du détail. Variété dans la manière, variété aussi dans les sujets : ou bien l'on nous montre l'homme d'un vice; ou bien le héros, plus complexe, unit en lui plusieurs travers voisins et dont l'union est presque nécessaire : ainsi Gnathon, égoïste et glouton. Quelquefois le personnage est plus riche encore : chez Hermippe, divers défauts se rencontrent qui pourraient fort bien ne pas coexister. Où est l'unité du type classique universel ? C'est un individu déterminé qui revit devant nous; de tels portraits font bien voir qu'en dépit des protestations de La Bruyère les clefs n'avaient pas toujours tort de nommer des originaux.

L'art qui se révèle partout, dans les Caractères, c'est celui du dramaturge. La Bruyère trouve le détail extérieur, le geste, le mot où s'exprime l'âme. Il y a même dans ses tableaux cette nuance d'excès, cet enthousiasme satirique, qui intensifie la ressemblance de la caricature, ou fait « passer la rampe » au travers qui, contenu dans de plus strictes limites, risquerait de ne pas être aperçu. L'auteur cependant se surveille; il ne s'emporte jamais hors de la vraisemblance : attentif à la réalité quotidienne, il a repris à sa façon le Tartuffe ou le Misanthrope, dont le grossissement abstracteur et symbolique choquait à ses yeux l'exacte vérité. Aussi a-t-il exercé au théâtre une grande influence : la foule des auteurs comiques qui viennent après Molière a été façonnée par La Bruyère autant que par le grand, l'inimitable modèle. Dancourt, Lesage et Destouches lui constituent une postérité plus flatteuse que ces psychologues d'occasion qui, devant le succès des Caractères, ont multiplié de médiocres compilations morales.

C'est comme maître du style que La Bruyère attire le plus justement l'admiration. Il a utilisé toutes les ressources d'un riche vocabulaire, où le terme propre, même rare ou technique, s'impose et ravit. Il a varié la phrase presque à l'infini : affirmations, interrogations, dénégations, suppositions, insinuations, exclamations, se suivent, se croisent, se jouent dans ses pages. Quelquefois il a l'ampleur périodique; plus souvent c'est la concision pleine et forte, ou même la formule épigrammatique, digne du marbre. Surtout il a un incomparable don d'ironie, l'art de se faire entendre en n'exprimant sa pensée qu'à moitié, parfois sans paraître rien dire. Appréciez ce crayon léger et suggestif :

« Théonas, abbé depuis trente ans, se lassait de l'être; on a moins d'ardeur et d'impatience à se voir habiller de pourpre qu'il en avait de porter une croix d'or sur sa poitrine; et parce que les grandes fêtes se passaient toujours sans rien changer à sa fortune, il murmurait contre le temps présent, trouvait l'État mal gouverné et n'en prédisait rien que de sinistre. Convenant en son cœur que le mérite est dangereux dans les Cours à qui veut s'avancer, il avait enfin pris son parti et renoncé à la prélature, lorsque quelqu'un accourt lui dire qu'il est nommé à un évêché. Rempli de joie et de confiance sur une nouvelle si peu attendue : « Vous verrez, dit-il, que je n'en demeu- « rerai pas là, et qu'ils me feront archevêque. » (De la Cour, 52.)

Son triomphe, c'est le trait final, piquant et imprévu. Il le recherche si souvent qu'on finit par l'attendre : c'est déjà un procédé. Il recherche aussi les oppositions curieuses, le mot charmant où l'effort reste sensible, le précieux : « Il n'y a pour l'homme que trois événements : naître, vivre et mourir. Il ne se sent pas naître, il souffre à mourir et il oublie de vivre. »

Il y a là beaucoup d'art et un peu d'artifice. Ce style séduisant a ses dangers. Montesquieu, quand il veut l'imiter, l'alourdit; Marivaux le complique encore. Lesage et Voltaire sauront seuls le dépouiller, en amortir le ton et, ce faisant, en aggraver l'impertinence.

FÉNELON

François de Salignac de La Mothe-Fénelon est né le 6 août 1651, au château de Fénelon, en Gascogne. Destiné par les siens à l'Église, il s'y sent attiré par sa vive piété, et de bonnes études classiques l'y préparent. Il entre à Saint-Sulpice sous la direction du pieux et fin Tronson, est ordonné prêtre vers vingt-trois ans, et ses maîtres, auxquels il demeure attaché, le chargent de prêcher devant d'humbles auditoires (1675-1678). Bientôt son activité s'étend et s'élève. Supérieur des Nouvelles Catholiques et des Filles de la Madeleine de Trainel, il s'adonne à la direction de conscience dans ces couvents et prêche tout en réfléchissant sur l'art qu'il pratique (composition des Dialogues sur l'éloquence). Il se lie avec Bossuet, dont il subit l'influence, et s'engage en des controverses contre les cartésiens et les libertins (Réfutation du P. Malebranche et Traité de l'existence de Dieu). Il accepte à deux reprises des missions en Saintonge et Aunis pour la réunion des nouveaux convertis (1685-1686 et 1687); mais il préfère l'action plus efficace qu'il exerce comme chef spirituel d'une société choisie, unie et dévote, qui s'est groupée à la Cour autour des ducs de Chevreuse et de Beauvillier, et que favorise Mme de Maintenon. C'est dans ce milieu qu'il compose et publie, en 1687, son Traité de l'éducation des filles. C'est là que se produisent les deux événements essentiels de sa vie, ceux qui en feront le charme délicieux, la grandeur et l'irrémédiable infortune : sa rencontre avec Mme Guyon, à la fin de l'an 1688, et sa nomination comme précepteur du duc de Bourgogne, en août 1689.

Ce préceptorat lui vaut de flatteuses distinctions. L'Académie française l'admet en 1693; il est nommé en 1695 à l'archevêché de Cambrai, tout en conservant ses fonctions à la Cour. Sa faveur est au comble et des espoirs illimités lui semblent permis, quand en quelques mois cette situation si brillante s'écroule à jamais.

C'était l'effet de la conversion au quiétisme que Mme Guyon avait entre temps opérée en lui, pour l'infinie satisfaction de son âme, mais pour la ruine de ses intérêts. Il publie, en 1697, pour justifier cette dame, l'Explication des maximes des saints sur la vie intérieure, et ce traité le met en conflit avec Bossuet. La faveur de Mme de Maintenon se détourne de lui; le roi, mécontent du scandale déchaîné dans l'Église de France, s'irrite plus encore lorsque Fénelon, par un acte d'ultramontanisme indiscret, fait appel au pape pour trancher son différend avec Bossuet. Le roi lui enjoint de se retirer dans son diocèse (2 août 1697), exige et obtient sa condamnation à Rome (12 mars 1699). L'apparition du Télémaque, publié peu après à l'insu de Fénelon (1699), rend sa disgrâce irrévocable.

Désormais confiné dans son diocèse, Fénelon fait preuve d'une rare activité. Toujours prêt à manifester son intérêt pour les questions qui agitent le monde littéraire (Lettre à M. Dacier sur les occupations de l'Académie française, composée en 1714), il se consacre à ses devoirs pastoraux, à la controverse qu'il mène ardemment contre les jansénistes; il entretient d'étroites liaisons avec « le petit troupeau » fidèle de Versailles, renoue prudemment avec le duc de Bourgogne des relations où son cœur est plus intéressé que son ambition, reprend sur lui une grande influence; et lorsque ce prince devient l'héritier immédiat de la couronne, Fénelon peut croire que les mauvais jours sont passés et que l'heure de l'action va sonner pour lui. Mais la mort prématurée du jeune duc rompt brutalement

FÉNELON. Portrait par Vivien (Pinacothèque de Munich). — Cl. HANFSTAENGL.

ses dernières espérances. Le roi vieillit sans pardonner, et Fénelon meurt au début de 1715.

Ses Œuvres complètes ont été publiées par les abbés Gosselin et Caron (1820-1830), édition dite de Versailles, en 34 volumes. Voir : Jules Lemaitre, Fénelon, 1910 ; E. de Broglie, Fénelon à Cambrai, 1884 ; l'abbé Griselle, Fénelon, études historiques, 1911 ; E. Carcassonne, Fénelon, 1946.

Trop souvent on a parlé de Fénelon avec un excès de tendresse ou un excès d'hostilité. Trop souvent on l'a opposé à son grand adversaire Bossuet, et selon le parti pris de chaque peintre, certains traits de sa figure attachante ont été outrés ou estompés. Comment, en présence de cette âme profonde, mystérieuse, se garder de toute inconsciente partialité ?

Issu d'une vieille souche gasconne, appauvrie mais fière, fils d'un vieillard et d'une jeune femme, il doit à ces origines une santé fragile, une sensibilité riche, affinée, une grande énergie morale. Ce qui frappe d'abord en lui, c'est la vivacité. Il est gai ; jeune abbé, il narrait volontiers des anecdotes plaisantes ; prélat mûri par les épreuves, il s'amusera encore à entendre sonner dans son palais le rire joyeux des enfants.

Il est enthousiaste ; il s'est attaché avec une fougue juvénile et passagère à M. Tronson, puis à Bossuet ; à Mᵐᵉ Guyon il s'abandonne définitivement. Ses amitiés sont ardentes ; il livre son cœur à tout instant. Cette tendresse si vive semble contagieuse ; elle lui vaut des attachements inébranlables, qui lui font honneur. Pourquoi faut-il qu'il déploie dans la haine autant d'ardeur que dans l'amitié, que sa passion l'entraîne parfois jusqu'à l'injustice, souvent loin de la charité ? Il s'éprend des choses belles comme des hommes, et là encore il sent plutôt qu'il ne juge ; il aime surtout les formes délicates, élégantes, riantes, de la beauté : celles qui le charment dans les paysages variés et doux de sa Dordogne et qu'il retrouve dans la Grèce d'Homère et de Platon.

Enfin, toute sorte d'activité l'enchante. Jeune homme, il rêvait de nobles missions apostoliques : « La Grèce s'ouvre à moi, le sultan effrayé recule, déjà le Péloponèse respire en liberté et l'Église de Corinthe va refleurir ; la voix de l'Apôtre s'y fera encore entendre. » Puis la controverse contre les incrédules le tente, et la tâche délicate de gagner les nouveaux convertis. Mais, à peine satisfait, son besoin d'agir se lasse. Il ne part point pour les missions lointaines, il laisse ses livres inachevés dormir en manuscrit, il interrompt à mi-route l'œuvre de propagande qu'il a entreprise en Saintonge. Seule, l'activité politique, sans doute parce qu'elle n'a jamais abouti à l'action, demeure vive chez lui jusqu'au dernier jour. Est-ce la preuve, comme on l'a dit souvent, qu'il serait ambitieux ? Pourtant, son ardeur reste aussi forte aux jours où, sans espoir qu'un jour s'élève jamais de son vivant, il se sait irrémédiablement perdu dans l'esprit du roi et du Dauphin. Quand le duc d'Anjou va prendre possession du trône d'Espagne, il lui envoie, par l'intermédiaire du marquis de Louville, des conseils ; il donne ses avis aussi au prétendant anglais, le chevalier de Saint-George, qui vient le voir. Aurait-il l'ambition de tout gouverner, France, Espagne, Angleterre ? Non ; il obéit au besoin exigeant et désintéressé de s'occuper des grandes affaires, pour lesquelles il se croit né ; il a une ambition épurée, le désir de faire triompher des principes que la méditation et la leçon des faits lui présentent comme utiles et justes.

En tout il a des idées arrêtées, dominatrices, que servent une volonté tenace, une admirable habileté. Cette souplesse insinuante, qui est sa marque propre, vaut qu'on cherche à l'analyser. Il n'y entre point, à notre sens, ce bas esprit de flagornerie dont Phélipeaux, témoin suspect,

le taxe à l'égard de Bossuet : un tel esprit ne conviendrait guère au grand seigneur orgueilleux qu'il est ; de plus, flatter serait maladroit, et Fénelon, qui recommandera plus tard à son neveu de ménager « toutes les personnes en place ou en chemin d'y parvenir », sait qu'il faut user avec elles « d'un badinage léger et mesuré, qui est respectueux et même flatteur, avec un air de liberté ». Son attitude habituelle est la soumission, un mélange singulier de courtoisie, de vertu chrétienne et de coquetterie : le préceptorat qu'il souhaite semble le surprendre ; il l'accueille avec confusion comme une lourde charge, et si M. Tronson voit clair dans son cœur, Bossuet, plus candide, prend le change. Dans ses controverses, sa tactique est celle du félin ; il dissimule ses manœuvres, s'enfarine. Si son adversaire fait du bruit, c'est un persécuteur et lui une victime. De même qu'il est affectueux sans être très bon, il est sincère, mais sans rigueur. Quand il apprend que son livre est condamné, il prêche aussitôt sur l'obéissance, s'incline devant la censure pontificale, mais son humilité se teinte d'ironie : « Le pape entend mieux mon livre que je ne l'ai su entendre, c'est à quoi je me soumets. » Bossuet a-t-il tort de grommeler que « M. de Cambrai continue à faire le soumis de l'air du monde le plus arrogant » ?

Qu'il s'agisse d'un jugement littéraire ou d'un incident de direction spirituelle, il semble toujours prêt aux concessions, il veut gagner tout le monde ; en réalité, il maintient intacte sa pensée. Il a une grande douceur dans l'allure, mais une volonté farouche dans le dessein. Obstiné jusqu'à devenir irritant, sa vraie grandeur vient des souffrances qu'il a supportées, de la dignité avec laquelle il a accueilli l'échec irrémédiable de ses idées et de ses espoirs, sans jamais oublier ce qu'il devait à ses ouailles, à ses amis et aux hommes.

FÉNELON PRÉDICATEUR ET CONTROVERSISTE : LE QUIÉTISME

Nous le connaissons mal comme prédicateur : on n'a de lui que quelques sermons de jeunesse et quelques discours d'apparat ; mais ses Dialogues sur l'éloquence *(composés avant 1686, publiés pour la première fois en 1718) permettent de dégager l'idée qu'il se faisait de son art. Sur son œuvre de directeur de conscience et de controversiste, voir : Pierre-Maurice Masson,* Fénelon et Mᵐᵉ Guyon, *1907 ; l'abbé Delplanque,* Fénelon et la doctrine de l'amour pur, *1907 ; Henri Bremond,* Apologie pour Fénelon, *1911, et Navatel,* Fénelon, *1914.*

Fénelon a dû être un prédicateur exquis. On regrette que ses sermons n'aient pas été recueillis ; mais si nous pouvions les lire, peut-être le meilleur nous échapperait-il encore : l'action, le ton, les effusions de son cœur. Il croyait que l'orateur, pour conquérir son auditoire, doit être naturel, sans recherche, ni roideur, ni violence, s'appliquer non pas à convaincre en frappant l'esprit, mais à persuader en s'insinuant dans l'âme. Sur un sujet de circonstance longuement médité, de préférence sur un point de foi, car il faut prêcher Dieu plutôt que la morale, il se laisse aller à ses sentiments affectueux : il improvise une homélie familière et fervente, plus tendre que forte, plus émouvante que rigoureuse, où une critique délicate reprendrait sans doute un peu de naïve emphase. D'ailleurs, il ne semble pas que les contemporains aient mis Fénelon sur le même rang que Bourdaloue ou Bossuet. Seul, La Bruyère, que sa nature sensible préparait à goûter ces mérites, a ressenti ce que l'émotion ajoutait de charme à la parole de Fénelon et, dans son discours de réception à l'Académie, il l'a loué en ces termes, que sans doute Fénelon a aimés : « Toujours maître de l'oreille et du cœur de ceux qui l'écoutent, il ne leur permet pas d'envier tant d'élévation ni tant de facilité, de délicatesse, de politesse; on est assez heureux de l'entendre, de sentir ce qu'il dit et comme il le dit. »

C'est bien ainsi que Fénelon « expliquait l'Écriture au peuple » et qu'il tenta de gagner les cœurs des Nouvelles Catholiques et des convertis de Saintonge. Ce christianisme tendre et affectueux fit merveille aussi sur des esprits plus difficiles. Lorsque les dévotes filles de Colbert, Mmes de Mortemart, de Chevreuse et de Beauvillier, avec leurs maris, leur frère Seignelay, la duchesse de Béthune-Charost et Mme de Maintenon, se soumirent, sur les conseils de M. Tronson, à la direction de Fénelon, la piété rigide et sombre de ce groupe d'élite fut du coup comme illuminée et réchauffée. On comprend qu'un cœur aussi ardent, aussi riche, ait été séduit par le quiétisme.

Le quiétisme est une de ces doctrines mystiques qui se développèrent au XVIIe siècle à l'ombre du catholicisme. Elle fut professée surtout par Mme Guyon. C'était une femme de piété sincère, mais une « fanatique », comme on disait alors de ces gens qui se croient spécialement inspirés de Dieu. L'essentiel de la doctrine, qu'elle a exposée dans le *Moyen court et très facile de faire oraison*, peut se résumer ainsi. Le vrai culte, c'est l'oraison, c'est-à-dire l'état de l'âme qui s'applique à Dieu. Il est inutile de raisonner, d'imaginer Dieu; il suffit, sans chercher à se le représenter, d'avoir foi dans sa présence et de s'abandonner à cette présence. L'oraison parfaite, « infuse », est faite de silence, de plénitude. C'est, sans prière vocale, sans inquiétude ni contrition d'esprit, une communion de l'âme avec Dieu, qui se prolonge même lorsque la vie physique et intellectuelle semble normalement continuer. Tel est l'état « d'amour pur de Dieu », pur, car il ne comporte aucun désir personnel, aucun retour sur soi : on revient à l'enfance insouciante et heureuse, c'est un « apetissement », une « désappropriation » de l'être.

Cette doctrine est dangereuse : elle rend inutile la pratique du culte, l'oraison infuse étant « l'acte éminent qui comprend tous les autres avec plus de perfection »; en outre, elle risque de provoquer l'indifférence au salut, puisque l'âme unie à Dieu et désappropriée oublie toute préoccupation personnelle; enfin, elle semble favoriser, peut-être autoriser le péché, car dans l'état d'oraison l'âme n'est plus consciente, par suite n'est pas responsable, des actes qu'accomplit cependant la partie sensible, inférieure, alors comme inexistante, de l'être. Assurément, jamais Mme Guyon n'a énoncé ni envisagé ces conséquences, dont sa piété se serait indignée; il ne faut pourtant pas les oublier si l'on veut comprendre l'ardeur de ses adversaires.

Mme Guyon, après bien des années de propagande religieuse et d'aventures spirituelles, avait paru, vers l'âge de quarante ans, se réconcilier avec les autorités ecclésiastiques. Cette soumission, jointe à sa foi profonde, admirable, l'avait fait accueillir avec confiance par le groupe dévot de Versailles. Mme de Maintenon laissa son influence pénétrer dans la pieuse maison de Saint-Cyr, et le directeur vénéré du petit troupeau, Fénelon lui-même, fut bientôt conquis. Ces deux âmes passionnées, mises en présence, devaient se repousser ou s'attirer invinciblement; elles s'attirèrent. Mme Guyon voyait en

MADAME GUYON (B. N.,Cabinet des Estampes).
CL. LAROUSSE.

Fénelon le disciple prédestiné qui seul pourrait assurer le triomphe de sa foi mystique, longtemps persécutée; d'autre part, ce mysticisme, fait de tendresse infinie, soucieux d'absolue pureté, réalisait pour Fénelon ce à quoi tendait spontanément sa nature affectueuse. De plus, cet enthousiasme, qui satisfaisait son cœur, excitait en lui des espoirs profonds et secrets. Mme Guyon lui disait : « Les desseins de Dieu sur vous sont grands... Vous êtes la lampe ardente et luisante qui éclairera l'Église... Dieu veut vous faire le Père d'un grand peuple ... » Et quand, par une merveilleuse coïncidence qui semblait confirmer ces prophéties, Fénelon fut désigné comme précepteur du duc de Bourgogne, le petit troupeau se transforma en une sorte de confrérie où s'agitèrent de grands projets. La foi de Mme Guyon, « la chère Mère », marquait la prétention, apercevait déjà le moyen de s'imposer au monde : c'était d'un nouvel Évangile que Fénelon, « le très cher Père », allait assurer le triomphe, avec l'appui du « Petit Prince »... Ces espérances devaient être promptement déçues. Bientôt le scandale éclate à Saint-Cyr : les pernicieuses conséquences du quiétisme se révèlent vite dans ce milieu jeune, léger, ardent. « On prenait ses aises et ses commodités avec la sainte liberté des Enfants de Dieu. On ne s'embarrassait de rien, pas même de son salut », raconte la Mère du Pérou. Mme de Maintenon, mise sur ses gardes, se détourne de Mme Guyon et du petit troupeau. Fénelon, dont l'autorité semblait garantir la doctrine, est compromis.

Nous n'avons point à conter le détail de la querelle qui, alors, déchira l'Église de France. Fénelon se défend pied à pied. Il convient avec Bossuet des principes, mais discute de leur application. Hautain, il n'avoue pas qu'il ait pu errer; surtout il se refuse à laisser nommément condamner Mme Guyon. A la disgrâce qu'il prévoit, il s'expose délibérément, par scrupule de gentilhomme qui se fait une « affaire d'honneur » d'abandonner une femme, à son avis innocente, et aussi par attachement spirituel à celle dont l'enseignement a renouvelé sa vie intérieure.

Rien ne montre mieux la profondeur de cette influence que le souvenir que Fénelon gardera à Mme Guyon : retenu dans son diocèse, séparé d'elle par une nécessaire prudence, il ne la perd pas de vue; par l'intermédiaire de Dupuy, plus tard de Ramsay et de son neveu le marquis de Fénelon, il persiste à entretenir avec elle des relations fidèles et secrètes. De sa doctrine aussi, il préserve quelque chose. Sans doute il a protesté de son absolue soumission à la censure pontificale; mais, lorsqu'il dirige les consciences, il continue à répandre, sinon les principes, du moins les tendances du quiétisme. Écoutons les conseils qu'il donne dans ses lettres de direction. Il faut d'abord « se détruire ». « Soyez un vrai rien, en tout et pour tout. Le vrai rien ne résiste jamais et il n'a point un moi dont il s'occupe. » Il faut aussi « s'abandonner », se défier de l'amour de soi, source des austérités malsaines, des scrupules, des troubles excessifs, se laisser aller à la simplicité enfantine, insouciante et enjouée. Fénelon reste fermement attaché au dogme et au culte; mais son idéal de piété tendre et plus libre a des résonances quiétistes.

Le ton de ces lettres de direction mérite aussi l'attention. L'archevêque de Cambrai a gardé sa séduction de jeune abbé, mais son âme est devenue plus humaine et plus riche encore. A l'heure même où, dans sa controverse contre les jansénistes, il fait preuve d'intransigeante obstination, son ondoyante souplesse se prête, dans ses lettres à ses pénitents, aux tons les plus divers : il passe, s'il le faut, d'une délicatesse attentive à une sincérité rude, qui ne choquera pas, car elle demeure pénétrée de tendresse. Que faut-il le plus admirer ? Est-ce la finesse psychologique du conseiller qui, suivant les cas, s'insinue ou s'impose, qui tantôt donne des ordres et tantôt semble lui-même demander un avis ? Est-ce la qualité de l'âme qui, brûlant d'un égal amour pour le Créateur et les créatures, enflamme de sa propre passion les âmes qu'elle veut convertir ?

« On est inanimé et comme sans âme, dès qu'on n'a plus ce je ne sais quoi au dedans, qui soutient, qui porte, qui renouvelle à toute heure. Tout ce que les amants insensés du monde disent dans leurs folles passions est vrai en un sens à la lettre. Ne rien aimer, ce n'est pas vivre; n'aimer que faiblement, c'est languir plutôt que vivre. Toutes les plus folles passions qui transportent les hommes ne sont que le vrai amour déplacé, qui s'est égaré loin de son centre. Dieu nous a fait pour vivre de lui et de son amour. Nous sommes nés pour être brûlés et nourris ensemble de cet amour, comme un flambeau pour se consumer devant celui qu'il éclaire. Voilà cette bienheureuse flamme de vie que Dieu a allumée au fond de notre cœur; toute autre vie n'est que mort : il faut donc aimer... » *(Lettre à une personne du monde.)*

FÉNELON ÉDUCATEUR

*En 1687, Fénelon avait publié une œuvre de direction, destinée à M*me *de Beauvillier, et qui était un remarquable essai pédagogique :* le Traité de l'éducation des filles. *Il y avait mis à profit sa rare finesse psychologique, son expérience de supérieur des Nouvelles Catholiques, sans doute aussi ses conversations avec l'abbé Fleury, auteur d'un livre excellent sur* le Choix et la méthode des études *(1686). L'abbé Fleury avait été associé à sa mission de Saintonge avant de l'être à son préceptorat ; ses idées et sa science ne furent jamais inutiles à Fénelon. Voir sur la Pédagogie fénelonienne un article d'Albert Chérel (Revue d'histoire littéraire de la France, 1918).*

Quand, en 1689, Beauvillier, nommé gouverneur des ducs de Bourgogne, d'Anjou et de Berry, dut dresser, pour la soumettre au roi, la liste de ses futurs collaborateurs, son instinct le portait sans doute à présenter au premier rang le directeur du « petit troupeau » ; mais en conscience pouvait-il mieux choisir qu'un éducateur dont les idées étaient généralement connues et approuvées ? Nommé précepteur des princes, Fénelon fut vraiment le maître de leur éducation : le gouverneur ne voyait que par lui, et tous ses adjoints lui étaient depuis longtemps attachés.

Parmi ses élèves, Fénelon distingua le mieux doué, l'héritier présomptif du trône, le duc de Bourgogne : voir les études que

le comte d'Haussonville a consacrées à ce prince, en particulier à son éducation (Revue des Deux Mondes, *1897).*

Dans *l'Éducation des filles*, Fénelon emprunte inconsciemment au réalisme « libertin » son grand principe pédagogique : « suivre et aider la nature. » Il se plie aux qualités et aux travers puérils de ses élèves, à cette sensibilité, à cette légèreté que déconcertent les règles étroites et sévères, que les punitions découragent, mais que conquièrent les divertissements et les récompenses, l'étude agréable et enjouée. Il éveille et pique chez ses disciples la curiosité naturelle, profite de leur penchant à l'émulation, à l'amitié; surtout, il veut animer, enrichir, embellir leurs jeunes esprits : telle est l'intelligente méthode qu'il applique aux enfants — garçons et filles — du premier âge. Puis quand la jeune fille grandie réclame des soins particuliers, la même conception pratique et naturelle guide l'éducateur. Il fonde l'instruction qu'il recommande sur le rôle que la femme doit jouer dans la maison; il veut qu'on développe chez elle les qualités ménagères et le jugement; il déconseille les connaissances abstraites qui surchargent et dévoient l'esprit; il la détourne prudemment des distractions énervantes. Au reste, on méconnaîtrait le *Traité de l'éducation des filles* si l'on n'y considérait que les règles pédagogiques : ce qui fait le mérite charmant du livre, ce sont les conseils pratiques, les observations justes et piquantes sur le caractère des jeunes filles, l'analyse de leurs menus défauts : vanité de la beauté et des ajustements, sentiments exaltés, « ces petits effrois sans fondement », « ces larmes qu'elles versent à si bon marché... ».

Fénelon se tint aux mêmes principes quand il éleva le duc de Bourgogne. Le régime de vie et de conduite qu'on imposait aux jeunes princes était le régime naturel préconisé dans *l'Éducation des filles* : la simplicité, voire la frugalité, le jeu normal et réglé de l'activité physique. Pour la culture intellectuelle, Fénelon maintint la règle pratique qu'il avait posée : approprier l'effort au résultat à atteindre. C'est un prince qu'il forme, et « il n'y a que trois choses pour ainsi dire qu'il lui soit permis de savoir à fond : l'histoire, la politique et commander aux armées ». Ajoutons la morale, car un rang élevé oblige à une bonne conduite, tout comme il impose de bien connaître et de sainement juger les hommes. Quant à la méthode, c'est l'instruction libre et insinuante : « J'abandonnais l'étude toutes les fois qu'il voulait commencer une conversation où il pût acquérir des connaissances utiles. C'est ce qui arrivait assez souvent; l'étude se retrouvait assez dans la suite... »

De lui-même le maître multiplie les leçons indirectes et attrayantes : quand l'enfant est petit, des *Contes de fées* ou des *Fables* enjouées font passer la leçon; plus tard, des *Dialogues des morts*, mieux que d'arides exposés, lui représentent les héros de l'Antiquité et des temps modernes en traits simples et accentués. Grâce à ces aimables tableaux, si variés, le prince, déjà sollicité par les grands noms de l'histoire, se forme des hommes une idée plus

LE DUC DE BOURGOGNE. Gravure de N. Arnoult (B. N., Cabinet des Estampes). CL. LAROUSSE.

précise, acquiert sans y penser des notions élémentaires et nettes sur la littérature, les beaux-arts, la philosophie, surtout la politique et l'histoire; il prend en horreur la guerre et le despotisme, s'accoutume au respect de la loi, à l'idée que tous se doivent à l'État. Ce sont ces mêmes leçons indirectes qu'on retrouve dans le *Télémaque*. Bien après le temps de son préceptorat, Fénelon usera de la même méthode avec son ancien pupille : témoin ces portraits que dans ses lettres il lui tracera du chevalier de Saint-George, où le prince anglais paraît précisément pourvu de toutes les qualités, et de celles-là seules, qui manquent le plus au jeune prince français.

Le duc de Bourgogne fut conquis et solidement instruit. Si Fénelon, en élevant celui qui peut-être régnerait un jour, conçut quelque secrète ambition, du moins ne peut-on pas lui reprocher d'avoir laissé en friche l'esprit du prince, pour se rendre ensuite plus nécessaire. Intelligent et cultivé, le duc l'était à souhait; mais il manquait de caractère. L'enfant qui avait paru trop vif, maté par ce grand dominateur, était devenu un adolescent timide : Fénelon plus tard s'inquiéta tout le premier du succès de ses efforts.

CALYPSO ET EUCHARIS.

« L'AIMABLE SIMPLICITÉ DU MONDE NAISSANT. »

Illustrations de Moreau le Jeune pour « les Aventures de Télémaque ». — CL. LAROUSSE.

TÉLÉMAQUE. LES IDÉES RÉFORMATRICES DE FÉNELON

La Suite du IVe Livre de l'Odyssée ou les Aventures de Télémaque, fils d'Ulysse, *parut en 1699. Ce livre, désavoué par l'auteur, fut plusieurs fois réimprimé. Fénelon a peut-être songé à donner lui-même un texte plus correct. Toujours est-il qu'il n'a jamais réalisé ce projet, et la première édition authentique est posthume (1717). Voir l'édition publiée par Albert Cahen dans la collection des* Grands Écrivains de la France, *2 vol., 1920.*

L'intérêt politique du Télémaque s'éclaire quand on le rapproche des autres ouvrages où Fénelon a exprimé ses idées réformatrices : la Lettre à Louis XIV, *dite* Lettre secrète, *écrite pour suggérer à Beauvillier et à Mᵐᵉ de Maintenon ce qu'il était possible de dire au roi, vers 1694, et qui pourrait bien n'avoir été qu'un exercice de rhétorique ;* l'Essai sur le gouvernement civil, *que Ramsay rédigea d'après les entretiens de Fénelon et du chevalier de Saint-George à Cambrai (publié en 1721) ;* l'Examen de la conscience d'un roi, *écrit pour le duc de Bourgogne, publié et « supprimé » par le pouvoir en 1734, et dont la censure, maintenue pendant quarante ans, valut à Fénelon la sympathie des philosophes. Il faut joindre à ces textes la lettre du 4 août 1710 à Chevreuse et Beauvillier, si vive que Fénelon lui-même souhaita que le duc de Bourgogne ne la vît pas ; et ce qu'on a appelé les* Tables de Chaulnes, *projet de réformes arrêté par Fénelon et Beauvillier en 1711, pour être soumis au futur souverain. L'abbé Urbain a publié, en 1921, un recueil des* Écrits et lettres politiques *de Fénelon.*

Voir Albert Chérel, Fénelon au XVIIIe siècle en France, *1917.*

Fénelon aimait la Grèce, il aimait Homère, dont il a traduit plusieurs chants. Il est donc naturel qu'il ait composé pour le duc de Bourgogne le *Télémaque*, cette *Suite du IVe Livre de l'Odyssée*. On en sait le sujet : comme autrefois Ulysse, Télémaque court le monde, à la recherche de son père. Dirigé et instruit par Minerve, qui se cache sous la figure du sage Mentor, il se forme au contact des hommes, fait ses premières armes, juge et compare les gouvernements, subit douloureusement et victorieusement les premières épreuves du cœur.

C'est un roman, et même un roman à la mode du temps : aventures, prouesses guerrières, catastrophes répétées, rien n'y manque, pas même des intrigues sentimentales. Au reste, seule l'intraitable austérité d'un Bossuet a pu se scandaliser de peintures assurément moins voluptueuses que déclamatoires. Ne doit-on pas plutôt louer Fénelon de n'avoir pas reculé devant une tâche délicate, mais urgente ? Il lui fallait remontrer à son élève les dangers de la passion : à l'amour avilissant d'une Calypso, à l'amour d'une Eucharis pleine de grâces, mais médiocrement née, un prince ne saurait échapper que par la fuite ; à ces passions déréglées, le maître oppose l'amour de la chaste et raisonnable Antiope, récompense légitime du devoir accompli.

Le souci moral est au premier plan de ce roman : Fénelon tient à un idéal de pureté chrétienne, qu'il confond avec « l'aimable simplicité du monde naissant ». Il multiplie les tableaux de cette vie d'idylle et de chimère, un peu monotones et fades, mais charmants par la conviction qui les anime, par un sentiment profond de douceur et de sympathie humaine.

Du même sentiment relève la « politique » dont le *Télémaque* est rempli. D'abord elle semble peu hardie : elle respecte la monarchie, en reconnaît l'institution divine, professe qu'on doit lui demeurer attaché, si méchant que soit celui qui l'exerce. Pourtant, le roi, « qui a une puissance absolue pour faire le bien », doit avoir « les mains liées dès qu'il veut faire le mal ». Il doit lui-même être soumis aux lois, avoir pour règle le bien public. Il est fait pour le peuple, « et non le peuple pour le roi ». On trouve aussi dans le *Télémaque* quelques idées sociales : le respect du travail de la terre, source de toute vraie richesse; la haine du luxe, fruit nuisible des industries et du commerce; le souci d'une équitable répartition des biens, selon les besoins de chaque famille; l'idée que le citoyen doit se dévouer et se subordonner à l'État, que les États doivent se dévouer et se subordonner à l'humanité; l'horreur de la guerre, qui est criminelle. Voilà ce qu'assemble « le bel esprit chimérique » : mélange singulier de hardiesses et d'idées rétrogrades, de vues profondes ou contestables. C'est le germe des principes que Fénelon reprendra et organisera plus tard, quand les événements auront montré l'urgence des réformes. Les *Tables de Chaulnes* émettront une idée encore plus hardie, en proposant d'installer auprès du roi un pouvoir modérateur, émané du peuple; à cela près, elles reproduiront exactement les idées du *Télémaque*.

Aussi bien n'est-ce pas cette politique qui fit scandale; on s'accoutumait, nous le savons, aux conceptions réformatrices, et il était courant d'inventer des constitutions singulières pour des pays hypothétiques. Ce qui surprit, ce furent les allusions au royaume de France, évidentes, même si elles n'étaient pas toutes volontaires. Quand Fénelon faisait grief à Idoménée d'aimer les flatteurs, d'être orgueilleux, de se plaire dans le faste, de favoriser la guerre, peut-être ne songeait-il à aucune satire personnelle. Comment ne pas croire pourtant qu'il visait Louis XIV ? Certains traits n'étaient-ils pas encore plus directs ? Ne s'en prenait-il pas à cela même dont on louait le roi le plus volontiers, à son goût pour le travail : « Vouloir examiner tout par soi-même, c'est défiance, c'est petitesse, c'est une jalousie pour les détails médiocres qui consument le temps et la liberté d'esprit nécessaires pour les grandes choses;... un esprit épuisé par le détail est comme la lie du vin qui n'a plus de force ni de délicatesse » (livre XVII).

LES IDÉES LITTÉRAIRES DE FÉNELON

Il ne faut pas oublier, quand on juge de la valeur littéraire du Télémaque, *que l'auteur ne l'a point publié lui-même, qu'il a expressément affirmé que c'était « une narration faite à la hâte... et où il y avait beaucoup à corriger »; le poli final n'a point été donné et l'on aperçoit quelques taches : des répétitions, de légères incohérences dans la pensée ou l'expression. Pourtant, l'aspect seul des manuscrits, corrigés par l'auteur, prouve qu'il a soigné son œuvre.*

Les goûts littéraires de Fénelon sont surtout exprimés dans la Lettre à M. Dacier *sur les occupations de l'Académie française, rédigée en 1714 sur la prière de l'Académie, et imprimée en 1716, après la mort de l'auteur.*

Le *Télémaque*, si proche, à certains points de vue, des romans héroïques du siècle, leur est très supérieur. Sa composition est plus nette et plus sûre, encore qu'il ait été fait à la hâte, à morceaux détachés, et à diverses reprises. Le récit est plus rapide, et Fénelon mérite l'éloge qu'il fait de Termosiris : « Il racontait courtement, et jamais ses histoires ne m'ont lassé. » Enfin la couleur antique est plus vraie, dépouillée de toute la galanterie précieuse qui l'avait souvent défigurée : pourtant on peut regretter le contraste quelquefois choquant des machines et du merveilleux païen avec l'esprit chrétien qui anime le livre; le mélange fâcheux de l'utopie idyllique et des tableaux d'histoire, de la légende épique et de l'actualité; les allusions, les leçons trop fréquentes, qui rompent le charme du récit homérique.

Le style est coulant; il tombe quelquefois dans la fadeur, et n'évite pas la mièvrerie. Voltaire a dit, avec finesse, s'adressant à Fénelon lui-même :

J'admire fort votre style flatteur,
Et votre prose, encor qu'un peu traînante.

L'abondance y est molle et la grâce paresseuse. Les images viennent naturellement à l'esprit de Fénelon. On en trouve dans sa Correspondance de vigoureuses et de hardies. Il en a conservé dans ses *Fables*, où il voulait frapper l'imagination des enfants. Dans son style soutenu il fuit la force, la lumière vive, il multiplie l'épithète arrondie, chantante, inutile. Son style est plus élégant que coloré; il est harmonieux plutôt que plastique. D'ailleurs, la cadence de sa prose est délicieuse : un rythme infiniment souple l'entraîne; ce n'est pas le souffle puissant de la tempête oratoire, c'est un zéphyr léger, caressant, voluptueux. Écoutez l'éloge d'Antiope, mélodieusement scandé par Télémaque :

« Quand Idoménée lui ordonne de mener les danses des jeunes Crétoises au son des flûtes, on la prendrait pour la riante Vénus qui est accompagnée des Grâces. Quand il la mène avec lui à la chasse dans les forêts, elle paraît majestueuse et adroite à tirer de l'arc, comme Diane au milieu de ses Nymphes; elle seule ne le sait pas et tout le monde l'admire. Quand elle entre dans les temples des dieux, et qu'elle porte sur sa tête les choses sacrées dans des corbeilles, on croirait qu'elle est elle-même la divinité qui habite dans les temples. Avec quelle crainte et quelle religion la voyons-nous offrir des sacrifices et fléchir la colère des dieux, quand il faut expier quelque faute ou détourner quelque funeste présage ! Enfin, quand on la voit avec une troupe de femmes, tenant en sa main une aiguille d'or, on croit que c'est Minerve même qui a pris sur la terre une forme humaine, et qui inspire aux hommes les beaux arts. Elle anime les autres à travailler, elle leur adoucit le travail et l'ennui par les charmes de sa voix, lorsqu'elle chante toutes les merveilleuses histoires des dieux; et elle surpasse la plus exquise peinture par la délicatesse de ses broderies. Heureux l'homme qu'un doux hymen unira avec elle ! Il n'aura à craindre que de la perdre et de lui survivre » (livre XVII).

On a eu raison de dire qu'avec le *Télémaque*, le poème en prose était apparu dans notre littérature.

Les goûts que Fénelon a affirmés sont conformes à l'œuvre qu'il a réalisée lui-même. Dans ses *Dialogues sur l'éloquence*, dans sa *Lettre à M. Dacier*, aux deux extrémités de sa carrière, il manifeste les mêmes préférences pour le naturel et la douceur; il condamne toute affectation et toute contrainte; il apprécie « une beauté simple, facile, claire et négligée en apparence »; « ce je ne sais quoi... qui est une facilité à laquelle il est si difficile d'atteindre ». C'est ce que répète avec complaisance le vieillard aimable et disert qui s'adresse à l'Académie. Il se proclame classique, mais fonde son goût sur les besoins particuliers de son tempérament; c'est par tendance de critique « impressionniste » qu'il aboutit aux conclusions du dogmatique Boileau. Il appartient à deux époques et à deux mondes. Cela prête à ses idées, qui ne sont pas toujours nouvelles, un aspect indépendant et hardi. En outre, il les énonce avec cet ondoiement souple, cette grâce câline qui lui permettent d'évoluer entre les partis, d'enchanter tout le monde et de ne s'enchaîner à personne.

SAINT-SIMON

Louis de Rouvroy, duc de Saint-Simon, naquit le 15 janvier 1675. Son père, que le bon plaisir de Louis XIII avait autrefois appelé à de hautes charges et à la dignité de duc et pair, était alors un vieillard entiché de sa grandeur : Saint-Simon s'imprégna dès l'enfance des préjugés paternels. Présenté à Louis XIV en 1691, il entre dans la compagnie des mousquetaires gris, puis assiste comme capitaine au siège de Namur (1692). L'année suivante, à la mort de son père, le roi lui marque sa faveur en lui conservant les charges du défunt. Saint-Simon continue à servir, vaillamment, mais sans éclat; il charge à Neer-

*winden (1693), reçoit un brevet de colonel, et à la tête de
ses cavaliers fait campagne en Allemagne sous les ordres
du maréchal de Lorges, dont il épouse la fille en 1695.
Devenu maître de camp, mais trouvant que les hauts
grades lui viennent trop lentement, il se démet en 1702.*

*Désormais, il vit à la cour. Le roi ne l'aime guère : il
lui reproche sa démission, son orgueil ; sous le courtisan
habile, il aperçoit un « important » prêt aux intrigues,
il devine un observateur attentif qui se permet de tout
juger. Il le garde pourtant près de lui comme l'un de ces
grands seigneurs dont il estime la présence nécessaire à
l'éclat de sa cour. Grâce au duc de Beauvillier, Saint-
Simon obtient la faveur du duc de Bourgogne, et quand
celui-ci devient l'héritier du trône, il est de la cabale qui
prépare le prochain règne, des conciliabules secrets qu'il
a dépeints de son style nerveux : « Nul verbiage, nul
compliment, nulles louanges, nulles chevilles, aucune préface, aucun conte, pas la plus légère plaisanterie, tout serré,
substantiel, au fait, au but... » C'est ainsi que le duc de
Bourgogne complète son éducation politique ; muni des
principes de Fénelon, il écoute Saint-Simon donner ses
âpres avis sur les gens et les choses. Mais il meurt, et sa
mort frappe durement Saint-Simon ; du moins celui-ci
garde l'amitié du futur Régent, le duc d'Orléans, dont il
avait été pendant son enfance le compagnon assidu. S'il
le voulait, ou plutôt s'il en était capable, il jouerait pendant la Régence un rôle de premier plan : mais il se dérobe
devant l'action. Une brillante ambassade en Espagne,
toute de représentation, contente son orgueil et achève de
compromettre sa fortune, déjà embarrassée.*

*A la mort du Régent, il s'éloigne de la cour. A Paris
ou dans son beau domaine de La Ferté-Vidame, il mène
une vie retirée, triste et grise ; sa femme, qu'il adorait, est
morte ; ses fils, tout jeunes, sont morts ; sa race, dont il
est si fier, va s'éteindre. Il se distrait en revoyant ses
Mémoires, revit ses joies, exaspère ses rancunes. Il meurt
en 1755 et son bien devient la proie de ses créanciers.*

*Voir Gaston Boissier, Saint-Simon, 1892, et André
Le Breton, la Comédie humaine de Saint-Simon, 1914.
Les Idées politiques de Saint-Simon font l'objet d'un
article de H. Sée (Revue historique, 1900); on trouvera
les textes où elles s'expriment dans les Écrits inédits du
duc de Saint-Simon, publiés par Feugère, 1880 et années
suivantes.*

L'âme ardente de Saint-Simon est pleine de contrariétés.
Il est vertueux : spontanément porté vers les gens de
bien, dont il conquiert l'estime par sa franchise et sa chaleur, ses pires ennemis sont les fourbes et les hypocrites.
Dans sa conduite et dans ses mœurs, il connaît les scrupules d'une conscience délicate; il a peur, composant ses
Mémoires, que la charité ne s'offusque de ses jugements
hardis sur les hommes. Sincèrement pieux, il se dégage
assez des préjugés courants pour regretter les persécutions
religieuses, en avouer les inconvénients politiques. Pourtant, il ne se hausse pas jusqu'au respect de la conscience
humaine, et il demeure personnellement attaché à des pratiques mesquines, aux superstitions « d'un petit dévot
sans génie » (d'Argenson). Excitable et passionné, d'une
sensibilité quasi féminine, il se donne tout entier à ceux
qu'il aime. Rien de plus émouvant que son amour pour
sa femme : onze ans après la mort de celle-ci, dans son
testament il parle de cette « union intime, parfaite, sans
lacune et pleinement réciproque »; il exige qu'on attache
leurs deux cercueils « si étroitement ensemble et si bien
rivés qu'il soit impossible de les séparer l'un de l'autre
sans les briser tous les deux ». Sa haine est aussi véhémente
et semble parfois délirer : écoutez-le qui s'indigne de voir
le roi « noyé dans le bourbier infâme de la Scarron », dans
« la funeste fange de la Scarron », dans « l'abîme de ce
fumier de la Scarron ». Ingénument, il avoue des senti-

SAINT-SIMON. On le voit revêtu des insignes de ses dignités
(cordon bleu, manteau doublé d'hermine).

ments monstrueux. Parlant du duc de Noailles : « Je ne
cache pas que le plus beau et le plus délicieux jour de ma
vie ne fût celui où il me serait donné par la justice divine
de l'écraser en marmelade et de lui marcher à deux pieds
sur le ventre. » Et comme semblable jouissance lui sera
sans doute refusée, du moins voyons-nous dans les
Mémoires comment, pendant douze ans, il poursuivit
l'homme de sa rancune et de ses insultes : « Noailles souffrit tout en coupable, écrasé sous le poids de son crime.
Les insultes publiques qu'il essuya de moi sans nombre
ne le rebutèrent point. Il ne se lassa jamais de s'arrêter
devant moi chez le régent, en entrant et sortant du Conseil
de régence, avec une révérence extrêmement marquée,
ni moi de passer droit sans le saluer jamais et quelquefois
de tourner la tête avec insulte, et il est très souvent arrivé
que je lui ai fait des sorties chez M. le duc d'Orléans ou
au Conseil de régence, dès que j'y trouvais le moindre
jour, dont le ton, les termes et les manières effrayaient
l'assistance, sans qu'il répondît jamais un seul mot, mais
il rougissait, il pâlissait et n'osait se commettre à une
nouvelle reprise... Il est quelquefois sorti si outré du
Palais-Royal ou des Tuileries de ce que je lui avais dit et
fait en face devant le régent et tout ce qui s'y trouvait,
qu'il est allé quelquefois tout droit chez lui se jeter sur son
lit comme au désespoir, en disant qu'il ne pouvait plus
soutenir les traitements qu'il essuyait de moi. Jusque-là
qu'au sortir d'un Conseil où je le forçai de rapporter une
affaire que je savais qu'il affectionnait et sur laquelle je
l'entrepris sans mesure et le fis tondre, je lui dictai l'arrêt
tout de suite et le lus, après qu'il l'eût écrit, en lui montrant avec hauteur et dérision ma défiance, et à tout le
Conseil; il se leva, jeta son tabouret à dix pas, et lui qui en
place n'avait osé répondre un seul mot que de l'affaire
même, avec l'air le plus embarrassé et le plus respectueux :
« Mort...! dit-il en se tournant pour s'en aller, il n'y a plus
« moyen d'y durer ! » s'en alla chez lui, d'où ses plaintes me
revinrent, et la fièvre lui en prit.

Un tel acharnement a de la puissance, mais il n'est pas le fait d'un esprit supérieur. Saint-Simon n'a qu'un petit génie. Glorieux et sûr de soi, il en impose d'abord; mais à l'heure où il aurait pu agir, les responsabilités l'effrayèrent, et ce fut assez pour lui de songer à de menues vengeances et à d'étroites ambitions. Ses idées politiques unissaient, d'ailleurs, d'heureuses tendances et des soucis mesquins. Une ardeur vive le porte à remédier aux maux et à la misère du peuple, mais elle n'est pas inspirée uniquement par un esprit de générosité. Saint-Simon condamne le despotisme et la ruineuse politique de conquêtes qui le soutient : il le déteste surtout pour les ministres qui en sont les instruments, ces gens de rien maîtres de tout. Il préconise une hardie réforme des impôts, dont les États généraux devront déterminer l'assiette et surveiller l'administration : il y voit le moyen de ruiner l'abusive grandeur des gens de finance. Tout ira bien quand robins et financiers seront retournés au néant et que la puissance reviendra aux pairs du royaume. Libéralisme suspect, qui sauvegarde sinon tous les privilèges, du moins tous les préjugés; réformes insuffisantes, qui ne vont qu'à assurer la grandeur exclusive d'une caste !

UNE VICTIME DE SAINT-SIMON : Adrien-Maurice, duc de Noailles (B. N., Cabinet des Estampes). — CL. LAROUSSE.

LES MÉMOIRES

Saint-Simon songea à ses Mémoires *dès 1694 après avoir lu ceux de Bassompierre. Tout à « l'espérance d'être quelque chose », il crut qu'un recueil d'informations lui serait utile, et dès lors ne manqua point de faire parler ceux qui avaient quelque chose à dire sur le présent et sur le passé. Il y prit goût, et bientôt ne put se passer de cette « sorte de nourriture..., sans laquelle on ne fait que languir » : s'adressant à tous, aux femmes, aux médecins, aux valets, il faisait chaque jour ample collection de notes. Vers 1730, il eut communication du* Journal *inédit de Dangeau; ce récit exact, mais « d'une fadeur à faire vomir », excite sa verve et parfois, ne pouvant se contenir, il l'annote, le complète sur la copie qu'il en a fait prendre. Son dessein s'est précisé. A partir de 1740, aidé de ce guide fidèle, de ses notes anciennes, de sa mémoire nette et vivante qui lui rend toutes fraîches les impressions d'autrefois, il rédige son ouvrage, qu'il achève vers 1750.*

Mis sous scellés à la requête des créanciers, puis sous séquestre pour raison d'État, le manuscrit des Mémoires *ne fut connu, au XVIIIe siècle, que de quelques privilégiés, dont les historiographes officiels : Duclos le pilla impudemment dans ses* Mémoires secrets, *qui parurent un chef-d'œuvre tant qu'on ignora le modèle dont ils n'étaient qu'un pâle reflet.*

Un texte tronqué et déformé parut en 1788-1789, sous ce titre : l'Observateur véridique. *Quand les papiers de Saint-Simon eurent fait retour à sa famille (1829), on vit enfin la première édition authentique (1829-1830). Ce fut une révélation, « le plus gros succès de librairie depuis Walter Scott ». Pourtant le texte était bien incorrect. Chéruel l'améliora; son édition, publiée de 1873 à 1886, en 15 volumes, a longtemps fait foi. M. et J. de Boislisle et L. Lecestre ont publié dans la collection des* Grands Écrivains de la France *une édition pourvue d'un très riche commentaire (41 vol. et 2 vol. de tables, 1879-1931).*

Saint-Simon prétend être vrai, et sans doute croit-il tout ce qu'il raconte. Mais il ne sait pas ou ne veut pas critiquer les témoignages; il méprise les vérifications les plus aisées, il accueille tout ce qui le flatte. La passion l'aveugle souvent : quelle justice historique attendre de celui qui, dans le *Parallèle des trois premiers rois Bourbons*, admet que de Henri IV, de Louis XIII et de Louis XIV, le plus grand est Louis XIII, sans doute parce que Louis XIII a solidement établi la fortune de sa maison ?

Ce qui est plus grave, c'est que Saint-Simon, qui se flatte d'aimer l'histoire, n'en a pas vraiment le sens. Elle réside tout entière pour lui dans la connaissance du détail. L'importance des petites causes l'obsède : le refus fait par Guillaume d'Orange d'épouser une bâtarde de Louis XIV, voilà le sûr motif de la longue rivalité de deux princes, de deux peuples, de deux religions; une fenêtre mal placée à Trianon et dont le roi s'irrite, c'est assez pour que Louvois déchaîne la guerre. Les faits mystérieux, inouïs, le ravissent; il mêle l'histoire de commérages. Renonçons donc à trouver chez lui la vérité historique que sa haute situation semblait nous promettre, ou même la vérité morale, puisque sa passion risque de déformer les cœurs. La vérité pittoresque subsiste, saisissante, unique.

Il a su voir le cadre et peindre les lieux : il a décrit les résidences royales en homme qui en a goûté profondément les beautés diverses : Saint-Germain, Versailles, Marly, ce miracle de la volonté royale que Saint-Simon a réussi à sauver sous la Régence. Mais c'est surtout aux hommes qu'il s'arrête, et nous trouvons dans les *Mémoires* une galerie de portraits variés, vivants, parlants. Comme La Bruyère ou Lesage, il a peint d'après nature, mais il n'a point eu à s'en cacher, et sous les tableaux il met les noms.

Parfois un mot évoque une silhouette : Harlay, « le visage en losange »; la duchesse d'Orléans, « petite-fille de France jusque sur sa chaise percée »; Rion, « gros garçon court, jouffu, pâle, qui, avec force bourgeons, ne ressemblait pas mal à un abcès ».

Deux ou trois traits, et voici un portrait inoubliable : « Une grande créature maigre, jaune, qui riait niais et montrait de longues vilaines dents, dévote à outrance, d'un maintien composé et à qui il ne manquait que la baguette pour être une parfaite fée » : telle est Mme de Montchevreuil; et voici la maréchale de Villeroy : « Extrêmement petite, la gorge nulle, d'ailleurs d'une grosseur tellement démesurée qu'à peine pouvait-elle se remuer. Les bras étaient plus gros qu'une cuisse ordinaire, avec un petit poignet et une petite main mignonne au bout, la plus jolie du monde; le visage exactement comme un gros perroquet et deux gros yeux sortants qui ne voyaient goutte. Elle marchait aussi tout comme un perroquet. »

D'autres fois, Saint-Simon fait comme ces peintres qui s'acharnent, en des croquis multiples, à fixer un personnage sous toutes ses faces, dans toutes les postures, avec toutes les expressions, pour s'emparer enfin du secret de son âme. C'est ainsi qu'il revient souvent à Dubois, à Fénelon, au roi surtout, toujours présent, noble et galant, d'une politesse exquise et nuancée, épris de gloire et de grandeur, mais médiocre de cœur et d'esprit, attaché au détail, secret jusqu'à la dissimulation, étalant un égoïsme qui fait parfois sourire, parfois frissonner.

Saint-Simon aime aussi les compositions d'ensemble,

comme son majestueux tableau de la cour après la mort du Dauphin; des figures centrales bien en lumière, des masses groupées autour, en opposition et largement traitées, et toujours, dans un coin, l'auteur lui-même qui, après avoir vu et décrit, donne cours à ses sentiments impétueux.

Son style est adapté à ces spectacles colorés et changeants. Saint-Simon sait qu'il n'est point « un sujet académique »; il ne vise pas au purisme. C'est tant mieux. Mots du vieux temps, mots vulgaires et drus où il se délecte, mots qu'il crée ou qu'il détourne de leur sens ordinaire selon les besoins du moment, son vocabulaire étonne par sa richesse et sa variété. Il trouve, dès qu'il s'anime, des métaphores simples et hardies, si justes qu'elles semblent lui suggérer des idées nouvelles; ainsi quand on apprend que les princes légitimes sont déclarés aptes à la succession : « La bombe, écrit-il, éclata tout d'un coup, sans que personne pût s'y attendre; et chacun se jeta ventre à terre, comme on fait aux bombes. » Sa période, souvent mal organisée, lourde et compacte est toujours si bien assise qu'elle tient bon, même si quelques étais manquent. C'est la période d'autrefois, à qui les ellipses, les anacoluthes, les énumérations pressées, les traits de surprise donnent pourtant une allure moderne. Style riche, varié, complet, où la pure correction, rapide et directe, est rare, où la violence expressive, audacieuse, est de règle.

VAUVENARGUES

Luc de Clapiers, marquis de Vauvenargues, est né en 1715, à Aix-en-Provence. Le désir de la gloire l'attire tout jeune vers le métier des armes. Sous-lieutenant au régiment du roi, il sert d'abord en Italie (1733-1736), puis, après quelques séjours dans de tristes et décevantes garnisons, il fait la campagne de Bohême et la retraite de Prague (1742). Les épreuves d'une expédition malheureuse, les désordres qu'il a découverts chez ses compagnons, la flatterie mieux récompensée que la vaillance, tout le décourage. Après Dettingen, il donne, en 1743, sa démission de capitaine. Il voudrait entrer dans la carrière diplomatique; mais quand il est près d'obtenir un emploi, la petite vérole le défigure, l'aveugle à demi, ronge sa poitrine, rouvre ses plaies. Les lettres, qu'il aimait, vont le consoler. Il vit à Paris, pauvre, douloureux, cher à quelques amis conquis par ses malheurs et ses vertus. En 1746, il publie quelques-uns de ses essais; encouragé par Voltaire, il les retouche, mais la mort se hâte. Il la voit venir, parle d'elle avec sérénité, bien qu'il n'escompte pas avec assurance l'espoir d'une autre vie; il retourne, croit-il, au néant, et se regarde mourir avec mélancolie, trop fier pour avouer son amertume. Il est mort le 28 mai 1747, « en héros, dira Voltaire, sans que personne en ait rien su ».

L'Introduction à la connaissance de l'esprit humain, suivie de réflexions et maximes, publiée en 1746, et rééditée en 1747 après sa mort, a passé inaperçue, bien que Voltaire, dans l'Éloge des officiers qui sont morts dans la guerre de 1741, ait éloquemment appelé l'attention sur Vauvenargues et sur son œuvre. Il faut attendre 1806 et l'Éloge de Suard pour que la réputation

VAUVENARGUES. Portrait conservé à la bibliothèque Méjanes, à Aix-en-Provence. — CL. LAROUSSE.

de Vauvenargues s'établisse. Une bonne édition, très complète, de ses Œuvres a été donnée par Gilbert en 1857. Voir l'Éloge qu'on y trouve, les articles de Sainte-Beuve (Lundis, t. III et t. XIV), de Prévost-Paradol (Essai sur les Moralistes), de J. Barni (les Moralistes français), de G. Ascoli (Revue des Cours, 1923), les livres de Paléologue, 1890, G. Lanson, 1930, Wallas, 1928, F. Vial, 1938.

Il faut citer, auprès de Vauvenargues, Duclos (1704-1772), bien que ses Considérations sur les mœurs de ce siècle (1750) pâlissent à côté des Réflexions et maximes. Le livre de Duclos, plus descriptif, peut-être plus efficace, est moins entraînant. Il est d'inspiration honnête, et si le souci des intérêts mondains s'y mêle, Duclos, comme Vauvenargues, et avant J.-J. Rousseau, qui l'aimait beaucoup, a fait une grande place à la conscience, au sentiment intérieur. Il faut joindre à ces Considérations deux romans : Mémoire pour servir à l'histoire des mœurs du XVIIIe siècle (1752) et les Confessions du comte de *** qui nous peignent sans indulgence les mœurs dissolues des petits maîtres de la première moitié du siècle.

D'une nature noble et ardente, éprise d'action et de gloire, ébloui tout jeune par Plutarque et Sénèque et par eux conquis au stoïcisme le plus hautain, Vauvenargues déborde de foi et d'humanité. Il méprise l'égoïsme, les calculs, les petitesses, se livre à son cœur, se confie à ses amis d'enfance, à ses compagnons d'armes à l'égard desquels, en dépit de sa jeunesse, son affection prend une allure paternelle et charmante. Il s'impose par la force de sa vertu, par l'ardeur méridionale de sa parole, par son ton d'apôtre, par ce charme inexplicable et puissant des êtres réservés à une mort trop prompte. Il séduit les plus sceptiques; Voltaire, gagné à sa sincérité, lui dit : « Si vous étiez né quelques années plus tôt, mes ouvrages en vaudraient mieux. » « Avec lui, écrit Marmontel, on apprenait à vivre et on apprenait à mourir. » Poignante destinée d'un homme doué de rares vertus, injustement frappé par le sort dans sa fortune, sa santé, ses ambitions légitimes, et qui meurt à trente et un ans, laissant une œuvre inachevée et toute pénétrée d'optimisme !

On pense bien qu'il n'a pas coordonné dans un système, comme son *Introduction* prouve qu'il en avait le dessein, « tous les objets essentiels » de nos réflexions. En fût-il devenu capable avec l'âge, ce ne pouvait être l'œuvre d'un tout jeune homme. Nous n'avons de lui que des travaux préparatoires, fragments traités selon les formules courantes, discours, dialogues des morts, réflexions, maximes, caractères : c'est l'effort varié d'un homme qui veut « penser de soi-même et prendre, s'il se peut, la manière et le tour des grands maîtres ».

Originalité de pensée n'est pas dédain des devanciers : « Il est plus aisé de dire des choses nouvelles que de concilier celles qui ont été dites » : telle est sa première maxime. L'effort original est justement de « concilier », de « lier », de « rapprocher des contrariétés apparentes pour en former un système raisonnable ». Il n'est pas question de constituer un éclectisme superficiel. Mais

Vauvenargues veut échapper aux contradictions où se sont heurtés les philosophes antérieurs et croit y parvenir en partant d'un principe moins contestable, en usant d'une méthode plus heureuse.

Le principe plus sûr qui fonde sa morale, c'est que, s'il y a malheureusement des vices et des travers, tout n'est pas mauvais chez les hommes : « Composés de mauvaises et de bonnes qualités, ils portent toujours dans leur fonds les semences du bien et du mal. » La théorie libertine se dégage, s'oppose ouvertement à celle que les jansénistes ont fait triompher au XVIIe siècle. Arrière ceux qui, comme Alceste, et peut-être La Rochefoucauld, « se croient de grands hommes » parce qu'ils méprisent l'homme : « Je veux une humeur plus commode et plus traitable, un homme humain qui, ne prétendant point à être meilleur que les autres hommes, s'étonne et s'afflige de les trouver plus fous encore et plus faibles que lui, qui connaît leur malice, mais qui le souffre... » Vauvenargues s'accorde avec Philinte et avec Saint-Évremond, mais il s'élève plus haut : « La mode est de dénigrer l'homme, mais ce n'est qu'une mode; elle est peut-être mauvaise; nous pouvons la changer; elle change peut-être déjà. » Maxime capitale. La Rochefoucauld a trop vite accablé la vertu sous l'amour-propre; la vertu demeure vertu dès qu'elle tend au bien de tous, même si l'intérêt personnel y trouve son compte. Au contraire, « le sacrifice mercenaire du bonheur public à l'intérêt propre est le sceau éternel du vice ». Vauvenargues a sauvé et solidement établi la vertu en lui donnant une définition sociale.

Comment juger du bien et du mal ainsi définis? C'est au cœur que Vauvenargues s'en remet, à l'émotion, à la réaction immédiate du sentiment, qui précède et, dans l'âme pure, rend inutile le raisonnement : « La raison nous trompe plus souvent que la nature. » Du Bos avait déjà revendiqué la compétence exclusive du sentiment en matière de goût. Vauvenargues confirme la méthode et l'étend : « Je porte rarement au tribunal de la raison la cause du sentiment. » Cet appel au cœur était d'une singulière opportunité à l'heure où partout l'esprit triomphait, tranchant, irrévérencieux, méchant : « Si je pouvais trouver, soupirait Vauvenargues, un homme qui n'eût point d'esprit et avec lequel il n'en fallût point avoir, un homme ingénu et modeste qui parlât seulement pour se faire entendre et pour exprimer les sentiments de son cœur! » N'est-il pas lui-même cet homme modeste et ingénu? Et à quelle hauteur atteint-il spontanément, quand à son tour il exprime les sentiments de son cœur, une générosité « qui souffre des maux d'autrui comme si elle en était responsable », une humanité tendre et compatissante qui s'exprime avec un accent jusqu'alors inentendu en notre langue! « Pour moi, je n'entre jamais au Luxembourg ou dans les autres jardins publics, que je n'y sois environné de toutes les misères sourdes qui accablent les hommes, et que divers objets ne m'avertissent et ne me parlent de calamités que j'ignore. Tandis que dans la grande allée se presse et se heurte une foule d'hommes et de femmes sans passions, je rencontre dans les allées détournées des misérables qui fuient la vue des heureux, des vieillards qui cachent la honte de leur pauvreté, des jeunes gens que l'erreur de la gloire entretient à l'écart de ses chimères, des femmes que la loi de nécessité contraint à l'opprobre, des ambitieux qui concertent peut-être des témérités inutiles pour sortir de l'obscurité. Il me semble alors que je vois autour de moi toutes les passions qui se promènent, et mon âme s'afflige et se trouble à la vue de ces infortunés, mais en même temps se plaît dans leur compagnie séditieuse... »

C'est une sympathie qui s'étend à tous les êtres, même aux choses inanimées, et retentit en notes émouvantes et déjà romantiques : « La vue d'un animal malade, le gémissement d'un cerf poursuivi dans les bois par les chasseurs, l'aspect d'un arbre penché vers la terre et traînant ses rameaux dans la poussière, les ruines méprisées d'un vieux bâtiment, la pâleur d'une fleur qui tombe et qui se flétrit, enfin toutes les images des malheurs des hommes réveillent la pitié d'une âme tendre, contristent le cœur et plongent l'esprit dans une rêverie attendrissante. »

Mais le tendre Vauvenargues n'est pas un faible, sa sensibilité n'a rien de maladif. Il ne cesse de prêcher l'action; mourant, il glorifie la vie utilement employée. Magnanimité unique qui se repaît de gloire! Il la vante trop, sans doute, cette gloire qu'il confond parfois avec la vertu. Mais en pouvons-nous médire, quand elle inspire un Vauvenargues et lui apporte dans ses misères un perpétuel réconfort?

Ce penseur original a eu le souci de la forme achevée et, pour retrouver « la manière et le tour des grands maîtres », il se livrait à un travail assidu. De goût sûr, il aime Racine, Bossuet, Fénelon. Son idéal est une « simplicité éloquente ». L'éloquence est naturellement chère à l'homme d'action. La simplicité garantit sa sincérité; elle lui suggère ces images, délicieuses autant qu'aisées, dont la nouveauté surprenait et parfois choquait Voltaire : « Les premiers jours du printemps ont moins de grâce que la vertu naissante d'un jeune homme. » Elle le détourne du trait recherché et brillant où s'est complu La Rochefoucauld, des préoccupations pittoresques de La Bruyère. Sa langue est forte et saine; il aime le mot précis, l'épithète juste. Si des négligences nous arrêtent, songeons que nous lisons souvent des œuvres posthumes, toujours des œuvres interrompues. Ne faut-il pas plutôt admirer chez un jeune homme cette justesse et cette force dans l'expression comme dans la pensée, la pondération unie à l'ardeur?

III. — POÉSIE. THÉATRE. ROMAN

A l'heure où les idées s'émancipent, le goût demeure timide. Les écrivains les plus pénétrés de l'« esprit nouveau » imitent, comme fascinés, les chefs-d'œuvre du grand règne. Les vers, que la raison prétend déconsidérer, gardent tout leur prestige auprès du public comme auprès des auteurs : La Motte et Destouches démontrent bien que la prose est le vrai langage de la scène, mais ils écrivent en vers leurs tragédies et leurs comédies. Les lettrés observent toujours la hiérarchie établie entre les genres, révèrent l'ode, l'épopée, la tragédie, dédaignent les « petits genres », comédie ou roman.

Heureux d'ailleurs, ces petits genres! Ils peuvent vivre, s'enrichir, évoluer, sans subir la tyrannie oppressive des modèles consacrés. Ils gardent la franchise de leur allure, quelque chose de spontané, de frais. Le roman et la comédie, dont la langue s'assouplit et s'allège, reflètent les idées nouvelles; les poèmes légers atteignent une aimable et sûre perfection. Mais, dès que les auteurs abordent les genres élevés, un Piron lui-même s'engonce et se surveille : c'est travail d'école, sans vie, sans vertu.

LA POÉSIE

Nous avons déjà, en exposant le débat sur la poésie qui s'est institué au début du XVIIIe siècle, donné quelques indications sur la vie, les œuvres poétiques et les théories d'Houdar de La Motte (1672-1731).

Jean-Baptiste Rousseau, né à Paris en 1671, était fils d'un cordonnier. Après de brillantes études, il se fit de bonne heure connaître par ses vers et s'acquit de puissants patrons, entre autres le maréchal de Tallard, qui l'emmena à Londres en 1701, en qualité de secrétaire. Orgueilleux, médisant et cynique, Rousseau décourageait vite la sympathie. On ne s'étonne donc pas qu'à l'heure où l'Académie française allait consacrer son talent (1707), d'odieux couplets, qui n'étaient sans doute pas de lui, lui aient été attribués par la voix commune. Il riposte par des calomnies. Le parlement le déclare coupable d'avoir composé les couplets et d'avoir injustement rejeté l'accusation sur Saurin, de l'Académie des sciences, et il le condamne au bannissement. Rousseau, devançant la sentence, s'était déjà exilé en Suisse, à Soleure (1710) ; il ira à Vienne, à Bruxelles, à Londres, où il publie le recueil de ses vers (1723). On l'admire, mais on ne songe guère en France à regretter son éloignement et à le plaindre, car il est hautain, cassant et dévot avec arrogance. Quand, après une vieillesse honnête, dénuée et souffrante, il meurt (1741), sa destinée émeut les cœurs tendres : « La longueur de son infortune, dit Vauvenargues, a désarmé la haine de ses ennemis et fléchi l'injustice de l'envie. » Voltaire lui-même, qui l'exécrait, crut opportun de verser quelques larmes sur sa tombe. L'édition la plus complète de ses Œuvres est celle de 1757 (5 vol.).

Jean-Baptiste Louis Gresset, né à Amiens en 1709, fut élevé par les jésuites, s'attacha à leur ordre, enseigna dans leurs collèges, à Moulins, à Tours, à Rouen, à La Flèche. Son Ver-Vert (1734) lui conquit une célébrité mondaine; mais un second poème, la Chartreuse (1735), inquiéta ses supérieurs. Rejeté d'un ordre où il n'avait pas encore prononcé de vœux, il s'essaya dans plusieurs genres littéraires, triompha au théâtre avec le Méchant (1745), entra à l'Académie française (1748). Revenu dans sa ville natale, où il fit créer une brillante académie provinciale, il mourut en 1777, entouré de la plus respectueuse considération. Œuvres complètes, 3 vol., 1811. Voir Jules Wogue, Gresset, 1894.

Jean-Jacques Lefranc, marquis de Pompignan (1709-1784), s'attaqua pour son malheur aux philosophes et à Voltaire. Les sarcasmes de ces terribles adversaires ont accablé cet honnête homme, qui fut un magistrat érudit et un poète distingué.

Voltaire est le plus grand poète du temps; mais nous ne croyons pas devoir, dans notre étude, séparer ses poèmes du reste de son œuvre.

JEAN-BAPTISTE ROUSSEAU. Peinture de Jacques Aved (musée de Versailles). — CL. BRAUN.

Qu'attendre de la poésie, alors qu'aucun des sentiments qui l'inspirent d'ordinaire n'habite au cœur de ceux qui prétendent au nom de poète? L'amour est superficiel, impertinent, nullement élégiaque. Point de foi ardente, tout au plus une étroite dévotion, sincère chez Louis Racine, plus convenue chez J.-B. Rousseau, qui intimide ou dessèche l'imagination. La nature ne touche pas des citadins intellectuels, et l'on ne ressent même pas l'amour du sol natal : le grand poète de l'heure, Jean-Baptiste Rousseau, exilé plus de trente ans et souffrant de son exil, n'a jamais retrouvé, dans sa nostalgie, les accents émouvants de Joachim Du Bellay.

Il n'est de poésie que d'idées, d'idées banales. Les froides déclamations en vers sur la *Bienfaisance*, l'*Amour-propre* ou l'*Émulation*, que La Motte intitule des *Odes*, développent des pensées qui ne méritent pas d'être exprimées en prose; si les idées s'élevaient ou se raffinaient, le vers, leur interprète embarrassé, serait impuissant à les rendre. Voltaire, sans doute, a plus de vigueur dans ses tragédies ou sa *Henriade* : même, animé par Pope, il se guinde au poème philosophique et moral. Ses rivaux seraient tentés de le lui reprocher. « C'est l'expression qui fait le poète, dit J.-B. Rousseau, et non la pensée, qui appartient au philosophe et à l'orateur comme à lui. »

L'essentiel de la poésie, c'est donc l'expression, la forme : une langue pompeuse et impersonnelle, des circonlocutions élégantes, des alliances de mots laborieuses et froides, des épithètes conventionnelles qui satisfont parce

qu'elles ne surprennent pas, un rythme également sec et pauvre, alourdi par la césure classique, dont la déclamation s'efforce depuis longtemps à varier les effets, mais que les poètes n'osent pas résolument assouplir. Timorés, ils s'en tiennent aux mètres de Malherbe, ils gardent la rime dont tout le monde a médit, et ne s'avisent pas d'en tirer meilleur parti en l'enrichissant, tout glorieux s'ils doivent à des rimes redoublées quelques effets qui ne sont pas sans grâce. Ils se disent sensibles à l'harmonie et au nombre, entendez aux sonorités creuses, aux recherches artificielles, où se rétrécit et s'emprisonne ce qu'ils appellent leur « enthousiasme ».

En réalité, la poésie n'est qu'une élégante distraction, « une ressource innocente contre l'ennui »; c'est un amusement de jeune homme, bon pour le temps où l'on n'a pas mieux à faire. Tous croient, comme Gresset, que l'harmonie

> Ne verse ses heureux présents
> Que sur le matin de la vie,
> Et que sans un peu de folie
> On ne rime plus à trente ans.

On ne lit plus guère Jean-Baptiste Rousseau. Pourtant, l'histoire littéraire ne peut pas oublier que pendant près d'un siècle la France a vu en lui un de ses meilleurs poètes, et que, pour plusieurs générations, il a été le grand Rousseau, comme on le nommait, non sans malice, devant Jean-Jacques.

Il a eu le respect de son art, dont il connaissait admirablement la « mécanique »; sa stance est souvent froide, mais il donne à ses alexandrins de l'allure et de la souplesse, et il réussit mieux encore dans le maniement des petits vers. On a vanté longtemps la pureté de sa langue : mais elle est impersonnelle, imprécise, on sent partout l'effort qui la tend. Si Rousseau aimait la grandeur et la force des images, il avait trop de timidité : il atténue, bien plus que n'avait fait Racine, la hardiesse des *Psaumes* qu'il imite; il banalise, en les généralisant, leurs expressions simples et puissantes. Il est roide et froid, et c'est bien rarement que l'image du Psalmiste semble avoir évoqué dans son esprit une vision personnelle et fugitive :

> L'homme en sa course passagère
> N'est rien qu'une vapeur légère
> Que le soleil fait dissiper.
> Sa clarté n'est qu'une nuit sombre
> Et nos jours passent, comme une ombre
> Que l'œil suit et voit échapper.

Lefranc de Pompignan, son disciple, aura l'imagination plus riche et plus brillante. On ne trouve chez Rousseau rien de comparable à la strophe fameuse par laquelle Pompignan, se surpassant dans un accès d'enthousiasme, confondra les calomniateurs de son maître défunt :

> Le Nil a vu sur ses rivages
> De noirs habitants des déserts
> Insulter par leurs cris sauvages
> L'astre éclatant de l'Univers.
> Cris impuissants, fureurs bizarres!
> Tandis que ces monstres barbares
> Poussaient d'insolentes clameurs,
> Le dieu, poursuivant sa carrière,
> Versait des torrents de lumière
> Sur ses obscurs blasphémateurs.

Le lyrisme de Rousseau n'atteignit jamais à cette puissance ni à cette largeur, même dans ses *Odes* les plus vantées. Il semble qu'il n'ait rien écrit d'élan et par plaisir, si ce n'est ses *Épigrammes* : la Satire l'anime, et, soutenu par le tour marotique, il a de l'agrément dans ce genre rapide et concentré. Citons ses vers bien connus sur Fontenelle ; ils sont aussi plaisants qu'injustes :

> Depuis trente ans un vieux berger normand
> Aux beaux esprits s'est donné pour modèle :
> Il leur enseigne à traiter galamment
> Les grands sujets en style de ruelle.
> Ce n'est pas tout : chez l'espèce femelle
> Il brille encor, malgré son poil grison ;
> Et n'est caillette, en honnête maison,
> Qui ne se pâme à sa douce faconde.
> En vérité, caillettes ont raison :
> C'est le pédant le plus joli du monde.

Le maître de la poésie légère, le plus aimable rimeur du temps, après Voltaire, c'est assurément Gresset. Dans *Ver-Vert*, son leste et entraînant décasyllabe, plein d'esprit et même de sentiment, conte avec une élégante gaieté les aventures du perroquet de Nevers, si cher aux nonnains de la Visitation. Sensible au charme et à la grâce, ce jésuite affecte parfois les goûts d'un libertin. Rien d'étonnant à ce que sa *Chartreuse* l'ait fait chasser de son ordre. Pourtant, il n'y avait pas mis de malice, « enfilant ses vers au hasard », tout à sa verve et à sa nonchalance. Le succès, en l'obligeant à se surveiller davantage, le rendit moins spontané et moins heureux : le théâtre, puis la dévotion, firent bien de le détourner d'un genre où il avait cueilli la fleur de son talent.

LA TRAGÉDIE

A l'issue de l'époque classique, la tragédie est la pierre de touche du talent littéraire ; tous s'y essayent, même ceux que d'autres aptitudes entraînent vers d'autres genres : entre 1680 et 1715, on a représenté une centaine de tragédies dont l'histoire littéraire n'a rien retenu; à peine doit-on citer quelques noms d'auteurs : Campistron, La Grange-Chancel, Longepierre, les abbés Genest et

LOUIS GRESSET. Peinture de Tocqué (musée de Versailles). — CL. LAROUSSE.

Pellegrin. En vain La Fosse, l'auteur de Manlius *(1719),* Houdar de La Motte *(les Macchabées, 1722 ;* Romulus, *1722 ;* Inès de Castro, *1723), surtout Crébillon, tentent avant Voltaire de renouveler le genre ; le public croit parfois applaudir un chef-d'œuvre, mais le déclin est irrémédiable.*

Voir G. Lanson, Esquisse d'une histoire de la tragédie française, *1920 (nouvelle édition, 1927).*

Les poètes tragiques s'en tiennent à l'imitation des modèles consacrés. Pourquoi heurter la délicatesse d'un public engourdi dans ses habitudes et « accoutumé à tourner en ridicule tout ce qui n'est pas d'usage »? (Voltaire). Ils respectent donc toutes les traditions du genre : l'usage du vers et les unités, qu'ébranlent à peine les efforts hésitants de La Motte; l'intrigue amoureuse, qu'exigent les comédiennes et le public. Quant aux sujets, ils les demandent toujours à l'histoire ancienne ou à la fable, qu'ils déforment en croyant les rajeunir. Bien rares sont les audacieux qui tentent des tragédies saintes, comme La Motte en ses *Macchabées;* plus rares encore ceux qui se hasardent dans l'histoire moderne, comme Crébillon quand il entreprend un *Cromwell.* La Fosse est mieux dans le goût du temps, qui de la *Venise sauvée* d'Otway tire un *Manlius.*

Le grand maître, c'est Racine : on démarque ses sujets; on imite la coupe de ses scènes les plus fameuses, on lui emprunte des expressions, des vers entiers. L'hommage qu'il rendait aux poètes anciens en leur faisant des emprunts discrets, ses successeurs fascinés le lui rendent à tout instant. Mais la tragédie de Racine est d'un secours insuffisant à qui ne dispose pas de la science des passions. « Souvent, dit Voltaire, Racine n'est pas assez tragique. » Nos auteurs, pour étoffer leurs pièces, s'adressent donc à Corneille et lui prennent ses inventions compliquées et son style emphatique. A l'opéra, fort à la mode, ils empruntent sa douce galanterie, sa sentimentalité gracieuse et bientôt la splendeur de sa mise en scène. Ce théâtre s'efforce d'agir sur les sens. Voltaire disait : « Corneille n'est pas assez intéressant » : entendez qu'il n'émeut pas. On demande volontiers à la tragédie d'attendrir les cœurs ou d'ébranler les nerfs par le spectacle de crimes épouvantables, par des situations extraordinaires et angoissantes. De toutes façons, le mélodrame s'y annonce.

Si elle prétend émouvoir les spectateurs, la tragédie veut aussi les instruire. Elle se plaît aux sentences morales ou politiques, chaque jour moins discrètes. Bientôt elle ne survivra qu'en se faisant le champion éloquent de la philosophie.

CRÉBILLON

Prosper Jolyot, sieur de Crais-Billon, dit Crébillon, est né à Dijon en 1674, d'une famille de robe. Clerc de procureur à Paris, il mène une vie libre et dissipée ; mais sous une allure débraillée se cachent les vertus solides d'un honnête homme.

Quelques pièces fondent assez vite sa réputation : Idoménée *(1705),* Atrée et Thyeste *(1707),* Électre *(1708),* Rhadamiste et Zénobie *(1711). Puis sa veine est devenue moins féconde et moins heureuse. Après* Xerxès *(1714) et* Sémiramis

(1717), l'échec de Pyrrhus (1726) l'éloigne de la scène. Il reste pourtant un personnage considérable, car il est académicien et censeur royal. En 1748, son Catilina, longuement médité, soutenu par une cabale hostile à Voltaire, lui vaut un regain de faveur. Il est alors un vieil homme robuste, ami du plaisir, qui vit avec ses chiens, ses chats et sa pipe ; il meurt en 1762.

Des éditions complètes de ses Œuvres (3 vol.) datent de 1757 et de 1772. Voir Dutrait, Étude sur la vie et le théâtre de Crébillon, 1895.

CRÉBILLON. Gravure d'Ingouf le Jeune, d'après un portrait de La Tour.
CL. LAROUSSE.

Crébillon a tenté de ranimer la tragédie pathétique. Il ne dédaignait pas les belles sentences, mais il n'avait pas les préoccupations d'un « philosophe ». D'Alembert a conté qu'il avait souligné dans un exemplaire des *Vindiciae contra tyrannos*, pour s'en servir à l'occasion, les sentences républicaines et celles qui justifient le pouvoir légitime et bienfaisant des rois. Le gouvernement semble avoir bien mal à propos pris ombrage, avant son achèvement, d'un *Cromwell* qui sans doute n'aurait rien eu de subversif.

Plus que la politique, Crébillon aime les belles histoires. Lecteur de La Calprenède, de Scudéry, de Segrais, il agence, en fumant sa pipe, les péripéties d'aventures qu'il n'écrit point : ses tragédies se ressentent de ce goût pour les complications romanesques. Peu de caractères, point de passions habilement éveillées et nuancées; des héros en proie à des sentiments frénétiques, qui agissent sous la poussée d'événements imprévus. Les situations extraordinaires le ravissent : Boileau ne le traitait-il pas à ses débuts de « Racine ivre » ?

Ce bon vivant, naturellement porté, comme on voit par ses Préfaces, à l'ironie et au badinage, se plaît aux sujets horribles, aux passions inhumaines. Quelques épisodes violents ont fait trembler et se pâmer les belles spectatrices de ses tragédies. On n'a pas perdu le souvenir de la scène où, en plein théâtre, Atrée offrait à Thyeste une coupe pleine du sang de son fils : pendant quelques instants l'horreur avait été à son comble. Était-ce le frisson sacré du sublime ? Non, violence n'est pas grandeur. Bien des spectateurs se permettaient de sourire, avec Lesage, « de ces princes sanguinaires et de ces héros assassins ». Ajoutons que trop souvent des réminiscences flagrantes atténuent le mérite des meilleures scènes de Crébillon, et que son style emphatique, gauche et parfois rude, sent continûment l'effort. Voltaire, si imparfait qu'il soit comme poète tragique, a plus d'art et mérite d'être placé plus haut.

LA COMÉDIE ET LE ROMAN

De tout temps, la comédie et le roman ont présenté d'étroits rapports. Consacrés tous deux au divertissement de l'esprit, soumis à de communes influences, ils ont toujours réagi l'un sur l'autre. Mais ils n'ont jamais été plus intimement unis qu'au début du XVIIIe siècle; fait rare et significatif, les meilleurs auteurs comiques de ce temps en sont parfois aussi les meilleurs romanciers. Nous ne saurions donc, dans notre étude, séparer les œuvres romanesques des comédies.

C'est d'abord la comédie qui se développe : les grands souvenirs de Molière provoquent des vocations et les fécondent; ils retardent aussi l'évolution du genre. Celle-ci se produira pourtant sous l'action des mœurs et de quelques esprits originaux, surtout sous l'action du roman, que la comédie a d'abord entraîné à sa suite, et qui, libre de la tutelle impérieuse des chefs-d'œuvre, s'est mieux prêté aux influences novatrices.

Les pièces maîtresses de Molière ont longtemps imposé à la comédie de traiter largement, en cinq actes et en vers, la peinture d'un caractère. Mais ce genre difficile a besoin de sujets à sa taille. Or, les « caractères » sont rares : pour quelques vices capitaux, dont Regnard, Destouches et Gresset ont tiré assez bon parti dans *le Joueur*, *l'Ingrat* et *le Méchant*, combien de petits travers indignes de retenir l'attention ! Combien de pièces destinées à l'indifférence, puis à un juste oubli : *le Grondeur*, *le Négligent*, *l'Irrésolu*, *le Magnifique*, *le Babillard !*

D'ailleurs, si l'on voulait en renouveler la formule, l'œuvre même de Molière, pour peu qu'on y regardât, offrait des indications suggestives. Les imitateurs en profitèrent, mais il semble que chacun d'eux n'y distingua ou du moins n'en dégagea que l'un ou quelques-uns de ses aspects essentiels. Personne ne nous rendit la riche complexité du maître.

Les uns goûtent les pièces qu'on dit d'intrigue, quoique l'intrigue en soit à coup sûr le moins bon, cette fantaisie faite de travestissements, de surprises, de coq-à-l'âne, qui inspira *l'Étourdi*, *les Fourberies de Scapin* et en partie *l'École des femmes*, ce mélange d'imagination folle et de claire vision du réel, où le rire emporte tout, même l'indignation et le désir de corriger les hommes. Montfleury s'y était plu; c'est le triomphe de Regnard.

Parfois on s'arrête aux peintures des mœurs, des milieux et des conditions, à ces vigoureuses esquisses des *Précieuses*, du *Malade imaginaire*, de *Pourceaugnac*. La Bruyère en a répandu le goût; elles prêtent à la satire, souriante ou amère : quand Boursault et Baron s'y furent essayés, Dancourt et Lesage s'en emparèrent.

Certains sont séduits par la finesse psychologique, si frappante dans *le Misanthrope*. La mode du jour porte aux analyses minutieuses; de plus, c'est là qu'on sera le plus aisément original, car Molière, soucieux avant tout des ensembles, ne s'est pas attardé aux détails délicats. Le genre a tenté les meilleurs : Quinault, puis Dufresny et Destouches. Avec Marivaux, il atteint au chef-d'œuvre.

On aperçoit aussi les côtés sérieux du génie de Molière, d'abord son souci moralisateur; et les pièces par lesquelles il a voulu instruire ou corriger ses contemporains : *l'École des femmes*, *le Tartuffe*, *les Femmes savantes*, font naître les comédies-leçons de Boursault, plus tard celles de Destouches. Enfin, à mesure qu'on devient plus sensible, on apprécie les éléments tragiques que Molière avait sans doute délibérément refoulés, mais qu'on devine présents, menaçants, émouvants, dans ces comédies si gaies et si vraies, *le Misanthrope* ou *l'Avare*. De plus en plus on recherche le pathétique : Marivaux, et surtout La Chaussée, qui invente la comédie triste.

Goût de la fantaisie, ou du réalisme, ou de l'analyse psychologique, souci de moraliser, recherche du pathétique, telles sont les principales tendances qui engageront en des voies diverses la comédie et le roman.

LE JOUEUR.   LE LÉGATAIRE UNIVERSEL.

Dessins de Moreau le Jeune, gravés par Delignon et de Longueil. — CL. LAROUSSE.

REGNARD ET LA COMÉDIE D'INTRIGUE OU DE FANTAISIE

Jean-François Regnard est né à Paris, en 1655, d'une riche famille bourgeoise. Après de bonnes études, il fait de nombreux voyages : dans la Provençale, il en romance un curieux épisode, sa prise par les corsaires en 1678, et sa captivité en Alger. Le Voyage en Laponie *(1681), où il en dit bien plus qu'il n'a pu voir, se signale par le goût du détail pittoresque et amusant, mais non par des qualités d'observation. Si Regnard sent à l'occasion la grandeur et le charme de contrées éloignées, s'il s'abandonne, en présence d'un paysage étrange et désert, à quelque méditation mélancolique, singulièrement neuve à cette époque, ce ne sont qu'indices fugitifs, qui ne reparaissent pas ailleurs dans son œuvre.*

Pourvu d'une bonne charge, à Paris puis dans son château de Grillon, près Dourdan, il mène une vie épicurienne. Quelques accès d'humeur plus sombre se trahissent dans certaines de ses Épîtres, *mais le nuage passe vite. Il écrit, pour les Italiens d'abord, et à partir de 1695 pour le Théâtre-Français, des pièces qui l'amusent tout le premier, où règne une puissante, continue et incoercible gaieté : le* Joueur *(1696), les* Folies amoureuses *(1704), le Légataire universel (1708) sont les meilleures. Il meurt, d'indigestion, en 1709.*

Une bonne édition de ses Œuvres *a été donnée en 1822, en 6 volumes. Voir, dans la* Revue *des études historiques (1917), le récit véridique de sa captivité, écrit par son compagnon d'infortune, M. de Fercourt.*

REGNARD. Gravure de Tardieu, d'après le portrait de Rigaud. — CL. LAROUSSE.

En écrivant pour les Comédiens italiens des piécettes faciles, Regnard s'est formé au style de théâtre ; il a acquis l'adresse scénique et le mouvement, cette aisance où certains, comme Palaprat, voyaient sa marque propre :

> De notre scène il sait l'art enchanteur,
> Il y fait rire et badine avec grâce,
> Il est aisé.

Bientôt l'ambition le gagne, il s'adresse au Théâtre-Français ; mais il s'en tient d'abord prudemment aux pièces courtes, puis il se hasarde à employer le vers, et tout de suite sa verve franche éclate en accents joyeux, amples, qui sont comme un écho des couplets sonores de Molière (*le Bal*, 1696). Le voilà prêt pour de plus grands efforts.

Naturellement, la comédie de caractère l'attire, et bien qu'il ne doive pas toujours être aussi heureux dans ses choix, du moins pour ses débuts a-t-il trouvé un beau sujet dans sa propre expérience. C'est sa comédie du *Joueur*. Le jeu est un vice puissant et terrible ; mais Regnard ne songe pas à en tirer, comme eût sans doute fait Molière, un de ces drames de famille où le travers du chef retentit rudement, presque douloureusement, sur les siens : son héros est un célibataire qui ne fait même pas son propre malheur, sans entraîner les autres dans sa ruine. *Le Joueur* n'a guère plus de portée que *l'Étourdi* ; la donnée de la pièce tient du vaudeville plutôt que du drame. Valère, dominé par sa passion, recherche sa maîtresse dès qu'il perd au jeu, la quitte quand il a de l'argent, et l'oublie quand il gagne : de là des revirements continuels, comiques par leur répétition, mais, sinon sans vérité, du moins trop attendus. Il y a d'ailleurs beaucoup d'habileté dans la conduite de l'action. Aussi bien Regnard réussit-il surtout quand il ne vise qu'à amuser ; quand, sans prétention psychologique ou morale, il s'abandonne à sa verve. *Le Retour imprévu*, les *Ménechmes*, les *Folies amoureuses* et le *Légataire universel* sont de cette veine. Une situation enchevêtrée où chaque personnage s'agite librement, un monde de fantaisie, où l'on se complaît parfois dans la scatologie la plus effarante, où l'on n'a ni respect humain, ni mœurs, ni probité, où l'invraisemblable apparaît nécessaire, où les vieillards, toujours avares, toujours sots, sont des proies désignées pour des jeunes gens, toujours spirituels, toujours sans scrupules, toujours sympathiques : qu'on se rappelle ces *Folies amoureuses*, si justement nommées, et si charmantes, cette jeune fille qui contrefait la démente et se trémousse pour duper son tuteur, ces scènes lumineuses et rapides, faites de gaieté, d'entrain et de délire croissants, ou, sans plus de souci du réel, l'action se développe imperturbablement folle, où le rire bondit, rejaillit et se répand.

La source de ce rire, c'est le style, un style copieux, nourri de sève populaire, où le mot juste, hardi, semble s'étaler dans la réplique cocasse; c'est le vers aussi, harmonieux, souple, nuancé, tantôt un vers qui éclate en fanfare, tantôt un vers précis, évocateur, qui, en des couplets bien tournés, poursuit de longues métaphores, s'amuse aux descriptions élargies. Qualités de forme exquises, qui ont longtemps valu à Regnard de passer pour le second de nos auteurs comiques. Voltaire a écrit : « Qui ne se plaît à Regnard, n'est pas digne d'admirer Molière. » N'était-ce pas un peu trop dire ? Certes, nous goûtons le plaisir capiteux que Regnard nous offre; mais que demeure-t-il de tant d'éclat et de grisante gaieté ? Dès que la mousse de ce vin léger et pétillant se vaporise, la coupe reste en nos mains, presque vide.

DE LA FARCE ITALIENNE A L'OPÉRA-COMIQUE

Les meilleures pièces de la première Comédie italienne ont été recueillies dans le Théâtre italien, *de Gherardi (6 vol., 1700). Voir aussi le* Nouveau Théâtre italien *(10 vol., 1753) et les* Parodies du Nouveau Théâtre italien *(4 vol., 1738). Le* Théâtre de la Foire ou l'Opéra-Comique *a paru de 1721 à 1737 en 10 volumes, dont 9 sont consacrés aux pièces de Lesage. On y joindra les œuvres dramatiques de Piron, de Panard, de Favart, de Vadé. Un choix de pièces jouées entre 1658 et 1720 a été publié par Drack sous le titre :* le Théâtre de la Foire, la Comédie italienne et l'Opéra-Comique *(1889). Il faut surtout retenir l'œuvre de Favart (1710-1792).*

On trouvera l'histoire anecdotique de ces théâtres dans Maurice Albert, les Théâtres de la Foire *(1900), et dans N. Bernardin,* la Comédie italienne et le Théâtre de la Foire *(1902).*

La fantaisie s'est surtout déployée sur les petites scènes. Celles-ci, pour être tolérées, devaient s'interdire les pièces régulières que les Comédiens français avaient privilège pour représenter; au reste leur public, plus fruste, ne se souciait pas des règles.

La troupe déjà ancienne des Comédiens italiens avait été autorisée à jouer dans sa langue des scènes improvisées d'après des canevas très lâches. Pour mieux satisfaire un public qui, ne comprenant pas leur langage, était réduit à rire de leurs cabrioles et de leurs grimaces, les Italiens prirent bientôt la liberté d'entremêler leurs farces de scènes françaises, chaque jour plus nombreuses, et, comme le français ne leur était pas familier, leurs auteurs écrivirent ces scènes-là plus complètement que les autres. Regnard à ses débuts, et Dufresny, travaillèrent pour eux.

L'accent plaisant de ces étrangers, leurs costumes pittoresques, leur mouvement endiablé, leurs jeux de scène impayables, leurs « lazzi », comme ils disaient, réjouissaient le public. Ils accommodaient à leur façon les farces du Théâtre-Français, ils en parodiaient les tragédies; toute actualité fournissait une pièce, et quelques traits de satire sociale se mêlaient aux grasses plaisanteries. En 1697, ils annoncèrent une *Fausse Prude*, en laissant dire que Mᵐᵉ de Maintenon y serait représentée au vif. On prit prétexte de l'immoralité de leurs spectacles, dont on ne s'était pas encore aperçu, pour les chasser sans délai. Ils ne purent rentrer qu'après la mort de Louis XIV,

L'EXPULSION DES COMÉDIENS ITALIENS en 1697, d'après Watteau.
CL. LAROUSSE.

en 1716; et on les revit avec joie. Dominique donna un lustre inconnu au genre de la parodie, et ils jouèrent bientôt des pièces toutes françaises. C'est à ces adroits comédiens, pleins de naturel, de gaieté et de sentiment, que Marivaux confia les meilleures de ses comédies.

Depuis la fin du XVIᵉ siècle, des baladins installaient des « loges » à la Foire du quartier Saint-Germain en hiver, à la Foire Saint-Laurent en été. Danseurs de corde, équilibristes, escamoteurs, ils joignaient à leurs tours de courtes parades. Peu à peu ces dialogues comiques s'étendirent; mais les Comédiens français négligeaient ces pitres et ne s'en inquiétèrent qu'après 1697, lorsqu'ils virent les forains prétendre à la succession des Italiens expulsés, s'approprier ces scènes détachées, pittoresques et satiriques, qui faisaient comme autant de pièces rapides et joyeuses, plus ou moins adroitement liées entre elles par des tableaux vivants ou des pirouettes. Les Comédiens privilégiés voulurent supprimer cette concurrence française; ce fut une lutte héroïque et plaisante, « Romains » contre Forains. Soutenus par les autorités de police, et même par le parlement, les Comédiens du roi font interdire à leurs rivaux les scènes dialoguées (1703). Les forains se soumettent et donnent des monologues. On leur dénie le droit de déclamer : ils chantent des couplets. Défense d'ouvrir la bouche : ils jouent la pantomime et inscrivent en gros caractères, sur des écriteaux, des refrains que le public chante en chœur (1711). Que faire contre ces obstinés ? Ne débauchent-ils pas l'auteur à succès de leurs adversaires ? Lesage, qui a rompu avec les interprètes de *Turcaret*, écrit maintenant pour la Foire; le genre se relève et s'affine : qui oserait priver la foule d'un plaisir qu'elle réclame avec fureur ? Les gens du bel air eux-mêmes y prennent goût.

D'autres difficultés attendaient la Foire. Les Italiens, de retour, s'irritent de trouver des concurrents survenus en leur absence. On se dispute; puis, sagement, on s'entend et on s'unit. En ménageant les susceptibilités de l'Académie de musique, les troupes se spécialisent dans la comédie à couplets et à danses, ce qu'on commence à appeler l'opéra-comique. Du coup, l'allure des pièces se modifie. Des farces salées et mouvementées, des tableaux de mœurs satiriques et grossiers, on passe à la romance sensible, au spectacle gracieux et soigné : ce ne sont que paysans de bonne mine, souriants et bienveillants. Panard, moral et

UN THÉATRE DE LA FOIRE : le Théâtre Nicolet, à la Foire Saint-Germain. Estampe coloriée conservée au musée Carnavalet. — CL. LAROUSSE.

sentimental, s'engage dans cette voie, et Favart consacre le genre. Il a écrit une cinquantaine de pièces (en partie en collaboration avec sa femme : *la Chercheuse d'esprit*, 1741; *Ninette à la cour*, 1755; *les Trois Sultanes*, 1761; *Annette et Lubin*, 1762; *les Moissonneurs*, 1768, dont le succès a été considérable, et qui se sont répandues dans toute l'Europe. C'est un aimable mélange d'esprit, de marivaudage, de conventions pastorales et arcadiennes, avec un effort pittoresque pour donner à ses bergers et bergères une apparence de rusticité. Mme Favart eut le plus vif succès en jouant *Bastien et Bastienne* (1753) avec un costume de paysanne, en sabots. Les fameuses *Trois Sultanes* (1761) sont un opéra-comique, mais les chants et les danses relégués au second plan laissent la part plus grande à la comédie spirituelle et fine. C'est ainsi que sur les scènes « à côté » prospère un théâtre fantaisiste et varié, où se glissent la comédie de mœurs, la comédie psychologique, la comédie sentimentale, qui en même temps prennent peu à peu possession de la scène française.

LA COMÉDIE DE MŒURS ET DANCOURT

Florent Carton, sieur d'Ancourt, dit Dancourt, est né à Fontainebleau en 1661, d'une bonne et rigide famille de robe et de finance. Après d'excellentes études à Paris, chez les jésuites, qui tentent en vain de l'attacher à leur ordre, il fait son droit, est reçu avocat ; mais l'aventure bouleverse une vie qui s'annonçait austère et calme. Il s'éprend d'une actrice, la fille de La Thorillière, cet « honnête homme » devenu comédien par amour. Il l'enlève, l'épouse, et, comme avait fait autrefois son beau-père, il entre avec elle à la Comédie-Française (1680). Il a du talent, joue avec succès les financiers et les jaloux ; bientôt il se met à composer, et donne une cinquantaine de comédies, qui furent fort bien reçues.

Dans ce milieu de comédiens — il est le beau-frère de Baron —, sa femme et lui, bien qu'ils aiment leur métier, se sentent étrangers et ne plaisent guère. Dancourt exprime à l'occasion de délicats et fiers regrets (Préface de Sancho Pança, *1712) :*

*J'ai donné quelques soins, des veilles au théâtre,
Je ne m'en repens point, mais j'ai pu faire mieux.
Mars et Thémis m'offraient une carrière*

*Où j'aurais pu me signaler :
J'ai des aïeux qu'on vit briller
Chez eux de plus d'une manière.
Un peu dérangé de leur sphère,
Je soutiens, autant que je puis,
L'honneur du parti que j'ai pris.*

La faveur du roi et des grands le dédommage, mais avive peut-être en lui le sentiment de sa déchéance. Ses filles, qui sont aussi montées sur la scène, la quittent bientôt pour d'honorables mariages. Il est lui-même détaché du théâtre par quelques rivalités que son caractère violent supporte mal, surtout par l'habile intervention de son ancien maître, le P. de La Rue, qui le ramène à la foi.

En 1718, il quitte la Comédie, non sans avoir retiré et brûlé les manuscrits de ses pièces qu'on n'avait pas encore jouées. Dans sa propriété de Courcelles-le-Roi, près Gien, il se consacre avec sa femme aux bonnes œuvres, traduit pieusement des psaumes, compose une tragédie sainte, tous poèmes que son humilité, ou son goût, n'a point conservés; il meurt comme un chrétien exemplaire, en 1725.

Ses Œuvres ont été rassemblées en 12 volumes (1760). Voir Jules Lemaitre, la Comédie après Molière et le Théâtre de Dancourt, 1882.

Ce sont les comédies d'un comédien : à une connaissance très sûre des effets de scène qui « portent », il joint le sens du mouvement dramatique. Il y a parfois chez lui de ces actions larges et comme balancées, dont on admire la simplicité puissante chez Molière, mais plus souvent il entraîne ses personnages dans une agitation forcenée : on va, on vient, on court, on crie; jamais le dialogue n'alentit l'action trépidante; le rire éclate à tout instant.

Cet amuseur sait profiter de l'actualité. Quand on s'arrache chez les libraires *le Diable boiteux*, de Lesage, il tire prestement une pièce de ce roman. *Don Quichotte* a comme un regain de succès : il met à la scène *Sancho Pança, gouverneur*. Ainsi que les fournisseurs de la Comédie italienne ou de la Foire, il fait son bien des événements du jour : il donne une comédie sur la *Gazette*, une autre sur la *Loterie ;* suivant les saisons, il fait jouer *l'Été des coquettes*, *les Vendanges de Suresnes ;* et si les soldats s'assemblent en un camp de manœuvres où le bon ton attire les bourgeois parisiens, voilà l'occasion d'une saynète : *les Curieux de Compiègne*. Théâtre pittoresque et vivant, qui procurait aux contemporains le plaisir que nous trouvons aujourd'hui à nos « revues ».

Ces œuvres, composées au jour le jour, pèchent contre le style. Dancourt écrit facilement, et même ses vers ont de l'aisance; mais sa langue gaie, naturelle, alerte, a de la conversation la négligence, la trivialité, parfois l'incorrection. Elle manque de cette vigueur qui seule rend une œuvre durable. Destouches dira durement que Dancourt est le « fripier du Parnasse ».

Cependant, nous nous plaisons encore à ces curieux et vifs tableaux de mœurs. N'y cherchons point des caractères poussés. Dancourt compose trop vite pour pouvoir achever un portrait. Même son *Chevalier à la mode* (1687), qui est peut-être sa meilleure pièce, n'offre guère mieux qu'une esquisse. Plus souvent il croque lestement toute une série de silhouettes, dispersant sur un groupe d'individus les traits de la satire : le pluriel de ses titres, *les Bourgeoises de qualité, les Bourgeoises à la mode, les Agioteurs*, est caractéristique de sa méthode.

S'il ne pénètre pas bien avant dans l'âme des individus, toute une société vit dans ses pièces. Ce n'est point la meilleure, mais le monde équivoque qu'il voyait de plus près : la bourgeoisie enrichie et démoralisée par les affaires, où fréquentent quelques nobles tarés, où des aventuriers parviennent à s'introduire. Le mélange des conditions, la puissance croissante et corruptrice de l'argent, la malice finaude des paysans de la banlieue parisienne qui admirent, envient et grugent les bourgeois en goguette, se marquent avec une netteté et une vérité remarquables. Aucune intention de moraliste : Dancourt peint les gens tels qu'il les voit, sans colère ni pessimisme; il amuse et il s'amuse : chez ses personnages, les sentiments les plus odieux, dépouillés de toute noirceur, se réduisent à leurs éléments risibles. Sa morale est bien humble; c'est celle des gens de sa profession et de ce monde irrégulier; c'est celle qu'il passera sa vieillesse à regretter et à expier, une morale tolérante et trop facile, qui accueille toutes les faiblesses humaines :

LES PLAISIRS DU THÉATRE-FRANÇAIS. Peinture de Watteau (Kaiser-Friedrich Museum, à Berlin). — CL. BULLOZ.

> Nous habitons sous d'aimables climats
> Où la sagesse la plus pure
> Instruit à suivre pas à pas
> Les douces lois de la nature.

Tel est ce théâtre bruyant, amusant, vrai, mais sans puissance ni grandeur, où l'on ne trouve pas de chef-d'œuvre. La pièce définitive sur l'homme d'argent que Dancourt a souvent ébauchée, ce n'est pas lui qui l'a écrite. C'est Lesage qui, s'inspirant de lui, compose *Turcaret*.

LESAGE

Alain-René Lesage est né, le 8 mai 1668, d'une famille bourgeoise de Bretagne. Venu de bonne heure à Paris et engagé dans le métier des lettres, il reste bourgeois et provincial, mène une vie calme, honnête et saine. Marié jeune, père de quatre enfants, il se tient à l'écart du monde et des coteries littéraires; il travaille sans répit et parvient, l'un des premiers, à vivre et à faire vivre les siens du produit de sa plume.

Il est par vocation un auteur dramatique. A ses débuts, il a traduit des pièces du théâtre espagnol. Une petite comédie plus librement adaptée, Crispin rival de son maître, *a un vif succès en 1707. En 1709, il fait jouer son* Turcaret, *satire hardie des financiers, que son ingéniosité et de hautes protections imposent à la timidité des Comédiens français. Brouillé bientôt avec ses interprètes, il ne renonce pas au théâtre pour autant :*

ALAIN-RENÉ LESAGE. Gravure de Guélard.
CL. LAROUSSE.

le démon le tient. Il s'adresse à leurs rivaux, les farceurs de la Foire : seul ou en collaboration, Lesage compose pour eux près de cent pièces.

Mais c'est au roman que ce dramaturge doit ses plus grands succès, au roman de mœurs voisin de la comédie dont il est né, et qui lui fait heureusement concurrence, car il se prête mieux encore à la peinture exacte et détaillée du monde. Après ses premières traductions dramatiques, Lesage interprète avec quelque indépendance le Don Quichotte d'Avellaneda *(1704). En 1707, le* Diable boiteux, *aux multiples sources espagnoles, obtient un succès inouï. De 1715 à 1735 s'échelonnent à de longs intervalles, attendus impatiemment du public et des libraires, les épisodes picaresques de* Gil Blas de Santillane, *son chef-d'œuvre.*

Il faut mentionner aussi d'autres œuvres, qu'il composa pour vivre, et qui sont de moindre intérêt : un amusant roman d'aventures exotiques, les Aventures de M. Robert Chevalier, dit de Beauchêne *(1732), d'autres romans picaresques :* Don Gusman d'Alfarache *(1732),* Estevanille Gonzalès *(1734), le* Bachelier de Salamanque *(1736), puis quelques recueils de nouvelles.*

Quand la veine de Lesage, après cette exploitation intensive, est définitivement tarie, il se retire à Boulogne-sur-Mer, près de son fils, qui est chanoine. Il y passe paisiblement ses derniers jours, et meurt le 17 novembre 1747.

Ses Œuvres *ont été éditées par Renouard en 1821 (12 volumes). De son théâtre forain, soixante-quatre pièces ont été publiées et constituent 9 volumes du* Théâtre de la Foire *(1721-1737) ; les autres, inédites, sont conservées au Cabinet des manuscrits de la Bibliothèque nationale.*

Voir Eugène Lintilhac, Lesage, *1893; Léo Claretie,* Lesage romancier, *1883; une* Étude sur le Diable boiteux, *de*

Jean Vic (Revue d'histoire littéraire de la France, 1920). *Voici longtemps que les critiques espagnols ont fait une question nationale du débat sur l'originalité de Gil Blas. La querelle, qui a ému la critique pendant plus d'un siècle, a été résumée et close par Ferdinand Brunetière,* Histoire et Littérature, *t. II.*

Dans cette vie très unie, point de hardiesse de conduite. A l'heure où des soucis nouveaux agitent tant d'esprits, Lesage ne discute guère les idées reçues : il est l'adversaire-né des Modernes et des « philosophes »; pourtant il a une prédilection intellectuelle pour la fantaisie, et son œuvre, comme il arrive, prend le contre-pied de sa vie.

Les genres littéraires qu'il cultive sont des genres irréguliers, qui scandalisent les classiques. Boileau tirait l'oreille au petit laquais assez audacieux pour introduire chez lui *le Diable boiteux,* et J.-B. Rousseau, en 1716, apprenant que Lesage travaillait pour la Foire, écrivait à Brossette : « L'auteur du *Diable boiteux* ne pouvait mieux faire que de s'associer avec des danseurs de corde : son génie est dans sa véritable sphère. » Lesage devine ce dédain et se console en voyant croître son succès, en raillant à son tour les « bureaux d'esprit » où « l'on ne regarde la meilleure comédie et le roman le plus ingénieux et le plus égayé que comme une faible production qui ne mérite aucune louange, au lieu que le moindre ouvrage sérieux, une ode, une églogue, un sonnet, y passe pour le plus grand effort de l'esprit humain » (*Gil Blas,* IV). Lesage a eu raison de croire qu'à des temps nouveaux conviennent de nouveaux genres, qu'il n'en est point d'ailleurs que le talent ne puisse élever : son œuvre, mieux que tout argument, a fait ressortir la maladroite intransigeance des doctrinaires classiques.

Au point de vue des mœurs, le contraste est plus surprenant encore. Ce bourgeois paisible et rangé n'eut sans doute pas de plus grand chagrin que de voir deux de ses fils se faire comédiens; il est pourtant le fournisseur attitré des farceurs et il laisse paraître dans toutes ses œuvres un faible pour l'aventure et les aventuriers. Certes, il donne à ses déclassés quelque chose de sa bonhomie. Si Gil Blas laisse parfois apercevoir une inconscience assez inquiétante, plus souvent il rougit lui-même de ses faiblesses; il se laisse entraîner, mais n'est pas mauvais, et nous sommes prêts à ratifier le jugement du duc de Lerme : « Je m'étonne que le mauvais exemple ne l'ait pas entièrement perdu; combien y a-t-il d'honnêtes gens qui deviendraient de grands fripons si la fortune les mettait aux mêmes épreuves ? » (*Gil Blas,* VIII.)

Reconnaissons pourtant que Lesage, dans la société fâcheuse où son imagination se plaît, a pris vraiment trop d'indulgence. Il ignore ces indignations ardentes qui révèlent un cœur pur; curieux de vérité et désireux de rire, il ne joue point au moraliste. Ses mots sont plus amusants qu'amers : « La justice est une si belle chose qu'on ne saurait trop l'acheter » (*Crispin rival de son maître*). Il a peur des réflexions attristantes. Il néglige de nous faire connaître les origines du

financier Turcaret, et il ne met pas le nez trop avant dans ses affaires : il faudrait s'emporter. Sans doute, il lui prête une dureté naturelle presque effrayante : « Trop bon ! Trop bon ! et pourquoi diable s'est-il donc mis dans les affaires ? » Mais le trait fait rire d'abord. Turcaret est moins terrible que ridicule; volé et trompé par tous, il semble qu'il expie assez et soit autant à plaindre qu'à condamner. Le grand principe de Lesage — n'est-ce pas la morale même de *Gil Blas?* — c'est qu'il ne faut désespérer de rien ni de personne; le mal et le bien alternent et coexistent : laissons faire les hommes et le temps. De là vient la vertu consolatrice et rafraîchissante de *Gil Blas* : c'est bien, selon le mot de Sainte-Beuve, « le livre qu'il est bon de relire après chaque invasion, après chaque trouble dans l'ordre de la morale, de la politique et du goût ».

Qu'il s'agisse de ses comédies ou de ses romans, on ne peut dissimuler la pauvreté de l'invention chez Lesage. Sans scrupule, il emprunte à des devanciers souvent espagnols, parfois italiens et même français, tantôt l'intrigue de son œuvre, tantôt certains de ses épisodes. Quand il n'a pas pillé autrui, on s'aperçoit qu'il a transporté dans son ouvrage des faits divers de la chronique contemporaine; et ces personnages réels ont eux-mêmes tendance à se réduire à des types littéraires connus; leurs actions se mettent en scène selon les formules applaudies chez Molière ou chez Dancourt. Mais ce n'est pas toute l'invention, et ce n'est sans doute pas le plus grand mérite littéraire que d'imaginer des personnages et des intrigues. Même en Espagne, où *le Diable boiteux* de Lesage a préservé de l'oubli son modèle Velez de Guevara, on a parfois lu l'imitation plus volontiers que l'original. Cela ne prouve-t-il pas qu'elle y ajoutait? « J'ai fait un nouveau livre sur le même fonds », disait orgueilleusement Lesage dans la première préface du *Diable boiteux.* Juste prétention : en dépit de ses modèles étrangers, Lesage a écrit des œuvres très françaises, bien à lui, de ces œuvres pour lesquelles il faut songer au nom glorieux et périlleux de chefs-d'œuvre.

Comme ces miroirs habilement préparés, qui embellissent ou défigurent, en tout cas transforment ce qui se reflète en eux, Lesage donne à tout ce qu'il reproduit une allure, une couleur nouvelles. Même quand il imite de très près, il ne copie pas; on a souvent répété qu'il sait être plus rapide, plus vraisemblable, plus décent que ses modèles : sans doute. Mais nous admirons surtout comment il recrée dans son esprit ce que son modèle lui suggère, et l'exprime tel qu'il le voit. Or, il a une puissance remarquable et bien personnelle d'évocation pittoresque. Plus qu'aucun autre il sait dégager et souligner le trait qui donne le mouvement et assure la ressemblance. Disciple réfléchi de La Bruyère à qui il a emprunté de multiples détails, surtout dans son *Diable boiteux,* il lui doit avant tout sa méthode d'expression, la science des lignes et des gestes, l'animation de la vie.

Il dédaigne le décor de la comédie humaine; même, il raille volontiers ceux qui s'attardent à cette des-

ILLUSTRATION pour l'édition de 1756 du « Diable boiteux ». On aperçoit Asmodée et l'Ecolier sur un toit; sous leurs yeux les maisons semblent se découvrir. — CL. LAROUSSE.

cription facile et vaine : « J'aurais en cet endroit de mon récit une occasion de vous faire une belle description de tempête, de peindre l'air tout en feu, de faire gronder la foudre, siffler les vents, soulever les flots, etc.; mais, laissant à part toutes ces fleurs de rhétorique, je vous dirai que l'orage fut violent et nous obligea de relâcher à la pointe de l'île de Cabrera. » Mais que des hommes viennent animer la scène, aussitôt son œil amusé s'y attache et quelques regards aigus lui permettent de découper des images vivantes, nuancées, inoubliables. C'est Dame Léonarde, la servante des voleurs : « outre un teint olivâtre, elle avait un menton pointu et relevé, avec des lèvres fort enfoncées; un grand nez aquilin lui descendait sur la bouche, et ses yeux paraissaient d'un très beau rouge pourpré » (*Gil Blas*, I). Ou bien, c'est le capitaine Chinchilla, un vieux brave, « homme de soixante ans, d'une taille gigantesque et d'une maigreur extraordinaire. Il portait une épaisse moustache, qui s'élevait en serpentant des deux côtés jusqu'aux tempes. Outre qu'il lui manquait un bras et une jambe, il avait la place d'un œil couvert d'un large emplâtre de taffetas vert, et son visage en plusieurs endroits paraissait balafré. A cela près, il était fait comme un autre » (*Gil Blas*, VII).

Ces bonshommes si nettement dessinés ne sont jamais au repos; ils ont des mouvements précis et larges, des mouvements de théâtre qui « passent la rampe ». Parfois aussi, sans arrêter l'action ni ralentir le mouvement, quelques mots jetés en passant révèlent chez Lesage la plus fine connaissance du cœur. Laure la comédienne a conté ses longues et tristes amours avec un jaloux dont elle a dû se séparer : « Croiras-tu que le dernier jour de notre commerce en fut le plus charmant pour nous? Tous deux également fatigués des maux que nous avions soufferts, nous ne fîmes éclater que de la joie dans nos adieux. Nous étions comme deux misérables captifs qui recouvrent leur liberté après un rude esclavage » (*Gil Blas*, III).

Voilà comment Lesage sait faire siens tant d'éléments partout recueillis. Certes, la fusion n'est pas toujours parfaite. Dans sa hâte il s'est contenté trop souvent de coudre à grands points, comme en un costume d'Arlequin, des morceaux mal assortis. Nous ne défendrons point les énumérations d'anecdotes et de types, hâtives, froides, invraisemblables, qui alourdissent *le Diable boiteux* et apparaissent encore dans *Gil Blas* ou dans quelques scènes des comédies. Mais le mélange est en général fait avec adresse, avec un sentiment juste des proportions, des groupements et des contrastes. Il y a déjà un certain art dans la façon dont *le Diable boiteux* fait alterner les longues nouvelles et les anecdotes, les plaisanteries et les scènes tragiques. Dans *Gil Blas*, l'effort de composition est plus sensible. Sans doute, c'est un roman « à tiroirs », et les liens sont factices et fragiles que tissent entre les diverses parties d'adroits rappels des premières aventures, les retours imprévus d'anciennes connaissances. Ce qui fait l'unité de l'œuvre, c'est la personnalité du héros, complexe mais cohérente, et dont l'évolution est lente et naturelle : Gil Blas est d'abord un jeune homme prêt à tout, sauf au crime; devenu plus délicat, il se laisse encore gâter par le

FRONTISPICE du « Diable boiteux ». On voit par cette gravure, empruntée à l'original espagnol, que Lesage ne songea point à renier son modèle. — CL. LAROUSSE.

monde; mûri et assagi, s'il reste faible aux tentations, il finit par les vaincre et s'épanouit en une vieillesse tranquille et honnête, celle que Lesage rêve pour lui-même.

Dans *Turcaret*, l'ensemble se tient mieux encore, comme il convient à une œuvre dramatique. Le financier occupe la scène de sa personne, de ses vices et de son argent. Son caractère et ses actes nouent l'intrigue; autour de lui, à son exemple et à son détriment, c'est la contagion de la duperie et du pillage, c'est un « ricochet de fourberies le plus plaisant du monde » : l'œuvre marque un progrès sérieux sur les « pochades » hâtives de Dancourt.

Le mérite essentiel du style de Lesage c'est la netteté et la précision. L'auteur n'y atteint pas sans travail : s'il y a d'abord quelques négligences dans sa forme, il les corrige soigneusement dans les éditions successives de ses œuvres, recherche la variété, la vivacité, la rapidité, ne dédaigne pas l'harmonie. Son style est dramatique, parlé plutôt qu'écrit; même dans ses romans, les dialogues, les monologues, les exclamations abondent, que soulignent des indications de gestes.

Il a tous les procédés de l'auteur comique, même les plus gros, les répétitions et les oppositions de mots, ces « turlupinades » que condamnait Molière : « Si elle est morte, je vous proteste que ce n'est pas faute de remèdes. — Non, c'est plutôt la faute des remèdes. » Ses jeux de mots sont souvent de qualité plus relevée; ce sont plaisantes équivoques où tout le monde s'amuse aux dépens d'un sot. Mme Turcaret se vante d'être allée au bal costumé dans sa ville de province :

LISETTE

Madame se déguise en Amour peut-être?

Mme TURCARET

Oh! pour cela non.

LA BARONNE

Vous vous mettez en déesse, apparemment, en Grâce?

Mme TURCARET

En Vénus, ma chère, en Vénus.

LE MARQUIS

En Vénus? Ah! madame, que vous êtes bien déguisée!

Parfois le trait est comme inconscient et par là plus pénétrant. Un apothicaire dit à un héritier : « J'étais bien serviteur de feu monsieur votre père, et c'est moi qui lui ai fourni les drogues dans la maladie dont il est mort. — Je vous en suis redevable. » Enfin, ce sont mots cruels, cris de nature, formules définitives et lapidaires. Turcaret s'indigne d'un reproche qu'on lui a fait : « Vouloir faire aux gens un crime de prêter sur gages! Il vaut mieux prêter sur gages que de prêter sur rien! »

Si la plaisanterie paraît parfois trop appuyée, ce n'est point la manière accoutumée de Lesage; son propre, c'est le ton léger, désinvolte, impertinent, le ton que ce bourgeois prend dans le monde quand il se redresse devant les grands qui le morigènent, c'est déjà le ton de Beaumarchais. Crispin répond aux observations de son maître : « Parbleu, monsieur, je vous sers comme vous me payez; il me semble que l'un n'a pas plus à se plaindre que l'autre. »

Ce que nous aimons plus encore chez Lesage, c'est la

phrase fluide et miroitante, où les mots courent et ricochent l'un sur l'autre, rident la pensée d'ondulations légères, réjouissent l'œil sans l'arrêter et se perdent dans le flot rapide qui les entraîne. C'est déjà l'art malicieux de Voltaire, la phrase transparente et révélatrice, où l'auteur laisse au lecteur la joie exquise de découvrir ce qu'il y a disposé avec une adroite négligence. C'est aussi l'art d'Antoine Hamilton dans une œuvre de choix qui, au même temps, illustre le roman de mœurs, dans ce récit preste, amusant, vivant, délicieux, qui a pour titre : les *Mémoires du chevalier de Grammont* (1713).

LA COMÉDIE ET LE ROMAN PSYCHOLOGIQUES : MARIVAUX

Pierre Carlet de Chamblain de Marivaux est né le 4 février 1688, à Paris, d'une famille attachée au parlement de Rouen ; de ces magistrats normands, il tint peut-être le goût de l'analyse, de la chicane sentimentale ; d'eux il tint aussi une vertu à toute épreuve.

Élevé à Riom, puis à Limoges, où son père dirige l'hôtel des Monnaies, il reçoit une assez mauvaise instruction, qui ne lui fait guère apprécier la culture classique ; mais il apprend à connaître la bourgeoisie de province et les gens de la campagne. Revenu à Paris pour faire son droit, il est séduit par la vie intense de la grande ville : le voici à jamais fixé, Parisien par choix. Il mène une existence aisée ; bienvenu chez Mme de Lambert et chez Mme de Tencin, il achève de se former dans ce milieu « moderne » où l'on fait de lui le plus grand cas.

Il tient à ses succès de causeur et de lecteur mondain ; et d'abord il écrit peu, car il est lent à trouver sa voie : après avoir raillé le roman d'aventures dans Pharsamon ou les Folies romanesques (1712), il prend goût aux inventions les moins vraisemblables et compose les Effets surprenants de la sympathie (1713-1714). Il parodie les Anciens dans l'Iliade travestie et le Télémaque travesti (1717) ; il adresse au Mercure des Réflexions littéraires et morales ; ce n'est qu'en 1720 qu'il aborde le théâtre, la Comédie-Française, avec Annibal, une tragédie qui tombe, le Théâtre-Italien avec une fantaisie qui va aux nues, Arlequin poli par l'amour. Il est à jamais guéri de la « fureur tragique » et des vers ; pendant près de vingt-cinq ans, il écrira des comédies en prose.

Il s'adresse parfois aux Comédiens français, mais sa susceptibilité s'accommode mal de leur caractère difficile, comme son originalité de leur souci des traditions. De plus leur diction affectée ne convient pas à ses pièces ; ce dialogue subtil et contourné doit être « déblayé » : Marivaux, nous le savons, lisait lui-même avec une surprenante volubilité. Citons, parmi les pièces qu'il a données au Théâtre-Français : l'Ile de la Raison (1727), la Surprise de l'amour (1727), le Petit-maître corrigé (1734), le Legs (1736), le Préjugé vaincu (1746).

Les Comédiens italiens lui agréaient davantage. Sans doute ne prononçaient-ils pas très purement le français ; mais ils étaient naturels, et ces mimes excellents accentuaient, complétaient, interprétaient du geste et du regard les sentiments nuancés et réticents ; enfin, sur cette scène moins sévère, Marivaux se laissait aller plus librement à sa fantaisie. D'instinct il s'était d'abord adressé à eux ; il leur resta toujours fidèle. Ils ont joué Arlequin poli par l'amour (1720), la Surprise de l'amour (1722), la Double Inconstance (1723), l'Ile des Esclaves (1725), l'Héritier de village (1725), le Jeu de l'amour et du hasard (1730), l'École des mères (1732), la Mère confidente (1735), les Fausses Confidences (1737), les Sincères (1739), l'Épreuve (1740).

Mais bientôt le théâtre ne suffit ni à son activité ni à ses besoins, car il avait été ruiné par le « système » de Law ; pourvu d'une maigre pension, il dut travailler pour

les libraires. Il fit des essais de journalisme à la manière anglaise : le Spectateur français (1722-1723), l'Indigent philosophe (1728), le Cabinet du philosophe (1734) ; mais il se lassa toujours au bout de quelques feuilles. Il entreprit et abandonna aussi des romans : la Vie de Marianne, dont les onze parties parurent en dix ans (1731-1741) et qu'il laissa sans conclusion ; le Paysan parvenu, commencé entre temps (1735) et de même inachevé.

L'Académie l'accueille en 1742, quand son inspiration est presque tarie. Il se survit à lui-même, il est seul : sa femme est morte toute jeune, sa fille est entrée en religion. Émue de sa solitude, Mlle de Saint-Jean, qui est de son âge, l'invite à se retirer chez elle ; des soins attentifs adoucissent sa fin. Sa mort, survenue le 12 février 1763, passa presque inaperçue : « Il avait eu, dit Grimm, le sort d'une jolie femme qui n'est que cela, c'est-à-dire un printemps fort brillant, un automne et un hiver des plus rudes et des plus tristes. »

Une édition de ses Œuvres complètes a paru en 10 volumes (1825-1830). Édouard Fournier, en 1878, a donné son Théâtre complet. Voir G. Larroumet, Marivaux, sa vie et ses œuvres, 1894.

Outre Marivaux, citons Crébillon le fils, les Égarements du cœur et de l'esprit, 1736 ; le Sopha, 1745 ; le Hasard du coin du feu, 1763. Ce sont des œuvres licencieuses dont les sujets sont constamment scabreux. Leur succès a été très grand. Elles le doivent non seulement à ces sujets, mais à une manière alerte et spirituelle, à l'esprit d'un style où l'on retrouve les Contes de La Fontaine, Hamilton... et Voltaire.

Marivaux présente des séductions et des travers féminins. Il est fin, indépendant sans irrévérence, sérieux mais inconstant, curieux de tout, voyant juste en tout, plein de tact et très susceptible, vite entraîné par son imagination ou son cœur, religieux, même superstitieux, épris de vertu et sensible : « Il ne m'est jamais venu dans l'esprit ni rien de malin, ni rien de trop libre. Je hais tout ce qui s'écarte des bonnes mœurs. Je suis né le plus humain de tous les hommes et ce caractère a toujours présidé sur toutes mes idées. » Provoqué par un adversaire, Marivaux borne généralement sa vengeance à un mot spirituel, discrètement lancé ; il est bon avec ses proches et ses amis, bon pour tous les faibles, les pauvres, les humbles.

Son esprit ingénieux est naturellement compliqué ; il déteste les façonniers, mais son goût pour le spontané ne le préserve pas de la singularité : « Écrire naturellement, être naturel, n'est pas écrire dans le goût de tel Ancien ni de tel Moderne, n'est pas se mouler sur personne quant à la forme de ses idées ; mais au contraire se ressembler fidèlement à soi-même, et ne point se départir ni du tour ni du caractère d'idées pour qui la Nature nous a donné vocation ; en un mot, penser naturellement, c'est rester dans la singularité d'esprit qui nous est échue. » On pressent ce qu'il y aura de déconcertant, d'irritant dans son naturel ; on devine, avec son dédain pour les modèles les plus estimables, pour Molière lui-même, sa hautaine suffisance : « J'aime mieux être humblement assis sur le dernier banc dans la petite troupe des auteurs originaux, qu'orgueilleusement placé en première ligne dans le nombreux bétail des singes littéraires. » Le mot *humblement* est de trop ; du moins y a-t-il quelque noblesse dans cette attitude fièrement originale. D'ailleurs, Marivaux a par son œuvre justifié sa prétention : il est vraiment de ceux qui chez nous ont créé du nouveau.

Son destin fut étrange : si méritant et, par ses idées comme par ses goûts, si représentatif du temps où il a vécu, il n'a été qu'à demi goûté de ses contemporains ; comme inconscients de leurs tendances profondes, ceux-ci ont

L'EMBARQUEMENT POUR CYTHÈRE. Peinture de Watteau (1717).

Musée du Louvre.

ressenti et lui ont reproché des défauts qu'ils partageaient avec lui, surtout cet individualisme qui marque son style ; ils n'ont pas apprécié à leur prix ses qualités, qui étaient les leurs aussi, d'intelligence aiguisée, de curiosité universelle, de tendre sensibilité. Quoiqu'il fût cher à tous ceux qui le purent bien connaître, Marivaux a fait contre lui l'union des partis : des philosophes, mécontents de sa piété ; des dévots, que son indépendance inquiétait. Tous se sont entendus contre son défaut de simplicité ; ils n'ont fait grâce qu'à quelques-unes de ses œuvres, la moindre partie de sa production dramatique, celle que par la suite on a toujours citée, mais qui, toute gracieuse qu'elle est, donne une idée insuffisante de la variété de son talent.

Le théâtre de Marivaux est si original qu'on n'a jamais pu le ranger dans une catégorie traditionnelle : comédie d'intrigue, ou de mœurs, ou de caractère, ou comédie sentimentale. Voltaire, ironiquement, qualifiait ce théâtre de « métaphysique » ; plus exactement, il est psychologique et moral.

L'amour y est au premier plan : grande nouveauté, car il n'avait encore joué dans la comédie qu'un rôle épisodique. Ce n'est pas la passion emportée que peindra Marivaux : elle ne conviendrait ni au genre comique ni au goût du temps. Ce n'est pas davantage cette volupté superficielle et licencieuse qui règne partout alors. C'est un sentiment sincère, tendre et souriant, charmant dans sa hardiesse ingénue ; tout mêlé de coquetterie, d'indiscrétion et de ruse, il est très humain et fort comique. L'amour est contrarié, non par des obstacles extérieurs, mais par des difficultés intimes : jalousie, ambition, vanité, raisonnement, tout s'oppose à lui et il triomphe de tout ; mais son plus grand ennemi, c'est lui-même : il se joue des tours, se prend à ses pièges, « finit par être heureux malgré lui » ; deux comédies s'intitulent *la Surprise de l'amour* : le titre conviendrait à presque toutes. D'ailleurs, elles ne nous montrent que la naissance du sentiment, son lent éveil. Dès qu'on le déclare ou, pour mieux dire, dès qu'on l'avoue, la pièce est finie ; c'est alors qu'elle commençait chez Molière ou chez Regnard.

L'action se déroule dans un monde délicieusement irréel, propice au libre jeu des sentiments ; parfois des fées y interviennent, parfois l'auteur recourt à l'allégorie, souvent il nous entraîne dans des îles inconnues, aux mœurs inouïes, dans des cours sans gravité ni protocole, où les princes s'éprennent respectueusement des bergères, où les paysans vont de pair avec d'aimables seigneurs. Le plus souvent sa fantaisie, sagement contenue, fait un exquis mélange de la réalité et du rêve. Sont-ce les couples gracieux de Watteau qui s'animent ? On songe aux scènes légères de Shakespeare, que Marivaux ignorait sans doute, à celles que Musset écrira plus tard, en s'inspirant de ces deux maîtres.

Partout le même compromis de vérité et de convention. Les personnages simplifiés sont trop naïfs ; ils s'analysent devant nous sans pour autant voir plus clair en eux-mêmes ;

MARIVAUX, par Pougin de Saint-Aubin. Ornements de Marillier ; gravure d'Ingouf le Jeune (B. N., Cabinet des Estampes). — CL. LAROUSSE.

l'évolution de leurs sentiments se schématise en quelques scènes, mais respecte les transitions et les nuances. Voyez *la Double Inconstance*, chère à Marivaux entre toutes ses comédies : un prince qui aime Silvia, la fiancée du paysan Arlequin, l'a fait enlever ; elle se désespère ; toute au souvenir de son amant, elle ne veut pas voir son ravisseur. Une dame de la cour s'avise qu'on ferait mal de la brusquer, qu'il faut au contraire la gagner en feignant d'entrer dans ses vues, profiter des événements, en susciter qui modifieront son cœur. Que le prince, sous le nom d'un de ses seigneurs, promette à Silvia son appui, qu'elle lui doive la vue inespérée de son amant ; la dame, auprès du campagnard, jouera un rôle analogue... Les deux amoureux, d'abord ravis de se revoir, débordent de gratitude pour ceux qui s'intéressent à eux ; peu à peu ils s'attachent à leurs nouveaux amis et se détachent progressivement l'un de l'autre, jusqu'au moment où, cessant de se voir, ils ne s'en aperçoivent même plus. Pris par de nouvelles amours, ils se sont tout à fait oubliés l'un l'autre, et Silvia congédie Arlequin : « Qu'est-ce que vous me diriez ? Que je vous quitte. Qu'est-ce que je vous répondrais ? Que je le sais bien. Prenez que vous l'avez dit, prenez que j'ai répondu ; laissez-moi après, et voilà qui sera fini. » Rien de l'allure vertigineuse et trépidante de Regnard ; mais sur un chemin presque uni, semé d'obstacles minuscules que l'on dépasse allégrement, c'est un mouvement continu, presque insensible.

Parfois la psychologie se raffine et l'idée morale l'enrichit : dans *le Jeu de l'amour et du hasard*, deux jeunes gens, pour s'étudier, se dissimulent, à l'insu l'un de l'autre, sous des habits de soubrette et de valet. Ils ne devinent pas la supercherie, mais ils s'éprennent l'un de l'autre : leur cœur s'ouvre et leur vanité souffre. Toute troublée, Silvia est heureusement avertie de l'intrigue quand sa situation va devenir trop pénible : celui qu'elle aime n'est pas un valet, il est digne d'elle. Mais il ne lui suffit plus de pouvoir l'aimer et d'être aimée de lui. Elle veut qu'il l'aime assez pour l'épouser en la croyant soubrette ; elle continue donc le jeu, et Dorante conquis promet sa main avec son cœur : le préjugé est vaincu par l'amour.

On voit ici poindre la thèse ; qu'on ne s'effraye pas du mot : les thèses chez Marivaux viennent tout droit du cœur. La grande idée qui le dirige, c'est la bonté : « Il faut être trop bon pour l'être assez ! » ; on trouve de ces mots-là dans toutes ses pièces. Si quelques scènes menacent d'être douloureuses, il n'en est pas de cruelles. Cette bonté s'épanouit en sympathie universelle. Tous les hommes se tiennent et se valent ; maîtres et serviteurs sont semblables, presque égaux ; c'est le mérite qui fait la valeur, et non la condition. Point de déclamation, point d'intention politique, point de doctrine réformatrice ; c'est la sensibilité toute pure qui s'exprime. *L'Ile des Esclaves* semble dresser les petits contre les grands, mais la comédie s'achève dans de tendres larmes, dans l'embrassement général des classes réconciliées, qui reprennent joyeusement leur situation respective. Le cœur de Marivaux trouve des accents éloquents et sincères, mais l'auteur ne s'égare point; son sens dramatique et son ironie avisée l'empêchent de courir à l'utopie. On le voit bien dans cette audacieuse *Colonie* où les femmes, unies dans la révolte, revendiquent leurs droits contre les hommes avec les arguments les plus spirituels, les plus puissants, les plus émouvants : la pièce se clôt par d'amusantes épigrammes contre les hommes, qui n'ont rien compris à cette révolte, contre les femmes aussi, que le premier danger a effrayées et ramène à leur heureuse servitude.

Est-il besoin après cela de justifier Marivaux du reproche d'uniformité? Trompés par le retour constant des noms de la comédie italienne, certains ont-ils cru que c'étaient toujours les mêmes personnages et toujours la même pièce? En réalité, il n'est point d'auteur comique dont les intrigues aient été plus variées; il n'en est pas qui ait énoncé, discuté, suggéré plus d'idées, qui ait plus habilement combiné les genres et les tons. Mais pour apprécier justement ce théâtre, il faut vouloir le connaître tout entier, ne pas se borner aux pièces choisies par une admiration consacrée et trop étroite.

Les deux grands romans de Marivaux, *la Vie de Marianne* et *le Paysan parvenu*, sont symétriques : ils content l'un l'histoire d'une jeune fille et l'autre celle d'un jeune homme qui, n'ayant pour eux que leur bonne mine et un heureux naturel, à travers des aventures banales où leur caractère se trempe, s'acheminent doucement vers une plus brillante destinée. Le procédé est commode : l'auteur écrit, au gré de l'heure, chaque partie de son roman; point d'autre unité que la personne du héros; il n'y a même pas l'effort de composition qu'on pouvait relever dans *Gil Blas*, où Lesage, à deux reprises, a préparé une conclusion acceptable. Marivaux ne sait pas davantage combiner ces actions secondaires que Lesage ajustait avec tant d'aisance au récit principal. S'il se laisse entraîner à conter une histoire adventice, comme celle de la Religieuse dans les trois dernières parties de *Marianne*, c'est un nouveau roman qui l'absorbe, qu'il renonce à jamais relier au premier : découragé, il laisse le livre en suspens.

Dans ces histoires tout unies ne cherchons pas d'action attachante et serrée qui tienne la curiosité anxieuse. Marivaux ne se refuse pas l'agrément des aventures étranges et mystérieuses, comme cette attaque de carrosse et ces assassinats qui, au début de *la Vie de Marianne*, laissent planer un doute flatteur sur la condition de l'héroïne; mais une fois cette concession faite au romanesque à la mode, l'auteur se désintéresse de l'intrigue : des digressions la coupent sans cesse; les héros se jugent à tout instant, commentent tout ce qu'ils voient et ressentent. Parfois Marivaux s'excuse de cette manie raisonneuse, mais il est clair qu'il s'y complaît : elle donne à ses romans le charme spécial, un peu déconcertant, qu'on a retrouvé depuis dans les livres de Claude Tillier ou d'Anatole France. Si Marivaux raisonne, il peint aussi; il a un vif souci réaliste qu'il pousse même plus loin que Lesage; il y avait de la convention dans le « costume » espagnol de *Gil Blas*; ici tout est du temps, tout est de chez nous. Aussi bien Marivaux se défendait-il d'écrire un roman : « Je vous récite ici des

SILVIA (Gianetta Benozzi), l'interprète préférée de Marivaux. Peinture de Van Loo.
CL. BULLOZ.

faits qui vont comme il plaît à l'instabilité des choses humaines, et non pas des aventures d'imagination qui vont comme on veut. Je vous peins non pas un cœur fait à plaisir, mais le cœur d'un homme et d'un Français qui a existé de nos jours. » Il y revient souvent : foin des héros de roman, tout vice ou toutes perfections! Chez ses personnages on trouve du bien et du mal; l'auteur dit le bien avec délectation et quelque ironie, le mal avec autant de complaisance et sans indignation.

Jacob et Marianne ont de l'esprit, mais aussi, ce qui les distingue des héros de Lesage, de la sensibilité. Marianne, fine, coquette et tendre, vertueuse cependant, plus faible devant le bonheur que dans les calamités; Jacob, plus rustique, de conscience accommodante, mais retrouvant au besoin dignité et vertu. Autour d'eux, toute la société, peinte sans parti pris d'idéalisation ou de satire : des gens du monde aux vertus sincères et touchantes, d'autres aux vices tortueux et difformes, d'un relief saisissant; des gens d'église honnêtes et un peu simples, ou bien intéressés, froids, impérieux; beaucoup de financiers et de toutes les sortes : ceux qui ne songent qu'à la débauche, d'autres impitoyablement durs, et M. Bono, grossier dans ses façons, incapable de certaines délicatesses, mais d'un cœur généreux. C'est dans la peinture des petites conditions que Marivaux excelle; les gens que nous rencontrons tous les jours, nous les retrouvons chez lui, croqués en quelques traits, criants de ressemblance : Mesdemoiselles Habert, les sœurs dévotes, l'une au cœur sec, l'autre trop tendre; Madame Dutour, marchande de modes, et le « fiacre » avec qui elle échange, en une scène vivante, large, pleine de verve, des injures dignes des héros d'Homère. A l'occasion, Marivaux descend jusqu'aux gueux : dans *l'Indigent philosophe* il a campé une figure de bohème, « l'homme sans souci », plein de truculence, buveur intrépide, plus intempérant parleur, ancêtre indéniable de Jacques le Fataliste et du Neveu de Rameau, de l'oncle Benjamin et de l'abbé Coignard. Nous voilà loin du type de délicate élégance où trop souvent on réduit les personnages de Marivaux.

Cette variété et cette puissance d'évocation sont d'un dramaturge; d'un dramaturge aussi, un procédé qui a fait fortune chez nos récents naturalistes, et dont Marivaux, des premiers, a compris l'efficacité : le détail caractéristique qui devient partie intégrante et nécessaire d'une physionomie, et dont la répétition éveille automatiquement dans l'esprit du lecteur une image animée : telle la gorge opulente de Mme de Fécour qui s'offre aux yeux, dès que cette dame parle ou bouge; tel le cure-dents de M. Bono, le financier sans éducation; ou cette doublure de soie que Jacob s'émerveille d'avoir à son bel habit, et qui lui rappelle à chaque instant son nouveau luxe.

Mais le triomphe de Marivaux, ici comme dans son théâtre, c'est l'analyse du sentiment, fine, pénétrante, ironique. Nous retrouvons dans ses romans son talent incomparable pour peindre une tendresse naissante, pour la fixer par des mots ou des gestes, à l'instant même où elle s'insinue dans un cœur. Dans *la Vie de Marianne*, l'héroïne vieillie et clairvoyante aujourd'hui, rappelle sa première entrevue avec le jeune homme qu'elle devait aimer; les deux adolescents se séparent quand l'amour les envahit : « Quoi! partir si tôt? me dit-il en jetant sur moi le plus doux de tous les regards. — Il le faut bien, repris-je en baissant les yeux (ce qui valait bien le regarder moi-même); et comme les cœurs s'entendent, apparemment qu'il sentit ce qui se passait dans le mien, car il reprit ma main qu'il baisa avec une naïveté de passion si vive et si rapide qu'en me disant mille fois : « Je vous aime », il me l'aurait dit moins intelligiblement qu'il ne fit alors. Il n'y avait plus moyen de s'y méprendre, voilà qui était fini; c'était un amant que je voyais, il se montrait à visage découvert; et je ne pouvais avec mes petites dissimulations parer l'évidence de son amour. Il ne restait plus qu'à savoir ce que j'en pensais : et je crois qu'il dut être content de moi : je demeurai étourdie, muette et confuse, ce qui était signe que j'étais charmée, car avec un homme qui nous est indifférent ou qui nous déplaît on en est quitte à meilleur marché; il ne nous met pas dans ce désordre-là, on voit mieux ce qu'on fait avec lui; et c'est ordinairement parce qu'on aime qu'on est troublée en pareil cas. J'étais tant, que la main me tremblait dans celle de Valville; que je ne faisais aucun effort pour la retirer, et que je la lui laissais par je ne sais quel attrait qui me donnait une inaction tendre et timide. A la fin, je prononçai quelques mots qui ne mettaient ordre à rien, de ces mots qui diminuent la confusion qu'on a de se taire, qui tiennent la place de quelque chose qu'on ne dit pas et qu'on devrait dire : « Eh bien! Monsieur, eh bien! qu'est-ce que cela signifie? » Voilà tout ce que je pus tirer de moi; encore y mêlai-je un soupir qui en ôtait le peu de force que j'y avais peut-être mise. »

Le style de Marivaux est si personnel qu'on a créé un terme pour le désigner, et le mot « marivaudage » n'est pas flatteur. Déjà les conversations de son temps et de son monde étaient volontiers recherchées et subtiles. De plus, Marivaux y a souvent insisté, l'originalité des idées implique dans la langue une égale singularité : « L'homme qui pense beaucoup approfondit les sujets qu'il traite et les pénètre; il y remarque des choses d'une extrême finesse que tout le monde sentira quand il les aura dites, mais qui de tout temps n'ont été remarquées que de très peu de gens, et il ne pourra assurément les exprimer que par un assemblage d'idées et de mots très rarement vus ensemble. » Enfin ceux qui parlent d'amour ont de tout temps recouru aux images rares et aux délicatesses précieuses : l'analyse sentimentale conduit presque toujours à la recherche de l'expression.

Comme La Bruyère, Marivaux fait effort et s'enchante d'aboutir au trait surprenant : « Ne me demandez pas ma tendresse; vous vous exposeriez à l'obtenir. » L'effet est plaisant, mais, trop souvent renouvelé, il tend le style. D'ailleurs la formule est généralement plus contournée; à l'affirmation simple Marivaux préfère l'expression alambiquée. Il en prête de telles surtout aux paysans et aux valets, et cela est dans la nature, car les gens du peuple aiment les images et les réticences malicieuses. Pourtant on se fatigue d'entendre toujours dire d'une aimable personne : « elle n'est pas indifférente », et d'un malin : «moins fin que lui n'est pas bête ». Enfin, autre recherche, une intarissable abondance, amusante quelquefois, souvent traînante. Marivaux dispose

DESTOUCHES. Peinture de Largillière (musée de Bourg-en-Bresse). — CL. BULLOZ.

d'un vocabulaire souple et copieux où son esprit aime à se jouer; chaque idée se présente à lui sous de multiples formes qui le divertissent et il ne nous fait grâce d'aucune. On sourit, puis on se lasse de sourire. Devant cette exubérance, on regrette une sécheresse précise, on voudrait du moins que l'auteur eût élagué le superflu; mais, charmé de lui-même, Marivaux n'a rien laissé perdre, et sous son inépuisable facilité il nous accable.

C'est le revers d'une médaille dont la face est exquise. Créateur dans tous les genres, brillant d'intelligence, d'imagination et de cœur, Marivaux, qui n'imita personne, fut difficilement imité. Nous osons à peine nommer après lui, pour s'être évertués à l'analyse menue du sentiment et aux fines reparties, Voisenon, Carmontelle ou Rochon de Chabannes. Il est demeuré unique dans notre littérature. Si elle compte de plus grands auteurs et de plus parfaits, elle n'en a guère eu de plus originaux ni de plus séduisants.

LA COMÉDIE ET LE ROMAN MORAUX ET SENSIBLES

« Depuis que la scène est inondée d'esprit, plus de naïveté, de simplicité, de naturel; plus d'intrigue, de conduite, d'action; plus de sentiments, de mœurs, de caractères... » L'aigre censeur de la comédie psychologique qui parle ainsi, cet adversaire de l'esprit — qui le déteste, disent les médisants, parce qu'il en manque —, c'est Destouches. Il écrivit ces lignes vers 1740 : depuis trente ans il épanchait dans ses comédies son cœur sensible et vertueux.

DESTOUCHES

Philippe Néricault, dit Destouches, né en 1680, devait à son milieu d'honorable et modeste bourgeois une application tenace, une honnêteté expansive, beaucoup de préjugés. Pourtant il avait débuté dans la vie par une aventure : une escapade, à dix-sept ans, avait fait de lui un acteur nomade; mais il rentra vite dans la règle. Nous le retrouvons, vers 1700, secrétaire-copiste de Puyseulx, résident de France à Soleure, qui favorise ses essais littéraires et le patronne à son retour à Paris. De 1710 à 1715, Destouches fait jouer au Théâtre-Français le Curieux impertinent, l'Ingrat, le Médisant, et gagne la faveur de la duchesse du Maine, puis du Régent.

Secrétaire de l'abbé Dubois dans sa mission en Angleterre (1717), il reste à Londres, après le retour de l'abbé, en qualité de chargé d'affaires. Quand il revient, en 1723, il est devenu une manière de personnage, que l'Académie accueille avec empressement. Mais, Dubois et le Régent une fois disparus, il se retire près de Melun et s'occupe de sa terre en même temps que de ses ouvrages dramatiques. Ses succès sont irréguliers : le Philosophe marié (1727) et le Glorieux (1732) réussissent; les Philosophes amoureux (1729), l'Amour usé (1741) tombent à plat; sa vanité inquiète l'engage à publier ses pièces plutôt qu'à les faire jouer. Il meurt en 1754.

Une édition de ses Œuvres complètes (6 vol.) a été donnée en 1822. Voir Paul Bonnefon, Néricault Destouches intime (Revue d'histoire littéraire de la France, 1907).

Destouches avait vu le théâtre anglais et il y avait pris le goût d'un comique familier, violent, caricatural; il avait un don certain de vaudevilliste, capable d'animer des fantoches d'une vie simplifiée et intense. Sa fantaisie dans *la Fausse Agnès* est plus excentrique et plus outrancière que celle de Regnard. C'était là peut-être le plus précieux de son talent. Malheureusement, il n'a pas suivi cette veine: il n'a même pas mis à la scène cette *Fausse Agnès*, peut-être par souci de tenue, plutôt par défiance du public.

Il y a dans ses comédies de très jolies scènes, des situations amusantes, et, à défaut de mots d'esprit, on y rencontre des vers bien frappés qui demeurent dans les mémoires et dont on fait ensuite honneur à Boileau. Avec ces parties remarquables, Destouches n'a pas produit d'œuvre excellente. Les caractères qu'il trace, trop complexes et peu cohérents, demeurent conventionnels; ses « philosophes » ne doivent rien au type si nouveau qu'on commençait alors à rencontrer dans la société. Ses pièces manquent de vie: tout le monde y raisonne. Des couplets, agréables sans doute, ralentissent encore une action déjà lente. Dix de ses comédies valent autant, mais non plus, que *le Méchant* et *la Métromanie*, ces exceptions heureuses dans l'œuvre de Gresset et de Piron. C'est à cette froide correction que devait nécessairement la comédie de caractère chez un auteur obsédé du souvenir de Molière, soucieux de ne le point plagier. et qui n'osait vraiment innover ni dans le choix des sujets, ni dans la conduite de l'intrigue.

Le plus intéressant dans l'œuvre de Destouches, c'est le souci moral et pédagogique. Cet homme très religieux, qui a défendu la comédie contre les moralistes chrétiens, a pu le faire en conscience: il avait le sentiment de l'avoir « rendue digne de l'estime et de la présence des honnêtes gens » et d'avoir mis « la vertu dans un si beau jour qu'elle s'attirât l'estime et la vénération publiques ». Il a rêvé d'un genre nouveau et mixte, d'un « comique noble et sublime »; mais, après quelques essais, il a modestement « laissé cette espèce nouvelle à des génies plus capables de la porter à la perfection ». Pourtant, dans *le Glorieux*, il avait fait applaudir, à côté des leçons morales, quelques scènes pathétiques. Mais sa philosophie paraissait singulièrement arriérée à ses contemporains. De plus, il n'offrait pas franchement à son public l'agrément des larmes, et il lui refusait presque l'agrément du rire: « Il fait rire finement », disait Fontenelle; ce rire-là n'est guère qu'un sourire et ne suffit pas à animer la scène.

LA CHAUSSÉE ET LA COMÉDIE LARMOYANTE

Pierre Claude Nivelle de La Chaussée, né à Paris en 1692, était riche, d'humeur joyeuse et de conduite légère. Ce tout petit homme, hôte familier des sociétés libertines, choyé des femmes, qu'il traitait lestement, ami de la « jubilation », des propos badins, mordants, grivois, fut le père de la « comédie larmoyante ».

Après avoir jusqu'à quarante ans mené une vie dissipée, il publie, en 1731, une Épître à Clio dont le succès le pose en émule de J.-B. Rousseau. Mais ce débutant âgé, cet amateur avisé, qui n'a d'autre vocation que de réussir le plus vite possible, croit bien faire de réserver son effort pour le théâtre. Peu apte aux genres consacrés, jugeant d'ailleurs que la tragédie et la comédie classiques ont fini leur temps, il se voue à un genre nouveau, auquel d'autres avant lui avaient pensé, mais qu'il établit définitivement sur la scène: le nom de la comédie larmoyante restera inséparable du sien.

La Fausse Antipathie (1733), le Préjugé à la mode (1735) lui ouvrent les portes de l'Académie (1736). Mélanide (1741), l'École des mères (1744), la Gouvernante (1747) sont ensuite les plus applaudies de ses pièces. Il meurt en 1754 au milieu de ses plaisirs habituels.

Ses Œuvres ont été réunies en 1762 (5 vol.). Voir Gustave Lanson, Nivelle de La Chaussée et la comédie larmoyante, 1887; 2e édition, 1903.

La sensibilité envahissait peu à peu la scène. Voltaire, abandonnant l'« horreur » à Crébillon, prenait, dans *Zaïre*, l'« attendrissement » comme ressort tragique (1732). Marivaux, dans ses comédies, joignait à ses subtiles analyses une note discrète de sentiment; Destouches faisait appel à l'émotion communicative de la vertu; le joyeux Piron lui-même, écrivant, en 1728, *le Fils ingrat*, donnait dans sa pièce une large place au pathétique. La Chaussée parut au moment opportun.

Dès ses débuts, il affirme ses goûts: ennemi de la farce surchargée, du « badinage abstrait et clair-obscur », de la satire maligne, il tend au sérieux. Le succès très franc de *la Fausse Antipathie* lui prouve qu'il a raison. Il doit ce succès à la partie féminine de son public: les femmes s'engouent d'un spectacle « qui les fait pleurnicher », comme dira le maussade Collé; elles réclament « du tendre et du pathétique ». La Chaussée les ravit et les ravira plus encore avec son *Préjugé à la mode*, dont l'héroïne est une jeune épouse, vertueuse, digne, tendre, la gloire de son sexe. En foule, les dames « conduisent leurs maris » à ce spectacle enchanteur.

Le Préjugé à la mode et *l'École des mères* font habilement alterner le rire et les douces larmes. Parfois, l'auteur est plus hardi: *Mélanide*, *la Gouvernante* n'ont plus un seul trait qui fasse rire. Les héros pleurent, s'évanouissent, ne reprennent leurs sens que pour moraliser: point d'autre joie que celle qu'offre le spectacle de la vertu récompensée, point d'autre charme que celui de l'émotion. On appelle encore ces pièces des comédies: c'est par habitude, par insuffisance de vocabulaire; ce sont déjà des drames.

Ce sont des drames réalistes, dont les situations sont prises à la vie familière: difficultés domestiques ou professionnelles. Ils sont moins saisissants que les drames de Diderot, de Dumas fils, d'Augier ou de Becque; car La Chaussée, pour satisfaire à son goût et au goût de son public, les a compliqués d'inventions romanesques, qui dissimulent ce qu'ont de sommaire l'analyse psychologique et la peinture des mœurs.

Ce sont aussi des drames moraux, des pièces à thèses. L'auteur, dissimulé derrière ses personnages, disserte volontiers, mais il ne prend jamais le ton du « philosophe » militant. Même quand il touche à un préjugé social, La Chaussée, discrètement, ne pose que des problèmes de morale individuelle; c'est au cœur qu'il fait décider des questions à propos desquelles d'autres invoqueront plus tard la raison et le droit.

Chez La Chaussée, la hardiesse se mêle toujours de timidité. Sans doute son vers est remarquablement souple; il le coupe, le brise et le plie selon les besoins de l'expression et du sentiment, mais il n'ose pas l'abandonner pour la prose. De même, nous trouvons encore dans ses pièces les couplets soignés, les tirades bien balancées qu'aimaient ses prédécesseurs; mais nous y voyons apparaître les exclamations, les phrases inachevées, les jeux de scène simples et expressifs, tout ce qui semblera à Diderot l'image de la vie, l'essence du drame. Le genre progressera encore; il s'est déjà classé et, avec *Mélanide*, il s'est décidément imposé. La Chaussée a des imitateurs qui témoignent de son succès. Voltaire, qui regrettait peut-être d'avoir laissé à un autre la gloire de cette création, peut bien railler, comme Lesage, les comédies où l'on ne rit pas, mais il en fait: *l'Enfant prodigue* (1736) et *Nanine* (1749). D'autres que lui suivent la mode: la *Cénie* de Mme de Grafigny (1750) ravit le public et, avant le temps de Diderot et de Sedaine, consacre le triomphe du drame.

L'ABBÉ PRÉVOST

Antoine-François Prévost, dit plus tard Prévost d'Exiles, est né en 1697 à Hesdin, en Artois. Élevé par les jésuites pour être d'église, il se laisse dominer par son tempérament ardent et impulsif, et vers la vingtième année passe, au gré de ses aventures sentimentales, du couvent à l'armée et de l'armée au couvent. En 1720, il semble se fixer chez les bénédictins, qui l'emploient à la prédication, à l'enseignement, à des travaux d'érudition, dans plusieurs maisons de leur ordre, et notamment dans l'abbaye de Saint-Germain-des-Prés (1727). Mais il se plie mal à la règle ; il compose en secret un roman, les Mémoires d'un homme de qualité, *dont les quatre premiers tomes obtiennent approbation et privilège en 1728, et il quitte le cloître au premier prétexte. Sous la menace d'une lettre de cachet, il passe en Angleterre. Son humeur passionnée l'empêche de demeurer longtemps en place. Il est en Hollande en 1729, et y fait paraître la suite des* Mémoires d'un homme de qualité *(1731). Il revient en Angleterre; il y fait éditer le* Philosophe anglais *ou les* Mémoires de Cleveland *(1732), et entreprend la publication d'un périodique, le* Pour et Contre *(1733).*

Il rentre en France et se réconcilie avec l'Église (1734). Il lui reste des embarras d'argent : il vivra de sa plume. Il continue son journal jusqu'en 1740, publie le Doyen de Killerine *à partir de 1735 ; en 1740, l'*Histoire d'une Grecque moderne *et un roman historique,* Marguerite d'Anjou. *Le besoin, sans doute, l'oblige à collaborer à une feuille de nouvelles scandaleuses pour laquelle on l'exile encore : errant de la Belgique à l'Allemagne, il donne quelques romans et la traduction de* Paméla *(1742). Autorisé à revenir en France (1743), il va durant vingt années mener une vie plus tranquille,*

ANTOINE FRANÇOIS PRÉVOST
Aumônier de S. A. S. Mgr le Prin. de Conti

L'ABBÉ PRÉVOST. Portrait dessiné par Cochin le Fils et gravé par Will. — CL. LAROUSSE.

mais toujours active ; à côté de compilations romanesques et morales, il fait de nombreuses traductions d'ouvrages anglais, livres d'histoire et romans. Il traduit notamment les romans de Richardson : après Paméla, Clarisse Harlowe *(1751) et* Grandisson *(1755). Il a aussi dirigé de vastes entreprises de librairie, comme l'*Histoire générale des voyages, *à partir de 1746. Puis, en 1754, il collabore au* Journal étranger. *Pourvu, en 1754, d'un bon bénéfice, il est chargé d'écrire une histoire des Condé. Pour être près des archives de Chantilly, il s'établit à Saint-Firmin ; c'est là qu'il meurt en 1763.*

Parue en 1731, à Amsterdam, au tome VII des Mémoires d'un homme de qualité, l'Histoire du chevalier Des Grieux et de Manon Lescaut *n'a suscité de l'intérêt et fait scandale en France que deux ans plus tard, lorsqu'il en parut à Rouen une réimpression. Le livre est saisi, mais « on y court comme au feu dans lequel on aurait dû brûler le livre et l'auteur », écrit un bourgeois parisien d'ordinaire moins prude, Mathieu Marais. Il avoue qu'avant de brûler le roman il convient de le lire une fois. L'*Histoire du chevalier Des Grieux et de Manon, *éditée isolément à partir de 1753, a été un des plus gros et des plus durables succès de librairie. Elle a inspiré les poètes, les artistes, les musiciens.*

Les Œuvres choisies *de l'abbé Prévost occupent 39 volumes dans les éditions de 1783 et de 1810. Le tome V*

des Mémoires d'un homme de qualité *(séjour en Angleterre) a été édité par M. E. I. Robertson (1927).*

*Voir : H. Harrisse, l'*Abbé Prévost, histoire de sa vie et de ses œuvres, *1896 ; V. Schrœder, l'*Abbé Prévost, *1898 et l'*Abbé Prévost journaliste *(Revue du XVIIIᵉ siècle, 1914); P. Hazard,* Études critiques sur Manon Lescaut, *1929 ; E. Lasserre,* Manon Lescaut, *1930.*

L'abbé Prévost ne s'est pas soucié de la vérité pittoresque : on chercherait en vain dans ses romans le portrait de ses héros les plus chers. Il néglige aussi la peinture des décors et des milieux. Pourtant, ses fictions les plus romanesques respirent la vie et la sincérité : c'est qu'elles tiennent toutes de l'autobiographie, et quand l'auteur ne s'y peint pas tel qu'il est, du moins apercevons-nous ou ce qu'il voudrait être ou ce qu'il craint d'être.

Dans ses récits la passion règne en souveraine. L'ardeur du sentiment est pour lui un signe assuré de distinction et de mérite. L'amitié doit être véhémente; quant à l'amour, c'est une frénésie dont les victimes inspirent une juste pitié, car elles sont irresponsables. Source de tourments redoutables et délicieux, puissant, invincible, l'amour s'abat sur les héros et les accable : tous les amoureux de Prévost sont, au mépris des bienséances et de toute sagesse, entraînés par des passions scandaleuses ou sans espoir. Si l'un d'eux entrevoit, « dans un instant de lumière, la honte et l'indignité de ses chaînes », bien vite il est repris : « Je m'étonnai, en me retrouvant près d'elle, que j'eusse pu traiter un moment de honteuse une tendresse si juste pour un objet si charmant. » L'amour rompt les règles communes; c'est le sentiment où sont prédestinés les êtres qu' « un fonds secret d'inquiétude et de mélancolie », comme Prévost l'a dit de lui-même, « excite sans cesse à désirer quelque chose qui leur manque », et que « ce besoin dévorant, cette absence d'un bien inconnu empêchent d'être entièrement heureux ». N'est-ce point déjà le mal romantique ? Aimables, aimés presque toujours, mais point comme ils le souhaiteraient, souvent insupportables à eux-mêmes et parfois insupportables aux autres, les héros de Prévost, Des Grieux, Cleveland surtout et le Patrice du *Doyen de Killerine*, sont les ancêtres de Saint-Preux, de Werther et de René. Cherchant en vain dans la nature et dans l'amour la satisfaction de leur âme insatiable, ils se heurtent à tout et s'étonnent de « l'admirable familiarité qu'ils ont contractée avec la douleur » (*Cleveland*). Impropres à une vie normale et raisonnable, ils s'en remettent aux seules inspirations de leur cœur : c'est leur guide dans la vertu comme dans l'erreur.

Le souci moral est partout dans l'œuvre de l'abbé Prévost. Sa vie présente sans doute quelques taches fâcheuses et sa délicatesse s'est quelquefois compromise, tout comme celle de son héros Des Grieux. Du moins, il a toujours gardé une claire vision de ce qui est honnête et il est resté préoccupé de vertu; même l'histoire de *Manon Lescaut* ne serait, à l'en croire, « qu'un traité de morale réduit agréablement en exercice », comme le pendant du *Télémaque* : au frontispice de l'édition de 1753, il a fait représenter Manon, Des Grieux et Tiberge sous les traits

La première rencontre de Manon et de Des Grieux (dessin de Pasquier).

Manon va retrouver Des Grieux à Saint-Sulpice (dessin de Gravelot).

Des Grieux rejoint Manon dans le convoi des déportées (dessin de Pasquier).

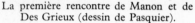

ILLUSTRATIONS pour l'édition de 1753 de « Manon Lescaut ». — CL. LAROUSSE.

d'Eucharis, de Télémaque et de Mentor. Il moralise volontiers et même longuement. Il a de beaux et très sévères principes. Il juge dangereuse *la Princesse de Clèves ;* il préfère *le Grand Cyrus :* « si l'amour y joue les premiers rôles, il y produit du moins des sentiments si nobles et de si grandes actions qu'un lecteur n'y saurait trouver de quoi justifier ses faiblesses ». L'abbé Prévost se rend bien compte que ses propres romans ne sont pas de cette nature ; il est le premier à regretter des « descriptions trop tendres et d'une certaine licence de sentiments et d'expression... qui ne laissent pas d'avoir quelque danger pour un lecteur inconsidéré qui s'en occupe trop et qui en est excessivement attendri ». Il se sait meilleur gré, probablement, des résolutions vertueuses qu'aux heures de réflexion ses héros prennent et proclament, non sans ostentation. Pourtant, ne mettent-elles pas en évidence, mieux encore que les scènes d'amour qu'il se reproche, la puissance d'une passion capable de les anéantir ?

De toute l'œuvre de l'abbé Prévost, on ne lit plus guère aujourd'hui que l'*Histoire de Manon Lescaut :* elle n'est pourtant pas si différente de ses autres romans, et les contemporains lui préféraient *Cleveland* et le *Doyen de Killerine. Manon Lescaut* doit en partie son succès à l'adresse d'une intrigue qui unit la passion et l'aventure, une anecdote libertine et des développements chastes et vertueux, les larmes et le sourire.

Surtout, les deux héros sont singulièrement attachants. Des Grieux est un enfant, ignorant la vie, ignorant son cœur, qu'une grande passion bouleverse soudain et assujettit à jamais. Dès qu'il aime, plus rien ne compte, ni le respect filial, ni l'affection d'un ami, ni les scrupules de sa conscience délicate, qu'une vie irrégulière, difficile, scandaleuse heurte à tout instant : pesant à chaque fois la valeur de ce qu'il perd, il l'abandonne, sans espoir de retour, pour une joie, pour un sourire de Manon. Son être devant elle s'anéantit : elle est « la souveraine de son cœur », même dans ses trahisons, même à l'Hôpital Général, même sur l'infâme charrette des courtisanes déportées, même quand elle est morte. Des Grieux expie quelques heures exquises par un long martyre. N'oublions pas, d'ailleurs, qu'il y a chez Des Grieux quelque chose de l'abbé Prévost (qui n'en avait certes pas la candeur). Un homme qui oublie tous scrupules pour une femme et qui sans doute en souffre,

c'est l'aventure de Prévost, qui faillit être pendu en Angleterre pour sa maîtresse. Et Manon, tout charme, toute tendresse légère et irréfléchie, aussi coquette que tendre, et plus soucieuse de joie que coquette, aime à sa façon, bien qu'elle ne comprenne guère la passion exclusive et rare de son amant. Sans vertu, mais à peine perverse, elle prête même à ses actes honnêtes l'allure libertine du vice ; témoin l'épisode du prince italien qu'elle attire pour le sacrifier à Des Grieux. Ajoutée en 1753 pour assurer « la plénitude du caractère », cette aventure met bien en valeur, avec la tendresse de Manon pour son chevalier, son naturel besoin de séduire, de tromper et de rire. Devant cette force captivante et décevante, devant ce mystère féminin, l'abbé Prévost est demeuré interdit. Il ne s'est pas indigné ; mais n'allons pas croire, avec Dumas fils, qu'il ait approuvé ! Songeons au lent, douloureux, inutile relèvement de la jeune femme lors de sa déportation ; songeons aux suprêmes humiliations qui l'attendent sur le sol de l'Amérique, où tout son passé pèse encore sur elle ; songeons à sa fuite éperdue, épuisante, à travers les savanes où bientôt son corps charmant reposera.

Le souffle chaleureux qui animait l'auteur l'a préservé ici de ses défauts coutumiers : déclamation, lenteur, vulgarité. On ne peut qu'admirer la poésie d'événements exceptionnels et si simples, le mouvement qui entraîne jusqu'à la catastrophe les héros haletants, et ce mérite si rare chez Prévost et toujours si précieux : la sobriété. Souvent il use d'un pathétique concentré, d'autant plus poignant. Manon, de la charrette, aperçoit Des Grieux, qui est venu pour la rejoindre : « Elle me reconnut et je remarquai que dans le premier mouvement elle tenta de se précipiter hors de la voiture pour venir à moi ; mais, étant retenue par sa chaîne, elle retomba dans sa première attitude ». Rappelons encore l'ensevelissement par l'amant de l'amante adorée ; il creuse la terre de ses mains, considère une dernière fois, avant de l'enfouir, celle qu'il a tant aimée ; et, brisé de ces efforts et de tant d'émotions, il s'évanouit, la face contre terre, sur la fosse refermée.

Appelé en Angleterre par les hasards de sa jeunesse aventureuse, séduit par ce pays au point d'y retourner volontiers, l'abbé Prévost avait voulu le faire mieux connaître à ses compatriotes. Dans la troisième partie de *l'Homme de qualité*, il l'a décrit après tant d'autres ; mais, avant Voltaire, il vulgarise des connaissances qui avaient pu jusque-là échapper au grand public. Les *Mémoires de Montcal* reprennent le même thème en jetant encore un héros français dans un milieu britannique. Prévost a fait plus : certains de ses romans ont pour héros des insulaires, et dans *le Doyen de Killerine* et *Cleveland*, le type s'établit pour longtemps de l'Anglais sensible, vertueux et mélancolique.

L'abbé Prévost a fait connaître aussi des œuvres anglaises dans son *Pour et Contre*. Mais c'est surtout aux traductions de Richardson qu'il faut s'arrêter. Ces élégantes et très adroites adaptations laissaient aux romans leur parfum original, mais en éliminaient tout ce qui eût choqué des Français : profitant de la faveur dont Prévost jouissait lui-même, de sa sure connaissance du public au goût duquel il sut les mettre, elles acquièrent à Richardson une vogue incroyable, qui eut sur l'histoire de notre roman la plus décisive influence. On a noté avec malice qu'un des premiers effets de ce succès fut de rejeter dans l'ombre la plupart des œuvres originales de Prévost, dont le romanesque compliqué parut gauche, comparé à la grandeur simple des drames bourgeois de Richardson.

Si l'abbé Prévost n'est plus aujourd'hui que l'homme d'un chef-d'œuvre, il ne faut oublier ni cette action féconde ni la part qu'il eut dans la formation du public sensible. Ajoutons que Rousseau et Chateaubriand n'auraient pas été sans doute tout ce qu'ils furent, si leur cœur ne s'était enflammé à la lecture de ce maître.

IV. — MONTESQUIEU

Charles-Louis de Secondat est né à La Brède, près de Bordeaux, le 18 janvier 1689 ; il comptait dans son ascendance plusieurs magistrats qui avaient siégé au Parlement de Guyenne. Muni d'une forte instruction par les oratoriens de Juilly, il entre, en 1714, comme conseiller à ce Parlement. Il se marie en 1715, et en 1716 un oncle lui lègue, avec sa charge de président à mortier, de beaux revenus et la baronnie de Montesquieu, dont il va porter et illustrer le nom. La même année, il est admis à l'académie de Bordeaux.

Quelques années de vie parlementaire, académique et mondaine sont fructueuses pour sa formation intellectuelle ; il lit beaucoup, étudie les hommes, les lois et les faits sociaux ; il s'attache aussi aux sciences concrètes et à leurs méthodes minutieuses. A l'académie de Bordeaux, il disserte de la Politique des Romains dans la religion et des Dettes de l'État (1716), de la Cause de l'écho, de l'Usage des glandes rénales (1718), de la Pesanteur des corps (1720). N'oublions pas, d'ailleurs, que les « discours » scientifiques sont des rapports sur des sujets de prix proposés par l'académie de Bordeaux et sur les travaux des concurrents, non des recherches originales. Il a de grands desseins et veut fonder sur les sciences physiques une Histoire de la Terre ancienne et moderne, *dont il publie le projet en 1719 ; il y renoncera, mais après avoir tiré de ses lectures, et classé soigneusement, d'abondantes notes.*

En 1721, il publie les Lettres persanes, *qui amusent, intéressent, scandalisent. Dès que ses fonctions lui en laissent le loisir, il vient à Paris jouir de sa réputation.*

Également bien reçu chez Mme de Lambert et aux réunions de l'Entresol, il compose pour les politiques le Dialogue de Sylla et d'Eucrate *(1722), un traité de la Politique (1723), des Réflexions sur la monarchie universelle (1724) ; pour les mondains, le* Temple de Gnide *(1725), le Voyage à Paphos (1727) et telle analyse délicate de la Considération et de la Réputation. L'Académie l'accueille en 1727 et l'eût fait plus tôt, si le cardinal Fleury, inquiété par les* Lettres persanes, *ne s'était, en 1725, opposé à son admission.*

Depuis 1726, il a vendu sa charge de président ; il peut entreprendre, en 1728, un voyage à travers l'Europe, où il complète son information politique. Il visite l'Allemagne, l'Autriche, la Hongrie, l'Italie, la Suisse, la Hollande, et prolonge son séjour en Angleterre, de 1729 à 1731.

De retour en France, il se fixe à La Brède, qu'il embellit et qu'il exploite, ce qui ne fait point de tort à son activité d'écrivain. Il publie, en 1734, les Considérations sur les causes de la grandeur des Romains et de leur décadence *et, en 1748, l'*Esprit des lois, *dont le succès est inouï. Sa vue, à demi perdue, lui interdit désormais les grands efforts : un fragment de* Lysimaque *(1751) ; un roman de politique idyllique,* Arsace et Isménie *(1754) ; un Essai sur le goût dans les choses de la nature et de l'art, qui paraîtra, inachevé, dans l'*Encyclopédie, *voilà ses derniers ouvrages. Il meurt le 10 février 1755.*

Ses Œuvres *ont été publiées par Laboulaye, en 7 volumes, 1875-1879. Il faut ajouter les ouvrages édités depuis par les soins de Céleste et Barckhausen :* Deux opuscules inédits, *1891 ;* Mélanges, *1892 ;* Voyages, *2 vol., 1894-1896, 1 vol., 1943 ;* Pensées et Fragments, *2 vol., 1899-1900 ;* Cahiers, *1941 ; un carnet inédit, le* Spicilège, *1944. La* Correspondance de Montesquieu *a été publiée par F. Gebelin et A. Morize, 2 vol., 1914.*

Voir : A. Sorel, Montesquieu, *1887 ; H. Barckhausen,* Montesquieu, ses idées et ses œuvres, *1907 ; J. Dedieu,* Montesquieu, *1913 ; G. Lanson,* Montesquieu, *1932 ; É. Carcassonne,* Montesquieu et le problème de la Constitution française au XVIIIe siècle, *1927 ; J. Dedieu,* Montesquieu, *1943 ; P. Barrière,* Montesquieu, *1946.*

Peu de natures furent plus heureuses et mieux équilibrées que celle de Montesquieu. Il jouissait pleinement de la vie : « Je m'éveille le matin avec une joie secrète de voir la lumière ; je vois la lumière avec une espèce de ravissement. » S'il aimait la solitude et les livres, il goûtait aussi la société des hommes : « J'avais le bonheur que tout le

LE CHATEAU DE LA BRÈDE. — CL. NEURDEIN.

monde me plaisait »; c'est le secret de plaire à tout le monde. La vie, au reste, lui fut douce : indépendant et riche, « il n'a, nous dit-il, presque jamais eu de chagrin, encore moins d'ennui ».

De mœurs simples et réglées, il revint, après ses voyages d'études, à son milieu provincial, où l'appelaient ses goûts comme ses intérêts. Marié de bonne heure, attaché à sa famille, faisant pour elle « ce qui allait au bien dans les choses essentielles », il demeurait assez jaloux de sa liberté d'esprit pour « s'affranchir des détails »; bon citoyen, pensait-il, dès qu'il était content de son destin et fidèle au gouvernement; sensible à la douceur de l'air qu'il respirait dans sa patrie, mais sans prévention à son égard et presque sans préférence, l'un des premiers « cosmopolites » qui n'aient pas été des aventuriers, classant ses devoirs avec assurance et noblesse : « Si je savais quelque chose qui me fût utile et qui fût préjudiciable à ma famille, je le rejetterais de mon esprit; si je savais quelque chose utile à ma famille et qui ne le fût pas pour ma patrie, je chercherais à l'oublier; si je savais quelque chose utile à ma patrie qui fût préjudiciable à l'Europe ou bien qui fût utile à l'Europe et préjudiciable au genre humain, je le regarderais comme un crime. »

« Un des grands délices de l'esprit des hommes, a-t-il écrit, c'est de faire des propositions générales. » De fait, il n'a pas toujours résisté à la tentation de généraliser hâtivement. Heureusement, un peu avant la trentaine, il s'astreindre à la discipline des sciences exactes : les recherches de physiologie et de physique auxquelles il se livra réfrénèrent son goût pour les formules brillantes et pour les systèmes hypothétiques; d'autre part, le déterminisme auquel ses expériences le conduisirent le confirma dans son attitude d'indifférence en matière de religion.

Il a pénétré dans la science assez avant pour se défier d'une assimilation trop complète des études politiques aux recherches physiques. Il comprend et répète que l'histoire n'offre pas à l'historien, comme le laboratoire à l'expérimentateur, des faits toujours identiques à eux-mêmes, dont on puisse tirer des pronostics assurés. Pourtant, si l'on en élimine l'accidentel, il demeure dans l'histoire un fonds solide qui permet d'établir des connaissances positives : c'est tout ce qui dépend des influences physiques, et tout ce qu'expliquent les causes morales éternelles, les passions diverses de l'homme.

Ce magistrat, qui a scruté les consciences aussi bien que les textes, est avant tout un moraliste : « Uniquement attentif à regarder les hommes, a-t-il dit, mon plaisir est de voir cette longue suite de passions et de vices. » Il avait voulu écrire un essai sur la jalousie et un traité des devoirs; et sans parler des *Lettres persanes*, il a laissé de nombreuses maximes, recueillies dans l'*Esprit des lois* ou éparses dans ses cahiers, qui révèlent un lecteur attentif de La Rochefoucauld.

L'intérêt que Montesquieu prend aux idées ne se complique guère de sentiment : il énonce froidement un pessimisme décidé. Ses théories sont-elles contredites par l'effort de sa réflexion ou les leçons de l'expérience, il les abandonne sans regret; quand il tient le vrai, il ne se soucie pas d'en souffrir. « Je voudrais bien être le confesseur de la vérité, non pas le martyr. » Il semble sacrifier aisément les aspirations du cœur aux exigences de la pensée : « J'aime incomparablement mieux être tourmenté par mon cœur que par mon esprit. » Mais nous devinons là quelque affectation, un effet, qui n'est point rare, de cette timidité qui fut « le fléau de sa vie ». En fait, il souffrirait de haïr; aisément attendri, il a « la mémoire du cœur ». Il est bienveillant, il a le vif sentiment de la solidarité humaine, le souci constant du bien public. Le P. Castel, qui l'a bien connu, a dit que c'était une belle âme. Comment ne pas le croire en relisant ce testament moral, émouvant et serein, qu'il écrivit le jour où il dut abandonner son *Esprit des lois* ?

« J'avais conçu le dessein de donner plus d'étendue et de profondeur à quelques endroits de cet ouvrage. J'en suis devenu incapable. Mes lectures ont affaibli mes yeux, et il me semble que ce qui me reste de lumière n'est que l'aurore du jour où ils se fermeront pour jamais.

« Je touche presque au moment où je dois commencer et finir, au moment qui dévoile et dérobe tout, au moment mêlé d'amertume et de joie, au moment où je perdrai jusqu'à mes faiblesses mêmes.

« Pourquoi m'occuperais-je encore de quelques écrits frivoles ? Je cherche l'immortalité et elle est dans moi-même. Mon âme, agrandissez-vous, précipitez-vous dans l'immensité, rentrez dans le grand Être !

« Dans l'état déplorable où je me trouve, il ne m'a pas été possible de mettre à cet ouvrage la dernière main, et je l'aurais brûlé mille fois si je n'avais pensé qu'il était beau de se rendre utile aux hommes jusqu'aux derniers soupirs mêmes.

« Dieu immortel, le genre humain est votre plus digne ouvrage; l'aimer, c'est vous aimer, et en finissant ma vie je vous consacre cet amour ! » (*Pensées et Fragments inédits*, t. I, pp. 104-105.)

Le goût littéraire de Montesquieu n'est pas toujours sûr. Avec Fénelon, dont le *Télémaque* lui semble « l'ouvrage divin du siècle », ses auteurs favoris sont Rollin et Crébillon, Houdar de La Motte et Fontenelle.

Ses préférences vont au style fleuri et maniéré : les *Lettres persanes*, le *Temple de Gnide* le prouvent parfois. Plus tard, il faudra un coup d'autorité de Vernet, son éditeur, pour le décider à supprimer de l'*Esprit des lois* une Invocation aux Muses, de louable dévotion classique, mais factice, mièvre, incontestablement déplacée. Enfin, parmi les morceaux qu'au long de sa vie il recueille jalousement dans ses propos et dans ses lettres, combien de traits précieux, brillants, combien de mignardises !

Heureusement, son ton ordinaire est plus sobre et plus grave. Il s'est dégagé de la rhétorique et, pour fuir l'allure doctorale « des discours d'ostentation », il affecte parfois une composition nonchalante, se complaît aux digressions et aux répétitions. Pourtant chaque page est sévèrement construite. Il n'y paraît pas d'abord, car il élimine tout ce qui soulignerait l'ordre logique des idées : « Pour bien écrire, il faut sauter les idées intermédiaires, assez pour n'être pas ennuyeux, pas trop, de peur de n'être pas entendu. » Il a su presque toujours se tenir dans cette juste mesure, et l'on ne peut trop louer sa forte brièveté.

•

LES LETTRES PERSANES

En deux petits volumes, sans nom d'auteur, sous la marque imaginaire de Pierre Marteau, à Cologne, les Lettres persanes *parurent en 1721.*

Le succès en fut très grand. Les libraires les réimprimèrent sans répit et demandaient à tous leurs auteurs de « leur faire des Lettres persanes ». *Une douzaine d'éditions s'épuisèrent en un an. En 1754, Montesquieu joignit à son ouvrage* Quelques réflexions sur les Lettres persanes *et un* Supplément *de onze lettres et quelques fragments. En outre, après sa mort, on a trouvé dans ses papiers un cahier de* Corrections *toutes prêtes pour l'impression. Nous possédons aujourd'hui ce texte, conforme au vœu de l'auteur, grâce à Henri Barckhausen, qui l'a imprimé deux fois, 1897 et 1913; édition Carcassonne, 1929.*

Il y a, dans les *Lettres persanes*, un roman. Nous ne nous y intéressons plus guère : il affadit la verte âpreté de tant de pages. Mais Montesquieu tenait à son mérite de romancier : « Mes *Lettres persanes* ont appris à faire des romans par lettres, » dira-t-il avec plus de fierté que d'exactitude, car c'est trop négliger les fameuses lettres de la Religieuse portugaise et celles de la Présidente Ferrand. Quant au public, il prit un goût très vif à ce roman oriental. On sait combien la curiosité exotique s'était développée, depuis le temps où une ambassade ottomane avait invité Molière à enturbanner le bonhomme Jourdain, où Racine avait su piquer l'intérêt en portant à la scène, dans *Bajazet*, une histoire de sérail. Les récits des voyageurs, surtout ceux de Tavernier et de Chardin, avaient entraîné les esprits plus loin encore, vers le Siam et vers la Perse. On parlait avec une admiration confiante de la sagesse des Orientaux. Mais surtout quelle curiosité pour leurs mœurs et leurs passions ! On a beaucoup lu les *Lettres persanes* pour les aventures de l'ardente Roxane, pour les violences et la fin tragique du Grand Eunuque, pour la jalousie et la vengeance de leur maître impérieux. Montesquieu le savait, qui, dans le *Supplément* de 1754, accrut le nombre des lettres relatives aux affaires du sérail. Le Gascon plein de mollesse, le Président galant et égrillard s'y était complu tout le premier, comme il se devait enchanter en écrivant les pages langoureuses du *Temple de Gnide*.

Mais « il faudrait être bien étourdi et bien léger soi-même pour trouver ce livre léger », a dit justement Michelet. C'est qu'il y a tout autre chose dans les *Lettres persanes* qu'une histoire de harem. On y trouve aussi, non moins développée, une satire pittoresque de la France d'alors, d'autant plus fine qu'elle vient de deux Persans, ébahis chez nous comme nos voyageurs l'étaient chez eux, et qui jugent nos mœurs, l'un avec un sérieux piquant, l'autre avec une souriante malice. On a longtemps fait grand honneur à Montesquieu de cette invention : elle n'est pourtant pas de lui. Dès 1684, *l'Espion du Grand Seigneur*, de Marana, avait passé en revue les événements du jour et la société française. Dufresny, dans ses *Amusements sérieux et comiques* (1699), promenait un Siamois à Paris, notait ses impressions et donnait quelque essais de *Lettres siamoises*. Enfin, datant de 1716, à côté de la *Traduction d'une lettre italienne écrite par un Sicilien à l'un de ses amis, contenant une critique agréable de Paris et des Français*, on a remis en lumière *Deux lettres écrites à Murala, homme de loi à Hispahan, sur les mœurs et la religion des Français*. Le cadre, on le voit, était au goût du jour ; Montesquieu l'a poli et, l'accrochant à la cimaise, a consacré la mode.

Il fait des Français un portrait peu flatteur. A l'en croire, ils sont légers, curieux, incapables d'un effort soutenu, sans cesse tourmentés d'un besoin inquiétant de plaisirs, et l'argent a chez eux confondu les conditions. Mais sa critique, si elle est sévère, n'est pas triste. Il amuse, comme amusait La Bruyère : il imite d'ailleurs ce modèle et ne redoute pas la comparaison. Son portrait du « décisionnaire universel » (lettre 72) n'a peut-être pas le fini du portrait d'Arrias : il plaît par plus de prestesse et de bonne humeur. Plus encore qu'à La Bruyère, c'est à Lesage que Montesquieu fait songer. Quand il nous présente (lettre 48) la série des originaux que le hasard a groupés dans un salon : un fermier général, un directeur de consciences, un poète, un vieux soldat mécontent et bavard, un homme à bonnes fortunes, ne dirait-on pas des croquis tracés à la hâte par Asmodée ? Comme Lesage encore, Montesquieu sait tirer d'une idée comique tous les développements qu'elle comporte, tandis que La Bruyère en eût condensé l'ironie en quelques lignes : qu'on se rappelle la longue et minutieuse visite de Rica à la Bibliothèque Saint-Victor ?

Nos Persans impitoyables disent leur mot sur tout ce qu'on voit à Paris : sur le roi, les seigneurs, les magistrats, les théologiens, les habitués des cafés, les nouvellistes, les badauds, les écrivains. Leur badinage irrespectueux se nuance parfois de gravité : c'est par avance le ton de Voltaire. Le « Souper » de *Zadig*, la « Prière à Dieu » du *Traité de la Tolérance* s'annoncent dès 1721 dans cette page : « Un homme faisait tous les jours à Dieu cette prière :

MÉHÉMET-RIZA BEY, ambassadeur de Perse, arrive à la cour de France en 1715. — CL. LAROUSSE.

« Seigneur, je n'entends rien dans les disputes que l'on « fait sans cesse à votre sujet. Je voudrais vous servir « selon votre volonté ; mais chaque homme que je consulte « veut que je vous serve à la sienne. Lorsque je veux vous « faire ma prière, je ne sais en quelle langue je dois vous « parler. Je ne sais pas non plus en quelle posture je dois « me mettre : l'un dit que je dois vous prier debout, l'autre « veut que je sois assis, l'autre exige que mon corps porte « sur mes genoux... Il m'arriva l'autre jour de manger un « lapin dans un caravansérai. Trois hommes qui étaient « auprès de là me firent trembler ; ils me soutinrent tous « les trois que je vous avais grièvement offensé : l'un parce « que cet animal était immonde ; l'autre parce qu'il était « étouffé ; l'autre enfin parce qu'il n'était pas poisson. Un « brahmane qui passait par là et que je pris pour juge « me dit : « Ils ont tort : car apparemment vous n'avez « pas tué vous-même cet animal. — Si fait, lui dis-je. « — Ah ! vous avez commis une action abominable et que « Dieu ne vous pardonnera jamais, me dit-il d'une voix « sévère. Que savez-vous si l'âme de votre père n'est pas « passée dans cette bête ? » Toutes ces choses, Seigneur, « me jettent dans un embarras inconcevable ; je ne puis « remuer la tête que je ne sois menacé de vous offenser ; « cependant je voudrais vous plaire et employer à cela la « vie que je tiens de vous. Je ne sais si je me trompe : « mais je crois que le meilleur moyen pour y parvenir « est de vivre en bon citoyen dans la société où vous « m'avez fait naître, et en bon père dans la famille que vous « m'avez donnée. » (Lettre 46.)

La pensée de Montesquieu s'élève souvent ainsi. Il arrive que son émotion soit trop forte : alors sa voix se fait amère, son rire s'alourdit et sonne faux, comme dans l'ordonnance en faveur des courtisans (lettre 124) ; ou encore l'auteur, convaincu qu'il ne suffit pas de démontrer certaines vérités, mais qu'il faut les « faire sentir », recourt à des apologues « intéressants » : telle l'histoire d'Aphéridon et d'Astarté (lettre 67), tel ce long épisode des Troglodytes, où Montesquieu, en bon disciple de Fénelon, en humaniste nourri de souvenirs classiques, se laisse aller à des rêveries, exemptes d'ailleurs d'un trop naïf optimisme. Il aborde tous les problèmes de la morale, de la politique et de l'économie sociale : il traite de la tolérance, de la justice éternelle, du suicide, de la valeur des lettres et de la civilisation, du droit public et du droit des gens, de la condition des femmes, de la dépopulation. Comment ne pas être frappé de cette curiosité attentive, de ce souci des hautes questions, de la profondeur et de l'originalité des vues ? Une méthode s'élabore, des principes apparaissent qui, dans la pensée de Montesquieu, joueront un rôle essentiel. Sous l'aspect riant d'un badinage agréable et fleuri s'annonce la gravité des œuvres prochaines.

LES CONSIDÉRATIONS SUR LES ROMAINS

Les Considérations sur les causes de la grandeur des Romains et de leur décadence, *longuement mûries et très soignées de forme, parurent sans nom d'auteur, à Amsterdam, en 1734. Montesquieu ne se souciait plus, cette fois, d'obtenir un succès de scandale : il avait chargé un jésuite, le même P. Castel à qui il avait confié l'éducation de son fils, de revoir son livre et de l'amender du point de vue « religieux, théologique, moral et philosophique ». Ce ne fut pas assez ; pour en rendre possible l'entrée en France, il fallut au dernier moment quelques « cartons ». Aussi bien les « philosophes » d'Angleterre et d'Allemagne saluèrent-ils les* Considérations *comme une œuvre hardie, destructrice de la « tyrannie » et de la « superstition ». Quant au public de France, il sembla déçu et regretta l'agrément des* Lettres persanes ; *les beaux esprits parlèrent avec gaieté de la « décadence » de M. de Montesquieu.*

Ni cette froideur ni des critiques hâtives et peu intelligentes ne découragèrent l'auteur. Dès 1734, il notait sur ses cahiers quelques corrections au texte de ses Considérations ; *mais l'achèvement de* l'Esprit des lois *l'absorba longtemps. Quand il retrouva du loisir, il se remit à ses « Romains », pour lesquels il ressentit toujours une évidente partialité. Il donna, en 1748, une « nouvelle édition revue, corrigée et augmentée » : c'est l'état définitif que Henri Barckhausen a reproduit (1900) ; édition Jullian, 1896.*

« Je n'avais d'abord pensé qu'à écrire quelques pages sur l'établissement de la monarchie chez les Romains. Mais la grandeur du sujet m'a gagné ; j'ai remonté insensiblement aux premiers temps de la République, et j'ai descendu jusqu'à la décadence de l'Empire. » Tel est le modeste et sincère *Avis* que Montesquieu avait d'abord songé à mettre en tête de son livre. Qu'on ne lui reproche donc point d'être incomplet : ce n'est pas une histoire de Rome qu'il a voulu écrire. Au reste, ignorant des doutes que l'érudition de Beaufort allait soulever sur les premiers siècles de la Ville, peu accoutumé à la critique des témoignages, croyant en Tite-Live comme en un auteur sacré, Montesquieu n'eût guère fait figure d'historien. Mais les faits

FRONTISPICE dessiné par Eisen pour l'édition de 1748 des « Considérations sur les Romains ».
CL. LAROUSSE.

l'intéressent par la leçon morale qu'ils contiennent, car il est un philosophe ; ils le passionnent par la beauté du tableau où ils s'inscrivent, car il est un artiste.

Il y a dans l'accroissement et la chute de Rome, dans cette courbe au tracé ferme et net, un rythme que Montesquieu dégage. Type des peuples de proie, le peuple romain enseigne par son exemple le destin qui attend ceux qui, comme lui, voudront conquérir : « On n'élève sa puissance que pour la voir mieux renverser » ; Claudien l'a dit :

*...Tolluntur in altum
Ut lapsu graviore ruant.*

De ces quatre derniers mots, Montesquieu a fait l'épigraphe de ses *Considérations*. La conquête est funeste au conquérant aussi bien qu'aux peuples conquis. Le « superbe ouvrage » des Romains fut d'éteindre la liberté de l'univers ; de plus, les « usurpateurs se sont dépouillés, les tyrans sont devenus esclaves ». Pour établir cette loi du monde, Montesquieu ne fait point appel, comme Bossuet, à une Providence justicière. D'ailleurs il repousse, avec une égale impatience, le hasard qui, chez les incroyants, fait figure de divinité nouvelle : « Ce n'est pas la fortune, écrit-il (chapitre XVIII), qui domine le monde... Il y a des causes générales, soit morales, soit physiques, qui agissent dans chaque monarchie, l'élèvent, la maintiennent, la précipitent. Tous les accidents sont soumis à ces causes, et si le hasard d'une bataille, c'est-à-dire une cause particulière, a ruiné un État, il y avait une cause générale qui faisait que cet État devait périr par une seule bataille. En un mot, l'allure principale entraîne avec elle tous les accidents particuliers. »

On voit ici se formuler la conception que les *Lettres persanes* dégageaient et qui dominera *l'Esprit des lois*, d'une nécessité intelligible, maîtresse des hommes : l'action concurrente des influences physiques et morales. A la vérité, les *Considérations* font surtout place aux causes morales : ce sont les institutions politiques et militaires de Rome qui ont provoqué sa grandeur, puis sa ruine. Les maximes de la République, toutes orientées vers la liberté intérieure et la puissance au dehors, ont admirablement servi les succès de ce petit peuple guerrier, énergique et fier ; sa domination s'est étendue peu à peu sur le monde, pendant qu'il trouvait dans sa frugalité et dans ses dissensions intestines un perpétuel ressort d'activité et de vertu civique. Mais une fois l'Empire étendu et le nombre des citoyens accru démesurément, les maximes de sa morale et de sa politique durent se renverser ; le luxe et la dépravation des mœurs s'introduisirent ; le despotisme s'imposa aux citoyens dégénérés : « Ainsi ils établissaient des usages tout contraires à ceux qui les avaient rendus maîtres de tout, et comme autrefois leur politique constante fut de se réserver l'art militaire et d'en priver tous leurs voisins, ils le détruisirent pour lors chez eux et l'établissaient chez les autres. — Voici en un mot l'histoire des Romains : ils vainquirent tous les peuples par leurs maximes ; mais lorsqu'ils y furent parvenus, leur république ne put subsister : il fallut changer de gouvernement, et des maximes contraires aux premières, employées dans ce gouvernement nouveau, firent tomber leur grandeur » (chapitre XVIII).

A regarder dans le détail cette dissertation dont on aperçoit si aisément le dessein général, on regrette que l'intelligence vive et pénétrante de Montesquieu s'y révèle systématique. L'auteur s'attache à quelques faits saillants et typiques qu'il met en valeur ; ils absorbent l'attention, menacent de laisser au lecteur une impression sinon inexacte, du moins incomplète. Mais ce défaut même a sa force : l'exposé simple et bien enchaîné entraîne, malgré qu'on en ait. On est séduit par l'effort de cette volonté puissante, par cet essai, hardi et si neuf, d'explication rationnelle, par l'enthousiasme réfléchi qui anime l'auteur à célébrer ses Romains. Ajoutons les prestiges d'un style qui jamais ne fut plus sobre ni plus énergique, qui illumine l'esprit et le satisfait.

L'ESPRIT DES LOIS

« Au sortir du collège, dit Montesquieu, on me mit dans les mains des livres de droit : j'en cherchai l'esprit..... » Son dessein, on le voit, date de loin. Mais il lui fallut de longues années d'études et de réflexions pour se retrouver dans ce dédale : « J'ai bien des fois commencé et bien des fois abandonné cet ouvrage. J'ai mille fois envoyé aux vents les feuilles que j'avais écrites, je sentais tous les jours les mains paternelles tomber, je suivais mon objet sans former de dessein, je ne connaissais ni les règles ni les exceptions, je ne trouvais la vérité que pour la perdre. Mais quand j'ai découvert mes principes, tout ce que je cherchais est venu à moi, et dans le cours de vingt années, j'ai vu mon ouvrage commencer, croître, s'avancer et finir. »

Il avait d'abord voulu imposer à son œuvre une division classique en vingt-quatre livres. Il ne s'obstina pas dans ce formalisme : comme sa matière débordait le cadre régulier, il écrivit vingt-six, puis vingt-sept livres ; enfin, des études complémentaires, entreprises entre 1747 et 1748, et dont il ne voulut pas laisser perdre le résultat, grossirent le nombre des livres jusqu'à trente et un, et compromirent l'unité de l'ouvrage. Le titre de la première édition le reconnaissait franchement : De l'Esprit des lois, ou du rapport que les lois doivent avoir avec la constitution de chaque gouvernement, ses mœurs, le climat, la religion, le commerce, etc. ; *à quoi l'auteur a ajouté des recherches nouvelles sur les lois romaines touchant les successions, sur les lois françaises et les lois féodales, deux volumes, imprimés à Genève, en 1748, par les soins du pasteur Vernet.*

En dix-huit mois, plus de vingt éditions parurent. Les critiques malveillantes ne firent pas défaut. Elles échauffaient la bile de Montesquieu : ses Pensées *inédites en témoignent ; du moins conserva-t-il en public un masque d'impassibilité. Négligeant les objections du financier Dupin (« Je ne discute jamais contre les fermiers généraux quand il est question d'argent ou quand il est question d'esprit »), il mit un court* Avertissement *à la seconde édition de son livre ; il répondit, en 1750, par une* Défense de l'Esprit des lois, *spirituelle, éloquente et mesurée, aux attaques les plus inquiétantes, celles des ecclésiastiques, jansénistes ou jésuites, et il manœuvra adroitement pour éviter ou du moins atténuer les censures dont on le menaçait à Rome et en Sorbonne.*

Montesquieu, pendant ses dernières années, n'épargna point à son livre les corrections de détail. On trouve dans ses Pensées et fragments inédits, *avec des développements nouveaux qu'il se promettait peut-être d'y incorporer, des notes et des extraits de lectures utiles pour bien interpréter certains chapitres.*

Montesquieu, d'après la médaille de Dassier (B. N., Cabinet des Estampes). — CL. LAROUSSE.

Voir : J. Dedieu, Montesquieu et la tradition politique anglaise, *1909 ; Mlle Dodds,* les Récits de voyage, sources... *de Montesquieu, 1929.*

Le dessein de Montesquieu avait été d'abord philosophique. Il voulait (c'était la doctrine des *Considérations*) établir, contre le scepticisme aisé des libertins et contre l'intrépide assurance d'un Bossuet, l'impossibilité d'expliquer toute l'histoire soit par le hasard, soit par la Providence. Peut-être aussi se proposait-il de maintenir, contre l'utilitarisme de Hobbes ou de Machiavel, l'existence d'une justice éternelle et de lois de nature, constituant comme le type idéal dont se rapprochent les meilleures lois humaines. *L'Esprit des lois,* dans son état définitif, garde la trace de ces préoccupations. Mais le jour vint où, éclairé par ses réflexions et ses voyages, sentant ce qu'il y avait de vain peut-être dans ces pures idéologies, Montesquieu comprit que « les lois sont des rapports nécessaires qui dépendent de la nature des choses », et que les mieux adaptées aux conditions d'existence des peuples à qui elles sont destinées sont aussi les meilleures. D'abord déterminées par les nécessités physiques qui pèsent sur eux, elles sont influencées surtout par des causes morales : « La nature agit toujours, mais elle est accablée par les mœurs, » dit-il quelque part. On voit comment son principal ouvrage se rattache à ses livres antérieurs, qu'il complète et couronne.

Montesquieu mit au service de son système une prodigieuse érudition : il a fait l'analyse de toutes les constitutions qu'il a pu connaître ; il a recherché dans les récits des voyageurs les coutumes des peuplades étrangères ; aux textes et aux faits il a joint les commentaires des écrivains politiques : il a lu les Anciens, Platon, Aristote, et ces auteurs moins connus dont les œuvres chargeaient les rayons de sa bibliothèque; il a lu les Italiens, Machiavel et Gravina; les Anglais, surtout Hobbes et Locke; les Français aussi, Bodin, Fénelon, cet abbé de Saint-Pierre, « son maître », que sa respectueuse sympathie venge de bien des railleries; enfin son ami, le Bordelais Melon, dont les doctrines économiques ont profondément agi sur sa pensée. Soumettant les idées de tous à sa critique, il ne s'est pas fait scrupule d'adopter celles qui convenaient à ses principes. Il a dit, dans sa *Préface*, avec quelle admiration il s'est instruit auprès de ces grands hommes. Mais son indépendance justifiait sa fière devise : « *Prolem sine matre creatam.* » Comme Minerve, la déesse qui n'est point née d'une mère, son œuvre est sortie de son cerveau, tout armée. S'il est vrai, comme il le dit, que « plusieurs des historiens français avaient eu trop d'érudition pour avoir assez de génie, et d'autres trop de génie pour avoir assez d'érudition », il a su, lui du moins, unir l'érudition au génie.

Son érudition a d'ailleurs ses limites. Il a certes vérifié les textes qu'il cite, mais souvent il n'en établit pas assez rigoureusement la valeur. Par exemple, il se réfère à des récits de voyageurs qui sont, en gros, dignes de foi. Mais il s'en tient, en général, à un seul voyageur; il n'a pas l'idée, quand il existe plusieurs récits, de les confronter les uns aux autres. Au reste, sur un texte, fût-il sûr et sincère, peut-on, comme il le fait, fonder sans hésiter une règle ? Soumis en apparence à une méthode prudente, il laisse paraître une confiance excessive dans les lois générales : « J'ai posé les principes et j'ai vu les cas particuliers s'y plier comme d'eux-mêmes, les histoires de toutes les nations n'en être que les suites. » Dès la *Préface*, cette audacieuse affirmation donne à réfléchir. Lisons après cela le chapitre (XIX, 27) où Montesquieu déduit les mœurs des Anglais de leur constitution, au lieu de présenter naïvement le tableau qu'il en fait comme le résultat de son observation directe : un tel artifice n'est-il pas gros de menaces ? De même, il est curieux de constater que pour étudier l'état démocratique Montesquieu parle presque uniquement des républiques antiques et italiennes, et ne nous dit rien de celles qu'il a pu ou aurait pu observer : la Hollande, les républiques suisses. Nous ne nous étonnerons pas que Montesquieu n'ait pas évité les interprétations contestables, voire des erreurs de jugement que son ton d'assurance aggrave.

Si curieux qu'il soit de systèmes, il est bien trop réaliste pour s'attarder à l'histoire hypothétique des sociétés que tant de philosophes politiques, avant comme après lui, ont mise à la base de leur doctrine. En quelques lignes il présente une théorie qui s'oppose de tout point à celle de Hobbes : les hommes, dans l'état anarchique de nature, vivaient égaux et faibles; « dès qu'ils s'organisent en société, l'état de guerre commence »; pour y remédier, le droit peu à peu s'organise : droit des gens, droit politique, droit civil.

Le droit, c'est « la raison humaine en tant qu'elle gouverne les peuples de la terre », et les différentes lois sont les rapports nécessaires entre cette raison et les circonstances particulières où elle s'applique. Montesquieu, en quelques phrases nettes, résume ce qui fera l'objet de ses études : « Il faut que les lois se rapportent à la nature et au principe du gouvernement qui est établi ou qu'on veut établir, soit qu'elles le forment comme font les lois politiques, soit qu'elles le maintiennent comme font les lois civiles. Elles doivent être relatives au physique du pays, au climat glacé, brûlant ou tempéré, à la qualité du terrain, à sa situation, sa grandeur, au genre de vie du peuple, laboureurs, chasseurs ou pasteurs; elles doivent se rapporter au degré de liberté que la constitution peut souffrir, à la religion des habitants, à leurs inclinations, à leurs richesses, à leur nombre, à leur commerce, à leurs mœurs, à leurs manières. Enfin, elles ont des rapports entre elles; elles en ont avec leur origine et l'objet du législateur, avec

l'ordre des choses sur lesquelles elles sont établies. C'est dans toutes ces vues qu'il faut les considérer. C'est ce que j'entreprends de faire dans cet ouvrage. J'examine tous ces rapports : ils forment tous ensemble ce qu'on appelle l'*esprit des lois*. » (Livre I, chapitre III.)

Tel est le sujet de l'ouvrage. Ce n'en est pas tout à fait le plan; et si ce sommaire ne va pas déjà sans quelque indécision, la composition du livre est moins nette encore. L'auteur maintient en tête, comme les plus importants, « les rapports que les lois ont avec la nature et le principe de chaque gouvernement », car c'est de là qu'il voit « couler les lois comme de leur source ». Mais on peut se demander pourquoi il rejette l'étude des influences physiques au milieu du développement sur les rapports des lois avec les mœurs et avec l'esprit général des peuples. De même, pourquoi morceler la conclusion naturelle de l'ouvrage (livres XXVI et XXIX) et l'encadrer entre des livres tardivement conçus, où Montesquieu présente, à l'aide de quelques exemples arbitrairement choisis, « l'origine et les révolutions des lois » ?

Chacun connaît la classification originale par où il ramène les divers gouvernements à trois types, despotisme, monarchie, république : on a pu à bon droit la critiquer. Mais retenons son attitude à l'égard de chacun d'eux. Certes, il se prétend impartial : « Je n'écris point pour censurer ce qui est établi dans quelque pays que ce soit; chaque nation trouvera ici les raisons de ses maximes... Si je pouvais faire en sorte que tout le monde eût de nouvelles raisons pour aimer ses devoirs, son prince, sa patrie, ses lois, qu'on pût mieux sentir son bonheur dans chaque pays, dans chaque gouvernement, dans chaque poste où l'on se trouve, je me croirais le plus heureux des hommes. » Pourtant il condamne sans recours le despotisme, et l'on sait à quoi son ironie réduit le chapitre où il prétend en donner « l'idée » : « Quand les sauvages de la Louisiane veulent avoir du fruit, ils coupent l'arbre au pied et cueillent le fruit : voilà le gouvernement despotique. »

Une sympathie, née de ses enthousiasmes scolaires, et que l'attristante vision des républiques italiennes n'a pu complètement anéantir, le porte vers le gouvernement républicain, fondé sur la vertu des citoyens, c'est-à-dire sur l'amour de la patrie et des lois. Mais ses préférences réfléchies vont à la monarchie, gouvernement tempéré qui, seul, établit un juste équilibre dans l'État par la création de corps intermédiaires entre le souverain et le peuple, qui, seul, assure la liberté publique en garantissant l'indépendance des trois pouvoirs : exécutif, législatif et judiciaire. Fondée sur une admiration sincère des institutions anglaises, inspirée par Locke, longuement méditée, sa théorie de la monarchie constitutionnelle a dirigé les Constituants; elle fait encore sentir son influence sur les institutions de notre pays.

On a souvent fait grand honneur à Montesquieu de ses idées sur l'influence des climats et des terrains : en réalité, il avait trouvé la théorie chez bien des auteurs anciens et modernes. Son mérite fut de l'introduire dans un système où elle prenait naturellement sa place. Mais Montesquieu a trop de vraie grandeur pour qu'on le loue de titres empruntés. Rendons au vieux Bodin, à Chardin le voyageur, à l'abbé Du Bos la gloire d'avoir en France formulé le principe avant Montesquieu. Sachons gré à celui-ci d'avoir vulgarisé la doctrine, et vantons surtout dans son œuvre ce qui est plus nouveau et plus hardi.

C'est d'abord cet amour et ce respect pour l'être humain, qui s'émeuvent de la moindre atteinte portée à son intérêt, à ses droits. Les scrupules de Montesquieu vont si loin que ce légiste romain, foncièrement opposé à l'émancipation des femmes, souhaite en leur faveur quelques adoucissements des mœurs et même des lois. Ce magistrat s'en prend aussi aux lois pénales trop dures : torture, peine

PROCESSION POUR UN AUTODAFÉ. Gravure tirée de la « Relation de l'Inquisition de Goa », par Dellon (souvent rééditée depuis 1685). — CL. LAROUSSE.

de mort, châtiments disproportionnés aux fautes. C'est lui qui inspire, en même temps que les encyclopédistes, l'Italien Beccaria, par qui toutes ces idées nous reviendront plus tard. Rompant avec ses prédécesseurs, Domat, Grotius et Pufendorf, résistant à son ami Melon, il proteste, l'un des premiers, contre l'esclavage, au nom de la nature et du droit. Son parti est pris depuis longtemps, depuis les *Lettres persanes*, mais il s'y est confirmé : il ruine les arguments des égoïstes, joint l'humour à la raison, et après une page d'ironie concentrée, souriante, mais amère, il gagne définitivement sa cause par un appel aux cœurs honnêtes (xv, 5).

Son attitude devant le problème de la tolérance religieuse n'est pas moins émouvante. Il ne croit plus, comme Bayle et Voltaire le croyaient ou feignaient de le croire, et comme il l'avait dit lui-même dans les *Lettres persanes*, que la multiplicité des religions soit avantageuse aux États : quand on est maître de recevoir ou de ne pas recevoir dans un pays une religion nouvelle, il ne faut pas l'y établir. Mais si elle y est déjà installée, la question est tout autre : on doit la tolérer, on doit contraindre les autres religions à la tolérer, et c'est même la seule contrainte qu'on puisse exercer sur celles-ci. Les lois pénales en matière de conscience sont inefficaces et dangereuses : raison suffisante pour qu'un politique sage les réprouve. Elles sont de plus immorales, inhumaines. Dans une page où l'ironie le cède à la vigueur de la pensée, Montesquieu condamne les autodafés que ce siècle voyait encore : la *Très humble remontrance aux inquisiteurs d'Espagne et de Portugal* qu'il prête à un juif libéral et audacieux est d'une énergie décisive et même prophétique (xxv, 13); invoquant l'intérêt public, la dignité humaine, les droits du cœur, elle gronde pathétiquement. Après cela, Voltaire, dans *Candide*, pourra se contenter de railler et de sourire.

De telles pages, et d'autres d'un tout autre genre, comme les saisissants portraits de Charles XII ou d'Alexandre, introduisent dans ce livre austère une variété dont avait besoin l'esprit mobile de Montesquieu; elles satisfont son souci d'art et de vie; et les formules imagées et frappantes, que lui dictent l'enthousiasme intellectuel ou l'émotion, s'inscrivent à jamais dans la mémoire des hommes.

V. — VOLTAIRE JUSQU'EN 1754

François-Marie Arouet est né le 21 novembre 1694, à Paris, près du Pont-Neuf, et fut élevé dans la Cité, au Palais, où logeait son père, bourgeois nanti d'un modeste office de robe. Sa mère mourut quand il était encore tout enfant. Fortement instruit par les jésuites, bientôt plongé en plein milieu libertin, Arouet s'entête de poésie, d'indépendance et de succès. A vingt-quatre ans, il fait jouer par les Comédiens français une tragédie d'Œdipe, qu'il publie en 1719 sous le nom, bientôt fameux, de Voltaire. Il aborde aussi l'épopée : la Ligue (1723) est une ébauche déjà poussée de la Henriade (1728).

*Après un exil en Angleterre (1726-1729), il témoigne de quelque hardiesse littéraire dans ses nouvelles tragédies, Brutus (1730), Zaïre (1732) et dans son Temple du goût (1733). Il a pris aussi une certaine intrépidité philosophique et de l'estime pour la prose : après l'Histoire de Charles XII (1731), il donne les Lettres philosophiques (1734). Inquiété pour ce dernier ouvrage, il se retire à Cirey-sur-Blaise, près de la frontière lorraine, chez M*ᵐᵉ* Du Châtelet. C'est une période de surprenante et féconde activité. Il n'oublie pas le théâtre : Alzire est de 1736 ; Mahomet, de 1741 ; Mérope, de 1743. Il incline à la poésie philosophique : en 1736, il écrit le Mondain et l'Épître sur la philosophie de Newton; de 1734 à 1737, les Discours sur l'Homme.*

*Il a formulé, en 1734, dans un Traité de métaphysique que M*ᵐᵉ* Du Châtelet garde pour elle, un credo qui ne variera guère. Cependant il travaille à son Siècle de Louis XIV, et si des difficultés de publication le détournent, vers 1740, d'achever cet ouvrage, du moins s'est-il mis aux travaux préparatoires de l'Essai sur les mœurs. Ce n'est pas tout : par complaisance pour M*ᵐᵉ* Du Châtelet plutôt que par goût décidé, il se livre à des recherches expérimentales et vulgarise la physique nouvelle dans les Éléments de la philosophie de Newton (1738).*

Revenu à la cour, pourvu d'une pension, nommé gentilhomme de la Chambre et historiographe de France, c'est une sorte de poète officiel qui donne le Poème de Fontenoy (1745). L'Académie française l'accueille en 1746 ; il s'abandonne avec ivresse à la vie mondaine ; à peine trouve-t-il le temps de conter Zadig. Mais sa jalousie contre Crébillon le stimule et lui inspire coup sur coup trois tragédies : Sémiramis (1748), Rome sauvée, qu'il rime en huit jours et fait jouer à Sceaux sous le titre de Catilina (1749), quitte à reprendre plus tard cette pièce pour l'achever ; Oreste (1750). Mais à la cour il lasse et se lasse lui-même. Depuis longtemps, Frédéric II le presse de devenir son hôte : il accepte enfin. Il arrive à Potsdam le 10 juillet 1750, y achève le Siècle de Louis XIV (1751), y compose Micromégas (1752). Là encore il est vite désenchanté. Après de longs ennuis, le 26 mars 1753, il quitte la Prusse. Incertain du lendemain, il s'attarde en Alsace (1753-1754), travaille tout un mois à l'abbaye de Senones. Enfin, il va s'installer en Suisse (décembre 1754).

*L'édition la plus récente des Œuvres de Voltaire est celle de Louis Moland (52 volumes in-8°, 1883). Le tome I*ᵉʳ* d'un recueil d'Œuvres inédites a été publié par Fernand Caussy en 1914.*

*Voir : la Bibliographie de G. Bengesco, 1882-1890 ; G. Desnoiresterres, Voltaire et la société du XVIII*ᵉ* siècle, 1867-1876 ; G. Lanson, Voltaire, 1906 ; A. Bellessort, Essai sur Voltaire, 1925, et G. Ascoli, Voltaire, dans la Revue des Cours, 1924 ; R. Naves, le Goût de Voltaire (s. d.) ; N. L. Torrey, Voltaire and the english deists, 1930 ; R. Naves, Voltaire, 1942.*

VOLTAIRE JEUNE. Esquisse de Quentin de La Tour.

Confié à dix ans aux jésuites du collège Louis-le-Grand, le jeune Arouet n'avait pas dix-sept ans quand il les quitta : c'est dire la maigre valeur des anecdotes qui ont couru sur ses années d'études. « Enfant bien doué, mais franc mauvais sujet », dit en latin une note plus authentique : de combien de collégiens l'a-t-on dit, qui ne sont pas pour autant devenus des Voltaires ! Il dut à ses maîtres une bonne culture classique, une connaissance approfondie des chefs-d'œuvre modernes, acquise en dehors des classes, sous la direction des jésuites lettrés dont il avait gagné la sympathie ; il contracta aussi au collège quelques sûres et hautes amitiés qui empliront et réchaufferont sa vie. Il devait garder aux guides de sa jeunesse un attachement respectueux ; même aux heures où la polémique l'entraînait, il se plut à reconnaître, et c'est l'évidence même, qu'ils l'avaient fait en partie ce qu'il fut.

Avant même d'avoir quitté le collège, il avait été introduit par son parrain, l'abbé de Châteauneuf, auprès de la vieille Ninon de Lanclos, qui fut frappée de son air éveillé, et de l'abbé Chaulieu, qu'il devait proclamer « son maître ». Il fut avec le président Hénault, avec Caumartin, avec Sully, de ces très jeunes hommes qui, vers 1715, recherchaient avec une ardeur singulière les vieilles gens du Temple et adoptaient leurs idées et leurs goûts. Séduits par ce qu'il y avait d'aisé dans les façons de ces viveurs désabusés, à l'heure où la foi traditionnelle vacillait autour d'eux, ils se laissèrent gagner à un épicurisme qui sauvegardait les aspirations déistes, et se tempérait de tout ce que des siècles de christianisme avaient incorporé à la morale courante.

Au reste Voltaire variait ses horizons ; en province, chez plusieurs de ses nobles amis, il rencontrait d'autres vieillards qui, en contant des anecdotes au panégyriste de Henri IV, au futur historien de Louis XIV, tempéraient par l'orthodoxie de leurs jugements la hardiesse de son exaltation juvénile. A deux reprises, il vit la Hollande : la première fois, adolescent de dix-neuf ans, il n'y resta

que le temps d'ébaucher une idylle avec une jeune Française réfugiée, et de se faire renvoyer en France sur la plainte d'une mère prudente ; quand il y retourna, à vingt-huit ans, il fut frappé de ce qu'il y découvrit : il admira chez ce peuple débordant d'activité, riche et qui semblait absorbé par le négoce, la belle diversité des idées, des croyances.

Ce poète se montra, tout jeune, doué d'un remarquable sens pratique : pensionné, mis en possession de l'héritage paternel, il s'intéressait aux grandes affaires financières qui effrayaient encore la majorité des Français et il recueillit des bénéfices proportionnés à son audace. Sa richesse lui assurait l'indépendance ; fût-ce le sentiment de cette indépendance qui développa chez lui le goût du bruit et du scandale ? Il ne cessait de se trémousser, d'appeler sur lui l'attention du public. On l'éloigne de Paris en 1716, on l'embastille (1717-1718) pour un poème satirique, qui d'ailleurs n'est pas de lui. Il a sur la conscience bien des vers de même ton, mais il crie à l'injustice. Qu'on ne lui laisse pas dédier *la Ligue* au roi, qu'on lui refuse même un privilège pour la publication de ce poème, son amertume va grandir. Que sera-ce quand, bâtonné sur l'ordre du chevalier de Rohan, le roturier qu'il est verra sourire les seigneurs ses amis, n'aura pas le droit de provoquer son adversaire, sera emprisonné pour complaire aux Rohan, relâché à la condition de disparaître ! C'est à la suite de ces déboires qu'il passe en Angleterre, aigri contre le gouvernement et la société de son pays. Ce voyage marquera dans l'histoire de sa pensée ; mais on se tromperait fort en croyant que cette pensée avait attendu jusque-là pour s'orienter. L'*Épître à Julie* (1722), qui scandalisait J.-B. Rousseau et dont on retrouve l'essentiel dans *le Pour et le Contre, la Ligue*, poème de combat contre le fanatisme, les maximes éparses dans *Œdipe* et dans tant de petits poèmes ou de lettres familières, font assez apparaître chez Voltaire un ensemble d'idées cohérentes, souvent très nettement formulées, et voisines de celles qui constitueront bientôt sa philosophie.

En politique, il n'est guère hardi ; il ne le sera jamais. La monarchie absolue le satisfait, pourvu qu'elle tolère les doléances des sujets et leurs chansons, pourvu que le prince aime son peuple, n'opprime pas les bons citoyens, réduise doucement les séditieux, gouverne par lui-même et choisisse de bons ministres. Également inquiet de la tyrannie et de la rébellion, le jeune Voltaire se fie au Parlement pour garantir les libertés essentielles du peuple et les justes prérogatives du pouvoir ; ce conservateur décidé, soucieux de la grandeur de l'État, est indifférent à des libertés vaines qui ne donneraient pas le bonheur et risqueraient d'apporter des troubles. Son libéralisme indéniable n'a rien de révolutionnaire, rien de démocratique. S'il est pris de « respect » devant Amsterdam, « ce magasin de l'Univers », il envisage surtout les bienfaits aristocratiques du commerce, le luxe et les arts ; il ne songe guère encore aux avantages que peut procurer à une nation une large diffusion de l'abondance.

Sa métaphysique est plus audacieuse. Son catholicisme, qui dès l'origine ne fut point très rigoureux, s'est bientôt relâché, affaibli, effacé ; il n'en a gardé que la morale « toute divine ». Gagné par un épicurisme d'abord doux et prudent, il s'est peu à peu enhardi ; dans l'*Épître à Mⁿᵉ de G...* (1716), il parle d'un ton tranchant et âpre ; il passe du doute à la négation. Mais il se rallie vite à l'idée de Dieu, du Dieu d'Épicure et des déistes, d'un Dieu puissant, tranquille, indifférent. Ses idées sont moins nettes quand il s'interroge sur la nature de l'âme, sur son immortalité, sur son immatérialité. Il a lu le troisième livre du *De natura rerum*, qui l'obsède ; mais il recule (voir l'*Épître à M. de Genonville*, 1719) devant l'acquiescement total à la doctrine de Lucrèce. Son esprit est déjà saturé d'idées matérialistes : bientôt, au contact de Locke, sa pensée, qui n'avait pu se dégager seule des termes antiques qui l'emprisonnaient et l'obscurcissaient à demi, s'éclaire et se reconnaît. C'est le grand service que l'Angleterre va rendre à Voltaire : elle lui fournit un spectacle et des doctrines où ses propres tendances se reflètent et se précisent.

LA LEÇON ANGLAISE ET LA DISCIPLINE DES SCIENCES

Sur le voyage en Angleterre, voir le livre publié en 1913 par Lucien Foulet : Correspondance de Voltaire (1726-1729), *et un curieux* Carnet de notes de Voltaire, *publié par Jean Cazes* (Revue Universitaire, 1921).

Les Lettres philosophiques *furent secrètement imprimées à Rouen par Jore, sous la surveillance de Voltaire, et en même temps en Angleterre par les soins de son ami Thieriot ; quand ces éditions furent prêtes, l'auteur, pris de crainte, hésita longtemps à permettre leur publication ; mais une traduction anglaise ayant été publiée (1733), il fallut bien se résoudre à donner le texte français (1734). G. Lanson en a publié, en 1909, pour la Société des textes français modernes, une édition que complètent deux articles de la* Revue de Paris (1904, 1908).

Sur le séjour de Voltaire à Cirey et sur son œuvre scientifique, voir Saigey, la Physique de Voltaire, 1873.

Tout brillant de sa jeune gloire, intéressant comme une victime, patronné d'ailleurs par le même gouvernement qui l'éloigne, Voltaire reçoit en Angleterre le meilleur accueil. On lui sait gré d'apprendre l'anglais, dont tant de réfugiés affectent encore de se passer ; s'il le parle assez mal, il l'écrit bientôt avec autant de correction que d'aisance. Il voit familièrement quelques littérateurs connus, des marchands de la Cité, des lords : les souscriptions les plus flatteuses lui permettent d'éditer superbement *la Henriade*, qu'il a remaniée et qu'il dédie à la reine (1728). Cependant, il regarde, écoute, furète, lit, va au spectacle, fait provision de notes et d'idées. De là ses *Lettres philosophiques*, livre capital dans son œuvre et dans notre histoire intellectuelle. Non qu'il y ait mis rien qui fût absolument nouveau : le public instruit avait pu déjà rencontrer dans les récits de voyages, dans les analyses des feuilles périodiques, dans des traductions d'œuvres anglaises, la plupart des observations que Voltaire rassemblait ici. Mais il présentait, lui le premier, au lieu d'indications dispersées, un tableau d'ensemble. La magie d'un style exquis animait son ouvrage, et aussi cette malice polémique qui, louant les choses d'Angleterre, critiquait du même coup celles de France. C'étaient de nouvelles *Lettres persanes*, moins frivoles. Voltaire, préoccupé d'objets élevés, a volontairement négligé l'agrément pittoresque et coloré des impressions de voyages ; nous avons conservé l'ébauche d'un fragment descriptif, plein de vie et d'ironie souriante, qui fait regretter son parti pris. Les premières lettres traitent de la religion, ou plutôt des religions, car la grande affaire est de montrer que dans cet heureux pays les religions sont nombreuses et libres : Voltaire s'étend sur les quakers, la secte la plus étrange, dont il raille le fanatisme et reconnaît les vertus. Il traite avec plus d'ironie et moins d'indulgence les anglicans et les presbytériens, parce que, formant des églises officielles, ils ont des soucis temporels et prétendent assujettir les autres églises. Deux lettres exposent la vie politique des Anglais, le rôle de

leur Parlement législatif, et font un tableau idéalisé de la liberté qu'il assure au pays ; une lettre célèbre le commerce, fondement de la grandeur, de la richesse, du bonheur des citoyens.

Puis viennent les lettres proprement philosophiques : la lettre sur « l'insertion de la petite vérole », d'où ressort l'avantage de la « raison » anglaise sur les préjugés où s'obstine, en France, le scrupule religieux ; puis le groupe des lettres sur les trois grands philosophes d'Angleterre : Bacon, le fondateur de la méthode expérimentale ; Locke, dont la raison, fidèle à l'expérience, réduit la pensée à la matière ; Newton, qui a renouvelé toutes les sciences. Pour conclure par des propos moins graves et moins hardis, cinq lettres sur l'originalité de la tragédie, de la comédie et de la poésie des Anglais et sur la considération dont jouissent chez eux les gens de lettres : amer sujet de réflexions pour la victime impuissante des Rohan ! Là finissent les *Lettres anglaises ;* mais dans l'édition de Jore, Voltaire avait glissé à leur suite une série de *Remarques sur Pascal*, inquiétant appendice à la Lettre sur Locke et qui mettait en question toute la philosophie religieuse.

Voltaire avait pensé que les *Lettres* feraient passer les *Remarques sur Pascal ;* tout au rebours, les *Remarques sur Pascal* empêchèrent les *Lettres* de passer. La prudence gouvernementale eût peut-être feint d'ignorer une ironie, qui d'ailleurs lui était odieuse, et les impertinences répétées du panégyriste de l'Angleterre ; mais pouvait-on fermer les yeux quand Voltaire attaquait Pascal, quand il se donnait l'air d'avoir raison contre lui, quand il s'en prenait à l'esprit même du christianisme ? Le Parlement janséniste ordonna, le 10 juin 1734, de brûler le livre et d'en rechercher l'auteur.

C'est alors que Voltaire s'établit dans la retraite que son amie, Mme Du Châtelet, et le mari indifférent de celle-ci lui offraient au château de Cirey, en Champagne. La belle Émilie, savante et philosophe, loyale et sûre, était « un grand homme » et un honnête homme ; c'était aussi une femme, coquette et séduisante :

Tout lui plaît et convient à son vaste génie,
Les livres, les bijoux, les compas, les pompons,
Les vers, les diamants, le biribi, l'optique,
L'algèbre, les soupers, le latin, les jupons,
L'opéra, les procès, le bal et la physique.

GRAVURE tirée des « Mémoires d'Angleterre » d'Henri Misson (1698). On y voit qu'au temps de Voltaire l'attention était déjà attirée sur le culte et les mœurs des quakers. — CL. LAROUSSE.

On pense bien qu'animée de cette curiosité universelle, Mᵐᵉ Du Châtelet n'a pas détourné Voltaire de la littérature. C'est aux heures de sa plus grande influence qu'il compose ou prépare *Alzire*, *Mahomet*, *Mérope*, *la Pucelle*, *le Mondain* et les *Discours sur l'homme* ; c'est pour la satisfaire qu'il se met à l'*Essai sur les mœurs*. Mais sagement elle le détourne des publications dangereuses et des polémiques stériles. Pourquoi donner au public le *Traité de métaphysique* qu'il a rédigé pour elle ? S'il fait paraître ce livre, Voltaire risque d'être cruellement persécuté à cause de sa conception tout intellectuelle de la Divinité, à cause de sa théorie de l'âme matérielle et de sa théorie du libre arbitre : car Voltaire n'ose pas nier la liberté, mais il la réduit au pouvoir de faire ce qu'on veut, sans oser décider si la volonté est libre ou non. Mᵐᵉ Du Châtelet met aussi *la Pucelle* au secret, et ce n'est point de sa faute si Voltaire s'engage contre Jore, contre Desfontaines, contre J.-B. Rousseau dans des procès et des disputes qui le déconsidèrent : « Je ne puis allier dans ma tête, dit-elle, tant d'esprit, tant de raison dans tout le reste et tant d'aveuglement dans ce qui peut le perdre sans retour. » Les recherches scientifiques sont apaisantes et moins périlleuses ; voilà pourquoi elle l'y entraîne.

Voltaire l'écoute de bonne grâce : de la grande galerie de son appartement il fait un laboratoire ; il se procure des appareils, des livres, s'attache un préparateur compétent. Il publie les *Éléments de la philosophie de Newton*. C'est un modèle de bonne vulgarisation : irrité par les afféteries de Fontenelle, Voltaire n'y recherche qu'une seule sorte d'agrément, la clarté qui naît de l'ordre et de la simplicité. Sans doute, et il le sait, il est comme ces petits ruisseaux qui sont « transparents parce qu'ils sont peu profonds » ; du moins a-t-il acquis quelques parties de l'esprit scientifique : il imagine d'ingénieuses expériences au cours des travaux qu'il entreprend sur le feu et qu'il décrit dans un mémoire soumis à l'Académie des sciences (1738). Si l'on a eu tort de lui attribuer le pressentiment de certaines vérités découvertes bien plus tard, il n'en reste pas moins qu'il connaît la vraie méthode : « La véritable physique consiste à tenir registre des opérations de la nature avant de vouloir tout asservir à une loi générale. » Il a raison de se méfier des systèmes ; que ne se méfie-t-il aussi de ses préventions, de ses passions ? Le polémiste chez lui domine le savant : c'est contre Descartes, contre Leibniz, contre la Bible que sa science s'organise. « Laissez les sciences à ceux qui ne peuvent pas être poètes, » lui disait poliment Clairaut. D'autres conseils étaient encore plus vifs. Voltaire, découragé, accusa bientôt la science même : « La supériorité qu'une physique sèche et abstraite a prise sur les belles-lettres commence à m'indigner. Nous avions il y a cinquante ans de bien plus grands hommes en physique et en géométrie qu'aujourd'hui, et à peine parlait-on d'eux. Les choses ont bien changé. J'ai aimé la physique tant qu'elle n'a pas voulu dominer sur la poésie ; à

présent qu'elle écrase tous les arts, je ne la veux regarder que comme un tyran de mauvaise compagnie... On ne saurait parler physique un quart d'heure et s'entendre. » (Lettre à d'Argental, du 22 août 1741.)

Quelle amertume ! Et comme il paraît que Voltaire a peu profité, au total, de cette épreuve prolongée ! N'est-ce point aussi qu'il se lasse d'une vie retirée ? A plusieurs reprises, il s'est échappé de la solitude de Cirey ; il a couru à Paris, pour assister aux répétitions de ses pièces et il a goûté, à la représentation de *Mérope*, l'orgueil du succès. Il a répondu aux avances du roi de Prusse ; il est allé le voir en 1740 ; il y retourne en 1743, chargé d'une mission secrète que le gouvernement a cru habile de confier à un homme de lettres, puisqu'il s'agissait de gagner un prince lettré. Le résultat en fut médiocre. Mais une nouvelle vie commence pour Voltaire : après les années de labeur, voici venir l'expérience des cours, Versailles, Lunéville ou Berlin, la période des loisirs agités où il produit peu, mais où son esprit et son âme se trempent.

LA LEÇON DES COURS

Dévouée et prudente, Mᵐᵉ Du Châtelet ramena d'elle-même Voltaire à une vie plus conforme à ses goûts. Après la mort de Fleury, on négocie le retour du suspect ; grâce à des interventions puissantes, grâce à la jolie Mᵐᵉ d'Étioles, dont Voltaire célèbre les grâces et l'éclatante aurore, le voici bienvenu à Versailles. Le frondeur s'est mué en un courtisan : il a chanté la guérison du roi (1744) ; il chante ses amours et son triomphe à Fontenoy (1745). Il désarme

Uranie présente des lunettes à Voltaire qui lit Newton de travers. A côté de ce célèbre écrivain sont deux Sylphes, dont l'un brise des tuyaux capillaires, et l'autre manie mal-adroitement un compas. Un génie caché derrière Uranie se mocque de leur mal-adresse.

LES ÉTUDES SCIENTIFIQUES DE VOLTAIRE. Cette gravure du temps fait voir quelles railleries s'attira le poète mué en savant (B. N., Cabinet des Estampes). — CL. LAROUSSE.

les dévots en obtenant du pape qu'il accepte la dédicace de son *Mahomet*, en livrant à la publicité des lettres où il proclame avec quelque sincérité et une évidente intention de flagornerie son attachement aux jésuites. Son cher marquis d'Argenson, devenu ministre, le fait nommer historiographe du roi ; il entre à l'Académie française. Tant de gloire ne l'empêche pas de se pencher vers le solitaire et douloureux Vauvenargues : on n'oubliera pas qu'aux heures les plus grisantes de sa vie il a donné à la vertu malheureuse beaucoup de son temps et le meilleur de son cœur. Pourquoi faut-il, quand sa destinée est si brillante et son activité si pleine, que l'éternel chicaneur s'embarrasse de méchants procès qui tourneront à sa honte ?

D'ailleurs, il a trop longtemps vécu loin des cours pour y réussir ; il est plein de lui-même, familier, bruyant. Son *Zadig* choque les dévots et inquiète tout le monde. On profite de ses talents à Versailles ou chez la duchesse du Maine, mais on se défie de lui ; on soutient Crébillon pour lui faire pièce, et il le prend mal. Il n'acquiert pas plus de sympathies à la cour de Lorraine, où il paraît quelquefois : son humeur tracassière a vite fait de rebuter ses hôtes. Aussi, quand Mᵐᵉ Du Châtelet, maîtresse infidèle, mais amie toujours chère, meurt subitement, tout manque à la fois à Voltaire. S'établira-t-il à Paris, avec sa nièce, Mᵐᵉ Denis ? Se rendra-t-il aux invitations réitérées de Frédéric II ? Il se range à ce dernier parti : quittant sans regret les cours légères et voluptueuses de Versailles et de Sceaux, la cour patriarcale de Lunéville, il s'en va d'un pas assuré vers le roi-philosophe. D'égales déceptions l'attendent en Prusse.

Il aurait pu les prévoir. Avait-il oublié comment, lorsqu'il venait de faire imprimer en Hollande l'*Anti-Machiavel* du prince héritier de Prusse, l'auteur, devenu roi sur ces entrefaites, avait aussitôt exigé qu'il supprimât l'édition ? Avait-il oublié son chagrin de naguère, quand, lors d'un précédent voyage, il avait trouvé à Potsdam, au lieu d'un philosophe, un guerrier ?

J'ai vu s'enfuir leurs bons desseins
Aux premiers sons de la trompette...
Ils ne sont plus rien que des rois.
Ils vont par de sanglants exploits
Prendre ou ravager des provinces...

MADAME DU CHATELET. Peinture attribuée à Mlle Loir (musée de Bordeaux). — CL. BULLOZ.

FRÉDÉRIC LE GRAND. Peinture d'Antoine Pesne (musée de Berlin). — CL. HANFSTAENGL.

Enfin, à l'issue de sa mission de 1743, le roi, peu scrupuleux, n'avait-il pas cherché à ruiner le crédit de Voltaire à la cour de France pour le retenir à Berlin ? Mais ces rancunes ne pouvaient tenir devant les promesses inouïes, devant l'obstination si flatteuse de Frédéric. Surtout, fallait-il laisser d'autres, des indignes, prendre la place qu'on lui offrait, celle de confident, peut-être de conseiller d'un grand roi ? Voltaire s'était donc décidé.

Par ses lettres à sa nièce, on peut suivre, au jour le jour, l'évolution de ses sentiments. C'est d'abord la joie d'un accueil chaleureux, au milieu des fêtes. Peut-être voit-on trop de grenadiers, énormes et moustachus, trop de généraux aussi, et trop de parades militaires. Mais le roi laisse le poète libre de fuir le cérémonial ; il ne réclame sa présence qu'à ces soupers délicats où l'on cause si librement ! Voltaire a des titres, des pensions, peu de besogne ; le sort de Mme Denis, si elle veut venir, est assuré comme le sien ; décidément, il a bien fait de conclure par un mariage et un solide contrat « des coquetteries de tant d'années » : « Le cœur m'a palpité à l'autel ! » L'union sera-t-elle heureuse ? A vrai dire, elle est moins intime qu'il n'avait espéré. Le roi reste roi ; à ses heures il daigne s'abaisser vers son poète, lui faire corriger sa prose et ses vers ; d'autres, en qui Voltaire ne veut pas reconnaître des égaux, partagent avec lui sa faveur. Il se sent isolé, triste ; il regrette Paris, ses vrais amis, et s'il trouve une consolation dans le travail, il lui est dur de penser « que ce ne sont pas les rois, mais les belles-lettres qui la donnent ». Frédéric prétend user à son gré de l'écrivain dont il s'est assuré les services ; mais Voltaire, mécontent, se plaît à mécontenter son hôte, son maître. Bientôt leur amitié sombre ; Voltaire s'échappe, enfin, en 1753, prenant l'univers à témoin de l'inconstance du roi.

Il aurait tort de trop regretter cette aventure. Il a achevé et publié en paix son *Siècle de Louis XIV* ; la fréquentation de Frédéric a confirmé, précisé, enhardi sa philosophie irréligieuse, et il a profité au contact des esprits curieux dont s'entourait le prince. En écrivant *Micromégas*, qui est un conte philosophique plus profond que *Zadig*, ou cette *Diatribe du Docteur Akakia*, qu'il a lancée contre son rival Maupertuis et qui a tant fait pour précipiter sa disgrâce, Voltaire a éprouvé la valeur du récit léger et de la facétie, comme armes de polémique. Leçon plus précieuse encore, il sait maintenant qu'on ne peut vivre heureux quand on dépend d'autrui, fût-ce d'un philosophe, et qu'il

n'est pas de pouvoir vraiment équitable et tolérant. Où donc cherchera-t-il un abri ? La France lui est fermée : on ne lui a pas pardonné de s'être mis au service du roi de Prusse ; en dépit du *Siècle de Louis XIV*, on l'accuse de ne pas aimer sa patrie. Ajoutons que le libraire Neaulme vient de publier l'*Abrégé de l'histoire universelle*, peut-être par une indiscrétion perfide de Frédéric qui lui en aurait communiqué une copie (1753). Voltaire a beau désavouer le libraire ; ce livre n'est pas fait pour adoucir les rigueurs d'un gouvernement timoré. Où Voltaire ira-t-il ? Là où il n'y a ni prince, ni cour, ni Sorbonne : en Suisse. Il arrive à Genève à la fin de 1754. Le temps des expériences, des « erreurs » est passé : « Je me suis aperçu, à la longue, que tout ce qu'on dit et ce qu'on fait ne vaut pas la peine qu'on sorte de chez soi. » Voltaire se fixe enfin, à soixante ans ! Des Délices, puis de Ferney, seigneur indépendant sur ses terres, il va régner sur l'opinion française, sur le monde pensant.

L'ŒUVRE POÉTIQUE DE VOLTAIRE

L'œuvre poétique de Voltaire est considérable. Son poème épique, qu'il intitula d'abord la Ligue *ou* Henri le Grand, *aurait dû être patronné par le pouvoir et accueilli comme un poème national : le caractère polémique qu'il lui donna l'a condamné à paraître d'abord subrepticement, sous une marque impertinente, « à Genève, chez Jean Mokpap » (1723) ; puis, quand l'œuvre eut pris son aspect et son titre définitifs, c'est à Londres, sous le patronage de la reine d'Angleterre, que la* Henriade *s'édita (1728).*

Voltaire a composé deux douzaines de tragédies ; elles furent le constant et le plus cher intérêt de sa vie. Voir Henri Lion, les Tragédies de Voltaire, *1896. Parmi ses poèmes philosophiques, citons le* Mondain, *1736 (voir André Morize,* l'Apologie du luxe, *1909) ; les* Discours sur l'homme, *commencés en 1734 et publiés en 1738 ; la* Loi naturelle, *écrite à Berlin (1752), et le* Désastre de Lisbonne *(1756). Rappelons aussi des épîtres, des satires, de courtes pièces épigrammatiques ou élégiaques, des contes badins, enfin la* Pucelle, *à laquelle il est regrettable qu'il ait consacré beaucoup de son temps.*

Voltaire, qui fut contre Houdar de La Motte le champion de la poésie, l'a profondément goûtée. Dans *le Temple du goût* il distinguait avec sûreté les œuvres qui témoignent

Dans Paris, ô mon Fils, tu rentreras vainqueur,
Pour prix de ta clémence, et non de ta valeur.

Henr. Ch. VI

Sous un mirthe amoureux azyle du mistere
d'Estree a fon amant prodiguoit fes appas.

Henr. Ch. IX

Saint Louis apparaît à Henri au plus fort du combat, pour
soutenir son ardeur et l'exhorter à la clémence.

Ph. de Mornay vient rappeler au héros, qui s'attardait auprès
de Gabrielle d'Estrées, ses devoirs de roi.

ILLUSTRATIONS d'Eisen, gravées par de Longueil, pour l'édition de 1770 de « la Henriade ». — CL. LAROUSSE.

de savoir-faire de celles où le génie se révèle. Il possédait à fond les grands classiques, Boileau, le maître incomparable pour tous ceux qui se mêlaient d'écrire, Corneille et surtout Racine, les amours toujours nouvelles d'un poète épris de théâtre. Ses contemporains ne craignirent point de l'égaler à ces maîtres. Il faut convenir qu'à force d'intelligence et d'adresse, et dans la mesure où la réflexion et l'effort concerté suppléent à l'inspiration, son œuvre, seule dans ce temps, a pu rappeler à leurs oreilles la noble éloquence de Corneille ou la douce harmonie de Racine.

Dès le début de sa carrière, Voltaire se crut destiné à parer la France du poème épique qui lui manquait; il donna *la Henriade*. On a critiqué le choix de son héros, on a dit que Henri IV, « fin Gascon, le plus politique des rois », ne convenait guère à l'épopée. Mais ce ne sont pas ses mérites d'adroit politique que le poète a fait ressortir en lui; il vante sa bravoure, sa générosité, son tendre dévouement à son peuple. Et puisque Voltaire cherchait un sujet national, a-t-il eu si grand tort de choisir cette suprême convulsion de la Ligue qui marque la fin des guerres civiles dans notre pays? L'abbé Du Bos l'avait bien vu, qui, dans ses *Réflexions critiques*, avait justement conseillé aux poètes ce sujet d'épopée : un personnage historique présent à toutes les mémoires est plus attachant qu'un héros légendaire. L'erreur de Du Bos, et celle de Voltaire, fut plutôt de croire que ce sujet tout français devait être traité selon des procédés empruntés à Virgile :

pas un développement de *la Henriade* qui ne soit une réplique d'un développement de l'*Énéide*. A vrai dire, ce dut être un régal pour le public d'alors, tout imprégné de culture latine, de reconnaître dans ce poème tant de centons virgiliens et de découvrir, au milieu de ces ornements à l'antique, une idée toute moderne, la condamnation du fanatisme.

On a souvent admiré dans *la Henriade* l'heureuse composition, la grandeur pathétique des tableaux, et aussi de beaux vers. Il est seulement fâcheux — c'est le principal défaut de la poésie voltairienne — que ces vers soient souvent faits de réminiscences. Soit, par exemple, ce passage du chant II. C'est la nuit de la Saint-Barthélemy; Coligny se réveille au bruit du massacre :

Soudain de mille cris le bruit épouvantable
Vient arracher ses sens à ce calme agréable.
Il se lève, il regarde, il voit de tous côtés
Courir des assassins à pas précipités.
Il voit briller partout les flambeaux et les armes,
Son palais embrasé, tout un peuple en alarmes,
Ses serviteurs sanglants dans la flamme étouffés,
Les meurtriers en foule au carnage échauffés.

Ainsi se réveillait le Rhin dans l'épître de Boileau,

Lorsqu'un cri tout à coup suivi de mille cris
Vient d'un calme si doux retirer ses esprits.
Il se trouble, il regarde, et partout sur ses rives
Il voit fuir à grands pas des naïades craintives...

Ainsi, dans *Britannicus*, on voyait couler les larmes de Junie,

Qui brillaient au travers des flambeaux et des armes;

Et, dans *Andromaque*, ces vers décrivaient le sac de Troie :

Figure-toi Pyrrhus, les yeux étincelants,
Entrant à la lueur de nos palais brûlants,
Et, de sang tout couvert, échauffant le carnage...
Songe aux cris des vainqueurs, songe aux cris des mourants
Dans la flamme étouffés...

Le rythme, l'expression, l'invention même, semblent ne pouvoir se passer d'un secours étranger. Dans le même chant II, lorsque Coligny s'offre aux coups des assassins, ses attitudes, ses gestes, ses propos imitent les attitudes, les gestes, les propos de Pompée, puis de Mithridate, puis de don Diègue : la scène tout entière est faite de ces souvenirs amalgamés.

Le même défaut explique à la fois le succès et la faiblesse des tragédies de Voltaire : le reflet de Racine qui brille en elles a pu éblouir un moment; il nous déplaît aujourd'hui de l'y retrouver partout. Prenons, par exemple, cette pièce de sa jeune maturité, *Zaïre* (1732), que l'on a bien à tort considérée surtout comme une imitation d'*Othello*. N'est-ce pas plutôt le thème de *Bajazet* que Voltaire a repris et retourné? Devant le sultan soupçonneux, irrité, tout-puissant, Zaïre rappelle tantôt Esther aux pieds d'Assuérus, tantôt Bérénice repoussant Titus, tantôt Andromaque, Monime ou Iphigénie. Toute situation chez Voltaire reprend une situation déjà exploitée dans le théâtre du XVIIe siècle, et chaque fois des coïncidences d'expression dénoncent l'emprunt. De là naît la monotonie de ces pièces, malgré l'extrême variété de leurs sujets; par là aussi s'explique que Voltaire ait pu les composer si vite.

Cela dit, il faut apprécier à leur valeur ses efforts pour renouveler la tragédie. Tantôt, selon le goût du temps, il la fait plus attendrissant : il pousse en pleine lumière des héroïnes, comme Zaïre, aimantes et vertueuses, mais surtout délicates et faibles, qui sont les sœurs de cette Junie et de cette Atalide dont Racine avait estompé les traits à l'arrière-plan de ses drames. Tantôt il ose concevoir la tragédie sans amour; si les comédiens ne lui ont pas permis de la réaliser, dès 1718, dans son *Œdipe*, il leur a plus tard imposé *Mérope* (1743). En outre, à voir représenter sur les scènes de Londres et à l'Opéra de Paris des pièces à grand spectacle, il a compris ce que la tragédie pouvait gagner à la splendeur des costumes, des décors, de la figuration. A l'imitation de Shakespeare, il a peint de larges tableaux d'histoire romaine : *Brutus* (1730), *la Mort de César* (1736), *Rome sauvée* (1749 et 1752); comme lui, il a évoqué l'histoire nationale et mis en scène, dans *Zaïre* et dans *Tancrède* (1760), des héros de l'ancienne France. Il a eu plus d'audace encore : il a représenté dans *Zaïre*,

dans *Alzire*, dans *l'Orphelin de la Chine*, des civilisations étrangères qu'il s'est efforcé de mettre en contraste avec le monde européen et chrétien. A vrai dire, il a plus de souci du pittoresque exotique que de l'étude approfondie des caractères : il sacrifie l'analyse pénétrante à la couleur et au mouvement. Enfin, il a animé beaucoup de ses pièces d'un souffle philosophique qui souvent n'a pas nui à leur intérêt dramatique. Il s'était contenté dans *Œdipe* et dans *Zaïre* de quelques maximes; la philosophie, plus apparente dans *Alzire*, emplit *Mahomet* (1741); mais ces pièces à thèses restent encore vivantes. Un jour viendra où son ardeur de propagande sera la seule raison d'être de ses tragédies : c'est le cas des *Guèbres* (1769) et des *Lois de Minos* (1772).

Toutes ces innovations, Voltaire les a tant bien que mal coulées dans le moule racinien. Les dogmes classiques le lient étroitement; en présence du *Nicomède* de Corneille, il est déconcerté et devient plus timide que Boileau. La comédie larmoyante et, bientôt après, le drame bourgeois le scandalisent. On devine son désarroi en présence de Shakespeare, qui le frappe, l'enchante, mais dérange ses habitudes, bouleverse ses préférences. Un enthousiasme irréfléchi pour Shakespeare peut l'entraîner un moment, mais il se reprend vite, car il demeure inébranlablement attaché à quelques principes : il est hostile au mélange des genres, il est pénétré du rôle moral de la tragédie, il est sûr d'avoir trouvé, dans la peinture contrastée des civilisations et des mœurs, la formule de la dramaturgie nouvelle. Faut-il rappeler de quel amour il a toute sa vie aimé le théâtre? Il avait débuté dans les lettres par *Œdipe*, il assiste à la veille de sa mort au triomphe d'*Irène* : dans l'entre-temps, la passion dramatique l'a toujours soutenu. Sans cesse occupé de ses pièces, soit qu'il les agence, soit qu'il les écrive ou qu'il les remanie, il en est aussi l'interprète infatigable, le metteur en scène toujours ardent, sur ces théâtres qu'il organise partout où il passe : à Cirey, dans son appartement de Paris,

Mon Dieu qui me la rens me la rens-tu chrétienne ? *Zaïre, Acte 5, Scène 3*

ZAÏRE. Gravure de Trière.

barbare ! il est mon fils. *Mérope, Acte 4, Scène 2*

MÉROPE. Gravure de Duclos.

Illustrations de Moreau le Jeune (édition de Kehl, 1784-1789). — CL. LAROUSSE.

à la cour de Prusse, aux Délices, à Lausanne, à Ferney.

Voltaire avait sans doute moins de tendresse pour le reste de ses œuvres poétiques : nous y trouvons pourtant plus d'originalité. Ses poèmes philosophiques, d'un style prosaïque, mais précis, aisé, infiniment souple, sont d'un Boileau plus léger à la fois et plus grave ; ce vers toujours leste, toujours juste, parfois éloquent, souvent harmonieux, s'adapte à merveille au genre : il servira de modèle à André Chénier, à Lamartine et même à Musset, aux heures où ces poètes, à leur tour, se soucieront de raisonner. L'écart n'est pas grand entre certains de ces poèmes, comme *le Mondain*, et ses pièces satiriques qui sont justement célèbres. Mais l'on peut aimer mieux encore, pour leur grâce élégante et fluide, ses épîtres légères, ses stances, ses madrigaux. Voici ce qu'il rimera (*Stances à M*ⁿᵉ *Lullin*), à près de quatre-vingts ans :

> Hé quoi ! vous êtes étonnée
> Qu'au bout de quatre-vingts hivers
> Ma Muse faible et surannée
> Puisse encore fredonner des vers ?
>
> Quelquefois un peu de verdure
> Rit sous les glaçons de nos champs ;
> Elle console la nature,
> Mais elle sèche en peu de temps.
>
> Un oiseau peut se faire entendre
> Après la saison des beaux jours,
> Mais sa voix n'a plus rien de tendre :
> Il ne chante plus ses amours.
>
> Ainsi, je touche encor ma lyre
> Qui n'obéit plus à mes doigts ;
> Ainsi j'essaye encor ma voix
> Au moment même qu'elle expire.
>
> ‹ Je veux dans mes derniers adieux,
> Disait Tibulle à son amante,
> Attacher mes yeux sur tes yeux,
> Te presser de ma main mourante. »
>
> Mais quand on sent qu'on va passer,
> Quand l'âme fuit avec la vie,
> A-t-on des yeux pour voir Délie,
> Et des mains pour la caresser ?
>
> Dans ce moment chacun oublie
> Tout ce qu'il a fait en santé.
> Quel mortel s'est jamais flatté
> D'un rendez-vous, à l'agonie ?
>
> Délie elle-même à son tour
> S'en va dans la nuit éternelle,
> En oubliant qu'elle fut belle,
> Et qu'elle a vécu pour l'amour.
>
> Nous naissons, nous vivons, bergère,
> Nous mourrons, sans savoir comment ;
> Chacun est parti du néant ;
> Où va-t-il ?... Dieu le sait, ma chère.

L'ŒUVRE HISTORIQUE DE VOLTAIRE

C'est à Londres que Voltaire commença son Histoire de Charles XII; *elle parut en 1731. Quant à son* Siècle de Louis XIV, *dont l'idée première remonte sans doute au temps où il composait* la Henriade, *il se mit à l'écrire en 1733 et son travail était très avancé déjà, quand il en imprima, en 1739, deux chapitres, dans un recueil de* Pièces fugitives. *L'accueil fait à cette publication partielle ne fut pas favorable ; ce qui le détourna, et pour une dizaine d'années, de son entreprise. Il l'acheva pendant son séjour en Prusse :* le Siècle de Louis XIV *parut en 1751, à Berlin, chez l'imprimeur du roi, sous le nom de M. de Francheville. Voltaire en donna, en 1756, une édition remaniée ; en 1763, une édition accompagnée d'un* Précis du siècle de Louis XV. *Le texte définitif est celui de l'édition de 1768.*

Vers 1740, Voltaire s'était mis à écrire un Abrégé de l'histoire universelle, *dont il fit paraître, en 1745-1746 et en 1750-1751, des fragments dans le* Mercure. *En 1756 (pour négliger ici l'aventure d'une édition incomplète, frauduleusement répandue en 1753 par le libraire Neaulme), il publia cet ouvrage, avec le* Siècle de Louis XIV, *sous le titre d'*Essai sur l'histoire générale *et sur les mœurs et l'esprit des nations. C'est seulement à partir de 1759 qu'il l'intitula* Essai sur les mœurs et l'esprit des nations. *En 1769, il en donna une nouvelle édition, revue et augmentée, à laquelle il joignit, en manière de préambule, un traité intitulé* la Philosophie de l'histoire, *qui datait de 1765. Au tome I*ᵉʳ *des* Œuvres inédites *de Voltaire, Fernand Caussy a recueilli quelques pages, non utilisées par leur auteur ; elles méritent d'être jointes à l'*Essai sur les mœurs.

Voltaire fut de bonne heure curieux de recherches historiques. Déjà, pour composer son poème épique, il s'était informé de son mieux, comme on le voit par les notes, bien documentées et judicieuses, dont la première édition de *la Ligue* (1723) est munie. Il s'était appliqué à recueillir dans la tradition orale une foule de témoignages sur Henri IV et son temps, et le goût lui était venu de l'histoire proche, encore vivante. Il s'y tiendra longtemps : ce n'est que bien plus tard, sous l'empire de nouvelles inspirations, qu'il étudiera les époques reculées, les civilisations lointaines.

Pour son coup d'essai, il choisit de retracer des événements de la veille, qui avaient passionné l'Europe et attiré l'attention sur des pays jusqu'alors mal connus. Ce fut l'*Histoire de Charles XII*. Quoi de plus attachant que la brève destinée de ce prince ! Quel spectacle que celui de cette Russie qui se créait à vue d'œil, par la seule volonté de Pierre le Grand ! Et pour un narrateur qui avait le sens du dramatique et du pathétique, quelle heureuse fortune littéraire que d'avoir à peindre les figures si fortement contrastées des deux adversaires ! Montesquieu, blâmant Voltaire d'avoir choisi pour héros Charles XII, disait que ce roi, « toujours dans le prodige, étonne et n'est pas grand ». Mais Voltaire devait se réjouir de ce reproche comme d'un éloge. Car il avait voulu qu'une leçon se dégageât comme d'elle-même de son récit, à savoir qu'un conquérant est peu de chose, qui n'est qu'un conquérant : « La vie de Charles XII doit apprendre aux rois combien un gouvernement pacifique et heureux est au-dessus de tant de gloire. »

Quand il se mit au *Siècle de Louis XIV*, peut-être fut-il animé d'abord par une intention satirique : il pouvait trouver plaisant d'opposer à la médiocrité du règne de Louis XV l'éclat du règne précédent : ce procédé de comparaison tacite ne venait-il pas, tandis qu'il écrivait ses lettres anglaises, de lui rendre de bons offices ? « Les loüanges que je donne à Louis XIV, avec toute l'Europe, disait ce bon apôtre, ne deviendront la satire de Louis XV que si Louis XV ne l'imite pas. » L'affaire des *Lettres philosophiques* n'était pas propre à atténuer ses rancunes : « Je me console avec le siècle de Louis XIV de toutes les sottises de celui-ci. »

Il s'en consolait, en effet, et son sujet le conquit. Oubliant ses mesquines préoccupations personnelles, son dessein initial de satirique, vers 1738, il conçoit son œuvre comme une apologie de Louis XIV. Il y retrace, après les grands événements militaires et diplomatiques, l'histoire intérieure du royaume; il en étudie les finances, le commerce, les affaires ecclésiastiques; plusieurs chapitres sur les sciences, les lettres et les arts sont destinés à former la conclusion triomphale de cette histoire, qui n'est point celle d'un roi, ni même d'un peuple, mais l'histoire de la civilisation au temps de sa plus rayonnante splendeur. A côté du roi, il exalte Colbert et son génie bienfaisant et puissant; et il révèle aussi l'action profonde de Mᵐᵉ de Maintenon. Ce sont de vigoureuses peintures; et la narration est partout émaillée d'ingénieuses réflexions morales, pour la joie et l'enrichissement de nos esprits. Une idée domine tout le livre : l'histoire humaine s'explique, sans intervention de la Providence, par l'action combinée des grands hommes et des petits hasards.

Tel nous apparaîtrait *le Siècle de Louis XIV*, si Voltaire l'avait achevé et publié, comme il l'avait d'abord projeté, dès 1739 ou 1740. Mais il en suspendit longuement l'achèvement. Quand il se remit enfin à la tâche, le souci philosophique s'était accru en lui. Il atténue maintenant son enthousiasme apologétique ; de la brillante médaille, il regarde et montre aussi le revers. Il réduit, dans son ouvrage, les chapitres sur les arts, développe la part faite aux « anecdotes », c'est-à-dire aux « sottises de l'esprit humain », à ces querelles religieuses qui forment « l'histoire des fous ». Si grand qu'ait été le siècle de Louis XIV, il a laissé après lui un progrès à accomplir : il reste à élargir les esprits, à les libérer. Voltaire ne le dit pas expressément : mais quel autre sens donner à ce chapitre des *Disputes sur les cérémonies chinoises* qui, paradoxalement, termine son livre ? S'est-il dispensé de conclure, comme il semble d'abord ? Ou plutôt, par une ruse renouvelée de Bayle, n'a-t-il pas voulu donner à entendre ce qu'il n'osait pas dire ? Le souverain chinois You-tching sait préserver son pays de la guerre et des querelles religieuses : il a donc ce qui a manqué à Louis XIV pour être tout à fait grand.

Cette intrusion des Chinois dans l'histoire du siècle de Louis XIV annonce l'*Essai sur les mœurs*. En composant, pour Mme Du Châtelet, un abrégé de l'histoire de l'esprit humain, une large étude prenant l'histoire universelle à l'époque de Charlemagne, là où Bossuet l'avait laissée, Voltaire conçut cet ouvrage comme une introduction utile à son *Siècle de Louis XIV*. Plus tard, il donnera à ce vaste ensemble un préambule, *la Philosophie de l'histoire*.

Pour composer l'*Essai sur les mœurs*, il ne s'est plus préoccupé, comme il l'avait fait jusque-là, de recueillir de première main des documents. Il s'en est tenu à choisir des guides, auxquels il s'est fié. Il les a bien choisis ; ses erreurs de fait sont rares et pour la plupart sans gravité. Comme dans ses précédents écrits historiques, il persiste à mettre au premier plan l'histoire des peuples, non celle des princes ; il s'intéresse aux mœurs, aux arts, au commerce autant qu'aux guerres.

Mais l'originalité propre de l'*Essai sur les mœurs*, le mérite qui oppose cette œuvre au traité de Bossuet, qu'elle semblait continuer, c'est que Voltaire y embrasse du regard tous les peuples. Pour lui, le monde ne gravite plus tout entier autour du peuple juif et de l'Église de Rome. Pour lui, le monde comprend aussi l'Amérique et cet Orient profond et mystérieux où l'homme retrouve ses plus anciens titres de noblesse. En des temps vertigineusement lointains, si lointains que, rien que d'y penser, on voit la chronologie traditionnelle s'effondrer, l'humanité a été grande et heureuse : car Voltaire a des trésors d'indulgence pour toutes les civilisations non bibliques. Mais depuis, en d'autres contrées, la triste humanité menée par ses maîtres, poussée par le hasard, va, vient, recule, s'arrête, pour reprendre ensuite à travers la nuit de l'erreur sa marche vers un peu plus de lumière et de joie. Les crimes intéressés des méchants entravent parfois cette marche ; mais,

CHARLES XII. Estampe de Bernard Picart célébrant la victoire remportée à Narva par le roi de Suède sur l'armée de Pierre le Grand (1700). — CL. GIRAUDON.

le plus souvent, le troupeau imbécile, qui se laisse enchanter par ses persécuteurs et aveugler par le fanatisme, est responsable de ses malheurs.

Voltaire s'irrite plus qu'il ne s'émeut ; le dramaturge qu'il est simplifie et déforme parfois les faits au gré de son imagination passionnée ; ses rancunes s'exaspèrent et le trompent : l'historien fait place en lui au philosophe militant. C'est ainsi que son effort sérieux et digne de respect vers la découverte de la vérité est malheureusement compromis par son ardeur de propagandiste. On songe au mot, d'ailleurs trop cruel de Montesquieu : « Voltaire n'écrira jamais une bonne histoire. Il est comme les moines qui n'écrivent pas pour le sujet qu'ils traitent, mais pour la gloire de leur ordre : Voltaire écrit pour son couvent. »

Dorénavant, Voltaire n'est plus propre aux ouvrages de longue haleine et de patient labeur qui ont fondé sa gloire d'historien. Confiant en ses idées, qu'il croit avoir solidement établies, il ne songe qu'à les répandre dans les œuvres courtes, variées, incessantes de sa vieillesse active et radieuse.

PIERRE LE GRAND. Peinture de A. de Gelder (Rijksmuseum, à Amsterdam). — CL. HANFSTAENGL.

Le fait dominant, dans cette deuxième moitié du siècle, est le discrédit de plus en plus profond dans lequel tombe, non pas le principe même de la royauté, mais la façon dont le roi gouverne ou plutôt laisse gouverner.

La raison essentielle est le désordre des finances, le gaspillage qui conduit constamment à d'énormes déficits et menace sans cesse de la banqueroute. On soupçonne et bientôt l'on sait que ce déficit est dû aux dépenses effrénées de la cour, aux pensions démesurées. Le roi ne prenait même pas la peine de justifier ses dépenses. Par les acquits au comptant il se contentait de prélever sur le Trésor l'argent dont il avait besoin. Pour la seule année 1745 le montant de ces acquits atteint 210 millions (quelque 6 milliards de notre argent de 1939). Les « menus plaisirs » du roi coûtaient quelque 3 millions (90 millions de 1939).

Des tentatives intelligentes et courageuses furent faites pour éviter la catastrophe. Les ordres privilégiés trouvèrent le moyen d'échapper en très grande partie à l'impôt. L'abbé Terray, devenu ministre des Finances après la chute de Choiseul (1770) dut décider une banqueroute partielle. Le déficit ne perdit rien de sa gravité. Turgot (contrôleur général des Finances en 1774) tenta la seule réforme efficace : « Point de banqueroute, point d'augmentation d'impôts, point d'emprunts. » Pour cela il fallait supprimer les dépenses inutiles. Une violente opposition s'éleva contre Turgot. Il fut disgracié. Ses réformes sombrèrent. Et, comme le déficit restait aussi grave, on appela un financier, le banquier Necker (1776). Necker prit des mesures utiles, mais pour l'essentiel il ne sut que recourir à l'expédient des emprunts. Les gens de cour obligèrent Necker à démissionner (1781). Dès lors, les finances allèrent à la dérive jusqu'au jour où il fallut, devant l'imminence du désastre, appeler les États Généraux.

Financièrement ruinée, la monarchie ne l'était pas moins moralement par les désastres des guerres et les humiliations de la politique extérieure. Le patriotisme n'existait guère, au sens actuel du mot. On était sujet du roi plutôt que Français. Sans doute, dans la dernière moitié du siècle, le patriotisme apparaît ; on remet en usage le « vieux mot » de patrie. On devient « citoyen ». Mais on s'affecte assez peu de défaites dont on ne soupçonne guère les conséquences. C'est pourtant le prestige de la monarchie et de la noblesse qui peu à peu s'effondre. Déjà le Traité d'Aix-la-Chapelle (1748) fut jugé désastreux. Louis XV rendait ses conquêtes (la Savoie et les Pays-Bas). Plus funeste encore fut la guerre de Sept Ans, d'abord assez heureuse, mais qui amena bientôt de graves défaites. Nos flottes étaient dominées par les Anglais. Quand la paix fut signée (traité de Paris, 1763), la France avait non seulement sacrifié beaucoup d'hommes et des sommes considérables, mais elle perdait tout son empire colonial. Malgré l'intelligence et l'héroïsme de Dupleix et de Montcalm, la France abandonnait à l'Angleterre notre empire des Indes et tout ce que nous possédions au Canada et dans la vallée de l'Ohio. A vrai dire, l'opinion française s'intéressait alors fort peu aux colonies, mais elle fut sensible à la défaite.

Toutes sortes de scandales éclataient : celui des amours du roi qui abandonne une large part du gouvernement à des maîtresses, Mᵐᵉ de Pompadour (qui meurt en 1764), intelligente, mais sans scrupules ; puis Mᵐᵉ Du Barry, qui n'était qu'une fille de magasin qu'on maria à un gentilhomme à tout faire et dont la politique fut obtuse. Scandale de la lutte contre les parlements. En fait, les parlementaires ne suivirent qu'une politique étroitement égoïste. Ils résistèrent aux réformes les plus judicieuses et les plus urgentes de Turgot ou de Necker. Mais ils surent se donner les apparences de défendre le bien public. Ils résistaient au nom des « lois fondamentales » et des « libertés ». On ne vit que leur résistance et on applaudit. Après la chute de Choiseul (1770), le chancelier Maupeou somma le parlement de Paris, qui faisait grève, de reprendre ses fonctions. Presque tous les parlementaires refusèrent. Maupeou substitua au parlement six conseils supérieurs qui furent tout de suite impopulaires. En 1774, l'ancien parlement fut rétabli.

A travers tous ces abus, toutes ces faiblesses, tous ces scandales, de nombreuses et utiles réformes avaient sans doute été tentées. Turgot proclame la liberté du commerce des grains (1774), abolit les corporations et la corvée royale (travail obligatoire des paysans pour les routes) ; Malesherbes protège le parti des philosophes réformateurs ; le comte de Saint-Germain réorganise l'armée. Mais à la chute de Turgot, toutes ces réformes sont abolies. Necker réforme les prisons et les hôpitaux, supprime la question préparatoire, le servage sur les domaines du roi, réunit des assemblées provinciales. Mais lui aussi tombe, en 1781. Malgré les quelques réformes qui subsistent l'opinion publique ne retient que l'impuissance du gouvernement.

Et de plus en plus apparaît la nécessité de réformes profondes. La misère était grande et le sort des petites gens peu enviable. Même en faisant la part de certaines exagérations, il n'est pas douteux que, dans beaucoup de provinces, un quart ou un cinquième des habitants vit dans l'indigence. Pour dénoncer ces misères, protester contre les abus, proposer des réformes, on voit se multiplier les brochures, libelles et pamphlets, les placards, les chansons, souvent violemment injurieux. Les révoltes sont nombreuses ; elles augmentent très sensiblement dans les vingt ou dix années qui précèdent la Révolution. Elles témoignent qu'il y avait en permanence une masse de mécontents prêts à la violence, et qui allaient donner aux chefs de la Révolution l'armée sans laquelle ils auraient été réduits à l'impuissance.

Aucun des écrivains de génie ou de valeur n'a eu le désir ni même le pressentiment d'une véritable Révolution. Quand on la prévoit (assez rarement), c'est au spectacle des placards insultants ou des émeutes, non en lisant Voltaire, Rousseau, L.-S. Mercier ou Brissot. La Révolution est née d'une rencontre entre les hardiesses assez timides des doctrines et les colères sourdement attisées par la politique.

L'ASSEMBLÉE AU SALON. Gravure de Dequevauviller, d'après une gouache de Lavreince. — CL. LAROUSSE.

DEUXIÈME PARTIE

LES LETTRES DE 1750 A 1789

I. — LE MOUVEMENT SCIENTIFIQUE

LES SCIENCES DE LA NATURE
AVANT BUFFON

Les savants les plus connus avant que Buffon ne publie son Histoire naturelle *sont : Réaumur (1683-1757), dont les* Mémoires pour servir à l'histoire des insectes *(6 vol. in-4°) parurent de 1734 à 1742 (il a publié, en outre, d'importants travaux sur la métallurgie, les couveuses artificielles, etc.), et Trembley : ses* Mémoires pour servir à l'histoire d'un genre de polypes d'eau douce *furent publiés en 1744. Il faut leur adjoindre l'abbé Pluche, qui n'est qu'un vulgarisateur, mais dont le* Spectacle de la nature *(1732) fut très répandu (quinze éditions au moins), et l'abbé Nollet (1700-1770), qui vulgarisa la physique expérimentale par ses cours et ses ouvrages (*Leçons de physique expérimentale, *1743 et années suivantes. —* L'Art des expériences, *1770).*

Voir : D. Mornet, les Sciences de la nature en France au XVIIIe siècle, *1911; J. Torlais*, Réaumur, *1936.*

Ce n'est pas Buffon qui a révélé à ses lecteurs les « beautés » ou les « curiosités » des sciences de la nature. On les a appréciées avant lui. Ce fut un « goût » et même une mode, dès 1730, que de s'occuper des fossiles, des insectes ou de la machine pneumatique. Ce fut une élégance que d'avoir un « cabinet » où l'on collectionne les coquilles, les cailloux ou les plantes séchées; et les marchands y font fortune. Tous nos grands écrivains se sont

appliqués aux sciences de la nature; c'est par elles, après l'étude du droit, que commence Montesquieu; Diderot est féru d'anatomie et de physiologie; Rousseau s'occupe d'anatomie et rédige un long traité d'*Institutions chimiques*. Toute la pensée du XVIIIe siècle a été façonnée par les sciences expérimentales comme par la « philosophie » ou le « sentiment ». Et l'histoire de ces sciences importe, comme celle de la philosophie même, si l'on veut comprendre le mouvement des esprits et la littérature.

Les sciences ont eu, d'ailleurs, à faire des progrès avant d'être ce qu'elles sont pour nous. Elles ne furent souvent qu'un divertissement. On poursuivait des « curiosités », on les recueillait avec une crédule ingénuité. Des auteurs graves qui faisaient autorité, le *Journal des savants* ou le *Journal encyclopédique*, dissertent gravement sur les chiens qui parlent, sur le basilic dont un seul regard tue comme un coup de pistolet, sur les crapauds trouvés dans les cailloux. On dispute, sans sourire, de la « palingénésie » et de ces miraculeuses opérations chimiques qui ressuscitent un moineau pilé dans un mortier. S'il s'agit d'expliquer les fossiles, l'explication est simple; Voltaire la donne après bien d'autres : ils poussent comme les champignons, et Voltaire sait qu'un certain M. Royer de La Sauvagère en faisait croître en arrosant simplement de la terre marneuse.

Ces naïvetés se discréditèrent pourtant d'elles-mêmes assez vite, et les merveilles vraies triomphèrent. Mais les sciences de la nature avaient des ennemis plus redoutables que cet esprit de crédulité. La théologie d'abord, ou plutôt une théologie mal comprise. Devant les prodiges que révélaient le télescope, le microscope ou simplement les yeux, on se proposa moins de comprendre que d'élever les âmes vers Dieu, moins d'éclairer la raison que d'édifier les cœurs pieux. Tous ceux dont Buffon discutera les systèmes sont des théologiens autant que des naturalistes. Un des grands livres du XVIIIᵉ siècle, si l'on considère le nombre de ses lecteurs, c'est la traduction de *l'Existence de Dieu démontrée par les merveilles de la nature*, de Nieuwentyt (1725); deux ou trois douzaines de pareilles démonstrations ont eu la même fortune; on pousse même les scrupules de piété jusqu'aux plus puériles subtilités. On explique l'arche de Noé par la « dégénération des animaux », et l'on s'inquiète ou l'on s'étonne lorsque Andry découvre les vers intestinaux : ils ont été créés avant la faute d'Adam, puisque la création est terminée le sixième jour. Comment un être parfait, comme l'était Adam avant sa faute, pouvait-il être affligé de ces parasites? De telles discussions sont fréquentes avant 1750. On a malaisément le droit d'être un savant et seulement un savant.

On comprend mal, aussi bien, qu'on puisse être un savant sans être un « philosophe ». Un savant, c'est alors Descartes, ou Leibniz, ou Newton, dont l'œuvre est toute une philosophie. Étudier la nature, c'est prétendre en découvrir la raison dernière. C'est à qui, en dix volumes ou en dix pages, construira son système du monde. Il y a ceux qu'inspire la scolastique. On fait de la physique dans les collèges, ou du moins on peut en faire; mais cette physique, malgré les progrès réalisés dès la fin du XVIIᵉ siècle dans les collèges des Oratoriens, n'est le plus souvent qu'une jonglerie de mots et de syllogismes. On discute pour savoir « si la matière féconde ou l'élément sensible est dans un acte mixte » et pour prouver que « l'unité spécifique d'une science part de l'unité du motif par lequel nous consentons à ses conclusions ». Quand on se dégage de cette orgueilleuse dialectique, ce n'est pas pour observer. « Deux choses sont nécessaires dans l'étude de la physique, écrit un professeur : l'expérience et le raisonnement; nous allons commencer par le raisonnement. » C'est même par lui que l'on finit, à l'ordinaire, pour découvrir « l'âme de l'univers physique ».

Pourtant, les livres de science renoncent peu à peu aux merveilles et à la scolastique. Ce sont les observations et les expériences judicieuses qui plaisent. Il y a même des observations qui passionnent. Réaumur révèle les merveilles de l'instinct chez les fourmis, les abeilles, le fourmilion, etc. Les auditeurs affluent dans son cabinet de la rue de la Roquette pour suivre ses expériences. Le roi daigne s'en informer. On publie pour les femmes et les enfants un abrégé de son *Histoire des insectes*. Trembley découvre ces polypes dont on fait deux polypes d'un coup de ciseaux et qu'on retourne comme un gant. Les cours de physique de l'abbé Nollet, qui commencent dès 1734, se font non à coups de syllogismes en forme, mais à l'aide des machines, des leviers, des lentilles. Il enseigne le duc de Chartres et le Dauphin et l'on fonde pour lui, au collège de Navarre, une chaire de physique expérimentale.

Les observations et les expériences eurent une autre utilité que d'établir des faits précis. Elles justifièrent une méthode qui est restée celle des sciences de la nature. Les savants organisent avec précision, dès la première moitié du siècle, la « méthode expérimentale ». C'est Newton d'abord qui en assure le triomphe. Longtemps combattu par les cartésiens et discuté jusqu'à la fin du siècle, mais ardemment défendu par Maupertuis à l'Académie des Sciences, à l'Université par l'abbé Sigorgne, il a cause gagnée vers 1750. Ce qui triomphe avec lui, c'est l'observation et le calcul en conflit avec l'esprit de système. On convient que la gravitation n'est qu'un mot, comme les tourbillons de Descartes. Mais la force de ce mot résulte de ce qu'il représente des calculs précis, qui sont incessamment et rigoureusement vérifiés par l'expérience. On

admet donc qu'il n'y a aucune explication qui soit scientifique si elle n'est pas confirmée très exactement par des faits. Tout le reste n'est que systèmes et l'on crie haro contre les « systémateurs ». « Vos explications, disait un chimiste à l'un d'eux, sont contredites par les faits. — Apprenez-moi donc les faits, répond l'homme à systèmes, pour que je les explique. » Ceux qui content l'anecdote s'en égayent. « Système et chimère, conclut Mairan, semblent être aujourd'hui synonymes. »

Pour réunir les faits et conduire les expériences, on sait les moyens qu'il faut prendre. Les savants anglais et hollandais, dont l'influence fut grande chez nous, les avaient clairement fait connaître. Buffon les exposera, en 1735, en tête de sa traduction de la *Statique* de Hales. Le Hollandais Musschenbroeck est traduit et complété par un traité de Deslandes sur *la Meilleure Manière de faire les expériences* (dans un *Recueil de différents traités de physique et d'histoire naturelle* paru en 1736). Ils sont même exposés dans les traités de vulgarisation. Un des ouvrages les plus lus au XVIIIᵉ siècle est *le Spectacle de la nature* de Pluche. Il est sévère pour les « systèmes d'imagination » et ne se propose d'enseigner à « monsieur le Chevalier » que des faits et des observations. On traduit, en 1749, une *Grammaire anglaise des sciences philosophiques* qui est un manuel pour les jeunes gens, par demandes et réponses : on y trouve sur les expériences, sur les instruments des expériences, sur les huit conditions nécessaires pour justifier une hypothèse, tout un chapitre que nos manuels modernes ne désavoueraient pas. Toutes ces discussions et ces conclusions de méthode sont devenues des lieux communs.

BUFFON

Buffon (1707-1788) est né au château de Montbard, en Bourgogne. Son père était conseiller au parlement de Dijon. Il fit son droit à Dijon, sa médecine à Angers. Ses premiers écrits furent des mémoires sur des sujets de physique et de physiologie végétales, et une traduction d'un traité de Hales, Statique des végétaux et analyse de l'air *(1735). En 1734, il fut élu à l'Académie des sciences. En 1739, il devint intendant du Jardin du Roi (Jardin des Plantes). Dès lors il se consacre à l'histoire naturelle. Sa* Théorie de la Terre *était achevée en 1744, mais le programme de son* Histoire naturelle *ne parut, dans le Journal des savants, qu'en 1748. Les trois premiers volumes (Théorie de la Terre et vues générales sur la génération et sur l'homme) paraissent en 1749; les* Quadrupèdes *(12 vol.), de 1753 à 1767; les* Oiseaux *(9 vol.), de 1770 à 1783; les* Minéraux *(5 vol.), de 1783 à 1788. Des Suppléments (7 vol.) parurent de 1774 à 1779 (dont les* Époques de la nature, *1778). Buffon, dès le quatrième volume, avait pris comme collaborateur, pour les descriptions anatomiques, Daubenton, dont l'œuvre est remarquable de précision et de sagacité. Puis il se fit aider, pour l'étude des oiseaux et leur description, par Guéneau de Montbéliard et par l'abbé Bexon, pour celle des minéraux par Guyton de Morveau et par Faujas de Saint-Fond.*

Voir la Correspondance inédite de Buffon, *publiée par Nadault de Buffon, 1860; les* Mémoires *de son secrétaire, Humbert-Bazile, publiés par le même, 1863;* Hérault de Séchelles, Voyage à Montbard, *an IX, réédité par Aulard, 1890; Flourens,* Des manuscrits de Buffon, *1860; Edmond Perrier, la* Philosophie zoologique avant Darwin, *1884; Dastre,* Buffon et ses critiques *(Revue des Deux Mondes, 1890); D. Mornet, les* Sciences de la nature en France au XVIIIᵉ siècle, *1911.*

L'HOMME ET LE SAVANT

Au collège, Buffon n'est qu'un élève honnête; pendant sa jeunesse, il est surtout amusé par la vie et curieux de plaisirs. Il fait, à Angers, avec sa médecine, son « Académie », c'est-à-dire qu'il apprend, comme tout bon gentilhomme, l'équitation, l'escrime et la danse. Il courtise aussi les dames et se querelle. A la suite d'un duel où il tue son adversaire, il voyage, par prudence et pour son divertissement, en compagnie d'un jeune Anglais qu'il suit jusqu'à Rome. Ce n'est qu'à son retour à Montbard qu'il semble prendre vraiment le goût de l'étude. Il se consacre d'ailleurs à toutes les sciences, écrit une douzaine de mémoires sur la propagation de la chaleur, les ombres colorées, la croissance des arbres et des végétaux. Son activité est considérable, comme celle de Voltaire ou de Réaumur. Mais ses contemporains ont compris qu'il ne ressemblait ni à Voltaire, ni à Réaumur, ni aux autres. Ils l'en ont loué bien souvent. Parfois ils lui en ont voulu. La vie de Buffon explique en partie et son œuvre et sa gloire, et ces critiques qui la discutèrent.

Il a travaillé dans la solitude pour une seule tâche. Il ne s'intéresse ni aux salons ni aux académies. Il ne demeure à Paris que quatre mois par an; on l'y rencontre chez Mᵐᵉ Geoffrin, chez Mᵐᵉ d'Épinay, chez le baron d'Holbach, plus tard chez Mᵐᵉ Necker. Mais presque tout son temps est consacré, au Jardin du Roi, à des négociations qui étendent sans cesse les bâtiments, les jardins, enrichissent les collections. Pendant le reste de l'année, il vit à Montbard, embellit le domaine héréditaire, construit des terrasses, aménage les restes du château féodal qui domine les jardins. Mais surtout il travaille. Levé à cinq heures, il monte les quatorze terrasses de la colline, ferme derrière lui les grilles pour arrêter les importuns, et s'installe dans le cabinet qu'il s'est fait aménager au sommet de l'antique donjon. Là, il n'y a que quelques meubles très simples, point de livres; son secrétaire l'attend. Il médite, ou dicte, jusqu'à deux heures. Quand il ne travaille plus, il visite son domaine, surveille ses travaux, et le soir s'entretient avec ses hôtes. Ce ne sont pas des philosophes ou des gens de lettres. Les visiteurs de marque sont rares : il ne les attire pas. Il y a là près de lui sa femme, qu'il adore (elle mourut en 1769); son secrétaire, Humbert-Bazile; une gouvernante, Mˡˡᵉ Blesseau; un capucin, le P. Ignace, homme d'affaires avisé. Entourage assez médiocre, mais il ne déplaît pas à Buffon qu'il le soit. Il lui convient de le dominer, comme il domine la nature du haut de son donjon.

D'ailleurs, il se sent le seigneur de Montbard et le comte de Buffon. Il n'est pas de ces petites gens qui, comme Rousseau, au moins sur le tard, dédaignent le linge fin ou qui, comme Diderot, tiennent à la robe de chambre, qui peut être sale si elle est commode. La légende des manchettes de dentelle dont il se parait avant d'écrire n'est qu'une légende, mais il est très certain qu'il se faisait « accommoder » par son valet et qu'il voulait faire figure non pas d'homme de lettres ou de bel esprit, mais de grand seigneur. Les hommes de lettres ne le lui ont pas pardonné. Ils ont senti qu'ils étaient pour lui un peu moins que des confrères. Buffon y a perdu quelques égards et quelques amitiés. Mais son œuvre n'y a rien perdu.

Il la traita, comme il se traitait lui-même, avec respect. Pendant plus de quarante ans (la *Théorie de la Terre* est datée de 1744), il n'a guère vécu que pour elle. Il a voulu que ce « temple élevé à la nature » — dix de ses contemporains ont eu le projet de ces sortes de temples — fût de ceux où l'on sent la présence d'un Dieu. Buffon en costume de gentilhomme, dans la nudité de son cabinet, au sommet de son donjon, devant le large horizon, c'est l'homme qui tend sans cesse vers les grandes vues. Ses contemporains ont respecté et admiré cette ambition. *Majestati naturae par ingenium* : cette inscription de sa statue fut autre chose qu'une flagornerie. Elle exprime l'idée que l'on se faisait d'un grand caractère soumis à un grand dessein.

BUFFON en 1776. Portrait gravé par Vangelisty, d'après Pujos. (B. N., Cabinet des Estampes). — CL. LAROUSSE.

Il y eut d'ailleurs un autre Buffon, plus humain et moins sublime, et qu'ont aimé à dépeindre ceux qui l'entouraient. Buffon fut pour sa femme un mari attentif et tendre, et qui ne se consola pas de sa mort. Il fut le très bon père d'un fils médiocre. Il était accueillant aux petites gens et pitoyable à toutes les misères. Il fut le bienfaiteur de ses vassaux de Montbard, vieillards, malades et chômeurs. Il lui fallait, pour être heureux, autre chose encore que de nobles pensées et que les fumées de la gloire. Il lui fallait aimer. Il a tenu sur l'amour des propos sceptiques; mais ils n'étaient pas sincères ou ils cessèrent vite de l'être. Et mieux, ayant passé la soixantaine, il aima Mᵐᵉ Necker, son « ange », d'une amitié noble et tendre, mesurée et ardente. Ce Buffon-là se retrouve aussi dans son œuvre. Il n'a pas seulement su décrire et s'élever aux vues générales; il a su aussi s'émouvoir. Il a protesté contre les folies de la guerre et les crimes ambitieux qui ruinent les civilisations. Il a dénoncé les horreurs de l'esclavage ou la misère de ces paysans « courbés sur la charrue, ne tirant de la terre que du pain noir et obligés de céder à d'autres la fleur, la substance de leur grain ». On sent même qu'il a aimé les animaux qu'il décrit, lorsqu'ils sont aimables, et détesté ceux qui sont cruels. Par là, son œuvre a gagné d'être plus vivante et de séduire plus de lecteurs.

SA MÉTHODE SCIENTIFIQUE

Il fallait pourtant que ce fût d'abord une œuvre scientifique. Elle en a le plus souvent les qualités. Sa méthode n'ajoute rien aux doctrines de Musschenbroeck ou de Deslandes, à la pratique de Réaumur ou de l'abbé Nollet. Mais elle a les mêmes scrupules. Buffon sait qu'il faut « rassembler les faits pour se donner des idées », que rien ne se prouve que « par des expériences fines, raisonnées et suivies », qu'il faut « commencer par voir beaucoup » et « voir presque sans dessein », chercher ensuite le « comment »

GRAVURE de Sornique, d'après P. de Sève, figurant en tête de l'« Histoire naturelle » (édition de 1749).
CL. LAROUSSE.

cesse à des théories. L'*Histoire naturelle* s'ouvre par une théorie de la terre, une théorie de la génération, une théorie de la nutrition, etc. Elle marque ses étapes par une théorie du peuplement de l'Amérique du Sud, une théorie des « Époques de la nature », etc. Autour de lui la clameur grandit contre les « systémateurs ». Il poursuit cependant ses grandes vues. Elles le reposent. Elles sont la forme naturelle de son esprit. Incessamment chez lui la description des animaux s'élève vers la méditation, la généralisation, le système. Le lièvre, le cheval, le renard, le castor, le tatou, etc., le mènent à disserter sur la fécondité des espèces, les appétits, la dégénération, les ressemblances des animaux aux parents, l'intérêt des « espèces ambiguës » et des « êtres anormaux », la guerre entre les êtres, l'influence du climat, la nature des poils, plumes et écailles, etc. L'observation de Buffon s'oriente de toutes ses forces vers le général et l'universel.

Une telle ambition était légitime. Elle doit se juger par ses résultats. Plusieurs, au XVIIIe siècle, ont dit obstinément qu'ils ne valaient rien. Buffon eut sa statue et ses dévots. Mais il n'eut pas pour lui les savants. « Il eut, a dit un poète :

. . . . de nombreux ennemis
Qu'étonna son génie et qu'il n'a point soumis. »

Parmi ces obstinés il en fut d'obscurs ou de médiocres, ou dont les raisons étaient mauvaises. Des âmes pieuses voulaient sauvegarder la *Genèse* et non discuter des démonstrations. Mais ses adversaires lui opposèrent aussi des critiques solides. « C'est un roman philosophique »; « cette *Histoire naturelle* n'est pas assez naturelle ». Ce fut l'opinion de Voltaire, qui n'était pas compétent; mais ce fut celle aussi du Genevois Bonnet, de Romé de l'Isle et du chimiste Rouelle, qui redoutaient pour leur science des aventures et l'habitude de donner « de pures hypothèses » pour des « vérités de fait ». Les philosophes firent cortège aux savants. Grimm, Diderot, d'Alembert, Malesherbes s'accordent; et leurs critiques s'expriment parfois avec brutalité. Les *Lettres à un Américain*, que l'abbé de Lignac publia (1751-1756), sans doute sous l'inspiration de Réaumur, le *Traité des animaux* de Condillac (1755) ajoutèrent aux arguments des invectives. C'était pourtant une conception de la science que ces adversaires de Buffon défendaient. Ils pensaient que l'histoire de la terre, l'explication de la vie animale, les époques de la nature ne pouvaient pas être l'œuvre d'un seul homme, travaillât-il dix heures par jour, pendant dix ans ou cinquante, et fût-il doué de génie.

Tout de même, qu'elles fussent ou non solidement prouvées, les hypothèses de Buffon sont-elles justes ? Il a couru des aventures : mais a-t-il eu la chance du génie ? Il n'est pas toujours aisé de répondre. Les éloges des savants venus après lui se contredisent. Flourens le louait d'avoir affirmé la fixité des espèces : on s'émerveille aujourd'hui de trouver en lui un précurseur de Darwin. Cuvier le blâmait d'avoir expliqué par l'action du soleil

et, s'il se peut, le « combien ». Les lois, « n'étant que le résultat des faits, ne méritent vraiment leur nom que lorsqu'elles s'accordent avec tous les faits ». Buffon a cherché des faits, beaucoup de faits. Dans sa *Théorie de la Terre*, il observait les couches des terrains à Marly-la-Ville jusqu'à cent pieds de profondeur, la direction des fissures et des parois des vallées; il a pratiqué des fouilles, etc... « Tout cela posé, conclut-il, raisonnons. » Il poursuit avec Needham des expériences minutieuses sur la génération. Pour *les Époques de la Nature*, il étudiera la montagne de Langres. Il sollicitera aussi bien l'expérience ou l'observation d'autrui. Ses vues sur l'Amérique et la « nature brute » de ses terres sauvages ne sont pas des fantaisies rêvées à Montbard. Il a longuement interrogé un malheureux abandonné « pendant quinze ans dans les déserts de l'Amérique ». Il s'assure aux quatre coins du monde des correspondants qui lui envoient des descriptions ou des pièces pour ses collections. Il institue, dans ses jardins ou dans ses forges, des expériences coûteuses et retentissantes sur la foudre, les miroirs ardents, le refroidissement des masses métalliques. Sans trêve il s'efforce d'apprendre encore et de se corriger, s'il le faut. Il accueille toutes les suggestions et convient ingénument de ses ignorances et de ses erreurs. Les *Suppléments* de son *Histoire naturelle* sont presque toujours des « corrections ». Buffon a l'orgueil de sa terre, de son style, de son œuvre : il n'a pas l'orgueil de son infaillibilité. Il a la droiture du savant.

Mais il n'en a pas toujours la prudence ni la sage lenteur. Il est philosophe, il est orateur. Il faut qu'il tienne des « Discours », qu'il développe des « Vues », qu'il retrace des « Époques ». La « froide patience » l'ennuie, et il n'est pas de ceux qui consentent à « s'appesantir sur les détails ». Il affirme sans doute que « le génie n'est qu'une longue patience », mais à la condition que cette patience pénètre le système du monde et ne se contente pas de décrire l'architecture des abeilles ou la sagacité du fourmi-lion; et il est sur ce point l'ennemi de Réaumur. Il déteste les « nomenclateurs » de l'école de Linné. Il croit que le meilleur creuset n'est pas le creuset d'or de Guyton de Morveau, mais celui de l'esprit, et que la « vue de l'esprit » devance à moindres frais, pourvu qu'on ait du génie — comme lui —, les minutes de l'expérience. Et il conclut à l'occasion qu'il vaut mieux avoir un faux système que pas de système, car « c'est toujours une preuve qu'on sait penser ».

Il s'est donc efforcé de penser. Son œuvre conduit sans

la peau noire des nègres ; Flourens estime qu'il avait raison. Buffon ne croyait pas au feu central ; plusieurs l'en ont blâmé ; mais de Lanessan, géologue compétent, l'en félicite. On peut écrire aujourd'hui, comme Edmond Perrier, l'histoire de la philosophie zoologique et y donner une place fort honorable à Buffon. On peut écrire aussi celle de la géologie, comme M. de Launay, et tenir Buffon pour un médiocre géologue.

Cependant, s'il n'a pas découvert, peut-être, plus de vérités que Bonnet, ou Oken, ou Gærtner, ou Haller, il en a découvert quelques-unes. La théorie de la « dégénération » ne lui est pas tout à fait personnelle et elle est moins proche des idées de

L'ÉTUDE DE L'ANATOMIE. Gravure tirée de l' « Histoire naturelle ». — CL. LAROUSSE.

Darwin que telles formules de Diderot ; elle est néanmoins une théorie claire, méthodique, et dont l'influence fut incontestable. Buffon a signalé que les espèces animales de l'Amérique du Sud étaient toutes différentes de celles de l'ancien continent ; la conclusion a son importance ; elle fondait la « géographie zoologique », et Buffon n'a pas eu tort d'en revendiquer la gloire.

Surtout, s'il n'y a pas dans son œuvre plus de vérités neuves que chez ses contemporains, on y rencontre peut-être moins de chimères. S'ils dissèquent mieux, s'ils observent plus attentivement, comme Haller ou Bonnet, ils s'égarent aussi aisément, plus aisément, dès qu'il leur faut dépasser les résultats immédiats que leur livrent leur scalpel ou leur microscope. Une science qui commence progresse bien souvent par des hypothèses aventureuses, voire même fausses. Buffon a eu cette puissance d'intelligence, cet équilibre supérieur du bon sens qui choisit d'instinct parmi toutes les erreurs celles qui préparent le mieux la vérité et donnent le goût d'aller plus loin. Pour juger Buffon, il faut faire comme lui, « monter sur la tour », dominer l'ensemble de sa production.

L'INTÉRÊT PHILOSOPHIQUE DE SON ŒUVRE

Cette œuvre a d'ailleurs servi la science même par ses audaces et, si l'on veut, par ses imprudences. Les systèmes de Buffon sont autre chose que les aventures de son orgueil. Il a voulu atteindre à la majesté de la nature parce qu'il a cru à sa majesté. La nature n'est pas seulement pour lui un répertoire de curiosités ou de témoignages en faveur de la Providence. Elle est l' « immense », la « sublime » natu . La science qui la décrit n'est pas seulement une théologie détournée ou un prétexte à former un cabinet. C'est vraiment l'audace généreuse des esprits soucieux d'égaler la raison humaine à la raison grandiose qui entraîne la terre dans l'espace, les germes vers la naissance, les espèces animales vers leur destin. Et la raison humaine est assez

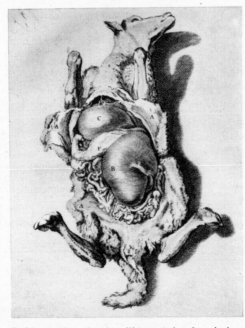

SPÉCIMEN des planches illustrant les descriptions anatomiques de Daubenton. Gravure de Tardieu, d'après de Sève. — CL. LAROUSSE.

puissante pour tenter l'aventure. Buffon n'est pas l'allié, ni même l'ami des « philosophes ». Il se tient à l'écart de leurs polémiques et de leurs desseins. Entre eux et ceux qui dénoncent l'orgueil coupable de leurs doctrines, il ne prend pas parti, du moins en apparence. Mais, en réalité, toute son œuvre travaille pour eux. Elle croit à la puissance de la raison, à ses progrès indéfinis. Elle exalte la science ; elle l'égale à l'univers ; elle l'élève même au-dessus de lui. Car l'univers ne sait pas sa puissance et la raison peut le comprendre.

Cette raison, pour Buffon, se suffit à elle-même. Elle est sa propre lumière. Elle a le droit de dédaigner toute autorité, celle de la théologie comme les autres. Un savant raisonne sur les faits qu'il observe, non sur les textes des Livres saints. Et si les faits et les textes ne s'accordent pas ou semblent ne pas s'accorder, c'est aux théologiens, non pas à lui, à résoudre la contradiction. La *Théorie de la Terre* est autre chose qu'une illustration de la création du monde selon la *Genèse*. Il est même difficile de mettre d'accord les explications de Moïse et celles de Buffon. Mais Buffon ne se soucie pas de Moïse. L'audace était grande. Elle indigna.

« Les dévots sont furieux », écrit d'Argenson en 1749. Et leur fureur fut agissante. Ils dénoncèrent le « venin » de l'œuvre. Le 15 janvier 1751, la Sorbonne condamnait quatorze propositions extraites de l'*Histoire naturelle*. La condamnation pouvait entraîner celle du livre et celle de l'auteur. Buffon, pour couper court aux « tracasseries théologiques », tira poliment son chapeau aux docteurs de la Sorbonne. Il publia en tête du quatrième volume une lettre où il abandonnait « tout ce qui pourrait être contraire à la narration de Moïse ». Lorsque parurent les *Époques*, il devança les théologiens : une longue explication préliminaire montrait l'accord de la *Genèse* et des *Époques*, à la seule condition qu'on voulût bien sacrifier la lettre du texte sacré « quand elle paraît directement opposée à la saine raison et à la vérité des faits de la

GRAVURE tirée de la « Théorie de la Terre ». On voit que, si
elle peut passer pour audacieuse, elle n'a rien de matérialiste.
CL. LAROUSSE.

nature ». La condition parut insolente à la Faculté. Mais
les temps avaient marché. La philosophie avait pénétré
« dans le sanctuaire ». Buffon, par surcroît, était illustre.
Il avait l'appui du roi. Le roi pria qu'on attendît ; et l'on
attendit indéfiniment.

Cette querelle ne serait qu'un des épisodes de la guerre
où l'autorité religieuse et la philosophie s'affrontèrent,
si elle n'avait pas posé et résolu, dès le XVIIIe siècle, la
question des rapports de la science et de la religion. Question grave en elle-même, grave pour cette autre raison
qu'un grand nombre des naturalistes et des physiciens du
XVIIIe siècle sont des prêtres ; les autres sont des croyants.
Buffon lui-même, s'il n'acceptait pas la théologie des docteurs de Sorbonne, restait sans doute fermement attaché
aux dogmes de sa religion. Il est possible, il est même probable qu'il fut un peu libertin au temps de sa jeunesse ;
mais il revint plus tard à de solides croyances. On pourrait
ne pas croire les affirmations qu'il en donne, puisqu'elles
tendaient peut-être à le sauver de la Bastille. Mais
Needham, son collaborateur, n'a jamais douté de sa
sincérité. Mme Necker, qui était fort pieuse, n'en a jamais
douté non plus. Quand Buffon lui écrit, c'est dans la vérité
de son cœur et non pas pour amadouer les syndics et les
docteurs ; il lui parle en chrétien convaincu. Ce chrétien
a travaillé pourtant et écrit à peu près comme si la Bible
n'existait pas. Il a affirmé qu'il y avait deux domaines,
qu'une barrière devait toujours séparer : celui de la raison
scientifique et celui de la foi. Il a affirmé, l'un des premiers, que la science est indépendante de la théologie.

On n'a pas accepté l'affirmation sans mauvaise humeur.
Si la Sorbonne se résigne à ne plus brandir ses foudres,
Moïse trouve jusqu'à la fin du siècle des défenseurs impétueux. Vingt volumes ou brochures, escortés d'articles et
d'entrefilets sans nombre, dénoncent les erreurs, sottises
ou contradictions de la *Théorie de la Terre* ou des *Époques*.
Les chefs du chœur orthodoxe, ceux qui, pour défendre

les traditions de la théologie, rédigent les livres qu'on lit
dans les salons ou qu'on donne en prix, l'abbé Feller *(Catéchisme philosophique)*, l'abbé Barruel-Bauvert *(les Helviennes)*, ne séparent pas Buffon de Diderot, de Voltaire
ou de d'Holbach. Il est l'ennemi, comme eux et plus
qu'eux peut-être, car le venin de son œuvre est « caché ».
Les savants eux-mêmes, et les vrais, s'ils n'accusèrent pas
Buffon d'être un impie, n'osèrent pas toujours imiter son
indépendance. Ils cherchèrent souvent un accord très précis entre leur science et leur Bible. Le Genevois De Luc,
par exemple, dont les œuvres furent célèbres, n'écrit pas
sur l'*Histoire de la Terre et de l'Homme* des *Lettres physiques*, mais des *Lettres physiques et morales*, où il montre
le rapport qu'ont entre elles la nature et la révélation.

Pourtant le rapport était difficile à établir parfois ; et
la religion se trouvait assez mal de ces scrupules, beaucoup
plus que la nature. On convint assez vite, comme Buffon,
qu'il n'y avait pas à accorder deux vérités : elles étaient
vraies toutes les deux, séparément. C'était déjà l'affirmation de l'abbé Pluche, de Réaumur, de l'abbé Nollet.
Il y a d'un côté « la certitude de l'expérience » et d'un autre,
quand on quitte ces expériences, « la modestie de la révélation ». La raison obéit tour à tour « au trait de lumière
naturelle qui l'éclaire » et à « ce qu'elle est obligée de
croire ». C'était là, déjà, ce « pragmatisme » qui mesure à
la raison raisonnante ses droits, décide qu'elle construit
la science, mais ne construit pas la vie intérieure, et qu'il
faut, pour comprendre cette vie, chercher en nous d'autres
lumières. La conclusion fut très vite celle où Needham,
Buffon, puis Lavoisier et tant d'autres, petits ou grands,
s'accordaient : « On doit, en raisonnant sur la nature,
séparer totalement les vérités révélées des vérités physiques,
non seulement comme des objets d'un ordre supérieur,
mais comme des choses qui n'ont avec elles aucune sorte
de liaison... Nous connaissons deux ordres de vérités, les
vérités de la révélation et celles de la raison... Les Livres
saints ont été dictés pour faire de parfaits chrétiens et non
pour faire des savants. »

L'INTÉRÊT LITTÉRAIRE DE SON ŒUVRE

Malgré les mérites de cette philosophie, Buffon n'est
pas le plus grand savant de son temps, ni même peut-être
un des plus grands. Il ne vaut ni Lavoisier, ni Lagrange,
ni Haüy. Mais son génie vrai est d'avoir été, en même
temps qu'un savant, un grand écrivain. L'*Histoire naturelle*
demeure comme une grande œuvre littéraire ; et c'est
par sa valeur littéraire qu'elle a surtout servi la science.
C'était d'ailleurs l'ambition de Buffon. Ses scrupules
d'artiste sont certainement plus minutieux que ses scrupules de naturaliste. Il est peu probable qu'il ait visité
six, douze ou dix-huit fois les terrains de Marly-la-Ville
ou ceux de la montagne de Langres ; mais il a remanié le
texte de ses *Époques de la nature* six fois, disent les uns,
douze ou dix-huit disent les autres. « C'est de l'histoire
naturelle et du style, disait Hérault de Séchelles, qu'il
aime le mieux à s'entretenir ; je ne sais même si le style
n'aurait pas la préférence. » Il s'en est entretenu particulièrement à l'Académie, dans son discours de réception
(1753), et nous connaissons exactement sa doctrine.

Buffon, d'abord, est un « puriste » et l'ennemi des « néologues ». Même lorsque les pensées humaines s'enrichissent, il n'est pas nécessaire d'enrichir le vocabulaire. On
peut s'en tenir, pour parler des choses nouvelles, aux termes
consacrés par l'usage des grands écrivains. Il est de l'avis
de Voltaire contre celui d'un Rousseau, d'un Diderot
et de bien d'autres, qui veulent appeler un chalet ou un
« légrefass » suisse par leur nom au lieu de se contenter
d'équivalents pris au vocabulaire de tous, tels que « maison
de bois » ou « tonneau ». Il ne faut nommer les choses
que « par les termes les plus généraux », pour donner au
style de la « noblesse ». Ajoutons à la « noblesse » la « cou-

leur » et le « sentiment », et « quelques fleurs » au besoin.
« Embellissons, disait-il à Lacépède, par des « couleurs
brillantes », répandons « une nouvelle lumière »; évitons
ces « traits saillants », ces « pensées fines », ces « idées
légères, déliées » que les Fontenelle et les Pluche avaient
brodés sur la noble et sévère étoffe de la science, pour
plaire aux dames et aux gens du monde, et nous aurons
les qualités qui conviennent, « la clarté, l'harmonie, la
pompe..., la gravité, la majesté ». Nous aurons commencé
d'ailleurs par bien régler « l'ordre et le mouvement » de
nos pensées. C'est là tout le style, en ce sens que c'est là
tout ce qui donne au style sa force, sa chaleur, sa vie.
Écrire des sciences, ce n'est pas raconter froidement ses
observations et ses découvertes, selon l'ordre de ses
études. C'est dégrader la nature que de donner d'elle ces
images paresseuses. La nature travaille « sur un plan éternel
dont elle ne s'écarte jamais »; osons concevoir des desseins
aussi sublimes. Imitons-la dans sa marche et dans son
travail. Élevons-nous par degrés à ces vastes compositions qui contemplent les vérités les plus hautes et qui
établissent « sur des fondements inébranlables des
monuments immortels ».

L'ambition était périlleuse. La doctrine de Buffon est
trop étroite ou trop vaste. « On ne doit pas se laisser emporter par l'amour de l'exactitude au point de n'employer que
le mot propre » : c'est là un propos rapporté par le secrétaire de Buffon, mais que d'autres, et Buffon lui-même,
confirment. Il allait jusqu'à blâmer, avec Thomas, les
locutions telles que « commencer à voir clair », « pour bien
faire », « faisons bien », qui sont chez Racine, mais qui sont
des trivialités. S'il résistait à l'abus des termes techniques
qui font vite d'un ouvrage de science un jargon hérissé
et barbare, il consacrait ce style noble et ce purisme qui ne
voulaient pas dans une idylle du mot *cruche* ni du mot
charrue. La couleur qu'il demandait avait les mêmes
inconvénients que les traits saillants et les pensées fines
qu'il condamnait. Elle risquait de prêter à la science des
agréments qui la défigurent. Ses descriptions d'animaux
ne sont pas toujours de lui. Elles sont souvent de l'abbé
Bexon, qu'il corrigeait, ou de Guéneau de Montbéliard,
dont il imprimait la prose sans le revoir. Mais il les approuvait puisqu'il signait. Et même, lorsque c'est lui qui rédigeait, il donnait parfois à ses animaux sauvages comme à
ses animaux domestiques
non pas la majesté de la nature ou sa vie, mais les fri-
sures et les pompons du petit
chien de la marquise. Nous
estimons aujourd'hui que sa
description du cheval, ce
« fier et fougueux animal »,
n'est qu'une enluminure
solennelle et froide. Le
« sentiment » même qu'il
veut mêler à sa science ne
peut toucher les cœurs qu'en
inquiétant la réflexion. Buffon
s'attarde constamment à étudier les qualités et les défauts,
les « vertus » et les « vices »
des animaux, leur sobriété,
leur fidélité, leur paresse,
voire leur « libertinage »,
leur « attachement à leurs
semblables », leur « chasteté ».
Il s'attendrit sur les « douces
habitudes du repos et de la
solitude », sur les « talents
sans doute préférables à des
qualités plus brillantes et
plus incompatibles avec le

bonheur que l'obscurité la plus profonde », qui sont les
habitudes et les talents... de la taupe. C'était sans doute
se faire de l'âme des bêtes une idée plus littéraire que
conforme à leur nature. Nous avons dit enfin que les
« grandes vues » et les « vastes plans » de Buffon ne sont
pas toujours construits sur des « fondements inébranlables ».

Malgré ces réserves nécessaires, les mérites littéraires
de Buffon sont grands. On le jugerait mal sur sa seule
doctrine. Sa pratique est beaucoup plus audacieuse. Il
n'hésite pas lorsque c'est vraiment le mot clair et le mot
précis, et bien que pour ses contemporains ils fussent du
style trop technique ou trop trivial, à parler de « disrup-
tion », de « dépuration », d' « appentis ». Quelques descriptions trop pompeuses, commentées et proposées comme
modèles, ont fait tort au style de Buffon. Il a vraiment
saisi, à défaut des raisons cachées de leur structure et de
leur instinct, l'allure des animaux, la forme vivante de leur
être. Enfin, ses grandes vues ne sont pas toujours des chimères. Elles mettent souvent dans l'*Histoire naturelle* la
poésie et la majesté qui n'enlèvent rien à la précision de
la science et à sa loyauté. Il est inévitable que toute œuvre
de science vieillisse. On a peine à lire les savants du passé,
même si leur science fut solide. On peut au contraire,
aujourd'hui encore, lire Buffon. Il a su éclairer, animer les
tableaux les plus puissants des temps farouches où vivaient
les premiers hommes, des conquêtes de l'homme sur la
nature, de l'immensité féconde des mers, et de toutes les
splendeurs qui pouvaient faire de l'histoire naturelle
autre chose qu'une physique ou une chimie : l'image du
monde.

LES SCIENCES DE LA NATURE
APRÈS BUFFON

Par là, Buffon, comme on l'a dit, a sans doute fait entrer
la science dans la littérature. Cette entrée n'était pas
indispensable : il n'est pas nécessaire qu'un savant ait
d'autres qualités d'écrivain que l'ordre et la clarté. Mais il
a fait mieux. Il a fait entrer la science dans les mœurs;
il l'a rendue familière et comme nécessaire à tout homme
cultivé. Avant lui, certes, Fontenelle, Réaumur, Nollet
ou même Pluche y avaient contribué. Mais c'est lui

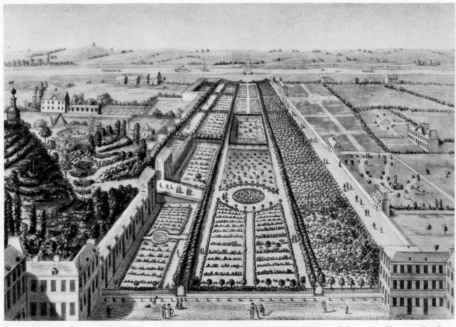

LE JARDIN DES PLANTES à la fin du XVIIIe siècle, après qu'il eut été agrandi par Buffon.
CL. LAROUSSE.

surtout qui persuade et qui conquiert. On trouve dans les bibliothèques du temps l'*Histoire naturelle* plus souvent que *la Henriade, la Nouvelle Héloïse,* l'*Encyclopédie;* les colporteurs l'apportent jusque dans les villages. C'est Buffon que pillent les pédagogues et les manuels scolaires. C'est à lui que les « curieux » dédient les brochures où ils décrivent leurs collections. Le succès du Jardin du Roi soutient celui de l'*Histoire naturelle.* Buffon l'agrandit et l'embellit avec un inlassable dévouement par des avances personnelles et des marchés ingénieux. Il y construit des serres, des galeries, un vaste amphithéâtre. Les cabinets se multiplient à travers les provinces. Pour satisfaire toutes les curiosités, de nouveaux cours publics sont ouverts, des livres s'impriment, des journaux spéciaux sont fondés. On parle et on écrit pour les gens du monde et les dames. L'histoire naturelle et la physique deviennent objet d'étude pour le « beau sexe » et les « jeunes demoiselles ».

Le résultat fut de la plus haute importance. Le secrétaire de Buffon, Humbert-Bazile, et Condorcet s'accordent à le reconnaître dès le XVIIIe siècle. « Peut-être Buffon a-t-il cru, dit Condorcet, que le meilleur moyen de détruire les erreurs en métaphysique et en morale était de multiplier les vérités d'observation dans les sciences naturelles; qu'au lieu de combattre l'homme ignorant et opiniâtre, il fallait lui inspirer le désir de s'instruire. » C'était bien là, en effet, ce qu'enseignaient Buffon et les savants, qu'il y a pour le moins une vérité indiscutable, celle qui s'observe et se prouve par l'expérience; que ce n'est pas toute la vérité, peut-être, mais une forme pourtant de la vérité, et qui a le privilège de mettre d'accord tous les esprits de bonne foi. « Ce sont les sciences exactes, disait l'*Histoire de l'Académie des Inscriptions,* qui ont introduit dans le monde l'esprit philosophique »; non pas tout l'esprit philosophique, ni surtout celui de tous les philosophes du XVIIIe siècle, que « la raison » ou « l'évidence » menaient souvent à la polémique et à la bataille. L'esprit philosophique qu'inspiraient les sciences conduisait à plus de sérénité; il ouvrait à l'homme une route de labeur pacifique, un avenir de découvertes qui n'avait plus rien à craindre des passions et des préjugés. Tous ceux qui ont aimé les sciences au XVIIIe siècle l'ont dit, et l'on voit s'accorder à cet égard un abbé comme Nollet, un philosophe comme Condorcet, un poète comme Roucher, un chanoine comme Leclerc. Elles ont « redressé en quelque sorte l'intelligence humaine ».

LES SCIENCES MATHÉMATIQUES

Lagrange (1736-1813) est né à Turin; mais sa famille était française. Célèbre dès sa jeunesse pour ses recherches sur la libration de la lune (1764) et les satellites de Jupiter, il fut nommé directeur de l'académie de Berlin en 1766. En 1787, il se fixa à Paris, où le roi lui faisait une pension. Son principal ouvrage, la Mécanique analytique, fut publié en 1788 (réédité avec corrections et additions en 1811). — Voir P. Tannery, les Sciences en Europe au XVIIIe siècle, au t. IV de l'Histoire générale publiée sous la direction de Lavisse et Rambaud.

Les sciences mathématiques avaient fait, au XVIIe siècle et dans les premières années du XVIIIe, des progrès retentissants, grâce aux découvertes de Descartes, Newton, Leibniz. Elles s'accordaient, d'ailleurs, avec les méthodes de la philosophie cartésienne et ce goût du raisonnement déductif qui gagne, au XVIIIe siècle, la littérature comme la philosophie. Le prestige des mathématiques diminue pourtant vers 1750. Elles perdent tout ce que gagnent les expériences de Nollet et l'œuvre de Buffon. Non pas que l'on conteste la précision de leurs raisonnements; mais en progressant elles s'éloignent de plus en plus de la réalité apparente. Elles se dégagent des figures; elles se réduisent

à des jeux d'équations. On leur reproche donc de n'exprimer fidèlement que la raison humaine. On ajoute qu'elles ne sont qu'une science abstraite sans nuances, bonne pour des problèmes de mécanique, mais dont les méthodes ne sauraient résoudre ceux de l'art, du goût, de la poésie. Il y a une « querelle des géomètres ». Les théories d'un Fontenelle ou d'un La Motte, qui prétendaient discuter du théâtre ou de l'églogue comme on discute des problèmes de la géométrie, sont attaquées violemment. La mathématique cesse d'être « la reine des sciences ».

Pourtant les mathématiciens continuent leurs recherches sans se soucier de la querelle. Ils forment à travers le monde une société de gens de talent ou de génie dont les ouvrages achèvent de préciser les méthodes modernes des mathématiques. Ils réunissent d'abord les découvertes partielles pour construire les théories d'ensemble propres à suspendre toutes les recherches à de grands principes qui les dominent. D'Alembert écrit un traité de dynamique fondé sur le principe qui porte son nom. Lagrange, à son tour, ramène à un seul principe fondamental toute la mécanique. En outre, les mathématiciens entreprennent des recherches qui frappèrent plus vivement l'opinion publique. Newton avait construit un système du monde, et ce système n'était plus une spéculation de l'esprit, mais l'image même de la réalité, puisqu'il permettait de rendre compte des mouvements des astres et de les prévoir. Les adversaires du système répliquaient qu'il restait des choses qui n'étaient pas expliquées : la précession des équinoxes, la libration de la lune, les satellites de Jupiter, certains mouvements du soleil, et d'autres choses qui n'étaient pas prouvées, comme la figure de la terre. D'Alembert résout le problème de la précession des équinoxes; Clairaut donne l'explication des mouvements de la lune (problème des trois corps), la théorie exacte de la figure de la terre; il fixe la date du retour de la comète de Halley. Lagrange explique le problème des six corps (satellites de Jupiter). Deux expéditions, l'une au Pérou en 1735 (Godin, Bouguer, La Condamine), l'autre en Laponie en 1736 (Maupertuis, Le Monnier, Camus, Clairaut) mesurent deux degrés du méridien et prouvent l'aplatissement de la terre aux pôles et son renflement à l'équateur.

LA CHIMIE. LAVOISIER

Lavoisier (1743-1794) s'occupa d'abord de minéralogie, de géologie, de botanique. Il devint fermier général en 1768. Tout en s'employant activement et fort honnêtement au recouvrement des impôts, il entreprit des recherches très importantes sur les phénomènes de la combustion, de la respiration, puis sur la composition de l'air et de l'eau. Il put démontrer, dès 1783, l'erreur de la théorie qui expliquait les phénomènes chimiques par le phlogistique de l'Allemand Stahl. Il publia, en 1787 (avec Berthollet, Fourcroy, Guyton de Morveau), la nomenclature chimique dont on a suivi depuis lors les principes; en 1789, un Traité élémentaire de chimie. Il fut guillotiné en 1794. — Voir E. Grimaux, Lavoisier, 1888.

Les progrès de la chimie au XVIIIe siècle ne sont pas tous dus à Lavoisier. Des découvertes importantes avaient été faites, surtout en Angleterre, par Priestley et Cavendish. Lavoisier est pourtant le créateur de la chimie moderne. Ce n'est pas seulement parce qu'il a décomposé l'air, expliqué la combustion et la respiration, décomposé et recomposé l'eau, etc., c'est surtout parce qu'il a organisé les méthodes qui permettaient de nouvelles découvertes. La théorie du phlogistique était universellement acceptée. On en avait salué la découverte comme celle de la gravitation. Elle donnait en effet à la chimie de l'ordre et une unité. Mais c'était l'unité d'un mot, si élastique qu'il fallait à l'occasion donner au phlogistique

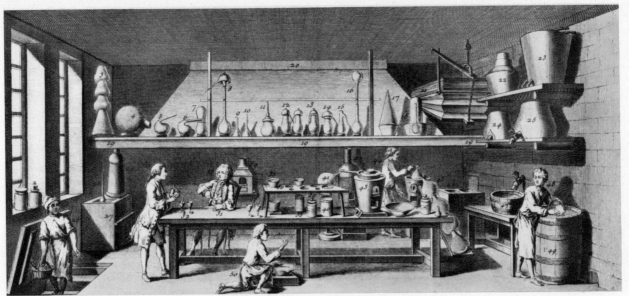

Un laboratoire de chimie au XVIIIᵉ siècle. Planche extraite de l' « Encyclopédie ». — Cl. Larousse.

un poids négatif. Au lieu de ces mots et de ces théories qui rappelaient invinciblement les explications scolastiques et la vertu dormitive de l'opium, Lavoisier ne voulut plus d'autres raisons que des chiffres, des mesures de volume, des poids. Toute sa philosophie fut celle de la balance. C'est en pesant et en mesurant qu'il détermina la composition de l'air, le rôle de l'oxygène dans la combustion et la respiration, la composition de l'eau. Ainsi il rendit la science à sa véritable destination, qui n'est pas de trouver le pourquoi des choses, mais leur comment et leur combien. En même temps, il y mettait cette unité que les mathématiciens avaient trouvée dans la mécanique et Newton dans l'astronomie. Au lieu des quatre éléments : air, feu, terre, eau, il ne gardait plus que des corps simples et leurs composés, corps dont nous ne pénétrons pas la structure intime, mais dont nous savons que rien ne se perd et rien ne se crée, et dont nous pouvons suivre les combinaisons infinies avec cette seule règle que les poids doivent se retrouver. La langue de la chimie se fixe comme sa méthode, et Lavoisier publie sa nomenclature chimique.

Ces théories, si précises, furent d'ailleurs très vivement combattues. Lavoisier lui-même ne voulant pas être un « systémateur », ni mettre seulement des mots nouveaux à la place des mots anciens, « hasarde » d'abord ses hypothèses et ne les affirme fermement qu'après des expériences décisives, en 1783. Les partisans du phlogistique, Cavendish, Priestley, Scheele résistent longtemps. La chimie « pneumatique », celle de Lavoisier, rallie pourtant peu à peu Berthollet, Fourcroy, Guyton de Morveau. La réputation de Lavoisier est immense. On se dispute l'honneur d'assister à ses expériences. On rencontre dans son cabinet A. Young, Franklin, Watt, Lagrange, Laplace. Le *Traité élémentaire de chimie* est accueilli comme l'évangile de la science nouvelle. Elle se construira désormais selon les plans de Lavoisier.

Lavoisier. Buste de Houdon (musée du Louvre). — Cl. Giraudon.

II. — LE MOUVEMENT PHILOSOPHIQUE. L'ENCYCLOPÉDIE. LES SALONS

L'ENCYCLOPÉDIE

Le libraire Le Breton, qui s'associa avec Briasson, Laurent et David l'aîné, voulait faire traduire en français l'Encyclopédie de l'Anglais Chambers. Après différentes mésaventures ils s'adressèrent à Diderot, qui accepta, mais les décida à publier un dictionnaire beaucoup plus étendu et tout nouveau. Le Prospectus *en parut en novembre 1750; le premier volume, avec un* Discours préliminaire *de d'Alembert, en juillet 1751. Bientôt les idées disséminées dans l'ouvrage commencent à inquiéter. Les inquiétudes se précisent lorsque l'abbé de Prades, ami des encyclopédistes, eut réussi à soutenir en Sorbonne, en 1751, une thèse où l'on découvrit, d'ailleurs après qu'elle eut été reçue, des propositions hérétiques. L'autorité prit prétexte de la thèse pour faire condamner l'Encyclopédie, dont les deux premiers volumes furent supprimés par arrêt du Conseil d'État, le 7 février 1752. Mais l'ouvrage avait des protecteurs : d'Argenson, Mᵐᵉ de Pompadour, Lamoignon de Malesherbes, directeur de la librairie, qui n'ordonna une visite de la police chez Le Breton qu'après avoir caché chez lui les manuscrits. C'est ainsi que l'impression se poursuivit, à la faveur d'une tolérance tacite, dès 1753 et jusqu'en 1758.*

*Mais les ennemis de l'Encyclopédie se remuaient toujours. Les pamphlets se multipliaient. Fréron traitait le dictionnaire d'ouvrage scandaleux. Il est question de changer les trois censeurs théologiens, que l'on trouve trop indulgents. D'Alembert s'inquiète, puis renonce à l'entreprise; Voltaire fait mine de l'imiter. Sur ces entrefaites éclate le scandale de l'*Esprit, *d'Helvétius. En condamnant ce livre, le 6 février 1759, le parlement* *en condamnait quelques autres, dont l'Encyclopédie. Un arrêt du Conseil d'État, au 8 mars 1759, révoque le Privilège ; un autre, du 21 juillet, prescrit aux éditeurs de restituer soixante-douze livres aux souscripteurs. Pourtant, les philosophes se défendent avec l'avantage de l'esprit et du talent. Diderot, resté presque seul avec le chevalier de Jaucourt pour continuer le travail, s'impose un labeur écrasant. Les volumes s'impriment secrètement. Tout faillit sombrer lorsque Diderot s'aperçut, en 1764, que Le Breton mutilait à son insu les manuscrits pour en supprimer ce qu'il jugeait dangereux. Après s'être violemment emporté contre cette « atrocité », il consentit à continuer, par égard pour l'associé de Le Breton, Briasson. Les volumes de planches paraissaient avec l'autorisation du gouvernement. En 1766, l'impression fut achevée. On indiqua, sur la page de titre, Neuchâtel comme ville d'impression, et les souscripteurs de Paris durent aller chercher leurs volumes aux environs. Après cette inoffensive comédie et quelques autres, l'Encyclopédie fut lue et se vendit sans obstacles. Elle comprend 17 volumes in-folio, 5 volumes de suppléments où Diderot n'est pour rien (1777), et 11 volumes de planches.*

Voir : L. Ducros, les Encyclopédistes, 1900 ; J.-P. Belin, le Mouvement philosophique de 1748 à 1789, 1913; R. Loyalty Cru, Diderot as a disciple of english Thought, New York, 1913, et surtout J. Le Gras, Diderot et l'Encyclopédie, 1928; D. H. Gordon et N. C. Torrey, The censoring of Diderot's Encyclopedia [Découverte des épreuves où le texte de Diderot est mutilé par Le Breton], 1947. Pour l'ensemble du mouvement philosophique : D. Mornet, la Pensée française au XVIIIe siècle ; — les Origines intellectuelles de la Révolution française, 1933.

Le libraire qui eut l'idée de publier une traduction de la *Cyclopaedia* de Chambers n'était pas un philosophe. Il espérait seulement gagner de l'argent. Les dictionnaires étaient à la mode. On en avait publié avant l'*Encyclopédie* de toute espèce, sur l'histoire, le droit, la mythologie, la marine, la peinture, la botanique, les sciences, les arts et métiers. Diderot lui-même avait traduit un dictionnaire de médecine. Il ne s'agissait donc, en principe, que d'une entreprise de librairie. C'est Diderot et d'Alembert qui en firent une œuvre philosophique.

Personne n'ignorait, d'ailleurs, que les directeurs de la publication étaient des philosophes et que leur philosophie était audacieuse. Un curé et un exempt de police dénonçaient Diderot comme impie, et il y avait des impiétés évidentes dans sa *Lettre sur les aveugles*. Les opinions de d'Alembert étaient moins aventureuses; mais on le savait très lié avec Voltaire et très hostile au parti dévot. Les collaborateurs du dictionnaire devaient être, en outre, Montesquieu, Duclos, Buffon, d'Holbach et quelques autres que les dévots n'aimaient pas. Enfin, les intentions étaient claires. La *Préface*, de Diderot, et le *Discours préliminaire*, de d'Alembert, les exposaient très nettement. Il s'agissait d'un *Dictionnaire raisonné*. C'est-à-dire que, pour discerner dans l'histoire humaine la vérité de l'erreur, on ne se fiera ni à la tradition ni à l'autorité, mais aux raisons de la raison. Les maîtres ne seront ni Aristote, ni saint Thomas, ni personne. Ce seront Bacon, Descartes, Newton, Locke, non pour ce qu'ils ont dit, mais pour les méthodes qu'ils ont suivies. Ils ont enseigné que la certitude naît seulement de la raison, des faits et de l'expérience. Ils ont prouvé que l'histoire humaine est celle d'un progrès de l'intelligence. Dans son *Discours préliminaire* et dans toute son œuvre, d'Alembert est leur disciple. Il n'y a rien, à l'origine, dans notre esprit, que des sensations; c'est par l'expérience que nous acquérons peu à peu l'attention, la réflexion, le jugement. De même, il n'y avait rien à l'origine de l'humanité que des instincts aveugles;

mais peu à peu, par l'expérience, l'humanité a transformé sa vie comme l'enfant transforme la sienne. L'histoire humaine est l'histoire de cette transformation, et l'instrument du progrès ne saurait être que la raison, qui, lentement, triomphe des cruautés, des ignorances, des préjugés. Le progrès, sans doute, n'est pas continu. Après les siècles de Platon ou de Cicéron, il y eut la barbarie du moyen âge et les erreurs de la scolastique. Mais peu à peu les erreurs se discréditent. Après Bacon, le XVIIe siècle voit le triomphe de Descartes, le XVIIIe celui de Newton et de Locke. Des philosophes, comme Voltaire ou Condillac, portent aux sottises des systèmes métaphysiques les derniers coups. Et les sciences mettent à la place des vaines subtilités de la scolastique les certitudes inébranlables de l'expérience. On peut démontrer, par syllogisme, que le baromètre doit monter pour annoncer la pluie; or, la physique expérimentale nous prouve qu'il baisse. Le moment est donc venu d'élever à la raison et aux progrès de la raison le monument qui leur est dû. La philosophie forme « le goût dominant du siècle...; elle s'avance à pas de géant »; l'*Encyclopédie* ne peut être que la « tentative d'un siècle philosophe »; ce siècle est arrivé.

LA VALEUR DE L'INFORMATION

La tentative était ambitieuse. Les connaissances humaines étaient moins diverses évidemment et moins approfondies qu'elles ne le sont aujourd'hui. Mais le dessein de Diderot était de les parcourir toutes et de donner de chacune d'elles une image précise. Il prétendait même faire connaître les progrès des arts pratiques comme les progrès des idées. Il donnerait la description des métiers, de toute l'industrie de son temps. Il comprit qu'une pareille enquête ne pouvait pas être menée à bien par un seul homme. L'*Encyclopédie* de Chambers et celles qui l'avaient précédée étaient l'œuvre d'un seul auteur, c'est-à-dire une œuvre aveugle et stérile. L'idée neuve de Diderot et de d'Alembert fut, comme ils le dirent, de donner les mathématiques au mathématicien, la philosophie au philosophe, la question des grains ou celle des foires et marchés à l'économiste. Ils groupèrent autour d'eux Quesnay et Forbonnais, puis Turgot pour l'économie politique, La Condamine et d'Alembert pour les sciences, Buffon pour l'histoire naturelle, d'Holbach pour la chimie et la minéralogie, Du Marsais pour la grammaire, J.-J. Rousseau pour la musique. Quant aux métiers, Diderot, qui n'y connaissait rien, en apprit la technique. Il s'en informa avec une merveilleuse diligence, courut les ateliers des tisserands, des imprimeurs, des corroyeurs, se fit construire des modèles réduits du métier à bas et du métier à velours ciselé, et fournit ainsi à l'*Encyclopédie* des descriptions et des planches qui restent des modèles d'exactitude et de clarté.

Malheureusement, les collaborateurs les plus illustres ne firent guère que prêter leur nom. Buffon ne donne presque rien. Montesquieu ne rédige qu'un article (qu'il laisse inachevé) sur le goût. D'Alembert, qui collabore activement aux sept premiers volumes, abandonne au huitième. Turgot n'apporte que quelques articles, qui ne sont pas tous essentiels. Voltaire fournit surtout, prudemment, quelques dissertations littéraires élégantes et, à partir de l'article « Histoire » (1758), n'envoie plus que deux articles. Pour la plus grande part, l'*Encyclopédie* est rédigée par des secrétaires; on pourrait presque dire par des hommes de peine. C'est le chevalier de Jaucourt qui les dirige avec un zèle infatigable. Il écrit ou dicte treize à quatorze heures par jour. Mais il n'est que le chevalier de Jaucourt et ses équipiers sont pour la plupart de pauvres hères.

Diderot, lui, est Diderot; mais il porte le fardeau de toute la direction matérielle et morale; il rédige les articles sur les métiers. Et l'on a beau être un lecteur infatigable,

Frontispice dessiné pour l' « Encyclopédie » par Cochin fils, en 1764, et gravé par Prévost. « On y voit les Sciences occupées à découvrir la Vérité; la Raison et la Métaphysique cherchent à lui ôter le voile dont elle est enveloppée; la Théologie attend sa lumière d'un rayon qui part du ciel; près d'elle sont la Mémoire et l'Histoire ancienne et moderne. A côté d'elles et au-dessous sont les Sciences; d'autre part l'Imagination s'approche avec une guirlande de fleurs pour orner la Vérité. Au-dessous d'elles sont les divers genres de poésie et les Arts. En bas sont différents talents et professions qui dérivent des sciences et des arts. »
(Ch.-Antoine Jombert, « Catalogue de l'œuvre de Cochin fils », 1770.) — Cl. Larousse.

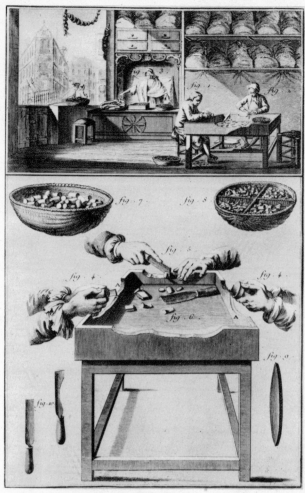

UNE PLANCHE de l' « Encyclopédie » : bouchonnier.
CL. LAROUSSE.

une « tête encyclopédique », et se « tuer de travail », on ne peut pas, à soi tout seul, apprendre et résumer tant d'histoire et de philosophie, décrire tant de métiers. Il en résulte que constamment l'*Encyclopédie* n'est qu'une compilation, tout au plus une adaptation. Copie de Chambers d'abord, qui a donné l'idée de l'ouvrage, puis des dictionnaires historiques de Bayle et de Moreri, du lexique des antiquités de Hedrich, des histoires de la philosophie du Français Deslandes ou de l'Allemand Brucker. Il arrive même que l'*Encyclopédie* compile ou copie sans le dire. Diderot cite ses sources parfois; il ne les cite pas toujours et il y eut des auteurs pillés qui protestèrent.

La valeur de l'œuvre est donc très inégale. Les articles de Voltaire, de Turgot, de Rousseau, de Marmontel n'ajoutent rien à la gloire de leurs auteurs; on les y retrouve cependant. Ceux qu'a signés Diderot, souvent vivants et toujours clairs, ne sont pas toujours de lui. Il coupe, taille, recoud dans l'étoffe des autres, sans qu'il y ait parfois rien de nouveau que la couture. Les mérites d'érudition ou de clairvoyance ne sont que ceux de Brucker, du P. André et de quelques autres. Les rédacteurs, par surcroît, ont parfois une érudition un peu courte; on s'est moqué, dès le XVIIIᵉ siècle, de quelques bévues et des Arginuses, que l'*Encyclopédie* prit pour une ville. Les collaborateurs ne laissent pas de se contredire. Ni Diderot ni de Jaucourt n'ont réussi à les mettre d'accord sur quelques points qui avaient leur importance. Tour à tour, l'*Encyclopédie* loue et blâme le célibat, fait l'éloge et la critique du luxe, approuve et renie le drame bourgeois. L'*Encyclopédie* n'est donc ni une grande œuvre historique ni une grande œuvre scientifique; ce n'est le plus souvent qu'un ouvrage de vulgarisation intelligent.

LA PORTÉE PHILOSOPHIQUE

Mais c'était la première fois qu'on osait vulgariser, proposer à toute la France, dans un ouvrage vendu par souscription, les idées qui étaient celles de Voltaire, de d'Alembert, de Diderot. Pour la première fois on invitait à raisonner sur des sujets où le raisonnement n'était pas permis, et à conclure comme on ne concluait pas quand on était le gouvernement ou l'autorité. Diderot d'ailleurs et d'Alembert, et surtout les imprimeurs, n'ignoraient pas que le gouvernement, la Sorbonne et le parlement veillaient, et qu'il y avait quelque danger à les braver. Ils ne bravèrent donc en face aucune des idées qu'il était périlleux de discuter. D'Alembert était, comme Voltaire, un homme prudent, et qui craignait la Bastille, ou simplement les ennuis, encore plus qu'il n'aimait ses idées. Les libraires ne tenaient qu'à une chose, qui était de faire fortune. Les collaborateurs de Diderot le lui firent bien voir en l'abandonnant, comme d'Alembert, en cessant de collaborer, comme Voltaire, en remaniant sans le dire, comme le firent les libraires, les articles jugés dangereux. Diderot tient bon, lutte, proteste. Mais il est, lui aussi, obligé à toutes sortes de précautions et de politesses. Pour qui la feuillette négligemment, l'*Encyclopédie* est un dictionnaire parfaitement orthodoxe. Les rédacteurs des articles sur la religion sont, d'ailleurs, avec l'abbé Morellet, qui est un « frère » philosophe, les abbés Yvon et Mallet, qui ne sont pas du tout parmi les frères. Mais que ce soit Yvon, Mallet, Morellet ou Diderot qui rédige, les encyclopédistes s'en tiennent, sur les grands sujets, au dogme ou même à la tradition. L'article *Christianisme*, qui est de Diderot, semble l'ouvrage d'un excellent chrétien. L'article *Damnation* s'en remet docilement aux décisions de l'Église. Et s'il s'agit de confronter les Canons et la raison, l'*Encyclopédie* atteste « que le jugement de l'Église doit toujours aller avant le nôtre, et que la révélation doit toujours l'emporter sur toutes les résistances de notre raison ». « Lâches complaisances », disait Voltaire, mais fort utiles : les censeurs, la Sorbonne et le parlement commencèrent par s'y laisser prendre.

Mais là où Diderot et d'Alembert ne pouvaient employer la force des affirmations, ils glissèrent la ruse des insinuations. Derrière le paravent des grands articles, ils risquèrent subtilement des allusions insolentes. La tactique était calculée. D'Alembert a fait la théorie des « demi-attaques », de « cette espèce de guerre sourde » nécessaire dans « les vastes contrées où l'erreur domine » et qui est à la fois moins dangereuse pour la « tranquillité particulière », et « plus propre peut-être à la propagation de la vérité ». Diderot, qui tremblait un peu moins que lui pour sa tranquillité particulière, fut contraint pourtant d'employer la même stratégie. Exposons, disait-il, les « préjugés » respectueusement; mais renvoyons en même temps aux articles « où des principes solides servent de base aux vérités opposées » et renversent « l'édifice de fange ». De toutes ces réflexions, glissées comme au hasard là où l'on ne cherche pas de philosophie, nous ferons une philosophie. C'est à l'article *Agnus scythicus* que nous discuterons de la valeur du principe d'autorité; à l'article *Aius Locutius*, de la liberté de pensée; à l'article *Junon*, de la légende de la Vierge. Nous louerons les Cordeliers à l'article *Cordeliers*, mais nous renverrons à l'article *Capuchon*, où l'on s'en gausse. En traduisant l'article *Aigle* de Chambers, nous y ajouterons des réflexions sur la religion. Ces artifices sont d'ailleurs un peu simplistes. Les censeurs théologiens iront chercher les renvois aussi bien que les lecteurs moyens. Ces lecteurs moyens ne liront pas sans doute les articles *Aius locutius* ou *Agnus scythicus*. Mais l'*Encyclopédie* usait, dans des articles plus importants, d'une arme redoutable. L'article *Canon* (livres canoniques), l'article *Bible*, par exemple, sont orthodoxes et se soumettent humblement à l'autorité de l'Église. Mais ils révèlent au lecteur qui n'est pas théologien tous les problèmes que se posaient les théologiens et qui montraient de toute évidence qu'il avait fallu discuter difficilement sur l'authenticité des livres saints, que ces livres n'étaient pas clairs. L'*Encyclopédie* rendait plus difficile la « foi du charbonnier ». Enfin, l'*Encyclopédie* sera ferme et précise, toutes les fois qu'elle le pourra sans trop de risques. Elle convient sans doute que l'athéisme de Spinoza doit être « puni par le magistrat »; mais l'article *Gomariste*, rédigé par Morellet, expose, malgré l'opposition du censeur Tamponnet, les principes de la tolérance civile. Soutenu par l'opinion, Diderot résiste au censeur Tamponnet et aux autres. Il proclama hautement, dans l'avertissement du tome VIII, que son dessein était de lutter contre l'intolérance, « esprit de vertige si contraire au repos des sociétés », et qui est « d'une injustice abominable aux yeux de Dieu et des hommes ».

En matière politique, l'*Encyclopédie* reste prudente et mesurée, parce que ni Diderot, ni d'Alembert ne sont des révolutionnaires, ni même des démocrates. Ils croient, comme presque tous leurs contemporains, qu'une république n'est possible que dans un petit État. Ils n'aiment ni la « populace », ni les brutalités d'un « peuple grossier ». Le peuple n'a droit qu'à l'égalité civile. Mais ils affirment, surtout à partir de 1765, qu'il y a des abus et qu'il convient d'en parler « avec respect », en fidèles sujets du roi. Les privilèges sont légitimes, mais ils ont été injustement multipliés; il faut les reviser. Les corvées sont trop dures, la milice mal organisée; la taille, les gabelles, les fêtes chômées jettent le peuple dans la misère. Les jurandes et maîtrises ruinent le commerce et l'industrie. La justice et les châtiments sont durs, injustes, barbares. Surtout il faut assurer la liberté civile et la liberté de pensée, dont la ruine « renverse avec elle tout ordre et toute police, confond la vice et la vertu ».

Au total, toutes ces audaces n'avaient rien de bien audacieux. Il y en avait de plus hardies dans beaucoup de livres qui circulaient à peu près librement. Mais l'*Encyclopédie* avait un Privilège. Même lorsque le Privilège lui fut retiré, elle s'imprimait en France. Personne n'ignorait qu'il y fallait le consentement tacite du gouvernement. Surtout les notes, renvois et autres artifices de Diderot importaient moins que l'esprit qui animait l'œuvre entière. Même respectueuse de la première ligne à la dernière, l'*Encyclopédie* menaçait certaines traditions. Elle affirmait que l'avenir de l'esprit humain n'était pas dans l'humilité de l'obéissance, mais dans le désir de savoir, dans la volonté de réfléchir et de discuter. Son influence fut considérable. Tout le monde ne lut pas les *Mœurs* de Toussaint, ni les *Pensées philosophiques*, mais tout le monde lut l'*Encyclopédie* ou en entendit parler. Malgré leur prix élevé, les exemplaires pénétrèrent un peu partout. Il y eut quatre mille trois cents souscripteurs, qui étaient pour la plupart des abbés, des magistrats, des intendants, des fonctionnaires. Dans les catalogues de cinq cents bibliothèques du

D'ALEMBERT. Portrait par Quentin de La Tour.
CL. GIRAUDON.

XVIIIe siècle, nous avons rencontré quatre-vingt-deux fois l'*Encyclopédie*. Louis XVI l'achète. On en lit à haute voix des articles, le soir, chez M. de La Lorée, petit gentilhomme angevin, qui est pieux, entre deux lectures du *Mercure* et de la *Gazette*. Il en paraît sept éditions, éditions refondues ou contrefaçons, à Genève, Lucques, Livourne, Lausanne, Yverdun et Paris. Elle est devenue, comme le disait Bachaumont, « la base de toutes les bibliothèques ». Et elle a contribué, comme le disait Diderot, à « changer la façon commune de penser ».

LES PRINCIPAUX ENCYCLOPÉDISTES

Il faut d'abord nommer ceux que l'on peut appeler les précurseurs des encyclopédistes, par exemple le marquis d'Argens (1704-1771), dont les Lettres juives *(1732), les* Mémoires secrets de la République des lettres *(1744) ont été très lus ; ou Boyreau Deslandes* (De la certitude des connaissances humaines, *1741).*

*L'abbé de Condillac (1714-1780) mena une existence studieuse et simple. Il fut très lié avec les principaux philosophes, Rousseau, Helvétius, Morellet. De 1758 à 1767 il fut précepteur de l'infant de Parme. Ses principaux ouvrages sont l'*Essai sur l'origine des connaissances humaines *(1746), le* Traité des systèmes *(1749) et le* Traité des sensations *(1754). Sans être le moins du monde un matérialiste, il y développe et précise la psychologie de Locke en s'efforçant de montrer comment il n'y a pas d'idées innées et comment nos facultés se forment, dès la première enfance, par le jeu des sensations et par l'expérience. Le* Traité des animaux *(1755) est surtout un écrit de polémique dirigé contre Buffon.*

Helvétius (1715-1771), très riche fermier général, fut un des protecteurs des encyclopédistes. Il publia, en 1758, le livre De l'esprit, *qui fut condamné et brûlé. L'ouvrage, dont les intentions matérialistes sont transparentes, s'efforce de prouver qu'à la naissance l'esprit est une table rase, et que tout s'y forme fatalement par les influences qu'on subit. Après sa mort, en 1772, on publia son livre* De l'homme, *qui n'est guère qu'une amplification de l'*Esprit, *et un poème sur le* Bonheur, *composé entre 1740 et 1750.*

D'Holbach (1723-1789), né dans le duché de Bade, vint de bonne heure à Paris. Il était, comme Helvétius, très riche et fut le « maître d'hôtel » de la philosophie. Ses principaux ouvrages, auxquels collabora plus ou moins Diderot, sont : le Christianisme dévoilé *(1761) et le* Système de la nature *(1770), dont il publia un abrégé clair et commode sous ce titre : le* Vrai Sens du Système de la nature *(1774). Ses idées politiques sont développées surtout dans la* Politique naturelle *(1773) et dans le* Système social *(1773).*

D'Alembert (1717-1783), fils naturel de Mme de Tencin, n'a publié, en dehors du Discours préliminaire *de l'*Encyclopédie *et de ses écrits scientifiques, que des opuscules ou des œuvres d'importance secondaire. Il a joué un rôle considérable par la réputation qu'il s'était acquise dans l'Europe* *entière, par son assiduité dans les salons, par son activité à l'Académie, où il succéda à Duclos comme secrétaire perpétuel en 1772.*

L'abbé Morellet (1727-1819) a servi surtout la cause de la philosophie par de courts ouvrages polémiques, élégants et spirituels : Petit Écrit sur une matière intéressante : la Tolérance *(1756);* les Manuels des Inquisiteurs *(1762). Ses intéressants* Mémoires *ont été publiés en 1822.*

L'abbé Raynal (1713-1796) publia d'abord des ouvrages d'histoire, puis une vaste Histoire philosophique et politique des établissements et du commerce des Européens dans les deux Indes, *où il fut aidé d'ailleurs plus ou moins par d'Holbach, Diderot et quelques autres (1770). Il procura de cet ouvrage deux autres éditions (1774-1780), considérablement augmentées : ce qu'il y ajouta, ce fut surtout des déclamations sur la religion, l'Inquisition, le despotisme, qui sont pour une part de Diderot. Le livre fut condamné en 1781.*

*L'abbé Coyer (1707-1782) a publié, outre des ouvrages plus graves, des brochures satiriques (*Bagatelles morales, *1755;* Chinki, histoire cochinchinoise, *1768) où il attaque, non sans esprit et souvent avec hardiesse, les abus de son temps, les privilèges nobiliaires, ceux des corporations, la lourdeur des impôts, etc.*

Parmi les ouvrages philosophiques où il n'y a point de talent, mais qui ont exercé une influence certaine, il faut citer surtout Boulanger (1722-1759), l'Antiquité dévoilée *(1766). C'est un ouvrage posthume, plus ou moins refait par d'Holbach et Diderot, où l'auteur s'efforce de prouver que les religions sont nées de la terreur des calamités naturelles, terreur exploitée par les prêtres alliés aux tyrans ; Delisle de Sales,* la Philosophie de la nature *(1770, 7e édition en l'an XII); Guillard de Beaurieu,* l'Élève de la nature *(1763; une dizaine d'éditions au XVIIIe siècle) ; ces deux ouvrages très lus, où se marque l'influence à la fois de Voltaire et de Rousseau, s'efforcent de fonder une morale laïque sur un déisme humanitaire. Les ouvrages de Morelly,* le Naufrage des Iles flottantes *(1753) et le* Code de la nature *(1755) ont été assez peu lus, mais ils sont curieux par la hardiesse de leurs idées politiques, qui préconisent déjà le communisme. Même remarque pour les œuvres de Sylvain Maréchal (1750-1803) qui publie, avec des poèmes plus ou moins érotiques, des ouvrages délibérément athées, le* Livre échappé au déluge *(1784),* Fragments d'un poème moral sur Dieu *ou le nouveau Lucrèce (1781).*

Voir : Baguenault de Puchesse, Condillac *(1910); A. Keim,* Helvétius *(1907); Damiron,* Étude sur la philosophie du baron d'Holbach *(1851); P. Hubert,* D'Holbach et ses amis *(1928); Joseph Bertrand,* D'Alembert *(1899); M. Muller,* Essai sur la philosophie de Jean d'Alembert *(1926); A. Mazure,* les Idées de l'abbé Morellet *(1910); Feugère,* l'Abbé Raynal *(1922); G. Chinard,* l'Amérique et le rêve exotique dans la littérature française aux XVIIe et XVIIIe siècles *(1913).*

LES SYSTÈMES RATIONNELS

Voltaire, Diderot, Rousseau ont des idées et des doctrines philosophiques. Ils n'ont pourtant pas construit de système, en ce sens qu'ils n'ont pas mis exactement en ordre leurs idées pour donner une explication complète de l'homme et du monde; ils n'ont écrit chacun que des chapitres d'un système. D'autres, qui avaient moins de talent, ou qui n'en avaient pas, ont eu plus de confiance en eux-mêmes. Ils ont rédigé des systèmes méthodiques. Ils se proposent de découvrir des vérités élémentaires, évidentes, ou qu'ils croient telles, et d'en déduire par des conséquences nécessaires toute la série des vérités. Ils

ont tous subi d'abord, profondément, l'influence de Condillac.

Condillac était, comme il l'avouait, un disciple de Locke. Mais il précisait la méthode de son maître. C'est à lui, après 1750 et surtout après 1760, que les Helvétius et les d'Holbach font confiance, plutôt qu'à Locke. Sa philosophie, comme il le dit, « réduit à un seul principe tout ce qui concerne l'entendement humain »; elle affirme qu'on peut « raisonner en métaphysique et en morale avec autant d'exactitude qu'en géométrie ». Comme les géomètres constituent la mécanique avec la masse et la vitesse, il suffira au philosophe de supposer un être humain privé de sens, puis de faire intervenir la sensation; par l'action des sensations, qui agissent les unes après les autres, il montrera comment se forment l'attention, la mémoire, l'imagination, la réflexion, le langage, etc. Avec ces éléments nouveaux il pourra expliquer ensuite tout ce qui est non plus individuel mais social, les coutumes, les lois, les gouvernements, etc. Il s'élèvera même, car Condillac n'est pas un matérialiste, à l'idée de Dieu et de l'immortalité de l'âme. Ces déductions, ou, si l'on veut, ces recompositions du réel, exposées dans un langage qui avait lui-même la sécheresse élégante d'un traité de mécanique, conquirent très vite les contemporains. Le *Journal de Trévoux* lui-même, journal pieux, acceptait la méthode et ses conclusions. Elles s'insinuèrent assez vite jusque dans l'enseignement officiel de la philosophie, même dans les collèges des jésuites.

Helvétius ne s'occupe pas de métaphysique. L'origine de la sensibilité, la formation élémentaire des facultés, Dieu, l'âme, etc., sont des problèmes qu'il ne veut pas discuter. Il prend l'homme tel qu'il est (ou qu'il prétend qu'il est) et cherche l'origine des relations sociales, les erreurs qui s'y sont glissées, les règles qui doivent les organiser. Ou plutôt, il n'y a pas des règles; il y a une seule règle, la sensibilité physique, le plaisir et la douleur. Règle claire, manifeste, puissante. Dans l'ordre moral, le plaisir et la douleur c'est l'intérêt. Les hommes ont toujours été conduits par le plaisir, la douleur, l'intérêt. Tout l'ordre social repose sur le parti qu'on sait tirer de l'égoïsme. C'est une affaire d'éducation et de législation. Car tous les esprits, à la naissance des individus, sont identiques. De tous, si l'on sait s'y prendre, on peut faire des esprits utiles et dévoués, en leur montrant que l'intérêt personnel est lié à l'intérêt général, en les obligeant, par les mœurs et par les lois, à ne pas séparer l'un de l'autre. Le bonheur social ne dépend donc que de l'éducateur et du législateur. Il peut se calculer, si l'on prend comme point de départ l'esprit et l'intérêt, comme le géomètre se donne la masse et la vitesse. Il suffit, pour régler le monde, de partir de ces principes justes et d'en raisonner exactement.

D'Holbach n'était pas exactement d'accord avec Helvétius. Il n'acceptait pas toujours ses principes comme vrais, ni ses raisonnements comme exacts. Mais il acceptait sa méthode. Pour comprendre l'homme et le guider, trouvons des vérités premières et déduisons. L'expérience nous montre qu'il existe une matière. Cette matière se meut. L'explication la plus simple est que le mouvement lui est essentiel. On passe, par transitions insensibles, de la matière en apparence inanimée à la matière vivante et sensible. La sensibilité est donc une autre propriété de la matière. Avec la matière et la sensibilité nous reconstruirons l'homme physique et moral, toutes les facultés intellectuelles « dérivées de la faculté de sentir », tous les « principes naturels de la sociabilité, de la morale et de la politique », qui découlent de « l'intérêt bien entendu », du parti que l'on sait tirer des passions, toutes « légitimes et naturelles » et qu'il suffit de savoir diriger. En tout cela, le surnaturel n'a que faire, ni même le spirituel. Les religions sont inutiles et fausses; et Dieu n'est pas plus nécessaire

CONDILLAC. Gravure de Volpato, d'après Baldrighi. — CL. LAROUSSE.   HELVÉTIUS. Gravure d'A. de Saint-Aubin, d'après Michel Van Loo. — CL. LAROUSSE.   D'HOLBACH, d'après un dessin de Carmontelle. — CL. LEMARE.

à la bonne marche des sociétés qu'à celle du pendule et de la gravitation.

De nombreux philosophes, notoires ou obscurs, ont construit, comme Helvétius et d'Holbach, leurs systèmes de la gravitation morale ou sociale. *Morale naturelle*, ou *Politique naturelle*, c'étaient des titres de d'Holbach. Et c'étaient les titres de traités, d'opuscules, de pamphlets sans nombre. Il s'agit de retrouver la nature élémentaire et sa règle. Mais, sous ces titres et ces appels à la nature, il y a surtout du raisonnement et de la géométrie. Des choses diverses s'y mêlent assez souvent, qui viennent de Rousseau ou d'ailleurs, de la « sensibilité », de l' « humanité », du pathétique et, par surcroît, des gravelures. Mais sans cesse transparaît le dessein d'organiser l'explication de l'homme et de la vie sociale comme celle des théorèmes mécaniques. Retrouvons l' « homme naturel » chez les sauvages, voire même dans nos forêts (on s'émut beaucoup, vers 1755, d'une « fille sauvage » trouvée dans les bois); plus sûrement reconstituons-le par l'hypothèse, ou par l'hypothèse d'une expérience. Enfermons — supposons que nous enfermons — un enfant dans une île déserte, ou bien au fond des bois, dans une cage. Nous découvrirons en lui des instincts élémentaires et simples. En partant de ces seules données, nous construirons un système psychologique et social qui sera clair, et certain parce qu'il sera clair. C'était déjà, avant Helvétius et d'Holbach, la méthode, qui fit scandale, de La Mettrie. L'*homme-machine* était expliqué, comme l'abbé Nollet expliquait ses leviers et ses presses hydrauliques. Guillard de Beaurieu et Delisle de Sales renient les impiétés et insolences de La Mettrie et du matérialisme. Ils ont appris de Rousseau que la nature nous enseigne, avec l'égoïsme, le dévouement, et qu'elle nous « élève vers son auteur ». Mais l'un comme l'autre déduisent, en nous menant des sensations aux sentiments et aux idées, de la vie sauvage à la vie sociale, de l'animalité à la moralité. Même quand ils s'émeuvent et s'échauffent, ce sont bien des rationalistes et des « systématateurs ».

LA PHILOSOPHIE EXPÉRIMENTALE

Pourtant ils sont autre chose encore. Et il serait étonnant qu'ils n'eussent été, comme Taine et d'autres l'ont affirmé, que des rationalistes. Ils écrivaient au moment où les sciences expérimentales triomphaient, et triomphaient justement de l'esprit de système. Ils les connaissaient, ces sciences, et même presque tous les pratiquaient. La Mettrie est médecin; d'Holbach, chimiste; Diderot

étudie la physiologie; Rousseau, la chimie. Leurs maîtres, Locke et Condillac, sont autre chose que des raisonneurs. La philosophie de Descartes s'était bâtie, pour une part, sur des idées innées, qu'il n'y a donc pas à expliquer. Locke ou Condillac veulent au contraire nous montrer, expérimentalement, comment se forment ces idées prétendues innées, observer quels sont les éléments qui engendrent ces idées prétendues simples. Le philosophe Höffding a pu dire de la philosophie de Condillac qu'elle est « l'essai le plus péremptoire qui ait été tenté pour faire tout dériver de l'expérience ». Sans doute, c'est par l'observation intérieure, celle qui échappe au contrôle scientifique et risque sans cesse de se confondre avec l'idée préconçue et la chimère. C'était pourtant une méthode légitime et nécessaire. Condillac y ajoute même tous les faits d'expérience qu'on pouvait connaître de son temps, les observations sur l'aveugle-né de Cheselden, sur les localisations de la douleur, sur les relations de l'imagination et de la sensibilité physique, sur les phénomènes de l'acoustique, etc. Il y ajoute enfin la défiance des « systèmes abstraits » et des constructions arbitraires de la raison. Et c'est lui qui a écrit un *Traité des systèmes*, qui est un traité contre les systèmes.

Nul doute qu'Helvétius ou d'Holbach n'en aient approuvé les conclusions. Rien ne dure, écrit Helvétius, que ce qui porte « sur la base inébranlable des faits et de l'expérience ». Il faut traiter la morale « comme toutes les autres sciences et faire une morale comme une physique expérimentale ». « C'est donc à la physique et à l'expérience, écrit d'Holbach, que l'homme doit recourir dans toutes ses recherches », en renonçant aux « systèmes enfantés par l'imagination ».

Sans doute les faits qu'ils relatent sont discutables et leur expérience est un peu courte; à leur insu, l'imagination a été trop souvent leur maîtresse d'erreur. Mais la science de l'homme et des sociétés était nouvelle, les faits épars et mal établis. Ils allèguent des histoires de sauvages que nous pouvons aujourd'hui trouver ridicules ou saugrenues, mais auxquelles tout le monde croyait, Montesquieu comme Buffon, et qui étaient contées par des voyageurs sérieux et de respectables missionnaires; les mœurs des Caraïbes, des Mariannais, Chériguanes, Giagues et autres enfants de la nature viennent du P. Labat, du P. Jobien, des *Lettres édifiantes*, du P. Cavassy et du P. Pons. Helvétius, par surcroît, utilise Buffon, recueille des faits de psychologie morbide, les cas des sourds-muets, les expériences des chimistes anglais et ses observations personnelles, qui sont judicieuses, sur l'éducation, les actions et réactions sociales, etc.; d'Holbach, outre les sauvages, allègue les expériences du médecin La Peyronie, les observations anatomiques de Bartolin, de Willis, et maintes autres expériences ou observations.

Au total, aidés bien entendu par Voltaire, par Rousseau et surtout par Diderot, ils ont dégagé tout au moins une grande vérité d'expérience, dont on discutera les raisons, les conséquences et les limites, mais qui s'insinuera bientôt dans toute science de la vie humaine : c'est que notre vie physique et notre vie morale sont liées étroitement et que c'est souvent notre vie physique qui peut expliquer et qui dirige notre vie morale. On avait reconnu et analysé ces « rapports du physique et du moral » et cette « théorie des climats » bien avant les temps d'Helvétius et de d'Holbach. Sans remonter jusqu'à Hippocrate ou à maintes remarques plus ou moins rapides des philosophes et voyageurs du xviie siècle, Locke les avait précédés. Vauvenargues n'ignorait pas qu' « un peu de café après le repas fait qu'on s'estime », que les maladies « suspendent nos vertus et nos vices ». Montesquieu avait repris et organisé la doctrine des climats. Malgré tout, pour les moralistes ou les romanciers ou les philosophes même et les politiques, il semble trop souvent, avant 1750, que l'homme n'ait qu'un corps glorieux dont il est le maître, comme Auguste est le maître de l'univers. Les encyclopédistes, au contraire, ont cru, selon l'expression de Rousseau, qu'il y avait un « matérialisme du sage », que notre corps risque de devenir un tyran, si on ne sait en faire un allié; que l'âme existe, quelle que soit sa nature profonde, avec son « ressort », mais qu'il y a aussi le ressort des instincts et des passions physiques; bref, que « pour bien écrire de l'âme, il faudrait être médecin ». D'Holbach et Helvétius pensaient que « la médecine fournirait à la morale la clef du cœur humain ». Les physiocrates estiment que la nature morale de l'homme est déterminée par sa nature physique. Tous ensemble, Delisle de Sales et Restif de La Bretonne, Morelly, Condorcet, qu'ils soient des matérialistes ou des disciples du Vicaire Savoyard, des économistes ou des romanciers, croient qu'il y a, du moins, une règle nécessaire au psychologue, à l'éducateur, à l'homme d'État : c'est qu'il faut faire de l'homme une bête bien portante et matériellement heureuse, si l'on veut qu'il soit laborieux, sensé, juste, pitoyable.

LES CONSÉQUENCES DE LA PHILOSOPHIE

LA PHILOSOPHIE ET LA RELIGION. — C'était là une conséquence importante. Mais les philosophes avaient d'autres ambitions encore. Ils prétendaient d'abord « terrasser le fanatisme ». Ils poursuivaient la même tâche que Voltaire. Ni la raison ni l'expérience n'étaient d'accord, disaient-ils, avec la théologie. Les théologiens s'en étaient tirés « en humiliant la raison » devant l'autorité de la révélation. Quand ils ne l'humiliaient pas, ils la défiguraient dans les vaines chicanes de la scolastique. Les philosophes ne

LA MORT DE SOCRATE. Gravure illustrant « la Philosophie de la nature » de Delisle de Sales, ouvrage pour lequel il fut emprisonné. Elle porte comme légende : « Crois-tu que j'aurais quelque courage si Dieu ne me regardait pas ? » On voit que cette philosophie, comme celle de bien d'autres « philosophes », était loin de se donner pour matérialiste. — CL. LAROUSSE.

voulaient ni de l'autorité ni de la scolastique. La révolte était préparée depuis longtemps. Elle se trahissait déjà dans les *Lettres persanes*, dans les *Lettres juives* de d'Argens, dans maints autres traités ou opuscules. Elle s'étalait ouvertement dans tous ces ouvrages manuscrits qui circulaient sous le manteau, se vendaient cher, mais se vendaient aisément. Elle cessa bientôt de se cacher. Après 1760, elle s'affirme avec insolence. Des « manufactures d'écrits impies » s'établissent à toutes les frontières : à Liège, à Bouillon, à Genève, en Hollande (chez Marc-Michel Rey), sans parler des imprimeries clandestines qui se dissimulent à Paris et en province. Voltaire est un de leurs fournisseurs. On édite, réédite, groupe les pamphlets et dissertations en *Recueils*, qu'on intitule « *nécessaires* » ou « *philosophiques* ». Mais c'est d'Holbach surtout et Naigeon qui les rédigent, les impriment, les répandent. Helvétius avait expliqué l' « esprit » et la société, sans se soucier de l'âme, de Dieu, de la révélation, en laissant entendre clairement qu'il ne fallait pas s'en soucier. Avec Morelly, Boulanger, d'Holbach et d'autres, dont on ne sait pas toujours les noms, il n'y a plus besoin de lire entre les lignes.

Toutes les religions, disent-ils, qui se prétendent révélées, sont des inventions des prêtres. Ils se sont servis de la crédulité humaine pour établir leur tyrannie. Sournoisement associés à des tyrans politiques, ils abusent de l'autorité pour maintenir les hommes dans l'ignorance et l'esclavage. Le christianisme est un tissu « d'absurdités, de fables décousues, de dogmes insensés, de cérémonies puériles, de notions empruntées des Chaldéens, des Égyptiens, des Phéniciens, des Grecs et des Romains ». Les dogmes, tels que l'éternité des peines de l'enfer, sont de cruelles sottises. La morale respire la haine de la vie et fait peser sur l'humanité un inutile cauchemar. Si l'on veut une religion, il suffit de cette « religion naturelle » qui propose la croyance à l'existence d'un Dieu, à une âme spirituelle, à la liberté. Mais cette religion naturelle elle-même n'est peut-être qu'une ombre vaine. Nous ne voyons rien, nous n'observons rien que des corps matériels. De l'âme, nous n'atteignons, en dernière analyse, que des sensations, c'est-à-dire des modifications de la matière : ce n'est qu'un mot, comme Dieu. Il n'y a rien en ce monde que les combinaisons infinies de la matière. Ainsi se trouve organisée, contre toute religion, une philosophie nettement matérialiste, qui est celle de La Mettrie, de d'Holbach et de Diderot.

LA PHILOSOPHIE ET LA MORALE. — Elle aurait dû évidemment aboutir à la négation de la morale. C'en est, si l'on veut, la conclusion logique ou philosophique. On ne parle pas de morale à la matière inanimée; pourquoi en parler à la matière qui vit selon des lois aussi nécessaires que celles de la pesanteur ? Pourtant, tous nos philosophes, ou presque tous, ont défendu la morale avec autant d'ardeur qu'ils attaquaient la religion. Ils ont achevé d'organiser cette morale indépendante ou laïque qui s'ébauche dès la fin du xviie siècle et se précise dès la première moitié du xviiie.

Sans doute ce n'est pas une morale du renoncement et de l'ascétisme. C'est une « morale du bonheur ». « Système de la nature, Philosophie de la nature », cela signifie que notre nature est bonne et que tout ce qu'elle conseille est légitime quand on ne la déforme pas. Sur ce point, Helvétius, d'Holbach et les autres qui n'aiment pas Rousseau s'accordent avec lui. La nature veut que nous cherchions notre plaisir. Elle nous a donné des besoins et des passions pour les satisfaire et les exercer. Au lieu d'être « sévères, tristes, durs, nous serons doux, gais, complaisants ». Dieu, s'il existe, est aimable :

> Jouir, c'est l'honorer; jouissons, il l'ordonne.

Cette morale nous conduit tout droit, si on la laisse faire, à l'égoïsme et à la débauche. « Faites tout ce qui vous plaît », c'est le conseil de La Mettrie. « Jouissez sans crainte, soyez heureux », c'est le conseil d'Holbach. Ils peuvent sembler dangereux. Mais on ne laissera pas faire cette morale jusqu'au bout. L'observation et l'expérience nous prouvent que l'égoïsme mal compris et le plaisir sans frein peuvent se retourner contre nous et qu'ils mènent à la satiété, à la maladie, à la guerre. Par surcroît, notre intérêt personnel est lié à l'intérêt commun. Les égoïsmes intransigeants se heurtent et s'opposent. Il faut donc apprendre aux hommes que le meilleur moyen de songer à soi, c'est encore de songer aux autres; et il faut les y obliger s'ils ne le comprennent pas de plein gré. La morale est donc affaire d'éducation et de gouvernement. Elle n'a pas besoin de principes métaphysiques; elle est expérimentale; elle est la traduction raisonnée d'une expérience sociale. De cette expérience on tire parti comme de toutes les autres. On en enseigne et, dans la mesure où on le peut, on en démontre les résultats à ceux qui vont entrer dans la société, aux enfants. On l'organise sous forme de lois. C'est dire que tout le système philosophique de Morelly, d'Helvétius, de d'Holbach, de Delisle de Sales, etc., aboutit nécessairement à un système de pédagogie et de politique. *Système social, Essai sur l'esprit humain, Morale universelle, l'Esprit, l'Homme*, tous ces livres pourraient porter en sous-titre : *Essai sur l'éducation morale des esprits et le gouvernement des mœurs.* Toute cette philosophie matérialiste conduit à ce que d'Holbach appelait une *Éthocratie.* Le monde ne peut être gouverné que par une morale.

Ne disons pas que cette conclusion des philosophes était dans la logique de leur doctrine, ni qu'ils avaient compris les vrais moyens d'y parvenir. Mais disons du moins que, si l'on met peut-être La Mettrie à part, ils ont vécu d'accord avec leur doctrine morale. Helvétius, d'Holbach, Du Marsais, Naigeon, Boulanger n'ont été ni des débauchés ni des égoïstes. Ils ont vécu surtout pour le plaisir de penser et ils ont été bons maris, bons parents, bons amis. S'ils n'ont pas donné sur la science des mœurs les idées les plus claires et les plus saines, ils ont achevé du moins de persuader, après Montesquieu, qu'il y avait une science des mœurs. S'ils ont séparé l'idée du gouvernement civil et celle du gouvernement des âmes, ils ont voulu lier étroitement les bonnes législations et les bonnes mœurs.

FRONTISPICE de « la Philosophie de la nature » de Delisle de Sales. Légende : « Écoute la nature; elle ne ment jamais. » — CL. LAROUSSE.

LES ÉCRIVAINS POLITIQUES

Mably (1709-1785), frère de Condillac, d'abord secrétaire du cardinal de Tencin, renonce vers quarante ans à la politique et mène une existence modeste, vouée tout entière à l'étude. Il a publié de nombreux ouvrages, dont les principaux sont : Entretiens de Phocion sur le rapport de la morale avec la politique *(1763);* Observations sur l'histoire de France *(1765);* De la législation ou Principe des lois *(1776);* Du gouvernement de la Pologne *(1781);* Observations sur le gouvernement et les États-Unis d'Amérique *(1784).*

Turgot (1717-1781), prieur de Sorbonne, puis conseiller au parlement, intendant à Limoges (1761), contrôleur général en 1774, fut un grand administrateur et un homme de bien. Son rôle politique aurait pu être considérable. Il échoua dans ses réformes devant l'hostilité violente ou sournoise de tous ceux qui profitaient des abus. Il a publié des Réflexions sur la formation et la distribution des richesses *(1766) qui font de lui un disciple des physiocrates, et un grand nombre d'articles, lettres, traités, discours, opuscules.*

*Parmi les futurs révolutionnaires, signalons Brissot (1754-1793) qui publie, avec une activité fiévreuse et brouillonne, toutes sortes d'ouvrages où se mêlent la hardiesse et la prudence (*Recherches philosophiques sur le droit de propriété et sur le vol, *1780;* Théorie des lois criminelles, *1781). Ils eurent peu de retentissement. — L'avocat Linguet (1736-1794), polémiste fougueux, ennemi à la fois des philosophes et des préjugés, a soulevé bien des colères (*Annales politiques, civiles et littéraires du XVIIIe siècle, *1777-1792). Ses œuvres n'ont plus qu'un intérêt historique.*

Voir : D. Mornet, les Origines intellectuelles de la Révolution française, *1933;* R. Lafarge, l'Agriculture en Limousin au XVIIIe siècle et l'intendance de Turgot, *1904;* G. Schelle, Turgot, *1909.* M. Schelle, *a commencé à publier une édition des* Œuvres de Turgot, *t. I, 1913.*

LA POLITIQUE RATIONNELLE

Les écrivains qui s'occupent au XVIIIe siècle des réformes politiques sont presque tous des philosophes. Ils viennent à la politique ou prétendent y venir par la philosophie. C'est en étudiant l' « esprit », ou l' « homme », ou les mœurs qu'Helvétius ou d'Holbach, de conséquence en conséquence, déterminent les principes du gouvernement; ou bien si, comme Mably ou comme Condorcet, ils ne construisent pas de système complet sur la pensée et sur la vie, ils raisonnent en philosophes. Disons plus simplement qu'ils raisonnent. Trouver les principes du gouvernement, ce n'est pas étudier l'histoire, observer le jeu réel des institutions et des mœurs, calculer, comme l'avait fait Montesquieu, l'équilibre, sans cesse changeant selon les climats et les races, des lois, des mœurs, de l'esprit général; c'est découvrir quelques principes clairs, que l'on déclare certains, et en déduire les conclusions les plus logiques. Gouverner, c'est raisonner exactement sur des vérités premières. Pour les uns, pour ceux qui sont plus strictement des philosophes, comme Helvétius et d'Holbach, ces principes nous sont donnés par l'analyse de l'esprit humain. On part des formes simples de la pensée pour aboutir aux formes simples de la vie sociale; c'est de la psychologie qu'on s'élève à la sociologie. Pour les autres, à défaut d'idées simples sur la sensation, la passion, l'intérêt, on cherche à l'origine des sociétés des « certitudes élémentaires », vérités éternelles qui ne dépendront ni du temps ni des lieux, qui sont « inhérentes à la nature humaine », qui sont la « raison naturelle » et la « raison universelle ». C'est de ces raisons-là que parlaient déjà, dans la première moitié du siècle, Locke et ses disciples français. On y croit, dans la deuxième moitié, plus fermement que jamais. C'est sur elles que Condorcet appuie l'égalité des hommes et la souveraineté nationale. C'est à elles que Mably fait sans cesse appel. Comme elles sont de tous les temps et de tous les lieux, on en converse « avec Cicéron à Tusculum », comme on cherche « l'approbation de Platon ». On discute de l'Amérique comme de Sparte ou de Salente. On publie un *Code de l'humanité ou Législation universelle, naturelle, civile et politique*, en treize volumes in-4°. Nul n'a ce sens de l'histoire que Montesquieu lui-même n'avait pas eu. On juge un baron du moyen âge comme un maître de camp de Louis XIV et l'on mesure un croisé ou saint François d'Assise à l'aune d'un janséniste et d'un « convulsionnaire ». Il n'y a exactement qu'une histoire, qui est celle des « progrès de la raison ».

On ne confond pas, d'ailleurs, raison et civilisation. Les sociétés modernes sont même des sociétés déraisonnables, corrompues, ou, pour le moins, complexes et qui nous renseignent difficilement sur l' « ordre naturel » et sur les « principes fondamentaux » des sociétés. Il faut donc se dégager des sociétés modernes et retrouver les formes élémentaires des sociétés primitives. On partira

de l' « état de nature », de la « société selon la nature ». On parlait de cet état de nature avant Rousseau, et dès le XVIIe siècle. La vie simple et heureuse des bons sauvages est un thème presque banal dès le début du XVIIIe siècle. Lorsque Jean-Jacques eut donné à l'état de nature le prestige de son éloquence, on mit sous les mêmes mots des idées qui n'étaient pas toujours d'accord et qui étaient souvent contradictoires. Ceux qui célébreront l'état de nature, c'est-à-dire à peu près tout le monde, ne se feront pas tous de cette nature la même idée. Mais tous s'entendent sur un point, qui est la méthode. On cherche des formes simples de société partout où on croit les trouver : à Sparte ou dans la Rome primitive; chez les Montagnons ou Valaisans de la Suisse, les Colons du Cap, les Acadiens, les Hollandais de l'île de Saba; en France même, au besoin, dans l'île d'Ouessant ou dans quelque coin de l'Auvergne. On s'informe des Caraïbes et des Algonquins, de Taïti et de la Floride. Morelly, Mably, Raynal, Brissot, Linguet, Delisle de Sales font de ces voyages philosophiques vers des peuples simples. Ils y vont chercher ce qui leur est indispensable, la « loi de nature », les « principes naturels », les éléments d'un raisonnement qui conduise du simple au composé, de la hutte d'un sauvage au palais des rois.

LA POLITIQUE EXPÉRIMENTALE

C'est bien là de la politique rationnelle et c'est l'illusion, dénoncée par Taine, que la vie sociale, en réalité toute pleine de forces aveugles, peut obéir à des déductions. Mais ce n'est aussi qu'un des aspects de cette philosophie politique. Elle a méconnu souvent l'histoire, parce qu'il n'y avait guère d'histoire sociale vers 1760 ou même vers 1789. Elle n'a pas fait usage d'enquêtes et de statistiques, parce qu'il n'y avait ni statistiques ni enquêtes, ni moyens d'en établir. Mais elle a eu le goût de l'observation comme celui du raisonnement et les scrupules de la pratique tout autant que l'enthousiasme de la théorie.

Tout d'abord, si Diderot, d'Holbach, Raynal sont des gens de cabinet, les autres savent ce que sont les affaires et les réalités politiques ou économiques. Helvétius est fermier général et s'occupe de l'exploitation de son domaine de Voré; Mably est secrétaire du cardinal de Tencin, rédige tous ses avis, prépare le traité secret avec la Prusse et les négociations de Bréda. Turgot est intendant de Limoges. Les physiocrates sont des laboureurs, des secrétaires d'intendant, des intendants. A leur expérience ils ajoutent, plus qu'on ne l'a dit, l'expérience de l'histoire. Mably fait appel à celle de Rome, de l'Angleterre, de l'Espagne, de Florence. Leurs sauvages nous semblent, à bon droit, des sauvages d'opéra-comique; mais ce n'est pas leur faute si les voyageurs les ont trompés comme ils trompaient les philosophes. Du moins vont-ils aux sources et lisent-ils avec soin. Mably s'informe de ce

LE BON SAUVAGE.

LE MAUVAIS CIVILISÉ.

Illustrations de Moreau le Jeune pour l'édition in-4° (1780-1781) de l '«Histoire philosophique» de l'abbé Raynal. — CL. LAROUSSE.

qui se passe sur les bords de l'Ohio ou chez les quakers Dunkars; il ne l'invente pas. Ils ont pour autorités, eux aussi, toute sorte de Pères ou de voyageurs sérieux. C'est Bougainville, par exemple, qui admire la vie selon la nature et l'ignorance de la propriété à Taïti ou dans la Terre de Feu. En même temps qu'ils s'informent, ils se défient. Comme les savants ou les philosophes, ils savent les dangers des systèmes. Rousseau et Diderot les dénoncent; Mably, moins nettement, en convient à l'occasion. D'Holbach écrit deux « Discours » pour démontrer que nulle forme de gouvernement ne convient à tous les peuples, nulle législation à tous les hommes et qu'il faut distinguer les temps et les lieux. Condorcet demande constamment qu'on observe, qu'on expérimente, qu'on sache ignorer, qu'on ne plie pas, comme Montesquieu, la vérité à son système. On trouverait les mêmes réserves chez Turgot. Aux Jeux floraux, le concours de 1762 a pour sujet : « Quels sont les dangers de l'esprit de système dans le gouvernement des États? »

MABLY. Gravure de Vinsac, d'après Pujos. — CL. LAROUSSE.

TURGOT. Peinture de Ducreux (château de Lantheuil). — CL. LAROUSSE.

Surtout, les philosophes ont clairement distingué la théorie et la pratique, le principe et l'application. La théorie et les principes pouvaient les mener à la république ou même au communisme, au suffrage universel ou au gouvernement par le peuple, à la révolution. En fait, ni Rousseau, ni Diderot, ni bien entendu Voltaire, n'ont rien demandé de tout cela. Et les autres ont été moins audacieux encore, ou ne l'ont pas été beaucoup plus. Il est facile de détacher des ouvrages de d'Holbach, L. S. Mercier et quelques autres des formules qui semblent faire d'eux des socialistes avant la lettre. Mais ce ne sont que des formules théoriques que l'ensemble de l'œuvre corrige et même contredit expressément. Quelques-uns qui ne corrigent pas, comme Morelly dans son *Code de la nature*, sont considérés comme des rêveurs et sont très peu lus.

Nos philosophes ne demandent pas une république pour la France, mais une monarchie, pourvu qu'elle soit « légale ». Ils craignent (sauf peut-être Helvétius) la démocratie et ils détestent la « multitude ». D'Holbach croit l'inégalité et la richesse nécessaires, sépare le peuple et la populace, réprouve les révolutions. Condorcet, du moins jusqu'en 1789, distingue entre les citoyens actifs, qui votent, et les citoyens passifs, qui obéissent. Mably lui-même, le plus audacieux, rêve sans doute de supprimer la propriété foncière et d'organiser une « monarchie républicaine »; mais il craint la « multitude dégradée » et conclut que « la pure démocratie, gouvernement excellent avec de bonnes mœurs, serait détestable avec les nôtres ». Aucun d'eux n'a désiré ni même prévu la Révolution. « Les philosophes, dira Morellet, n'ont voulu ni faire tout ce qu'on a fait, ni l'exécuter par tous les moyens qu'on a pris, ni l'achever en aussi peu de temps qu'on a mis. » Il faudrait joindre aux « philosophes » à peu près tous ceux qui ont parlé de politique. Raynal a renié la Révolution, comme Morellet. Brissot l'a redoutée très vite et ne s'y est point reconnu. Tous ceux qui la traversent et qui semblaient l'avoir désirée, comme L.-S. Mercier et Restif de La Bretonne, l'ont reniée dès qu'elle devint violente. On compterait aisément les doctrines ou les pamphlets qui sont, avant 1789, démocratiques et révolutionnaires : ce n'est pas la vingtième partie de la littérature politique.

Tous les raisonnements de ces écrivains ne les ont conduits au total qu'à des revendications légitimes, à des propositions qu'on peut juger fausses, mais qui restaient mesurées. Ils n'ont lutté, en fait, que contre les abus qui ruinaient vraiment la France. Ils ont réclamé la sûreté des personnes et des biens, la liberté du livre et de la presse, la juste répartition des impôts, la réforme d'une justice boiteuse, partiale, ignorante et cruelle, les libertés du commerce et de l'industrie, tout ce qui a semblé plus tard les nécessités mêmes de nos sociétés modernes. Pour le reste, leurs systèmes pratiques, quand ils en ont, se réduisent à quelques idées simples et prudentes. Il faut définir les droits de l'homme; il faut même les déclarer. Il faut discuter et voter une Constitution qui assure l'exercice de ces droits et qui fasse de l'État le représentant de la nation, non d'un homme ou d'une caste. C'est la doctrine de Mably, celle de Condorcet, celle de la plupart des pamphlets qui se multiplient en 1788 et 1789, et c'est celle des Cahiers des États. C'est bien là, si l'on veut, un système. Il avait du moins pour excuse de n'être que la réplique d'un autre système, celui qui faisait du monarque le propriétaire de son peuple, et des privilégiés les propriétaires de leurs privilèges.

LES ÉCONOMISTES

Les doctrines économiques furent organisées par Gournay (1712-1759) et Quesnay, médecin de Louis XV (1694-1774). Les principaux ouvrages de Quesnay sont les articles Fermiers *et* Grains *dans l'Encyclopédie; le* Tableau économique *(1758); le* Droit naturel *(1765). Il eut bien vite des disciples enthousiastes et qui furent pendant quelque temps très influents : le marquis de Mirabeau (qui publie* la Philosophie rurale, *1763), Turgot, Mercier de La Rivière (qui publie* l'Ordre naturel et essentiel des sociétés politiques, *1767); Dupont de Nemours, qui a donné les résumés les plus clairs de la doctrine économique (*Origine et progrès d'une science nouvelle, *1768;* Abrégé des principes, *1773).*

Voir G. Weulersse, le Mouvement physiocratique en France de 1756 à 1770, *1910.*

Les écrivains auxquels on donna le nom d'économistes offrent les mêmes contrastes que les écrivains politiques. Ils ont fait de leurs idées un système et de ce système comme une religion, qui a son prophète, Quesnay, et sa loi, les ouvrages de Quesnay. Leur doctrine, c'est que tout ce que l'on a dit jusqu'alors sur la richesse d'une nation n'est qu'erreur ou incertitude. On a cru que la richesse, c'était l'argent, et que la cause et le signe de la prospérité, c'était le commerce. En réalité, il n'en est rien. Il n'y a de richesse que de la terre, il n'y a de prospérité que par l'accroissement de ses produits, d'ordre social que par la défense de la propriété foncière. La propriété foncière est le premier des droits naturels ou même le seul. C'est elle qui fonde l' « ordre essentiel des sociétés ». Les autres droits n'en sont que la conséquence : droit à la liberté, mais seulement à celle d'acheter et de vendre les produits de la terre, droit de sûreté des propriétés foncières. Tout cela ne suppose pas l'égalité, puisqu'un laboureur intelligent et laborieux s'enrichit plus vite qu'un laboureur sot ou paresseux, ni au gouvernement démocratique, inutile à la prospérité des campagnes. Pour assurer la liberté économique et la sécurité des biens, il n'y a même rien de plus désirable qu'un gouvernement fort. Le meilleur gouvernement, c'est un « despotisme légal », qui concentre toute l'autorité entre les mains d'un seul, mais la limite par des lois qui défendent les droits et les libertés de l'agriculture.

Ces formules ne sont autre chose que d'ingénieuses combinaisons de mots. La France est, à cette date, un État agricole. Les maux dont elle souffre le plus évidemment sont la misère des campagnes et la famine. Le plus grave problème, qui soulève partout des émeutes et ébranle le trône, c'est celui du pain cher. C'est bien d'une réalité immédiate et impérieuse que les physiocrates sont partis, et non pas d'une analyse de la raison. Dans le détail de leurs systèmes, chaque fois qu'ils passent des principes à l'application, les vues justes, les observations précises, les expériences abondent. L'exagération même de leurs formules a suscité très vite des discussions fécondes et servi la cause de leur science. Ils eurent tout de suite des adversaires. Les encyclopédistes, d'abord favorables, font bientôt des réserves, puis se moquent. Galiani, Grimm, Voltaire multiplient les pamphlets et les traits satiriques. Mais les économistes ont du moins convaincu tout le monde qu'il y a une science de la vie économique, et des méthodes pour régler la production et les échanges. Ces méthodes, ce sont Turgot surtout et Condorcet qui les précisent. Par eux, l'économie politique s'organise et ne se confond plus avec le droit constitutionnel, la morale, la science des mœurs. Elle dégage quelques idées directrices qui résisteront à la chute du système : produit net, prix moyen, loi de l'offre et de la demande. Elle fait comprendre et l'utilité des règlements et la force des « lois naturelles », plus puissantes que les règlements et les tyrannies. Sortie pour une part du cerveau d'un paysan idéologue, elle commence à dépasser l'idéologie et devient une science d'observation.

LES SALONS

Les principaux salons du temps furent ceux de Mme Geoffrin, de Mme Du Deffand, de Mlle de Lespinasse, de Mme Helvétius, de Mme Necker.

Mme Geoffrin, qui prit en 1749 la succession de Mme de Tencin, recevait, dans son hôtel de la rue Saint-Honoré, des artistes le lundi (Boucher, La Tour, Joseph Vernet, Vien, Bouchardon), le mercredi des gens de lettres (Fontenelle, Marivaux, d'Alembert, Voltaire, Montesquieu, Marmontel). Bien que tracassière et autoritaire, elle était généreuse et intelligente et obligea très souvent ses amis. Elle mourut en 1791.

QUESNAY. Peinture de Fredou, conservée à la Faculté de Médecine de Paris.
CL. LAROUSSE.

Mme Du Deffand (1697-1780), après une jeunesse assez orageuse, se rangea. Elle reçut d'abord près de la Sainte-Chapelle et rue de Beaune. En 1747, elle s'installe dans un appartement au couvent de Saint-Joseph (dans le faubourg Saint-Germain). Ses intimes étaient le président Hénault, d'Alembert, Turgot ; mais tous les « philosophes » se donnaient rendez-vous dans son salon. Devenue aveugle, elle prit pour lectrice Mlle de Lespinasse, fille naturelle de Mlle d'Albon. La lectrice était si séduisante que les visiteurs de Mme Du Deffand prirent l'habitude de monter d'abord chez elle, entre cinq et neuf heures. Mme Du Deffand s'en aperçut. Il y eut une rupture violente en 1763. Mlle de Lespinasse s'installa à côté du couvent de Saint-Joseph. Elle fut suivie par Turgot, Condorcet, Suard, d'Alembert, etc. Elle mourut en 1776. Mme Du Deffand et Mlle de Lespinasse nous ont laissé des correspondances très précieuses. Celle de Mme Du Deffand est merveilleusement alerte, vivante; elle devient même émouvante parfois. (Voir sa Correspondance avec la duchesse de Choiseul, publiée par Sainte-Aulaire, 1859 ; sa Correspondance complète, publiée par de Lescure, 1865; ses Lettres à H. Walpole, publiées [intégralement] par Mme Paget Toynbee, Londres, 1912.) Les lettres de Mlle de Lespinasse nous représentent, a écrit Marmontel, « la tête la plus vive, l'âme la plus ardente, l'imagination la plus inflammable ». (Voir ses Lettres, publiées par É. Asse, 1876 ; ses Lettres inédites à d'Alembert, etc., publiées par Ch. Henry, 1887.)

Mme Helvétius recevait rue Sainte-Anne, le mardi. Ses habitués étaient surtout Duclos, d'Alembert, d'Holbach, Raynal, Turgot, Condorcet, Marmontel, Grimm, Diderot, Morellet ; quelques années plus tard, ce furent Thomas, Ducis, Chamfort, Fontanes. Après la mort de son mari, elle s'installe à Auteuil.

Mme Necker (au Marais, puis rue des Petits-Carreaux, rue Neuve-des-Petits-Champs, rue Bergère ; aux châteaux de Madrid et de Saint-Ouen) recevait, le mardi et le vendredi, Buffon, Suard, Marmontel, Raynal, Morellet, Grimm, Diderot, d'Alembert.

Outre ces salons et celui du baron d'Holbach, il y en eut bien d'autres, philosophiques ou non : ceux de Mme de Grafigny, de Mme d'Épinay, de Mme Suard, de Marmontel, de Fanny de Beauharnais, de Grimod de La Reynière, etc.

La place qu'ont tenue certains hommes de lettres dans l'opinion tient moins à leurs écrits qu'au rôle qu'ils ont joué dans les salons. C'est le cas, par exemple, pour l'abbé italien Galiani, assidu chez Mme d'Épinay, d'Holbach..., qui n'a publié en français (outre sa Correspondance) que des Dialogues sur le commerce des blés (1770) ; ou même pour l'Allemand Grimm (1723-1807), qui fréquenta chez Mme d'Épinay et qui fut surtout occupé à rédiger et diriger (avec la collaboration de Diderot, Raynal, etc.) une importante Correspondance littéraire philosophique et critique, sorte de journal de la vie littéraire et artistique, envoyé par copies à des abonnés, notamment à des souverains d'Allemagne. Elle va de 1753 à 1790 (publiée par M. Tourneux, 1877-1882).

Voir : de Ségur, le Royaume de la rue Saint-Honoré, Mme Geoffrin et sa fille, 1897 ; — Esquisses et récits, Mme Du Deffand, 1908 ; — Julie de Lespinasse, 1906 ; A. Guillois, le Salon de Mme Helvétius, 1894 ; d'Haussonville, le Salon de Mme Necker, 1882 ; D. Mornet, les

LE THÉ A L'ANGLAISE CHEZ LA PRINCESSE DE CONTI (1766). Tableau d'Ollivier.
Musée du Louvre.

Salons, *dans* la Vie parisienne au
XVIIIe siècle, *1914;* M. Pellisson,
les Hommes de lettres en France
au XVIIIe siècle, *1911.*

La philosophie put s'appuyer
sur une autre « base » que l'*Encyclopédie.* Elle eut bientôt pour
elle presque tous ceux qui fré-
quentaient les salons. Non pas que
tous les salons fussent philosophiques, ni même « raisonnables ».
On a souvent fréquenté les salons
au XVIIIe siècle, et même quelques-
uns des meilleurs, pour les seuls
plaisirs de la vie mondaine. Ils sont
le rendez-vous des « petits-maîtres »,
des « fats », des « nécessaires » ou
des « indispensables », qui sont
des abbés. On ne s'y divertit pas
toujours à raisonner, ni même à
causer. On y parfile, on y découpe,
et les hommes eux-mêmes y
portent leur réticule (ou ridicule)
pour y broder comme les femmes.
Quand on y parle littérature ou
philosophie, ce n'est bien sou-
vent ni pour être judicieux, ni pour être profond,
mais pour briller ou persifler, pour trouver le fin du fin
et les délicatesses du « bon ton ». Ce sont les salons, ou
certains salons, qui sont responsables des mille artifices
où la poésie, le roman, la philosophie même ont oublié
la nature, l'émotion, la raison, pour l'esprit, les grâces
et les mensonges d'un art trop subtil. Dorat, le chevalier
de Boufflers, Parny, Bertin ont été des mondains qui
visaient à séduire des gens du monde. Leurs œuvres, quand
elles ont voulu être autre chose qu'un badinage, n'y ont
rien gagné. On l'a dit, dès le XVIIIe siècle; Rousseau, l'abbé
Coyer et vingt autres ont multiplié les satires contre les
« frivolités », qui ne s'entendent à rien qu'à des saluts,
entrechats, dentelles, tabatières et propos galants.

Les salons mêmes qui n'étaient pas frivoles n'étaient
pas toujours philosophes. On ne l'était, dans la première
moitié du siècle, ni chez Mme de Lambert, ni chez Mme de
Tencin. On ne le fut, dans la deuxième, ni chez Mme Geoffrin, ni même chez Mme Du Deffand. Mme Geoffrin n'est
qu'une bourgeoise riche, qui aime à recevoir et qui aime
à protéger. Elle s'entoure d'artistes; elle s'entoure aussi
de philosophes; et elle leur vient en aide de sa bourse.
Mais elle n'est ni une frondeuse ni une raisonneuse. Elle
a fait un excellent mariage d'affaires, quand elle avait
quatorze ans, avec François Geoffrin, qui en avait quarante-huit. Elle a mis dans sa vie de la droiture et de la
bonté; elle n'y a mis ni fantaisie ni curiosité. Elle n'en veut
pas davantage dans son salon. Fontenelle, Voltaire, d'Alembert, Diderot ont le droit d'y causer de poésie et de belles-
lettres; ils n'ont pas le droit d'y toucher à ce qui ne regarde
que la Sorbonne et le parlement; et son « voilà qui est bien »
interrompt tout net les propos qui touchent à la religion
et à la politique. Mme Du Deffand n'est pas bourgeoise et
elle n'a pas de préjugés; mais elle pense que c'en est un de
croire aux « grands sujets » et aux lumières de la philosophie. Elle a une curiosité infatigable, un esprit vif et pénétrant, un jugement qui discerne d'un mot les erreurs du
goût et les trouvailles du génie, les froides dissertations
de Saint-Lambert, les « mauvais lieux philosophiques »
des romans de Crébillon fils et les « beautés » de Shakespeare. Mais de tous ses dédains et de tous ses plaisirs
elle ne fait qu'un scepticisme. Sa joie est de dessiner d'un
trait net, impitoyable et sûr, des silhouettes, des ridicules,
des laideurs. Ses maîtres et amis, ce sont Montaigne, qui

MADAME GEOFFRIN.

MADAME DU DEFFAND (alors aveugle).

Gravures du Cabinet des Estampes de la Bibliothèque nationale. — CL. LAROUSSE.

« détache de toute opinion », et Mme de Maintenon, qui
connaît la « valeur intrinsèque de toutes choses » et « s'ennuie de la vie ». Ce sont ceux-là qu'elle aime et non pas
le « raisonné » et le « braillé », qui lui sont insupportables.
Quand elle cessa de s'ennuyer de la vie, ce ne fut pas pour
croire à la puissance de la raison, mais pour souffrir de
son amour douloureux de femme âgée pour le brillant et
dédaigneux Walpole. Elle qui détestait les « emportements
romanesques » et les *Lettres d'Héloïse à Abélard* comme
celles de *la Religieuse portugaise,* elle est devenue, par une
ironie du destin, une « vieillarde » qui se laisse aller (quand
on lit ses lettres dans le texte authentique et complet) à
toutes les délices de cette « maudite drogue », le sentiment,
à tous les « braillés » d'une « pauvre diablesse » délaissée
et qui « voudrait être morte ». La raison et la philosophie
n'ont rien à faire dans tout cela; car la raison ne triomphe
pas des passions; et, si elle en triomphait, « elle serait
cent fois plus contraire à notre bonheur que les passions
ne peuvent l'être ».

C'était assurément l'avis de Mlle de Lespinasse. Elle a
près d'elle des philosophes qui lui sont dévoués infiniment,
comme Condorcet et Marmontel, ou qui l'aiment d'un
amour sans espoir, comme d'Alembert. Mais peu lui
importent les philosophes et la philosophie; ils ne peuvent
être que des passe-temps, des compagnons, ou des amis
qu'on fait souffrir. La raison de vivre est ailleurs. Elle est
tout entière dans la passion. Il faut aimer, aimer avec
ivresse, avec des emportements et des déchirements,
contre la raison et même contre sa conscience. « Il n'y a
qu'une seule chose qui résiste, c'est la passion et c'est celle
de l'amour... » Il faut aimer un marquis de Mora, qui a
vingt-quatre ans, quand on en a trente-six. Et quand il
est parti pour son Espagne, malade, puis mourant, il faut
aimer, malgré le remords, malgré le désespoir lorsque
Mora meurt, un comte de Guibert qui ne vous aime que
distraitement, qui ne vous aime plus du tout et qui se
marie. Et, quand il est marié, il n'y a plus qu'à renoncer
et à s'étendre pour mourir. Quand on aime, ou quand on
meurt de n'être plus aimée, il n'y a rien de beau dans la
littérature et les arts que ce qui éveille, échauffe, exalte
le sentiment, que des romans d'amour ou la musique
d'*Orphée,* « qui vous rend folle ». Ce n'est là ni une vie
raisonnable ni une âme philosophique.

Mme Helvétius, elle non plus, n'est pas une âme

philosophique. Elle se contente d'être une femme charmante, honnête, tendre et dévouée pour les siens. Quand Helvétius est mort, elle est « Notre Dame d'Auteuil », qu'on aime pour sa bonne grâce accueillante et sa souriante droiture, non parce qu'elle sait raisonner. Mme Necker sans doute ne craint pas la discussion. Elle tient tête, fermement, à Thomas, à Raynal, à Morellet. Mais elle leur tient tête, à l'ordinaire, pour les combattre. Si elle aime les idées et la discussion, elle les accorde très sincèrement avec la « sagesse », et parmi les vertus de la sagesse elle place la piété.

Pourtant tous ces salons, à plus forte raison ceux où l'on est, comme chez Mme d'Épinay ou chez d'Holbach, plus hardiment philosophe, ont été, de l'aveu même des contemporains, des salons « philosophiques ». Celui de Mlle de Lespinasse est le « laboratoire de l'*Encyclopédie* ». Le livre *De l'Esprit* est fait, si l'on en croit Mme de Grafigny, des « balayures » du salon d'Helvétius. On tient chez lui les « États généraux de l'esprit humain ». Bref, ce sont des « comptoirs encyclopédiques ». C'est que, si les Diderot, les Naigeon, les Grimm, les Condorcet n'étaient pas toujours libres d'y spéculer à leur guise, du moins, en se retrouvant dans les salons, ils découvraient plus clairement qu'ils formaient un parti. Ils apprenaient à se connaître et à se juger à leur prix.

Aussi bien c'est par cette vie mondaine à laquelle ils furent assidûment fidèles que les philosophes ont conquis à l'esprit la place qui devait rester la sienne. On sait ce que fut trop souvent la condition des gens de lettres au XVIIe siècle. Boileau ne voulait pas qu'on gagnât d'argent à faire des vers; mais, si l'on n'en gagnait pas, il fallait donc qu'on en eût. Et c'est de son argent ou de son rang qu'on tirait, au début du XVIIIe siècle, toute sa dignité. Il en fut désormais autrement. « Tous ceux qui se plaisent, dit Duclos, se conviennent. Les mœurs font à Paris ce que l'esprit du gouvernement fait à Londres; elles confondent et égalent dans la société les rangs qui sont distingués et subordonnés dans l'État. » Sans doute, ces gens de lettres, on les accueille bien souvent et on les protège pour qu'ils amusent plutôt qu'on ne les hausse jusqu'à soi. L'ombrageux Jean-Jacques Rousseau s'est irrité violemment de ce qu'il devinait d'exigences chez ceux qui croyaient lui faire grand honneur en le tenant pour leur obligé. Mais l'esprit, le talent et le génie furent bientôt plus forts que les préjugés. Mlle de Lespinasse d'ailleurs n'était qu'une « aventurière », Mme Geoffrin qu'une petite bourgeoise et Mme Necker avait plus d'écus que de naissance. Tout le monde chez elles se mêlait d'écrire, le comte de Guibert comme le citoyen de Genève, le marquis de Saint-Lambert comme le paysan Marmontel et le cardinal de Bernis comme le petit abbé Morellet. « La société, conclura Sénac de Meilhan, ressemblait à un grand bal où chacun s'empresse, se coudoie, se place au hasard ou selon son goût et ne cherche qu'à passer agréablement quelques heures. »

MADEMOISELLE DE LESPINASSE. Dessin de Carmontelle (musée Condé, à Chantilly). — CL. GIRAUDON.

Ainsi Mme Geoffrin, Mlle de Lespinasse, Mme Du Deffand, Mme Helvétius, Mme Necker purent faire de nombreuses élections à l'Académie; le parti « philosophe » put régenter l'opinion et s'imposer même aux pouvoirs publics. Les gens de lettres élevèrent, comme le dit Malesherbes, « un tribunal indépendant de toutes les puissances et que toutes les puissances respectent ». Ils imposèrent à l'opinion, Rulhière le rappelait à l'Académie, d'honorer « la dignité d'homme de lettres ».

LES MORALISTES MONDAINS : CHAMFORT, RIVAROL

Chamfort (1740-1794) a fait jouer avec grand succès la comédie sentimentale de la Jeune Indienne (1764); l'Académie française couronna son Éloge de Molière (1766), et celle de Marseille, son Éloge de La Fontaine (1774). On ne lit plus aujourd'hui que ses Maximes, caractères et anecdotes, publiés après sa mort. Il prit une part active aux débuts de la Révolution, devint suspect, tenta de se tuer, et mourut de ses blessures.

Rivarol (1753-1801) a publié un assez grand nombre de satires littéraires et politiques, dont les plus connues ou les plus amusantes sont : le Chou et le Navet (1782; contre les Jardins de Delille); une parodie du songe d'Athalie (contre Buffon et Mme de Genlis); le Petit Almanach de nos grands hommes (1781); le Petit Dictionnaire des grands hommes de la Révolution (1790). Il publia, en réponse à un sujet donné par l'académie de Berlin, son Discours sur l'Universalité de la langue française (1784), où il montre que les mérites de l'esprit français sont le juste milieu, le sens commun, la grâce, la raison ornée, la clarté. Le discours, couronné, eut un grand succès.

Il faut joindre à ces moralistes mondains un grand seigneur né à Bruxelles, le prince de Ligne (1735-1814). Il a publié des ouvrages fort nombreux et fort divers (réunis dans les Mélanges militaires, littéraires et sentimentaires, 1795-1812, 34 vol.). On y trouve, non sans agrément, un mélange pittoresque de philosophisme et d'inspiration « sentimentaire » et préromantique.

Voir André Le Breton, Rivarol, 1896.

Parmi ces gens de lettres, il y en a qui ont dû au monde le meilleur de leur réputation et de leur talent. Chamfort et Rivarol (bien qu'il se fît appeler le comte de Rivarol) sont des gens de rien. Hors des salons, ils mènent une vie d'aventures et de bohème. Chamfort se tue de plaisirs, Rivarol loge où il peut, à l'hôtel ou aux crochets de qui l'accueille, oubliant sa femme, ses dettes, ses promesses, ses livres même. Tout ce qu'ils rédigent sur de « grands sujets » (le *Discours* de Rivarol sur la langue mis à part) n'est à l'ordinaire que médiocre. Mais ils sont nés pour causer, divertir, étinceler. Dès qu'ils sont au cabaret du Caveau avec Marmontel, Thomas, Ducis, chez Dorat, chez le libraire

Panckoucke, chez Mme de Créqui, dès qu'il s'agit de saisir d'un mot un ridicule, d'assener une repartie, de juger en une phrase cinglante, ils captivent. Ils ne sont pas philosophes exactement, parce qu'ils se moquent, à l'occasion, de cette raison qu'ils ne mettent pas dans leur vie. Ils pensent qu'on peut être ridicule même lorsqu'on passe pour un « sage du siècle » et que l'enthousiasme pour la vertu et la philosophie n'est bien souvent qu'un masque. Or ils s'amusent de tous les ridicules et arrachent tous les masques. Mais ils sont philosophes tout de même parce que la forme de leur intelligence, c'est l'analyse, la logique, une analyse cruelle et sceptique, une logique un peu courte et froide, mais qui poursuit les mensonges des mœurs, corruption de la noblesse et du haut clergé, hypocrisie des « humanitaires », les mensonges des lettres, artifices de *la Henriade*, emphase académique, sécheresse de Delille, solennité de Buffon, toutes les petites âmes' et tous les petits esprits.

Parce qu'ils aiment le monde et que leur gloire est de divertir, ils savent ramasser leur sagesse, aiguiser leur pénétration dans ces brèves maximes, ces anecdotes alertes, ces lettres, ces dialogues, ces almanachs, qui sont féroces le plus souvent, mais qui savent l'être d'un mot, d'une phrase, d'une adresse de style. Ils ont sans doute leurs convictions — quand ils pensent à être convaincus. Chamfort croit au « sentiment » et à la Révolution. Rivarol, violemment hostile à Rousseau, croit au progrès de la raison et des sciences. Mais leur talent n'est pas d'enseigner et de croire. Ils représentent la forme ironique, cruelle et brillante de l'esprit philosophique. Ils sont les petits-maîtres de la philosophie.

RIVAROL. Peinture de Wyrsch. — CL. LAROUSSE.

III. — DIDEROT

Denis Diderot naquit à Langres en 1713. Il était fils d'un coutelier. Élevé au collège de la ville, il y fit, malgré quelques sottises et espiègleries, de brillantes études, qui décidèrent son père à l'envoyer à Paris au collège Louis-le-Grand. Il en sortit pour mener, au grand désespoir des siens, la vie qui lui plaisait, celle d'homme de lettres. Elle nourrissait mal son homme, à cette date. Diderot vécut comme il put, médiocrement, mais allégrement, donnant des leçons et écrivant pour de l'argent des sermons ou exécutant des besognes de librairie. Il est mal noté d'ailleurs dans son quartier ; on l'arrête pour sa Lettre sur les aveugles le 24 juillet 1749 ; incarcéré d'abord au donjon, puis au château de Vincennes, il est élargi le 3 novembre. L'entreprise de l'Encyclopédie le rend célèbre. Dès lors on le rencontre dans les salons, chez Mme Geoffrin, chez Mme Helvétius, surtout chez Mme d'Épinay et chez le baron d'Holbach dont il devient l'ami, le conseiller, le collaborateur. Pour assurer une dot à sa fille, il voulut vendre sa bibliothèque. Catherine II lui offrit, en 1765, de l'acheter, et la paya, en la lui laissant, 15 000 livres, plus 50 000 pour en être le bibliothécaire pendant cinquante ans. Pour la remercier, Diderot entreprit le voyage de Russie (1773). Il était devenu presque riche, ayant, de son propre aveu, plus de 4 600 livres de rente. Il mourut en 1784.

Voir : A. Billy, Diderot, *1932 ; D. Mornet,* Diderot, l'homme et l'œuvre, *1941 ; F. Venturi,* Jeunesse de Diderot; *Jean Thomas,* l'Humanisme de Diderot, *1938 ; A. Fontaine,* les Doctrines d'art en France de Poussin à Diderot.

Les Œuvres complètes de Diderot ont été publiées par Assézat et Tourneux, 1875-1879, 20 vol. Tourneux a publié, en outre, plusieurs écrits jusqu'alors inédits de Diderot dans son ouvrage intitulé Diderot et Catherine II, *1900. La correspondance de l'édition Tourneux est rectifiée et complétée par les publications de M. Babelon,* Lettres à Sophie Volland, *1930 ; —* Correspondance inédite, *1931.*

La tête d'un Langrois, disait Diderot, est sur ses épaules comme un coq au haut d'un clocher. Ce n'est apparemment qu'une boutade. Son père, dans tous les cas, n'avait rien d'un Langrois. Il était laborieux, méthodique et riche. Il laissa à ses enfants plus de deux cent mille livres, ce qui était, à cette époque, une vraie fortune. Une sœur, tante de Denis Diderot, était une personne de tête, revêche peut-être, mais judicieuse et rangée. Son oncle, qui mourut chanoine, fut un prêtre sévère pour lui-même et charitable. Denis Diderot avait autour de lui des exemples qui auraient dû lui faire aimer la vie bourgeoise, obscure et pieuse. Il aurait pu succéder à un oncle qui lui réservait un canonicat. Il reçut même la tonsure, à treize ans, et sans doute d'assez bon gré. Mais il était tourmenté déjà du « démon » qui le poussait aux aventures. Il n'aimait guère la discipline. S'il fut un élève brillant, il ne prit, ni à Langres ni à Paris, les goûts qui pouvaient assurer l'avenir d'un jeune homme de roture et de moyenne fortune. Il ne voulut ni de la théologie, ni des études de droit. Il préféra, comme il l'avoue, faire le malheur de son père, la douleur de sa mère, et vivre à sa guise, qui était celle d'un « jeune fou ». Il fut commis chez un procureur, et précepteur. Il épousa, après une cour assidue, une lingère honnête, et qui resta d'ailleurs peu soucieuse de belles-lettres, et très occupée des affaires de son ménage et de celles de son quartier. Il connut les jours où le buffet est vide et le foyer sans feu. Cependant, il se faisait des relations, et il oubliait sa femme pour une aventurière de lettres, Mme de Puisieux, qui le grugea et le trompa. Il étudiait toujours avec cette dévorante ardeur que ses « débauches » de jeunesse n'avaient jamais interrompue. Et il commençait à publier.

LE PHILOSOPHE

*Les œuvres philosophiques de Diderot publiées de son vivant sont principalement : un Essai sur le mérite et la vertu (traduit librement de Shaftesbury, 1745) ; les Pensées philosophiques (1746) ; la Lettre sur les aveugles à l'usage de ceux qui voient (1749) ; la Suite de l'Apologie de l'abbé de Prades (1752) ; la Lettre sur les sourds et muets à l'usage de ceux qui entendent et qui parlent (1751) ; les Pensées sur l'interprétation de la nature (1754) ; De la suffisance de la religion naturelle (dans un Recueil philosophique publié par Naigeon, 1770); l'Entretien d'un philosophe avec la maréchale de *** (1776) ; l'Essai sur la vie de Sénèque le Philosophe (1778 ; en 1782 parut une édition très augmentée). Un assez grand nombre d'opuscules (notamment le Rêve de d'Alembert et le Supplément au Voyage de Bougainville, 1796) n'ont été* *publiés qu'après la mort de Diderot et sont réunis dans l'édition Assézat et Tourneux.*

Voir : J. Charpentier, Diderot et la science de son temps, dans la Revue du Mois, 1913.

L'*Essai sur le mérite et la vertu* demeurait fort respectueux de la morale traditionnelle. Il adoucissait même à l'occasion quelques audaces de Shaftesbury. Les *Pensées philosophiques* dissimulent encore leur philosophie. Il faut craindre les rigueurs de l'autorité; et d'ailleurs Diderot recule sincèrement devant certaines conséquences de ses idées. Elles le conduisent vers l'athéisme et le matérialisme. Mais il hésite. Dieu, l'immortalité de l'âme restent malgré tout des « peut-être ». Si l'on en croit ce qu'il écrit à Voltaire en 1749, il répond « non » la nuit; mais il revient au « oui » pendant le jour. Peu à peu, cependant, le jour ne suffit plus à dissiper les « vapeurs de ses négations ». Dans la *Lettre sur les aveugles*, l'athéisme de Saunderson est bien le sien; et c'est cet athéisme, autant qu'une phrase ironique sur les beaux yeux de Mᵐᵉ Dupré de Saint-Maur, qui le fait emprisonner. Sa doctrine achève de se préciser dans les *Pensées sur l'interprétation de la nature*, dans l'*Entretien avec la maréchale de ★★★* et les opuscules qui furent publiés après sa mort.

Cette doctrine est avant tout celle d'un homme qui a étudié l'histoire naturelle, l'anatomie, la physiologie, la médecine. Voltaire est un raisonneur qui fait appel à l'expérience de la vie, au bon sens, à l'histoire. Helvétius, d'Holbach, Naigeon sont des raisonneurs qu'irritent les « absurdités » et « contradictions » des doctrines religieuses et spiritualistes. Diderot s'est bien associé à eux pour railler les absurdités et dénoncer les contradictions. Mais il n'a été qu'un allié distrait et sans discipline. Ses colères contre le « fanatisme » passent assez vite. Il n'aime pas les « mauvaises plaisanteries » de d'Holbach, ni les raisonnements d'Helvétius. En vingt-huit ans, si l'on en croit Naigeon, il ne lui a pas parlé deux fois de l'existence de Dieu. L'abbé Bourlet de Vauxcelles et Morellet nous donnent à peu près le même témoignage. C'est que les curiosités et les lumières de Diderot sont ailleurs.

Il a aimé et cultivé les mathématiques. Mais il a aimé et cultivé plus encore les sciences de la nature. Dès le collège il apprenait « tout ce qu'il pouvait » d'anatomie et de physiologie. Puis il suivit les leçons du chirurgien Verdier, et celles de Mˡˡᵉ Biheron, qui créait l'art des pièces anatomiques en cire. Il lisait et résumait avec soin les œuvres de physiologie de Haller et de Maupertuis. Il nous a laissé des notes de physiologie fort détaillées. Et sa conclusion fut tout de suite que, si la vraie philosophie n'était ni la scolastique ni le raisonnement des cartésiens, elle s'égarait aussi en ne suivant que Newton ou Locke. La méthode de Newton, c'est encore une mathématique. Locke renonce sans doute à la métaphysique, comme son disciple Condillac; il ne raisonne que sur des choses simples et que l'observation certifie : nos sensations; mais il raisonne; il construit un système, et qui garde comme un arrière-goût de scolastique. Ce n'est pas par des raisonnements qu'on découvrira les secrets de la vie et de la pensée. C'est en regardant, en expérimentant sur des êtres vivants. « Il n'appartient qu'à celui qui a pratiqué la médecine pendant longtemps d'écrire de la métaphysique. » C'est là pour Diderot la vérité fondamentale et qu'il répète. Et

l'anatomie, la physiologie, la médecine le conduisent à quelques « vérités », que voici.

De l'animal à la plante il n'y a pas de transition claire. La *Muscipula Dionœa*, des graines de champignons jetées dans l'eau, des étamines se meuvent comme des animaux. Il n'y a pas de transition non plus de la matière végétale à la matière inerte. Locke avait déjà supposé que la sensibilité pouvait être une propriété générale de la matière. Cette supposition est confirmée par les faits. Diderot est informé des expériences (dont l'erreur ne sera prouvée que par Pasteur) qui font naître des vers, spontanément, de la pâte de farine. Les molécules, toutes les mêmes, éternelles, éternellement douées d'une force vivante, peuvent s'agréger pour former des êtres organisés. Liées entre elles comme les abeilles d'un essaim, elles réagissent les unes sur les autres, et tous les phénomènes de la vie s'expliquent par ces actions et réactions. Leurs associations ne sont pas immuables d'ailleurs; et les formes que revêtent sous nos yeux les espèces ne sont pas les formes primitives ni des formes définitives. L'être est une association de tendances pour satisfaire certains besoins. Quand les besoins changent parce que le milieu change, l'organisme se modifie, les espèces se transforment.

On passe de la matière vivante à la matière pensante comme de la matière inanimée à la matière vivante. La pensée n'est qu'une fonction de la vie; elle en subit les progrès et les altérations. « L'âme n'est rien sans le corps »; c'est un fait d'expérience. La douleur, le plaisir, les passions, le vin, la jusquiame, la noix d'Inde, la catalepsie, un lit trop froid ou trop chaud, une couverture qui tombe la nuit, l'hystérie, tout cela agit en même temps sur l'âme prétendue spirituelle et sur le corps. La pensée n'est vraiment qu'une modification de la matière. C'est la fille de Diderot qui a raison : « On fait de l'âme quand on fait du corps. » Les formes les plus compliquées de la pensée s'expliquent simplement par deux facultés : la propriété qu'ont les fibres de nos organes, quand elles vibrent, d'en faire frémir d'autres (c'est ce qu'on appellera l'association des idées), et la mémoire, qui constitue pour chaque être « l'histoire de sa vie et de son soi », de son unité.

C'est bien là un système matérialiste, mais fort différent du matérialisme naïf et grossier d'un Helvétius, d'un d'Holbach, d'un Naigeon. Diderot n'a pas fondé le matérialisme; mais il ne s'est pas contenté de continuer Lucrèce et Spinoza. C'est un savant qui a consulté les sciences de son temps, qui a voulu en dégager des conclusions. Dans nos sciences, disait Maupertuis en discutant avec lui, il y a, « à tout moment », des « conséquences terribles ». Maupertuis les esquivait en humiliant la raison devant la révélation chrétienne. Diderot les a simplement acceptées. Il a été le fondateur du matérialisme expérimental.

Il l'a été avec une singulière puissance, que l'on n'a pas assez signalée. On a montré sans doute par quelles fortes et claires formules il avait devancé les doctrines de l'évolution. « Les organes produisent les besoins et réciproquement les besoins produisent les organes. » Mais il y a plus : les grappes de molécules vivantes dont parle Diderot représentent assez fidèlement les cellules que la science moderne retrouve dans tous les organismes. Ce qu'il dit des fibres qui vibrent par sympathie et de la mémoire annonce les doctrines d'un Taine. On retrouve aussi bien chez lui la théorie des milieux et ces raisons que Taine a données

Figure tirée de la Dioptrique de Descartes.

GRAVURE de la « Lettre sur les aveugles ». — CL. LAROUSSE.

pour expliquer la perfection de la sculpture grecque ou la puissance des poésies primitives. On rencontre même à l'occasion, sous sa plume, des formules qui devancent les plus récentes explications mécanistes de la vie. Le poussin qui brise sa coquille ne veut pas la briser; c'est la « pesanteur de sa tête qui oscille », qui « porte sans cesse son bec contre la paroi intérieure de sa prison ». Diderot se vante à peine lorsqu'il écrit : « C'est moi qui anticipe sur l'avenir et qui sais sa pensée. »

Son originalité semble plus éclatante encore lorsqu'on le compare à ses prédécesseurs ou à ses contemporains. Il n'a fait sans doute bien souvent que répéter ce qu'ils avaient dit. Il n'est pas le fondateur de la philosophie expérimentale, ni même celui qui en a vulgarisé les méthodes. S'il s'est élevé, avec violence et souvent, contre les sottises de la philosophie scolastique qu'on enseignait encore dans les écoles et à la Sorbonne même, on l'avait combattue maintes fois avant lui. Ses *Pensées sur l'interprétation de la nature*, malgré leur désordre apparent, démontrent bien, comme son ami Deleyre l'expliquait, le rôle de l'observation dans les sciences, le rôle et les méthodes de l'expérience, le rôle et la limite des conjectures, les dangers graves des systèmes préconçus ou hâtifs; mais Diderot n'apprenait rien aux lecteurs informés. Il se contentait très souvent de suivre Bacon, qu'il avait, dit Naigeon, étudié dix ans. Bacon n'était pas un inconnu, même dix ans avant les *Pensées*. Voltaire en avait parlé dans ses *Lettres philosophiques*, et après Voltaire plusieurs autres. Deleyre publiait, en 1755, une *Analyse de la philosophie de Bacon*. Surtout, dès 1750, Bacon était dépassé. Les hommes de science avaient établi très exactement les règles de la méthode expérimentale. Le grand Diderot n'est pas celui qui oppose l'expérience au raisonnement et les faits aux systèmes; c'est celui qui conçoit les applications lointaines de ces faits et de ces expériences, qui ne recule pas devant les conséquences et les pousse jusqu'à des explications profondes de la vie et de la pensée.

On a dit et répété que ces découvertes, ou plutôt ces pressentiments, Diderot n'était pas le premier à les avoir exprimés. On a cité le *Telliamed* de Maillet (1748), puis certains ouvrages du Genevois Bonnet (entre 1760 et 1770), le *De la nature* de Robinet (1766). Il y a, en effet, dans le *Telliamed* surtout, et dans les ouvrages de Charles Bonnet, des hypothèses judicieuses et hardies, mais on leur donne la précision et le sens qu'elles n'ont pas. Les précurseurs ne sont pas ceux qui ne côtoient des terres nouvelles que pour revenir, après quelques détours, aux chemins battus. Si Maillet évite ces chemins, c'est pour extravaguer. Les « faits » et les « expériences » le conduisent à conclure que l'homme terrestre est sorti d'un homme marin et à le prouver par vingt pages de récits sur les rencontres et pêches de femmes et d'hommes marins, ce qui est confondre la science et la fable. Ses vues sur les fossiles et l'évolution l'amènent à expliquer l'histoire du monde par la diminution et l'abaissement des eaux de la mer, c'est-à-dire par une erreur grossière. Bonnet n'extravague pas, comme Maillet; mais il substitue une méditation spiritualiste à une hypothèse scientifique. Son idée de l'évolution des êtres ne devance ni Lamarck ni Darwin, et n'accompagne pas Buffon ou Diderot. Elle annoncerait plutôt les systèmes « scientifiques » et naïfs des *Époques de la Nature* de Bernardin de Saint-Pierre. Dieu, dans sa sagesse et sa bonté, a disposé les êtres sur une immense échelle. L'échelle commence dans les profondeurs obscures de la matière inorganique; elle se termine dans les splendeurs des mondes spirituels proches du paradis. Tout ce qui est créé gravit cette échelle, mais les intervalles qui séparent les êtres restent les mêmes. Les espèces ne sont pas nées d'espèces évoluées, ni l'animal du végétal. Elles se perfectionnent en elles-mêmes pendant que les autres espèces font des progrès égaux. Quand il y aura des

GRIMM ET DIDEROT. Dessin de Carmontelle (musée Condé, à Chantilly). — CL. BRAUN.

singes mathématiciens et des castors qui construiront des palais, l'espèce humaine aura passé dans un autre séjour, où sa vie sera à celle des singes ou des castors ce qu'elle était au temps de Bonnet et de Buffon.

Il n'y a rien de ces fantaisies et de ces rêves dans ce que Diderot médite sur la pensée et sur la vie. En apparence, c'est lui qui bat la campagne : tandis que Robinet disserte de la Nature et que Bonnet rédige des « Considérations » ou des « Contemplations »; il écrit, lui, *le Rêve de d'Alembert*. Mais c'est chez lui qu'on trouve vraiment des vues lucides plutôt que des rêves. Assurément, ni dans *le Rêve* ni dans son *Entretien d'un philosophe avec la maréchale de ★★★*, il n'y a rien qui soit une doctrine liée. Diderot ne sait de physiologie et d'histoire naturelle que ce que les autres lui apprennent; leurs faits et expériences ne sont ni assez nombreux ni assez précis pour soutenir des hypothèses méthodiques. Diderot d'ailleurs a enseigné qu'il fallait se défier des systèmes; il craint de tomber dans les pièges qu'il a dénoncés; il se tire d'affaire en se donnant pour un fiévreux qui rêve ou un bavard qui se divertit. Mais ce rêve et ces bavardages sont plus judicieux et plus profonds que les traités en forme des autres. C'est lui qui a annoncé l'avenir.

On a reproché pourtant à Diderot de s'être constamment contredit. Et les plus apparentes de ces contradictions sont ou seraient celles que révèle sa morale.

LA MORALE DE DIDEROT

Le matérialisme expérimental de Diderot devrait conduire nécessairement à une certaine morale, ou plutôt à une négation de la morale. Le vice et la vertu, dira Taine, qui a repris ou rencontré sur tant de points les idées de Diderot, sont des produits comme le sucre et le vitriol. L'homme, dont la pensée n'est qu'une propriété de la vie, et la vie une propriété générale de la matière, obéit aux lois de la matière, c'est-à-dire à la nécessité. Il n'y a pas, et c'est Diderot qui le dit, de liberté humaine. Nous nous croyons libres, comme le paysan qui, n'ayant jamais vu de montre, croirait que les aiguilles tournent volontairement. En réalité le mot liberté « est un mot vide de sens ». Et les conséquences sont claires : « S'il n'y a point de liberté, il n'y a point d'action qui mérite la louange ou le blâme; il n'y a ni vice ni vertu. » Diderot le démontrait, dès 1756, à Landois. Il a repris fort souvent la démonstration. *Jacques le Fataliste* en est l'exposé ironique et romanesque. Jacques ne connaît « ni le nom de vice, ni le nom de vertu ». Il prétend qu'on est « heureusement ou malheureusement né ». Se mettre en colère contre l'injustice, c'est ressembler « au chien qui mord la pierre qui l'a frappé ». Toutes nos morales d'ailleurs se contredisent, de peuple à peuple ou de siècle à siècle. Peu importe qu'on démontre à l'homme que le secret du bonheur est d'être vertueux : « qui est-ce qui obligera des esprits libertins de s'y rendre » et « d'être heureux comme on veut qu'ils le soient » ? Monde physique et monde moral « sont une seule et même machine ». Scientifiquement, il n'y a pas de morale.

Et pourtant Diderot s'est passionné pour ce monde moral beaucoup plus que pour le monde physique lui-même. Il est « un homme qui aime à moraliser ». Ses meilleurs plaisirs, ce n'est pas de faire quelque « partie de débauche » avec ses amis, c'est de parler de vertu et de s'enthousiasmer pour la vertu, c'est de sangloter et d'invoquer le ciel en lisant les infortunes de la vertueuse Clarisse, en applaudissant au silencieux héroïsme du *Philosophe sans le savoir*. Son Dorval, qui n'est que son prête-nom, ne se sent lui-même qu'en éprouvant les transports que la vertu cause « à ceux qui en sont fortement épris ». « Sur ce qui touchait à la beauté morale, dit Marmontel, lorsqu'il en parlait d'abondance, je ne puis exprimer quel charme avait en lui l'éloquence du sentiment. » Sa correspondance avec Mⁱˡᵉ Volland est un recueil d'effusions vertueuses et de sermons beaucoup plus que d'effusions d'amour. Le Diderot « inspiré », le Diderot dont le visage « étincelle et rayonne », ce n'est pas celui qui nous ramène à la montre et à la machine, c'est celui qui construit un monde spirituel et « divin », où brillent les splendeurs de la vertu.

Car Diderot a reconstruit ce monde-là. Le point de départ lui est commun avec Rousseau. Il a rédigé peut-être, en tout cas suggéré le morceau du *Discours sur l'Inégalité* où Rousseau montre l'éveil de la conscience morale par la pitié. Sur cette conscience il est d'accord avec Rousseau. Il ne croit pas, ou il cesse assez vite de croire, comme Hutcheson, Smith ou Suard, qu'il y ait en nous une sorte de sixième sens, qui discerne aussi sûrement le bien du mal que l'œil la lumière de l'ombre. Mais il croit, tout comme Rousseau, à la « voix de la conscience », à son « aveu préliminaire », au « témoignage de soi ». C'est là que « Dieu parle » à Diderot comme à Rousseau. Les tyrans sont torturés par les remords plus qu'ils ne torturent leurs victimes. S'il y a, dans nos sociétés, tant de crimes et de misères, c'est parce que cette nature innocente et généreuse a été pervertie. Mais on la retrouve, même à travers l'histoire, quand on examine cette histoire « avec la sévérité la plus rigoureuse ». Il faut y croire, contre l'« absurde » La Mettrie et son « homme-machine », contre Helvétius dont Diderot réfute le système aussi âprement que Rousseau. Même contre d'Holbach il ne craint pas d'être le champion qui « rompt des lances en faveur de l'humanité ».

D'ailleurs nous ne sommes pas seulement portés vers le bien par la pente naturelle de notre sentiment, mais par notre intérêt. « Tout bien considéré, les hommes n'ont rien de mieux à faire dans ce monde que de pratiquer la vertu. » Cette phrase a été écrite vers 1757, mais Diderot l'a conçue lorsqu'il était « bien jeune » et il l'a répétée de dix façons différentes, jusqu'à la fin de sa vie. C'est l'enseignement qui se dégage de ses drames; c'est celui qui l'attendrit dans les romans de Richardson; c'est celui qui lui fait oublier ou excuser chez Sénèque des contradictions et des défaillances; c'est celui qu'il donne de son mieux à sa fille. L'homme de bien trouve en cette doctrine sa récompense. Il se peut que le ciel ait assez fait pour Sénèque « lorsqu'il le créa bon et qu'un Néron en fut assez châtié lorsqu'il le créa méchant. Je le crois, oui je le crois! » Mais l'homme de bien trouve aussi sa récompense dans l'estime et l'affection des autres. Qu'importe qu'il y ait ou qu'il n'y ait ni Dieu, ni diable, ni anges, ni paradis, ni enfer? « Si vous n'êtes pas aimés, estimés, considérés, vous serez méprisés et haïs »; « l'amour, la considération, l'estime sont attachés à la bienfaisance ». La morale n'a pas besoin d'autre principe qui la fonde. Elle n'est pas révélée; elle est expérimentale. Elle n'a pas besoin d'une cause surnaturelle et divine; il lui suffit d'une cause physique et éternelle. Et cette cause est dans l'homme même, « dans nos besoins naturels, dans notre vie, dans notre existence, dans notre organisation et notre sensibilité ». Voilà la base toujours sûre du juste et de l'injuste. « L'expérience propre, l'intérêt présent, et la voix de la conscience, voilà les grands docteurs de la vie. »

Sans doute, ce sont des docteurs dont la voix est sans cesse méconnue. Diderot n'est pas toujours optimiste. Il a fait l'expérience de la vie; et il n'ignore rien des triomphes de l'injustice. Mais c'est parce que les sociétés sont conduites trop souvent par l'ignorance et la sottise. Nous ne sommes pas méchants ou misérables parce que nous avons des théâtres ou des académies, des carrosses et des robes de soie; mais c'est « la mauvaise éducation, le mauvais exemple, la mauvaise législation qui nous corrompent ». Le devoir de ceux qui gouvernent les hommes est donc d'organiser l'éducation et la législation pour la réforme et le progrès des mœurs. Diderot est exactement d'accord sur ce point avec son ami d'Holbach. La « politique naturelle », la seule bonne, doit s'appuyer sur la « morale naturelle » : il faut apprendre aux hommes, par l'école, par les récompenses et les punitions, que notre plus sûr moyen d'être heureux est de travailler au bonheur commun. « Toute l'économie de la société humaine est appuyée sur ce principe général et simple : je veux être heureux; mais je vis avec des hommes qui, comme moi, veulent être heureux également, chacun de leur côté; cherchons le moyen de procurer notre bonheur en procurant le leur, ou du moins sans y jamais nuire. »

C'est là ce que devront enseigner à l'envi les écrivains et les artistes. Il n'y a pas de philosophe aussi éloigné que Diderot de la doctrine de l'art pour l'art. S'il a semé, dans les ouvrages qu'il n'a pas publiés, des scènes et des plaisanteries qui sont fâcheuses, c'est parce qu'il avait ses idées sur la morale des sexes et, peut-être, parce qu'il n'écrivait pas pour lui. Mais sur la morale « du cœur », sur l'humanité, l'amitié, le travail, la fidélité conjugale, il n'a jamais varié. Le poète, le romancier et le peintre ont pour mission de les enseigner. « La vérité et la vertu sont les amis des beaux-arts. » « Question qui n'est pas aussi ridicule qu'elle le paraîtra : peut-on avoir le goût pur quand on a le cœur corrompu? » Boucher et Baudouin sont de mauvais peintres, en partie parce qu'ils sont des peintres immoraux. Greuze est un grand peintre, parce qu'il montre comment une bonne mère est heureuse, comment le fils ingrat est un fils puni. Richardson est un écrivain de génie, parce qu'on déteste Lovelace le criminel et qu'on voudrait être vertueux comme Clarisse, dût-on mourir comme elle. Diderot enseignera même à Mⁱˡᵉ Jodin que « pour être une bonne actrice il faut avoir des mœurs ».

Les mœurs qu'enseigne Diderot ne sont d'ailleurs pas les mœurs traditionnelles. Diderot n'a pas lu vainement tant de livres qui, depuis plus de cinquante ans, opposaient les morales et la morale. Il a discuté copieusement, dans les salons et les soupers, chez Mᶦˡᵉ Quinault, chez Helvétius et chez d'Holbach, sur les usages ridicules ou scandaleux que la sottise des peuples vénère comme des vertus. Il s'est tour à tour fougueusement indigné et bruyamment amusé. La morale traditionnelle est une broussaille souvent malsaine où l'on doit porter la hache et le feu pour semer ensuite la morale féconde. Le mot même de vertu, il faudrait « le transformer en celui de bienfaisance ». Et Diderot va loin dans le sacrifice des traditions. Il a loué, avec des complaisances fâcheuses, la simple nature des sauvages, qui ne voient point de malice à s'aimer comme des bêtes. Et c'est là surtout ce qu'on a retenu de sa morale. Il ne s'agit pas de l'en excuser. Disons cependant, pour n'y plus revenir, qu'il n'a pas publié les ouvrages où il se moque de la morale sexuelle traditionnelle et qu'il n'est pas le seul à avoir dit de ces sottises. C'est tout un siècle qui l'explique. C'est l'époque où on ne comprend plus grand-chose à la pudeur. Les écrivains qui renient le plus éloquemment la corruption des mœurs prêtent parfois à leurs amants fidèles et à leurs époux vertueux le langage que Crébillon et La Morlière donnaient à leurs débauchés. On trouverait dans tel livre de physiologie que le grave et savant Maupertuis rédige « pour que Lycoris elle-même puisse le lire » des lignes qui pourraient trouver place dans le *Supplément au Voyage de Bougainville* de Diderot. Et l'on en collectionnerait aussi bien dans les romans qui se proposent, en conscience, d'enseigner les bonnes mœurs.

DIDEROT, par Fragonard (collection particulière).
CL. GIRAUDON.

La morale de Diderot n'est donc pas d'accord avec toutes les morales. Mais elle est claire; et elle est restée constamment en accord avec elle-même. Le matérialisme expérimental de Diderot ne s'est précisé que vers 1750. Il n'a sans doute pris sa forme la plus audacieuse et la plus clairvoyante que vers 1760. Mais de ses doctrines morales, Diderot n'a rien transformé depuis l'âge où il cessait à peu près d'être un « jeune fou » jusqu'à celui où il prêchait sa fille. Cette doctrine ne renferme pas en elle-même de contradictions. Elle se heurte seulement tout entière, et à plein, à la seule et redoutable contradiction que lui opposent la science et la philosophie de Diderot : si l'âme et la matière se confondent, il n'y a plus ni liberté, ni vices, ni vertus.

Et Diderot ne pouvait pas ne pas la reconnaître lui-même. Il l'a étalée, raillée et déplorée tout au long de son *Jacques le Fataliste* et, pour une part, dans *le Neveu de Rameau* où Moi est Diderot moraliste et le Neveu souvent Diderot sceptique et cynique. Jacques croit qu'on vit bien ou mal, comme l'eau coule ou comme le vent souffle. Et c'est tout de même un brave homme, qui n'est pas chaste, mais qui est sincère, dévoué et qui se prive de son plaisir pour le plaisir des autres. Il est inconséquent

« comme vous et moi ». L'excuse de Jacques et de Diderot, c'est que leur inconséquence est l'inconséquence éternelle de tous les philosophes déterministes ou de presque tous. Leur raison nie la liberté, le droit de juger et de punir; et ils agissent, parlent et écrivent comme si les hommes étaient libres. Diderot a même une autre excuse. Ou plutôt les contradictions de sa pensée s'expliquent par les contradictions de son tempérament.

Nous ne disons pas les contradictions de sa conduite. Les actes de Diderot n'ont pas été toujours d'accord avec ses principes et ses sermons. S'il a vu le bien, il lui est arrivé de faire le mal. Ses folies de jeunesse ont été parfois autre chose que des enfantillages. Et là où Mᵐᵉ Vandeul écrit « espièglerie », nous serions tentés d'écrire, au moins une fois, « abus de confiance ». Il avoue lui-même que cette jeunesse, légère de scrupules comme d'argent, durait encore quand il avait la trentaine. Mais on pourrait opposer à ces fautes bien des vertus et des générosités. Il fut un père excellent et le guide tendre et dévoué de sa fille. Il dépense sans compter son temps et son argent pour ses amis, pour des inconnus, dont les besoins ou la détresse le touchaient. « Est-il bon ? Est-il méchant ? » c'est la question que posait le titre de l'une de ses pièces, dont le héros, M. Hardouin, est plus ou moins lui-même. Il est difficile de ne pas répondre, comme Diderot sans doute se répondait à lui-même : « Il est bon. » Seulement, comme l'écrivait son ami Meister, il avait « dans le caractère presque autant de faiblesse qu'il avait dans l'esprit de force et de fermeté ».

La marque essentielle de ce caractère est bien la faiblesse; mais elle naît surtout d'une contradiction. Il y avait une opposition invincible entre son tempérament et sa philosophie, entre sa logique et son cœur. Les contemporains l'avaient surnommé « le Philosophe »; mais il était incapable de mettre dans sa conduite ou dans ses manières le jugement, la logique, l'équilibre qu'il mettait dans sa philosophie. Il est resté « ardent et fou » jusqu'à sa mort. Il a rêvé à toutes les grandes choses que peuvent accomplir les « têtes froides » et il s'est résigné à n'être qu'une « âme sensible ». Non pas de cette sensibilité inquiète et concentrée qui replie Rousseau sur lui-même et l'enferme dans la solitude, mais de celle qui s'épanche, s'exalte, gesticule et fait de l'homme la proie de ses lectures, de ses conversations, de ses amis. Il se jette au cou de Sedaine et sanglote parce qu'il a vu jouer *le Philosophe sans le savoir*. Il sanglote, il invoque le ciel, il interpelle Lovelace parce qu'il a lu la mort de Clarisse dans Richardson. Il sanglote parce qu'il écrit l'histoire, d'ailleurs tout imaginaire, de sa *Religieuse*. Il pâlit et il frissonne parce qu'il contemple les tableaux de Joseph Vernet. Il ne sait rien prendre modérément, « ni la peine, ni le plaisir ». « Il a, en une journée, cent physionomies diverses..., serein, triste, rêveur, tendre, passionné, enthousiaste. » Causer, ce n'est pas pour lui écouter, répondre, discuter, c'est monter sur le trépied et répandre à flots impétueux ce que lui dicte le dieu qui l'agite. Il emplit le salon de d'Holbach des éclats de sa verve et de son enthousiasme. Garat va le voir pour l'interroger; mais qu'importent les curiosités de Garat? Diderot parle, s'enivre de mots, se grise d'idées, agite le possible et mesure l'impossible; et Garat se retire étourdi et conquis. Il parle à Catherine comme à Garat; il lui saisit le bras, il lui frappe la cuisse. La passion l'emporte jusqu'au désordre de la machine. « Dans ses agitations, il éprouve un frissonnement de toute une main. » S'il est seul, il se parle à lui-même et il s'est habitué depuis longtemps à cet art du « soliloque ». Méditer, ce n'est donc pas seulement raisonner, c'est se plonger, comme il le dit, dans le « délire philosophique », et cela « le jour, la nuit, en société, dans les rues, à la promenade ».

Tout cela s'accorde mal avec les précisions de la science et les conclusions glacées du matérialisme. Mais la vie emporte Diderot et son tempérament le conduit. Ses amis déjà avaient constaté la contradiction. « Je ne crois pas, disait Naigeon, qu'il y ait eu un être plus contrasté que lui : né avec une imagination vive, ardente, et une disposition assez forte à l'enthousiasme, qualité la plus contraire à l'esprit d'observation, il savait néanmoins voir et bien voir. » « Défenseur passionné du matérialisme, conclut Meister, on peut dire qu'il n'en était pas moins l'idéaliste le plus décidé quant à sa manière de sentir et d'exister; il l'était malgré lui par l'ascendant invincible de son caractère et de son imagination. » Car il a souvent subi l'ascendant. A l'ordinaire, l'enthousiasme ne trouble pas ses raisonnements de philosophe. Il les emporte seulement d'un mouvement plus rapide et plus audacieux; le délire de son d'Alembert qui rêve reste un délire de savant et de raisonneur. Mais parfois la lumière de la raison semble s'absorber dans la flamme du sentiment. C'est Diderot qui écrit, comme Jean-Jacques l'aurait écrit, que « les vérités du sentiment sont plus inébranlables dans notre âme que les vérités de démonstration rigoureux, quoi-qu'il soit souvent impossible de satisfaire pleinement l'esprit sur les premières ». C'est Diderot qui, parce qu'il aime Mlle Volland, rêve de survie et d'éternité; ce sont peut-être les molécules seules qui survivent et celles de Diderot qui iront s'unir à celles de Sophie; mais c'est peut-être aussi l'Être éternel qui existe et l'âme personnelle qui demeure; il reste un doute qui peut consoler le cœur : « Le fil de la vérité sort des ténèbres et aboutit à des ténèbres... Je ne suis aucunement tyran des opinions. »

LA POLITIQUE DE DIDEROT

Ses idées politiques sont disséminées dans un grand nombre de ses ouvrages. Mais elles s'expriment surtout dans ce qu'il a écrit pour Catherine II et qui est réuni, soit dans l'édition Assézat-Tourneux, soit dans le livre de Tourneux intitulé Diderot et Catherine II, *1900.*

CATHERINE II présente le Code de ses lois aux nations qui composent son empire. « Le Code est soutenu par la Justice, qui montre ce paragraphe remarquable : *un bon législateur s'attachera moins à punir les crimes qu'à les prévenir; il s'appliquera plus à donner des mœurs qu'à abattre les esprits par des supplices.* » Gravure de Choffard, d'après Ch. Monnet. — CL. GIRAUDON.

Diderot n'a guère disserté de politique en dehors de l'*Encyclopédie*. Il n'ignorait pas sans doute que la philosophie doit conduire le législateur, que « des âmes un peu généreuses doivent boire ses principes et s'en enivrer » et porter dans la vie pratique l'esprit qu'elles mettent dans leurs spéculations. Mais c'est pour les spéculatifs qu'il aimait à écrire bien plutôt que pour ceux qui mènent les hommes. Ses amis et ses ennemis ont applaudi ou combattu ses doctrines parce qu'elles étaient « philosophiques » et non pas parce qu'elles réformaient la société. Diderot n'a jamais été, pour l'opinion, ce que furent un Helvétius, un Turgot, un Condorcet, un Mably ou un d'Holbach, un philosophe tout prêt à devenir un homme d'action. Ses idées politiques servent à nous le faire mieux connaître bien plus qu'à expliquer son influence.

Elles sont judicieuses d'ailleurs, mesurées et généreuses bien plus qu'elles ne sont originales. Diderot n'a pas de système, comme en ont les économistes, Mably ou Condorcet. Il n'a pas la hardiesse insolente de Morelly, de Delisle de Sales ou de d'Holbach. Il déteste les abus, la misère des uns et le luxe des autres, les privilèges qui écrasent le peuple et le despotisme qui fait des âmes d'esclaves. Il déteste tout cela comme la plupart de ses contemporains, comme Marmontel même ou La Harpe. Mais s'il ne veut pas du luxe de Sybaris, il raille aussi bien l'inutile austérité de Sparte. Il pense à l'occasion qu'on aurait un parfait souverain si l'on « entait » un philosophe sur un roi; mais il se défie du « despote juste et éclairé » d'Helvétius et tient cet idéal pour « très téméraire ». Il l'affirme à Catherine elle-même. Il croit, comme Montesquieu, Rousseau et presque tous ses contemporains, que la démocratie convient à de petits États; mais il conclut aussi, et sincèrement, qu'elle est une dangereuse chimère pour un pays comme la France. Il combat l' «infâme» et prodigue contre les «superstitions» les sarcasmes et les invectives; mais il pense qu'il faut une religion non pas pour le peuple, mais pour un peuple, à condition que les prêtres se mêlent de leur religion et non pas de politique. Il décrit, avec une joyeuse ardeur, le bonheur de Taïti où l'on n'est gouverné que par les lois de la nature; mais, chaque fois qu'il parle d'un peuple qui ne vit pas aux antipodes, il oublie tout à fait la nature et ne songe plus qu'à des lois sagement combinées par des hommes. Il est à l'ordinaire le plus pratique et le plus réaliste des raisonneurs. S'il compose pour Catherine un projet d'organisation des études en Russie, ce n'est qu'après s'être informé méthodiquement de l'agriculture, du commerce, de l'industrie russes. S'il raisonne avec elle des lois qui conviennent à ses Moscovites, il s'appuie sur des faits, ceux que lui enseignent Montesquieu ou Hénault, mais surtout ceux qui se tirent des «grosses forges», du colza, et du reste. S'il traverse deux fois la Hollande, lors de son voyage en

Russie, ce n'est pas seulement pour s'amuser de son pittoresque et philosopher sur des apparences. Il s'informe avec une curiosité précise. Il amasse des notes sur le climat, l'organisation politique, la milice, les marins, la police, le commerce, les corporations, les manufactures, l'économie domestique. Il croit vraiment qu'il n'y a pas de politique de spéculation, ou plutôt que la spéculation ne réussit qu'en se subordonnant à des expériences longues et méthodiques. Pas plus en politique qu'en philosophie il n'est réellement un rationaliste : il ne croit qu'à l'organisation de l'expérience.

SES DOCTRINES LITTÉRAIRES

*Elles sont dispersées à travers ses œuvres, mais on peut en trouver l'essentiel dans l'*Éloge de Richardson, *dans les* Réflexions sur Térence *que publia le* Journal étranger *en 1761 et 1762, dans le* Paradoxe sur le Comédien, *et dans les ouvrages dont nous parlerons à propos des* drames (Entretiens sur « le Fils naturel »; Discours sur la poésie dramatique).

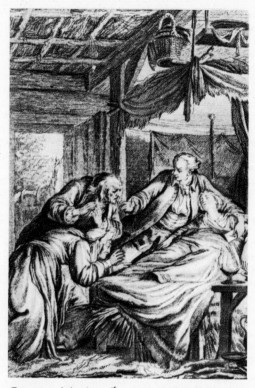

GRAVURE tirée des « Épreuves du sentiment » de Baculard d'Arnaud (« Œuvres », 1770). C'est le thème de la bienfaisance, cher à Diderot.
CL. LAROUSSE.

Nous connaissons un autre Diderot encore, révélé surtout par ses œuvres posthumes. Les contemporains de Diderot n'ont guère connu de lui qu'une partie de sa philosophie et ses drames. Les œuvres posthumes nous ont révélé en outre un Diderot essayiste, romancier, critique d'art, un homme de lettres et non plus seulement une tête philosophique.

Comme tous les hommes de lettres de son temps, Diderot a eu des doctrines littéraires. Dès le début du siècle, c'est à qui rédigera un manifeste pour fixer les principes du beau et en déduire les conséquences. D'innombrables poétiques, d'innombrables traités du goût comparent les règles aux règles ou défendent le droit de renier les règles. Rousseau a ses idées sur le roman, sur le théâtre. Des philosophes comme Helvétius ou d'Holbach analysent les conditions du beau comme celles d'une politique judicieuse ou d'une morale solide. Et les âmes sensibles, comme L.-S. Mercier ou Baculard d'Arnaud, opposent le génie du cœur et du sentiment au bon goût classique et à l'autorité de Boileau. Diderot a disserté comme eux, avec plus de talent seulement.

Il a des doctrines de philosophe d'abord; celles de sa tête — quand sa tête est d'aplomb. Il sait que dans les arts et dans les sciences il n'y a rien de grand sans le génie, sans cette mystérieuse puissance de l'esprit qui saisit d'un seul coup ce que les autres n'avaient pu que pressentir. Mais il sait aussi que le génie n'est jamais fécond sans un travail patient et une froide clairvoyance. C'est une tête froide qui peut découvrir la gravitation, calculer la précession des équinoxes, observer la génération des polypes. Les chefs-d'œuvre des belles-lettres se font peut-être comme ceux des astronomes et des physiciens. C'est là du moins le « paradoxe » qui séduit non pas Diderot, mais un Diderot. Le *Paradoxe sur le Comédien* affirme, à grand renfort d'exemples et d'arguments, que les grands comédiens ne sont pas ceux qui, pendant qu'ils jouent, se laissent entraîner par l'émotion; ce sont ceux qui, hors de la scène,

ont senti profondément ce qu'ils devaient jouer, mais se sont calmés pour raisonner sur leur jeu et calculer leur expression. Sur la scène ils ne sont plus que des acteurs lucides, qui se regardent s'émouvoir et s'entendent rire ou se lamenter. C'est ainsi que jouent et triomphent la Clairon et Garrick. Le *Paradoxe* ne serait qu'une discussion sur les choses du théâtre si Diderot n'avait pas affirmé que le grand poète, le grand orateur et le grand romancier ressemblaient au grand comédien. Assurément il n'y a pour être grands poètes ou grands écrivains que les grands cœurs et les passionnés. Il faut s'émouvoir violemment pour exprimer, comme il convient, ce qui fait l'art et la poésie. Mais le grand poète n'est pas celui qui s'exalte; il est celui qui s'est exalté. Le chef-d'œuvre ne peut être que l'œuvre du sang-froid. Il s'élabore dans les « moments tranquilles et froids... Les grands poètes, les grands acteurs, et peut-être en général tous les grands imitateurs de la nature... sont les êtres les moins sensibles. » Diderot sait — et il le dit — que cette doctrine le condamne à ne pas écrire de chefs-d'œuvre, puisqu'il ignore les moments tranquilles et froids et le travail de la lime, qui l'« ennuie ». Mais il se résigne à conclure contre lui.

La tranquillité et la clairvoyance permettent de mesurer exactement les effets et de garder les yeux fixés sur le modèle idéal et sur ses règles. Car Diderot n'a pas les audaces d'un Sébastien Mercier, d'un Restif ou d'un Dorat-Cubières. Il ne pense pas que ni les Anciens, ni Boileau, ni Racine, ni Fontenelle, ni Voltaire aient fixé les règles et donné les modèles immuables du goût. Il ne croit pas cependant qu'il n'y ait pas d'autre règle que le caprice de l'artiste et l'émotion du lecteur, et que raisonner sur l'art, ce soit tuer l'art. Il y a, selon lui, une école du goût et de la beauté : c'est l'école des Anciens, qu'il faut connaître « étroitement », et des écrivains tels que Racine. Le goût n'est pas soumis à l'incessante vicissitude des siècles et des tempéraments; « ce n'est pas une chose de caprice ». Le « beau réel » n'est pas une chimère. Ses règles sont « aussi vieilles que le monde, l'homme et la vertu »; il appartient au XVIIIe siècle de les retrouver et de les « prescrire ». Vérité, nature sont sans doute des guides légitimes, mais à condition qu'on ne confonde pas l'art avec la nature et la vérité. Être vrai, par exemple, au théâtre, ce n'est pas du tout « y montrer les choses comme elles sont en nature ». « Le grand homme n'est pas celui qui fait vrai, c'est celui qui sait concilier le mensonge avec la vérité » et unir, comme Térence, la « verve » et le « goût ».

Doctrine prudente et philosophique. Mais nous avons vu que la philosophie de Diderot ne s'ajustait pas toujours à son tempérament. Sa philosophie le persuade qu'un chef-d'œuvre est fait d'équilibre et de choix; son tempérament le pousse à croire que l'équilibre est ennuyeux et que le choix attarde et glace. Incessamment la « verve » bouleverse son « goût », la passion contredit son sang-froid; et Diderot pousse l'écrivain vers l'enthousiasme et le délire.

Il croirait volontiers, tout d'abord, comme Helvétius,

qu'il n'y a rien de grand sans une grande passion. Entre sa raison de philosophe et les élans aveugles de son cœur, c'est le cœur qu'il choisit pour guide. Il est l' « apologiste des passions fortes ». « Il n'y a que les passions et les grandes passions qui puissent élever l'âme aux grandes choses. » C'est une idée de Shaftesbury ; mais c'est pour l'avoir conçue que Shaftesbury est au-dessus d'un Locke, trop méthodique et trop timide. Qu'importe la rançon de ces passions fortes et que les grandes actions et les grands crimes portent le même caractère d'énergie ? « Si un homme n'était pas capable d'incendier une ville, un autre homme ne serait pas capable de se précipiter dans un gouffre pour le sauver. » Les grandes œuvres de l'art se créent comme se pratiquent les grandes vertus. L'esprit philosophique est une chose et l'esprit poétique en est une autre. A mesure que l'esprit philosophique fait des progrès, la poésie entre en décadence ; la clarté est bonne pour convaincre, elle ne vaut rien pour émouvoir : « de quelque manière qu'on l'entende, elle nuit à l'enthousiasme ». Et c'est l'enthousiasme seul qui fait les grands poètes et les grands artistes. Il faut même autre chose qu'un enthousiasme contenu qui mesure ses élans et calcule ses effets. L'enthousiasme de Diderot et de l'artiste selon son cœur soulève tout son être. Les yeux et les bras s'élèvent vers le ciel ; les larmes coulent ; un frémissement part de la poitrine et passe, « d'une manière délicieuse et rapide, jusqu'aux extrémités du corps ». Le grand paysagiste doit frémir d'une « espèce d'horreur sacrée ». Et même il faut, pour nourrir ces horreurs et multiplier ces frémissements, les convulsions de la nature ou celles des sociétés, des tempêtes et des cataclysmes, des fureurs et des massacres. « Plus un peuple est civilisé, poli, moins ses mœurs sont poétiques ; la poésie veut quelque chose d'énorme, de barbare, de sauvage » ; la poésie habite les bruyères horribles et les palais farouches des bardes, elle plane sur les révolutions et les peuples en tumulte ; elle est dans les imprécations déferlant comme une mer à la mort de Commode, dans les désolations de Job, d'Ézéchiel et de Jérémie. Que valent les règles et la philosophie pour un Ossian, pour des prophètes ? Elles leur donneraient du goût, peut-être ; mais elles tueraient le génie ou lui « donneraient des entraves ». L'erreur des contemporains de Diderot, qui se croient poètes, est d'ignorer les fureurs du génie et de mesurer leurs œuvres au compas du goût. Bons écrivains peut-être, gens d'esprit et d'élégance ; mais poètes ou grands hommes, non pas. La Harpe est une tête froide ; il a des pensées, il a de l'oreille ; mais point d'entrailles, point d'âme. Saint-Lambert ne manque ni de raison ni d'habileté, ni même d'imagination. Il lui manque une âme qui se tourmente, un esprit violent, une imagination forte et bouillante. Et quand Ducis prétend donner à Shakespeare du goût, de la décence et de la mesure, il ne met à la place du « monstre » qu'un épouvantail.

SON ART

C'est bien ainsi que Diderot a écrit : avec son âme, en suivant son imagination forte et bouillante. La plupart de ses œuvres littéraires ne sont pas des ouvrages cent fois remis sur le métier et longuement préparés pour l'impression et la postérité. Ce sont des improvisations hâtives, nées dans un moment de « délire » ou de caprice, révisées parfois ou remaniées, puis oubliées nonchalamment et qui grossissent la masse de ses manuscrits inemployés. Il sait qu'il se condamne ainsi à la « médiocrité dans tous les genres » ; mais il aime mieux renoncer à la perfection. Son plaisir est d'improviser. Les *Pensées philosophiques* ont été composées en quatre jours ; l'*Éloge de Richardson*, en quinze heures ; la *Lettre sur Boulanger* et l'*Introduction aux grands principes*, dans le temps qu'il fallut pour les écrire ; l'*Essai sur Térence* en huit jours. Voilà du moins ce qu'attestent Naigeon et Mme de Vandeul. Et nous

savons, par Diderot lui-même, que *la Religieuse* fut écrite « au courant de la plume ». Il avoue clairement qu'il n'a pas voulu se donner la peine de composer et d'ordonner. Les ouvrages mêmes qu'il publie sont bien des *essais*. On y peut trouver parfois ce qu'il appelait un « ordre sourd » ; et Deleyre montrait qu'il y avait un plan dans les *Pensées sur l'interprétation de la nature*. Mais, le plus souvent, si Diderot choisit un chemin, il le quitte pour des sentiers de traverse et des digressions. Dans les discussions méthodiques elles-mêmes, comme celles des lettres *Sur les aveugles* et *Sur les sourds et muets*, la marche du raisonnement est confuse parfois et capricieuse. Elle erre à l'aventure lorsqu'il ne s'agit plus de démontrer. Les *Pensées philosophiques*, les *Pensées sur l'interprétation de la nature* juxtaposent les réflexions presque toujours sans les lier. Pour parler de Sénèque, Diderot énumère tranquillement ses ouvrages l'un après l'autre. *Le Rêve de d'Alembert* est confus comme un rêve. L'histoire de *Jacques le Fataliste* est une série de hasards incohérents.

Diderot avait pour excuse qu'il ne surprenait pas ses contemporains. On s'était lassé de l'ordre oratoire ou géométrique. Les philosophes eux-mêmes renonçaient souvent aux lentes et massives architectures. L'*Histoire critique de la philosophie* de Brucker, dont Diderot s'est beaucoup servi, est rédigée par courts paragraphes qui se succèdent souvent plus qu'ils ne s'enchaînent. Le *Système de la nature* de Maupertuis, dont Diderot discute les idées dans ses *Pensées sur l'interprétation de la nature*, est composé, comme ces *Pensées* elles-mêmes, de paragraphes numérotés. Mais Diderot ne cherchait pas d'excuses ou plutôt il n'en cherchait qu'en lui-même. Son art est fait à son image et ses défauts sont bien à lui. Ses livres ressemblent à ses promenades ; ils sont toujours « conduits par ses rêveries ». « Il ne composait pas ; il causait librement avec son lecteur et avec lui-même. » On trouve ainsi dans ses ouvrages les défauts et les qualités de la rêverie et de la conversation, du moins de la rêverie et de la conversation de Diderot. Ils en ont le mouvement et la vie.

SA CORRESPONDANCE

La correspondance de Diderot a vu le jour par fragments : les lettres à Mlle Jodin en 1821, les lettres à Mlle Volland (incomplètes) en 1830, les lettres à Falconet en 1831. Elle a été réunie dans l'édition Assézat-Tourneux qu'il faut, comme nous l'avons dit plus haut, corriger et compléter par les Lettres à Mlle Volland *et la* Correspondance inédite, *publiées par M. Babelon.*

Ces qualités sont surtout sensibles dans la correspondance de Diderot. Il a écrit sans doute des lettres qui sont longues et parfois ennuyeuses. Ce sont celles où il s'est appliqué, celles, par exemple, qu'il adresse à Falconet, sur le désir d'immortaliser son nom et qu'il songea à réunir et à publier. Mais ses lettres les plus belles sont ses lettres d'ami, ses lettres d'amant, celles surtout qu'il écrivit à Mlle Volland. Il se lia avec elle vers 1755 ; il avait quarante-deux ans ; elle en avait une trentaine. Il l'aima avec une ardeur impétueuse et une sincérité profonde. Elle était assurément intelligente et cultivée ; elle lisait Helvétius et pouvait raisonner sur les sciences. Elle était peut-être, par surcroît, vertueuse. Elle fut, tout de suite et surtout, la compagne de son intelligence et la confidente de ses rêveries, celle dont la pensée le suit jour par jour, malgré l'absence, la maladie et les tracas, celle à qui il raconte ses menus soucis et ses pensées graves. Et les propos de Diderot sont le miroir séduisant et fidèle d'une âme à la fois diverse et précise, profonde et frivole, tumultueuse et réfléchie. Les élans lyriques et les strophes de tendresse alternent dans ces lettres avec les méditations graves ou les badinages. Il y raconte, en même temps que lui-même, sa femme, sa fille, ses amis, le baron d'Hol-bach, et la baronne et la belle-mère du baron et les amis du baron, Grimm, Galiani, Linant, le « père Hoop ». Ou plutôt, c'est lui-même qui se raconte, à travers eux, qui transpose, transfigure, anime. Il est comme l'âme ardente d'un petit monde qui mène la vie gaie, festoie copieusement et se grise un peu, mais se grise d'idées et de paradoxes encore plus que de bon vin. Il n'y a pas de tableau plus vivant de la « société philosophi-que » entre 1760 et 1770.

SES ROMANS

Sauf un mauvais ouvrage licencieux de sa jeunesse et un conte (les Deux Amis de Bourbonne), *paru en 1773, les romans de Diderot ont été publiés*

LETTRE ÉCRITE PAR DIDEROT prisonnier au donjon de Vincennes, le 10 août 1749 (Bibl. Nat., Nouvelles acquisitions, ms. 1311, f⁰ 12). — CL. LAROUSSE.

après sa mort. La Religieuse *et* Jacques le Fataliste *ont paru en 1796. Ceci n'est pas un conte en 1798.* Le Neveu de Rameau *a d'abord été connu par une traduction allemande de Gœthe, puis publié, d'après des copies, en 1823 et dans l'édition Assézat-Tourneux; d'après le manuscrit original, par Monval, 1891.*

Voir : André Le Breton, le Roman au XVIIIᵉ siècle, 1898.

Les romans de Diderot ont un peu les qualités de ses lettres et les défauts du reste de son œuvre. Ils ne sont pas pourtant exactement ceux que ses théories littéraires et morales auraient dû lui inspirer. Diderot, enthousiaste de Joseph Vernet et d'Hubert Robert, des horreurs sacrées de la nature et du génie sauvage et barbare, féru de *Clarisse* et de *Paméla*, persuadé que l'écrivain a reçu la mission de former les cœurs et de nourrir les vertus, aurait pu concevoir des romans à la mode de *Clarisse* ou de *la Nouvelle Héloïse*, ou des *Idylles* de Gessner et de *Paul et Virginie*. Il aurait pu y mettre cette éloquence qui agite son Dorval devant les splendeurs de la nature ou de la vertu, ces élans et ces effusions qui haussent ses lettres à Mˡˡᵉ Volland, ou ses *Salons*, et qui devancent parfois les méditations d'un Chateaubriand ou d'un Lamartine. Le roman « sensible » et le roman vertueux s'emplissent autour de lui de ces délices, de ces extases qui lui semblaient la marque du génie. Mais ses romans ont subi d'autres influences et c'est une autre part de lui-même qu'ils expriment.

Ils ne sont pas composés, parce qu'il ne voulait pas composer. *La Religieuse* est un roman par lettres, qui fut d'abord une plaisanterie. On remettait ces lettres à M. de Croismare, homme charitable et naïf, comme des lettres vraies, pour qu'il vînt au secours d'une séquestrée. Le récit pouvait avoir tout le désordre d'une correspondance réelle. *Jacques le Fataliste* veut enseigner que la vie est conduite par le hasard; les épisodes doivent donc se juxta-poser au hasard. *Le Neveu de Rameau* conte les pittoresques frénésies d'un demi-fou qui, comme il convient, ne met pas d'ordre dans ses propos. Personne d'ailleurs autour de

Diderot, ou presque personne, ne songe à composer un roman. Les romans de Prévost se poursuivent et s'achèvent comme ils peuvent. *La Nouvelle Héloïse* ne se soucie guère d'équilibrer les développements. Les romans anglais sont si copieux et si désordonnés qu'il faut souvent les alléger et les clarifier pour les lecteurs français. L'insouciance de Diderot est, pour une part, l'insouciance de ses contem-porains. Elle tient encore à ce que ses romans ne sont, eux aussi, qu'une conversation qu'il poursuit avec lui-même. *La Religieuse*, c'est le récit que Diderot se fait, au point qu'il en pleure, des infortunes de sœur Suzanne. *Jacques le Fataliste* est le dialogue de Jacques et de son maître, entendons de Diderot avec lui-même; *le Neveu de Rameau*, c'est le dialogue du Neveu et de Diderot. Une conversation s'accommode malaisément du ton « sen-sible » et du lyrisme, ou il y faut du moins autre chose encore : le mouvement qui entraîne, qui précipite, la verve qui pétille, plutôt que le feu profond qui gronde. Cette verve et ce mouvement, c'étaient justement les qualités que l'on demandait encore, vers 1760 ou 1770, au roman-cier, tout autant que le pathétique et l'enthousiasme. Nous verrons que, malgré *la Nouvelle Héloïse*, les romans et les contes qui badinent et ironisent gardent toute leur place. Diderot en goûtait assurément l'esprit alerte; le charme de sa conversation tenait pour une part à ce qu'elle ne s'attardait pas, mais courait d'idées en idées, d'anec-dotes en anecdotes. Il dédaignait d'ailleurs, comme il l'a répété, l'art trop facile de combiner des aventures ingénieuses, d'embarquer son héros pour les Iles, de mêler à d'honnêtes gens naïfs un scélérat astucieux. Il a donc conté pour ceux qui lisaient *Angola* ou *Candide* plutôt que pour les lecteurs de l'*Héloïse* ou des romans de Baculard d'Arnaud.

Le meilleur de son *Jacques le Fataliste*, ce sont juste-ment des anecdotes sobres et rapides, où chaque trait, chaque phrase marchent à l'événement, où il semble que Diderot vous tienne par la manche, frappe votre genou, comme il faisait quand il discutait, et vous entraîne sans répit d'incident en incident. C'est l'histoire de Mᵐᵉ de La Pommeraye, c'est celle de Desglands, de la pâtissière et de l'intendant. Tel conte même, comme *les Deux Amis de Bourbonne*, vaut mieux par ces qualités que presque toute *la Religieuse* et que tant de pages de *Jacques le Fataliste*, qui dissertent et qui traînent. Chemin faisant, tandis qu'il bavarde, il oublie d'ailleurs la morale, la vertu et la mission de l'écrivain. Il l'oublie, comme tant de conteurs qui n'écrivaient pas des contes moraux. Ou plutôt il l'oublie parce que c'était son tempérament et parce que, s'il croyait à la morale et à la vertu, il ne croyait pas qu'elles dussent interdire les facéties. Une conversation ne tire pas à conséquence; et une plaisanterie même risquée vaut mieux que de mauvaises mœurs. C'est pourquoi il y a dans *la Religieuse* et dans *Jacques le Fataliste* tant de pages qui n'étaient pas nécessaires.

Ces qualités et ces défauts des romans de Diderot ne lui sont pas exactement personnels. On les trouve chez Voltaire et à l'occasion chez Duclos, Crébillon, Boufflers et La Morlière. Mais les personnages que ces conteurs mettent en scène se ressemblent tous; ce sont des gens du monde qui ne sont d'aucun temps ni d'aucun pays, ou qui ne sont que des petits-maîtres du XVIIIᵉ siècle. Voltaire lui-même, malgré quelques vives ou plaisantes silhouettes, s'est soucié de nous faire comprendre les sottises ou les sages pensées de ses héros bien plus que de nous faire voir leurs gestes et leurs physionomies. Au contraire, le goût des sciences concrètes et de l'observation, l'amour des arts plastiques ont donné à Diderot la curiosité de regarder les visages, les gestes et les attitudes des hommes. Il est « peuple », d'ailleurs, ou bourgeois, et de ce monde où l'on garde volontiers, avec son franc-parler, son caractère et ses manies. C'est pourquoi il a su donner parfois à ses romans cette couleur, ce pittoresque, cette vie des muscles, des nerfs et des grimaces qui manque à presque toutes les œuvres du XVIIIᵉ siècle. Si l'analyse morale n'y est ni neuve ni profonde, la vision du réel y est souvent directe et vivante. Il y est le meilleur de nos réalistes et supérieur, sur ce point, à Marivaux, à Prévost, à Voltaire, à Rousseau.

Il n'ignorait pas d'ailleurs la valeur de cet art. Il savait que, pour être vrai, il faut être simple, et renoncer non seulement aux fantaisies des romans d'aventures, mais au pathétique qui force la nature et sort du train ordinaire des passions et des choses. Il faut supprimer tout ce qu'il y a « de saillant, d'exagéré, de contraire à l'extrême simplicité et à la dernière vraisemblance ». Mais simplicité et vraisemblance ne signifient pas banalité et imprécision. Le roman est l'image de la vie concrète et non pas des passions abstraites. Un peintre ou un sculpteur pourront nous offrir une Vénus ou un Jupiter qui ne soient que grâce ou majesté. Mais le romancier, comme le portraitiste, devra nous montrer cette verrue, cette cicatrice, cette marque de petite vérole qui font de Vénus une de nos voisines et de Jupiter un vieillard de notre quartier. L'art du grand poète et du grand peintre « est de vous montrer une circonstance fugitive qui vous avait échappé ». C'est, à plus forte raison, celui du grand romancier. « Il parsèmera son récit de petites circonstances si liées à la chose, de traits si simples, si naturels et toutefois si difficiles à imaginer, que vous serez forcé de

Il y a un sort pour les bêtes comme pour les gens.

FRONTISPICE du tome II de « Jacques le Fataliste » (édition de 1797). — CL. LAROUSSE.

vous dire en vous-même : ma foi, cela est vrai. » Et quand toutes ces petites circonstances et tous ces traits simples seront mis à leur place et en leur temps, le romancier comme le dramaturge obtiendront ces « tableaux », cette « peinture des mouvements » qui suffisent souvent à exprimer les sentiments et les passions.

C'est là ce qui fait assez souvent la vie des romans de Diderot. « Raconte-moi ton tableau », dit à Jacques son maître. Les récits de Diderot sont fort souvent des tableaux où tous les traits n'ont pas l'élégance ou la finesse qu'il faudrait, mais qui ont du moins le mouvement et la vie. C'est là surtout ce qui fait du *Neveu de Rameau* un chef-d'œuvre. Le Neveu n'a pas une âme rare et compliquée : il a simplement une âme pervertie où s'allient aux instincts d'un musicien des appétits violents et une invincible paresse. Il n'a pas fallu à Diderot une pénétration bien profonde pour comprendre ses vices et son génie dévoyé. Mais il lui a fallu une puissance singulière d'observation et tout l'art de « peindre à l'esprit » pour traduire par des mots et des phrases le délire de ses muscles, la frénésie de ses nerfs, les convulsions de son visage et le torrent de ses chants. Tout est vivant dans l'âme d'un héros de Racine et dans les passions de son cœur; tout est vivant dans l'intelligence d'un Zadig ou les curiosités d'un Candide. Diderot ne sait pas peindre comme Racine ou Voltaire les âmes ou les esprits. Mais tout vit, tout agit, tout se démène dans le corps de son héros. Plus que tout autre écrivain du XVIIIᵉ siècle, il a été quelqu'un « pour qui le monde extérieur existe ».

On a dit qu'il avait subi d'autres influences que l'influence ambiante du conte et du roman français. Mais ce n'est qu'apparence. Il a lu Richardson et l'a relu avec des sanglots et des extases. Il l'a loué justement d'avoir été un excellent observateur et un peintre de la vie réelle et de nous avoir conduits dans une maison qui est celle des Harlowe et non une autre, dans une famille dont chaque visage nous devient familier comme celui d'un parent ou d'un ami. Le réalisme de Richardson a donc encouragé son réalisme. Par surcroît, il y a peut-être dans *la Religieuse* quelques souvenirs de *Clarisse* : la religieuse est victime d'une famille égoïste et d'une débauchée, comme Clarisse de sa famille et d'un débauché. C'est un roman à prédication comme *Clarisse*. *Jacques le Fataliste* n'aurait pas été rédigé exactement comme il l'est sans l'exemple de *Tristram Shandy* de Sterne, auquel Diderot a emprunté, pour qu'on ne s'y méprît pas, quelques paragraphes et quelques situations : *Tristram*, on le sait, est un roman où l'intrigue l'accessoire et les digressions sont l'essentiel. Diderot, qui aimait mieux les détours que le droit chemin, s'est autorisé de ce livre, qu'on lut en France avidement et dont la traduction eut douze éditions en quinze ans, pour faire de *Jacques le Fataliste* un récit à bâtons rompus. Mais ces influences sont tout extérieures. Il n'y a rien de la manière de Richardson dans *Jacques le Fataliste*, dans *le Neveu*, dans les *Contes*, ni même dans *la Religieuse*. Le goût du roman moral et moralisant se développe dans le roman français avant la traduction de *Clarisse* et même avant la traduction de *Paméla*. Le thème de la religieuse victime des siens n'était pas neuf. Le réalisme de

Richardson est un réalisme tatillon et domestique, celui d'une bonne maîtresse de maison qui sait la place du linge dans les armoires; celui de Diderot est le réalisme d'un peintre qui néglige le détail sans relief pour saisir le trait qui traduit un visage. Les bavardages de *Jacques le Fataliste* ressemblent à ceux de *Tristram* par leur incohérence calculée; mais il n'y a pas d'intrigue romanesque dans *Tristram ;* il y en a plusieurs, qui se juxtaposent ou se mêlent, dans *Jacques ;* et elles sont fort vivantes. Sterne disserte, mais d'histoire, de philosophie, de morale pratique, de morale religieuse, de politique, de tactique, etc., comme il se trouve. Le maître de Jacques est avant tout Diderot, c'est-à-dire un philosophe et un moraliste. Sterne raille et se pique de ne croire à rien; Diderot se passionne, quoi qu'il en ait : son ironie

LE SALON DU LOUVRE en 1753. Eau-forte de Gabriel de Saint-Aubin. — CL. LAROUSSE.

est toute pleine d'enthousiasme. Il n'a emprunté à Sterne qu'une formule d' « humour »; il ne l'imite pas.

DIDEROT CRITIQUE D'ART

Les expositions d'œuvres d'art qui portent le nom de Salons se tenaient à Paris (dans le « Salon carré » du Louvre) tous les deux ans. Diderot se chargea d'en donner, de 1759 à 1771, des descriptions critiques destinées à la Correspondance littéraire *de son ami Grimm. Il a rendu compte, en outre, des Salons de 1775 et 1781. Ses Salons ont été édités, d'après les manuscrits successivement retrouvés, de 1795 à 1857.*

Voir : F. Brunetière, Études critiques, *t. II, 1889 ;* A. Fontaine, les Doctrines d'art en France de Poussin à Diderot, *1909.*

L'idée de publier des jugements sur les Salons n'était pas neuve. Des brochures fort nombreuses s'offraient à renseigner le public et à éclairer son goût. La plupart n'étaient faites, d'ailleurs, que de plaisanteries ou de critiques hargneuses. Il y avait entre les amis des artistes et les folliculaires payés pour se moquer d'eux échange d'injures et non pas de raisons. Mais il y en avait aussi qui étaient plus sérieuses. Lafont de Saint-Yenne et l'abbé Le Blanc avaient publié des études judicieuses et désintéressées. De même le *Mercure de France* par la plume de Caylus, *l'Année littéraire,* le *Journal encyclopédique.* Les doctrines mêmes de Diderot, si complexes qu'elles soient, n'étaient pas non plus pour ses lecteurs une révélation. Ses tendances générales sont d'accord avec celles de ses contemporains. Les Académiciens, qui exposent seuls au Salon, cultivent toujours pour une part les grands genres, la peinture d'histoire et la peinture allégorique. Ils restent en partie fidèles au style académique, au costume et au nu antiques. Mais ce goût de la peinture officielle, solennelle et compassée, tend continûment à disparaître. On se lasse des « tragédies peintes » comme des tragédies jouées. Il n'y a plus guère qu'une règle : séduire, émouvoir. On

revient à la nature, à toute la nature, que l'on retrouve ou croit retrouver chez Young, chez Ossian, chez Rousseau, en Suisse, dans les jardins anglais, dans les « cabanes du pauvre ». Voltaire renonce aux sévérités académiques du *Temple du Goût,* et *le Siècle de Louis XIV* loue congrûment ceux que le *Temple* laissait à la porte, les Watteau, les Oudry, les Desportes. Les articles de *l'Encyclopédie* écartent résolument toutes les querelles d'école sur les grands genres et les petits genres, sur le dessin et la couleur, et sur le respect de l'Antiquité. Il n'y a pas une « nature antique »; il n'y a que la nature avec ses aspects changeants. L'artiste peut y choisir le grave ou le doux, le plaisant ou le sévère, Vernet une tempête ou un clair de lune, Watteau un parc ou l'embarquement pour Cythère, Oudry des chiens qui chassent, Téniers une bambochade, Chardin une servante à sa cuisine. La seule règle est d'étudier et de savoir traduire. Il n'y a pas une doctrine d'art; il n'y a que des techniques et les secrets du talent et du génie.

Cette indifférence à l'égard des doctrines, voilà bien la doctrine de Diderot. Un tableau ou une statue sont, d'abord, de la couleur et de la forme, un spectacle et une joie pour les yeux. Toutes les formes, tous les spectacles peuvent être beaux. On a voulu discréditer la « nature subalterne », les scènes « champêtres, bourgeoises et domestiques » et les reléguer dédaigneusement dans la « peinture de genre »; mais Téniers, la peinture hollandaise et flamande ont la « magie de l'art », et, si leurs sujets sont ignobles, ils sont « naïvement ignobles », naturels et beaux. Qu'importe que Chardin choisisse pour les peindre des pommes, une écuelle, une cuisine ? Il est un grand peintre, parce qu'il est un grand coloriste et qu'il sait mettre dans ses tableaux non des images des choses, mais les choses mêmes. Boucher a tout, peut-être, sauf une qualité : la vérité, et cela suffit pour que Diderot ne l'aime pas. Et il n'aime pas Le Bel, parce que Le Bel ignore « qu'un paysagiste est un peintre en portrait qui n'a guère d'autre mérite que de faire très ressemblant ». Étudier, pour un peintre, ce n'est pas copier sur l'estrade de l'école le modèle qui feint de tirer le seau d'un puits; c'est regarder celui qui le tire dans une cour; c'est « aller consulter la nature », « habiter les champs avec elle ». C'est là qu'on saisira les formes vraies et surtout cette magie des couleurs qui est la raison de la peinture. C'est aux champs que l'on discernera « les passages de l'obscurité à l'ombre, de l'ombre à la lumière, de la lumière au grand éclat », qui sont « si doux, si touchants, si merveilleux », l' « aspect d'une branche, d'une feuille », qui remue l'âme comme un grand poème ou une belle action et qui « fait haleter le peintre ».

Diderot a bien réellement jugé la peinture en peintre, et il en connaissait sinon la technique, tout au moins certaines techniques. C'est avec des peintres qu'il en causait, et non pas avec des gens de lettres. Mais il a mis autre chose aussi, dans ses *Salons*, qu'on lui a reproché. S'il parle d'Oudry et

UNE DES PASTORALES DE BOUCHER, que Diderot n'aimait pas (musée du Louvre). — CL. GIRAUDON.

de Chardin en peintre et en coloriste, il parle aussi de Vernet et de Greuze en littérateur. S'il vante la nature et la couleur, il aime tout autant « les idées », la « philosophie » et la « morale ». Il n'est pas très sûr qu'il y ait été poussé par les doctrines des Allemands Winckelmann et Mengs, qui allaient inspirer l'école de David. D'Holbach et de Croismare, ses amis, connaissaient Mengs, à qui ils commandaient des tableaux vers 1760. L'*Histoire de l'art*, de Winckelmann, est traduite en 1766 et Winckelmann y décide que le grand art sort d'abord d'une intelligence et d'une « idée ». Mais les goûts de

Diderot étaient fixés avant 1766. On ne trouve rien dans ses *Salons* qui ne soit de son tempérament même; il n'y juge pas les peintres autrement qu'il juge Saint-Lambert, Richardson ou Sénèque. L'influence allemande a pu le confirmer dans ses idées et non le déterminer.

Il ne suffit donc pas, selon lui, pour un peintre, de séduire les yeux et de copier la nature. Il doit encore parler à la pensée et au cœur. Il doit suggérer des idées et éveiller des émotions. « Il est encore plus vrai, dira-t-il une fois, que *Ut poesis pictura non erit* », que la peinture n'est pas la poésie. Mais il a développé dix fois le *Ut pictura poesis* d'Horace, côté peinture et côté poésie : « On retrouve les poètes dans les peintres et les peintres dans les poètes. » L'Orphée descendu aux enfers est « un beau sujet pour un poète et pour un peintre ». « De la poésie et de la peinture sans idées sont deux pauvres choses. » C'est la poésie et les idées qui font la grandeur de Joseph Vernet; c'est parce qu'il sait manier comme un dramaturge la terreur et la pitié, creuser les abîmes, précipiter les torrents, susciter les tempêtes, dresser vers le ciel les bras des naufragés. Ce sont les idées qui font la grandeur d'Hubert Robert, parce qu'il sait méditer sur les ruines. Ce sont les idées qui font la grandeur de Greuze, parce qu'il a « de l'esprit et de la sensibilité », sensibilité domestique, bienfaisante et champêtre, comme celle de Vernet est romantique et véhémente. *Le Fils ingrat* et *le Fils puni* sont des chefs-d'œuvre parce qu'ils sont bien composés, mais surtout parce qu'ils sont une leçon de piété filiale, qu'ils châtient le vice et apitoient sur la vertu malheureuse. Greuze s'est avisé le premier «de donner des mœurs à l'art» et « d'enchaîner des événements d'après lesquels il serait facile de faire un roman ». Ce n'est pas une erreur, c'est un trait de génie. Le devoir du peintre se confond avec celui de tous les beaux-arts. Poésie et peinture doivent être *bene moratae :* elles doivent enseigner les bonnes mœurs.

Assurément cette doctrine de Diderot est périlleuse. En confondant les arts plastiques et ceux de la parole et de la peinture, il détourne la peinture de sa fin propre. Il se laisse entraîner à faire de certains tableaux de Joseph Vernet et de Greuze les chefs-d'œuvre qu'ils ne sont pas. Mais ce ne sont là chez lui que des moments. Il a ses enthousiasmes de littérateur et de moraliste comme ses admirations de peintre et

LE FILS PUNI de Greuze, dont Diderot a fait un éloge enthousiaste dans son « Salon » de 1765 (musée du Louvre). — CL. BRAUN.

UNE DES « TEMPÊTES » DE JOSEPH VERNET, dont la vogue fut grande au temps de Diderot (musée du Louvre).

de coloriste. S'il s'est trompé sur Joseph Vernet, il ne s'est trompé ni sur Chardin, ni sur Boucher, ni sur bien d'autres. S'il a, d'ailleurs, besoin d'une excuse, c'est l'opinion contemporaine tout entière qui la lui donne. Le *Ut pictura poesis* a été vanté cent fois depuis Fénelon jusqu'à Bernardin de Saint-Pierre, en passant par les *Réflexions sur la poésie et la peinture* de l'abbé Du Bos. Presque toujours on l'a tenu pour une vérité qui obligeait les peintres comme les poètes. Un peintre a le devoir d'émouvoir et d'instruire tout autant que de plaire aux yeux. Les tempêtes, abîmes et cataractes de Joseph Vernet sont de ces beautés « bien horribles », qui séduisent les bourgeois comme les marquis, que Vernet exécute sur commande et que les financiers imitent à grands frais dans leurs parcs anglais. La sensiblerie de Greuze est l'universelle sensiblerie. Diderot avait vu des accordées de village, des heureuses mères et des tendres familles dans les opéras-comiques et dans les fêtes champêtres de Mme d'Épinay et de Mme d'Holbach.

Surtout, les *Salons* n'ont vraiment pas besoin d'excuses. Même si les doctrines en étaient fausses, la lecture en resterait merveilleusement divertissante et vivante. C'est moins un recueil de jugements et de théories qu'une conversation, et la meilleure conversation de Diderot. Tout s'y presse et s'y mêle, les descriptions animées et colorées, les discussions d'art, les méditations philosophiques, les enthousiasmes lyriques et les ironies acerbes, les anecdotes, les dialogues. Diderot tour à tour disserte, s'exalte, adjure, s'amuse, conte, se raconte d'un style alerte ou lyrique, jovial ou ardent. On peut y retrouver l'art du XVIIIe siècle, des doctrines d'art du XVIIIe siècle, des idées judicieuses ou des erreurs du XVIIIe siècle; mais c'est surtout Diderot qu'il faut y chercher et non pas la vie d'une doctrine et d'une école.

IV. — VOLTAIRE APRÈS 1754

Décidé à fuir en Suisse le caprice des rois et les persécutions de la Sorbonne, Voltaire, à la fin de 1754, choisit comme résidence d'hiver Lausanne, et pour les beaux jours achète près de Genève la propriété de Saint-Jean, ses « Délices ». Le consistoire genevois l'irrite bientôt autant que les théologiens de Paris. Empêché d'organiser à sa

guise des représentations dramatiques, il acquiert en 1758 la terre de Ferney en territoire français, mais tout près de la frontière, et, après l'avoir aménagée, il s'y installe en 1760 ; c'est de là que l'Europe attend poèmes, tragédies, contes, traités d'histoire et de morale, pamphlets graves ou facétieux, les « petits pâtés » que Voltaire sort quotidiennement de son four ; c'est de là que partent, par dizaines, les lettres qui portent en tous lieux sa pensée alerte, soucieuse de plaire et de prouver.

Il fait imprimer, en 1755, la Pucelle, à laquelle il ajoute toujours des développements nouveaux ; en 1756, il donne le poème de la Loi naturelle, composé à Berlin, et le poème du Désastre de Lisbonne; deux satires, le Pauvre Diable (1758), la Vanité (1760) ; plus tard, l'Épître à Boileau (1769). Mais son ardeur poétique est passée. N'avait-il pas dit dans le Temple du Goût :

> *Ces fruits des rives du Permesse*
> *Ne croissent que dans le printemps,*
> *Et la froide et triste vieillesse*
> *N'est faite que pour le bon sens.*

Toujours attaché au théâtre, Voltaire exprime avec une ardeur jeune, presque gamine, ses goûts et ses idées dans son Commentaire sur Corneille (1764), ou dans la lettre qu'il adresse à l'Académie contre Shakespeare (1776). En 1760 il donne Tancrède, qui lui valut un de ses plus beaux succès ; quelques semaines avant sa mort on joue Irène (1778), mais dans ses dernières tragédies il y a généralement moins d'action dramatique que de déclamation morale. La propagande philosophique l'absorbe. Il y emploie le roman, où il est passé maître : Candide (1759), l'Ingénu (1767), l'Homme aux quarante écus (1768) ; il y consacre une foule de petits traités aux chapitres incisifs. Sa pensée scandalise souvent, mais se fait lire et s'impose ; elle est merveilleusement secondée par ses entreprises passionnées pour faire triompher dans des cas individuels les principes de la justice et du bon sens. En février 1778, il se décide à revenir à Paris; l'Académie, la Comédie, le peuple entier lui font un accueil délirant ; brisé par ces émotions, il meurt le 30 mai, non sans craindre pour sa dépouille les représailles du parti dévot. Il fallut en effet user de surprise pour lui assurer une sépulture chrétienne à l'abbaye de Scellières, en Champagne. C'est là qu'en 1791 on ira chercher ses restes pour les porter au Panthéon.

LE CHATEAU DE FERNEY. Gravure de Queverdo, d'après Signy. — CL. LAROUSSE.

Outre les derniers volumes de G. Desnoiresterres, voir L. Perey et G. Maugras, Voltaire aux Délices et à Ferney *(1885), et F. Caussy,* Voltaire, seigneur de village *(Revue de Paris, 1907-1908, et publié en librairie en 1912). Sur l'ensemble de sa vie et de son œuvre, voir le* Voltaire *d'A. Bellessort (1925) et le* Voltaire *de R. Naves, 1942.*

« Voir verdir de vastes prairies et croître de belles moissons, c'est la véritable vie de l'homme; tout le reste est illusion » : ne croyons pas cependant que l'existence à Ferney soit toute simple et bucolique. Au milieu des élégants jardins qu'il a plantés, dans son château bien aménagé, on mène une vie délicate et même luxueuse. Il faut bien, dit Voltaire, traiter dignement Mme Denis, « l'héroïne de l'amitié »; en réalité il aime à jouir largement de ses biens. Il sait compter : il a chicané avec le président de Brosses, en lui louant à vie le comté de Tourney; il abuse des termes du contrat, pour faire rendre à la propriété plus qu'il ne devrait; par un entêtement qui risque de passer pour vilaine ladrerie, il va jusqu'à contester une dette minime et s'expose aux rudes remontrances d'un honnête homme indigné. Mais il ne lésine pas sur la dépense de Ferney; il fait vivre, avec un nombreux domestique, plusieurs commensaux : un ou deux secrétaires, dont le fidèle Wagnière; le Père jésuite chargé non de sa conscience, mais de sa partie; sa nièce, Mme Denis, « cette petite grosse femme toute ronde... menteuse sans le vouloir, et sans méchanceté..., criant, politiquant, versifiant, raisonnant, déraisonnant, adorant son oncle qu'elle fatigue de ses plaintes. » « Voltaire la chérit, s'en moque et la révère », respire quand elle le quitte pour retourner à Paris et au monde, la voit revenir avec joie et se soumet de nouveau à sa persécution tatillonne. La jeunesse de Marie Corneille éclaire quelque temps la maison; Voltaire s'est chargé d'elle par ostentation, mais il s'attache à sa protégée et la dote à l'aide du *Commentaire* dont il honore et houspille son grand-oncle; puis c'est la fille adoptive de Mme Denis, qu'il marie au marquis de Villette. Il y a toujours chez lui quelque visiteur, genevois, français, anglais, allemand. Dans la clientèle que lui assurent sa correspondance et

ses œuvres, il n'est personne qui, passant près de Ferney, ne se fasse un devoir et une joie de s'arrêter. Certains viennent exprès de fort loin.

Voltaire est journalier; mais aux courtes heures qu'il dérobe au travail, il se montre aimable avec tous, sauf avec les sots, et sa bonne humeur gagne tout le monde : « Jusqu'à ses torts, ses fausses connaissances, ses engouements, son manque de goût pour les beaux-arts, ses caprices, ses prétentions, tout est charmant, neuf, piquant et imprévu », dit le prince de Ligne. Toujours en tracasserie ou en coquetterie avec quelqu'un, avec les morts comme avec les vivants, ramenant tout à sa préoccupation du jour, violent dans ses colères et ses adorations, ne mesurant pas toujours ses mots, ne limitant jamais son cœur, abondant dans son sens et y faisant abonder autrui, il anime tout de son imagination, il « fait parler et penser tous ceux qui en sont capables ».

Dans son simple costume noir et gris, comme dans le bel habit mordoré des jours de cérémonie, « aux manchettes de dentelles qui donnent l'air noble », seigneur de village attaché à ses privilèges comme à ses devoirs, et de grande tenue, poli avec tous, attentif à tout, gérant au mieux les affaires et les intérêts de chacun, il est vraiment le roi de son pays; il est aussi le roi de l'opinion qu'il tient en éveil par les manifestations de sa pensée, par les affaires dont il se mêle, par la comédie de ses querelles, toujours frappant, souvent battu, jamais sérieusement diminué, « bonhomme et grand homme tout à la fois ».

LA PENSÉE VOLTAIRIENNE

Parmi les traités où elle s'est exprimée, nous citerons le Sermon des Cinquante *(1762), le* Traité de la tolérance *(1763), le* Dictionnaire philosophique portatif *(1764), l'*Examen important par Mylord Boling-

LE DÉJEUNER DE FERNEY. Dessin de Denon (1775). Auprès de Voltaire, nous apercevons sa nièce, Mme Denis; au pied du lit, debout, le P. Adam, son aumônier. — CL. LAROUSSE.

broke (*1765*), le Philosophe ignorant (*1766*), *les* Questions sur l'Encyclopédie (*1770*), *l'*Histoire de Jenni (*1775*), la Bible enfin expliquée (*1776*). *On y joindra les romans et les poèmes philosophiques.* — *Voir : G. Pellissier*, Voltaire philosophe, *1908.*

Rappelons aussi que Voltaire a subi profondément l'influence des déistes et matérialistes anglais, Locke, Clarke, Collins, Toland, Burnet, etc. Voir l'ouvrage cité plus haut : N. Torrey, Voltaire and the english deists, *1930.*

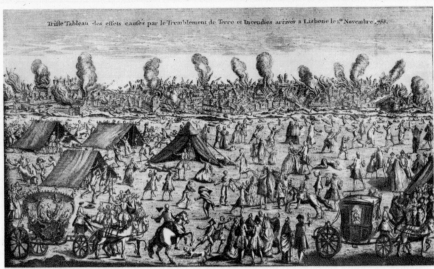

« Triste tableau des effets causés par les tremblements de terre et incendies arrivés à Lisbonne le 1er novembre 1755 » (B. N., Cab. des Estampes). — Cl. Larousse.

On reproche parfois à Voltaire son peu de goût pour la métaphysique. Voltaire n'aurait pas protesté. L'hommage qu'il rend aux métaphysiciens est moins respectueux qu'ironique : « Ce sont de grands hommes, écrit-il, avec lesquels on apprend bien peu de chose. » Ses maîtres sont Montaigne, « le moins méthodique des philosophes, mais le plus sage et le plus aimable »; Bayle, « assez grand pour être sans système »; Newton, qui hors de la physique hésite à se prononcer; Locke, « homme modeste, qui à la vérité ne possède pas des richesses immenses, mais dont les fonds sont bien assurés ». Voltaire, comme les modernes « réalistes », s'accroche à ce qu'atteignent directement nos sens et notre cœur; il se refuse aux systématisations abstraites, aux spéculations qu'il juge stériles.

Il croit en Dieu. « Tout ouvrage démontre un ouvrier. » *Coeli enarrant Dei gloriam*, « les cieux annoncent Dieu », répète, dans *l'Histoire de Jenni*, le bon Parouba qui s'agenouille sous les étoiles. La religion de Voltaire ne tient pas toute dans une froide affirmation du principe de causalité; son cœur adore en Dieu l'auteur de la morale. Sans doute, il ne méconnaît pas le « terrible » argument que l'athéisme tire de l'existence du mal; il raille rudement dans *Candide* l'optimisme niais qui croit les maux particuliers nécessaires au bien général; il ne dit plus, comme au temps du *Mondain*, qu'il y a beaucoup de bien à côté d'un peu de mal; les calamités qui désolent le monde, surtout ce tremblement de terre de Lisbonne dont il fut si douloureusement affecté, l'ont convaincu que la somme des maux l'emporte sur celle des biens. Mais il y a dans notre cœur le sentiment du bien et du juste : cela suffit pour prouver Dieu et du même coup le justifier.

La nature de Dieu est inaccessible à l'esprit humain : Voltaire ne cherche donc pas à la définir. S'il s'y laisse parfois entraîner, il aboutit à un panthéisme hésitant. Il lui arrive de parler d'un maître rémunérateur et vengeur; c'est qu'il veut contenir les hommes dans la vertu ou, en les rassurant, les affermir contre les séductions des athées : cette argumentation toute politique ne repose sur aucune conviction. Pour lui Dieu est indifférent aux actions des hommes comme à leurs prières. Prier est inutile et impertinent : c'est croire Dieu capable d'avoir mal organisé le monde et de troubler par des caprices l'ordre qu'il y a institué. La vraie prière est soumission absolue.

Si Dieu est grand, l'homme est faible. Mieux doué que d'autres créatures, il pense; mais cette pensée n'implique pas l'existence d'une substance spéciale, infiniment précieuse. Pourquoi la matière ne penserait-elle pas? De bonne heure Voltaire fut matérialiste. « L'immortalité est le plus sage, le plus consolant, le plus politique des

dogmes »; c'est une de ces opinions utiles qui encouragent l'homme à bien vivre : Voltaire ne la nie pas, mais il ne peut la démontrer. Après bien des hésitations, il renonce aussi à l'idée de libre arbitre. « J'avais grande envie que nous fussions libres, écrit-il en 1749 à Frédéric; j'ai fait tout ce que j'ai pu pour le croire. L'expérience et la raison me convainquent que nous sommes des machines faites pour aller un certain temps, et comme il plaît à Dieu. »

L'essentiel est de ne rien faire contre la conscience que nous tenons de Dieu : la pratique des vertus, voilà le vrai culte. « Si la dogmatique divise les hommes, la morale les unit »; car sur la notion du bien et du mal tous les hommes et tous les temps s'accordent, si l'on en donne de la seule définition raisonnable, une définition sociale : le juste et l'injuste. L'homme est un être sociable; sa vie n'a de sens et de valeur que dans la mesure où elle participe à la vie commune. Comment donc prétendre que la société le pervertisse et le dégrade? Voltaire ne conçoit pas cet état meilleur, que Rousseau place avant l'état social : « Que serait l'homme dans l'état qu'on nomme de pure nature? Un animal fort au-dessous des premiers Iroquois qu'on trouva dans le nord de l'Amérique... L'espèce des castors serait très préférable. » La société crée les vertus humaines, bienfaisance, justice, accomplissement du rôle que le sort nous attribue. Aimons nos semblables, sauvegardons leurs droits, et cultivons notre jardin. Morale aisée, réconfortante, qui s'oppose à l'ascétisme déprimant. « Sachons jouir autant que nous pouvons de la vie, qui est peu de chose, sans craindre la mort, qui n'est rien. »

La politique est un domaine où Voltaire ne se hasarde pas souvent : « Il se borne à faire ses petits efforts pour rendre les hommes moins sots et plus honnêtes. » Pourtant on aperçoit nettement ses tendances. Il nourrit, comme Montesquieu, une prédilection philosophique pour l'état démocratique, « naturel et sage »; mais, comme il a l'horreur de la populace sotte et fanatique, il se rallie de tout cœur, pour le grand pays qu'est la France, à la monarchie, non pas à la monarchie anglaise, mais à celle que des siècles ont acclimatée chez nous. Le parlement de Paris, janséniste et (Voltaire l'a éprouvé à ses dépens) persécuteur, volontairement aveugle aux intérêts du peuple, n'est pas, comme il le pensait autrefois, un conseil auguste, justement investi d'un pouvoir modérateur. Contre lui, et contre l'Église, dont il redoute les empiétements, Voltaire veut pour la royauté « une autorité affermie sans contradiction ». Est-ce donc le despotisme qu'il exalte et dont il fait la théorie ? Non, car ce pouvoir « éclairé », soumis aux lois, veut le bien général, hait la guerre, se soucie de l'hygiène publique, physique et morale, traite également et justement tous les sujets en matière d'impôts, de justice et de commerce, respecte la liberté des personnes et des opinions, sauvegarde la propriété et le travail, assiste les malheureux. C'est dire que Voltaire propose la plupart des réformes que la Révolution voudra réaliser.

POLÉMIQUE ET PROPAGANDE

L'esprit de Voltaire ne se satisfait pas de certitudes paisibles. En perpétuelle alerte, il recherche le combat : il faut ruiner l'influence envahissante de Shakespeare, défendre l'*Essai sur les mœurs* ou la *Philosophie de l'histoire*, soutenir contre Foncemagne que le testament politique de Richelieu est apocryphe, prendre parti dans toutes les querelles, contre Rousseau, pour Marmontel. Voltaire dit leur fait à tous ceux qui se permettent de n'être pas de son avis ou de son goût ; d'ailleurs, il ne leur garde pas rancune des mauvais coups qu'il leur porte. Il désarme devant un bon procédé plutôt que devant une bonne raison. Il s'irrite contre qui riposte ou cherche à lui nuire ; il rend alors au centuple injure pour injure, diffamation pour diffamation. Il harcèle Fréron, Pompignan, Jean-Jacques, en prose, en vers, sur le théâtre, à Paris, à Genève, à Londres, sans pitié, sans répit. Plus vif encore à s'en prendre aux idées qu'aux hommes, s'il n'oublie jamais ses griefs personnels, il s'acharne contre les doctrines qu'il croit dangereuses.

« Je suis comme Caton, écrivait-il à d'Alembert en 1757, je finis toujours ma harangue en disant : *Deleatur Carthago !* » Il en vient bientôt en effet à terminer toutes les lettres à ses intimes par la devise : *Écrasons l'infâme*, et il les convie « à la curée ». « L'infâme », c'est le fanatisme religieux, ou plutôt — et nous lui laissons la responsabilité de cette assimilation, comme de toute son attitude, que notre devoir est de reproduire en termes clairs — c'est toute religion constituée en église : Voltaire pense que le mystère sur lequel elle se fonde la conduit nécessairement au fanatisme. Il n'excepte aucune église de sa défiance ; mais son grand ennemi, c'est le catholicisme. Il lui reproche son esprit même. Il prétend découvrir en lui un mépris fondamental pour l'humanité, auquel il oppose la conception « libertine », épurée par Vauvenargues, de l'homme également formé pour le bien et pour le mal. Il lui reproche des dogmes obscurs, décevants pour la raison (Trinité, transsubstantiation) ou inquiétants pour la morale (péché originel, rédemption, damnation de païens vertueux) ; il lui reproche sa théologie, qui déconcerte l'homme du monde et risque de l'encourager à l'athéisme, mal comparable au fanatisme par ses effets moraux et sociaux. Disons que Voltaire en veut surtout au catholicisme de constituer une église puissante et privilégiée dans l'État, d'être de toutes les religions révélées la plus proche, celle qui règne en France et qui, contre lui, se défend. On a peine à imaginer la violence furieuse de ses attaques. Sans vouloir les justifier, il faut, pour les comprendre, se rappeler à quel point l'horreur de la persécution religieuse ébranlait son être, la fièvre qui le prenait aux anniversaires de la Saint-Barthélemy, son sommeil que venaient hanter les déplorables victimes du fanatisme. Contre ce qu'il croit être intolérance persécutrice, Voltaire fait appel non pas certes à la persécution, mais à une égale intolérance.

Il frappe fort et à coups répétés, et fait tout pour esquiver la riposte. Il dit les choses les plus hardies, quitte à les désavouer ensuite : l'effet est produit ; le désaveu, qui désarme les puissances, n'affecte pas le public. Il se plie aux simagrées, aux « capucinades », il proteste bien haut de son innocence et de sa bonne foi : « Frappez et cachez votre main, conseille-t-il ; on vous reconnaîtra, je veux bien croire qu'on ait l'esprit, qu'on ait le nez assez fin ; mais on ne pourra pas vous convaincre. » Aujourd'hui que la presse est libre, on est sévère pour cette attitude, on la qualifie de lâcheté, de fausseté. Mais agir autrement alors, c'eût été s'exposer à ne plus pouvoir parler ensuite, c'eût été volontairement arrêter le combat. D'ailleurs, qui s'y trompait ? Dénégations, protestations amusaient la galerie, et, piquant son attention curieuse, l'attachaient davantage au pamphlet ainsi présenté.

Ce journaliste de génie, sans cesse occupé de « campagnes » et de « manœuvres » nouvelles, doit encore lui-même clandestinement faire imprimer et parvenir jusqu'à Paris tous ces ouvrages que la police guette. Il recourt aux colporteurs, aux fraudeurs, surtout à son cher Damilaville, dont le courrier jouit de l'immunité ministérielle et qui reçoit et réexpédie sous le couvert officiel les ballots les plus compromettants. Que de soins, que de malices pour atteindre le public ! Et ce public dûment atteint est conquis par tant d'ingéniosité et d'art.

L'art est partout présent, en effet, même dans les traités dont les titres semblent annoncer des discussions rébarbatives : *Traité de la Tolérance* ou *Dictionnaire philosophique*. En des chapitres limpides et brillants, l'érudition s'égaye comme chez Bayle : démonstrations courtes et précises, anecdotes pittoresques, discussions malicieuses et réticentes, partout se joue la souple phrase voltairienne, élégante, pimpante, capricieuse, parfois trépidante et légère, parfois forte, grave, entraînante, s'élevant sans effort du sourire à l'éloquence. Combien de pages où ces qualités contraires s'unissent en un harmonieux ensemble ! Telle la *Prière à Dieu* qui termine le *Traité de la Tolérance*, où Voltaire se révèle maître à la fois de l'expression serrée et pleine et de l'ample période savamment rythmée :

« Ce n'est plus aux hommes que je m'adresse, c'est à toi, Dieu de tous les êtres, de tous les mondes et de tous les temps : s'il est permis à de faibles créatures perdues dans l'immensité, et imperceptibles au reste de l'univers, d'oser te demander quelque chose, à toi qui as tout donné, à toi dont les décrets sont immuables comme éternels, daigne regarder en pitié les erreurs attachées à notre nature ! Que ces erreurs ne fassent point nos calamités ! Tu ne nous as point donné un cœur pour nous haïr et des mains pour nous égorger ; fais

Le lever du philosophe. Dessin de Huber (1772). Voltaire, tout en s'habillant, dicte quelque lettre à son secrétaire Wagnière. — Cl. Larousse.

VOLTAIRE A SA TABLE DE TRAVAIL

Figurine en terre cuite peinte, conservée au musée Carnavalet.

que nous nous aidions mutuellement
à supporter le fardeau d'une vie pénible
et passagère; que les petites différences
entre les vêtements qui couvrent nos
débiles corps, entre tous nos langages
insuffisants, entre tous nos usages ridicules, entre toutes nos lois imparfaites,
entre toutes nos opinions insensées,
entre toutes nos conditions si dispro-
portionnées à nos yeux et si égales
devant toi; que toutes ces petites
nuances qui distinguent les atomes
appelés *hommes* ne soient pas des
signaux de haine et de persécution; que
ceux qui allument des cierges en plein
midi pour te célébrer supportent ceux
qui se contentent de la lumière de ton
soleil; que ceux qui couvrent leur robe
d'une toile blanche pour dire qu'il faut
t'aimer ne détestent pas ceux qui disent
la même chose sous un morceau de
laine noire; qu'il soit égal de t'adorer
dans un jargon formé d'une ancienne
langue ou dans un jargon plus nouveau;
que ceux dont l'habit est teint en rouge
ou en violet, qui dominent sur une
petite parcelle d'un petit tas de la boue
de ce monde, et qui possèdent quelques fragments arrondis d'un certain
métal, jouissent sans orgueil de ce
qu'ils appellent *grandeur* et *richesse*,
et que les autres les voient sans envie :
car tu sais qu'il n'y a dans ces vanités
ni de quoi envier, ni de quoi s'enorgueillir. Puissent tous les hommes se
souvenir qu'ils sont frères! Qu'ils aient
en horreur la tyrannie exercée sur les
âmes, comme ils ont en exécration le
brigandage qui ravit par la force le fruit du travail et
de l'industrie paisible! Si les guerres sont inévitables,
ne nous haïssons pas, ne nous déchirons pas les uns les
autres dans le sein de la paix, et employons l'instant
de notre existence à bénir également en mille langages
divers, depuis Siam jusqu'à la Californie, ta bonté qui
nous a donné cet instant! »

Ainsi, même dans ses plus graves traités, Voltaire réserve
à ses lecteurs des jouissances délicates; mais il sait le
gens du monde frivoles, peureux devant l'effort, amis
du rire. Pour eux il multiplie les « rogatons », ces libelles
rapides, légers, sans prétention, qui ramènent à cent
reprises les mêmes idées, mais sous des formes cent fois
variées; son procédé favori, dont usèrent parfois Montesquieu et Bayle, est la facétie. A mesure qu'il vieillit,
il prend plus de goût à Rabelais : « Je me suis mis à être
un peu gai, parce qu'on m'a dit que cela est bon pour la
santé. » En ces libelles fantaisistes, dont le titre à lui seul
est souvent une joie pour l'œil et pour l'esprit, des fantoches, plaisants par leurs noms et leurs fonctions, expriment en des formules naïves et excessives des vérités
reçues, dont éclate la monstruosité : « Tous les gens qui
raisonnent sont la perte d'un État. » Mélange unique de
folie et de clairvoyance : Voltaire, hardi sans grossièreté,
méchant sans trop de venin, impitoyablement armé du
ridicule, va jusqu'aux limites du permis, où son goût
généralement l'arrête.

Ses romans, plus soignés encore, sont un régal unique.
A ces pages souriantes, quelques-uns ont dénié toute portée philosophique, sans doute parce qu'elles ne sont point
didactiques ni ennuyeuses. N'est-ce pas assez que les
idées se jouent à tous les détours du récit, et parfois l'inspirent tout entier? Écrits au jour le jour, ces petits ouvrages

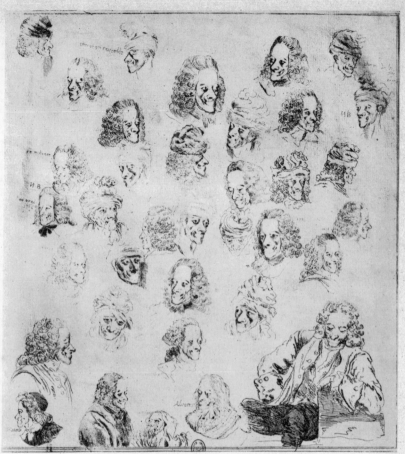

TRENTE-SIX ÉTUDES POUR LA TETE DE VOLTAIRE, par son ami, le peintre genevois
Huber (B. N., Cabinet des Estampes). — CL. LAROUSSE.

présentent, sous une forme aisée, chatoyante et malicieuse,
les conclusions que Voltaire tire des événements et de ses
études.

Parfois le conte n'est qu'une trame légère où s'unissent
comme autant de motifs variés, des réflexions de tout
ordre : tels sont *les Voyages de Scarmentado*, *l'Ingénu* ou
la Princesse de Babylone. Plus souvent le conte prétend
illustrer une thèse : *Micromégas* reprend la leçon de
relativité déjà donnée aux hommes par Cyrano, Fontenelle
et Swift; *Zadig* établit que tout dans le monde va au hasard,
que le sage souffre patiemment les malheurs jusqu'au jour
où, sans raison, mais inévitablement, le bien reparaîtra;
Candide renouvelle et enrichit cette idée : il énumère les
maux qui nous assiègent, maux physiques, moraux et
sociaux, si naturels à notre espèce que l'homme le plus
heureux en apparence n'échappe pas au torturant dégoût.
Mais ces « Misérables », dont le défilé est lamentable et
grotesque, n'ont rien de désolant : si l'homme ne s'endort
pas dans l'illusion aveugle de l'optimisme ou dans la
paresse du désespoir, il peut par l'effort quotidien améliorer sa triste vie.

Voltaire, dans ses fictions romanesques, fait alterner les
faits divers contemporains, les récits orientaux, les voyages
merveilleux. Mais, dans ces cadres variés, sa méthode de
composition reste partout identique à elle-même : en de
courts chapitres il nous présente des tableaux achevés,
unis entre eux par des liens assez lâches, soit par quelque
thème gracieux ou ironique, qu'il ramène adroitement à
chaque épisode, soit par une intrigue amoureuse, à demi-
libertine, et qui semble railler le vrai sentiment. On songe
à Lesage, à qui Voltaire a emprunté quelques procédés,
un peu de la philosophie placide du *Gil Blas*, et ce style
simple qui surprend et ravit.

En quelques traits Voltaire donne à son décor une agréable couleur. Veut-il évoquer l'Orient, dans *Zadig*? Voici quelques palmiers, des rosiers en fleurs, des pêchers, un perroquet au plumage multicolore. Plus loin, ce sont d'épais tapis, des étoffes de soie, des harnachements rehaussés d'or; ici et là scintillent des pierreries, des coraux, des perles fines; enfin, pour animer la scène, quelques bonshommes revêtus de robes et coiffés de longs bonnets. Voltaire est plus soucieux encore de la vérité des mœurs. A des personnages, aux noms expressifs, il donne les caractères essentiels de leur condition et de leur race. Pangloss est bien un Allemand, et Zadig tient des Orientaux le goût du luxe, les passions violentes, le fatalisme, l'humanité, la sagesse raisonneuse, un profond mépris des femmes. Quant aux anecdotes, dont il emprunte parfois l'idée première à autrui, Voltaire les conte avec vivacité, vraisemblance et une infinie délicatesse. Il y ajoute les perpétuelles cabrioles de sa pensée, des railleries sur le fait du jour ou la phrase à la mode, des pichenettes distribuées de droite et de gauche, en courant. La page semble faite de rien; mais toute en mouvements, en malices et en sourires, elle est souvent exquise. Voici la première aventure de Candide, l'élève de Pangloss, philosophe optimiste et finaliste, lorsqu'il a dû quitter le château où, près de la jolie Cunégonde, s'est écoulée son enfance heureuse:

« Il s'arrêta tristement à la porte d'un cabaret. Deux hommes habillés de bleu le remarquèrent: « Camarade, « dit l'un, voilà un jeune homme très bien fait, et qui a « la taille requise. » Ils s'avancèrent vers Candide et le prièrent à dîner très civilement. « Messieurs, leur dit « Candide avec une modestie charmante, vous me faites « beaucoup d'honneur, mais je n'ai pas de quoi payer « mon écot. — Ah! monsieur, lui dit un des bleus, les « personnes de votre figure et de votre mérite ne payent « jamais rien: n'avez-vous pas cinq pieds cinq pouces « de haut? — Oui, messieurs, c'est ma taille, dit-il en « faisant la révérence. — Ah! monsieur, mettez-vous à « table; non seulement nous vous défrayerons, mais nous « ne souffrirons jamais qu'un homme comme vous « manque d'argent; les hommes ne sont faits que pour se « secourir les uns les autres. — Vous avez raison, dit « Candide, c'est ce que M. Pangloss m'a toujours dit, et « je vois bien que tout est au mieux. » On le prie d'accepter quelques écus; il les prend et veut faire son billet: on n'en veut point; on se met à table: « N'aimez-vous pas

« tendrement?... — Oh! oui, répond-il, j'aime tendrement « Mlle Cunégonde. — Non, dit l'un de ces messieurs, « nous vous demandons si vous n'aimez pas tendrement « le roi des Bulgares. — Point du tout, dit-il, car je ne « l'ai jamais vu. — Comment? c'est le plus charmant des « rois, et il faut boire à sa santé. — Oh! très volontiers, « messieurs, et il boit. — C'en est assez, lui dit-on, vous « voilà l'appui, le soutien, le défenseur, le héros des « Bulgares. » On lui met sur-le-champ les fers aux pieds, et on le mène au régiment. On le fait tourner à droite, à gauche, hausser la baguette, remettre la baguette, coucher en joue, tirer, doubler le pas, et on lui donne trente coups de bâton; le lendemain il fait l'exercice un peu moins mal, et il ne reçoit que vingt coups; le surlendemain on ne lui en donne que dix, et il est regardé par ses camarades comme un prodige. Candide tout stupéfait ne démêlait pas encore trop bien comment il était un héros... »

LE PATRIARCHE DES LETTRES

Cette production incessante, si remarquable qu'elle fût, aurait eu moins d'effet si elle n'avait été soutenue par la correspondance de Voltaire. Cette correspondance, soumise aux sautes de son humeur, vivante toujours, souvent amusante, prenant tous les tons, aborde tous les sujets, signale, commente, développe, aggrave le plus récent « rogaton », gagne à la cause philosophique une foule de concours et de dévouements, entretient dans les esprits un trépidant enthousiasme.

Ajoutons que Voltaire doit beaucoup de son influence à son action désintéressée en faveur des opprimés. On sait comment il prit en main les intérêts d'une malheureuse famille protestante; comment il fit, après de longs efforts, casser un arrêt dicté par le fanatisme et réhabiliter la mémoire de Jean Calas, condamné et exécuté sans preuves comme le meurtrier de son fils. Après l'affaire de Sirven, autre protestant injustement poursuivi, Voltaire devient le champion attitré des victimes de toutes les injustices. En défendant le chevalier de La Barre, mis à mort pour crime d'impiété, Voltaire s'en prend encore à la persécution religieuse. Mais la religion n'est pas en cause dans l'affaire Montbailli, la fâcheuse « méprise d'Arras », où la sottise vindicative du peuple a fait tout le mal, non plus que dans le cas de Lally-Tollendal, dont Voltaire a la joie d'apprendre, à l'heure de sa mort, la tardive réhabilitation. « Don Quichotte des malheureux », il

LA MALHEUREUSE FAMILLE CALAS. Gravure de Delafosse, d'après le dessin de Carmontelle (B. N., Cabinet des Estampes). — CL. LAROUSSE.

a pris figure de redresseur de torts; il devient presque un héros de légende dont l'imagination populaire s'éprend, et cette admiration ingénue exalte la vénération réfléchie des lettrés.

Qu'on s'étonne après cela si la jeune Mme Suard, présentée en 1775 au vieillard de Ferney, ressent une émotion quasi religieuse: « Jamais les transports de sainte Thérèse n'ont pu surpasser ceux que m'a fait éprouver la vue de ce grand homme; il me semblait que j'étais en présence d'un dieu, mais d'un dieu dès longtemps chéri, adoré, à qui il m'était donné enfin de pouvoir montrer toute ma reconnaissance et tout mon respect. » Elle ajoute, en son aveuglement juvénile: « Il est impossible de décrire le feu de ses yeux ni les grâces de sa figure. Quel sourire enchanteur! Il n'y a pas une ride qui ne forme une grâce!... Jamais je n'avais rien éprouvé de semblable: c'était un sentiment nourri, accru pendant quinze ans, dont pour la première fois je pouvais parler à celui qui en était l'objet; je l'exprimai dans tout le désordre qu'inspire un si grand bonheur. M. de Voltaire en parut jouir ; il arrêtait de temps en temps ce torrent par des paroles aimables : « Vous me gâtez ; vous allez me tourner la tête ! »

De plus avertis sont à peine moins exaltés. Diderot juge Voltaire sévèrement, avoue qu'il est jaloux, ingrat, insensé : « Mais, ajoutet-il, ce jaloux est un octogénaire qui tint toute sa vie son fouet levé sur les tyrans, les fanatiques et les autres grands malfaiteurs de ce monde ; mais cet ingrat, constant ami de l'humanité, a quelquefois secouru le malheureux dans sa détresse et vengé l'innocence opprimée ; mais cet insensé a introduit la philosophie de Locke et de Newton dans sa patrie, attaqué les préjugés les plus révérés sur la scène, prêché la liberté de penser, inspiré l'esprit de tolérance, soutenu le bon goût expirant, fait plusieurs actions louables et une multitude d'excellents ouvrages... Un jour cet homme sera bien grand et ses détracteurs bien petits. »

En 1770, Jean-Jacques Rousseau se plaît sans doute à affecter de la magnanimité, mais il entend aussi rendre hommage à un grand homme quand il envoie son obole pour la statue de Voltaire, que Mme Necker veut faire dresser. A partir de ce moment, les manifestations de l'enthousiasme universel se multiplient. En 1776, à Genève, où Voltaire se promène, la foule l'acclame, l'entoure, l'étouffe presque ; à Paris, en 1778, la maison où il est descendu est assiégée ; l'Académie lui réserve un accueil inouï et s'émerveille de le trouver toujours actif, toujours vibrant. On sait ce que fut cette représentation d'*Irène*, à laquelle il assista : on honora son image sur la scène, et dans sa loge Mme de Villette, aux acclamations de tous, le couronna de lauriers. Jamais prince ne reçut de plus ardents hommages. Sa gloire souveraine s'étendait bien au-delà de nos frontières : Catherine II s'inclinait respectueusement devant elle.

Voltaire pouvait mourir. Le petit papier qu'il remit à Wagnière, le 22 février 1778, affirme sa sérénité : « Je meurs en adorant Dieu, en aimant mes amis, en ne haïssant pas mes ennemis et en détestant la persécution. »

Profession de foi sincère d'un vieillard triomphant et comblé ! Si nous voulons la compléter, rappelons-nous que Voltaire aima de toute son âme les lettres, mettant l'art de bien dire à si haut prix que le souci littéraire se marque jusque dans cette formule suprême, harmonieusement balancée ; rappelons-nous qu'il a vraiment adoré la vie, rejetant, attaquant tout ce qui la rétrécit, révérant tout ce qui l'élargit et l'embellit, la richesse, le luxe, les arts, la sympathie de l'homme pour l'homme, la lutte.

LE COURONNEMENT DU BUSTE DE VOLTAIRE, au cours de la triomphale représentation d'« Irène », en 1778 (B. N., Cabinet des Estampes). — CL. LAROUSSE.

V. — LA DIFFUSION DES IDÉES PHILOSOPHIQUES
LES ADVERSAIRES DE LA PHILOSOPHIE

L'AUTORITÉ

Voici, brièvement indiqués, les principaux incidents de la lutte entre les philosophes et l'autorité. Condamnation, en 1746, des Pensées philosophiques *de Diderot ; en 1748, du livre des* Mœurs, *de Toussaint, qui s'exile en Prusse. En 1749, Diderot est enfermé à Vincennes pour sa* Lettre sur les aveugles. *En 1752, Buffon doit imprimer en tête du tome IV de son* Histoire naturelle *une* Lettre à la Faculté de théologie *où il se soumet à toutes les critiques qu'elle avait formulées sur l'orthodoxie de sa théorie de la Terre. L'abbé de Prades, ami des encyclopédistes, est condamné pour une thèse en Sorbonne et obligé de s'exiler en Prusse. Les deux premiers volumes de l'*Encyclopédie *sont supprimés. Cinq ans plus tard, en 1759, le privilège de l'*Esprit, *d'Helvétius, est révoqué ; l'auteur se voit forcé d'en publier par trois fois des rétractations ; le livre est condamné ; la même année, le privilège de l'*Encyclopédie *est révoqué. En 1762, condamnation de l'*Émile : *J.-J. Rousseau est décrété de prise de corps. Après 1762, les poursuites contre les écrivains continuent ; mais elles sont de plus en plus blâmées par l'opinion publique. Le* Bélisaire *de Marmontel est censuré par la Faculté de théologie en 1767, pendant que Marmontel, par prudence, se promène en Allemagne. Mais la censure est ridiculisée et Marmontel rentre en France. La* Philosophie de la nature *de Delisle de Sales est condamnée (1777) et l'auteur emprisonné par le Châtelet ; mais le parlement casse le jugement et Delisle de Sales sort de sa prison en triomphateur. L'abbé Raynal est condamné pour la nouvelle édition de son* Histoire philosophique des deux Indes (1781). *Il est obligé de quitter la France*

APPROBATION.

J'Ai lu par ordre de Monseigneur le Chancelier, un Manuscrit qui a pour titre, DE L'ESPRIT, dans lequel je n'ai rien trouvé qui m'ait paru devoir en empêcher l'impression. Fait à Versailles, ce 27 Mars 1758.

TERCIER.

PRIVILÉGE DU ROI.

LOUIS, par la grace de Dieu, Roi de France & de Navarre, à nos amés & féaux Conseillers, les Gens tenants nos Cours de Parlement, Maîtres des Requêtes ordinaires de notre Hôtel, Grand-Conseil, Prévôt de Paris, Baillifs, Sénéchaux, leurs Lieutenants Civils, & autres nos Justiciers qu'il appartiendra, SALUT. Notre amé le Sieur*** nous a fait exposer qu'il désireroit faire imprimer, & donner au Public, un Ouvrage qui a pour titre: DISCOURS SUR L'ESPRIT, s'il Nous plaisoit lui accorder nos Lettres de Privilége, pour ce nécessaire. A CES CAUSES, voulant favorablement traiter l'Exposant, nous lui avons permis & permettons, par ces Présentes, de faire imprimer ledit Ouvrage autant de fois que bon lui semblera, & de le faire vendre & débiter par tout notre Royaume, pendant le tems de dix années consécutives, à compter du jour de la date des Présentes: faisons défenses à tous Imprimeurs, Libraires, & autres personnes, de quelque qualité & condition qu'elles soient, d'en introduire d'impression étrangère dans aucun lieu de notre obéissance; comme aussi d'imprimer ou faire imprimer, vendre, faire vendre, débiter, ni contrefaire ledit Ouvrage, ni d'en faire aucun extrait, sous quelque prétexte que ce puisse être, sans la permission expresse & par écrit dudit Exposant, ou de ceux qui auront droit de lui; & de tous dépens, dommages & intérêts; & à trois mille livres d'amende contre chacun des contrevenants; dont un tiers à Nous, un tiers à l'Hôtel-Dieu de Paris, & l'autre tiers audit Exposant. A la charge que ces Présentes seront enregistrées tout au long sur le Registre de la Communauté des Imprimeurs & Libraires de Paris, dans trois mois de la date d'icelles; que l'impression dudit Ouvrage sera faite dans notre Royaume, & non ailleurs, en bon papier & beaux caractéres, conformément à la feuille imprimée, attachée pour modéle sous le Contrescel des Présentes; que l'Impétrant se conformera en tout aux Réglements de la Librairie, & notamment à celui du 10 Avril 1725; qu'avant de

l'exposer en vente, le Manuscrit qui aura servi de copie à l'impression dudit Ouvrage, sera remis dans le même état où l'approbation y aura été donnée, és mains de notre très-cher & féal Chevalier Chancelier de France, le Sieur DE LAMOIGNON; & qu'il en sera ensuite remis deux Exemplaires dans notre Bibliothéque publique, un dans celle de notre Château du Louvre, & un dans celle de notredit très-cher & féal Chevalier, Chancelier de France, le Sieur DE LAMOIGNON. Le tout à peine de nullité des Présentes. Du contenu desquelles vous mandons & enjoignons de faire jouir ledit Exposant & ses ayants cause, pleinement & paisiblement, sans souffrir qu'il leur soit fait aucun trouble ou empêchement. Voulons que la Copie des Présentes, qui sera imprimée tout au long au commencement ou à la fin dudit Ouvrage, soit tenue pour duement signifiée; & qu'aux Copies collationnées par l'un de nos amés & féaux Conseillers & Sécrétaires, foi soit ajoutée comme à l'Original. Commandons au premier notre Huissier ou Sergent, sur ce requis, de faire, pour l'exécution d'icelles, tous Actes requis & nécessaires, sans demander autre permission, & nonobstant clameur de Haro, Charte Normande & Lettres à ce contraires. CAR tel est notre plaisir. DONNÉ à Choisy, le douzième jour du mois de Mai, l'an de grace 1758. & de notre Regne le quarante-troisième. Par le Roi en son Conseil.

LE BEGUE.

Registré sur le Registre XIV. de la Chambre Royale des Libraires & Imprimeurs de Paris, N°. 348. fol. 311. conformément aux anciens Réglements de Paris, confirmés par celui du 28 Février 1723. A Paris, le 19 Mai 1758.

P. G. LE MERCIER, Syndic.

APPROBATION accordée par inadvertance au livre d'Helvétius, « De l'Esprit ». Le censeur Tercier dut donner sa démission. L'approbation et le privilège étaient indispensables à la publication de tout ouvrage. — CL. LAROUSSE.

captures de beaux esprits. » C'était assez pour dégoûter d'être bel esprit.

LE PARTI ANTIPHILOSOPHIQUE

La lutte contre les philosophes est principalement menée par Fréron (1719-1776) dans son journal intitulé d'abord Lettres sur quelques écrits de ce temps, *1749-1754, puis* l'Année littéraire *(continuée quand il meurt, en 1776, par son fils et divers collaborateurs), 1754-1790. L'avocat Moreau écrit des Mémoires et des Nouveaux Mémoires pour servir à l'histoire des Cacouacs (1757). Lefranc de Pompignan prononce à l'Académie, le 10 mars 1760, un violent discours contre les philosophes. Palissot (1730-1814), après avoir fait jouer à Nancy le Cercle ou les Originaux, comédie qui raillait Rousseau (1755), donne aux Français les* Philosophes *(1760), où il attaque Duclos, Diderot, Rousseau et toutes les doctrines des encyclopédistes. Il continue sa polémique dans un poème satirique,* la Dunciade *ou la guerre des sots (1764, en trois chants ; 1771, en dix chants), dont le succès fut vif. Les philosophes répliquent par une dizaine de brochures, et Voltaire fait jouer, trois mois après, l'Écossaise, pièce dirigée contre Fréron. Palissot se réconcilia d'ailleurs peu à peu avec les philosophes. Parmi les ouvrages, très médiocres, dirigés contre ceux-ci, mais qui ont eu un grand succès et de l'influence, il faut citer surtout : de l'abbé Gérard, le Comte de Valmont ou les égarements de la raison (1774-1778), et de Barruel-Bauvert, les Helviennes (1781).*

Voir (outre l'ouvrage déjà mentionné de Belin, le Mouvement philosophique*) : D. Delafarge, Palissot, 1912 ; Albert Monod, De Pascal à Chateaubriand ; les Défenseurs français du christianisme de 1670 à 1802, 1916.*

et s'installe en Belgique pour suivre le succès prodigieux de son livre.

Voir : J.-P. Belin, le Mouvement philosophique de 1748 à 1789, *1913 ; du même auteur,* le Commerce des livres prohibés à Paris de 1750 à 1789, *1913 ; D. Mornet,* les Origines intellectuelles de la Révolution française, *1933.*

Dans la lutte qui s'engageait entre les philosophes et ceux dont ils combattaient l'autorité, les adversaires des philosophes avaient en main toutes les armes. Les lois et décrets sont impitoyables. L'édit de 1757 décrète la peine de mort contre les auteurs ou imprimeurs. On interdit, en 1764, d'écrire sur l'administration des finances, en 1767, d'écrire sur les questions religieuses, en 1785, d'écrire sur la législation et la jurisprudence. Pour découvrir et saisir les coupables, une police insolente et tracassière sévit; les curés dénoncent; les gens de police font des rapports. Les juges sont sévères, du moins à ceux qui ne sont que de petites gens; neuf ans, cinq ans de galères, le bannissement, le carcan, le fouet pour avoir vendu *la Pucelle* ou *le Christianisme dévoilé*, ou pour l'avoir acheté. Sans doute les gens de talent s'en tirent généralement à bon compte. La Bastille n'est pas un lieu de délices; Diderot garda mauvais souvenir du donjon de Vincennes. Pourtant ce ne sont pas des prisons très dures, et, pour peu qu'on promette d'être sage, on n'y reste pas longtemps. Cent jours pour Diderot; La Beaumelle, Morellet, Marmontel, le marquis de Mirabeau n'eurent pas beaucoup plus longtemps à gémir dans les geôles du roi. Mais, pour les folliculaires de moindre envergure, il y a au Mont-Saint-Michel une cage de bois dans une cave humide où l'on pourrit, où l'on devient fou. Il est d'ailleurs désagréable d'écrire en cachant ses manuscrits (les perquisitions sont fréquentes), de chercher des imprimeries clandestines et de toujours s'attendre à voir « du fond d'un fiacre baisser pour soi le pont d'un château fort ». « Chaque nuit, dit d'Argenson, se font de continuelles

Il y a, d'ailleurs, pour aider plus dignement les édits, les argousins et la Bastille, des écrivains. En face des philosophes se dressent les « antiphilosophes ». Certains n'étaient pas très doués. Le discours académique où Lefranc de Pompignan dénonçait ceux qui « sapent également le trône et l'autel » n'était qu'une diatribe pompeuse et pédante. Les *Quand* de Voltaire, puis les *Qui*, les *Quoi*, les *Que* de quelques autres s'acharnèrent sur l'orateur, qui s'enfuit sous les quolibets dans sa province et n'en sortit plus. Mais tous les antiphilosophes n'étaient pas des Pompignan L'avocat Moreau n'a pas de génie, ni même de talent; il a eu du moins le mérite d'inventer contre les philosophes le sobriquet de Cacouacs, qui fit fortune et qui leur fut désagréable. Fréron n'a ni l'esprit de Voltaire ni l'éloquence de Diderot, mais il est laborieux et curieux. Son *Année littéraire* poursuit à travers la littérature française et les littératures étrangères des enquêtes avisées et qui sont neuves bien souvent. Il parle de ceux qu'il aime, et même de ceux qu'il n'aime pas, avec de la précision, du bon sens et du jugement. Il a loué *la Nouvelle Héloïse*, par exemple, avec plus de sympathie et de clairvoyance que Grimm et plusieurs autres philosophes. Il a ses défauts : il se grise de ses succès d'argent, de son luxe, joue au Mécène. La rancune l'égare parfois, et, bien qu'il eût de solides excuses, il a écrit sur Voltaire et Mⁱˡᵉ Corneille quelques lignes qui sont fâcheuses. Mais il a du courage. Il pense que si Voltaire a le droit de juger la Bible et Fréron, et Diderot de dire son avis sur la Sorbonne et sur Palissot, Fréron et Palissot ont le droit de défendre la Sorbonne et la Bible et de juger Diderot et Voltaire. La liberté de penser et d'écrire doit être le bien de tout le monde. Ce n'est peut-être pas l'avis des philosophes, qui machinent contre Fréron-Frelon et contre « l'Ane littéraire » des campagnes haineuses, font jouer l'Écossaise, qui est une satire brutale et sans esprit, conjurent Malesherbes de mettre l'adversaire à Bicêtre et son journal en interdit, font arrêter par autorité de justice ses répliques et, finalement, le bâillonnent et le ruinent. Fréron tint bon, et bien souvent, dans la bataille, il eut pour lui le bon droit et la dignité.

Palissot est moins sympathique. Il n'est pas très certain qu'il n'ait défendu contre les philosophes que ses convictions et qu'il n'ait pas cherché dans le parti qu'il prenait son intérêt. Il s'est converti quelque peu, d'ailleurs, à la philosophie, vers 1778, pour faire à d'Alembert, à Helvétius et aux autres des politesses. Il a apporté dans la polémique une brutalité qui fait de la comédie des *Philosophes* une œuvre assez grossière. Il avait pourtant de cette sorte d'esprit et de verve qui portent sur le gros public. *Les Philosophes* eurent quatorze représentations consécutives, ce qui était un succès, et les loges comme le parterre applaudirent Crispin qui, en bon disciple des philosophes, pour revenir à la nature, broute une laitue et marche à quatre pattes.

Il y avait dans ces polémiques des arguments qui touchaient les philosophes, parce qu'ils étaient ou du moins semblaient justes. Certes, on y trouve de grossières calomnies et des violences de langage qui les discréditent. Si les philosophes sapaient l'autel, ils ne menaçaient pas le trône, comme l'insinuent Moreau, Pompignan et parfois Fréron. S'ils se querellaient entre eux et ne manquaient ni de vanité ni de rancune, ils n'étaient pas les hypocrites astucieux et les fourbes retors que dénoncent Moreau et Palissot. Ils ne lançaient pas « leur poison par derrière ». Ils formaient une secte, si l'on veut, mais non

PALISSOT. Portrait gravé par Choffard, d'après Ch. Monnet. — Cl. Larousse.

pas une cabale acharnée à comploter et à nuire. Leurs adversaires ont crié souvent avant qu'on ne les écorchât. Mais ils avaient le droit de marquer des conséquences que les philosophes dissimulaient et de conduire certaines des doctrines philosophiques jusqu'au bout de leur logique. Qu'il n'y ait pas de morale, mais des combinaisons de l'intérêt, que l'homme soit une machine, ce sont des conclusions que ni Helvétius, ni Diderot, ni leurs amis n'acceptaient ouvertement, qu'ils détournaient ou qu'ils niaient. Mais ce sont tout de même des conclusions qu'on avait le droit de dégager de leurs doctrines. Les philosophes, par surcroît, n'étaient pas modestes ; ils n'étaient pas toujours tolérants. Et ils donnaient pour certaines des vérités qui ne laissaient pas parfois d'être obscures. Les Moreau, les Fréron, les Palissot n'avaient pas toujours tort de leur reprocher de l'emphase, de l'intolérance et leur esprit de secte.

LE COMMERCE DES LIVRES PROHIBÉS

Ce fut cependant contre les antiphilosophes, l'autorité, la Sorbonne, le Parlement, que la bataille tourna. Le péril ne fit qu'exciter le courage et les curiosités philosophiques. Les copies manuscrites circulent de plus belle. Les imprimeurs de Hollande et de Genève « inondent » la France des livres défendus. Il y a, en cent endroits de Paris et de province, des imprimeries clandestines, et des libraires

LA BOUTIQUE DE F. L'HONORÉ, l'un des libraires d'Amsterdam qui imprimaient des livres interdits en France. Gravure reproduite dans l'ouvrage de J.-P. Belin, *le Commerce des livres prohibés...* Cl. Larousse.

et des colporteurs pour débiter le « poison ». On se procure, comme l'on veut, à Versailles même, le *Dictionnaire philosophique*, les *Mœurs*, la *Pucelle*, le *Christianisme dévoilé*. Si les risques sont grands, d'ailleurs, pour ceux qui font commerce de ces livres, les profits le sont aussi. On gagne un louis, deux louis, six louis parfois pour un volume : vingt francs pour *la Superstition démasquée*, six louis pour une simple brochure contre Chaumeix et la religion qu'il défend.

Le pouvoir agit par caprices et boutades. Il est, en principe, fort occupé ailleurs. La plupart des livres condamnés ne sont pas l'œuvre de philosophes, mais de jansénistes qui n'aiment pas la bulle *Unigenitus*, ou d'amis du parlement qui n'aiment pas le parlement Maupeou. Les « brebis du Seigneur », comme le dit Voltaire, se dévorent entre elles. Pendant qu'on s'occupe à traquer les adversaires de la Constitution ou de Maupeou, on laisse circuler, c'est Voltaire qui le constate, *l'Espion turc*, les *Lettres persanes*, le *Dictionnaire philosophique*. Il y a d'ailleurs à la tête de la surveillance de la librairie sinon un philosophe, du moins quelqu'un qui les aime, Malesherbes. Malesherbes n'entend pas qu'on use envers Fréron des moyens que réclament Voltaire et d'Alembert; il veut que Fréron puisse écrire librement. Mais il s'arrange aussi pour que Diderot puisse imprimer l'*Encyclopédie* et Rousseau *la Nouvelle Héloïse*. Il se fait à l'occasion leur recéleur; et s'il réclame de l'*Héloïse* une édition parisienne expurgée, il laisse entrer en France ou imprimer autant d'éditions complètes qu'on en peut vendre. De temps à autre, il y a des retours de sévérité et des sursauts de persécution. Mais les complaisances s'insinuent et se précisent. Qui veut peut avoir chez lui un livre interdit, pourvu qu'il ne soit pas un homme de rien. Et, s'il vend sa bibliothèque ou si ses héritiers la vendent, on vend publiquement les livres défendus. Il suffit, sur le catalogue de vente, de remplacer le titre par une ligne de points.

LA DIFFUSION DE LA PHILOSOPHIE

Nous possédons un grand nombre de Mémoires (plus d'une centaine) qui sont propres à nous renseigner sur les mouvements de l'opinion. Les plus intéressants sont les Mémoires du marquis d'Argenson, publiés par Rathery (1859-1867), et le Journal de l'avocat Barbier, publié par la Société de l'histoire de France (1849-1856).

*En dehors des philosophes dont nous avons étudié les œuvres, un écrivain, Duclos (1704-1772), a contribué par son influence personnelle à faire triompher la cause de la philosophie. Duclos a écrit des romans (Histoire de Mᵐᵉ de Luz, 1741; Confessions du comte de ***, 1742), des Considérations sur les mœurs de ce siècle (1751). Tous ces ouvrages eurent du succès. Mais c'était surtout un homme adroit, spirituel, séduisant, qui servit les philosophes auprès de Mᵐᵉ de Pompadour, dans les salons, à l'Académie, dont il devint le secrétaire perpétuel en 1755. — Voir : Lebourgo, Un homme de lettres au XVIIIᵉ siècle, 1902; D. Mornet, les Origines intellectuelles de la Révolution française, 1933.*

La victoire des philosophes ne fut pas complète, même dans les milieux littéraires. Les disciples de Rousseau furent, à l'occasion, les adversaires d'Helvétius, de d'Holbach, de Voltaire. Mais elle leur assura du moins un puissant empire, où ils eurent une illustre citadelle : l'Académie française. On entrait à l'Académie fort souvent parce qu'on était un évêque ou un grand seigneur. Et c'est le roi qui approuvait les élections. Malgré les évêques, malgré les grands seigneurs et malgré le roi, l'Académie devint peu à peu philosophique. Ce fut l'œuvre de Duclos d'abord, quand il en fut le secrétaire perpétuel. Aidé par d'Alembert, élu en 1754, et qui prit tout de suite « un ton fier et mutin », soutenu par les salons de Mᵐᵉ Geoffrin, de Mᵐᵉ Du Deffand, de Mˡˡᵉ de Lespinasse, protégé par Mᵐᵉ de Pompadour, il fit élire Marmontel, Thomas, Condillac, Saint-Lambert, etc. : de 1760 à 1770, neuf élus sur quatorze sont des philosophes. L'élection d'Arnaud, celle de Suard, malgré l'opposition royale, achèvent le triomphe du parti. D'Alembert, qui a succédé à Duclos comme secrétaire perpétuel, exerce son « despotisme ». Et l'Académie ne manifeste pas seulement par ses votes sa philosophie.

CHARLES DUCLOS. Gravure de Cochin le fils. — CL. LAROUSSE.

Elle l'installe dans ses travaux et dans ses prix. Les sujets mis au concours pour les prix d'éloquence n'avaient été jusqu'alors que des thèmes de rhétorique. On propose désormais aux concurrents l'éloge des grands hommes qui ont fait preuve de raison, d'humanité, de tolérance. Thomas loue Sully d'avoir sauvé les campagnes des misères dont elles seront accablées à nouveau sous Louis XV. Il célèbre Descartes parce qu'il a fondé les droits de la raison et libéré la pensée. L'éloge de Fénelon par La Harpe est couronné par l'Académie; mais l'Académie est blâmée par le roi pour avoir récompensé un éloge qui est la critique des temps présents. L'Académie assiste tous les ans à une messe, le jour de la Saint-Louis; mais les prédicateurs qu'elle choisit oublient qu'ils sont des prêtres pour n'être plus que des philosophes humanitaires, empressés à maudire le fanatisme, l'Inquisition, le pieux délire des croisades.

Ces triomphes, à vrai dire, n'étaient pas décisifs. Conquérir les gens de lettres et même l'Académie, ce n'est pas nécessairement conquérir toute l'opinion, changer l'esprit de tout un peuple. Le monde littéraire n'était pas toute la France. Qu'est-il passé des idées philosophiques non pas dans l'esprit de quelques milliers de gens cultivés, mais dans les idées de la bourgeoisie moyenne, et des gens du peuple? Quelles aspirations ou quelles révoltes la philosophie a-t-elle substituées au respect du passé et à la tradition d'obéissance? La question est importante. Elle est d'ailleurs malaisée à résoudre.

Les contemporains des philosophes, amis ou ennemis, nous ont donné abondamment leur avis. Le marquis d'Argenson, dans son *Journal* et dans ses opuscules, s'exprime avec une audacieuse clarté. La croyance au progrès de la raison est, selon lui, une « religion nouvelle ». L' « esprit républicain », le « républicanisme » font tous les jours des progrès. Tout le monde, même dans les provinces, « raisonne à tort et à travers sur la politique »; c'est une « révolution » qui se prépare. Dans son *Journal*, plein à la fois de prudence bourgeoise et d'audace raisonneuse, Barbier, à dix reprises, annonce une « révolution très générale dans l'État ». D'autres, depuis Duclos jusqu'aux rédacteurs de l'*Année littéraire* et à d'obscurs pamphlétaires, aperçoivent ou dénoncent, pour s'en réjouir ou s'en épouvanter, une « fermentation universelle de la raison », la « folie du jour », où l'on donne « à plein collier », qui gagne les boudoirs, l'antichambre du roi, et, pour mieux dire, tout le royaume. Ces témoignages, par leur nombre, prouvent assurément qu'il se passait quelque chose. Mais parfois ils se contredisent. D'Argenson attestera que la philosophie anglaise, moins audacieuse que la française, n'a conquis à Paris qu'une centaine de philosophes et que le siècle n'est pas encore mûr pour une révolution. De Ségur affirme que personne n'y songeait. On juge mal de l'esprit d'une génération par les plaintes ou les espérances des contemporains, quand ils sont gens de lettres ou de politique.

Nous possédons heureusement d'autres sources d'information. On peut, par le nombre de leurs réimpressions, juger du succès de certains livres; on peut, en examinant les catalogues des bibliothèques du temps, déterminer quels étaient les livres les plus répandus. Rappelons qu'il existe jusqu'à sept éditions ou contrefaçons de l'*Encyclopédie*, que dix-neuf éditions des œuvres de Voltaire ont paru de 1740 à 1778, et quarante-trois éditions de *Candide* de 1759 à 1784, dix-huit éditions ou contrefaçons des œuvres de Rousseau de 1764 à 1789, et plus de soixante éditions de *la Nouvelle Héloïse* (depuis 1761). Si des livres audacieux comme *la Basiliade* et *le Code de la nature* de Morelly ou les œuvres de Boulanger sont peu répandus, l'*Histoire philosophique des deux Indes*, de Raynal, a une trentaine d'éditions de 1770 à 1789. Les œuvres, traductions, adaptations de d'Holbach, presque toutes violemment antireligieuses, totalisent quelque quatre-vingts éditions. Dans cinq cents bibliothèques cataloguées de 1750 à 1789, et qui appartiennent pour la plupart à des gens de robe, de finance ou de bourgeoisie, on rencontre le *Dictionnaire* de Bayle 288 fois, les *Œuvres* de Voltaire 173 fois, l'*Encyclopédie* 82 fois. Les « nouvellistes » se multiplient. Il y avait 380 cafés en 1723, il y en a 1 800 en 1788. Il y a enfin beaucoup plus de journaux.

LAMOIGNON DE MALESHERBES (1721-1794), directeur de la librairie, qui favorisa la publication des œuvres des philosophes (B. N., Cabinet des Estampes). — CL. LAROUSSE.

LES JOURNAUX

Les principaux journaux qui paraissent après 1750 sont le Journal des savants *et le* Mercure de France, *qui existent depuis le XVII*e *siècle; les* Annonces, affiches et avis divers, *dites* Affiches de province *(1751-1792);
le* Journal étranger *(1754-1762), qui a surtout contribué à faire connaître les littératures étrangères; le* Journal encyclopédique *(1756-1773); le* Journal de Paris *(quotidien, publié à partir de 1777); et le journal de Fréron, intitulé d'abord* Lettres sur quelques écrits de ce temps, *puis l'*Année littéraire *(1749-1790).*

Voir : Hatin, Histoire politique et littéraire de la presse en France, *1859; le même,* Bibliographie historique et critique de la presse périodique française, *1866.*

Au début du siècle, il existe à Paris trois journaux : la *Gazette de France*, le *Mercure de France*, le *Journal des savants*. Un état de 1765 en compte dix-neuf. De 1700 à 1750, on compte une trentaine de journaux ayant vécu au moins cinq ans : il y en a cinquante-cinq de 1750 à 1789. Ils ne parlent pas des mêmes choses. Rédigés jusque vers 1720 (le *Mercure* excepté) par des érudits pour des érudits, simples recueils de jurisprudence, d'histoire, de théologie, ils finissent vers 1730, surtout sous l'influence de Desfontaines, par s'adresser à tous les « honnêtes gens ». Les belles-lettres, poésie, roman et théâtre, prennent la place des dissertations latines sur les *Monuments de la monarchie française* ou sur la *Sagesse de Moïse*. On sacrifie aux grâces et au bel esprit. Mais le public attiré par le bel esprit et par les grâces s'instruit en même temps, à l'occasion, des choses de la philosophie. Tous les journaux n'en parlent pas. Il y en a qui sont antiphilosophiques, comme le *Journal de Trévoux* et l'*Année littéraire*, et où l'on esquive les sujets de philosophie, de politique ou même de sciences. D'autres sont plus hardis, même quand ils veulent paraître modérés. Des journaux très répandus, comme le *Mercure* et le *Journal des savants*, n'ont pas d'indulgence pour l'impiété ou l'athéisme; ils ne sont pas « philosophiques ». Seul le *Journal encyclopédique* se déclare ouvertement de la secte, et il eut la vie difficile et assez courte. Mais c'est justement parce

que les autres journaux veulent penser comme tout le monde qu'ils nous révèlent les goûts moyens. Or ils s'intéressent aux sciences de la nature, de plus en plus, c'est-à-dire à des observations précises, à des expériences plutôt qu'à la scolastique ou à l'éloquence. La religion et l'histoire tiennent dans le *Mercure* la même place en 1750 qu'en 1720; mais vers 1720 la science s'effaçait complètement devant la religion et l'histoire; vers 1750, on rencontre un article de science pour deux articles d'histoire ou de religion; vers 1780, la science a conquis une place égale. La politique, la législation, l'économie rurale, l'économie politique sont des sujets dont on s'engoue de plus en plus, comme des sujets scientifiques. Il n'en est pas question vers 1720; on les introduit vers 1750; le nombre des articles qui leur sont consacrés a quadruplé vers 1780. Le *Mercure* lance de vives attaques contre les « philosophes du temps »; mais, quand il nomme Diderot ou Voltaire, il les tient pour de grands hommes, et il tient l'*Encyclopédie* pour une grande entreprise. Les *Affiches de province*, sévères aux idées nouvelles surtout vers 1780, s'enthousiasment pourtant pour Calas, et sont fort aimables pour les *Pensées sur l'interprétation de la nature*, de Diderot, pour les premiers ouvrages de Rousseau, et même, avant sa condamnation, pour l'*Esprit* d'Helvétius. Même évolution dans le *Journal des savants*. En 1720-1721, 1750-1751, 1780-1781, on peut trouver, en analysant les tables des matières : pour la théologie et la religion, 32, 39, 37 articles; pour la philosophie et les sciences de la nature, 13, 71, 115 articles; pour la politique et l'économie, 0, 15, 25 articles. Enfin, on voit commencer la presse provinciale. Dans chaque province, de 1760 à la Révolution, on voit paraître une ou plusieurs *Affiches* (*Affiches de Picardie, de Normandie, de Bourges*, etc.). Elles n'ont, chaque semaine, qu'une feuille double in-4°, et les trois quarts sont occupés par des avis officiels, des annonces, etc. Pourtant, même dans ces feuilles étroitement surveillées, on voit de plus en plus s'insinuer les idées nouvelles, des éloges de Voltaire ou de Rousseau, l'annonce d'ouvrages antérieurement condamnés, etc.

Le témoignage des journaux ne suffit pas. La presse du XVIIIe siècle ne ressemble pas à notre presse quotidienne. Le premier journal quotidien, le *Journal de Paris*, date seulement de 1777. Le *Mercure de France* et les autres ressemblent plutôt à nos revues; et ce sont des revues assez peu répandues. Le *Mercure* coûte cher, 24 livres à Paris et 32 en province. En 1763, année prospère, il n'avait pas beaucoup plus de 1 500 abonnés ou acheteurs. Bien qu'on le passât sans doute de main en main, 1 500 ou 15 000 lecteurs ne représentent pas toute la France. Il faut chercher d'autres témoins.

LES AUTRES TÉMOIGNAGES

Il faut d'abord tenir compte des petits faits, de ceux que l'on glane au hasard des mémoires, correspondances, livres-journaux, etc.; c'est par exemple, en 1748, la conversation fort impie, dans une diligence, d'un chevalier de Saint-Louis avec des philosophes; c'est le nombre des familles nobles ou bourgeoises où l'on élève les enfants, sinon dans l'incrédulité, du moins dans « l'indifférence »; c'est l'assistance aux fêtes religieuses de Caen qui, d'année en année, diminue, etc. Il y aurait surtout le témoignage même de ceux qui ignorent les philosophes, qui ne les aiment pas ou qui devraient ne pas les aimer. Quand on est pieux, on ne l'est plus de la même façon et l'on a des curiosités que l'on aurait jugées cinquante ans plus tôt fort impies ou scandaleuses. N'en croyons pas Diderot sur parole lorsqu'il affirme qu'il y a peu de sorbonnistes qui ne recèlent, sous leur fourrure, ou le déisme ou l'athéisme; mais bien des prêtres et beaucoup de pieux laïques ont des indulgences, conscientes ou non, pour le philosophisme. Mlle de Grouchy, au couvent des chanoinesses de Neuville, lit Voltaire et Rousseau; on lit Helvétius au séminaire de Toul, et Rousseau à celui de Nancy; c'est le confesseur de Mlle Phlipon, la future Mme Roland, qui lui apporte *Héloïse;* l'abbé Andra expurge l'*Essai sur les mœurs* pour les collèges, en gardant « les principes de raison et d'humanité ». Et Christophe de Beaumont, archevêque de Paris, doit sévir contre les prêtres qui introduisent dans leurs sermons l'économie politique à la place du dogme, et la philosophie à la place des Écritures.

Mais n'y a-t-il eu que des foyers épars de « philosophisme »? La philosophie a-t-elle au contraire assuré ou préparé, dès le XVIIIe siècle, une transformation générale de la pensée française? Ces foyers se sont-ils groupés à Paris ou dans quelques grandes villes? Est-ce au contraire la France tout entière qui a écouté, comme on disait, « l'oracle des nouveaux philosophes »? Il y faut regarder de près; car il y a d'autres petits faits qui témoignent d'ignorances évidentes et de résistances. On a publié de nombreux livres de raison ou livres-journaux, de bourgeois, grands ou petits, de la province. Ils y parlent de mille choses, de leurs vendanges, de leurs enfants, de leur goutte, des inondations et des sécheresses; ils y discutent, à l'occasion, de la « Constitution » (bulle *Unigenitus*) ou de la cherté des grains; ils s'y entretiennent parfois de théâtre et de poésie; ils y relatent copieusement toutes ces émeutes de famine qui les épouvantaient. Mais ils ne semblent pas se douter qu'il y eût des philosophes et qu'on discutât sinon sur le droit à l'insurrection, du moins sur le droit politique, sur la liberté naturelle et sur les lois économiques. Il n'y a pas un mot, dans tous ces journaux, ni des affaires de l'*Encyclopédie*, ni de celles de l'*Esprit*, ni d'aucune des batailles qui faisaient grand bruit dans les salons de Paris, voire dans le *Mercure*. Même chez les beaux esprits, chez ceux qui se vantent de donner rendez-vous aux beaux esprits, chez Cavellier, ami de Brissot, à Boulogne, chez Leprince d'Ardenay au Mans, il est question d'odes, d'élégies ou d'histoire locale; il n'y a pas un mot qui témoigne que Montesquieu, Voltaire, Rousseau, Raynal aient existé. Au reste, si l'on en croit les Parisiens, dans la province, on vit, on se garde bien de penser. « Personne n'a de livres, personne n'a l'esprit cultivé; on n'es. pas plus avancé qu'au XIIe siècle »; c'est l'opinion de Voltaire; c'est celle de d'Argenson pour sa province, et celle du comte de Montlosier pour la sienne. La France s'est « métamorphosée, dit d'Argenson, de femme en araignée..., grosse tête et longs bras maigres ».

On devait avoir tout de même des livres en province, puisque l'on y avait des académies. La création des académies provinciales commence dès la fin du XVIIe siècle et se continue pendant tout le XVIIIe. En 1760, il y en a, pour le moins, trente-sept, dans les grandes villes, et même à Auxerre, Bourg, Milhau Villefranche et Nîmes. On y discute abondamment sur des thèmes inoffensifs; les lauriers qu'on y distribue sont le plus souvent ceux d'Apollon et des Muses : on y couronne des odes, des pièces fugitives, des discours sur le goût, sur l'amour-propre; on y pose la question de savoir « s'il est utile à la société que le cœur de l'homme soit un mystère » ou « si le secret est une des vertus les plus nécessaires à un roi ». On y est pieux, fort souvent. Les discours de l'académie de Montauban

doivent être terminés « par une courte prière à Jésus-Christ » et munis de l'approbation de deux docteurs en théologie. Même lorsqu'on se risque, on n'est pas très audacieux. L'académie de Marseille met au concours, en 1766, l'éloge de Gassendi; mais le discours couronné est du P. Menc, dominicain, et témoigne que l'on ignorait très volontiers au XVIIIe siècle que Gassendi eût préparé les impiétés des philosophes. Pourtant, malgré les précautions académiques et la sagesse provinciale, on agite parfois dans ces académies des pensers nouveaux. On donne tout d'abord à plein dans l' « économie » et la science rurale. On rédigerait, avec leurs sujets de prix, la table des matières d'une Encyclopédie agricole, commerciale et industrielle du XVIIIe siècle. Mais elles se mêlent aussi de politique; elles ont les curiosités du « citoyen » et du « patriote ». On disserte à Montpellier sur la liberté du commerce des grains; à Marseille, sur l'utilité des lois somptuaires; à Châlons (qui couronne Brissot), sur les moyens d'adoucir la rigueur des lois pénales en France et sur le meilleur plan d'éducation pour le peuple; à Bordeaux, sur Montesquieu. On va plus loin, quelquefois, et l'on est hardiment philosophe. Dijon, qui couronne Rousseau en 1750, s'en repent en 1754 et n'admet, sur les origines de l'inégalité, que des vues prudentes et vagues. Mais l'abbé Ferlet, qui concourt à Nancy et qui n'aime pas les philosophes, se voit refuser le prix parce qu'il « attaquait avec trop de vivacité quelques encyclopédistes ». Besançon propose de déterminer « quelle a été sur notre siècle l'influence de la philosophie ».

Surtout ces académies sont bientôt dépassées. Elles n'avaient chacune qu'une quarantaine de membres (plus, souvent, des membres correspondants) et il fallait y être élu. Bientôt, dans toutes les villes et même les petites villes, ceux qui n'avaient pas de chances d'en être fondent des *Sociétés de lecture*, *Sociétés littéraires*, etc. Pour y entrer il suffit d'avoir bonne réputation et de payer sa cotisation. On loue un local, un jardin; on boit, on joue (sauf aux jeux d'argent), mais aussi on lit, et on lit à l'occasion des philosophes, l'*Encyclopédie*, le *Journal encyclopédique*, etc. Et nécessairement on cause, on ne peut pas ne pas agiter des idées. Nous ne savons pas si l'esprit critique s'y éveille, à plus forte raison l'esprit révolutionnaire, mais c'est assurément l'esprit de curiosité.

L'ENSEIGNEMENT

Ces progrès de la raison se marquent par des preuves plus décisives encore. Des nouveautés dans les programmes d'enseignement reflètent une transformation profonde de l'opinion moyenne.

Certes, la question des programmes est alors infiniment diverse dans une France très diverse. Les jésuites, les oratoriens, les dominicains, l'Université, etc., ont des méthodes fort différentes. Les oratoriens laissent chacun de leurs collèges s'organiser à son gré et au gré de sa clientèle. Chaque ville vote, s'il lui plaît, les secours d'argent qui lui plaisent, choisit les maîtres qui lui conviennent et discute, comme elle le veut, le programme de leur enseignement. Nulle loi d'État, nulle doctrine d'État n'assure une direction générale. Même sous les apparences il faut discerner très souvent de médiocres réalités. On enseigne la physique expérimentale dans les collèges, vers 1760, mais seulement pendant la dernière année de la scolarité; peu d'élèves suivent le cours, cinq ou six seulement, au collège de Troyes; et le budget pour l'achat des appareils y est, en moyenne, de cinquante livres. Dans un grand nombre de collèges, les intentions peuvent être hardies, la pratique reste timide. Pourtant tous les théoriciens de la pédagogie, ou presque tous, même avant l'*Émile* et l'expulsion des jésuites, réclament un esprit nouveau et des méthodes nouvelles.

Moins de latin d'abord. On fait sa part au français et aux auteurs français. Les jésuites y ont résisté obstinément, et l'on continue à suivre çà et là, jusqu'à la Révolution, leur tradition. On enseigne fort peu de français, en 1789, dans les collèges du Doubs, et pas du tout à celui de Doué, près d'Angers. En 1762, au collège de Rouen, les écoliers ne composent des « amplifications » françaises qu'en rhétorique. Mais ils en composent avant 1760, dans tous les collèges d'oratoriens. Le discours pour la distribution des prix est en français parfois. A Troyes les élèves ont formé une « académie » où ils échangent, en 1785, la lecture de leurs chefs-d'œuvre. Nous en avons gardé quarante-cinq, et quatre seulement sont en latin. On disserte à l'occasion sur l'excellence de la langue française. Cicéron, Tite-Live, Ovide, Stace restent bien les maîtres essentiels ; au collège d'Harcourt, en 1782, c'est encore « en fraude » qu'on lit Bossuet ou Fénelon. Mais, au programme de l'Oratoire et de quelques autres collèges, on inscrit La Fontaine, Boileau, J.-B. Rousseau, Massillon, Bossuet. Ceux qu'on n'étudie pas

UN CABINET DE PHYSIQUE AU XVIIIe SIÈCLE.
Gravure tirée des « Recherches sur la physique »
de l'abbé Nollet. — CL. LAROUSSE.

dans les classes, on les donne en prix, on les achète pour les bibliothèques scolaires ; Segrais, Racan, Malherbe, les églogues de Fontenelle, Régnier, Corneille, Racine même s'introduisent ainsi dans l'éducation. L'histoire y est enseignée sans programme défini, au hasard de l'érudition des maîtres, mais l'histoire de France s'insinue pourtant. Les sciences expérimentales sont toujours réservées à ceux qui font leur deuxième année de logique ; mais la mode les impose de plus en plus. Partout, on veut avoir un « cabinet », et quand ce ne sont pas les élèves, ce sont les curieux de la ville ou même les dames qui suivent les expériences. Il faut attendre 1780 au collège de Rouen, pour qu'on établisse le projet d'un cours de physique expérimentale ; mais bien avant, dans cent collèges, il y a des machines, des pompes pneumatiques, des appareils d'électricité et d'optique. Quand Leprince d'Ardenay, homme pieux et qui craint d'aller à la comédie, soutient ses thèses au Mans, en 1755, il y a une « journée d'anatomie » et des expériences publiques de physique.

C'est enfin l'enseignement de la philosophie elle-même qui se transforme. La philosophie des collèges n'avait été très longtemps qu'une logique scolastique, et elle le reste jusqu'au bout dans bon nombre de maisons. Arnault à Juilly, Brissot à Chartres, F.-Y. Besnard et Larevellière-Lépeaux à Angers ont gardé un fort mauvais souvenir de cet « art de déraisonner », de cet « amas de subtilités ridicules et de formules barbares ». Les manuels approuvés par l'autorité ecclésiastique gardent presque toujours la forme scolastique. Celui de Dagoumer, qui est pure scolastique, est réédité jusqu'en 1757. Mais l'enseignement devient assez vite, au moins dans les collèges de l'Oratoire et dans ceux de l'Université, cartésien et malebranchien. Peu à peu les idées de Locke et de Condillac, ou leurs méthodes, gagnent du terrain. L'évêque de Troyes et celui du Mans doivent intervenir, imposer le manuel de Ségur, qui réfute La Mettrie, Helvétius, Voltaire, Bayle, l'*Encyclopédie*, Locke et Rousseau. Mais, tout de même,

en les réfutant il les révèle et les cite, et il approuve Locke à l'occasion. D'autres manuels proclament leur mépris de la scolastique et leur admiration pour Bacon, Newton et Locke. Insensiblement les élèves s'enhardissent avec les maîtres. Beaucoup d'élèves impies au collège de Troyes vers 1750 ; c'est peut-être par goût de l'indiscipline et du plaisir. Mais, dans cette petite société de jeunes docteurs en théologie et de bacheliers et licenciés qui étudient pour devenir docteurs à leur tour, qu'on appelle « la Maison de Sorbonne », dès 1750, Morellet, Turgot, l'abbé Bon, Loménie de Brienne lisent Locke, Bayle, Voltaire, Buffon, Clarke, Spinoza, et discutent, pour la démontrer, la nécessité de la tolérance. A Orléans, J.-N. Bouilly invoque la loi naturelle pour soutenir dans une thèse de droit qu'il faut accorder au bâtard une part de l'héritage paternel. Grand émoi de l'évêque et de l'officialité, qui protestent. Mais la thèse est visée par le recteur, soutenue par le procureur du roi et les « six cents camarades » de Bouilly, qui triomphe à la soutenance. A Troyes, les élèves dissertent de l'influence de la philosophie sur le siècle présent, de la meilleure forme de gouvernement. Au collège d'Anjou, on enseigne la morale « d'après les seules lumières de la raison ». Et même les jeunes filles sont élevées, si l'on en croit Mme de Chastenay, « dans l'idée de l'égalité des hommes, du mépris des vaines distinctions... : les religieuses dans les couvents en nourrissaient les jeunes personnes. » Nous connaissons mal ces religieuses ; mais nous connaissons bon nombre des régents : le P. Petit, du collège de Juilly, qui, au cours de politique et de littérature, allègue Washington et La Fayette ; M. Aubry, du collège d'Harcourt, tout pénétré de philosophisme et qui jettera sa robe aux orties ; les futurs conventionnels Fouché, Billaud, professeurs au collège de Juilly ; Manuel, Jacob Dupont, Pechméja, régents comme eux ; ceux de Troyes, qui reçoivent dans un festin de bienvenue l'auteur condamné de *la Philosophie de la nature*, Delisle de Sales. C'est une vaste fermentation universitaire qui gagne peu à peu, bouillonne et remue le passé jusqu'au fond.

Joignons-y si l'on veut les loges franc-maçonniques. Leur rôle a été fort discuté. Il est incontestable qu'elles se multiplient prodigieusement et qu'à la veille de la Révolution elles couvrent la France d'un réseau serré. Mais à quoi s'y intéresse-t-on ? On a dit que, de plus en plus, on y fait de la politique et qu'on y combat sinon le trône, tout au moins l'autel. Mais on n'en apporte comme preuves que quelques textes épars ou de simples affirmations. Or, nous connaissons fort bien un grand nombre de ces loges dont on a publié ou étudié les registres et procès-verbaux. On y voit qu'on s'y occupe à des cérémonies rituelles qui relèvent du mysticisme et de la parade, non de la politique, à des banquets, à des discours qu'emplit une vague rhétorique, non la pensée révolutionnaire. On y est si peu irréligieux qu'on fait dire tous les ans une messe anniversaire, qu'on est au mieux avec le curé, qu'il y a des ecclésiastiques dans presque toutes les loges et que pas mal de loges sont installées dans les couvents.

Assurément, les discours nous entretiennent constamment d'humanité et de bienfaisance; on fait des quêtes de charité. De temps à autre il est question de fraternité et d'égalité. Mais ce ne sont guère que des mots; et il y a bien souvent des rivalités haineuses entre deux loges, dont l'une est aristocratique et l'autre recrutée dans la petite bourgeoisie. Dans tous les cas, mots et discours sont moins hardis que ce qu'on peut lire partout chez les « philosophes », dans certains journaux, dans les discours ou pièces de concours de maintes académies ou sociétés de lecture.

QUELQUES BIOGRAPHIES

Les mémoires et correspondances nous font connaître avec précision des âmes formées par les idées nouvelles.

Mémoires de Mme *Campan (1823), du comte de Ségur (1824), d'Ida Saint-Elme (1827), de M. de Bourrienne (1829), de la duchesse d'Abrantès (1831), de la princesse de Salm (Constance Pipelet)* [*1833*]*, du comte Beugnot (1867), de M*^{me} *de Rémusat (1879), du chancelier Pasquier (1893), etc.*

Les plus intéressants sont les Mémoires de Mme Roland, *publiés par Cl. Perroud, 1905 (voir sa* Correspondance, *publiée par Cl. Perroud, 1900-1901 et 1913), et les* Mémoires de Brissot, *publiés par Cl. Perroud, 1910.*

Lettres de Fiévée (1837), de Mme *de Rémusat (1879), de Pauline Bonaparte et de Talma (1911), de Julie Talma (1933) et de Benjamin Constant (1933), de Benjamin Constant et d'Anna Lindsay (1933), etc.*

Ainsi, toutes les idées nouvelles gagnent certainement de jour en jour. Ce qui était l'impiété ou l'audace d'hier devient la sagesse et la banalité du lendemain. Les révélations des philosophes ne sont plus, bien souvent, que des thèmes de dissertations de collège ou de conversations entre bourgeois cultivés. Par les journaux, par l'enseignement, par la mode, de la grande ville à la petite ville, du cabinet du haut magistrat à l'atelier du graveur, les idées gagnent et se propagent. Ainsi peut-on expliquer que les idées philosophiques aient formé les esprits et les cœurs de ceux qui allaient diriger la Révolution. Avec leurs parents et leurs maîtres, ou contre eux quand ils étaient timides, ces fils de grands ou de petits bourgeois, dans les collèges de Paris ou dans le fond d'une lointaine province, s'abreuvent, ouvertement ou par mille filets cachés, aux « sources, comme on disait déjà, de la pensée libre ». Robespierre, Camille Desmoulins, Louvet lisent et relisent l'*Émile* à Louis-le-Grand; Fauche-Borel, Brissot, Larevellière-Lépeaux, Danton, Vergniaud, Lombard de Langres, Dumouriez, Condorcet, Jean Bon-Saint-André, Buzot, Piqué, guidés souvent par leur père, comme Dumouriez, ou par leurs maîtres, comme Condorcet ou Lombard de Langres, lisent l'*Analyse de Bayle*, Voltaire, Rousseau, Delisle de Sales, Helvétius ou même d'Holbach et le curé Meslier. Quand ils racontent leur enfance et leur jeunesse, c'est l'histoire pathétique d'une révolte ou d'une conversion. Révolte de Brissot contre un enseignement scolastique et contre une famille qui s'inquiète et s'effare. Conversion de Mme Roland, dont les *Mémoires* et la *Correspondance* sont le document le plus vivant et le plus émouvant.

Mme Roland écrit assez mal. Elle se perd aisément dans les circuits de son éloquence, et sa sensibilité est beaucoup plus délicate que son goût. Elle ne pense pas non plus

MANON-JEANNE PHLIPON (LA FUTURE Mme ROLAND) à l'âge de 19 ans. Portrait gravé par son père. — CL. LAROUSSE.

profondément. Elle est à la remorque de ses lectures, et, quand elle philosophe, elle n'est qu'une élève appliquée. Mais son âme est vraiment admirable. Elle est une jeune fille tendre, mélancolique et sombre, comme il convient à cette date, mais en toute sincérité. Elle connaît les « fièvres d'imagination », la « douce rosée de mélancolie » et les « déchirements de tendresse » propres aux âmes sensibles. Elle aime ardemment ses amies, la campagne, la nature, la beauté des soirs. Elle aime surtout ce qui est clair, droit et loyal, la vertu, l'honnêteté, la vérité et la raison. Elle lit passionnément, et un peu au hasard d'ailleurs, pour satisfaire cette raison et découvrir cette vérité. Et c'est ainsi que, de la dévotion et du mysticisme de ses dix-huit ans, elle vient peu à peu à la « philosophie », lit Bayle, Raynal, Rousseau, continue de pratiquer parce qu'elle ne veut pas le scandale, mais n'a plus, à vingt-deux ans, que les croyances et la religion du Vicaire savoyard. On ne peut pas dire qu'elle soit une révoltée; elle suit une pente. Pour beaucoup la pente va décidément non pas vers le matérialisme, l'athéisme ou le républicanisme, mais vers une « philosophie » où chacun suit la raison et le sentiment, et non plus la tradition et l'autorité.

LE PEUPLE

Le peuple, la masse de la nation, ouvriers des villes, cultivateurs des campagnes, commençaient-ils confusément à s'engager sur la même pente? Il est fort difficile de répondre. Les ouvriers et les paysans n'ont pas laissé de mémoires, ni de correspondances, ni de dissertations. Les quelques livres, ouvrages de piété ou *Maisons rustiques*, notés par des inventaires ne nous apprennent rien. Il n'y a pas de journaux pour eux. Il est très certain que les philosophes et les pédagogues réclament des écoles; il est probable qu'elles se multiplient; ce n'est pas tout à fait démontré, du moins pour bien des régions. Il faudrait en croire ceux qui furent de ce peuple, mais leur témoignage est fragile. Quand Restif nous parle de son père, laboureur vénérable et sage, quand il nous peint les ouvriers, il faut se défier de son imagination. L.-S. Mercier, Caraccioli, l'Allemand Storch nous ont montré les laquais lisant derrière les voitures, les cochers lisant sur leurs sièges, les soldats lisant au poste. Mais ces observateurs traduisent des impressions et les grossissent peut-être. Les *Cahiers* de 1789, dont beaucoup sont exactement publiés, sont des documents intéressants. Il n'est pas exact, comme le disait Taine, qu'ils soient, sauf quelques-uns, copiés sur des « cahiers types ». Ils reflètent certainement l'opinion sinon de la masse, du moins de ceux qui sont près de la masse. Mais ils sont assez timides. Ils réclament des réformes de détail et non des réformes de principe. Tout au plus y trouve-t-on assez souvent des demandes d'écoles, le souci de la tolérance religieuse, etc.

Il est certain, d'ailleurs, que le peuple souffrait de la misère et de la famine avant de souffrir du « fanatisme ». Il s'est soulevé très souvent, ici et là, à travers tout le XVIIIe siècle, et parfois avec fureur. L'armée des révolutionnaires s'est recrutée sans doute par les dîmes, les gabelles, les corvées et par la faim. La philosophie n'a pas non plus remué ou transformé toute la classe moyenne, loin de là. Mais depuis la génération de Bayle jusqu'à celle de Rousseau, depuis Voltaire jusqu'à Raynal, elle a formé sans doute la plupart des chefs, grands ou petits, et préparé la foule à les suivre.

VI. — LE RETOUR A LA NATURE ET AU SENTIMENT

LE PRÉROMANTISME

Voir : *D. Mornet*, le Romantisme en France au XVIIIᵉ siècle, *1912*; *P. Van Tieghem*, le Préromantisme (*2 vol., 1924 et 1930; t. III, 1948*); *A. Monglond*, Histoire intérieure du préromantisme français, *1929*.

LES ORIGINES LOINTAINES

Être philosophe, dans la deuxième moitié du XVIIIᵉ siècle, ce n'est pas seulement ouvrir les yeux aux « lumières de la raison »; c'est aussi, pour beaucoup, écouter la « voix du cœur » et goûter les « délices du sentiment ». Ce retour au sentiment a des raisons lointaines et profondes qui ne viennent pas toutes de Rousseau ou des Anglais; la plupart procèdent des éternels instincts de notre nature. Avant la *Clarisse* de Richardson, avant l'*Héloïse* de Jean-Jacques, avant Ossian et *Werther*, furent écrits en France des romans vite oubliés, médiocres ou détestables, mais qui témoignent que vivre et peindre la vie, ce n'est pas seulement, pour les auteurs ou les lecteurs, analyser et raisonner; c'est aussi éprouver « la sensibilité d'un cœur aussi violent que tendre »; c'est chérir le poison des passions qui « dévorent » ou leur « triste douceur »; c'est chercher des voluptés dans les « douleurs qui ont leur charme »; c'est s'y « baigner le cœur tout entier »; c'est goûter « la sombre mélancolie d'un séjour sauvage »; c'est même se livrer aux attraits du désespoir et chercher le tragique repos du néant. Tels héros de Gresset, le Cleveland de Prévost ou son doyen de Killerine promènent à travers les hasards changeants de leur destinée d'incurables maladies de l'âme, qui n'ont ni raison ni remède, et ce vide, ce fond secret de mélancolie et d'inquiétude, ce « besoin dévorant, cette absence d'un bien inconnu » qui les traînent de l'ennui au désespoir. La nature même que l'on aime, ce n'est plus seulement le sage jardin d'Auteuil où le jardinier dirigeait l'if et le chèvrefeuille de Boileau, ni l'ordre somptueux de Versailles, c'est tout ce qui fait la grâce libre et la fantaisie capricieuse des décors champêtres dans les tableaux de Watteau, de Pater, de Lancret, tout ce qui fit surtout, dès 1750, le triomphe des tableaux de Joseph Vernet, tempêtes, récifs, naufrages, clairs de lune, rocs sourcilleux, torrents écumants, « sublimes horreurs » dont Vernet notait naïvement les commandes : « Une tempête bien horrible..., des cascades sur des eaux troubles, des rochers, troncs d'arbres et un pays affreux et sauvage. »

LES INFLUENCES ÉTRANGÈRES
L'INFLUENCE ANGLAISE

La *Paméla* de Richardson est traduite par l'abbé Prévost en *1742*; sa Clarisse Harlowe, *en 1751 (traduction avec des suppressions); traduction complète par Le Tourneur, 1785.* Les *romans de Fielding* (Joseph Andrews, Tom Jones, *etc.*) sont traduits de *1742 à 1763*; le Ministre de Wakefield, de

YOUNG ENTERRANT SA FILLE. Frontispice de Marillier pour la traduction de Le Tourneur (1769). — CL. LAROUSSE.

Goldsmith, en *1767*; les romans de Sterne, de *1760 à 1787*. — La Place publie, entre *1745 et 1748*, huit volumes de traductions de pièces anglaises, sous le titre de Théâtre anglais. (*Quatre de ces volumes sont consacrés à Shakespeare.*) On traduit, en outre, le Marchand de Londres, de Lillo (*1748*), et le Joueur, de Moore (*1762*). De Shakespeare, on traduit le More de Venise, Othello, Roméo et Juliette, de *1773 à 1782*. La traduction de Le Tourneur est publiée en 20 volumes, de *1776 à 1782*. Les adaptations de Ducis (Hamlet, Roméo, le Roi Lear, Macbeth, Othello) paraissent de *1769 à 1793*. — Des poètes, on traduit : l'Élégie sur un cimetière de campagne, de Gray (*1765 et 1771*); les Contemplations *et* Méditations *d'Hervey (en prose)*, en *1757 et en 1771*; les poèmes d'Ossian (de Macpherson), par fragments, de *1760 à 1774*. (*La première traduction complète est donnée par Le Tourneur en 1777.*) Young est traduit à partir de *1761*; la première traduction complète est celle de Le Tourneur en *1769*.

Voir : *Joseph Texte*, J.-J. Rousseau et les origines du cosmopolitisme littéraire au XVIIIᵉ siècle, *1895*; *F.-B. Barton*, Étude sur l'influence de L. Sterne en France au XVIIIᵉ siècle, *1917*; *J. Jusserand*, Shakespeare en France sous l'ancien régime, *1898*; *F. Baldensperger*, Shakespeare en France; Young et ses « Nuits » en France, *dans* Études d'histoire littéraire, *deux séries, 1907 et 1910*; *P. Van Tieghem*, Ossian en France, *1917*; la Poésie de la nuit et des tombeaux en Europe au XVIIIᵉ siècle, *1921*; les trois volumes sur le préromantisme cités plus haut. *Mˡˡᵉ Goulding*, Swift en France, *1924*; *Mˡˡᵉ Causeron*, l'Influence des Saisons de Thomson, *1927*.

Les influences étrangères ont été profondes sur ce mouvement préromantique, surtout celle de l'Angleterre. Les Anglais nous avaient apporté, avant 1750, des idées philosophiques et politiques, le théisme et même l'athéisme, des théories de liberté politique et de gouvernement constitutionnel. Vers 1760, au contraire, les philosophes critiquent ou dédaignent de plus en plus la philosophie ou la liberté anglaises. Théisme et athéisme d'outre-Manche ont été dépassés par Helvétius et d'Holbach, et, si l'on veut croire à une « religion du cœur », c'est à Rousseau que l'on s'adresse, non à Addison ou à Pope. *L'Esprit des lois* marque à la fois, pour la Constitution d'Angleterre, le moment de son plus éclatant prestige et le commencement de l'indifférence ou du dédain. D'Holbach, Condorcet, la plupart des écrivains politiques, les publicistes qui se multiplient à la veille de la Révolution, les rédacteurs des cahiers des États n'ont pour elle que des louanges de pure politesse ou des critiques. L'Angleterre, après 1760, n'est plus guère pour les Français que le pays de Richardson, de Shakespeare, de Young, d'Ossian, de Sterne. L'anglomanie n'est plus qu'une des formes du goût pour le sentiment et l'émotion.

C'est Richardson et avec lui Fielding qui firent les premiers la conquête des âmes sensibles. Conquête soudaine et triomphale.

A faire l'inventaire de 500 bibliothèques françaises, cataloguées entre 1750 et 1789, on trouve 1 700 volumes de romans anglais contre 500 de romans français. Quand Diderot écrit, d'une seule haleine et dans le délire de l'enthousiasme, son *Éloge de Richardson*, il ne fait que répéter avec plus d'éloquence ce que tous les Français pensent et écrivent. *Clarisse*, dit Walpole, « rend les Français stupides ». Elle les rend en même temps avides des vertus domestiques et des triomphes de la conscience. Surtout elle les passionne pour « une continuité d'émotions fortes et profondes ». Sans doute ni Clarisse ni les autres héroïnes anglaises ne sont des héroïnes romantiques. Elles ne réclament pas, bien au contraire, les droits de la passion; elles ne souffrent pas du mal du siècle. Mais elles se passionnent, même quand elles raisonnent; et quand elles aiment ou résistent à l'amour, c'est de toutes les forces de leur être. Elles sont de celles dont le cœur brûle. L'incendie gagna tous les cœurs français.

Ils goûtèrent avec le même zèle le théâtre et la poésie des Anglais. Pourtant Shakespeare fut âprement discuté. Il n'est pas de dramaturge, de folliculaire, de régent de collège, dans sa *Poétique*, qui ne dise son mot, et dès la première moitié du siècle, sur l' « histrion », le « Gilles », ou, inversement, sur « l'impétuosité de son génie ». Voltaire s'en tient de plus en plus à voir en lui un échappé de Bedlam et de Tyburn. Morellet, Rivarol, La Harpe pensent à peu près de même. Mais on les croit de moins en moins. Garrick, dès 1751, joue des fragments d'*Hamlet* dans les salons, et Garrick est fort à la mode. Les spectateurs pleurent sur les amants de Vérone, sur le roi Lear « errant dans le sein des forêts » et sur « le cœur brisé d'Ophélie ». Les traductions et les imitations se multiplient; il en paraît cinq au moins de *Roméo et Juliette* et tout autant d'*Othello*. Si les imitations de Ducis ne sont que de fades tragédies, la traduction de Le Tourneur prétendait être fidèle, et, bien qu'elle « épurât » le style, elle l'était assez exactement; elle fut publiée dans une luxueuse édition que précédait une liste importante de souscripteurs : souverains, princes, gens de lettres. Shakespeare est le colosse qu'on ne mesure pas avec de timides compas; il est le rude et sublime saint Christophe de Notre-Dame. Il est le maître du tragique et du sublime.

Avec les drames de Shakespeare, c'est l'âme anglaise elle-même qui conquiert les âmes françaises : âme « sombre et sauvage », toute pleine de brume, de mystère et de « spleen », mais profonde et qui sait découvrir « ce qui ébranle fortement l'imagination... et jette l'âme dans une espèce de vague obscur et menaçant ». Des Français avaient aimé avant eux, mais dans un style ordonné et timide, le « beau sombre » et la paix solennelle des tombeaux et des morts. Feutry avait écrit *le Temple de la Mort* (1753) et *les Tombeaux* (1755). Mais ce furent les Anglais Hervey, Gray et surtout Young qui mirent dans ces poésies sépulcrales les affres du désespoir et les sombres plaisirs d'un cœur lassé de tout. Les *Nuits* de Young, méditations oratoires et monologues prolixes où la rhétorique et l'artifice abondent,

GRAVURE tirée des « Épreuves du sentiment » de Baculard d'Arnaud (« Œuvres », 1770). Liebman pleure sa fidèle épouse, dont il a causé la mort par sa jalousie effrénée. — CL. LAROUSSE.

eurent un succès retentissant. On crut que Young racontait sincèrement sa propre histoire et l'on versa des larmes sur ce père qui, dans la nuit profonde, à la lueur incertaine d'une lanterne, avait creusé de ses mains le tombeau de sa fille bien-aimée. Les journalistes, les critiques, les poètes, les romanciers, à Paris ou dans les lointaines provinces, malgré les railleries de Voltaire, s'exaltent et s'évertuent à le louer, à le traduire, à l'imiter. Il est « comme une lampe sépulcrale » dont la lumière brille dans la nuit sombre; il est « infiniment célèbre »; il est le rival d'Eschyle, de Dante et de Milton; il est classique; les pédagogues le recommandent et les collèges le donnent en prix.

Ainsi se crée peu à peu le « genre sombre », qui revendique sa place à côté des genres lyrique, pastoral, épique, etc. Le romancier Baculard d'Arnaud se vantait d'en avoir été l'inventeur et d'en donner le modèle et la théorie dans son *Comte de Comminges*. Il l'empruntait en réalité à Young ou à Horace Walpole dont le roman, *le Château d'Otrante*, avait prodigué les mystères tragiques et les horreurs de mélodrame. *Le Comte de Comminges* était, d'ailleurs, un assez piètre ouvrage. Mais il eut du succès en France et même à l'étranger, et le genre sombre conquit la faveur du public. Des héroïdes de Dorat ou de Colardeau, des romans et des nouvelles de Baculard, de Loaisel de Tréogate, de Léonard, des méditations de L.-S. Mercier prodiguaient les tempêtes, les antres funèbres, les crânes et squelettes, « le chaos des éléments » et les fureurs de la démence, la frénésie des crimes et les abîmements du repentir, « les secousses et les convulsions de toute espèce ». « Mes cris étaient des hurlements, dit le héros de l'un de ces romans, mes soupirs des efforts de rage, mes gestes des attentats contre ma personne... »

Il fallait, d'ailleurs, à la mélancolie et au genre sombre, un décor surnaturel et une mythologie à leur mesure. Ce fut Ossian qui apporta les horizons et les dieux du Nord, les brumes légères et glacées, les bruyères sans fin qui fuient vers une mer redoutable, les tempêtes où se mêlent la voix des torrents, les vents déchaînés et les fantômes. Dix poètes le traduisent ou l'imitent. Mlle Volland, Mme d'Houdetot, Ducis, Bernardin de Saint-Pierre, Léonard, Fontanes et bien d'autres, dont quelques-uns, comme Turgot, Grimm, Saint-Lambert, Marmontel, n'étaient pas des romantiques, écoutèrent dans ces chants des bardes des accents inconnus et troublants. Avec Ossian on découvrit les « littératures du Nord » et tout ce qu'elles apportaient de visions farouches et d'étranges splendeurs. Sans bien distinguer entre la Gaule, l'Irlande, l'Écosse, le Danemark, la Norvège, grâce surtout aux *Monuments de la mythologie et de la poésie des Celtes* de Mallet (1756), on admira tous les bardes, depuis les druides jusqu'à ceux des sagas. Il n'y a plus un Homère, mais « des Homères ».

Cette « étrangéromanie » et cette « anglomanie » restent d'ailleurs le plus souvent fort prudentes et très françaises. On s'engoue du « barbare » et du « sauvage », mais à condition qu'ils fassent quelque toilette. A l'exception de

l'*Élégie* de Gray, qui plut
surtout en France, Shake-
speare, Young, Hervey, Ossian
et les Scandinaves de Mallet
ont exercé dans les pays germaniques une influence beaucoup plus profonde qu'en
France. Ils ont eu chez nous
moins de lecteurs que le sage
et classique Gessner; Elseneur
ou Thulé attire moins que la
traditionnelle Arcadie. Le goût
du sombre, le « galimatias
lugubre et sépulcral » et les
bardes même d'Ossian ont
donc été discutés, tout au
moins jusqu'à la Révolution.
Surtout, ni le Shakespeare,
ni le Young, ni l'Ossian que
les Français ont aimés n'étaient
à l'ordinaire les véritables.
Déjà, quand il traduisait *Clarisse*, Prévost avait voulu
ménager les nerfs des lecteurs;
il avait élagué le récit des
funérailles. On réclama assez
vite le droit de verser ses
larmes sans compter, et la
traduction qui suivit cessa
de ménager les lecteurs. Mais
Shakespeare fut moins respecté. La traduction de Le
Tourneur, assez fidèle pour
le fond, corrige les « trivialités » et « grossièretés » de

COMPOSITION DE MOREAU LE JEUNE, destinée
à figurer en frontispice d'une édition des
« Nuits » d'Young. On y voit le mélange du
sombre et des bienséances françaises.
CL. LAROUSSE.

COMPOSITION D'EISEN pour « Sargines », nouvelle de Baculard d'Arnaud. La scène se passe
sous Philippe Auguste; le goût troubadour ne
se souciait guère de la vérité historique.
CL. LAROUSSE.

style. Les adaptations de Ducis, qui firent fortune, ne
sont que de pâles et mensongères trahisons. Ducis avait
une âme de poète; du moins il aimait la poésie, la nature,
l'amitié, tout ce qui est beau et bon d'une âme sincère,
tendre et profonde. Quand il lit le Shakespeare de Le
Tourneur, il semble bien qu'il aime tout Shakespeare.
Quand il le traduit, il le travestit au gré des bienséances
académiques. Rien ne subsiste même dans ses adaptations
de ce que les drames de Diderot ou de Baculard avaient osé.
Le mouchoir d'*Othello* n'est plus qu'un billet, l'oreiller qui
étouffe Desdémone est remplacé par un poignard; l'action
se déroule en vingt-quatre heures, comme le veut Aristote.
Les traductions d'Young, d'Ossian, d'Hervey, par Le
Tourneur, qui firent sa gloire, ne furent guère, elles aussi,
que d'adroits mensonges. Elles ne se contentent pas
d'user d'un style trop prudent, elles taillent, suppriment,
transposent, recousent. Elles accordent les « disparates »,
abrègent les « longueurs », ordonnent le « désordre ». Si
bien que les sublimes horreurs et les beaux désordres
qu'on y croit trouver ne sont plus que les effets d'un art
tout classique et tout pénétré d'esprit français.

LE GENRE TROUBADOUR

Voir : F. Baldensperger, Études d'histoire littéraire,
première série, 1907.

On ajoute d'ailleurs aux antiquités celtiques ou scandinaves des antiquités françaises moins barbares et moins
véhémentes. Grâce surtout au comte de Tressan, le goût
revient aux « troubadours » et à la littérature « gauloise ».
Les romans et les romances du « bon vieux temps » apportent aux âmes sensibles leur « courtoisie », leur « naïveté »,
et les « grâces du vieux langage ». Les amateurs de livres
collectionnent les vieilles éditions de *Perceforest* et des
autres romans du moyen âge. La *Bibliothèque des romans*

en prodigue pendant quinze ans à ses lecteurs des extraits
et des adaptations. On avait déjà réimprimé, dès la première moitié du siècle, Charles d'Orléans, Villon, Martial
d'Auvergne, avec Marot, qui ne fut à aucune époque
oublié. Les érudits s'informent avec diligence de tous les
chefs-d'œuvre perdus dans la poussière des bibliothèques.
Les poèmes, contes et nouvelles s'emplissent de chevaliers,
de tournois, de palefrois et de damoiselles, de castels et
de pages. On s'attendrit sur *les Constantes Amours d'Alex
et d'Alexis*, sur *les Infortunes inouïes de la tant belle et
honnête et renommée comtesse de Saulx* et sur l'*Histoire
amoureuse de Pierre Le Long et de sa très honorée dame
Blanche Bazu*, sur tous ces féaux chevaliers et ces gentes
pastourelles qui parlaient si bien d'amour puisqu'ils
disaient *souvenance* et non *souvenir*, *chastel* et non *château*.
Le vieux langage « si sonnant et si poétique » apporte
« douceur, harmonie, abondance de métaphores et hardiesses de tours ».

LES AUTRES INFLUENCES ÉTRANGÈRES

*On traduit de l'allemand (outre Gessner) Haller,
Gellert, Klopstock, Ramler, Zacharie, Lessing, Herder,
Wieland, etc., de 1750 à 1785. Werther surtout (traduit ou imité à partir de 1776) exerce une profonde
influence.*

Voir : F. Baldensperger, Gœthe en France, *1909;*
Belouin, De Gottsched à Lessing, *1909* ; Ch. *Joret*,
Rapports intellectuels de la France et de l'Allemagne
avant 1789, *1884* ; H. Tronchon, la Fortune intellectuelle de Herder en France, t. I, *1920.*

On va enfin chercher des nouveautés dans tous les pays.
« Le véritable sage, dit Palissot, est un cosmopolite. »
Le véritable écrivain, confirme Mercier, est celui qui
« connaît le cosmopolitisme littéraire ». Ce cosmopolitisme

Vue du Lac, de l'Orangerie et du Temple d'Éole à Kew.

Vue du Lac, du Temple de la Victoire et de la Grande Pagode de Kew.

DEUX VUES des jardins de Kew qui ont servi de modèle, en France, aux jardins « à l'anglaise ». Gravure extraite de la « Collection des jardins anglais » par Le Rouge (1776). — CL. LAROUSSE.

fait pourtant son choix. On a oublié l'Espagne, ou à peu près. L'Italie a gardé des fidèles : on sait encore la langue ; Chénier, Roucher l'ont apprise. On lit et on imite fréquemment Pétrarque, le Tasse et Métastase. Dante, jusqu'en 1750, était à peu près ignoré. Voltaire le tient à l'ordinaire pour un fou, et il est discuté jusqu'à la fin du siècle. Mais il est traduit en 1776 et en 1783. On convient qu'il est obscur et barbare, mais c'est une barbarie de génie, plus belle que le goût timide, la froide décence. Les poètes le réclament pour maître. Il est, avec Eschyle, Shakespeare ou Moïse, de la race des hommes sublimes. Pourtant, de 1760 à la Révolution, l'on n'adapte ou l'on ne traduit qu'une soixantaine d'ouvrages italiens ; l'on adapte ou l'on traduit au contraire quelque trois cents ouvrages anglais. Malgré le prestige de Beccaria, d'Algarotti, de Goldoni, l'influence italienne décline. C'est l'Allemagne, après l'Angleterre, qui vient bientôt prendre sa place.

L'Allemagne est généralement ignorée ou même méprisée avant 1760. Pour la plupart des Français, elle est le pays de Candide, du château de Thun-der-ten-tronck, des marais puants, des barons stupides, des baronnes pesantes et des Cunégondes naïves. Mais on s'aperçoit qu'elle produit aussi des « grands hommes » et des « écrivains sublimes » ; les vertus y « élèvent un peuple au-dessus des autres » et « les ailes du génie n'y sont point rognées par les ciseaux du bel esprit ». A vrai dire, beaucoup de ceux que l'on traduit ont manié diligemment ces ciseaux-là ; c'est Gellert, Zacharie, Rabener, Hagedorn ; c'est *la Messiade* de Klopstock, qui n'est pas, sans doute, un poème audacieux et barbare. C'est surtout Wieland qui « enchante », mais ses romans ne rendent guère aux Français que ce que les Français leur ont prêté. Voltaire pensait des Allemands qu'ils étaient des rustres ; on pense, après lui, qu'ils sont « rustiques » et « naïfs », et, par conséquent, sensibles et vertueux. On goûte la bonhomie allemande, la paix domestique des cités à l'ombre des tilleuls et des clochers. Schiller, pourtant, et Gœthe révèlent vers la fin du siècle une autre Allemagne, plus ardente et plus romantique. On traduit *les Brigands* de Schiller ; *Werther* tient tout de suite les Français sous le charme. C'était l'impression de Gœthe et c'est l'aveu des Français eux-mêmes. Il y en a quinze traductions, adaptations ou rééditions de 1776 à 1797. Vingt romans, comme

le *Thérèse et Faldoni* de Léonard, mènent l'amour jusqu'au suicide ou du moins jusqu'au désespoir de vivre et à l'horreur de la destinée. Les jeunes filles, même lorsqu'elles sont résignées et patientes, comme Mlle de La Gervaisais, réfléchies et vaillantes, comme la fille de Roucher, rêvent de lire *Werther*, le lisent et sont conquises. C'est à *Werther* que l'on songe quand on rédige une épigraphe pour l'inconnu « de jeune et noble figure » qui vint se tuer d'un coup de pistolet dans le parc d'Ermenonville, devant le tombeau de Rousseau.

LES TRANSFORMATIONS DES MŒURS

Sur l'art des jardins, voir surtout le marquis de Girardin, De la composition des paysages sur le terrain, *1777 ; sur le goût de la montagne, voir les principaux ouvrages des Suisses Bourrit, De Luc, Saussure, qui paraissent de 1772 à 1791 ; sur l'ensemble du mouvement, voir :* D. Mornet, le Sentiment de la nature en France de J.-J. Rousseau à Bernardin de Saint-Pierre, *1907 ;* Mlle Engel, la Littérature alpestre en France et en Angleterre au XVIIe et au XVIIIe siècle, *1930.*

Malgré toutes les prudences littéraires d'un Ducis et d'un Le Tourneur, malgré les résistances opiniâtres de ceux qui préfèrent, jusqu'à la fin du siècle, la raison et le bon goût aux désordres du sentiment ou à « l'impétuosité du génie », il y a dans toutes ces traductions et imitations les preuves d'une transformation profonde des esprits. On pourrait croire qu'elle ne fut qu'une mode et un engouement : Rousseau mis à part, les écrivains « sensibles » n'eurent souvent que peu de talent. Ils ont écrit tant de tumultueuses platitudes et se sont si gauchement échauffés qu'on s'est hâté de les oublier et qu'il n'est pas toujours divertissant de les relire. Mais ils ont été sincères pourtant, presque toujours, et surtout leurs lecteurs ont pleuré et frémi de toute la sincérité de leur âme. La meilleure preuve en est que ce préromantisme n'a pas seulement transformé une partie de la littérature ; il a transformé la vie. On n'a pas cherché seulement d'autres lectures, mais d'autres façons de s'occuper et de vivre.

Les propriétaires veulent d'abord d'autres décors. Ils s'étaient lassés parfois, dans la première moitié du siècle, de la majestueuse harmonie des jardins de Le Nôtre. L'architecture de feuillage, de boulingrins et de miroirs d'eau, qui prolonge les lignes d'un château dans les lignes des allées, des arbres et des canaux, n'a plus semblé qu'une nature « déguisée » et « défigurée ». On demanda d'autres horizons aux jardiniers d'Angleterre et de Chine. Dès 1750, sur le modèle des jardins à l'anglaise et des jardins chinois, on a voulu des passages tournants, des scènes changeantes, « un air de désordre, de caprice », même des bois où rien ne dérange « les lois de la nature ». C'est ainsi qu'après beaucoup d'autres, Julie de Wolmar, dans *la Nouvelle Héloïse*, abandonne son « Élysée » au caprice des feuillages, des plantes grimpantes, des ruisselets courant sous les mousses. Autour d'elle et après elle le jardin anglais devient un objet d'engouement. Les bourgeois s'en donnent l'illusion dans les quelques acres de leurs jardins. Pour leurs jardins anglais, les financiers dépensent plus de millions que pour les caprices des filles d'opéra. Les curieux visitent le « *Moulin joli* » du peintre Watelet, l'*Ermenonville* de Girardin, les jardins de *Monceaux* que dessine Carmontelle pour le duc d'Orléans, et la *Bagatelle* du comte d'Artois. Avec la fantaisie, le caprice et le désordre, on prodigue tout ce qui peut séduire « les rêveurs », émouvoir « les âmes tendres », instruire « les penseurs sombres » : des émotions douces et pastorales d'abord, chaumières, laiteries, vaches qui paissent et moutons bêlants, bergerades de Gessner et de Florian; mais aussi des méditations mélancoliques, tout ce qui peut nourrir des « tristesses voluptueuses » et des « contemplations sublimes », les bosquets de la rêverie et les ermitages, les Ponts du Diable et les cavernes de Young, les « fabriques » émouvantes où s'évoquent la poésie du passé et les leçons de la destinée, monuments de chevalerie, châteaux de brigands, ruines d'abbayes, tombeaux des amants, bois des tombeaux, forêts enchantées, chêne de Membré, « la file des arbres mélancoliques », les « arbres à demi secs » et les « sapins mutilés ». « Héroïques, nobles, riches, élégants, voluptueux, solitaires, sauvages, tendres, mélancoliques, agrestes, rustiques », les jardins du temps ont déjà tous les « vallons », tous les « lacs », tous les « automnes » et tous les « isolements » des *Méditations* de Lamartine. Il ne leur a manqué qu'un Lamartine.

LES VOYAGES ET LES VILLÉGIATURES. — Ceux qui n'ont pas de parc ni même de maison des champs se contentent des parcs de tout le monde, des campagnes et des forêts. Les promeneurs sont nombreux, vers la fin du XVIIIe siècle, pour le plaisir du grand air sans doute, des repas sur l'herbe et des saines gaietés que Jean-Jacques évoque dans son *Émile*, mais c'est aussi pour des joies poétiques et des contemplations émues. Même avant *la Nouvelle Héloïse*, on goûte le clair de lune, le son du cor au fond des bois, les landes, les étangs et les ruines. Quand Rousseau eut remué plus profondément les âmes sensibles, il y eut partout des promeneurs solitaires abandonnés à leurs rêveries. Les « sentiers tourneurs », les vallons « anfractueux et boisés » virent venir à eux les cœurs tendres et les « têtes poétiques ». Meudon, Montmorency, les « déserts majestueux » et les « bosquets sauvages » de Fontainebleau devinrent l'asile des amants, les conseillers du sentiment, les consolateurs des cœurs déçus ou désespérés. Il n'est pas d'homme de lettres qui n'aille chercher le repos, l'inspiration, l'exaltation dans le silence et les harmonies de la nature. C'est sur les bords de la Marne triste et tortueuse, sur la montagne de Langres et dans les « vordes » de Vignory que Diderot sent la profondeur de son amour pour Mlle Volland. L.-S. Mercier n'a pas laissé seulement un pittoresque *Tableau de Paris;* il a semé dans son œuvre des tableaux de la nature où s'évoquent des horizons émouvants, des lacs, des montagnes, des clairs de lune, des aurores éclatantes et des crépuscules

LE PONT DU DIABLE. Gravure tirée des « Tableaux topographiques... de la Suisse », par de La Borde et Zurlauben (1780-1786). — CL. LAROUSSE.

accablés, des méditations où s'ébauchent déjà, dans une prose trop lourde, les thèmes de Chateaubriand et de Lamartine, et qui courent « se perdre avec les heures dans l'abîme des choses éternelles ». Les âmes sincères et parfois profondes que tant de correspondances nous révèlent, toutes celles qui ont mené une autre vie que la vie des salons, toutes celles qui ont aimé pour se dévouer et vécu pour les devoirs de la vie ont cherché dans la nature « l'âme de leur âme », des conseils pour vivre, des forces pour souffrir, des asiles pour oublier : Mlle de Lespinasse, Mme de Verdelin, la comtesse de Sabran, Mme d'Houdetot. Ce ne sont pas seulement Raynal, Bayle, Rousseau et les philosophes qui ont façonné l'âme de Mme Roland et nourri ses « fièvres d'imagination », c'est aussi la nature, les forêts solitaires, les perspectives sauvages, Meudon, la Suisse et, faute de mieux, les horizons qui s'ouvrent sur la Seine devant ses fenêtres.

LA MONTAGNE. — Quand la France n'y suffit plus, ou du moins la France des plaines et des collines, on alla chercher en Suisse et dans la montagne des émotions plus fortes et des frissons nouveaux. On ne croyait guère, avant Rousseau, que la Suisse et la montagne fussent de belles choses. Jusqu'en 1750, elles n'étaient pour ceux qui les avaient traversées, Montesquieu par exemple ou le président Hénault, que le séjour des horreurs. On n'y passait qu'avec « le désespoir d'y être ». Mais le goût des belles horreurs littéraires accoutume à celle des pics sourcilleux. Un poème du Suisse Haller, *les Alpes*, dont la traduction fut goûtée, évoquait, dès 1750, des splendeurs ignorées ou méconnues. C'est pourtant Rousseau qui révéla vraiment la Suisse et la montagne. Le succès de *la Nouvelle Héloïse* fit le succès du lac de Genève. On suivit les traces de Julie, de Saint-Preux, et de Rousseau lui-même, à Clarens, à Meillerie, à Yverdon, à Môtiers-Travers, au lac de Bienne. Le voyage en Suisse devint à la mode. Les gens de lettres vont y chercher des inspirations. On y rencontre Fontanes, Morellet, Mme de Genlis, Chénier, Raynal, Florian. Bientôt même on dépasse les traces de Rousseau et la montagne qu'il avait aimée. Il n'en avait goûté que les altitudes moyennes. De la montagne nue et glacée, qu'il a traversée, il ne dit rien. Mais d'autres vont jusque-là. Ce furent d'abord des naturalistes, des savants, les Suisses Bourrit, De Luc, Saussure, puis des voyageurs, l'Anglais Coxe, que traduit Ramond, en ajoutant des notes vigoureuses et pittoresques qui eurent un vif succès. Ainsi, après Clarens et Neuchâtel, on pousse jusqu'à Grindelwald et Lauterbrunnen; on grimpe jusqu'aux glaciers; on affronte les neiges éternelles. Les Pyrénées mêmes commencent à être connues.

On y va goûter les mêmes émois que dans les parcs anglais. On y cherche aussi de plus sublimes exaltations. Il faut pour aimer la Suisse, dit un voyageur, connaître « le délire, l'enthousiasme de la poésie, de la peinture, les transports, les délires, les douces fureurs, les accents frénétiques et brûlants des sentiments passionnés ». Mme Roland contemple avec extase ces « scènes divines », ces « lieux sacrés ». Les mots ne suffisent plus et les métaphores sont impuissantes pour rendre ces bouleversements. « Que les chœurs de nos cathédrales sont sourds près du bruit des torrents qui tombent et des vents qui murmurent dans les vallées !... Cessons de peindre et d'affaiblir... Artiste, qui que tu sois, va voguer sur le lac de Thun. Le jour où je vis pour la première fois ce beau lac faillit être le dernier de mes jours; mon existence m'échappait; je me mourais *de sentir, de jouir ;* je tombais dans l'anéantissement. » Ce sont, en mauvais style, des impressions sincères; et Ramond leur donne la sûreté d'expression qui leur manque : « L'âme, prenant cet essor qui la rend contemporaine de tous les siècles et coexistante avec tous les êtres, plane sur l'abîme du temps. »

JEAN-JACQUES ROUSSEAU

Les éditions collectives les plus usuelles des Œuvres de J.-J. Rousseau sont l'édition Musset-Pathay (25 vol., 1823-1826) et l'édition publiée par la librairie Hachette (13 vol., 1865). Aucune n'est complète; la Correspondance a été publiée par Th. Dufour et P.-P. Plan (20 vol. de 1924 à 1934).

Études d'ensemble : Jules Lemaitre, J.-J. Rousseau, 1907 ; Émile Faguet, Vie de Rousseau, 1911 ; Rousseau penseur, 1912; Rousseau artiste, 1913 ; Bernard Bouvier, J.-J. Rousseau, 1912 ; J.-J. Rousseau, leçons faites (par F. Baldensperger, G. Beaulavon, etc.) à l'École des hautes études sociales, 1912.; J.-J. Courtois, Chronologie critique de la vie et des œuvres de J.-J. Rousseau, 1925 ; A. Schinz, la Pensée de J.-J. Rousseau, 1929.

AVANT LA GLOIRE

Jean-Jacques Rousseau naquit à Genève le 28 juin 1712. Son père, Isaac Rousseau, était d'origine française ; il fut maître de danse, puis horloger, et partit un beau jour, laissant sa femme, pour s'établir à Constantinople, où il resta six ans. Jean-Jacques naquit à son retour, et sa mère mourut peu après. Isaac Rousseau ne s'était guère assagi. Après une rixe, il dut quitter le territoire de Genève. Jean-Jacques fut confié au pasteur de Bossey, M. Lambercier. Il vécut deux ans à Bossey (1722-1724), puis entra chez un greffier, ensuite chez un graveur. Un soir (1728), trouvant au retour d'une promenade les portes de la ville fermées, il alla demander asile au curé catholique d'un village de Savoie, M. de Pontverre. Le curé l'adressa à une dame d'Annecy, Mme* de Warens, qui s'employait à recueillir les protestants désireux de se convertir.*

Mme* de Warens l'envoya à l'hospice des catéchumènes de Turin. Il y fut baptisé au bout de onze jours (les Confessions disent que le séjour à l'hospice dura plus de deux mois). Jeté sans ressources sur le pavé de Turin, il est laquais chez M. de Gouvon, puis chez M*^{me}* de Vercellis, revient à Annecy auprès de M*^{me}* de Warens, entre au séminaire, s'installe comme professeur de musique à Lausanne et à Neuchâtel (1730), se laisse duper par un soi-disant « archimandrite » qui n'était qu'un escroc, va à Paris et de Paris revient chez M*^{me}* de Warens, à Chambéry. Après un voyage qu'il fait à Montpellier (1737) pour se soigner, M*^{me}* de Warens loue les Charmettes (1738) ; sur ce séjour aux Charmettes, les Confessions brouillent gravement les faits et les dates. Il quitte les Charmettes pour entrer comme précepteur chez M. de Mably à Lyon (1740), quitte sa place, revient quelques mois aux Charmettes et part pour Paris (sans doute dans l'été de 1742).*

Il comptait, pour y vivre, sur le succès d'une méthode chiffrée de notation musicale de son invention. Elle ne lui valut que des compliments. Mais il entre dans la société mondaine et littéraire, se lie avec Marivaux, Fontenelle, Diderot et se fait nommer secrétaire de l'ambassadeur du roi à Venise, M. de Montaigu. M. de Montaigu était un sot vaniteux, que ses chefs eux-mêmes tenaient pour tel. Rousseau se brouille avec lui et revient en France (1744). Il s'y lie avec une servante d'auberge, ignorante, grossière d'esprit et sans doute de cœur, Thérèse Levasseur. Il la garda toute sa vie et finit par la considérer comme sa femme. Il entre, en 1746, comme secrétaire chez M*^{me}* Dupin.

Cette période de la vie de Rousseau est généralement bien connue. — Voir : E. Ritter, la Famille et la jeunesse de J.-J. Rousseau, 1896 ; Pierre-Maurice Masson, la Formation religieuse de J.-J. Rousseau, 1916 ; A. de Montet, Mme* de Warens et le pays de Vaud, dans les Mémoires de la Société historique de la Suisse romande, 1891 ; F. Mugnier, M*^{me}* de Warens et J.-J. Rousseau, 1891, et le livre de L.-F. Benedetto, M*^{me}* de Warens, 1914, très bien informé, mais un peu sévère pour M*^{me}* de Warens.*

Jean-Jacques Rousseau a regretté souvent de n'être pas resté un Genevois occupé des soins de sa famille, des devoirs de son état et des scrupules de sa piété. Il a gémi sur « l'enchaînement de hasards » qui l'avait jeté dans le vaste monde et dans la gloire. Rien ne le préparait en effet, ni dans sa famille ni dans le milieu genevois, à une carrière d'écrivain. Tous les siens, en s'élevant au-dessus du menu peuple, n'avaient accédé qu'à ces humbles honneurs municipaux qui ne pouvaient donner ni influence ni ambition. Les Genevois n'étaient, par surcroît, ni des beaux esprits ni des philosophes. Ils avaient surtout grand souci de leur conscience et pensaient assidûment à leurs psaumes, à leur temple, à leur consistoire. Ils s'efforçaient quelque peu de s'enrichir et beaucoup de faire leur salut. Leurs magistrats y veillaient d'ailleurs et dirigeaient leur conduite privée comme la vie publique. Toute la vie genevoise était une école de morale et de religion, sous la férule de magisters qui n'étaient plus aussi durs qu'au temps de Calvin, mais qui croyaient toujours à leur mission. Jean-Jacques a subi sans aucun doute l'influence de ce milieu. Il y a appris, invinciblement, que l'essentiel de la vie n'était ni le plaisir ni le succès, mais la vertu, et que le bonheur n'est ni dans les sens ni dans la science, mais dans la conscience.

Citoyen de Genève, il était cependant d'une famille où l'on se pliait malaisément à la discipline. Sa mère, qui mourut à sa naissance, semble avoir été bonne, douce et paisible. Mais son père avait mené une vie d'aventures et de coups de tête. Un des frères de Jean-Jacques partit, comme le père, à l'étranger et disparut. Par surcroît, Jean-Jacques « naquit mourant ». On sait mal de quelles misères physiques il souffrit exactement. Elles étaient, sans doute, pour la plupart, d'origine nerveuse. Mais ces troubles le tourmentèrent cruellement. Ils furent, pour une part, à l'origine de sa timidité; ils le poursuivirent de hantises qui empoisonnèrent sa vie. Ils le ramenèrent sans cesse vers l'idée de la mort et lui rappelèrent, quand il crut tenir le bonheur et la paix intérieure, qu'il était malgré tout prédestiné à la souffrance. Enfin, il fut mal élevé, ou ne fut pas élevé du tout. Son père lisait avec lui des romans, pleurait, en les lisant, d'enthousiasme ou d'attendrissement, et le jetait dans les métiers qui lui convenaient le moins. Jean-Jacques ne prit guère chez son greffier et chez son graveur que le goût de la maraude, de l'école buissonnière, des lectures désordonnées et du rêve — jusqu'au jour où il quitta avec simplicité sa famille, sa patrie et sa religion.

La dame de Warens, qui l'accueillit, avait mené une existence plus aventureuse encore que celle d'Isaac Rousseau. D'origine vaudoise, mariée à un gentilhomme de

Vevey, elle s'était lassée fort vite de son mari et du train de fortune médiocre qui était le sien. Elle ruina son mari, ou à peu près, prit un amant et, emportant les bijoux et l'argenterie, vint se jeter aux pieds de l'évêque de Genève-Annecy en le priant de la convertir. Elle était aimable et séduisante. Elle avait le goût de l'intrigue et y réussissait bien, quand il ne s'agissait pas d'affaires d'argent. De cette convertie, on fit donc une convertisseuse. Elle fut chargée de recueillir, de préparer et de conduire à Dieu et à ses ministres ceux qui se proposaient d'abjurer l'erreur protestante. Elle fut chargée de bien d'autres choses encore. Il est prouvé aujourd'hui qu'elle faisait métier d'espionner, pour le compte du duc de Savoie, les affaires du roi de France. En récompense elle touchait une pension, dont elle accroissait ou tentait d'accroître les ressources par toutes sortes d'entreprises qui lui mangeaient généralement son fonds et son revenu. Elle avait d'ailleurs, avec ses défauts ou ses vices, des qualités : elle était affectueuse et généreuse. Elle avait cette facilité de cœur et cette bienveillance « maternelle » qui pouvaient, mieux que bien des vertus sévères, sinon diriger Rousseau, du moins le retenir. Elle accueillit fort bien ce jeune homme de bonne mine et l'envoya, comme elle faisait des autres catéchumènes, au couvent de Turin. Il y arriva le 12 avril, fut baptisé le 23, et rejeté dans le vaste monde avec quinze francs. Il se fit donc laquais, puis, après diverses aventures, rejoignit Mᵐᵉ de Warens à Chambéry.

Jean-Jacques n'a été jusque-là qu'un vagabond, ou pis, puisque, à la mort d'une dame chez qui il était laquais, Mᵐᵉ de Vercellis, il vole un ruban et laisse accuser de ce vol une jeune servante, que l'on chasse. Il n'a cherché que ses plaisirs, le rêve, la musique, quelques ébauches d'idylle tendre, et d'autres plaisirs, qui étaient dangereux ou bas. Mais son excuse, c'est qu'il n'a trouvé dans ces plaisirs ni bonheur, ni même agrément. Auprès de Mᵐᵉ de Warens, il allait découvrir une vie plus profonde.

Mᵐᵉ de Warens n'avait pas une intelligence solide, ni ordonnée; mais elle avait de la curiosité et quelque goût.

Les Charmettes, près de Chambéry. — Cl. Neurdein.

Elle accueillait chez elle des gens cultivés : des gentilshommes du pays (il en est un pour le moins que nous connaissons bien, M. de Conzié, homme honnête, avisé, laborieux et instruit); des gens d'église, jésuites surtout ou oratoriens, l'abbé Léonard, le P. Coppier, qui ne nous sont pas tout à fait inconnus et qui étaient fort curieux de belles-lettres et de ce qu'on écrivait à Paris. Le jeune Jean-Jacques eut des loisirs. Dans la métairie des Charmettes, il vécut seul, presque toujours. Mais il avait pour compagnie ses pigeons, ses abeilles, son jardin, la campagne harmonieuse et paisible, ce qui lui assurait la sérénité intérieure, ou toute celle qu'il pouvait avoir. Il avait surtout ses livres. Sans doute il n'était pas, en arrivant, dépourvu de culture; mais il n'avait rien appris qu'à l'aventure. Il s'instruisit aux Charmettes avec ivresse et en même temps avec méthode. Il fit son plan d'études et choisit les bons pédagogues du temps, Rollin, le P. Lamy, Saint-Aubin, Pluche; les bons écrivains, Saint-Évremond, Lesage, Boileau, Voltaire. Il apprit le latin, assez bien pour écrire couramment dans cette langue, l'histoire, les mathématiques, l'astronomie, la chimie, la physique. Il lut surtout, avec ardeur, des moralistes et des philosophes, Lemaître de Claville, Bayle, Descartes, Pope, Leibniz (ou du moins des auteurs qui parlaient de Leibniz). Il découvrit les joies de l'intelligence.

C'est bien encore une sorte de volupté qu'il poursuit. Ce n'est pas pour gagner sa vie, pour réussir dans un métier, qu'il apprend, ni même peut-être pour savoir. C'est pour la joie d'apprendre. Il apprend avec emportement, jusqu'à y perdre le repos physique et la santé. Il s'est lassé des aventures où l'on court le monde; il s'éprend de celles où l'on court les doctrines et les idées. Il découvre, ou plutôt il croit découvrir une raison de vivre et d'être heureux. Dans Lesage, Rollin ou Voltaire, il poursuit un nouveau plaisir plus sûr, plus vaste, plus profond. Sans doute des ambitions s'ébauchent en lui. Dans ce milieu, parmi ces jésuites et ces beaux esprits de province, on apprécie vivement

Le salon des Charmettes. — Cl. Jullien frères.

l'honneur d'écrire dans le *Mercure* et celui d'être académicien, fût-ce à Dijon ou à Bordeaux. Rousseau doit penser qu'il pourrait écrire à son tour. Mais ces velléités restent vagues. Tout ce qu'il ébauche, il l'ébauche surtout pour lui. Il s'aperçoit seulement qu'il peut vivre intensément, comme il aime à vivre, même sans les richesses, qu'il se sent incapable d'acquérir; sans les salons, qui l'intimident; sans les aventures, dont il ne veut plus.

Pourtant, ces joies de l'intelligence ne lui suffisent pas. Aux Charmettes, il a cherché autre chose que des idées et de la science; il a vraiment découvert sa conscience. Il n'avait eu jusque-là aucun souci de vie morale et s'était livré à l'aveugle attrait de son caprice. Il changeait allégrement de religion en quelques jours (et non pas, comme il l'a dit, en quelques semaines), et ne voyait aucun mal à vivre d'aumônes ou d'expédients. Mais il fréquente à Chambéry (exception faite de Mme de Warens) des gens qui se font de la vie une idée plus judicieuse et plus digne. Mgr de Bernex ou même M. de Conzié songent à « faire leur salut ». Ceux que Jean-Jacques lit, Rollin, Pope, Malebranche, n'écrivent pas pour « plaire », mais pour instruire les consciences. Et d'autres écrivains, ceux-ci obscurs, mais qu'il lit aussi dans le même temps, Lemaître de Claville, Legendre de Saint-Aubin, Pluche, poursuivent le même dessein, sans talent, mais avec une honnête clarté et une insistance méthodique. Sous leur influence et grâce à ses souvenirs de la pieuse Genève, Jean-Jacques ne s'inquiète pas seulement des pervenches et des abeilles des Char-

JEAN-JACQUES ROUSSEAU. Pastel par Quentin de La Tour.
CL. BULLOZ.

mettes, de géométrie ou de chimie, mais encore de son âme. Il lui faut, pour être heureux, de la piété et de la vertu. Il passe même par une crise mystique; la terreur de l'enfer le hante; il atteste un miracle de Mgr de Bernex par un beau certificat que Fréron, malicieusement, exhumera plus tard; il rédige des prières zélées et méticuleuses.

Seulement, ni la science, ni la vertu, ni la piété ne lui suffisent encore pour être heureux. Il lui faut la tendresse et l'amour. Avant son retour à Chambéry, il avait ébauché de timides idylles avec une dame Basile, de Turin, avec Mlle de Graffenried et Mlle Galley. Il en a d'ailleurs quelque peu embelli le souvenir; et s'il n'était pas de ceux qui déplaisent, il n'était pas non plus de ceux qui séduisent et conquièrent. Mme de Warens, à qui ces sortes de dévouement ne coûtaient rien, se dévoua : ce furent de bien médiocres amours. Rousseau, qui n'était pas délicat, n'a pas pu ignorer pourtant ce qui se passait aux Charmettes. L'idylle confiante et tendre qu'il décrit dans ses *Confessions* ne fut qu'un rêve ou l'illusion de quelques jours.

Jean-Jacques se lassa donc d'une trop cruelle réalité. Il partit pour Lyon, puis pour Paris, où il réussit assez bien à « se pousser ». En 1750, il n'était ni célèbre ni même connu; mais il n'était pas le premier venu. Diderot parlait de lui avec enthousiasme. Condillac pensait de lui du bien. Voltaire l'autorisait à remanier son opéra des *Fêtes de Ramire*. Il n'était pas un « philosophe », parce qu'on ne parlait pas encore beaucoup de philosophie; mais il était un bel esprit. Des rêves et des élans des Charmettes, et du Jean-Jacques de vingt-cinq ans, il ne restait, en apparence, que la curiosité d'intelligence. Il s'était lancé tout entier dans le courant. Il ne rêvait plus aux soins des pigeons, des abeilles et des salades; il n'écrivait plus de prières. Comme suite à ses romans d'amour, il avait formé une liaison grossière avec une fille d'auberge. L'essentiel n'était pour lui ni d'être heureux simplement ni de faire son salut, mais de réussir comme le pouvaient les gens sans naissance et sans fortune, quand ils savaient écrire et rimer. Jean-Jacques tentait donc la fortune des vers, du théâtre, de la philosophie. Il projetait ou écrivait une cantate, un opéra, des comédies, une tragédie en prose, un ballet, des articles pour le *Mercure*. Rien de tout cela n'était joué ni publié. Parti pour conquérir, comme les autres, la célébrité, il ne trouvait, à défaut de l'obscur bonheur des Charmettes, ni vrai plaisir ni véritable succès.

ROUSSEAU PHILOSOPHE

Les œuvres qui le révélèrent au public furent son Discours *en réponse à la question posée par l'académie de Dijon :* Si le rétablissement des sciences et des arts a contribué à épurer les mœurs *(1750), et son* Discours *en réponse à une autre question de la même académie, sur l'Origine et les fondements de l'inégalité parmi les hommes (1754). Après le succès de ces deux ouvrages et celui d'un opéra-comique, le* Devin du village *(1753), Rousseau fait un voyage à Genève où il redevient calviniste et rentre dans ses droits de citoyen (1754).*

En 1756, il s'installe dans une maisonnette prêtée par Mme d'Épinay, à l'Ermitage, dans la vallée de Montmorency. S'étant brouillé avec Mme d'Épinay, il loge dans une maison de Montmorency, puis dans une dépendance du château, prêtée par le maréchal de Luxembourg. Il publie, en 1758, la Lettre à M. d'Alembert... sur son article « Genève » dans le septième volume de l'Encyclopédie; en 1761, Julie ou la Nouvelle Héloïse, lettres de deux amants habitants d'une petite ville au pied des Alpes; en 1762, Émile ou de l'Éducation et le Contrat social ou principes de droit politique.

Voir : G. Lanson, l'Unité de la pensée de J.-J. Rousseau, dans les Annales de la Société J.-J. Rousseau, 1912; A. Rey, J.-J. Rousseau dans la vallée de Montmorency, 1909; et, sur la brouille qui le sépara de Mme d'Épinay, E. Ritter, J.-J. Rousseau et Mme d'Houdetot, dans les Annales de la Société J.-J. Rousseau, 1906.

LE PREMIER DISCOURS.

Un hasard, puisque c'est ainsi que lui-même appelle sa destinée, le révéla à lui-même et aux autres. Il lut dans le *Mercure* la question posée par l'académie de Dijon, un jour où il allait voir Diderot, enfermé au donjon de Vincennes pour sa *Lettre sur les aveugles*. A l'instant de cette lecture, il vit « un autre univers », il devint « un autre homme ». Crise soudaine, violente et décisive. Son esprit est ébloui de mille lumières. C'est une « ivresse », une « palpitation », un « torrent de larmes », c'est vraiment une de ces illuminations intérieures où tout l'être surpris se rassemble, s'unit et s'élance : Jean-Jacques s'élançait vers une vérité, vers sa vérité.

Le progrès des sciences et des arts, dit-il, n'a pas épuré les mœurs ; il les a corrompues. Et, en les corrompant, il a précipité dans la souffrance physique et la misère morale les sociétés humaines, la société française, et Jean-Jacques. Car l'ivresse, les palpitations et les mille lumières ne procèdent pas d'un enthousiasme philosophique ; la crise qu'il traverse n'est pas une crise de doctrine. Elle est une crise de sentiment. En découvrant « un autre univers », Rousseau ne devient pas un autre homme ; il redevient lui-même. La vérité qu'il découvre, il la retrouve. Par-delà les sept années qu'il vient de passer à Paris, il retourne aux Charmettes, à ses abeilles, à sa pastorale. Sans doute, il s'y est instruit ; mais c'est cette instruction qui a fait son malheur. Poussé par elle, il a voulu, lui aussi, connaître le succès et la gloire ; mais il n'a fait que changer une humble médiocrité contre une illusion misérable, des rêves charmants contre des réalités cruelles. Il n'a pas épuré ses mœurs ; il les a corrompues. Aux Charmettes il était « vertueux », puisqu'il était pauvre, fier et pieux. A Paris, il a fait comme les autres, il a sollicité, il a mendié sa vie, il s'est fait l'esclave des riches, il a tout oublié de sa piété. Et il n'y a rien gagné que des tourments. Son histoire, c'est l'histoire de l'humanité tout entière.

La thèse n'était pas neuve. Puisque l'académie de Dijon posait la question, c'est qu'elle était d'actualité. Et l'un des deux concurrents de Rousseau, Tailhé, concluait comme Rousseau. Sans doute, pendant vingt années et plus, Voltaire et d'autres avaient enseigné que le progrès humain se faisait par le progrès des sciences et des arts, du bien-être et du luxe. L'âge d'or n'était qu'une fable, et l'Arcadie une baliverne. Les pasteurs des églogues n'étaient en réalité que des rustres brutaux. La véritable Arcadie était ce Paris où l'on roule en carrosse, où l'on peut entendre des tragédies de Voltaire et badiner avec des femmes spirituelles et bien vêtues. Pendant des années on s'était grisé de cette joie de vivre. On avait écrit, en l'honneur du luxe, maintes dissertations. L'Anglais Mandeville et le Français Melon en avaient raisonné en philosophes et en économistes. Car le plaisir des uns, selon eux, fait vivre les autres. Les arts, les sciences, la richesse sont les fleurs de la civilisation. Mais ce bel optimisme avait été vite menacé. Voltaire avait fait de la vie de dures expériences ; *Zadig* et d'autres contes affirmaient déjà que tout n'était pas pour le mieux dans le meilleur des mondes. Des moralistes, vite oubliés, mais qu'on écoutait alors, Legendre de Saint-Aubin, Toussaint, le croyaient moins encore que lui. Le luxe avait des adversaires ; ou plutôt il retrouvait tous ses adversaires, tous ceux qui mettaient la perfection chrétienne, ou simplement la perfection humaine dans l'humi-

lité, la simplicité, la pauvreté, ou, pour le moins, dans la droiture du cœur et le désintéressement. A leurs arguments Jean-Jacques n'ajoutait à peu près rien. On avait allégué, avant lui, les exemples des peuples barbares et forts et des peuples énervés par leur civilisation, mis en parallèle Sparte et Athènes, les Romains de Fabricius et ceux de Pétrone. Il n'ajoutait à ces histoires banales et à cette philosophie que deux choses : la force du style et l'emportement de la conviction. Toussaint, Saint-Aubin et les autres dissertaient, analysaient, raillaient. Ils attaquaient par la logique et l'ironie. Pour Jean-Jacques, il ne s'agit plus seulement de discuter et de sourire. C'est le destin des hommes qui se joue. Il le croit vraiment ; et il le crie avec cette ardeur violente que suscitent les périls extrêmes.

LE DISCOURS SUR L'INÉGALITÉ.

Ce premier discours n'était guère, malgré tout, qu'un discours académique. De si grands problèmes ne se résolvent pas en quelques pages. Mais la deuxième question de l'académie de Dijon offrit à Rousseau l'occasion de préciser sa démonstration. Le problème de l'inégalité entre les hommes n'était pas plus inattendu que l'autre. Pendant longtemps on n'avait pas compris qu'il y eût une histoire de la pensée et de l'organisation humaines. On raisonnait comme si l'homme, depuis le péché originel, était resté le même, avec les mêmes vertus, dons de Dieu, et les mêmes vices, effets de sa faute ; pour le conduire, Dieu lui avait donné les prêtres et les rois. Mais, dès le début du XVIIIe siècle, on avait cessé de croire à cette immobile destinée. On s'était persuadé que l'homme avait subi de lentes et profondes transformations. On avait cherché ses origines, l'origine des institutions, comparé les sociétés et la « nature ». Grotius, Pufendorf, Wolf, Burlamaqui, Locke avaient écrit, sur le droit de la guerre et de la paix, sur le droit de la nature et des gens, sur l'origine des sociétés et les principes du droit, des traités illustres. Condillac, qui était l'ami de Rousseau, avait étudié l'origine des connaissances humaines.

Diderot avait discuté bien des problèmes de notre histoire morale, intellectuelle et sociale, dans ses ouvrages, dans l'*Encyclopédie*, dans ces conversations que lui et Rousseau prolongeaient si volontiers.

Jean-Jacques voulut raisonner, lui aussi. Non pas qu'il eût besoin de se convaincre. Car il avait autre chose, pour comprendre l'inégalité, que des arguments bien déduits ; il avait ses souvenirs, ses années d'aventure et de détresse, les jours de famine et les nuits à la belle étoile, et tous ces misérables qu'il avait rencontrés dans les campagnes ou coudoyés dans les villes. Cette fois encore, c'est son cœur qui se révolte et sa sensibilité qui s'échauffe. Mais ces raisons cachées ne suffisent pas pour les autres : il leur faut des raisons raisonnantes. Rousseau les cherche donc dans la solitude et la méditation. Il « s'enfonce », pour mieux réfléchir, dans la forêt de Saint-Germain ; mais il s'enfonce aussi dans les livres. Il étudie Grotius, Pufendorf et leurs commentateurs,

ILLUSTRATION de Moreau le Jeune, gravée par N. Delaunay, pour le « Discours sur l'inégalité » (éloge du sauvage libre et vertueux). — CL. LAROUSSE.

Barbeyrac, Condillac et Diderot. Il leur emprunte des méthodes de raisonnement et des arguments. Il croit, comme eux, et comme il le dit, que, pour démêler l'histoire lointaine des origines humaines, le plus sûr est de raisonner. Nous ne pouvons pas constater comment les choses se sont passées ; mais, si nous connaissons la nature physique et morale de l'homme dans son fond, nous pouvons démontrer qu'elles *ont dû* se passer de telle façon. Rousseau établira donc par le raisonnement que l'homme ne fut d'abord qu'un animal robuste et agile, heureux comme les bêtes, isolé comme elles. Puis il s'est rapproché des autres hommes. Doué d'intelligence, il a inventé le langage ; par la pitié il s'est créé une conscience et une morale ; par la famille il a organisé des sociétés rudimentaires. Jusqu'alors il était resté heureux et libre. Mais il y eut la vanité, le désir de surpasser les autres ; il y eut la propriété, propriété du sol qu'on cultive, propriété des outils qui permettent de le cultiver. Et, de proche en proche, il y eut l'inégalité, la fortune des uns, la misère des autres, et le despotisme.

D'ailleurs, si les choses ont dû se passer ainsi, nous pouvons entrevoir que, en fait, elles se sont bien passées ainsi. Rousseau raisonne sans doute *a priori*. Mais il a d'autres soucis que celui de bien ordonner sa logique. On s'intéresse autour de lui, nous l'avons montré, aux faits de l'histoire humaine et non pas seulement aux raisons de la raison. Nous pouvons observer les faits de notre constitution physique, qui n'a pas changé essentiellement. Nous pouvons connaître des sociétés primitives qui ignorent la propriété, parfois même (on croyait du moins qu'il en existe de telles) qui ignorent jusqu'au langage. Rousseau lit donc et utilise des savants comme Buffon et des voyageurs comme le P. Dutertre ou ceux dont Prévost a compilé les récits dans son *Histoire des voyages*. Le premier discours n'était qu'une éloquente déclamation ; le deuxième représente un effort vigoureux de démonstration philosophique et scientifique.

C'est ce qui fit sa portée et son influence. Le premier discours avait eu, en apparence, un succès retentissant. Le roi Stanislas, Grimm, Borde, académicien de Lyon, Lecat, académicien de Rouen, et d'autres, en avaient publié des réfutations. Mais c'étaient des polémiques de gens de lettres qui se jetaient sur un beau sujet. Il ne semble pas que le grand public ait été vraiment conquis. Il y a peu d'éditions de ce discours. Le second, au contraire, fit Rousseau célèbre. L'académie de Dijon recula devant ses audaces et couronna l'abbé Talbert ; mais c'est Rousseau qui, devant l'opinion, triompha.

Ce ne fut d'ailleurs pas un triomphe de scandale. Il est facile aujourd'hui de détacher des discours de Rousseau des phrases violentes qui expriment des doctrines anarchiques et brutales. « L'homme qui médite est un animal dépravé. » Le hasard a rendu « un être méchant en le rendant sociable ». « Vous êtes perdus si vous oubliez que les fruits sont à tous et que la terre n'est à personne. » L'histoire des sociétés montre « les usurpations des riches, le brigandage des pauvres, les passions effrénées de tous ». Rousseau avait dit aussi bien, dans le premier

Querelle entre Rousseau et Voltaire. Caricature du XVIIIᵉ siècle (B. N., Cabinet des Estampes). — Cl. Didier.

discours, qu'Omar avait eu raison de brûler la bibliothèque d'Alexandrie. Mais il avait pris soin de distinguer lui-même le raisonnement et la pratique, la philosophie et la politique. Il avait dit et répété qu'il ne demandait ni qu'on brûlât les bibliothèques ni même qu'on fermât les théâtres et les académies. L'histoire humaine ne se recommence pas. Les maux de la civilisation sont, en grande partie, incurables. Revenir à la nature, ce serait nous laisser tous nos vices en supprimant ce qui les atténue. Le deuxième discours, comme le premier, développe le thème du regret plutôt qu'il n'expose un programme. Il peut suggérer des réformes et non dicter des bouleversements. Et c'est ainsi qu'on le comprit. On le lut comme on avait lu l'*Histoire des Sévarambes*, de Denis Veiras, les *Troglodytes*, de Montesquieu, ou les *Lettres d'une Péruvienne*, de Mᵐᵉ de Grafigny : comme une utopie.

C'était tout de même une utopie plus convaincante, parce que Rousseau était plus convaincu. Des juristes comme Grotius ou Pufendorf, des philosophes comme Condillac raisonnaient et se défendaient de s'émouvoir. Denis Veiras, Mᵐᵉ de Grafigny n'étaient que des romanciers. Rousseau séduisait comme un romancier en raisonnant comme un philosophe. Il avait toutes les forces de la raison et tous les prestiges du sentiment. Il croyait ardemment qu'on retrouverait au moins l'ombre du bonheur, non pas en retournant à la vie des sauvages, mais en vivant un peu comme on croyait qu'ils vivaient, aux champs, pour les travaux de la terre, pour le foyer, non pour la fortune ou pour la science. On dégagea de son discours non des leçons de communisme et de révolte, qu'il n'avait pas voulu y mettre, mais des leçons de vie simple et pastorale. Florian est peut-être à cet égard un disciple plus certain de Rousseau que Babeuf ou que Proudhon.

C'est bien ainsi d'ailleurs que Rousseau l'entendait. De sa doctrine il ne tirait pas que des livres ; il voulait tirer aussi une règle pour la pratique de la vie, une règle à laquelle il se conformerait, lui le premier. En 1753, il avait fait sa « réforme » ; il avait renoncé aux habits brodés, aux bas blancs, à l'épée. Il avait vendu sa montre et pris la perruque ronde des petits bourgeois. Il avait voulu surtout renoncer aux gages que donnent les riches, et vivre du produit de ses livres et de ses copies de musique. En 1758, il trouva une nouvelle occasion de défendre, pratiquement, en se dégageant des utopies systématiques, la simplicité et la sévérité des mœurs.

LA LETTRE A D'ALEMBERT.

Voir : É. *Faguet*, Rousseau contre Molière, *1912* ; L. *Bourquin*, la Controverse sur la comédie au XVIIIᵉ siècle et la Lettre à d'Alembert sur les spectacles (Revue d'histoire littéraire de la France, *1919*, *1920*, *1921*) ; Mˡˡᵉ *Moffat*, la Controverse sur la moralité du théâtre après la Lettre à d'Alembert, *1930*.

Voltaire, établi aux Délices, n'aimait pas les Genevois pour cette raison, parmi d'autres, qu'ils n'aimaient pas le théâtre. Entre eux et lui, il y avait guerre de malices ou de police. Voltaire faisait jouer des pièces chez lui ; il en faisait jouer aux portes de Genève, sur le territoire de Savoie. Bien des Genevois y venaient, au mépris des défenses du Petit Conseil et de leurs pasteurs. Par surcroît, Voltaire pria d'Alembert de plaider, à l'article *Genève* qu'il allait publier dans l'*Encyclopédie*, la cause du théâtre. D'Alembert démontra donc que c'était faire tort aux Genevois que de leur interdire la comédie. Rousseau, citoyen de Genève, prit leur défense.

C'était lui-même que Rousseau défendait. Il avait dit qu'il serait inutile ou dangereux de fermer en France les théâtres. Il pensait pourtant qu'il valait mieux n'en pas avoir. Toute sa doctrine des arts était en cause. La *Lettre à d'Alembert* est longue. Il avait suffi à Rousseau d'une centaine de pages pour étudier les origines de l'inégalité; il lui en faut, pour établir la malfaisance du théâtre, tout autant. C'est qu'il ne s'agissait pas seulement de Genève et d'une polémique entre gens de lettres. Toute une morale et pour ainsi dire toute une foi se trouvaient en jeu. Si les dirigeants de Genève interdisaient les théâtres au nom de la vertu et de la piété, depuis un siècle on prétendait en France interdire aux âmes pieuses ceux qu'on ne pouvait pas fermer. Il y avait une « querelle du théâtre », obstinée, méthodique et violente, et qui passionnait, comme celle du quiétisme ou de la « Constitution ». Au XVIIᵉ siècle, Nicole, le prince de Conti, Bossuet avaient voué le théâtre, les comédiens et les pièces qu'ils jouaient au mépris des âmes honnêtes, et brandi les menaces de l'enfer. Les comédiens et les auteurs avaient répliqué. Les traités, brochures, articles, s'étaient multipliés. Le comédien Riccoboni, par exemple, avait publié en 1743 un *Traité de la réformation du théâtre* où il épurait *le Cid*, supprimait *Bérénice, Pompée, Mithridate, Phèdre, Bajazet* et *Rodogune*, pièces trop dangereuses pour qu'on tentât de les épurer. Le *Traité* n'était pas une fantaisie sans écho de pécheur converti. Il fut lu, réédité, et la thèse en fut reprise par Desprez de Boissy, en 1756, dans des *Lettres sur les spectacles*, qui firent du bruit et qui furent rééditées, elles aussi. Des gens graves, qui n'étaient pas des gens de lettres et que nous connaissons par leurs mémoires, refusaient de lire non seulement Molière ou Racine, mais Corneille, ou s'avouaient avec remords qu'ils avaient péché quand ils étaient allés à la comédie. Rousseau, en attaquant Racine et Molière, ne poursuit pas un paradoxe : il défend une tradition.

Il la défend avec des raisons qui ne sont pas neuves, si ce n'est par la force de l'expression, la vigueur de la dialectique et le choix de quelques exemples. On avait dit avant lui, moins bien et moins fortement seulement, que le spectateur va au théâtre pour s'amuser, non pour s'instruire; que l'auteur, esclave du succès, flatte

MADAME D'ÉPINAY. Portrait par Liotard (musée de Versailles). — CL. LAROUSSE.

invinciblement les goûts, les préjugés et les vices du public; qu'au surplus nos larmes et nos rires de théâtre ne sont, eux aussi, qu'une comédie que nous oublions, les chandelles éteintes, pour redevenir nous-mêmes, ni meilleurs ni pires, et peut-être pires; que le théâtre de Molière étale sous nos yeux des exemples scandaleux de libertinage et de vice (Rousseau n'ajoute à ces exemples traditionnels que celui du *Misanthrope*); et que la peinture de l'amour chez Racine, loin de purger la passion, la nourrit au contraire et la glorifie. Répétant tous ces dires, Rousseau ne copie ni Riccoboni ni Desprez de Boissy; mais il a les mêmes scrupules et les mêmes arguments. Il les reprend seulement d'un autre ton, avec une force nouvelle. En outre, il ne posait pas le problème comme ses devanciers l'avaient posé. Querelle abstraite pour Desprez de Boissy et Riccoboni, ou qui n'aboutissait qu'à des sermons à l'adresse des âmes pieuses : il n'y avait pas de chances qu'on fermât ni l'Opéra, ni la Comédie. Mais Rousseau ne parlait pas de Paris et ne faisait pas de sermons. Il avait vécu à Genève, et c'était pour Genève et la Suisse qu'il plaidait. Il avait vu les Montagnons qui connaissaient du théâtre à peine le nom et qui vivaient heureux, profondément, parce qu'ils ignoraient les funestes plaisirs de nos cités. Cet idéal de vie laborieuse, sévère et pourtant joyeuse, n'était pas chimère de moraliste ni amplification vaine de sermonnaire. Il existait encore à Genève, bien qu'il y fût menacé. Il existait dans des vallées suisses. Ce que Rousseau défendait, c'étaient des modèles vivants d'humanité.

ROUSSEAU ROMANCIER

La Nouvelle Héloïse fut composée dans la vallée de Montmorency, de 1756 à 1758. Elle parut en février 1761. Sur la vie de Rousseau et les conditions de la composition du roman, voir le livre, déjà cité, d'A. Rey, Jean-Jacques Rousseau dans la vallée de Montmorency. *Voir aussi,*

L'ERMITAGE habité par Rousseau à Montmorency (B. N., Cabinet des Estampes).

VUE DE CLARENS, site de « la Nouvelle Héloïse ». — CL. WEHRLI.

dans la Collection des Grands Écrivains, *l'édition historique et critique de* la Nouvelle Héloïse *publiée par* D. Mornet, *1925.* (*Étude abrégée dans D. Mornet,* la Nouvelle Héloïse *de J.-J. Rousseau, 1928.*)

Rousseau, pour l'opinion publique et pour les philosophes eux-mêmes, était resté un philosophe. Sans doute il avait attaqué les sciences, les arts, les progrès de l'intelligence, le théâtre. Mais il les avait attaqués en raisonnant. Il n'avait pas défendu les traditions contre les audaces de la philosophie; il s'était simplement servi de la philosophie contre des préjugés auxquels les philosophes n'avaient pas songé. Au surplus, ses « thèses » ne pouvaient pas déplaire aux philosophes. Il affirmait que l'homme est né bon : c'est ce que niait la tradition chrétienne et ce que croyaient les philosophes. Il attestait que la société était mal faite : les philosophes, sans en donner les mêmes raisons, le croyaient comme lui. Ce n'est qu'en écrivant *la Nouvelle Héloïse* que Rousseau rompit ouvertement avec la philosophie.

Il rompait en même temps avec lui-même. L'ennemi des lettres et des arts, celui qui dénonçait le théâtre d'amour, se mit à écrire un roman d'amour. C'est qu'il l'écrivit pour lui d'abord et non pas pour la gloire. Il avait retrouvé à l'Ermitage cette manière de vivre qu'il avait délaissée pendant ses années de bel esprit, de philosophie et de vie parisienne. Il y goûtait la médiocrité sans la misère, la simplicité et la solitude, les sentiers de la forêt, le chant des oiseaux, le parfum des fleurs du printemps. La création le ramenait vers le Créateur et la piété. Mais ce n'était pas tout le bonheur qu'il lui fallait. La solitude qu'il cherchait, c'était la solitude à deux : deux cœurs qui se comprennent et qui s'aiment. Thérèse était à peine pour lui une compagne. Elle était venue à l'Ermitage avec sa mère; elle n'appréciait ni le chant des oiseaux ni les promenades sentimentales. Elle tracassait Rousseau. Pourtant le printemps était dans toute sa grâce et toute sa splendeur; il y avait dans la nature comme un immense appel d'amour. Et Rousseau songeait qu'il n'avait jamais été aimé. Ni Mme Basile, ni Mlle Serre, ni les autres n'avaient eu pour lui autre chose que de tendres indulgences. Mme de Warens ne l'avait pas aimé d'amour. Il avait quarante-quatre ans pourtant. Le temps d'aimer allait s'enfuir. Il rêva donc ce qu'il ne pouvait vivre. Il imagina, dans le plus beau décor qu'il connût, sur les rives du lac de Genève, un jeune homme, Saint-Preux, sans fortune et sans naissance comme lui; Saint-Preux, précepteur dans une famille riche, celle de M. d'Étanges, est aimé d'une tendresse ardente par la fille de celui-ci, Julie, qui est belle, honnête et cultivée. Dans une sorte d'hallucination du cœur, Jean-Jacques écrit à sa Julie, il se répond. Il poursuit ainsi quelques mois, « sans plan et sans liaison », un dialogue d'amour. L'exaltation serait tombée, peut-être, et le roman n'aurait jamais été achevé, si le rêve ne s'était accroché à une réalité.

Mme d'Épinay avait une amie, Mme d'Houdetot, qui vint la visiter. Rousseau la vit, une première fois parce que son carrosse s'embourba et qu'elle vint sécher ses pieds à l'Ermitage; une seconde fois comme elle arrivait dans la vallée de Montmorency à cheval et costumée en homme.

PORTRAIT DE Mme D'HOUDETOT, attribué à Fragonard (reproduit, avec l'autorisation de M. H. Buffenoir, d'après son livre sur *Madame d'Houdetot*).

Elle n'était pas belle; mais elle avait la grâce, plus belle encore que la beauté. Brusquement Rousseau oublia la Julie de son rêve pour la « Sophie » de la réalité. Ce ne fut pas un caprice, mais la passion, ses frénésies et ses désespoirs. Sophie était coquette, indulgente et tendre. Elle ne refusa à Jean-Jacques ni les promenades au clair de lune ni les baisers. Mais son cœur était pris; non pas par son mari, qui ne l'aimait pas et ne se souciait pas d'être aimé, mais par un militaire qui se croyait poète, Saint-Lambert. Elle ne cacha pas qu'elle lui resterait fidèle. La conscience de Rousseau ne lui permettait pas de séduire les femmes fidèles. Il n'était plus d'ailleurs de ceux qui séduisent. Il souffrit, se désespéra, se résigna, sentit qu'il lassait, que son amitié même était à charge. Il cessa d'écrire à Sophie.

Mais, entre-temps, la Julie de son roman était, pour une bonne part, devenue Sophie. Elle n'était plus seulement Mlle Serre ou Mme de Warens; elle avait les goûts et les grâces de Mme d'Houdetot. Surtout, insensiblement, le roman de passion était devenu un roman de sacrifice et de vertu.

Puisqu'il ne pouvait plus parler d'amour à Sophie, Rousseau avait commencé à lui parler de conscience. Il se ferait son ami et son directeur et, au lieu des ivresses des sens, il goûterait les joies de la vertu. Il rédigeait pour elle des lettres qu'on a pu intituler « Lettres sur la vertu et le bonheur », et qui ne mettent le bonheur que dans la vertu. En même temps, le roman d'amour entre le précepteur et son élève tournait court. Saint-Preux et Julie d'Étanges s'aiment. Le père de Julie ne veut pas donner sa fille à un homme de rien. Il la marie à un gentilhomme russe, M. de Wolmar, qui a trente ans de plus qu'elle, mais qui a sauvé la vie à M. d'Étanges. Julie se résigne par obéissance filiale, par piété, par devoir. Elle n'a trouvé dans la passion que le trouble et le désespoir; elle cherche dans ses devoirs d'épouse et de mère la paix du cœur. Ainsi le roman devient, dans la pensée de Rousseau, un traité de morale.

Un traité de morale conjugale d'abord. On se rit des devoirs du mariage dans la société qu'il a fréquentée. C'est un ridicule que d'aimer sa femme ou même de l'accompagner au Cours-la-Reine. *La Nouvelle Héloïse* enseignera que la fidélité entre époux est le plus essentiel des devoirs et la vraie force d'une société, et que la passion la plus juste quand on était fille devient un crime quand on est épouse. Elle enseignera, par surcroît, qu'une femme peut se construire une vie heureuse sur les ruines d'un grand amour. Il y suffit d'un mari honnête et sage comme celui de Julie, d'enfants qu'on aime, des mille soins domestiques et de la pensée qu'on agit selon son devoir et selon les desseins de Dieu. *La Nouvelle Héloïse* donnera enfin une leçon de morale sociale, car ni la maternité, ni la vertu, ni la piété ne suffisent peut-être pour être heureux, quand on vit dans les villes et qu'il faut plaire au monde comme à son mari et à Dieu. Julie et son mari ne renoncent ni aux commodités légitimes de la fortune ni même à des soucis de sobre élégance. Ils ne se font ni sauvages ni ermites; mais ils vivent pour le « ménage des champs »; ils sont seigneurs de village et sont eux-mêmes leurs intendants; ils surveillent leurs domestiques, dirigent leurs cultures, conduisent leurs vendanges et président aux veillées d'hiver. Ils mènent une vie patriarcale où ils assurent, avec leur bonheur, celui de tous ceux qui les entourent. Ils ne renoncent ni à lire ni à réfléchir; mais leur bonheur ne tient ni à leur fortune ni à la culture de leur intelligence. Il réside dans leur droiture et dans l'activité de leur bonté.

La Nouvelle Héloïse eut un prodigieux succès et fit de Jean-Jacques le rival de Voltaire et l'un des conducteurs de l'opinion. Soixante-douze éditions (en tenant compte de celles des *Œuvres complètes*) se succédèrent de 1761 à 1800. A Paris et à travers les provinces, à haut prix quand il le fallait, on s'en dispute les exemplaires. On les lit avec des larmes, des transports frénétiques. Jean-Jacques devient un directeur d'âmes. Il crée brusquement un idéal que l'on cherchait, que l'on pressentait, que l'on n'avait pas atteint.

Ce ne fut pas l'idéal domestique et pastoral. On était revenu avant lui à la campagne, à l'églogue naïve, à la

L'INOCULATION DE L'AMOUR. Illustration de Moreau le Jeune, gravée par N. Le Mire, pour « la Nouvelle Héloïse » (1774). — CL. LAROUSSE.

rusticité sincère et laborieuse. On goûta les charmes du château de Wolmar, du jardin de Julie, l'allégresse des vendanges, la paix des veillées d'hiver; mais on s'était plu déjà, et pour les mêmes raisons, à la philosophie rurale de l'*Ami des hommes*, du marquis de Mirabeau, et à la pastorale du *Devin du village*. On ne vit rien dans *la Nouvelle Héloïse* qui fût neuf à cet égard ni profond. Les contemporains n'y ont pris aucune leçon de vie pratique. Ils y ont seulement découvert de nouvelles raisons de vivre.

Avant *la Nouvelle Héloïse*, les raisons de vivre, pour ceux qui n'étaient pas des gens simples et des croyants, c'était le plaisir, le confort, les joies de l'art, de l'intelligence. C'était de s'amuser ou d'apprendre et de raisonner. On réduisait toutes choses « sous l'empire de la raison » ou de l'intérêt. Mais ni la raison ni l'intérêt n'ont rien à voir dans la destinée de Julie ou de Saint-Preux. Ils aiment malgré la raison; ils se séparent malgré l'intérêt. Et, pour être heureux et se consoler, ils ne suivent qu'un guide, qui est leur cœur, leur conscience. Leur cœur ne saurait rien posséder sans l'assentiment de leur conscience, et leur conscience même est moins une discussion avec eux-mêmes qu'un équilibre de leur cœur. Ce furent les cœurs des deux héros qui conquirent les lecteurs et leur enseignèrent les délices du sentiment. Ce fut une ivresse soudaine et sans mesure. Craignons, disait Rousseau dans sa *Lettre à d'Alembert*, les séductions du théâtre d'amour, car on oublie le renoncement ou le châtiment pour ne se souvenir que de l'attrait des passions, même coupables. Mais l'*Héloïse* fut lue justement comme *Bérénice* ou comme *Phèdre*. Toute la première moitié du livre n'est qu'un drame de passion tumultueuse et brûlante. C'est ce drame surtout qui enchanta. Les lecteurs et les lectrices de Rousseau apprennent de lui brusquement, quand ils lui écrivent, l'art du style qui « brûle le papier ». Les vies qu'ils lui racontent sont des emportements de passion, des ivresses de souffrance ou des fureurs de dévouement. Les romans qui l'imitent, les meilleurs, ou les moins mauvais, ceux d'un Dorat, d'un Imbert, d'un Léonard, entassent avec une application méthodique les extases d'amour, les sanglots furieux, les élans sublimes, les points d'exclamation et les points de suspension. Vivre, pour les héros de roman, ce n'est plus que palpiter, mourir cent fois de joie ou de souffrance; le seul prix de la vie est dans les transports du cœur et, s'il le faut, dans ses tourments.

A condition, cependant, que le cœur soit d'accord avec la conscience. Les disciples de Rousseau sont des romanesques; ils ne sont pas des romantiques. Rousseau n'était pas le premier qui eût donné des leçons de vertu. Les romans de Fielding et de Richardson les avaient prodiguées. Fielding et Richardson restent illustres jusqu'à la Révolution et l'on associe sans cesse leur souvenir à celui de Rousseau. Rousseau a été, lui aussi, un professeur de vertu. On crut à Julie épouse autant qu'on admira Julie amante. On demanda à Mme de Wolmar des leçons de courage et de dignité autant qu'on s'attendrit sur ses faiblesses de jeune fille. Tous ces romans de « sentiment » retracent des « épreuves du sentiment »;

on n'y vit que pour aimer, mais à condition d'aimer sans remords. L'amante et l'amant s'y exaltent, mais c'est pour la vertu comme pour l'amour, et quand ils ont failli, ils sanglotent sur leur erreur sans se consoler. L'*Héloïse* est un rêve d'amour et enseigne le renoncement à l'amour. Les contemporains ont accepté cet enseignement.

ROUSSEAU PÉDAGOGUE

*Rousseau s'était brouillé violemment avec ses amis Diderot, Grimm, M*me* d'Épinay. Querelle confuse, où il y eut des torts des deux côtés. Grimm, qui n'aimait personne, n'aimait pas Rousseau. Diderot et M*me* d'Épinay l'aimaient, mais sans discrétion, en le comprenant mal. Ils s'étonnaient de le voir fuir Paris, même pour l'hiver, et chercher la solitude au lieu de leur compagnie. Ils s'irritaient, ou du moins s'inquiétaient obscurément de ces goûts, qui n'étaient ni les leurs ni ceux de la « philosophie ». Par surcroît, Jean-Jacques cachait mal son amour pour M*me* d'Houdetot, et M*me* d'Épinay fut jalouse. Ils prodiguèrent les conseils, les exhortations, les reproches. Ils s'associèrent maladroitement Thérèse et sa mère, qui n'étaient que de sottes et hargneuses commères. Jean-Jacques était malade, soupçonneux. Il concevait l'amitié et la tendresse dans l'absolu. Il bâtissait un drame sur des apparences. On en vint vite aux mots irréparables et à la catastrophe. Rousseau quitta l'Ermitage, en décembre 1757, pour s'établir à Montmorency. Il y retrouva d'ailleurs, dans le parc du maréchal de Luxembourg, les enchantements de ses bois de châtaigniers. Il y acheva, « au parfum de la fleur d'orange », son livre, Émile ou De l'éducation, qui fut publié en 1762. L'autorité s'émut d'autant plus des audaces de la Profession de foi du Vicaire savoyard que le livre était signé. Rousseau fut décrété de prise de corps et activement poursuivi. Prévenu par M*me* de Luxembourg, il put cependant s'enfuir en Suisse dans la nuit du 9 au 10 juin 1762. Persécuté par les autorités genevoises, puis par les autorités bernoises, il s'installa à Môtiers, dans le Val-Travers, territoire relevant de Frédéric II. Mais la publication des Lettres de la montagne, en réponse aux Lettres de la campagne publiées contre lui par le procureur genevois Tronchin (1764), renouvelle la persécution. Cité devant le Consistoire par le pasteur de Môtiers, menacé par la population, il quitte le Val-Travers, passe six semaines dans la petite île de Saint-Pierre, au milieu du lac de Bienne, la quitte sur l'ordre du sénat bernois et se réfugie en Angleterre, à l'appel du philosophe David Hume (1766). Mais son humeur inquiète et maladive le brouille avec Hume, qu'il accuse de comploter contre lui. Il rentre en France (1767), essaie de différentes résidences et s'installe enfin à Paris, dans un modeste appartement de la rue Plâtrière. En mai 1778, il accepte la maisonnette que lui offre le marquis de Girardin dans son parc d'Ermenonville; il y meurt subitement, le 2 ou le 3 juillet 1778.*

FRONTISPICE de Cochin fils pour l'« Émile » (édition de 1762). — CL. LAROUSSE.

Signalons, entre autres ouvrages de Rousseau que nous ne pourrons pas analyser dans cette rapide étude, une Lettre sur la musique française (1753), un Dictionnaire de musique (1767), un Dictionnaire de botanique et des Lettres élémentaires sur la botanique.

Voir : G. Lanson, Quelques documents inédits sur la condamnation et la censure de l'Émile, dans les Annales J.-J. Rousseau, 1905 ; Édouard Rod, l'Affaire J.-J. Rousseau, 1906 ; L.-J. Courtois, le Séjour de J.-J. Rousseau en Angleterre, dans les Annales J.-J. Rousseau, 1910; Sicard, les Études classiques avant la Révolution, 1887; — l'Éducation morale et civique avant et pendant la Révolution, 188 ; G. Compayré, Histoire critique des doctrines de l'éducation, 1880 ; P. Villey, l'Influence de Montaigne sur les idées pédagogiques de Locke et de Rousseau, 1911.

L'*Émile* est un traité de pédagogie : on ne s'attendait guère à ce que Rousseau devînt un pédagogue. Personne ne l'avait jamais élevé; il s'était instruit sans maître. Les enfants qu'il avait eus, il les avait mis aux Enfants trouvés. Mais il avait, pour ne pas reculer devant le paradoxe, des raisons profondes. La pédagogie était à la mode, et même une pédagogie hardie et avide de bouleversements. L'instruction, telle qu'on l'avait conçue depuis un siècle, formait des gens du monde ou, au mieux, des juristes et des théologiens. On apprenait du latin, l'art d'ordonner un discours ou de tourner un compliment. Mais peu à peu les collèges s'emplissaient d'écoliers qui avaient autre chose à faire dans la vie que d'être de beaux esprits. Il y eut donc, de 1750 à 1760, de grandes querelles pédagogiques. On reprenait et l'on précisait les nouveautés que Fleury dès la fin du XVIIe siècle, Fénelon, puis Rollin avaient défendues. Le traité de Locke sur l'*Éducation des enfants* était célèbre. De 1750 à 1760, on pourrait énumérer par dizaines les traités, opuscules, articles, poèmes qui dissertaient sur les erreurs de l'éducation traditionnelle. Les amis de Rousseau en discutaient, l'abbé de Saint-Pierre, par exemple, La Condamine, Duclos, Helvétius. On en parlait abondamment dans le salon de M*me* d'Épinay.

Et l'on en parlait bien souvent avec les idées de Rousseau. Helvétius recommande les exercices du corps et veut « mettre l'étude des choses » à la place de « l'étude des mots ». L'abbé Pluche, dont Rousseau avait lu assidûment *le Spectacle de la nature*, prétendait apprendre aux enfants autant d'histoire naturelle et de physique que de rhétorique ou de logique. Il formait son élève non pas à bâtir des édifices de mots, mais à raisonner sur les choses et à s'en servir. Il l'envoyait chez « un tireur d'or, un imprimeur, un horloger et un teinturier, un serrurier ou un charpentier »... « des quinze jours et trois semaines ». Pluche ne faisait, d'ailleurs, que simplifier ou à l'occasion préciser les doctrines des grands maîtres que Rousseau avait lus et qu'il avoue, Montaigne ou Locke. Dès 1766, le bénédictin

LE PREMIER BAISER DE L'AMOUR.
LA CONFIANCE DES BELLES AMES.

LA NOUVELLE HÉLOISE. Compositions de Moreau le Jeune pour les « Œuvres de J.-J. Rousseau » (1774-1783). — CL. LAROUSSE.

COURONS VITE : L'ASTRONOMIE EST BONNE A QUELQUE CHOSE.
LES FOLATRES JEUX SONT LES PREMIERS CUISINIERS DU MONDE.

ÉMILE. Compositions de Moreau le Jeune pour les « Œuvres de J.-J. Rousseau » (Londres, 1774-1783). — CL. LAROUSSE.

dom Cajot écrivait un livre pour démontrer que l'*Émile* était tout entier plagié de Montaigne ou de Locke. Dom Cajot aurait pu alléguer d'autres inspirateurs de Rousseau, ceux que Rousseau appelle lui-même « le bon Rollin », « le sage Fleury », le « pédant de Crousaz » et Buffon. Tous ces rapprochements prouvent seulement que Rousseau les avait lus et qu'il s'inspire de certaines de leurs idées. Il croit, comme eux, que l'âme de l'enfant dépend en partie de son corps et qu'il faut bien conduire le corps pour bien diriger l'esprit. Il croit même, plus précisément, comme Locke et Condillac, que pour une part c'est le corps qui forme l'esprit, que nos idées nous viennent de nos sensations et qu'ainsi c'est par les sens, par l'observation et l'expérience qu'on forme l'esprit. Il pensait enfin, comme Montaigne, Locke et tant d'autres, qu'instruire c'est préparer à la vie tout entière et non pas seulement à la vie des salons ou des académies. Ce n'est pas là ce qui fit surtout la nouveauté de son livre et son succès.

La nouveauté tient d'abord à l'intransigeance du système. Élever un enfant, pour Rousseau, c'est lui apprendre à ne pas apprendre, c'est machiner avec application cette « éducation négative » qui le défendra contre l'influence funeste des livres, de la civilisation, de la société. L'homme est né bon, la société le déprave. Pour le prouver, Rousseau ne demande pas que l'on supprime les sociétés, ni même qu'on les bouleverse brusquement. Mais il naît incessamment des enfants qui ne sont pas encore dépravés quand ils naissent, du moins s'ils naissent sains de corps et d'esprit. Par eux on peut prouver que la nature est bonne et qu'il suffit de la laisser agir pour qu'elle conduise l'enfant comme une bonne mère. Émile sera donc élevé à la campagne, loin des villes. Rousseau fait de lui un fils unique, pour que les erreurs d'autres enfants ne viennent pas provoquer les siennes. Il sera élevé par un précepteur philosophe et non pas par une mère nécessairement faible ou mal informée. Jusqu'à dix ans il apprendra à lire, à écrire et à raisonner sur les figures géométriques de quelques gâteaux, par intérêt ou commodité, non pour savoir. Il n'apprendra ni fables, ni histoire, ni morale. Il restera docile, attentif et franc, non par contrainte ou par devoir, mais simplement parce qu'il n'aura pas appris à ne pas l'être ou parce qu'il aura souffert des inconvénients de l'obstination, de la colère, de l'étourderie. A dix ou douze ans, l'éducation positive complétera l'éduca-

tion négative, mais elle sera conduite selon les mêmes principes. Ce n'est pas le précepteur qui apprendra, qui imposera. C'est la curiosité de l'enfant qui ira d'elle-même vers les enseignements du spectacle de la nature, vers les problèmes de la physique amusante, vers les usages pratiques de l'astronomie, de la topographie. Ainsi Émile, à quinze ans comme à dix ans, n'aura pas appris qu'il fallait savoir ni qu'il fallait être bon. Il aura appris à apprendre, c'est-à-dire à observer la réalité et à en raisonner; comme ses sens naturels sont justes et que sa raison naturelle est droite, il raisonne bien. En outre, comme il est resté lui-même tel que le fit la nature, il est bon. Il est prêt pour les périls inévitables de la vie sociale, et c'est à quinze ans seulement qu'on lui en ouvre les portes, jusque-là fermées, en lui révélant la morale et la religion, les sciences et les arts, puis l'amour et le mariage.

Ainsi l'*Émile* est avant tout un théorème philosophique. C'est la démonstration systématique d'un système. C'est donc une utopie, mais une utopie consciente. Rousseau a dit et répété qu'il croyait à la vérité de son système, mais qu'il ne prétendait pas destiner tous les enfants à lui servir de preuve. Qu'il soit absurde de supposer tous les enfants parfaitement sains de corps, riches, et de les confier un par un à autant de précepteurs qui les aiment paternellement et qui aient du génie, c'est une vérité si évidente qu'elle s'est nécessairement imposée à Rousseau. Il ne nous a donc pas demandé de lire l'*Émile* comme un code pratique d'éducation, mais comme une sorte de symbole. Et c'est bien ainsi, d'abord, que les contemporains l'ont compris. La plupart, d'ailleurs, semblent l'avoir tenu pour une vaine chimère. Les projets de réforme pédagogiques se multiplient après 1762, ne fût-ce que parce que les Jésuites viennent d'être chassés, que plus de cent collèges sont sans maîtres et qu'il faut les réorganiser. Presque toutes les idées de Rousseau, qui sont d'ailleurs dans Montaigne ou Locke, s'y retrouvent. Et Rousseau, sauf une ou deux exceptions, n'est même pas nommé. Il semble que ces idées soient devenues celles de tout le monde. Ceux qui ne sont pas des pédagogues lisent pourtant Rousseau et l'admirent. Les mères ont cessé d'emmailloter leurs enfants; elles les ont allaités. Mais surtout les contemporains ont pris à Rousseau une croyance. Ils se sont convaincus sinon que la nature était bonne, du moins qu'il était bon de « laisser agir la nature ». Invinciblement, la pédagogie avait suivi jusqu'alors les errements de la

morale. Puisque la morale tenait la nature pour corrompue à sa source, elle l'était dès l'enfance. Élever un enfant, c'était donc sans cesse le contraindre, le redresser, le châtier. Les éducateurs ont appris de Jean-Jacques que l'enfant devait rester autant que possible lui-même. Ils ont d'ailleurs parfois poussé la leçon plus loin que Rousseau ne l'aurait désiré. Si, en théorie, l'enfant naît bon, Rousseau avait dit qu'en fait par l'hérédité, par les contacts inévitables et parce que nous ne vivons plus selon la nature, il est sans cesse entraîné à la colère, ou à l'égoïsme, ou à la paresse. Mais ces sages réserves semblèrent bien souvent des timidités. L'« élève de la nature » imaginé par de Beaurieu, dont le livre, que Rousseau appréciait, fut huit fois réédité, est enfermé jusqu'à quinze ans dans une cage de bois, puis débarqué dans une île déserte. On rencontre, dans les mémoires du temps, de braves gens qui élèvent leurs filles dans les bois avec des filles de paysans à demi nues, pâturant le genièvre et les fruits sauvages, et qui les rassemblent le soir, comme des chèvres,

LA FERME ROBERT, dans le Val-Travers, où Rousseau vint vivre après l'affaire de l'« Émile ». — CL. BOISSONNAS.

au son d'un instrument rustique; ou d'autres qui nomment leur fils Émile et qui, pour l'élever selon les principes, lui apprennent l'impudeur de la tenue et les brutalités du langage.

Ces frénétiques témoignent surtout du succès du livre, qui fut, comme le succès de *la Nouvelle Héloïse*, considérable. Il avait, pour séduire les lecteurs, autre chose que la logique systématique. Rousseau l'avait écrit, comme on l'a dit dès le XVIIIe siècle, « avec son cœur ». Le précepteur, c'est lui-même; mais Émile, c'est encore lui-même. C'est l'enfant qu'il aurait voulu être et qu'il aurait été, croyait-il, si la destinée avait été pour lui moins cruelle. Comme Émile, il a appris non pas un métier, mais plusieurs; comme Émile, il s'est instruit beaucoup plus par expérience que par les livres. Au contraire d'Émile et pour son malheur, il est né chétif. Son père l'a jeté, sans choix, dans des lectures qui ont perverti avant l'âge son imagination. Puis on l'a entretenu, à Turin et ailleurs, de subtilités théologiques sans lui avoir fait comprendre les raisons simples et profondes de la piété. Par là il est devenu ce Rousseau dont les intentions sont pures, mais dont la conduite a été souvent coupable, qui est né pour être heureux et qui roule de misères en misères. Pourtant, c'est Émile qu'il aurait pu être, qu'il aurait dû être. Et comme il avait vécu, dans « le pays des chimères », la vie d'amour, d'amitié et de concorde de *la Nouvelle Héloïse*, il vit dans des « rêveries de visionnaire » l'enfance et la jeunesse d'Émile. Si son livre fut lu non seulement par des raisonneurs, par des magisters, par des philosophes, mais par tous, c'est parce qu'Émile est animé de l'âme même de Rousseau.

LA PROFESSION DE FOI DU VICAIRE SAVOYARD.
Illustration de Moreau le Jeune, gravée par Simonet, pour l'« Émile » (édition de Londres). — CL. LAROUSSE.

LA RELIGION ET LA POLITIQUE DE ROUSSEAU

*Les idées religieuses de Rousseau sont exposées surtout dans l'*Émile *(Profession de foi du Vicaire savoyard), dans la* Lettre à Christophe de Beaumont, *archevêque de Paris (1763; réponse à un mandement de l'archevêque contre l'*Émile, *qui reprend les raisonnements de la Profession de foi en y ajoutant des pages éloquentes sur la franchise, sur la liberté de pensée, sur la tolérance) et dans les* Lettres écrites de la montagne *(1764). Les idées politiques de Rousseau se trouvent surtout exposées dans l'*article Économie politique *de l'*Encyclopédie *(1755), dans le* Contrat social *(1762), dans les* Lettres à M. Buttafuoco *(1764-1765) sur la constitution à donner à la Corse, et dans les* Considérations sur le gouvernement de Pologne *(composées en 1772).*

Sur la religion de Rousseau, voir P.-M. Masson, la Formation religieuse de J.-J. Rousseau; la Profession de foi de Jean-Jacques; J.-J. Rousseau et la restauration religieuse, *3 vol., 1916.*

Sur ses idées politiques, voir : l'édition du Contrat social, *publiée par G. Beaulavon (1903), et celle publiée par Halbwachs, 1943.* Émile Faguet, Politique comparée de Montesquieu, Voltaire et J.-J. Rousseau; *et l'excellente édition des* Œuvres politiques *de J.-J. Rousseau, publiée par C.-T. Vaughan, Cambridge, 1915.*

LA RELIGION.

Si Rousseau n'avait disserté dans l'*Émile* que de pédagogie, il aurait suscité des discussions et des polémiques, non des persécutions. Mais il y exposait aussi sa doctrine religieuse. Quand Émile a quinze ans, le Vicaire savoyard lui enseigne qu'il a une âme, qu'il y a un Dieu et une religion. Le Vicaire, c'est l'abbé Gaime et l'abbé Gâtier, que Rousseau avait rencontrés à Turin et à Annecy. Et c'est surtout Rousseau lui-même. Dans sa poursuite du bonheur, il est revenu invinciblement à ce qu'il croyait avoir trouvé déjà aux Charmettes, quand il aspirait au ciel et craignait l'enfer. Il estima peut-être quelque temps, avec les philosophes, que c'est une duperie de croire à ces chimères religieuses qui ont suscité le fanatisme, la persécution et les plus grossières superstitions. Mais il a toujours senti, obscurément, que cette philosophie était amère. Dès son voyage à Genève, lorsqu'il revient à la religion de ses pères, et plus tard à l'Ermitage, il ne rêve pas seulement d'amour, de tendresse, d'amitié, d'éducation : il cherche son chemin vers Dieu, obstinément. Longtemps ce chemin côtoie celui de la philosophie. Le mari de Julie, dans *la Nouvelle Héloïse*, M. de Wolmar, est un philosophe athée et qui pratique, malgré son athéisme, les plus hautes vertus. Rousseau étudie d'ailleurs avec un soin judicieux tous les philosophes. Pierre-Maurice Masson a prouvé que, lorsqu'il les discute dans la *Profession de foi du Vicaire savoyard*, il les connaît, non par ouï-dire ou par des lectures hâtives, mais par des lectures scrupuleuses qui vont des plus notables auteurs, comme Helvétius ou Condillac, à ceux mêmes dont les pamphlets audacieux ne circulaient qu'en manuscrit. S'il ne les aime plus et ne les croit plus, il les respecte encore, dans une première rédaction de la *Profession*. Mais très vite il passe du respect à la révolte. Il ne pense plus seulement qu'ils se trompent; il affirme qu'ils pervertissent. Il ne voit plus en eux des raisonneurs aveuglés; ils sont des bavards malfaisants. Il se sont crus assurés que Dieu et l'âme n'étaient que des mots et la morale une convention, qu'il n'y avait dans le monde que la matière, inanimée ou sensible. Mais même lorsqu'on raisonne comme eux — et Rousseau s'y évertue —, on saisit aisément leurs sophismes. En fait, si l'on discute sur la matière, on est conduit nécessairement à affirmer l'existence d'un Dieu, créateur du monde, d'une Providence qui a placé l'homme au centre des choses, qui nous a donné une âme spirituelle et la liberté, et qui récompensera la vertu dans une autre vie.

Cette argumentation nous mène donc à Dieu, à la prière, à la foi dans l'immortalité de l'âme. Mais ces raisonnements compliqués sont inutiles. Rousseau ne les poursuit que pour parler aux philosophes le langage qu'ils comprennent, et pour prémunir Émile, s'il les lit. En fait, il existe un guide plus sûr, le seul qui soit sûr : c'est la certitude intérieure, c'est la révélation immédiate par le cœur. C'est au cœur de Rousseau que l'abbé Gaime et l'abbé Gâtier avaient fait appel. L'abbé Gaime avait mené Jean-Jacques, au lever du soleil, sur une haute colline, devant la splendeur du paysage : « Regarde, admire et crois, » lui avait-il dit. C'était là, par surcroît, la religion de Mme de Warens, puisqu'elle prétendait en avoir une. Elle était piétiste ou croyait l'être. Et le piétisme, né dans le pays de Vaud, s'embarrassait peu des dogmes ou même de la pratique : c'était Dieu présent au cœur. Ce fut la religion même de Julie dans *la Nouvelle Héloïse*. Julie est pieuse, profondément, et c'est Dieu seul qui la console de son renoncement, mieux encore que l'amour pour ses enfants ou le bel ordre de son ménage ; mais sa piété n'est ni méticuleuse ni formaliste ; Julie ne croit pas à l'enfer, et elle ne croit guère aux rites et aux formules. Tout l'essentiel de la religion est dans la prière ; et non pas dans une prière que l'on récite, mais dans celle que le cœur dicte à chacun, et qui est une effusion mystique. La foi du Vicaire savoyard est celle de Mme de Wolmar. Peu importent les raisonnements et les subtilités où se perdent notre misérable logique et notre débile entendement. « Rentrons en nous-mêmes » ; écoutons. Une voix nous parle. Un « instinct divin » nous conduit. La conscience, impérieusement, nous trace notre devoir, nous atteste l'immortalité de l'âme, nous promet la récompense de nos renoncements et de nos dévouements. Le Dieu de Rousseau est, comme le Dieu de Pascal, un Dieu « sensible au cœur ».

Si les enseignements du Vicaire s'en étaient tenus là, la religion de Rousseau aurait été mal vue des philosophes ; elle n'aurait sans doute inquiété ni l'autorité française ni l'autorité genevoise. La religion de Julie, qui était « socinienne » et niait les peines de l'enfer, avait passé sans scandale. Malesherbes s'était borné à demander des suppressions pour une édition qu'on imprimerait à Paris : on avait vendu de cette édition autorisée un exemplaire, quand on en vendait cinquante de l'édition non expurgée. Mais les curiosités du Vicaire allaient plus loin. Après avoir démontré sa « religion naturelle », il se demandait ce que valent les religions révélées, qui ajoutent au spiritualisme des dogmes précis et des pratiques impérieuses. L'Évangile est-il un livre révélé ? Que valent les « commandements de l'Église », église de France ou église de Calvin ? Y a-t-il dans l'Évangile la parole même de Dieu ou seulement une morale et une inspiration dignes de Dieu ? Le Vicaire hésite pour la forme. Il admire dans l'Évangile la morale ; il y sent l'esprit de Dieu. Mais il ne croit pas à la révélation. Les religions dites révélées n'ajoutent rien à la religion naturelle. Elles sont inutiles. Elles défigurent à l'occasion la religion intérieure, et elles nourrissent ou peuvent nourrir le fanatisme et l'intolérance. La conscience nous révèle Dieu, l'âme, la Providence, la liberté. Elle est muette sur les dogmes, sur la grâce, sur la confession, sur la Trinité, etc.

Avant Rousseau, des philosophes matérialistes, comme Diderot, avaient pu presque impunément publier leurs livres. C'est que leurs conclusions impies restaient sous-entendues. Quant aux livres ouvertement irréligieux, ils ne circulaient que sous le manteau. Rousseau n'était pas impie, il était hérétique, et ouvertement. Au contraire de tous les livres non orthodoxes, l'*Émile* paraissait avec le nom de son auteur. C'était un défi, ou cela paraissait être un défi. L'autorité le releva et Rousseau, condamné, persécuté en France, à Genève, à Môtiers, à Berne, dut s'enfuir, d'asile en asile, jusqu'en Angleterre.

LA POLITIQUE.

Pour les lecteurs du XVIIIe siècle, Rousseau est l'auteur du *Discours sur l'inégalité*, de la *Lettre à d'Alembert*, de la *Nouvelle Héloïse*, de l'*Émile* : le *Contrat social* compte à peine pour eux. Ni les journaux, ni les critiques, ni les correspondances et mémoires ne le discutent ; c'est à peine s'ils l'analysent en passant. On n'a pas écrit sur cet ouvrage dix lignes pour dix pages qu'on écrivait sur *la Nouvelle Héloïse* ou sur l'*Émile*. Ceux des contemporains qui jugent l'œuvre entière de Rousseau le citent sans s'y arrêter ou même le passent sous silence. Et il semble même que Rousseau l'ait oublié quelque peu et qu'il l'ait tenu, dans son œuvre, pour quelque chose de secondaire et d'imparfait.

Depuis la Révolution, au contraire, *le Contrat social* est réputé l'une des grandes œuvres de Rousseau, et, sinon la plus grande, du moins l'une des plus intéressantes ; les uns la jugent féconde entre toutes, les autres dangereuse entre toutes. Pour ceux qui se proposent non de juger mais de comprendre, *le Contrat* reste l'œuvre la plus mystérieuse, celle qui pose les problèmes les plus irritants.

Jusque-là, certes, Rousseau ne s'était pas interdit les contradictions. Il condamnait les sciences, les arts et le théâtre, et il écrivait des livres et des pièces de théâtre. Il enviait le sort des sauvages qui ne connaissent pas la propriété, et M. et Mme de Wolmar tiennent à la leur et ne partagent pas également « les fruits de la terre ». Mais sur ces contradictions et quelques autres, Rousseau s'était expliqué lui-même, nous l'avons dit. Théoriquement, la civilisation est mauvaise et la propriété funeste ; pratiquement, on est obligé de les conserver. Contentons-nous de ne pas instituer un théâtre là où il n'y en a pas. Si nous ne sommes ni des Valaisans ni des Montagnons, imitons seulement, pour être heureux, M. ou Mme de Wolmar. Vivons sur nos terres avec simplicité, commodément et laborieusement. Si donc on ne découpe pas arbitrairement des phrases pour les opposer à des phrases, tout cela se tient. La meilleure preuve en est que les contemporains, qui ont relevé copieusement les « contradictions » de Voltaire ou celles de Buffon, ont discuté le plus souvent les « erreurs » de Rousseau sans l'accuser de se contredire.

Mais, quand on lit ce *Contrat* qu'ils négligeaient, on rencontre de graves difficultés. Que Rousseau veuille ramener l'homme à l'état de nature, ou qu'il se contente d'élever les enfants comme Émile et de nous offrir pour modèles M. et Mme de Wolmar, c'est vraiment un idéal d'indépendance qu'il nous propose. Tout le *Discours sur l'inégalité* respire le regret de la liberté primitive. Émile doit s'apercevoir à peine qu'il a un maître ; et c'est pour ne jamais dépendre d'aucun maître qu'il apprend un métier. M. et Mme de Wolmar ne semblent relever ni d'un Petit Conseil ni d'un Sénat ; ils organisent leur vie exactement comme il leur plaît. Or, si tous ces rêves d'indépendance doivent nous mener à la politique du *Contrat*, il semble que nous n'aurons fait qu'échanger un esclavage subi contre un esclavage consenti.

Le Contrat organise en effet non plus une éducation judicieuse ou un ménage heureux, mais une société qui veut être juste. Elle ne sera pas juste si elle obéit au droit du plus fort. Elle ne sera pas juste si elle est fondée sur la résignation ou même, à l'origine, sur le consentement des faibles à subir un maître. La justice suppose une « convention » faite d'égal à égal, un contrat. En obéissant à un contrat, que nous avons discuté, nous n'obéissons qu'à nous-mêmes, qui l'avons consenti. Mais, pour Rousseau, ce consentement est sans réserves et sans retour. Le contrat est tyrannique ; l'État qu'il organise a le droit de se montrer implacable. Toute désobéissance à la loi est un crime, et s'il s'agit des lois fondamentales et de celles qui, par exemple, règlent la religion, ce crime sera puni de mort. Par là l'État détient, nécessairement, une autorité minutieuse, souveraine, sans appel. Julie de Wolmar n'aura plus le droit d'administrer ses terres à sa guise, ni d'exposer publiquement, en mourant, sa façon de comprendre la religion. Elle sera contrainte d'appliquer le contrat.

D'où vient cette contradiction ? Et comment la résoudre ? Elle tient d'abord à ce que *le Contrat* n'est pas nécessairement l'aboutissement ou le résumé, ni même peut-être l'essentiel de la politique de Rousseau. Rousseau avait songé depuis longtemps à composer un traité des *Institutions politiques*. Mais, comme il le dit, l'entreprise était trop vaste pour ses forces. Il se contenta d'écrire en deux années, et en achevant l'*Émile*, le *Contrat*, qui n'est qu'un chapitre du traité projeté. Et ce n'en est pas nécessairement le chapitre initial posant les principes d'où découleront rigoureusement tous les autres. C'est simplement celui que Rousseau pouvait écrire avec le moins d'effort et avec le plus de précision. C'est une spéculation théorique. Montesquieu, dans son *Esprit des lois*, avait composé une étude historique en même temps que philosophique sur les gouvernements humains. Mais cette histoire est une mer immense où Rousseau n'a pas le loisir de s'aventurer. Il se propose plus simplement, et il le dit, de raisonner sur l'organisation idéale d'une société idéale, où il y aurait la plus grande part possible de justice, d'ordre, de sécurité. Problème difficile et dont il ne découvre pas tout de suite la solution la meilleure. Nous possédons du *Contrat* une première rédaction fort différente, dans ses conclusions, du texte imprimé. Problème complexe : le contrat ne sera juste que s'il sert vraiment non l'intérêt d'une minorité habile ou l'intérêt d'une majorité brutale, mais l'intérêt de tous. Pour que les intérêts égoïstes n'empiètent pas insensiblement sur la « volonté générale », Rousseau prend des précautions subtiles. Les clauses de son contrat sont calculées comme un mécanisme d'horlogerie. Mais c'est un calcul sur le papier. C'est une spéculation.

ROUSSEAU EN 1766, lors de son séjour en Angleterre. Peinture de Ramsay (musée d'Édimbourg). — CL. BRAUN.

Les contemporains n'y ont pas vu autre chose. Pour nous, spéculer sur la politique, c'est nécessairement donner des conseils aux hommes d'État, parce que la politique, aujourd'hui, fait et défait sans cesse les obligations sociales. Mais en 1760 il n'y avait à peu près aucun contact entre ceux qui raisonnaient du gouvernement et ceux qui gouvernaient. On croyait que l'ordre essentiel des choses, bon ou mauvais, était fixé. On ne croyait pas vraiment à une Révolution. On n'espérait que des réformes. Dès lors, puisque la révolution du contrat ne pouvait être qu'un jeu de dialecticien, on pouvait la pousser jusqu'au bout. Et Rousseau la pousse jusqu'au bout, comme bien d'autres l'avaient fait avant lui.

Il n'est pourtant pas un pur théoricien. Il a eu un idéal pratique, au contraire d'écrivains comme Morelly. Et cet idéal, en lui-même, est d'une parfaite unité. La vie sociale la meilleure qui soit actuellement réalisée, c'est celle des Montagnons de la *Lettre à d'Alembert*, celle des Valaisans de *la Nouvelle Héloïse*, celle des Genevois pour une part, bien que les mœurs se corrompent à Genève. En France, les riches peuvent s'en rapprocher en vivant sur leurs terres, comme M. et Mme de Wolmar, et en élevant leurs enfants selon les préceptes de l'*Émile*; les pauvres, en s'accommodant de plaisirs simples comme ceux que Rousseau aimait. Tout cela ne dépend que de l'initiative individuelle. La réforme politique et la fabrication de lois justes et

utiles sont choses infiniment plus malaisées. On ne les construit pas sur une table rase. Il faut tenir compte du climat, de la race, du passé et même des vices inguérissables enracinés par le passé. Si bien qu'une législation sera toujours une construction empirique, que dirigeront des principes, quand il se pourra, et qui ne sera qu'un pisaller quand la théorie sera inapplicable. Rousseau n'a jamais ignoré ces nécessités pratiques. Quand il ne spécule plus, lorsqu'il donne aux Polonais ou aux Corses, qui les lui demandent, des conseils pour organiser leur constitution, ce sont des conseils qui valent pour les Polonais ou les Corses et ne valent que pour eux. Rousseau n'y édifiera rien dans l'abstrait; il raisonnera sur le terroir du pays considéré, sur ses ressources naturelles, sur le caractère national, sur les traditions locales. Au besoin, il contredira ses théories, parce qu'en raisonnant sur l'inégalité ou le contrat social, il a raisonné pour la philosophie, non pour la Corse et la Pologne.

LES CONFESSIONS

Les Confessions *furent composées de 1764 à 1770. Elles s'arrêtent au départ de l'île Saint-Pierre. Il faut les compléter par trois dialogues écrits en 1775-1776,* Rousseau juge de Jean-Jacques, *où la manie de la persécution dont souffrait l'auteur s'exagère jusqu'à la folie; par les* Rêveries du promeneur solitaire, *plus lucides, plus apaisées et qui renferment quelques-unes des pages les plus harmonieuses et les plus pittoresques de Rousseau, et par la* Correspondance. *Les livres I-VI des* Confessions *furent publiés en 1781; les livres VII-XII, par Moultou fils, en 1788; les* Dialogues *et les* Rêveries, *par Du Peyrou, dans son édition des* Œuvres *(1782-1790).*

Rousseau a été pour ses contemporains un modèle. Ils ont connu ses vertus profondes; ils ont admiré l'homme sincère qui vivait comme il conseillait de vivre, dédaignant l'argent qu'on gagne par les intrigues et la flatterie, capable de supporter dignement et d'aimer la pauvreté, et qui goûtait les plaisirs simples, la promenade, la rêverie, la musique; bon, certainement, et généreux, hostile aux riches et aux importuns, accueillant pour les pauvres, pour les gens du peuple, pour quelques amis sûrs; persécuté, enfin, pour des idées aventureuses peut-être, ou fausses, mais désintéressées. Mieux que le riche et sarcastique Voltaire, que Buffon superbe et lointain, que Diderot mal connu et familier des riches, on aima Rousseau comme on aimait son œuvre. Mais quand les *Confessions* parurent, la physionomie de Rousseau fut transformée et le sens de son œuvre changea.

C'est le libraire Rey, d'Amsterdam, qui avait prié Rousseau d'écrire un récit de sa vie pour le placer en tête d'une édition de ses œuvres. Le projet séduisit Rousseau. Mais en commençant ce travail, sans doute à Môtiers-Travers, il en attendit tout de suite autre chose qu'un profit de librairie et des satisfactions d'amour-propre. A travers toute son œuvre il s'était cherché lui-même. Les *Discours*, la *Lettre à d'Alembert* et la *Profession de foi* avaient exprimé

DESSIN « FIXÉ SUR VERRE ».   AQUARELLE-ENSEIGNE.

On possède de nombreux documents de ce genre, qui forment l'iconographie populaire de Jean-Jacques. — CL. LAROUSSE.

son renoncement progressif aux corruptions des sociétés modernes et aux erreurs philosophiques. *La Nouvelle Héloïse*, c'était son rêve d'amour et son rêve de vie domestique; l'*Émile*, son rêve d'enfance et de jeunesse. Mais il se retrouvait moins bien dans les réalités de son existence que dans ses rêves littéraires. L'homme est né bon et la société le dépave. Rousseau aussi est né bon; et il l'est toujours. Sa conduite pourtant a été dépravée, par la faute de la vie sociale. S'il ose, ce que jamais un homme n'a osé, raconter sa vie avec une absolue sincérité, ce récit peut donc être une démonstration vivante de sa doctrine. On y verra les erreurs, l'effort pour retrouver la vérité, le triomphe de la nature et du cœur. En confessant la vérité de sa vie, Rousseau démontrera du même coup la vérité de la vie.

Mais on a persécuté Rousseau pour avoir dit la vérité. Et aux persécutions réelles son cerveau inquiet et malade a ajouté bientôt des persécutions imaginaires. Déjà la brouille avec Mme d'Épinay et Diderot avait trahi une humeur sombre et une maladive susceptibilité. L'acharnement réel de ses ennemis, qui le chassèrent de France, de Genève, d'Yverdon, de Môtiers, de l'île Saint-Pierre, troubla définitivement son esprit. Il construisit sur les plus vagues indices ou sur de simples chimères, forgées par son imagination, un vaste complot organisé par la coterie holbachique, c'est-à-dire par Diderot, Grimm, Mme d'Épinay, d'Holbach, puis Hume, et par tous les autres philosophes acharnés à détruire son œuvre. Les *Confessions*, chemin faisant, cessèrent d'être désintéressées; elles devinrent de plus en plus une apologie, une défense contre les calomnies de la coterie. La comparaison des deux rédactions que nous avons des livres I-IV montre assez clairement cette transformation. Mais les contemporains et la postérité ont lu dans son œuvre autre chose.

Jusqu'aux *Confessions*, les lecteurs ont vu en Rousseau ce qu'il voulait être, et ce qu'il était d'ailleurs pour une part. Le Rousseau auquel ils croyaient n'est pas un mondain avide de plaisirs, un homme de lettres asservi au succès, un philosophe qui poursuit la vérité. Il est un homme qui souffre, comme tous les hommes, et qui poursuit le bonheur. C'est le bonheur qu'il

trouve aux Charmettes. C'est du bonheur qu'il s'éloigne quand il vient à Paris raisonner avec les raisonneurs. C'est le bonheur qu'il aurait retrouvé à l'Ermitage et ailleurs, si les raisonneurs ne s'étaient pas unis pour l'accabler. Sans doute il n'y a pas de bonheur vrai si l'on ne possède pas ou si l'on ne croit pas posséder la vérité. Mais une vérité qui ne conduit pas vers le bonheur, comme celle où le matérialisme enseigne le néant de toutes choses, témoigne par cela même qu'elle n'est pas la vérité. Tout de même, une morale et une société qui nous mènent à des plaisirs égoïstes et funestes, et qui perpétuent la misère et la souffrance, sont une morale fausse et une société despotique. L'homme est bien né pour être heureux; il a le droit d'être heureux; mais il n'y a en lui qu'une faculté qui puisse lui donner le bonheur, c'est le sentiment. Le sentiment lui révèle d'un seul coup les seules vérités qui soient essentielles. Et le sentiment postule immédiatement la vertu; car la vertu, c'est simplement ne pas pouvoir être heureux au prix de la souffrance des autres, ou quand on sait que les autres souffrent. Le sentiment postule également la vie simple et, autant que possible, la vie rustique. Il proscrit l'ambition vaine, le luxe, les complications raffinées des arts, et même les curiosités inquiètes de l'intelligence. Vivre, c'est sentir, mais entendons sentir la bonté de Dieu, l'harmonie de sa création, l'affection des siens, les plaisirs de la vertu.

C'est ce Rousseau-là, et celui-là seulement, qu'on a connu et suivi pendant vingt ou trente ans. Et c'est celui-là qui a exercé une influence sans doute nécessaire et bienfaisante. Dès 1770 ou 1780, il a sans doute des disciples qui sont des âmes tourmentées, désespérées, acharnées contre elles-mêmes et contre la vie. Il y a des âmes fatales et qui se meurent du mal du siècle; mais c'est parce qu'elles

LE TEMPLE DE LA PHILOSOPHIE, dans le parc d'Ermenonville.
CL. LEGRAND.

L'ILE DES PEUPLIERS, A ERMENONVILLE, ET LE TOMBEAU DE ROUSSEAU. Dessin de Moreau le Jeune, 1778. — CL. LAROUSSE.

ont été gagnées par la manie du sombre, parce qu'elles ont lu les *Nuits* de ce Young, ce *Werther* ou les livres de ce Baculard, qu'aucun contemporain n'a jamais confondus avec l'œuvre de Rousseau. Ceux qui sont vraiment les disciples de Jean-Jacques, ce sont ceux auxquels il apprend non les tortures, mais les « délices » du sentiment. On y met sans doute de l'exaltation et des « transports ». Il y a comme une griserie de la révélation. On avait vécu pendant tant d'années d'une vie sèche, égoïste et frivole; on avait été si longtemps « géomètre », même en poésie, et « persifleur », même en amour, qu'on ne veut plus mesurer ses ardeurs ni discuter ses illusions. D'ailleurs, on aime avec les mêmes transports que sa femme, que sa fiancée, que ses enfants, que ses amis, l'humanité, la bienfaisance, l'héroïsme; on aime Dieu, et toutes ces beautés qu'il a créées pour nous, les champs, les bois, les collines, les monts, le soleil levant et le soleil couchant. La littérature, la pensée et la vie ne veulent plus être qu'un immense élan.

Mais les *Confessions* devaient transformer nécessairement l'image de Rousseau, le sens de son œuvre, son influence. On y admire sans doute ce qui en fait l'éternel intérêt. Il n'y a pas de récit plus vivant d'une vie d'homme. Il n'y en a pas qui mette autour d'aventures exceptionnelles des décors plus séduisants, plus variés, plus neufs. Quand Rousseau le rédigeait, il avait renoncé à vivre pour l'avenir ou même pour le présent. Il vivait de rêves et de souvenirs. Ainsi le passé s'est évoqué devant ses yeux avec une puissance singulière et même une telle magie qu'il l'a parfois inconsciemment embelli ou transformé. Il y a dans les *Confessions* des retouches ou des déformations de la vérité qui s'expliquent et qui trahissent de la vanité; il y en a d'autres, et les plus graves, que rien ne peut expliquer, ou du moins rien de médiocre, et qui ne sont qu'une sorte de transformation spontanée de ce rêve du passé que Jean-Jacques vivait tout éveillé. Mais, avant comme après les

enquêtes des érudits, on a trouvé dans les *Confessions* autre chose que des plaisirs littéraires ou des curiosités biographiques.

Rousseau n'a jamais vécu vraiment pour la gloire. Il ne s'est jamais fait délibérément le centre du monde. Mais il est le centre des *Confessions*. C'est lui, toujours lui. On oublie même trop facilement, à lire ce livre, que ce sont des *confessions*, où l'auteur n'avoue ses vices que pour les détester. Et parce qu'il a du génie quand il raconte, et qu'il est par ailleurs un homme de génie, on est tenté de les oublier pour ne plus se souvenir que du génie. Ainsi tous ceux qui eurent ou qui se crurent du génie furent tentés de croire que le monde allait prendre à leur vie l'intérêt qu'il prenait à celle de Rousseau. Puisque, malgré son enfance de vagabond sans scrupules, malgré l'abandon de ses enfants, Rousseau avait conduit l'âme de toute une génération, ceux qui avaient ou se croyaient du génie prétendirent être à leur tour des conducteurs, sans avoir à rendre compte de leur propre conduite. Ils trouvèrent, même dans les *Confessions*, la preuve que le génie dispense des scrupules réservés aux âmes médiocres. Jean-Jacques, dans son œuvre, avait sans doute enseigné la vertu : avant les droits de la passion il avait affirmé d'abord les devoirs de la conscience. Et il y a bien dans les *Confessions* des efforts de conscience. Certains aveux sont vraiment des actes courageux et non pas seulement des subterfuges de l'orgueil. Le Rousseau de quarante-cinq ans rachète le Rousseau de la quinzième ou de la trentième année. Mais on trouvait surtout dans les *Confessions* l'histoire d'un homme qui, trop souvent, ne lutte contre son imagination, sa passion ou ses nerfs que pour être vaincu; le tableau d'une existence non pas conduite par une volonté réfléchie et une intelligence lucide, mais sans cesse emportée par le caprice, le rêve, l'exaltation. Rousseau, assurément, n'y affirmait pas les « droits de la passion » ni le devoir de « vivre sa vie »; mais, en fait, la vie qu'il avait vécue s'était toujours fort peu souciée des règles communes. S'il n'avait pas prêché la révolte ni même vécu en révolté, il avait vécu du moins hors de l'ordre accepté et des formes communes de la vertu. Enfin, s'il avait vécu malheureux et persécuté, il apparaissait clairement qu'il avait été la victime de ses ennemis intérieurs beaucoup plus que des philosophes et de l'autorité. En recevant du ciel la sensibilité, il avait reçu le « fatal présent ». Ainsi les lecteurs trouvaient dans les *Confessions* ce qu'ils n'avaient pas trouvé dans les autres écrits de Rousseau : les raisons ou du moins les prétextes de faire de toute œuvre littéraire une confession, de se donner au monde en exemple, de mettre l'imagination et les passions de l'homme de génie au-dessus des lois communes et des scrupules du vulgaire et, si le bonheur leur échappait, de dresser leur souffrance à la face du ciel pour l'accuser.

C'est une question d'opinion que de déterminer dans le romantisme ses vertus ou ses défauts. C'est une question d'histoire fort complexe de savoir si le romantisme est « tout Rousseau ». Mais c'est un fait clair et certain que Rousseau, avant ses *Confessions*, n'enseigne rien, ou à peu près rien, du romantisme. C'est avec les *Confessions* seulement, et seulement au temps de la Révolution, que commence une influence qu'il ne voulait d'ailleurs pas exercer et qu'il aurait assurément détestée.

VII. — LE THÉATRE. LE ROMAN. LA POÉSIE

LE THÉATRE

HISTOIRE DES THÉATRES. — *Les principaux théâtres de Paris, dans la deuxième moitié du XVIIIe siècle, sont (outre l'Opéra) la Comédie-Française et l'Opéra-Comique. Les Comédiens français jouèrent d'abord rue des Fossés-Saint-Germain, puis aux Tuileries, à partir de 1770, puis sur l'emplacement où se trouve aujourd'hui l'Odéon, à partir de 1782. La troupe de l'Opéra-Comique avait joué d'abord à la Foire Saint-Germain et à la Foire Saint-Laurent. La direction de Monnet et la fameuse querelle des Bouffons (entre les partisans de la musique italienne, représentée par Pergolèse, et ceux de la musique française, représentée par Rameau, où Rousseau et les encyclopédistes prennent parti contre Rameau) lui assurent un vif succès. En 1765, par suite de sa fusion avec la troupe des Comédiens italiens, la troupe de l'Opéra-Comique se transporta à l'Hôtel de Bourgogne ; en 1783, elle s'établit enfin aux lieux voisins des boulevards, d'où elle n'a plus bougé. Les autres scènes parisiennes de l'époque sont, au boulevard du Temple, le théâtre de Nicolet, qui prend, en 1772, le titre de théâtre des Grands Danseurs du roi ; l'Ambigu-Comique, fondé en 1769 par Audinot (pantomimes et féeries) ; le Théâtre des associés (créé en 1774) ; les Variétés amusantes (créées en 1778, rue de Bondy).*

Voir J.-J. Olivier, les Théâtres, *dans la Vie parisienne au XVIIIe siècle, par H. Bergmann, L. Cahen, etc., 1914.*

LA TRAGÉDIE. — *Dans la deuxième moitié du XVIIIe siècle, les tragédies qui eurent le plus de succès (celles de Voltaire mises à part) sont : le Siège de Calais (1765), Gaston et Bayard (1777), par de Belloy ; Iphigénie en Tauride, par Guimond de La Touche (1758), et les adaptations de Shakespeare par Ducis (Hamlet, Roméo et Juliette, le Roi Lear, Macbeth, Othello, de 1769 à 1793).*

Le théâtre a toujours été aimé en France. Il est aimé, dans la deuxième moitié du XVIIIe siècle, avec « fureur ».

Aux théâtres officiels de l'Opéra, de l'Opéra-Comique, de la Comédie-Française, s'adjoignent tous les théâtres des boulevards, qui n'ont pas le droit de jouer de vraies pièces, mais dont les parades, parodies, féeries et spectacles divers font la fortune de directeurs ingénieux. Les « théâtres de société », ou théâtres privés, continuent à se multiplier. La comédie de salon est le plus goûté des divertissements mondains. Tout le monde joue des « proverbes » et quiconque se pique d'écrire écrit sa tragédie, sa comédie, son drame, son proverbe ou sa charade : Rousseau comme Diderot, Marmontel comme Colardeau, La Harpe comme Chamfort. Mais, l'œuvre de Beaumarchais mise à part, il ne reste rien de tant d'ouvrages justement oubliés, et il ne vaudrait pas la peine d'en parler, s'ils ne servaient à expliquer comment on a voulu renouveler la tradition du théâtre classique et comment se sont préparés le drame romanesque et la comédie moderne. La route traverse, au XVIIIe siècle, un vaste désert d'œuvres ; mais elle mène tout de même vers l'avenir.

De la tragédie, rien à dire. Les auteurs tragiques défendent le passé, les règles, la dignité du genre, la « noblesse » du style et du ton, les « grands sujets » où se débattent de grands intérêts, où s'agitent de solennelles passions. Pourtant, comme le respect des règles ou les grands sujets ne suffisent plus pour captiver le spectateur, on essaie de mettre dans les vieux cadres du nouveau. On y glisse ce qui s'étale plus largement dans le drame ou le mélodrame, un peu de mise en scène, ou des catastrophes qui ne sont plus le classique coup de poignard ou le traditionnel suicide. Par exemple, de Belloy retrace le triste destin de Gabrielle de Vergy, à qui son mari fit manger le cœur de son amant. Ducis donne de Shakespeare une image froide et décolorée. Surtout on met dans la tragédie, comme le fit Voltaire, de la « philosophie », la haine du fanatisme, l'amour de la « tolérance » ou de « l'humanité ». On veut plaider non plus pour le triomphe de la volonté sur la passion, mais pour celui de la raison sur les préjugés, ou de la liberté sur le despotisme. Marmontel et La Harpe maudissent Denys le Tyran (1748), ou célèbrent les révoltes généreuses de Timoléon (1764) ou de Menzicoff (1775). On ose, sous des fictions transparentes, dénoncer les « fureurs des prêtres » et les « crimes du fanatisme » (Dubois-Fontanelle, *Éricie ou la Vestale*, 1768, jouée en province dès 1780 ; Le Blanc, *les Druides*, 1771 ; Lemierre, *la Veuve du Malabar*, 1770). Mais la philosophie ennuie parfois ; elle est périlleuse et risque de mener l'auteur à la Bastille. On révèle donc aux Français les gloires de la France et les « fastes de la nation » ; à la place des vertus grecques, romaines ou chinoises, on célèbre des « vertus nationales » et « patriotiques ». De Belloy se vantait d'avoir révélé ces grandeurs nationales dans son *Siège de Calais*. En réalité, Hénault avait déjà fait jouer un *François II* (1747), Voltaire une *Adélaïde Du Guesclin* ; Baculard d'Arnaud avait écrit un *Coligny* (1740). Mais le succès avait été médiocre. *Le Siège de Calais* fut, au contraire, un triomphe retentissant, et le triomphe du « patriote » tout autant que du dramaturge. « Reprendre un vers dans cette tragédie, c'était s'annoncer un mauvais citoyen. » C'est la première pièce que fait imprimer d'Estaing dans l'Amérique française. De Belloy est nommé « citoyen de Calais ». Dès lors, les auteurs partent à la découverte des gloires françaises et des héros nationaux, depuis le temps lointain de Childéric Ier jusqu'au temps d'Henri IV. Le chevalier Bayard, Du Guesclin sont ainsi célébrés sur les planches. On ne joue pas moins de six pièces sur Henri IV. Il y a une trentaine de tragédies ou drames nationaux.

Mais si Du Guesclin et Henri IV servirent heureusement la cause du patriotisme, ils ne sauvèrent pas celle de la tragédie. Les contemporains n'ont pas caché qu'ils applaudissaient faute de mieux. La tragédie ennuie. Et ce sont ses principes mêmes qu'on accuse, tout autant que la médiocrité des auteurs. Dès le début du siècle, Fontenelle et La Motte avaient contesté la sagesse des règles. Le théâtre de la Foire en faisait des gorges chaudes. Bientôt, les critiques les plus prudents concèdent qu'il n'est pas nécessaire d'observer en toute rigueur les règles de l'unité de temps et de l'unité de lieu, « si un beau sujet le demande ». Et leurs concessions mènent aux révoltes tapageuses de L.-S. Mercier et de quelques autres : « Ce qui a surtout perdu l'art en France, c'est d'avoir suivi les unités de temps et de lieu; les poètes français se sont tous mis volontairement au cachot, en tendant les mains aux chaînes pesantes de ces deux unités. » Tout le monde n'approuvait pas les violences de Mercier; mais tout le monde pensait qu'il fallait tenter des routes nouvelles. Ces routes, ce furent celles où l'on engagea le drame.

COSTUME DE Mᴸᴸᴱ DUMÉNIL
Ans le Rôle d'Athalie

COSTUME DE Mᴿ ROUSSEAU
Rôle d'hyppolite dans Phèdre

GRAVURES tirées des « Recherches sur les costumes » de Le Vacher de Charnois (1786-1789). On voit qu'à cette époque le costume des acteurs était tantôt conventionnel et tantôt soucieux de vérité. — CL. LAROUSSE.

LE DRAME. DIDEROT

Les théories dramatiques de Diderot s'expriment surtout dans les Entretiens, *publiés à la suite du* Fils naturel (1757), *dans le* Discours du Poème dramatique, *publié à la suite du* Père de famille *(1758), et dans le* Paradoxe sur le comédien *(publié en 1830).* Le Fils naturel *fut joué en 1771, mais tomba;* le Père de famille, *à Marseille en 1760, à Paris en 1761, avec un succès honnête; il fut repris à Paris, en 1769, avec grand succès. Diderot a écrit, en outre, une adaptation du* Joueur, *de l'Anglais Moore (publiée en 1769) et différents essais, dont* Est-il bon ? est-il méchant ? *(publié en 1830).*

Voir Gaiffe, Étude sur le drame en France au XVIIIᵉ siècle, *1910.*

C'est assurément Diderot qui fit la fortune du drame. Pourtant, il ne prétendait pas inventer de toutes pièces sa doctrine. Il reconnaissait que la « comédie sérieuse » avait déjà été tentée en France, par Landois, dans sa *Sylvie* (1741), et par Mᵐᵉ de Grafigny, dans sa *Cénie* (1750). Fontenelle avait discuté la théorie de la comédie sérieuse dans la préface de ses *Comédies* (1751). Les Anglais avaient depuis longtemps donné des modèles dont Diderot se souvenait. *Le Marchand de Londres* de Lillo (joué en 1731) avait été traduit dès 1748. *Le Joueur* de Moore (joué en 1753) n'est traduit qu'en 1762. Aux comédies larmoyantes de Nivelle de La Chaussée, aux tentatives de Voltaire, on pourrait ajouter depuis 1759, d'autres pièces, de Chevrier, de Voisenon, etc. Les Français plus timidement, les Anglais avec une audace plus brutale, avaient renoncé aux « conventions tragiques » et cherché à émouvoir non pas seulement par des monologues ou des discours, mais par des gestes, des attitudes et des « tableaux ». Les conventions matérielles de la scène sont vaincues. Le comte de Lauraguais paie, en 1759, aux Comédiens français, trente mille livres, pour qu'on enlève de la scène les bancs où les gens à la mode venaient s'asseoir et qui ne laissaient aux acteurs que quelques pieds carrés. Le costume, pendant longtemps, n'avait été qu'un travestissement. On voit, disait Rousseau, « Cornélie en pleurs avec deux doigts de rouge, Caton poudré à blanc, et Brutus en panier ». Vers 1785, Lekain représentait encore Oreste

« en perruque noire à la Louis XIV, habit de velours marron à brandebourgs d'or, veste de satin rouge, bas pareils, chapeau galonné, à trois cornes et plumet rouge ». Quand Mᴸᴸᴱ Dumesnil, en fuyant le poignard d'Horace, s'embarrasse dans son panier et tombe sur la scène, Horace rengaine son poignard, met ses gants et la relève. Pourtant, avant les drames de Diderot, l'Opéra-Comique avait mis de la vérité dans les costumes et du sentiment à la place des plumes et des paniers. Dès 1753, Mᵐᵉ Favart joue l'ingénue de *Bastien et Bastienne* en robe de laine, croix d'or, cheveux plats, bras nus et les pieds dans des sabots; et les sabots firent pour une part la fortune de la pièce. Pour l'opéra-comique des *Chinois* (1756), les habits sont faits « à la Chine », et à Constantinople pour *les Trois Sultanes* de Favart. Même à la Comédie-Française, Mᴸᴸᴱ Clairon joue *l'Orphelin de la Chine* (1755) en habit qui est chinois, ou à peu près, et l'*Électre* de Crébillon en « habit d'esclave », comme on disait, échevelée, les bras chargés de fers. On est d'ailleurs moins audacieux pour le décor, malgré les « nouveautés » de Voltaire, malgré l'ombre de Ninus et les boucliers à devises du tournoi de Tancrède. Jusqu'en 1783, la scène n'est éclairée que par des lampions à mèche. Le bûcher de *la Veuve du Malabar* est encore, en 1770, écarté de la scène; il n'y sera installé qu'en 1780. Ce n'est guère que vers 1760 ou même vers 1770 que l'on essaiera vraiment de « parler aux yeux ».

LA DOCTRINE DRAMATIQUE DE DIDEROT.

Diderot a eu le mérite de raisonner clairement et d'organiser en un système précis ce qui était resté le plus souvent confus chez les auteurs et les directeurs. Il a résumé nettement ce qui manquait à notre théâtre et ce qu'il avait résolu de lui donner : « la tragédie domestique et bourgeoise à créer »; c'est-à-dire que les héros ne seront plus des rois ou des princes, mais des marchands à l'occasion, des bourgeois et « des gens comme vous et moi »; — le genre sérieux à perfectionner, c'est-à-dire qu'on ne sera plus obligé de choisir entre le rire de la comédie et l'horreur de la tragédie, et qu'on pourra susciter une émotion qui soit sérieuse et non plus divertissante ou farouche ; — « les conditions de l'homme à substituer aux caractères » ; c'est-à-dire qu'au lieu des passions éternelles qui sont de tous les temps et de tous les pays, on étudiera les problèmes qui se posent à un marchand, parce qu'il est marchand ; à un père, bourgeois de Paris et riche, parce que son fils veut épouser une fille pauvre et qui travaille de ses mains ; — « la pantomime à lier étroitement avec l'action dramatique » ; c'est-à-dire que ce ne sont pas seulement les paroles qui nous touchent, mais aussi les jeux du visage, les gestes et les silences, et qu'on peut faire une scène avec « quelques monosyllabes,... une exclamation,... un commencement de phrase » ; — « la scène à changer, et les tableaux à substituer aux coups de théâtre » ; c'est-à-dire que les effets sont aussi émouvants que la cause et que le tableau d'une famille en deuil remue le cœur aussi fortement que la nouvelle du deuil qui la désespère.

Diderot a mis tous ces ressorts dans ses drames. Ce sont bien des comédies domestiques ou bourgeoises. Ce sont des pièces sérieuses où il n'y a pas à rire, mais qui se terminent par d'honnêtes mariages et non par des suicides ou des meurtres d'amants. Les gens, sans doute, y sont conduits par leur caractère autant que par leur condition, car les angoisses de Dorval dans *le Fils naturel* ou celles de Mme Bertrand dans *Est-il bon ? est-il méchant ?* tiennent à leur conscience et non à leur situation sociale ; mais le Père de famille n'hésite pourtant à marier son fils à Sophie que parce qu'il est un bourgeois considéré et que Sophie est une lingère. La pantomime est bien liée à l'action dramatique, car il y a des scènes qui sont muettes et des monologues où l'essentiel est dans les points de suspension et dans les points d'exclamation. Et s'il y a enfin des coups de théâtre, il y a aussi des tableaux composés pour l'attendrissement des spectateurs, dans le style du *Fils ingrat* ou de *l'Accordée de village* de Greuze.

Il ne manque aux drames de Diderot qu'un mérite : la vérité et la vie. Il a pu trouver la vérité de la pantomime et du geste, et, si l'on veut, celle des situations ; il n'a oublié qu'une chose : celle des âmes. Il s'est imaginé en présence de ses personnages ; il s'est attendri, indigné, exalté. Il a dressé les bras vers le ciel ; il a pris la parole. Et c'est lui, toujours, qui parle, qui prêche, qui s'émeut. Il tire des événements des leçons et des moralités. Son drame devient un sermon, le sermon qu'il prononcerait s'il intervenait entre le Père de famille et son fils, s'il avait à conseiller l'ami qui craint d'aimer la fiancée de son ami. La tragédie et la comédie du XVIIIe siècle avaient cessé d'être vivantes du jour où elles avaient analysé, non plus l'âme d'un glorieux, mais celle du glorieux, non plus celle d'une mère, mais celle de la mère. Pourtant Diderot n'a été ni plus judicieux ni plus pénétrant. Il n'a guère su imaginer que des situations : ses personnages ne sont que des êtres conventionnels, les prétextes d'une démonstration pathétique et morale. Le seul qui vive parfois, c'est celui qui est justement Diderot, le M. Hardouin de *Est-il bon ? est-il méchant ?* Les autres ne sont que le père, le fils, l'ingénu, le bienfaiteur, et la vérité de leurs gestes n'est plus que celle de marionnettes bien construites et adroitement maniées.

L'INFLUENCE DES DRAMES DE DIDEROT.

Après Diderot, les principaux auteurs de drames sont Baculard d'Arnaud (1718-1805 ; le Comte de Comminges, 1764 ; Euphémie, 1768) ; Sedaine ; La Harpe (1739-1803 ; Mélanie, 1778) ; Beaumarchais (Eugénie, 1762 ; la Mère coupable, 1792) ; Louis-Sébastien Mercier (1740-1814) ; Jenneval, 1768 ; le Déserteur, 1782 ; la Brouette du vinaigrier, 1784).

Voir : Gaiffe, ouvrage cité ; R. de La Villehervé, F.-Th. de Baculard d'Arnaud, son théâtre et ses théories dramatiques, 1920 ; L. Béclard, L.-S. Mercier, 1903.

Les contemporains de Diderot ont écrit des drames historiques sur *la Destruction de la Ligue* ou *la Mort de Louis XI* (L.-S. Mercier), comme on écrivait des tragédies historiques ; des drames philosophiques, comme on écrivait des tragédies philosophiques (*la Maison de Socrate*, de L.-S. Mercier). A côté du drame bourgeois, ils ont voulu créer le drame populaire, et Mercier fera pleurer en mettant à la scène, dans *la Brouette du vinaigrier*, les noces de la fille d'un riche négociant avec le fils d'un homme qui promène du vinaigre à vendre sur une brouette. Ils cherchent parfois, comme Marmontel le leur reproche, « les mœurs des halles, le pathétique des galetas, des prisons et des hôpitaux ». Les décors mêmes montrent des ateliers de menuisiers, des mansardes, des paysages, des châteaux forts ; on voit des défilés guerriers, des combats en champ clos, des incendies, un camp la nuit, des préparatifs d'assaut pendant que gronde l'orage. Ce sont bien là des nouveautés. Mais les audaces de ces auteurs sont presque toujours mesurées. La décence et les bienséances, qui escortent en scène les tragédies, surveillent encore les drames d'assez près. Ni l'anglomanie, ni le goût du sombre, ni le mépris pour Boileau ne donnent aux auteurs la hardiesse de transposer fidèlement les drames anglais. Comme on affadit Shakespeare, on accommode *le Marchand de*

LE DÉSERTEUR.   LA BROUETTE DU VINAIGRIER.
Gravures illustrant les drames « populaires » de L.-S. Mercier. — CL. LAROUSSE.

Londres au goût de Paris. La courtisane de Lillo devient, dans l'adaptation d'Anseaume, une jolie veuve.
La Harpe préfère lui aussi la jolie
veuve; il rejette le meurtre dans la
coulisse, comme Corneille celui de
Camille. Et Mercier aime mieux
convertir son Jenneval que de le
faire exécuter. Aucune des frénésies
ou des splendeurs romantiques
n'anime vraiment ces drames du
XVIIIᵉ siècle. Ils mènent le théâtre
français vers d'autres nouveautés.

Vers le mélodrame d'abord. Les
premiers mélodrames emprunteront
leurs cachots, leurs massacres, leurs
fantômes et leurs diableries au
« roman sombre », au « roman noir »,
aux inventions des Walpole, des
Baculard d'Arnaud, des Loaisel de
Tréogate. Mais ils emprunteront
aussi au drame de Baculard le goût
du spectacle horrible et des gestes
de démence. *Le Comte de Comminges*
(1764) eut un succès retentissant, et
ce fut un succès d'épouvante. Les
trois actes se déroulent à la lueur
d'une lampe funéraire, dans un

SEDAINE. Gravure de Levesque, d'après
David. — CL. LAROUSSE.

souterrain où l'on ensevelit les moines de la Trappe;
des fosses à demi creusées s'ouvrent, des crânes s'entassent au pied d'un crucifix. Dans *Euphémie*, l'héroïne
s'écroule dans une tombe ouverte sous ses pas. Les Comédiens français annoncent qu'ils tiennent des eaux spiri-
tueuses à la disposition des dames sensibles qui crain-
draient de s'évanouir.

L'exemple de Diderot a contribué également à orienter
le théâtre vers la discussion des idées sociales et des problèmes moraux. Jusqu'à lui l'auteur dramatique n'avait
été « d'aucun temps ni d'aucun pays ». Les drames, surtout
ceux de L.-S. Mercier, parlent au contraire sans cesse aux
spectateurs d'eux-mêmes, de ceux qui leur ressemblent,
qui sont des marchands, des bourgeois ou des gens du
peuple comme eux. . Ils raisonnent sur les problèmes de
la vie pratique plutôt que sur ceux de la morale abstraite.
Ces auteurs dramatiques semblent des prédicateurs chargés
d'en appeler des préjugés et des abus à la justice, à l'humanité, à la bienfaisance. Ils enseignent à écouter la nature,
qui est toujours généreuse, et le cœur, qui est toujours
dévoué. Ils défendent les droits de la passion sincère,
pourvu qu'elle conduise à de justes noces et à des foyers
féconds. Ils embrassent la cause des victimes contre les
tyrans, des laborieux contre les oisifs, des vertueux contre
les corrompus. Ils préparent, à lointaine échéance, les
goûts et les curiosités qui feront le succès d'un Émile
Augier et d'un Dumas fils.

Ils le font confusément, gauchement. Les conventions
et les artifices naïfs, le pathétique grossier, et le style tour
à tour emphatique ou plat rejettent la plupart de ces drames
hors de la littérature. Mais on les a écoutés, pendant toute
cette fin du XVIIIᵉ siècle, avec une bonne volonté jamais
lassée. Malgré des adversaires acharnés, comme Palissot,
malgré ceux qui se défient, comme Marmontel, les « dra-
matistes » conquièrent de plus en plus l'opinion. Le titre
« drame » apparaît pour la première fois sur les registres
de la Comédie-Française en 1769, avec *l'Orphelin anglais*,
de Longueil; mais de 1780 à 1789, il y a, bon an mal an,
soixante ou quatre-vingts représentations de drames à la
Comédie; une centaine, si l'on y joint les comédies larm-
moyantes. Le répertoire comprend, en 1789, avec *le Père
de famille* et *le Philosophe sans le savoir*, de Sedaine, sept
autres drames ou comédies bourgeoises; à partir de 1765,

les drames s'introduisent à la Comédie italienne. *La Bergère des Alpes*
(1766) et le *Sylvain* (1770) de Marmontel sont des comédies sérieuses.
Il y a des drames à ariettes. Le
succès est peut-être plus vif encore
sur les théâtres des boulevards et
sur ces théâtres particuliers qui
s'étaient multipliés depuis le début
du siècle (M. Gaiffe a pu dénombrer,
de 1757 à 1791, plus de trois cents
drames et comédies sérieuses). Cette
vogue gagne même — et on ne l'a
pas assez montré — les théâtres de
province et les théâtres des collèges.
Berquin, pour distraire et enseigner
les adolescents, écrit *Pythias et
Damon*, drame en un acte; *l'Honnête
fermier*, drame en cinq actes; *Charles
second*, drame en cinq actes. Au collège du Mans, on joue, dès 1758,
un « drame en français », *Benjamin*.
Au collège de Troyes, de 1771 à
1787, on représente onze drames,
et pas une tragédie. En Allemagne,
à Francfort, on joue, de 1748 à 1757,
six tragédies françaises; de 1766 à
1771, trois; de 1780 à 1785, pas
une seule, pendant que le chiffre des drames français
et des comédies larmoyantes françaises passe de trois
à sept, puis à seize. C'est la « lacrymanie », la « dramo-
manie », et quand Restif de La Bretonne peint sa galerie
des *Contemporaines*, il y range celle qui court les drames,
la « dramiste ».

SEDAINE.

*Sedaine (1719-1797), que la ruine de son père (qui
était architecte) força à être quelque temps ouvrier maçon,
puis employé, a écrit, outre le drame du* Philosophe sans
le savoir, *des opéras-comiques qui rivalisèrent avec ceux
de Favart et dont Philidor, Monsigny et Grétry compo-
sèrent la musique* (Rose et Colas, *1764;* les Sabots,
1768; le Déserteur, *1769, etc.). — Voir L. Günther,
l'*Œuvre dramatique de Sedaine, *1908.

Les drames bourgeois ont vieilli. Il en est un pourtant
qu'on peut encore lire ou voir jouer : c'est *le Philosophe
sans le savoir*, de Sedaine. Représenté en 1765, la pièce
n'eut qu'un succès d'estime. Reprise en 1766, elle « va aux
nues ». On la joue chaque année jusqu'à la Révolution.
Voltaire, qui n'aime pas les succès qui ne sont pas les siens,
convient cependant qu'elle a du mérite. Grimm applaudit;
Diderot exulte : Sedaine, assure-t-il, est un des « arrière-
neveux de Shakespeare ». Pourtant il faut louer Sedaine
de n'avoir mis dans son ouvrage rien de Shakespeare,
et pas grand-chose de ce que Diderot et ses émules mettaient dans leurs drames. Point de « sombre », point même
de pantomime, point de bras levés au ciel ni de larmes
silencieuses. La pièce est un drame à peu près sans le savoir.
Elle n'a du drame que le milieu « bourgeois » où elle nous
transporte : M. Vanderk est un riche négociant, mais
aussi un gentilhomme, qui a le souci de la « condition »;
c'est un père de famille dont le fils doit se battre en duel
le jour où sa sœur se marie; il réprouve le duel en tant
qu'homme et négociant, mais il cède au préjugé en tant
que gentilhomme. Pour le reste, s'il n'y a dans le style
qu'une honnête simplicité, dans l'étude des caractères
qu'un jugement sûr, dans l'action qu'une adresse un peu
laborieuse, la pièce offre les qualités que le « bon » et le
« judicieux » Sedaine pouvait y mettre : du bon sens, une
émotion discrète et juste, le « sens du théâtre » et cette

mesure à quoi les intempérances de Diderot et les extravagances de Baculard et de Mercier ont donné, même pour les contemporains, tout son prix.

L'OPÉRA-COMIQUE ET LA COMÉDIE A VAUDEVILLES ET A ARIETTES. FAVART. SEDAINE

On appelait vaudeville *une suite de couplets chantés sur un air connu,* ariette *une chanson sur un air nouveau. Les comédies à ariettes ou opéra-comiques supplantèrent de bonne heure les comédies à vaudevilles. Les deux auteurs d'opéras-comiques les plus réputés furent Sedaine et Favart. Favart (1710-1792), qui avait d'abord été pâtissier, devint célèbre après la représentation de la* Chercheuse d'esprit *(1741). Il épousa, en 1745, une excellente actrice de sa troupe, qui a sans doute collaboré à bon nombre de ses pièces. Ses principales œuvres sont :* Ninette à la cour *(1755),* Annette et Lubin *(1762), les* Moissonneurs *(1768). — Voir Font,* Favart et l'Opéra-Comique aux XVIIᵉ et XVIIIᵉ siècles, *1894.*

Un autre genre encore fit à la tragédie et à la comédie une concurrence bientôt triomphante. On joue des comédies à vaudevilles ou à ariettes non seulement à l'Opéra-Comique, mais à la Comédie-Française. Les pièces à grand succès, ce sont, à côté du *Siège de Calais* ou du *Philosophe sans le savoir, le Devin du village*, de J.-J. Rousseau, *Annette et Lubin, les Sabots, Rose et Colas*. On y goûte d'abord, avec l'agrément de mélodies vives, ingénieuses et tendres, ce qu'on trouve ou ce qu'on cherche dans les drames, c'est-à-dire du pathétique, et, à l'occasion, de la philosophie. *Le Déserteur, Richard Cœur de Lion*, sont des drames coupés de musique. On y trouve aussi ces vertus et ces sentiments naïfs qu'on refuse aux citadins corrompus et qu'on croit découvrir sous les toits de chaume et à l'ombre des ormeaux. On y goûte « le langage de ceux qui ont l'âme pure », les « resserrements du cœur occasionnés par le spectacle de la vertu », et le spectacle de ces familles rustiques où marchent « de front, huit personnages, tous vertueux ». Vertu, sentiment s'encadrent dans d'aimables décors fleuris de roses où coulent des sources, où la lune se lève, où rougissent des cerisiers, où tournent des moulins à vent, dans les décors à la manière de Boucher, de Fragonard ou de Loutherbourg. C'est la « nature », mais surveillée pourtant par le « goût » et par les « grâces ». Car l'opéra-comique, s'il est « naïf », se défend d'être grossier ou même rustique. Pour être bergère on n'en est pas moins fine, et bien que tendre, on reste spirituelle. C'est Mᵐᵉ Favart qui joue, ou d'autres qui lui ressemblent et qui savent les mines de la coquetterie. « Naïveté piquante », « esprit qui se cache sous le voile du sentiment », « finesse que recèle la naïveté », ce sont des éloges des contemporains et ce sont ceux qui conviennent exactement. Favart a écrit la *Chercheuse d'esprit ;* mais toutes ses paysannes et toutes ses ingénues sont spirituelles en ayant l'air de ne pas chercher l'esprit, amoureuses en feignant de fuir l'amour. *Ninette à la cour, Annette et Lubin, les Moissonneurs*, sont des pastorales et non des paysanneries ; et c'est de Favart bien souvent que Boucher prend ses sujets. C'est un théâtre qui se flatte d'ajuster

les agréments de l'art
Aux naïves beautés de la simple nature,

mais qui use de beaucoup plus d'art que de naturel. En 1750, c'était pourtant un retour timide à la nature, à la grâce de décors champêtres, à la simplicité des instincts tendres. Mais Rousseau survint, *la Nouvelle Héloïse*, la vraie nature, la passion. Dès lors l'opéra-comique ne fut plus qu'une convention gracieuse, un genre élégant, mais attardé.

LA COMÉDIE

Les comédies de la deuxième moitié du XVIIIᵉ siècle (Beaumarchais mis à part) sont d'une extrême médiocrité.

Tout au plus peut-on citer le Dupuis et Desronais *(1763) et la* Partie de chasse d'Henri IV *(1774) de Collé, « comédies sérieuses », jouées d'abord sur le théâtre du duc d'Orléans, dont Collé était le lecteur et pour qui il écrivit ses pièces pendant quinze ans, et le* Cercle *de Poinsinet (1771), tableau des ridicules mondains. Ce qui reste de plus agréable, ce sont les* Proverbes *joués dans les salons et dans les théâtres particuliers, ceux de Moissy (publiés en 1769 et en 1770) et surtout ceux de Carmontelle, écrits également pour le théâtre du duc d'Orléans (publiés de 1768 à 1787).*

Voir : Ch. Lenient, la Comédie au XVIIIᵉ siècle, *1888;* G. Desnoiresterres, la Comédie satirique au XVIIIᵉ siècle, *1885;* G. Lanson, la Comédie au XVIIIᵉ siècle (*dans* Hommes et livres, *1898).*

La comédie n'eut pas l'agrément de l'opéra-comique. Elle traîne de convention en convention, de fadeurs en fadeurs. Les moins mauvaises pièces ne valent ni par le mouvement du dialogue, ni par l'éclat du style, ni, bien entendu, par la vérité ou la profondeur de l'observation. Ce sont parfois des documents où la curiosité peut retrouver une image pâlie des goûts de ceux qui les applaudirent. Comédies bourgeoises, sentimentales ou patriotiques de Collé, qui avait de l'esprit quand il ne fallait que dauber sur les « philosophes » et faire figure dans les salons, et qui n'a su mettre dans son *Dupuis et Desronais* et dans sa *Partie de chasse d'Henri IV* que de la « sensibilité », de l' « humanité » et du « jargon » de paysans. Comédies de salon, qui firent fureur, et qui envahirent, après les théâtres des princes du sang, des marquis et des financiers, tous les salons. Véritable « frénésie » qui rivalise avec celle du jeu, des courses ou des jardins anglais et à laquelle nous devons des piécettes, des parades ou surtout des proverbes qui ne sont presque rien, mais qui gardent parfois la grâce de leur frivolité. Carmontelle s'y appliquait avec un zèle despotique et bourru, dessinait les décors, choisissait les costumes, conduisait les répétitions de ces « croquades de mœurs » où l'on retrouve, comme dans une estampe de Moreau le Jeune, la mine et le « papillotage » des spectateurs de Carmontelle. Dans *le Cercle* de Poinsinet se succèdent des « ridicules » et des originaux, que les contemporains trouvaient ressemblants et à qui manque seulement ce qui fait la vie robuste d'un caractère.

BEAUMARCHAIS

Pierre-Augustin Caron de Beaumarchais, né à Paris en 1732, était fils d'un horloger. Il apprit l'horlogerie, mais quitta si souvent la boutique pour s'amuser que son père le chassa. Dès lors il court d'aventures en aventures, mais à presque toutes il gagne quelque chose. Il épouse la veuve d'un contrôleur, clerc d'office de la maison du roi, donne des leçons de musique aux filles de Louis XV, s'occupe des affaires de finances de Paris-Duverney, part en Espagne pour débrouiller quelques affaires de famille, de politique et de finances. Duverney meurt en 1770, en restant devoir, s'il faut en croire des comptes compliqués et suspects, 15 000 livres à Beaumarchais. Le comte de La Blache, héritier de Duverney, refuse de payer. On plaide. Beaumarchais perd le procès. Il avait sollicité pour le gagner le conseiller Goëzman et donné cent louis audit Goëzman, une montre à sa femme, et quinze louis à son secrétaire. Mᵐᵉ Goëzman voulut garder les quinze louis. Beaumarchais exigea qu'elle les rendît et Goëzman le dénonça pour tentative de corruption. Le procès fit grand bruit : on en fit le procès de tout le parlement Maupeou. Les Mémoires publiés par Beaumarchais pour sa défense eurent un retentissement considérable; on vendit 6 000 exemplaires du quatrième en trois jours (1774). Beaumarchais et Goëzman furent condamnés tous deux, mais Beaumarchais sortit en triomphe de sa prison. Il fait jouer le Barbier de Séville *(1775) et* le Mariage de Figaro *(1784). Entre temps il est agent d'affaires politiques, chargé de négocier avec les auteurs de libelles ou les agents du « secret du roi ». A leur suite ou à leur poursuite, il court l'Angleterre, l'Allemagne, et se fait emprisonner à Vienne. Il monte une entreprise pour fournir aux insurgents d'Amérique des munitions, groupe les auteurs dramatiques pour la défense de leurs droits et obtient pour eux, en 1780, une demi-satisfaction. Il est, pendant la Révolution, agent du comité de Salut public, puis devient suspect et est traité comme un émigré. Il ne peut rentrer en France qu'en 1796. Il meurt en 1799.*

Son théâtre a été réimprimé (d'après l'édition princeps de chaque pièce, avec les variantes des manuscrits) par G. d'Heylli et F. de Marescot, 1869-1871. — Voir : L. de Loménie, Beaumarchais et son temps, *1856; P. Bonnefon,* Étude sur Beaumarchais, *1887; A. Hallays,* Beaumarchais, *1897; L. Latzarus,* Beaumarchais, *1930; F. Gaiffe,* le Mariage de Figaro, *1928.*

La vie de Beaumarchais n'est pas seulement le plus pittoresque et le plus divertissant des romans d'aventures; elle est l'image fidèle et l'explication de son talent. Comme Rousseau, il est un autodidacte. A treize ans il a quitté l'école. Il ne reçoit plus de leçons que de la vie, de la vie qu'il aime, d'un amour tumultueux, pour les plaisirs qu'elle lui dispense; pour les femmes qu'il séduit, subjugue, délaisse et oublie avec désinvolture et candeur, qui font sa fortune d'ailleurs ou du moins la commencent; pour l'argent, qui est bien « le nerf de la guerre » et la con-

BEAUMARCHAIS EN 1755. Peinture de Nattier.
CL. BULLOZ.

dition du plaisir. Tout en jouant les Chérubins et en bernant les maris, il conduit heureusement, du moins heureusement pour sa propre bourse, des affaires financières que lui confie Paris-Duverney; il n'oublie pas, quand il expédie, à travers mille aventures, de la poudre, des fusils et des canons aux insurgents d'Amérique que les insurgents doivent payer le service qu'il leur rend. Mais c'est l'intrigue qu'il aime surtout, l'intrigue qui donne les femmes et l'argent, et aussi l'intrigue pour l'intrigue, pour le plaisir du remuement, de l'imprévu, de la poursuite : disons même pour le plaisir équivoque de la fourberie. Malgré des pièces d'archives fort nombreuses, on se retrouve mal parfois dans les mille détours des missions policières que Beaumarchais exécute en Angleterre, en Allemagne, en Autriche. Il est certain qu'il ne s'y retrouvait pas lui-même. Il est certain aussi que, par gloriole, il inventait de toutes pièces des attaques à main armée dont il aurait été la victime et des blessures qu'il aurait reçues pour le service du roi. Il inventait même peut-être les libelles et les libellistes qu'il était censé poursuivre.

Dans tout cela, bien entendu, c'est d'abord Beaumarchais qui compte, les conquêtes de Beaumarchais, la fortune de Beaumarchais, la réputation de Beaumarchais, la générosité et la vertu de Beaumarchais. Qui sert Beaumarchais est assuré de sa sollicitude et de sa tendresse.

Qui ne sert plus Beaumarchais ne compte plus. Et c'est toujours Beaumarchais qui a raison : il en atteste les dieux et le public. Il se raconte, insiste et détaille. Tout est bien sortant des mains de l'Auteur des choses; tout est juste et beau sortant du cerveau ou du cœur de Beaumarchais, ses affaires de famille comme ses affaires d'argent, ses aventures de cœur comme ses aventures de policier. Au total, un personnage assez déplaisant, qui ignore toute franchise, toute pudeur et toute discrétion, qui n'a pas de scrupules sur les moyens, pourvu qu'il y ait profit à les employer. Et c'est pour une part le double de Figaro aventurier, bavard, menteur, casseur de cœurs, entremetteur, roi de l'intrigue et du scandale.

Mais il y a aussi un autre Figaro et un autre Beaumarchais. Même lorsqu'on se persuade qu'il est une canaille, Beaumarchais reste une canaille sympathique. Ses victimes ne lui en veulent pas ou cessent vite de lui en vouloir. Il est bon frère, bon ami, bon fils, voire bon époux. Il est adoré de ses femmes. Quand il donne des leçons de musique aux filles de Louis XV, il conquiert leur cœur. Il est excellent pour ses sœurs, et quand il part en Espagne, c'est bien vraiment pour tirer d'affaire l'une d'elles, abandonnée par Clavijo Il se donne à l'occasion beaucoup de mal sans avoir rien à y gagner, pour le plaisir d'être obligeant. Quand il se met en tête de défendre, contre un mari tyrannique et brutal, Mme Kornman, c'est une entreprise désintéressée. Le public est contre lui; l'aventure est difficile; Beaumarchais la risque, s'entête, la mène à bien. Les auteurs dramatiques étaient exploités par les comédiens, que protégeaient puissamment — parce qu'il y avait les comédiennes — les gentilshommes de la Chambre. Beaumarchais entreprend d'assurer aux auteurs de justes profits pécuniaires, des « droits », dont lui-même n'a pas besoin, puisqu'il est riche. Diderot, le bouillant Diderot, redoute la puissance des gentilshommes. Mais Beaumarchais commence l'assaut, emporte les premiers retranchements en 1780, et triomphe en 1791, quand la Constituante vote la loi sur la propriété littéraire. Quand Beaumarchais s'avise de secourir les insurgents, de traverser des mers où domine la flotte anglaise, il envisage sans doute des profits, mais il court aussi des risques innombrables et consent un labeur acharné; il est si mal secondé par le gouvernement qu'il faut lui reconnaître, puisqu'il a persévéré, quelques vertus civiques et quelque enthousiasme « républicain ». L'édition des œuvres de Voltaire, imprimée par ses soins à Kehl de 1784 à 1789, pouvait être une bonne affaire; elle pouvait en être une mauvaise, comme elle le fut. Et Beaumarchais, en l'entreprenant, voulut sans doute servir Voltaire et la philosophie tout autant que ses propres finances.

Enfin Beaumarchais est de ceux qui ne peuvent vivre sans tapage, sans grimper sur le tréteau. Mais du moins, il a l'intelligence assez avisée et même assez généreuse pour plaider la cause d'autrui en plaidant la sienne, parfois même pour oublier la sienne. Et l'on oublie ce qu'il cache, ce qu'il fausse ou ce qu'il gagne pour ne plus voir que le droit qu'il défend. C'est ce que l'on comprit à lire ses *Mémoires* sur l'affaire Goëzman. Goëzman n'avait pas tous les torts ou du moins il n'avait que les torts des juges de son temps ; et Beaumarchais avait bien quelques peccadilles sur la conscience. Mais le débat s'élève au-dessus des personnes. C'est toute la pratique de la justice qui est en cause. Et l'esprit, l'ironie, le sarcasme de Beaumarchais n'accablent pas seulement un homme, mais un système ; ne flétrissent pas seulement un déni de justice, mais tous les dénis de justice. C'est là l'autre visage de Figaro, de Figaro qui rit des sottises et des abus, mais pour ne pas en pleurer et pour qu'on s'indigne, comme lui-même s'indigne sans le dire.

LE MARIAGE DE FIGARO : LA ROMANCE DE CHÉRUBIN (Bibl. Nat., Cabinet des Estampes, collection de Vinck). CL. LAROUSSE.

LE BARBIER DE SÉVILLE ET LE MARIAGE DE FIGARO.

L'originalité dramatique de Beaumarchais n'est pas principalement dans l'invention. Beaumarchais sans doute n'a copié personne ; il a moins imité que Molière. Mais sans cesse *le Barbier de Séville* ou *le Mariage de Figaro* déroulent des situations qui nous semblent familières. Si Beaumarchais invente, il semble prendre le soin de ne jamais nous surprendre. Nous sommes à Séville ou au château d'Aguas Frescas ; mais cette ville ou ce château en Espagne ne diffèrent pas sensiblement de la Sicile ou du Paris de Molière, de Regnard ou de Destouches. *Le Barbier de Séville* s'intitule aussi *la Précaution inutile* : c'est un titre qu'avaient déjà employé Dorimon, Gallet, Achard, Anseaume. L'inutilité de cette précaution était déjà le sujet du *Sicilien*, de l'*École des femmes*, de l'*École des maris*, de l'*Amour médecin*. Les déguisements astucieux d'amoureux qui veulent entretenir ou enlever la bien-aimée sont de tradition dans les comédies de Molière, de Vadé et d'autres. Les quiproquos nocturnes du cinquième acte du *Mariage de Figaro* étaient déjà indiqués dans *George Dandin*. Et les contemporains de Beaumarchais, complétés par les érudits nos contemporains, ont relevé à la douzaine dans ces comédies des traits qui rappellent *les Plaideurs* de Racine, les pièces d'Aristophane, de Regnard, de Vadé. Il n'est pas sûr que toutes ces ressemblances soient des emprunts et non des rencontres. Elles témoignent du moins que Beaumarchais ne s'est pas soucié de renouveler ses sujets. Les traditions les plus lointaines et les situations les plus banales lui suffisent. Il a simplement su en tirer parti.

Il était en effet un merveilleux homme de théâtre. Il a compris que la vie, au théâtre, c'est surtout le mouvement. L'erreur des successeurs de Molière avait été de croire que le théâtre vit d'analyses et de moralités et qu'il suffit, pour intéresser, que les caractères soient bien peints ou le sentiment « bien touché ». L'analyse des sentiments, comme chez Racine ou chez Molière, si délicate qu'elle soit, mène toujours à des actes décisifs. Chez eux les discours ne sont pas des dissertations ou des sermons ; ils représentent une action intérieure qui mène à l'action extérieure. Après eux, faute d'action vraie, les pièces françaises sont tombées dans « l'ennui ». C'est Beaumarchais qui le dit. Il s'est donc proposé une « marche tout à fait

inconnue sur la scène française ». Il nouera et dénouera, comme les Espagnols et les Italiens, des *imbroilles* : entendons que l'action, chez lui, ne sera pas une action simple et chargée de peu de matière, comme celle d'*Andromaque* ou celle du *Misanthrope*, mais qu'elle sera fort invraisemblable parfois, ou qu'elle le serait si le spectateur prenait la peine d'y réfléchir. Les invraisemblances seront entraînées dans un mouvement si rapide qu'elles nous divertiront simplement pour le plaisir du jeu, qui est une forme de la vie. Beaumarchais s'y connaît. Si surprenantes que soient les astuces d'Almaviva et de Figaro, elles ne le sont pas plus que les aventures de Beaumarchais quand il poursuivit Clavijo ou des libellistes, ou qu'il fréta des bateaux pour l'Amérique. Folies, peut-être ; mais les plus graves spectateurs peuvent s'y complaire quand c'est du théâtre : « J'aime la joie, dit Suzanne à Figaro, parce qu'elle est folle. » Pareillement les spectateurs aiment *le Barbier* ou *le Mariage*, parce que ce sont des pièces gaies où la joie ne naît pas seulement de l'esprit, des reparties, du comique des mots, mais de ce rythme vif et fou des projets, des décisions, des gestes. Il y a dans l'action du *Barbier* ou du *Mariage* bien de l'arbitraire, et des ficelles un peu grosses parfois ; mais on n'a pas le temps d'y réfléchir. La pièce court, vole, et nous entraîne jusqu'au dénouement.

On en pourrait dire tout autant des caractères. Il n'en est pas un, même celui de Figaro, où Beaumarchais ait montré cette puissance qui crée Tartuffe, Phèdre, Hamlet. Il savait comprendre et manier les hommes ; il le fallait pour réussir. Mais il voulait réussir et vivre si vite qu'il n'eut jamais le temps de pénétrer bien avant. Ni Figaro ni Chérubin ne sont des caractères très originaux. Chérubin rappelle ce petit Jehan de Saintré que le goût pour le moyen âge venait de remettre à la mode. Figaro, lui aussi, a des ancêtres : les valets de Molière, de Regnard, de Lesage, le Scapin des *Fourberies*, le Crispin de *Crispin rival de son maître* (de Lesage), le Trivelin de *la Fausse Suivante* (de Marivaux), etc., ont avant Figaro la désinvolture, l'impertinence et les audaces de Figaro. C'est un type traditionnel que celui des valets de théâtre qui morigènent leurs maîtres, au moins quand ils ne sont pas là, ou qui morigènent la société et se sentent tous les talents qu'il faut pour être des maîtres. Pourtant Chérubin et Figaro ne sont exactement ni le petit Jehan de Saintré ni aucun de ces valets-là, pour la raison qu'ils sont Beaumarchais lui-même. « Le drôle, disait de Figaro une épigramme du temps,

à son patron
Si scandaleusement ressemble... »

La ressemblance, en effet, est évidente. Beaumarchais est amoureux à treize ans, comme Chérubin ; adoré des femmes et prêt à faire pour elles toutes les sottises, comme Chérubin. La « sphère » de Figaro, c'est « de l'intrigue et de l'argent » : Beaumarchais, lui aussi, voulait des intrigues, « deux, trois, quatre à la fois, bien embrouillées, qui se croisent ». Figaro, en songeant à lui d'abord, aime à songer aux autres ; il est serviable, et, pourvu qu'on le paye, honnête et dévoué. S'il fait ses affaires, c'est avec le désir de faire aussi celles du comte ou de la comtesse ; de même

Beaumarchais mêlait, dans ses affaires d'Espagne ou d'Amérique, ses intérêts, ceux de sa sœur, ceux de la France et ceux des insurgents. C'est un « diable d'homme » : la définition vaut pour Figaro et pour Beaumarchais.

Autour de Beaumarchais-Figaro et de Beaumarchais-Chérubin, il n'y a guère que des comparses, aussi vivants d'ailleurs qu'il convient. Beaumarchais savait saisir les traits, les gestes, les mots qui ébauchent exactement une physionomie, la silhouette d'un personnage, d'un caractère. Les *Mémoires* contre Goëzman offrent très souvent d'excellentes figures de comédie. Les caricatures y sont dessinées d'un trait rapide, mais juste et mordant. Il y a de ces caricatures ou de ces ébauches dans *le Barbier* et *le Mariage* : don Bazile, organiste et maître à chanter, doucereux et papelard ; Suzanne, la « charmante », toujours « riante, verdissante, pleine de gaieté, d'esprit, d'amour et de délices » ; Rosine, quand elle n'est plus l'ingénue qui se jette au cou d'un beau seigneur, mais la comtesse que le comte délaisse et qui caresse son Chérubin ; don Guzman Brid'oison, caricature de Goëzman, magistrat stupide et respectueux de la forme ; Fanchette, fille du jardinier. Ce ne sont que des esquisses, mais des esquisses divertissantes. Tous ces personnages font à Figaro l'escorte qui lui convient, remuante, changeante, pittoresque.

Ils vivent en partie par le prestige du style de Beaumarchais : un style qui est le naturel même, mais qui cache un art volontaire et consommé. Comme tous les grands écrivains, Beaumarchais ne s'est jamais lassé de revoir et de corriger. Nous avons conservé sept manuscrits d'*Eugénie*. Nous sommes moins riches pour *le Barbier*, *le Mariage*, et pour les *Mémoires* contre Goëzman ; mais nous pouvons suivre tout de même en détail le travail appliqué et judicieux de Beaumarchais, qui allège, choisit, réduit à quatre actes *le Barbier* qui n'avait pas réussi en cinq, supprime les images forcées, les mots d'esprit quand ils sont mal venus, et renonce aux audaces de langue quand elles ne sont que des incorrections. Il n'a pas, d'ailleurs, le scrupule de la correction. Il n'est pas « puriste » et s'égaie des critiques qui pèsent ses mots et s'effarent de sa grammaire. Il prend ses richesses à toutes mains, mots techniques de la langue des finances ou de celle des tribunaux, vieux mots qui viennent de Montaigne ou de Rabelais, mots populaires surtout dont il calcule adroitement le pittoresque ou même la brutalité, mots enfin qu'il forge pour le besoin ou pour le plaisir, comme un L.-S. Mercier, un Restif de La Bretonne et tous les néologues de son temps, *absurdissime, cafardement, cupider, flagornage, purgerie, églisier*, vingt autres que l'on comprend et d'autres que l'on comprend moins, mais qu'on n'a pas besoin de comprendre, car l'imagination les devine et leur son fait leur sens, comme quand Figaro est dénommé « grand fringueneur de guitare », d'un nom qui n'est que dans le dictionnaire de Beaumarchais. Tout cela fait un style audacieux, un peu mêlé, où il y a parfois plus d'esprit que de goût, mais qui est l'image même de la

pensée de Beaumarchais, « si léger, si badin » qu'on ne peut que « jouer » avec lui comme avec elle, tandis que « comme un liège emplumé qui bondit sur la raquette, il s'élève, il retombe, égaie les gens, repart en l'air, y fait la roue et revient encore ».

LA SATIRE SOCIALE.

La Folle Journée (premier titre du Mariage de Figaro) est achevée en 1778 et reçue par la Comédie-Française en 1781. Le roi défend qu'on la joue. Beaumarchais en fait des lectures privées. On prépare une représentation ; elle est arrêtée au dernier moment par un nouveau veto. La pièce est enfin portée à la scène le 27 avril 1784. Louis XVI fait d'ailleurs arrêter Beaumarchais à la suite d'une lettre impertinente au Journal de Paris ; mais il est relâché au bout de quatre jours.

Beaumarchais a d'ailleurs écrit *le Barbier*, et surtout *le Mariage*, avec d'autres desseins que de dénouer un « imbroille » et d'amuser. Figaro n'est pas l'homme d'intrigue et de bonne humeur de tous les temps, comme il y a des avares et des hypocrites de tous les temps. C'est un valet qui fait la leçon à ses maîtres, un homme de rien qui dit leur fait à ceux qui sont quelque chose. C'est un protestataire. Ne disons pas, d'ailleurs, un révolté : il n'y a pas d'homme moins révolutionnaire que Beaumarchais. Il a « en compassion » les Anglais, dont la « frénétique liberté » n'a pu faire qu'un peuple malheureux. Les excès de la Révolution l'épouvanteront. Il a appelé de tous ses vœux de « sages lois réprimantes ». Si les audaces de Figaro ont plus de portée que celles de tant de tragédies, drames ou comédies « philosophiques » ou « humanitaires », c'est surtout parce qu'elles sont spirituelles et mordantes, et non parce qu'elles sont plus audacieuses. Les autres ennuyaient. Avec Beaumarchais on riait, on applaudissait et l'on pensait comme Figaro. On pensait, par conséquent, que le rang et les privilèges de la noblesse ne sont que sottises ; qu'Almaviva « s'est donné la peine de naître et rien de plus » ; qu'il est, au demeurant, « un homme assez ordinaire », pétri d'autant de défauts que Figaro et de

LE MARIAGE DE FIGARO : ACTE IV. Gravure contemporaine (B. N., Cabinet des Estampes ; reproduite avec l'autorisation de M. le baron de Vinck). — CL. LAROUSSE.

FIGARO-BEAUMARCHAIS POURFENDANT LES ABUS SOCIAUX. Le portrait de Beaumarchais est peint sur le bouclier (B. N., Cabinet des Estampes, collection de Vinck). — CL. LAROUSSE.

moins d'intelligence et d'esprit. Tous les nobles sont des Almavivas ou pis. Figaro « vaut mieux que sa réputation ;... y a-t-il beaucoup de seigneurs qui puissent en dire autant » ? Le métier de courtisan est plus simple même que celui de barbier : « Recevoir, prendre et demander, voilà le secret en trois mots. » Et c'est l'autorité et la politique de la monarchie qui, tout de suite, sont en cause, comme ceux qui vivent de ses abus. Le monologue de Figaro ne dit rien, quand on l'analyse, qu'on ne trouve dans vingt contes, romans, libelles, traités ou pièces de théâtre qui circulaient à peu près librement en France à la même date. Mais, outre qu'il est plus spirituel, il a sur eux l'avantage d'être plus court, de ramasser, de trouver la formule. Ce n'est plus une dissertation sur les lettres de cachet, l'intolérance, la courtisanerie ; c'est comme une succession de vérités d'évidence, si claires qu'elles se résument en deux lignes ou en deux mots.

Ce qui fit la portée de ces vérités, c'est qu'on les accueillit comme telles, même quand on était noble et privilégié. L'autorité fit mine de résister et Louis XVI de se fâcher. Mais ces résistances timides ne firent que piquer les curiosités et porter par avance Figaro aux nues. Beaumarchais exploite ses mésaventures avec son adresse coutumière. Il promène *le Mariage* pendant trois ans et le fait applaudir chez les plus grands seigneurs, chez la princesse de Lamballe, la maréchale de Richelieu, le « comte

et la comtesse du Nord ». On s'écrase à la première représentation ; les rues sont obstruées par les carrosses et le théâtre pris d'assaut. De 1784 à 1789 paraissent au moins douze parodies ou satires du *Mariage*. « Tout le monde, dit le marquis de Frénilly, proclamait l'ouvrage scandaleux, dangereux et révolutionnaire : c'était le bon ton. Tout le monde y courait : c'était encore le bon ton. » On ne demandait plus pour de tels « scandales » ni les censures de la Sorbonne ou du Parlement ni des décrets de prise de corps. On en discutait dans les salons, on y applaudissait au théâtre ; c'était à peu près les approuver.

LE ROMAN

ROMANS PHILOSOPHIQUES.
ROMANS SENTIMENTAUX. ROMANS SOMBRES.

Marmontel (1723-1799), dont on ne lit plus guère que les agréables Mémoires d'un père *(édition Maurice Tourneux, 1891), a dirigé le* Mercure, *écrit des tragédies, des articles de critique et de théorie littéraire (réunis sous le titre d'*Éléments *de littérature, 1787), des* Contes moraux *et deux romans « philosophiques » (*Bélisaire, *1766 ; les* Incas, *1777). —* Florian (1755-1794) a *publié* Galatée *(imité de Cervantes, 1783),* Estelle et Némorin *(1787), des* Fables *ingénieuses et agréables (1792), des comédies de société et des poèmes en prose plus ou moins imités de* Télémaque. — Baculard d'Arnaud *(1708-1805) a publié, outre des drames (voir p. 138-139), les* Épreuves du sentiment *(12 vol., de 1772 à 1781) et les* Délassements de l'homme sensible *(1786 et années suivantes, 21 vol.). —* Loaisel de Tréogate *(1752-1812) a écrit, entre autres,* Florello, histoire méridionale *(1776), qui annonce* Atala, *les* Soirées de la mélancolie *(1777),* Dolbreuse ou l'Homme du siècle *ramené à la vérité par le sentiment et par la raison (1783).*

*A côté des contes et romans moraux, il faut signaler l'apparition de ces contes et récits à l'usage de l'enfance et de la jeunesse qui se multiplieront au commencement du XIX*e *siècle. M*me *Leprince de Beaumont publie, avec un vif succès, outre divers romans, un* Magasin des enfants *(1757), un* Magasin des adolescentes *(1760), un* Magasin des pauvres artisans *(1768), etc.*

Voir : Lenel, Marmontel, *1902 ;* G. Saillard, Florian, *1912 ;* André Le Breton, *le Roman au* XVIII*e siècle, 1898.*

On publie beaucoup de romans dans la deuxième moitié du XVIIIe siècle. Il en paraît (éditions ou rééditions) plus de huit cents de 1761 à 1789. On en avait publié, d'ailleurs, tout autant dans la première moitié. Mais si la quantité n'a pas changé et si la qualité reste la même, ce sont les intentions qui se transforment et les ambitions.

Avant 1750, malgré les romans de Mlle de Scudéry, malgré *la Princesse de Clèves*, malgré *la Vie de Marianne* et *Manon*, on n'est pas très sûr qu'un roman soit une œuvre littéraire. C'est un gagne-pain pour l'auteur et un divertissement pour le lecteur. Mais le genre n'a pas de place dans le Temple du Goût. On affirme même, obstinément, que

Voila ou nous reduit l'Aristocratie

BEAUMARCHAIS CONDUIT EN PRISON. Estampe révolutionnaire (B. N., Cabinet des Estampes, collection de Vinck). — CL. LAROUSSE.

c'est un divertissement dangereux ou coupable : il nourrit dans l'âme des lecteurs le goût des aventures périlleuses et des passions perverses. De fait, une moitié des romans publiés dans les vingt années qui précèdent *la Nouvelle Héloïse*, s'ils ne sont pas des ouvrages licencieux ou galants, ne sont que des romans d'intrigue ou, comme on disait, des « romans de garnison », bons tout au plus à distraire des militaires désœuvrés ou des marchandes de modes par des péripéties surprenantes, rapts, duels, massacres. Mais dans la deuxième moitié du siècle les défenseurs du roman triomphent. C'est qu'ils ont pour soutenir leur cause les romans anglais et ceux de Rousseau et de ses disciples. *Clarisse, Paméla, Tom Jones,* l'*Héloïse* traînent après eux plus de lecteurs que tous les *Dictionnaires philosophiques, Systèmes de la nature* ou autres ouvrages « philosophiques ». Ils ne conquièrent pas seulement le triomphe, ils le justifient. Le roman devient une œuvre littéraire comme le sermon ou la satire, puisqu'il devient une leçon de vertu et une démonstration morale. Pour ceux que les démonstrations trop longues et les trois volumes de l'*Héloïse* ennuient, Marmontel invente le conte moral. Le genre, lancé par le *Mercure*, fait fureur. Dix auteurs adoptent le titre. On en publie près d'une centaine de recueils. Parmi toutes ces moralités, les plus goûtées sont celles qui célèbrent les vertus rustiques. L'idylle vertueuse, qui prolonge celle de *Télémaque* et s'inspire des poèmes de Gessner, fleurit avec une merveilleuse abondance. C'est Florian qui la symbolise.

MARMONTEL. Peinture de Roslin (musée du Louvre). — CL. GIRAUDON.

Le « tendre Florian » semble bien avoir été, en effet, un romanesque et un tendre. Neveu lointain de Voltaire, il n'a rien gardé du vieil oncle qui l'aimait, qui l'appelait Florianet. Page, puis gentilhomme chez le duc de Penthièvre, qui était un grand seigneur bienfaisant et « humanitaire » et réellement un fort brave homme, il s'est associé de tout son cœur aux générosités et aux illusions de son protecteur. Il a cherché avec lui, découvert et récompensé les vertueux laboureurs et les chastes bergères. Dans sa *Galatée*, dans son *Estelle et Némorin*, ou même dans ses arlequinades, comédies de salon où Arlequin devient un grand enfant naïf et un tendre benêt, il y avait pour lui et pour ses lecteurs autre chose que des conventions romanesques. *Estelle et Némorin*, malgré quelques décors aimables qui reflètent avec grâce les bords du Gardon et ce pays des Cévennes où Florian passa son enfance, n'évoque plus pour nous que des sujets de pendule et des enluminures de papier peint. Mais Florian, lui, croyait à ses chimères. Ancien officier d'artillerie, il n'était fait ni pour la guerre ni même pour les batailles de la vie. La Révolution le tua, et si ce ne fut pas de peur, comme on l'a dit, ce fut tout au moins d'angoisse et de douleur. Les contemporains ont cru comme lui à ses pastorales. En 1807, on publiait encore une anthologie, *le Petit Florian ou Recueil de romances pastorales*. C'est lui qui a nourri, en effet, au cœur des révolutionnaires eux-mêmes, la romance et la pastorale.

A côté de ces contes moraux ou de ces pastorales on voit paraître un certain nombre de romans qui trahissent ou avouent l'influence de *la Nouvelle Héloïse* et où s'étalent les « délices du sentiment » ou ses exaltations. Il s'y mêle presque toujours les catastrophes et les désespoirs mis à la mode par le « genre sombre » dont nous avons parlé à propos du drame. Il n'y a ni goût ni vérité, par exemple, dans les romans de Baculard d'Arnaud et de Loaisel de

Tréogate; mais ils sont des témoignages curieux de ce préromantisme qui envahit la littérature à partir de 1760.

D'ailleurs, ni le roman moralisateur ni le roman pastoral, sentimental ou sombre n'ont fait oublier Voltaire, l'âpre et fine saveur de ses contes. On lit *Candide*, dont les éditions sont aussi nombreuses que celles de l'*Héloïse*, comme on lit *Zadig* ou l'*Ingénu*. On les imite. Le triomphe des romanciers qui sermonnent et sanglotent n'empêche pas le succès de ceux qui philosophent et ironisent. Il paraît, en vingt ans, une centaine de contes ou de romans satiriques ou philosophiques. Nous ne les lisons plus pour la plupart, et leurs auteurs sont oubliés : ils ont plus d'esprit cependant que les lourds et faux romans philosophiques de Marmontel, *Bélisaire* et *les Incas*. Marmontel y célèbre la tolérance et y dénonce les méfaits et les crimes de ce fanatisme pieux et de cette avidité cruelle qui firent des Incas honnêtes et pacifiques un peuple d'esclaves et les décimèrent. Les contemporains s'en émurent. Mais l'éloquence de Marmontel est laborieuse; *Bélisaire* et ses *Incas* ne reposent que sur des conventions puériles. Il ne reste de ses romans que les titres.

On gagna du moins, à ces prédications sentimentales ou philosophiques, d'oublier plus ou moins les inconvenances

JE FAIS SOUVENT DU BIEN   POUR AVOIR DU PLAISIR.

J.-P. DE FLORIAN.

FLORIAN. Composition de Queverdo. — CL. LAROUSSE.

et les gravelures qui avaient fait si longtemps la fortune des Crébillon et des La Morlière. Le conte licencieux disparaît à peu près. D'autres genres aussi semblent perdre pour un temps la faveur du public. On n'écrit plus du tout de ces romans réalistes et poissards qui avaient fait, après le succès de Scarron ou de Furetière, celui de Caylus ou de Chevrier. On écrit encore de ces romans d'analyse morale qui étaient si bien dans la tradition française et dans la tradition de *la Vie de Marianne* ou de *Manon*. Mais on en écrit moins. Ce sont pourtant le roman réaliste et le roman d'analyse qui nous ont laissé les seules œuvres dignes d'intérêt, celle de Restif de La Bretonne et celle de Laclos.

RESTIF DE LA BRETONNE

Restif (1734-1806), fils d'un paysan de la ferme de la Bretonne, d'où son nom de Restif de La Bretonne, devint ouvrier imprimeur; il a publié quelque 250 volumes qu'il imprimait parfois lui-même. Il fut bien accueilli dans certains salons, chez Grimod de La Reynière, chez Fanny de Beauharnais. Ses principaux ouvrages sont : le Paysan perverti (1776); la Vie de mon père (1778); les Contemporaines (42 vol., 1780 et années suivantes); Monsieur Nicolas (1796-1797).

Voir : l'Introduction de la Vie de mon père, de Restif, publiée par Henri d'Alméras, 1910; Funck-Brentano, Rétif de La Bretonne, 1928; A. Bégue, Rétif de La Bretonne, 1948.

Restif, bien qu'il ait voulu faire figure dans les salons, n'est pas un homme du monde. Il n'est pas non plus un écrivain. Il écrit avec la grâce d'un rustre. Mais il est, comme Richardson ou Rousseau, qu'il admire, un prédicateur de vertu. S'il publie environ deux cent cinquante volumes, c'est pour « diriger les filles, les femmes, les épouses et les mères », pour « servir à l'instruction des personnes du sexe » et bâtir un « nouveau lycée des mœurs ». Par surcroît, l'enthousiasme sacré de l'humanité et de la bienfaisance le dévore. Il hait les « âmes froides, âmes stagnantes », et s'il relit sa *Vie de mon père*, « ouvrage céleste », il a les yeux « baignés de larmes ». Les contemporains s'y sont, d'ailleurs, laissé prendre. Schiller fut de ses admirateurs. *Le Paysan perverti* eut une dizaine d'éditions en neuf ans. Mais ni la vertu ni la sensibilité n'auraient sauvé Restif de l'oubli s'il n'avait eu un goût vif et sûr de l'observation. Il s'intitulait lui-même le « hibou

de Mme la marquise » ou « l'observateur nocturne ». « M. de La Bretonne, disait un journal contemporain, nous donne l'histoire de toutes les conditions, et il descend même jusqu'aux plus basses » et aux moins connues. Il a parlé des paysans, et des vrais, dans *la Vie de mon père* et ailleurs. Il a parlé de deux cent cinquante métiers des femmes de Paris, non pas pour mêler ces femmes à des fantaisies romanesques, mais pour leur prêter des aventures que les contemporains eux-mêmes croyaient vraies. Il a consacré douze volumes aux « contemporaines du commun », raconté les histoires de la petite « poudrière-pommadière » ou des « trois belles chaircuitières ». Ce sont les charcutières, les crieuses de cerneaux, les écosseuses de pois qui donnent à son œuvre, à défaut de valeur littéraire, un intérêt historique.

LE ROMAN D'ANALYSE : Mme RICCOBONI; CHODERLOS DE LACLOS

Mme Riccoboni (1714-1792) a publié de nombreux romans parmi lesquels on peut citer les Lettres de mistress Fanny Butler (1756) et les Lettres de milady Juliette Caterby (1759).

Choderlos de Laclos, né à Amiens en 1741, officier d'artillerie, publie les Liaisons dangereuses (1782). Il joue pendant la Révolution un rôle assez important et meurt général en 1803.

Voir : E. Dard, le Général Choderlos de Laclos, 1905; F. Caussy, Laclos, 1905; A. Augustin-Thierry, les Liaisons dangereuses de Laclos, 1930.

Le roman d'analyse, malgré le succès du roman d'intrigue, du roman sentimental ou sombre, n'a jamais cessé d'être cultivé. Les meilleures œuvres sont celles de Mme Riccoboni qui témoignent par leur titre même du succès des romans anglais, mais qui, tout en conservant les intentions morales, en évitent la prolixité et valent par leur élégance et leur discrétion. Mais la seule œuvre de valeur vraiment durable est celle de Choderlos de Laclos. Laclos voulait être, comme Restif, et sincèrement peut-être, un moraliste. Ses lettres témoignent qu'il fut un époux tendre et dévoué, comme il était bon frère, bon citoyen, bon officier. L'évêque de Pavie était d'avis, comme lui, que son roman était très moral; mais c'était, du moins, d'une moralité indirecte. *Les Liaisons* sont l'histoire de Valmont, qui pourrait s'appeler Don Juan ou Lovelace. Valmont résume en lui, avec l'autorité d'un maître, tous les libertins, fats et petits-maîtres qui promènent dans les romans des Crébillon et des Duclos l'insolence de leur séduction et qui se promenaient réellement dans la vie du XVIIIe siècle. Sa raison d'être est de corrompre. Dans l'amour ou dans ce qu'il appelle l'amour, il n'aime rien que la volupté de la ruse et les artifices de la lutte. La victoire ne l'intéresse que si elle est malaisée, et elle cesse de l'intéresser dès qu'elle est acquise. Laclos a étudié cette âme et les âmes de ses victimes avec une clairvoyance aiguë. Il n'était ni rêveur, ni tendre, ni artiste. En Suisse, en Italie, où il a voyagé, il ne semble avoir vu ni palais, ni tableaux, ni lacs, ni torrents, ni femmes même. Mais il avait assurément le don d'analyse. Il n'est pas tout à fait prouvé qu'il se soit souvenu dans son roman des aventures dont il aurait été à Grenoble le témoin; mais il est assuré que son roman est aussi vivant que s'il était vrai. Et il l'est de la bonne manière, surtout de la manière qui était bonne à cette date. Net, sec, alerte, écrit d'un style rapide et comme dédaigneux,

RESTIF DE LA BRETONNE. Gravure de Louis Berthet, d'après Louis Binet.
CL. LAROUSSE.

CHODERLOS DE LACLOS. Peinture de Ducreux (musée de Versailles).
CL. BULLOZ.

il a mis de la clarté et de la vigueur là où les disciples de Diderot, de Rousseau et de Richardson se noyaient « dans des flots d'éloquence verbiageuse ». Il a été très lu : deux éditions coup sur coup, et en peu d'années plus de cinquante contrefaçons. C'est par lui que l'on passe de Marivaux et de Voltaire à Stendhal.

BERNARDIN DE SAINT-PIERRE

Bernardin de Saint-Pierre (1737-1814) est né au Havre. Après s'être fait nommer, en 1760, ingénieur surnuméraire des armées, il fait quelques campagnes, puis perd son grade pour insubordination ; il parcourt la Hollande, la Russie, la Pologne, l'Allemagne, à la recherche d'une place ou d'un métier. En 1768, il est envoyé à l'île de France, comme ingénieur du roi. De retour en 1771, il a peine à subsister à Paris de maigres secours obstinément sollicités. Le Voyage à l'Isle de France *(1773) n'eut qu'un succès d'estime. Mais les* Études de la Nature *(1784) lui donnèrent la gloire et de l'argent. Il publia successivement :* Paul et Virginie *(au t. IV de l'édition de 1787 des* Études de la Nature*); le livre Ier d'un poème en prose, l'*Arcadie*; la* Chaumière indienne *et le* Café de Surate *(1790) ; un ouvrage politique, les* Vœux d'un solitaire *(1790). Il laissait à sa mort un grand nombre d'ouvrages inédits, les* Harmonies de la Nature*, entre autres. En les publiant, Aimé Martin les a remaniés très arbitrairement ; M. Maurice Souriau a donné une édition authentique de l'ouvrage intitulé la* Vie et les ouvrages de J.-J. Rousseau *(1906).*

Voir : Arvède Barine, Bernardin de Saint-Pierre, *1891 ; F. Maury,* Étude sur la vie et les œuvres de Bernardin de Saint-Pierre, *1892 ; Maurice Souriau,* Bernardin de Saint-Pierre d'après ses manuscrits, *1905 ; G. Lanson,* Un manuscrit de « Paul et Virginie » *(Revue du mois,* avril 1908*).*

Bernardin de Saint-Pierre a d'abord été un aventurier. S'il a toujours rêvé une chaumière et un cœur, il a commencé par les chercher sous tous les climats. A douze ans il partait, avec un oncle, pour la Martinique. A l'âge d'homme, il court la Hollande, la Russie, dix pays, tantôt comme ingénieur, ou comme fonctionnaire de Catherine II, ou comme conspirateur, tantôt sans fonctions et sans ressources, la tête farcie de projets romanesques, ingénieux ou chimériques, comme il se trouve, plein d'énergie et de patience ou de caprices et de paresse selon son humeur ou ses nerfs, au gré du vent qui souffle. Il aime une princesse polonaise, Marie Miesnik, et il la quitte sans qu'on sache pourquoi. Il aime d'autres femmes, moins titrées, et ses aventures de cœur sont hasardeuses comme celles de ses voyages. Il épouse, à cinquante-six ans, la fille de son éditeur, Félicité Didot, qui en a vingt. Devenu veuf, il épouse à soixante-trois ans Mlle Désirée de Pelleporc. Il les rend sans doute assez malheureuses. On l'aime aisément; c'est un enjôleur. Il gagne les sympathies de d'Alembert, de Mlle de Lespinasse, de Mme Necker. Mais il se brouille comme il s'attache, brusquement. La raison en est, comme il l'avoue, qu'il est un malade; il est victime, comme Rousseau, de ses nerfs, dont les troubles aigus empoisonnaient sa vie. Et il a des malades nerveux l'égoïsme inconscient, la versatilité, l'incohérence; prompt aux rêves, avide de l'avenir, et brutalement déçu par la réalité : ce ne serait que l'histoire d'un aventurier et d'un malade parmi tant d'autres, s'il n'avait pas mis dans son œuvre, avec les souvenirs de ses voyages, le rêve que la réalité lui refusait.

LA SCIENCE DE BERNARDIN DE SAINT-PIERRE.

Son ambition n'était pas d'être un narrateur et un romancier. Il voulait surtout être un savant. Le *Voyage à l'Isle de France* et les *Études de la Nature* sont un voyage

BERNARDIN DE SAINT-PIERRE. Dessin de Lafitte, gravé par Ribault, pour l'édition Didot (1806). — CL. LAROUSSE.

et des études scientifiques. On y trouve assurément des lueurs, des divinations. Bernardin a parlé de la correspondance entre la couleur des animaux et le fond sur lequel ils vivent, du « mimétisme ». Il a dit que toutes nos maladies étaient dues, peut-être, à des animaux invisibles. Mais ses ouvrages sont surtout remplis de billevesées. C'est lui qui achève avec un pieux enthousiasme cet édifice de l'Univers où chaque pierre doit attester les bontés d'une Providence qui disposa la nature tout entière pour le bonheur de l'homme. On avait dit avant lui, dans cent ouvrages souvent très lus, comme celui de Pluche, que les marées avaient été créées pour que les vaisseaux pussent entrer dans les ports, et que Dieu avait varié le vert dans la nature pour ne pas fatiguer nos yeux. Mais Bernardin perfectionne avec une inlassable complaisance la doctrine. Il estime qu'il faut d'abord chercher la vérité — scientifique — « avec son cœur et non son esprit », qu'il convient de parler de l'histoire naturelle « comme d'un sentiment dont le cœur est plein ». Les conséquences de la méthode sont assurément précieuses. Les lois de la nature ne sont plus les lois des astronomes et des physiciens, de Newton et de Nollet; ce sont des lois « d'ordre, de beauté, de convenance, d'harmonie, de plaisir, de bonheur ». Il faut s'occuper des astres « seulement autant qu'il est permis à l'œil de l'homme de les apercevoir, et à son cœur d'en être ému ». Les résultats sont éclatants : la méthode révèle à Bernardin que la terre est allongée aux pôles et non aplatie, que les marées sont dues aux fontes des glaces polaires, que Dieu a placé tout justement des montagnes à glace dans le voisinage des pays chauds, qu'il a fait se ployer les branches des arbres sous le poids des fruits pour que nos mains les atteignent, qu'il a donné aux puces une coloration noire pour qu'on les voie sur la peau blanche, et donné au melon ses côtes pour qu'on le partage équitablement dans les repas de famille, etc.

SA PHILOSOPHIE.

Sa philosophie vaut sa science : elle s'inspire des mêmes principes. Rousseau et Bernardin, qui ne s'entendaient autant dire avec personne, s'entendaient fort bien ensemble. De longues promenades les réunirent. Bernardin apprit de Jean-Jacques ce qu'il avait déjà soupçonné, à savoir que, s'il y a dans l'homme l'intelligence et le sentiment, le cœur et la raison, intelligence et raison ne sont que des maîtresses d'erreur. Toute vérité nous vient nécessairement du cœur; comprendre, c'est s'émouvoir. « La science nous a menés par des routes séduisantes à un terme effrayant. Elle traîne à la suite de ses recherches ambitieuses cette malédiction ancienne prononcée contre le premier qui osa manger du fruit de son arbre. » Bernardin appliquera donc cette sagesse à la pratique de la vie tout entière comme à la science. Son *Étude douzième* sera consacrée à démontrer la faiblesse de la raison, et nous apprendrons, dans *la Chaumière indienne*, les bienfaits de l'ignorance, dans *Paul et Virginie*, que le papayer est plus utile qu'une bibliothèque. Car ni le paria de *la Chaumière indienne*, ni Paul, ni Virginie ne sont des savants, ni même des esprits cultivés; mais ils savent, par les révélations du cœur et les effusions du sentiment, le secret du monde et du bonheur. La contemplation de la nature leur a révélé Dieu et la Providence. Ils ont écouté le concert qui « élève l'homme vers son Auteur », et où il trouve, s'il sait le comprendre, le remède à tous ses maux. Tout l'œuvre de Bernardin n'est que l'orchestration de ce concert. C'est la seule gloire qu'il ambitionne. En le conduisant à Dieu, son labeur ne le détache pas de l'homme : les *Études*, qui sont un hymne, sont, en même temps, une œuvre d'humanité et de bienfaisance. En enseignant la bonté du Créateur, elles nous apprennent qu'il faut être bon et nous donnent les moyens de l'être. C'est un ouvrage où l'auteur « ne s'est occupé que du bonheur de l'homme ». Le paria de *la Chaumière* est bon; les Arcadiens étaient bons; des sauvages le sont; Bernardin l'est ou croit l'être. Il n'y a qu'à les imiter. Et les *Études*, les *Harmonies* et tous les autres écrits de Bernardin dressent, avec une application studieuse, des plans d'éducation et de législation qui feront du genre humain une autre Arcadie, toute baignée de naïveté, de tendresse et d'amour. Si Bernardin était riche — il est vrai qu'il ne l'a jamais été — il sait comment il irait vers les pauvres, dans un vêtement de pauvre. S'il était législateur, il bâtirait un Élysée où de touchants symboles, de pieux monuments et des inscriptions émouvantes verseraient au cœur des citoyens « l'amour du genre humain et de la bienfaisance ». Et ce ne seraient ni des œuvres d'art ni des prestiges du luxe, car Bernardin « préfère un cep de vigne à une colonne » et « une seule plante alimentaire au bouclier d'argent de Scipion ».

FRONTISPICE de Moreau le Jeune, gravé par Masquelier, pour le « Voyage à l'Isle de France » (1773). Un nègre présente à Bernardin le « Code noir », qui régissait l'esclavage colonial depuis 1685. - CL. LAROUSSE.

LA SENSIBILITÉ DANS L'ŒUVRE DE BERNARDIN DE SAINT-PIERRE.

Il cultive donc et il épanche sa sensibilité. Elle est celle de Rousseau, pour une part, et de quelques autres. Et les lecteurs retrouvaient chez lui tout ce qu'ils pouvaient puiser dans *la Nouvelle Héloïse*, dans Gessner ou Florian. Il faut aimer la campagne et y chercher ce qu'on ne trouve que là, « les biens du cœur ». Si les hommes sont durs ou la vie cruelle, il faut aimer la solitude. Il faut fuir les cités corrompues; et ce n'est qu'à l'île de France ou loin des villes « qu'on peut être impunément bon, vrai, sincère, instruit, patient, tempérant, chaste, indulgent, pieux ». Tout cela n'est pas neuf. Mais Bernardin a longuement décrit, commenté, enveloppé d'harmonie et paré d'images des sentiments dont Rousseau avait moins parlé. Jean-Jacques n'est mélancolique que malgré lui, et, s'il est pessimiste, il aimerait mieux ne pas l'être. Bernardin, au contraire, emprunte à la mode du sombre, à la tradition des tombeaux et des « nuits » le goût romantique des tristesses délicieuses et des amers plaisirs. Il écrit des pages entières sur le plaisir des ruines et sur le plaisir des sépulcres, des chapitres sur le sentiment de la mélancolie et le plaisir du mystère. La pluie qui ruisselle sur les murs moussus, le murmure des vents mêlé aux frémissements de la pluie, ce sont les « affections de l'âme les plus voluptueuses ». D'autres avaient parlé avant lui de ces voluptés; mais ce n'était ni avec la même sincérité ni avec le même talent. C'est lui qui a paré, avant Chateaubriand, le fantôme romantique de ses voiles de mystère et de mélancolie.

L'ART DE BERNARDIN DE SAINT-PIERRE.

Chateaubriand est venu, et comme il était, mieux encore que Bernardin, « l'enchanteur », il l'a fait oublier. Mais il n'a pas été un plus grand peintre. L'originalité profonde de Bernardin, ce n'est pas d'avoir découvert le monde intérieur du mystère et de la mélancolie, c'est d'avoir révélé que le monde extérieur existe. On s'appliquait studieusement, avant lui, à le découvrir. Il y a d'innombrables dissertateurs, au XVIIIe siècle, pour répéter, après Horace : *Ut pictura poesis*. Mais ils ne découvrent que les métaphores de Virgile et les enluminures d'Ovide. Rousseau est un grand interprète de la nature; il lui a donné une âme. Et c'est cette âme vivante qui anime ses paysages. Seulement il l'a mal peinte, pour cette seule raison peut-être qu'il était fort myope et ne pouvait reconnaître une pervenche qu'en se baissant. Il y a quelques touches de couleurs dans son œuvre, mais elles sont rares et ne forment jamais un tableau coloré. Bernardin, au contraire, emplit ses yeux avec ivresse de toutes les formes et de toutes les lumières. Il les a toutes vues, avec une inlassable ardeur, les cieux lavés et les eaux dormantes de Hollande, les steppes et les lumières éblouissantes et glacées de la Russie, les grands étangs de Finlande, les forêts vierges et les pitons des Tropiques, comme les printemps fleuris, la grâce des coteaux et la douceur des horizons de Sèvres, de Bellevue, du Mont-Valérien, où il revenait sans cesse causer et rêver avec Jean-Jacques. Il a tout aimé, tout compris et tout gardé dans sa mémoire avec cette pénétration du peintre qui saisit une harmonie pittoresque dans la confusion des formes ou la monotonie apparente des horizons. Il réussit aussi bien à évoquer l'« antique beauté » d'un désert de l'île de France, les pitons couronnés de nues, les torrents, les voûtes de verdure et les lianes, que les baies transparentes illuminées de coraux ou les vallées de la Finlande glacée qui n'ont ni lianes, ni fleurs, ni coraux, mais des granits qui pétillent de lumière, des mousses d'émeraude ; que les fantaisies éclatantes des champignons, les cônes violets du mélèze, les baies écarlates du sorbier. Il sait que le blanc a ses nuances selon qu'il est dans l'ombre, la pénombre, au soleil, que le ciel n'est pas seulement bleu ou jaune, comme le croyait Jean-Jacques, mais qu'il est vert à l'occasion. Pour peindre toutes ces splendeurs et toutes ces nuances, il assouplit et il enrichit au besoin la langue avec une sûre hardiesse. « L'art de rendre la nature, dit-il, est si nouveau, que les termes même n'en sont pas inventés. » Il les a inventés ou plutôt empruntés partout où il le fallait. Au lieu de l'argent, du cristal, du jaune, du noir, de l'azur de Jean-Jacques, il a su découvrir et exprimer le roux, le marron, le vermillon, le ponceau, le bronze, la topaze, l'améthyste, le cuivre, la couleur fumée de pipe, la couleur gueule de four enflammé, « les teintes inimitables du blanc qui fuient à perte de vue dans le blanc », « les ombres qui se prolongent, sans se confondre, sur d'autres ombres ».

Il a su composer les tableaux, comme il a su y mettre la lumière. Comme tous les grands peintres, il a su traiter d'une façon puissante des sujets qui semblaient stériles. Avec « le terroir le plus ingrat », ou du moins qui aurait semblé le plus ingrat à ses contemporains, un écueil sur les côtes normandes, il gagne la gageure d'écrire une page pittoresque. Il devance même dans cette page l'orgueil romantique d'un Chateaubriand, puisqu'il rêve d'élever sur cet écueil la tombe d'un homme « vertueux et infortuné... *Ici repose J.-J. Rousseau* ». Il sait enfin mettre dans ses tableaux le mouvement. Il faut qu'on voie le retroussis des feuilles sous le vent, les ondulations des herbes et des eaux, le vol d'un oiseau de mer, pattes fuyantes et cou tendu, le balancement d'une bergeronnette, l'effort d'un lourd chariot hissé sur la montagne. De toutes ces qualités, il a composé quelques-uns des tableaux les plus séduisants et les plus harmonieux de notre littérature :

« J'aperçus une troupe de jeunes paysannes, jolies comme le sont la plupart des Cauchoises, qui sortaient de la ville avec leurs longues coiffures blanches que le vent faisait voltiger autour de leur visage... Une d'entre elles se tenait à l'écart, triste et rêveuse... Elle s'approcha d'un grand calvaire qui est au milieu de la jetée, tira quelque argent de sa poche, le mit dans le tronc qui était au pied, puis elle s'agenouilla et fit sa prière, les mains jointes et les yeux levés au ciel. Les vagues qui assourdissaient en brisant sur la côte, le vent qui agitait les grosses lanternes du crucifix, le danger sur la mer, l'inquiétude sur la terre, la confiance dans le ciel, donnaient à l'amour de cette pauvre paysanne

LES ADIEUX. Composition de Moreau le Jeune pour l'édition de « Paul et Virginie » publiée chez P. Didot aîné (1806).
CL. LAROUSSE.

une étendue et une majesté que le palais des grands ne saurait donner à leurs passions. »

PAUL ET VIRGINIE.

Ce sont surtout ces qualités qui font de *Paul et Virginie* une œuvre charmante et peut-être éternelle. Bernardin de Saint-Pierre y a prodigué les défauts qui lui étaient chers et qui n'étaient pas moins chers d'ailleurs à ses contemporains. C'est, comme il le dit, une « pastorale » et une « application des lois des *Études de la Nature* au bonheur de deux familles malheureuses » ; c'est-à-dire qu'on y voit les hommes, et parfois la nature, avec les grâces désuètes et les élégances appliquées qui conviennent aux romances pour jeunes personnes. Les duos d'amour y sont écrits à l'occasion dans le style de Gessner, et nous hésitons à nous attendrir devant les inscriptions que gravent ses héros sur les rochers et sur les troncs des arbres : « LA DÉCOUVERTE DE L'AMITIÉ. — LE REPOS DE VIRGINIE. — LES PLEURS ESSUYÉS. » Il se trouve d'ailleurs que les conventions sentimentales sont moins choquantes au pays de Paul et Virginie que dans les Cévennes d'Estelle et Némorin. Paul et Virginie peuvent être des « enfants de la nature », ne connaître « d'autre chronologie que celle de leurs vergers », et mettre leur

LE PASSAGE DU TORRENT. Composition de Girodet pour « Paul et Virginie » (1806). — CL. LAROUSSE.

théologie « toute en sentiment », parce que l'île de France est fort loin et que nous ne répugnons pas à croire que, là-bas, beaucoup de maisons « ne ferment même pas à clef », et qu'on y peut vivre dans un coin fertile sans rien craindre, ou à peu près, de la nature et des hommes.

Surtout on retrouve dans cette pastorale autre chose qu'une Arcadie d'opéra-comique. « Le fond en est vrai », comme on le disait déjà de *la Nouvelle Héloïse*. On ne sait d'ailleurs pas très exactement comment : les documents d'archives attestent que le *Saint-Géran* s'échoua et fut détruit non le 24 décembre, mais le 7 août 1744, et par très beau temps, non dans une tempête. Des marins et des passagers périrent. Une demoiselle Caillou, dont le nom ne convient guère pour une idylle, aurait été noyée, disent les uns, sauvée, disent les autres ; et c'est le capitaine qui serait mort, pour n'avoir pas voulu abandonner, en quittant son uniforme, ses papiers. Mais ce qui est certain et ce qui importe plus que des témoignages parfois contradictoires, c'est que Bernardin de Saint-Pierre a vu l'île de France, qu'il l'a aimée, qu'il en a revécu le charme et la splendeur avec une émotion profonde, et qu'il en a fait le cadre de l'idylle sans cesse poursuivie et sans cesse trompée qu'il portait sincèrement en lui. Si Virginie n'est pas une demoiselle Caillou, elle est assurément l'image de celles que Bernardin de Saint-Pierre a aimées. Il les a aimées avec son goût de peintre comme avec son cœur d'éternel amant. Sans doute, il y reste quelque apprêt. Bernardin demeure un peu trop fidèle aux conventions de l'art noble, de celui de David. La vision générale de l'île de France qu'on trouve dans les *Études de la Nature* est beaucoup plus riche, pittoresque et vivante que celle qui ouvre *Paul et Virginie*. Mais celle de *Paul et Virginie* est plus concentrée et plus harmonieuse. Et l'on retrouve dans toute l'œuvre cette harmonie. Les deux enfants nus dans le même berceau, Paul et Virginie riant sous la robe de Virginie qui les abrite de la pluie, Virginie essuyant de son mouchoir le

LE NAUFRAGE DE VIRGINIE. Composition de Prudhon pour l'édition P. Didot aîné (1806). — CL. LAROUSSE.

front de Paul, ce ne sont pas, peut-être comme il le croyait, des « groupes antiques », mais ce sont assurément des images charmantes. Elles se meuvent dans le cadre qui faisait la beauté des *Études*, tour à tour champêtre et « touchant », ou riche de toutes les splendeurs des forêts vierges et des soleils tropicaux. Ce ne sont pas seulement les palmistes, les papayers, bananiers, goyaviers, jacqs et jams-roses, dont il n'était pas difficile d'accumuler les noms ; mais ce sont les mille aspects d'une nature puissante et diverse, depuis les côtes où luit et écume tour à tour une mer transparente ou forcenée, jusqu'aux vallons paisibles, aux bassins, aux ruisseaux, et sur les pentes des montagnes sauvages les mystères grandioses de la forêt où tombent, sous des voûtes de verdure, les rivières précipitées.

« Quand le soleil était descendu à l'horizon, ses rayons, brisés par les troncs des arbres, divergeaient dans les ombres de la forêt en longues gerbes lumineuses, qui produisaient le plus majestueux effet. Quelquefois son disque tout entier paraissait à l'extrémité d'une avenue et la rendait tout étincelante de lumière. Le feuillage des arbres, éclairé en dessous de ses rayons safranés, brillait des feux de la topaze et de l'émeraude. Leurs troncs moussus et bruns paraissaient changés en colonnes de bronze antique... — La rivière, qui coule en bouillonnant sur un lit de roches, à travers les arbres, réfléchit çà et là, dans ses eaux limpides, leurs masses vénérables de verdure et d'ombre, ainsi que les feux de leurs heureux habitants ; à mille pas de là, elle se précipite de différents étages de rocher, et forme, à sa chute, une nappe d'eau unie comme le cristal, qui se brise, en tombant, en bouillons d'écume. Mille bruits confus sortent de ces eaux tumultueuses ; et dispersés par les vents, dans la forêt, tantôt ils fuient au loin, tantôt ils se rapprochent tous à la fois, et assourdissent comme les sons des cloches d'une cathédrale... — Il faisait une de ces nuits délicieuses, si communes entre les tropiques, et dont le plus habile pinceau ne rendrait pas la beauté. La lune paraissait au milieu du firmament, entourée d'un rideau de nuages que ses rayons dissipaient par degrés. Sa lumière se répandait insensiblement sur les montagnes de l'île et sur leurs pitons, qui brillaient d'un vert argenté. Les vents retenaient leurs haleines... »

Tout cet art est un art patient et savant. Comme presque tous les grands peintres, Bernardin de Saint-Pierre n'atteint l'expression qui lui convient que par un travail acharné. Il y a dans les *Études* des « remaniements prodigieux de style » et il y en a de considérables dans le manuscrit parvenu jusqu'à nous (il y en eut sans doute bien d'autres) de *Paul et Virginie*. Bernardin précise, par corrections successives, sa morale, sa philosophie, ses émotions ; mais il précise surtout et il enrichit son pittoresque. Le tableau n'atteint toute sa richesse et tout son éclat que par des retouches habiles et studieuses.

Le succès fut immense. Les *Études* avaient tiré Bernardin de l'obscurité ; le roman de *Paul et Virginie* le fit illustre. Le salon de Mme Necker en avait accueilli froidement la lecture : c'était un salon de philosophes. Mais Bernardin eut pour lui Fontanes, Delille, Sénancour un peu plus tard, et tous les lecteurs, qui achetèrent cinquante contrefaçons en un an. On tire de *Paul et Virginie* des romances, des drames ; on traduit ce roman dans toutes les langues. Surtout il attache au grand homme, au cœur tendre, au philosophe humanitaire, le cortège ému des disciples qui n'avaient plus à chérir que le souvenir de Jean-Jacques. Leurs lettres, lettres de jeunes gens, lettres de femmes, témoignent d'un enthousiasme ardent et pieux. Elles attestent qu'on a trouvé dans *Paul et Virginie* un idéal. Entre la pastorale littéraire de collège ou de salon et la pastorale romantique à la manière d'*Atala*, *Paul et Virginie* a donné le modèle de la pastorale romanesque et pittoresque.

LA POÉSIE

LA GRANDE POÉSIE

Les principaux « poèmes » publiés dans la deuxième moitié du XVIIIᵉ siècle sont les Saisons (1769) de Saint-Lambert (1716-1803), dont le dessein général est celui d'un poème du même titre de l'Anglais Thomson; les Mois (1779) de Roucher (1745-1794); l'Agriculture (1774-1782) de Rosset; les Jardins (1782) de Delille (1738-1813) : Delille avait déjà publié une traduction très goûtée des Géorgiques (1770). Les autres grands poèmes « descriptifs », les Fastes (1779) et la Peinture (1769) de Lemierre (1723-1793), la Déclamation (1766) de Dorat (1734-1780), etc., n'ont eu, même au XVIIIᵉ siècle, qu'un succès médiocre. Les Odes de Lebrun (1729-1807), publiées d'abord isolément, réunies dans l'édition de 1811 de ses œuvres, lui valurent une grande réputation et le surnom de Lebrun-Pindare. Il a publié en outre des Élégies amoureuses et de nombreuses épigrammes.

Cᴏᴍᴘᴏsɪᴛɪᴏɴ de Le Prince, gravée par Prévost, pour le Chant de l'Été dans « les Saisons » de Saint-Lambert. A côté, dessin à la plume qu'un lecteur du xvIIIᵉ siècle, dans un exemplaire appartenant à M. D. Mornet, a substitué à la gravure de Le Prince. Ce lecteur avait un sentiment de la nature plus sincère que Le Prince et Saint-Lambert. — Cʟ. Lᴀʀᴏᴜssᴇ.

Les poètes du XVIIIᵉ siècle ont eu de longs espoirs et de vastes pensers. Ils ont cru qu'ils pouvaient égaler les grands poètes de l'Antiquité. Voltaire avait composé une épopée, *la Henriade*, qu'on tenait à l'ordinaire pour un chef-d'œuvre : Lebrun-Pindare, Saint-Lambert, Roucher et d'autres tentèrent de compléter le triomphe de Voltaire. Ce n'est pas la réflexion ni même l'intelligence qui leur font défaut. Saint-Lambert n'a pas lu seulement *les Saisons* de Thomson, il a lu des anciens et des modernes, des philosophes et des économistes, des physiciens et des astronomes. Roucher amasse patiemment une érudition minutieuse, qui se retrouve dans les notes de son poème des *Mois*. Il ne leur manque même pas la nouveauté des sujets et l'originalité des idées. Ils chantent la nature, mais ce n'est pas exactement celle de Virgile ou de Théocrite : c'est une nature à la fois « sensible », romantique et philosophique. *Les Saisons* de Saint-Lambert ne doivent pas seulement « peindre à l'esprit » des printemps ou des étés, des vergers ou des forêts : elles se proposent de susciter des émotions généreuses et bienfaisantes. Elles seront les *Géorgiques* encyclopédiques. Elles apprendront aux mondains du siècle que les rustres des campagnes sont des « agriculteurs » — on invente alors le mot — et que le vrai bonheur pour les riches, c'est de vivre sur leurs terres. Le poème de Roucher enferme dans le cercle des douze mois de l'année toutes les pensées et toute l'activité d'un philosophe sensible. La nature qui s'y reflète est celle de Newton, de Buffon, de Condillac et de Rousseau. *Les Jardins* de Delille seront, eux aussi, un poème philosophique : ils chanteront l'humanité, la bienfaisance, la justice. Et il y aura dans *les Saisons*, *les Mois* et *les Jardins* des « émotions douces » et des « émotions fortes », des rêveries et des mélancolies, des tempêtes, des volcans, des forêts vierges, des ruines et des tombeaux. Aucun de ces poètes ne s'est proposé, comme on l'a dit, de « décrire pour décrire »; mais si leurs intentions sont judicieuses, le résultat est décevant.

C'est la sensibilité vraie qui leur a manqué, comme on l'a compris et répété dès le XVIIIᵉ siècle. Saint-Lambert était un homme sage, méthodique, égoïste, fort intelligent, mais qui n'a jamais sincèrement ressenti les « extases » et les « délices », ni même, peut-être, les « tendres émotions » dont on faisait, dès 1760, le privilège des poètes. Delille était un régent de collège fort ingénieux, excellent humaniste, et bon administrateur de sa vie, de sa réputation et de ses rimes. Roucher, lui, avait vraiment le cœur tendre et une vocation de poète; il avait le goût profond de la solitude, l'amour sincère de la nature, un cœur loyal et délicat et que les grandes émotions humaines ont touché. Lebrun avait, pour le moins, ce mépris de la sagesse bourgeoise dont les romantiques feront un des droits du poète; il a mené la vie d'un bohème de lettres. Mais ce qui a manqué surtout aux uns comme aux autres, c'est l'inspiration. Pour gagner le renom de poètes, ils appliquent patiemment des recettes. Ce sont de bons élèves qui écrivent leurs poèmes comme ils écrivaient au collège leurs « dilatations » ou leurs « amplifications ». Ils se proposent un thème, choisi avec une sage habileté, et le développement non comme le génie les pousse, mais comme il convient pour être bien noté. Saint-Lambert a beau chanter les saisons et Delille traduire les *Géorgiques*, ils vivent assidûment dans les salons des châteaux et ne connaissent de la vie rustique et de la libre nature que les couronnements de rosières, les chaumières de Trianon ou les cascades de Bagatelle. Lebrun-Pindare applique les recettes du « beau désordre » de Pindare comme Boileau les concevait. Roucher surtout, qui offre l'exemple le plus typique, s'applique à décrire non pas les couchers de soleil des environs de Paris ou du Midi, qu'il connaît, mais ceux de l'Etna, qu'il ignore; non pas les forêts de Montfort-l'Amaury, où il vit, mais les forêts vierges; non pas ses amours, mais celles des bergers d'une Arcadie mensongère et froide. Rien n'est resté de toutes ces œuvres; leur influence fut médiocre et leur succès même fut contesté. Lebrun-Pindare seul a eu vraiment des lecteurs et des imitateurs. Chateaubriand le savait par cœur ; Lamartine et Victor Hugo lui doivent, pour une part, la noblesse trop froide et l'éloquence trop pompeuse de leurs odes.

LES IDYLLES. LES ÉLÉGIES. LES PETITS POÈMES

Les principaux « petits poètes » sont Colardeau (1732-1776), qui fut surtout célèbre pour ses Héroïdes (lettres imaginaires, en vers, de personnages célèbres de l'histoire et de la mythologie) et pour sa tragédie de Caliste (1761) ; Gilbert (1751-1780), adversaire des philosophes (le Dix-Huitième Siècle, 1775 ; Mon apologie, 1778), qui mourut jeune dans une demi-misère et dont la postérité s'est souvenue surtout parce qu'il a fait figure de talent méconnu et persécuté ; Dorat (Héroïdes ; les Baisers, 1770) ; Parny (1753-1814), né à l'île Bourbon, dont les Poésies érotiques (1778) eurent un grand succès ; Bertin (1752-1790), né également à l'île Bourbon, lié d'amitié avec Parny (les Amours, 1780) ; Léonard (1744-1793 ; Idylles et poèmes, de 1771 à 1787), dont le meilleur ouvrage est le roman de Thérèse et Faldoni, 1783 ; Malfilâtre (1732-1767 ; Narcisse dans l'île de Vénus, 1769). Les poèmes en prose du Zurichois Gessner sont traduits : Daphnis, en 1755 (traduction qui passe inaperçue), la Mort d'Abel en 1759 (traduction Wille et Turgot), les Idylles en 1762, le reste de l'œuvre de 1762 à 1777.

Voir : Desnoiresterres, le Chevalier Dorat et les poètes légers au XVIIIe siècle, 1887 ; Henri Potez, l'Élégie en France avant le romantisme, 1898. Sur Gessner : D. Mornet, le Sentiment de la nature en France de J.-J. Rousseau à Bernardin de Saint-Pierre, 1907 ; F. Baldensperger, Gessner en France, dans la Revue d'histoire littéraire de la France, 1903.

Les poètes du XVIIIe siècle ont rêvé de retrouver la grande poésie ; ils ont rêvé aussi bien, et ce furent en partie les mêmes, de retrouver la poésie tendre et la poésie simple. Ils ont prodigué les idylles et les élégies. Les idylles, les églogues n'étaient pas des nouveautés dans la poésie française : on avait goûté celles de Mme Deshoulières et de Fontenelle. Mais c'étaient des églogues galantes, l'aimable déguisement de mondains spirituels. Au cours d'une longue querelle on discute les idées de Fontenelle. Il garde, jusqu'à la fin du siècle, des partisans ; mais on convient généralement que l'idylle doit être simple et naïve, et faire parler les cœurs de bergers qui soient des bergers. Il n'est pas question d'ailleurs des paysans et des rustres : la vie des champs est grossière. Il faut l' « épurer » en la reculant vers cet âge d'or et ces climats heureux où les pasteurs menaient une vie insouciante et harmonieuse. Même le modèle ne sera pas toujours Théocrite, car il y a dans Théocrite bien des trivialités. Ce seront les églogues de Virgile et les idylles ou les poèmes de Gessner. L'œuvre de Gessner connut, pendant plus d'un demi-siècle, une fortune éclatante. Les éditions se multiplient. Il n'y a pas de poète, illustre ou obscur, pas de collaborateur du *Mercure* ou de l'*Almanach des Muses* qui ne traduise, adapte, imite des idylles de Gessner. Gessner fut mis en tableaux et en pièces de théâtre. Il eut ses inscriptions ou ses monuments dans les jardins à l'anglaise et les parcs romantiques. Il ne

méritait pas cet excès d'honneur ; mais son œuvre n'est pas sans valeur. S'il ignorait la Grèce et l'Arcadie, il connaissait bien Virgile et la Bible. Ses bergers et ses bergères, ses Damons et ses Clyties ressemblent souvent d'ailleurs à celui qui les inventa : ils ont une candeur sincère et une bonhomie rustique qui gardent encore aujourd'hui leur charme. Mais ils s'appliquent aussi trop clairement à être naïfs et vertueux : ces idylles sont des sermons. Et les grâces de Gessner sont un peu lourdes ; elles sentent la méthode et l'application. Ses principaux imitateurs, Berquin et Léonard, lui ont pris sa morale. Ils ont été vertueux, de cette vertu attendrissante et insupportable qui emplit les contes moraux et cent autres prédications littéraires après 1760. Ils lui ont laissé d'ailleurs sa bonhomie et sa rusticité ; ils ont fait la toilette de ses bons Suisses : ils ont donné à ses bergères des mines et des coquetteries, à ses bergers des finesses de langage et des subtilités de psychologie.

Les élégies de Bertin, de Parny, auxquelles il faut joindre certaines pièces de Léonard, ont assurément plus d'intérêt. Elles expriment parfois des émotions sincères. Ni Bertin ni Parny n'ont aimé vraiment d'amour. Une nouvelle amante remplace aisément celle qu'ils ont perdue. Ils l'avouent ingénuement. Ils sont du temps où l'on pense que « des papillons constants fatigueraient bientôt les roses ». Ils ont pourtant, de temps à autre, le sentiment païen de la fuite du temps et de la brièveté de leurs joies. Bertin surtout, qui devait mourir jeune, a eu des heures de mélancolie vraie, devant la vanité de ses amours et peut-être de toutes les amours ; il a aimé « le deuil religieux des pins », les grâces d'un petit domaine que sa pauvreté l'a contraint de vendre, la majesté des Pyrénées. Léonard avait un cœur de poète. Il a aimé profondément une jeune fille qui le dédaigna pour prendre un mari plus riche. Il ne l'a jamais oubliée ; il a vraiment traîné toute sa vie une inguérissable blessure, qui donne parfois à ses vers un charme émouvant. Mais chez Léonard, comme chez Bertin et surtout chez Parny, ces émotions sincères sont rares ; elles sont sans cesse étouffées par les conventions. Leurs poèmes sont, quand on y regarde de près, des « cahiers d'expressions », la collection des passages « élégants » ou « tendres » des élégiaques anciens ou de Gessner. Quand ils cessent de traduire, ils « embellissent ». Parny et Bertin sont des créoles ; Léonard aussi en est un ; il a été capable d'écrire dans ses romans des pages tragiques et

PARNY (B. N., Cabinet des Estampes).

vigoureuses. Pourtant tous les trois ont écrit obstinément pour des gens du monde soucieux de beau style et de subtiles naïvetés. Léonard intitule l'une de ses idylles, *les Ruses de l'amour* : ruses, élégances, coquetteries, c'est le plus souvent l'inspiration de ses vers et plus encore celle de Parny et de Bertin. Ils sont tendres ou mélancoliques à la mode du Petit Trianon et des « journées champêtres » où Parny déguisait sa maîtresse en bergère. Il reste cependant que la poésie de Voltaire n'était qu'une prose élégante ; que les grands poèmes de Saint-Lambert et Roucher sont froids et pesants. Parny, Bertin et Léonard ont écrit du moins dans un style sans éclat ni chaleur, mais qui coule souvent avec une grâce fluide. Il y a chez eux une musique trop grêle, mais qui peut donner l'illusion de la poésie. C'est pour cela sans doute qu'ils ont été très lus pendant quarante ans. Chateaubriand, à Combourg, a lu Parny avec admiration. Lamartine

LE MOIS DE MAI,

POËME.

Environné des Jeux, des Graces ingénues,
Porté par les Amours sur un trône de nues,
Le Mois de Mai descend ; la Terre lui sourit,
Les flots plus librement serpentent dans leur lit ;
D'une prodigue main il seme la verdure,
Et leve le rideau qui cachoit la Nature.
Restaurateur du Monde, il change en sels féconds
Ces longs tapis d'albâtre étendus sur les monts,
Et, répandant au loin sa vapeur fortunée,
Il émaille de fleurs le cercle de l'année.

UNE PAGE DOUBLÉ des « Baisers » de Dorat (1770). Illustrations d'Eisen, gravées par de Longueil. — CL. LAROUSSE.

relit assidûment Bertin, Parny. Il se souvient d'eux dans ses *Méditations*.

On peut collectionner aussi, si l'on veut, quelques poésies fugitives, badinages, madrigaux, couplets, qui ont une élégance spirituelle. La fameuse « douceur de vivre » était assaisonnée d'esprit, d'un esprit sans profondeur, mais qui a dans les piécettes d'un chevalier de Boufflers, ou même d'un Bernis et d'un Dorat, la grâce mutine d'une mouche sur un joli visage. Un peu de ce qui fait le charme frivole et éternel des tableaux, des pastels, des tables à coiffer, des boîtes à poudre, des éventails et des toiles de Jouy, survit dans des rimes ingénieusement assemblées et dans quelques « fadaises », moins fades que les grands poèmes et les odes dithyrambiques. Cette grâce survit surtout dans les gravures, en-têtes et culs-de-lampe qu'ont dessinés les Eisen, les Marillier, les Moreau le Jeune. De ces parfums évaporés, c'est le flacon qui nous charme encore. Et la poésie du XVIIIe siècle serait morte tout entière, s'il n'y avait pas André Chénier.

ANDRÉ CHÉNIER

André Chénier est né à Galata, en 1762. Son père, d'abord employé de commerce, puis consul de France, « député de la Nation », avait épousé une jeune fille levantine, d'ailleurs catholique et de souche latine. Nommé consul à Salé (1767), où il resta dix-sept ans, il laissa à Paris sa femme et ses enfants. Dans le salon de Mme Chénier, qui était fort instruite, fréquentèrent Palissot, Suard, Lebrun, Barthélemy, Florian, le peintre David. Après un séjour en Languedoc, à dix ans, André fit au collège de Navarre d'excellentes études. Il tente d'abord la carrière militaire, puis, en 1783, il voyage en Suisse, mène la vie mondaine de 1784 à 1786, visite l'Italie où il va jusqu'à Naples. Nommé secrétaire d'ambassade à Londres (1787), il y reste trois ans, mais en faisant à Paris de fréquents séjours. Il prend une part active aux débuts de la Révolution, à côté de Suard, de La Fayette, de Condorcet. Il proteste contre les premiers excès, se retire et même se cache à Versailles (où il connut et aima respectueusement la Fanny de ses vers, Mme Le Coulteux), revient à Paris à la fin de 1793, est arrêté le 7 mars 1794, écroué à Saint-Lazare (où il connut Mme de Coigny, « la jeune captive »). Il fut exécuté le 7 thermidor. Ses principaux amis, dont il est question dans ses vers, furent les frères Trudaine, les frères de Pange, le marquis de Brazais.

Chénier n'a publié que des articles de journaux ou des opuscules en prose et deux poèmes (le Serment du Jeu de Paume ; Hymne aux Suisses de Châteauvieux). De 1795 à 1819, quelques pièces de lui furent publiées (notamment par Chateaubriand dans le Génie du christianisme). Une édition de ses Œuvres, qui est plutôt un choix, fut donnée en 1819 par Henri de Latouche. Becq de Fouquières en publia, en 1862, une nouvelle, judicieusement établie et ordonnée (refondue en 1874). La première édition à peu près complète ne fut donnée qu'en 1874, par un neveu de Chénier, Gabriel de Chénier. Malheureusement, Gabriel de Chénier commit d'évidentes confusions et quelques erreurs (que Becq de Fouquières releva). Il s'entêta à ne communiquer à personne les manuscrits qui lui restaient (ceux qui avaient été prêtés à H. de Latouche sont presque tous perdus). Les papiers d'André Chénier furent enfin légués par la veuve de Gabriel de Chénier à la Bibliothèque nationale, sous la condition que le carton qui les renfermait serait ouvert sept ans seulement après sa mort. Ils sont entrés à la Bibliothèque nationale en mai 1892. M. Paul Dimoff en a publié les œuvres en vers (3 vol., 1907-1919). Les œuvres en prose ont été publiées par Becq de Fouquières (1872), par Moland (1879) et par Abel Lefranc (1910).

Voir : Louis Bertrand, la Fin du classicisme et le retour à l'antique dans la deuxième moitié du XVIIIe siècle, 1898 ; P. Dimoff, la Vie et l'œuvre d'André Chénier, 1936.

CHÉNIER ET SON TEMPS.
SA PHILOSOPHIE; SES GRANDS POÈMES.

*Chénier avait conçu (outre le petit poème de l'*Invention)
un certain nombre de grands poèmes dont il n'a écrit que
des fragments et dont certains sont à peine ébauchés.
*Ce sont l'*Hermès, *qu'il commença dès 1783 au plus tard,*
*et auquel il travaillait encore en 1793; l'*Amérique;
Suzanne; *l'*Art d'aimer *(à l'imitation d'*Ovide). *De*
la République des lettres *et de la* France libre *il n'a*
composé que quelques morceaux. — Voir C. Fusil, la
Poésie scientifique de 1750 à nos jours, *1917.*

Les poètes romantiques, Vigny, Hugo, Sainte-Beuve,
ont admiré Chénier comme un de leurs maîtres et l'un
des ancêtres du romantisme. Il n'y a pas de sentiment
plus juste, puisque Chénier est le plus grand poète du
XVIIIᵉ siècle. Pourtant il n'est pas une de ses idées, pas une
de ses doctrines philosophiques et littéraires qui ne ressemble à celles de ses contemporains et qui ne s'éloigne
des idées et des doctrines des romantiques. Il n'est pas de
poète qui ait été de son temps plus précisément que lui.

Il a conçu le projet de grands poèmes philosophiques
et scientifiques. Il aurait voulu que l'humanité y retrouvât
l'image de sa vie et de sa pensée. L'*Hermès* et l'*Amérique*
devaient dérouler les erreurs du passé, les succès du présent, les espérances de l'avenir. Ils auraient chanté Torri-
celli, Képler, Galilée, fait parler Newton « en langage des
dieux », célébré Condillac et Buffon, vénéré la bienfaisance et l'amour de la paix. Chénier estimait que « les
poètes de nos jours n'ont aucune teinture d'astronomie,
d'histoire naturelle, de science »; mais il fermait les yeux
pour ne pas lire. Marmontel, Thomas, Lebrun-Pindare
avaient écrit des odes, des épîtres, des petits poèmes sur
la science et la philosophie; Fontanes, un *Essai sur l'astro-*
nomie; Fabre d'Églantine, une *Étude de la nature.* Lebrun
avait travaillé, de 1760 à 1774, à un vaste poème sur *la*
Nature. Dans ses *Mois*, entre deux idylles ou descriptions,
Roucher versifiait sur les sciences. Sans parler de l'*His-*
toire philosophique... des deux Indes, de Raynal, le sujet
de l'*Amérique* est mis au concours pour le prix de poésie
par l'Académie de Pau, en 1774 : « Les avantages et les
maux qui ont résulté de la découverte du nouveau monde. »
En 1780, pareillement, l'Académie de Lyon propose cette
question : « La découverte de l'Amérique a-t-elle été utile
ou nuisible au genre humain ? »

Les idées de Chénier ne sont pas plus neuves que ses
intentions. Il a pris son bien à toutes mains. Le contrat
social que devait chanter l'*Hermès* est celui de Rousseau.
Chénier y aurait ajouté, dans l'*Hermès* ou dans l'*Amérique*,
les « trésors » de Montesquieu, les lois, le climat, les mœurs
et usages, le sol, les « circonstances locales et momenta-
nées », tous ces développements qui étaient devenus,
depuis 1750, les lieux communs de la philosophie politique. L'abbé de Saint-Pierre l'aurait guidé pour chanter
la paix universelle; les économistes, pour célébrer l'agriculture; Montesquieu ou l'abbé Raynal, pour maudire
l'esclavage et les conquêtes où des civilisés ont anéanti
des sauvages innocents. Il aurait célébré surtout la tolérance et voué tous les fanatiques à l'exécration de l'avenir.
Avec Voltaire, il se serait indigné des « superstitions du
passé ». Avec Rousseau, il aurait dénoncé la superstition
« philosophique » et « encyclopédique », comme celle qui
persécute les protestants ou les philosophes. Plaisanter
sur la messe avec des valets ne vaut pas mieux que prier
comme Tartuffe, et si l'on chante en vers les cérémonies
des anciennes religions, il ne faut pas « oublier les fêtes
de l'Église, dont plusieurs sont intéressantes ». C'est ce
que pensaient, avec Rousseau, Bernardin de Saint-Pierre
et tant d'autres, sans attendre Chateaubriand.

Sur la science, sur ses méthodes, sur son avenir, Chénier

n'est pas plus original qu'en histoire ou en économie
politique. Il suit Diderot, d'Alembert, Condillac, Locke,
Hume, Buffon. L'*Hermès* ou l'*Amérique* n'auraient fait
sans doute que répercuter, comme un écho ingénieux, les
voix des philosophes du XVIIIᵉ siècle.

SES IDÉES LITTÉRAIRES.

Pour les doctrines littéraires de Chénier, voir surtout
*son petit poème de l'*Invention, *son* Épître *sur ses*
ouvrages et l'essai en prose publié par Abel Lefranc
en 1910, la Perfection des Arts.

Chénier lit des Italiens, Pétrarque, Zappi, Richeri, etc.,
mais Roucher avait fait un florilège de poètes italiens;
Bertin et Parny lisaient Pétrarque. — Il lit la Bible et
l'imite ; mais Thomas, Marmontel, L.-S. Mercier, etc.,
ont fait l'éloge de la poésie biblique et Roucher a traduit
des cantiques sacrés. — Il aime la Perse et la Chine, et les
Mille et une nuits et le *Chi-King*, et les poètes du règne
d'Yao; mais il n'y avait pas de petit-maître, ni d'abbé à
petit collet qui ne se vantât de parler avec compétence du
calife Haroun al-Raschid ou de Confucius, de Saadi ou
des Guèbres. — Il lit et il imite copieusement le « bon
Suisse Gessner »; mais les idylles et les poèmes de Gessner
sont plus lus, plus traduits et plus imités, nous l'avons dit,
que Chénier ne sera lu lui-même et imité par les romantiques.

Il lit enfin, ou il imite les Anglais, Addison, Shakespeare,
Young, Ossian, Thomson; mais il n'en aime ni les convulsions barbares, ni les expressions monstrueuses, ni cette
fausse grandeur, cette tristesse, cette enflure, qui fatiguent
et « rembrunissent l'âme ». Il préfère assurément à la poésie sombre celle qui n'a pas rejeté les « entraves » du bon
sens. Il a été beaucoup moins Anglais que Colardeau,
Fontanes et Léonard. Il y a d'ailleurs une assez vive réaction contre l'anglomanie, à partir de 1770. Chénier a pensé
des Anglais à peu près ce qu'en pensaient Marmontel,
La Harpe ou Palissot. Il admire tout de même vivement
Ossian et Young; il imite Shakespeare, et il est indulgent
pour lui.

De ses lectures et de ses réflexions, Chénier s'est formé
une doctrine de l'invention et de la poésie. Elle est certainement inspirée des *Conjectures sur la composition ori-*
ginale de Young. Mais, qu'elle fût signée de Young ou de
Chénier, elle n'aurait ni surpris ni même éclairé les
contemporains.

Seuls les écrivains originaux, dit Chénier dans son manifeste, sont de grands écrivains. « Ce n'est qu'aux inventeurs
que la vie est promise. » Mais qu'est-ce qu'inventer ?
Est-ce penser ou sentir ce que personne n'a senti ou pensé
avant nous ? Non pas : l'inventeur est celui qui « peint
ce que chacun put sentir comme lui ». Et si inventer, c'est
retrouver, il n'y a qu'à interroger ceux qui ont écrit avant
nous, les grands maîtres de l'Antiquité ou des littératures
étrangères. L'invention sera faite de larcins : l'art sera de
les coudre de coutures invisibles. Mais ce sont aussi bien
les coutures des costumes poétiques de Roucher, de Lebrun
et des autres. Lebrun « pêche à la ligne ses vers » dans Virgile, Horace, Racine ou Rousseau. Les élégies de Bertin
ne sont, constamment, qu'un centon de Tibulle et Catulle.
L'œuvre qui fait la réputation de Delille est une traduction
des *Géorgiques*. Il reste dans les manuscrits de Roucher
une ample collection des « beautés » qu'il a colligées,
comme Chénier les siennes, chez Virgile, Pétrarque ou
les Persans. C'est tout simplement d'ailleurs la tradition
scolaire, celle des cahiers d'expressions, dont la mosaïque
fait les excellents discours ou les parfaits poèmes latins.
Personne ne se soucie donc de quitter vraiment l'école
des Anciens, ni surtout de renier le principe de l'imitation.

On n'imitera pas seulement, ajoute Chénier, les sentiments ou les idées; on imitera l'expression. On fera des

vers antiques. On renoncera aux « fades et énigmatiques subtilités appelées galanteries » des poètes de boudoir. On laissera aussi bien aux Anglais et à leurs disciples le « style convulsionnaire, frénétique, possédé du démon », et ce faux enthousiasme qui prend la place du bon sens et de la simplicité. On ne sacrifiera qu' « aux grâces et à la clarté ». C'est même « la naïveté seule qui produit en nous des émotions vives, profondes et rapides ». Et c'est une doctrine fort judicieuse; mais Boileau ne raisonne pas autrement sur le sublime dans ses *Réflexions sur Longin*. La naïveté que cherchent, bien qu'ils ne la trouvent pas, Saint-Lambert, Roucher ou Léonard, est exactement la naïveté de Chénier. Ils ont redouté comme lui les extra-vagances anglaises ; ils ont transposé comme lui Thomson, Pétrarque et les Orientaux plutôt qu'ils ne les ont traduits. Ils ont attesté dans leurs préfaces qu'ils voulaient être ordonnés et clairs, comme Racine ou comme Virgile.

Si le poète de génie pense « ce que chacun peut sentir comme lui » et s'il ne se pique pas de s'exprimer autrement que les Anciens, que créera donc son génie? Il lui reste une double tâche. Si les sentiments sont éternels, il y a du moins des pensers qui sont nouveaux. Il y a la science et la philosophie, qui ont « agrandi la carrière des vers ». Nous suivrons cette car-rière jusqu'au bout. La tâche n'est pas impossible. Et c'est sa difficulté même qui est l'ai-guillon du génie. C'est par elle qu'il atteindra l'originalité de l'expression. Il réussira, « par des nœuds certains, imprévus et nouveaux », à unir des objets « qui paraissaient rivaux » : enten-dons qu'il découvrira ces « com-binaisons nouvelles de mots », ces « tours impétueux, inatten-dus », bref, des alliances d'images et des alliances de mots qui permettront de parler du télescope, de la gravitation, de l'esclavage ou du fanatisme, comme les Anciens parlaient de Vénus ou de la vallée de Tempé. Doctrine excellente, mais qui n'est pas neuve. Roucher justifie ses alliances de mots et ses tours inattendus dans les notes des *Mois*, comme les brouillons de Chénier expliquent les siens. Le pindarisme de Lebrun n'a pas d'autres procédés. Rivarol ne parlait pas autrement et Fontanes, en 1783, jugeait que « la poésie se cache dans ces expressions savantes, heureusement alliées, qu'on doit à l'art aidé de la méditation ».

Cette doctrine de l'invention laisse ou prétend laisser au génie toute son indépendance. Pas d'extravagances, mais cette pleine liberté qui se moque des règles ou qui dédaigne les règles stériles des poétiques et des rhétoriques. Méprisons ces « grammairiens », et ces « académiciens », et ces « cyclopes littéraires » qui n'ont qu'un œil pour regarder la poésie, qui parlent « avec poids et mesure et bien grammaticalement » et « balbutient les petites déci-sions de leur raison enfantine ». Moquons-nous des scru-pules ridicules du style noble. C'est bien là, si l'on veut, une révolte romantique : Hugo voudra « saisir la comète par les cheveux »; déjà Chénier voulait être « la comète qui erre ». Mais c'est aussi la révolte de bien des poètes contemporains de Chénier; ou du moins, ils se donnent

l'illusion d'être des révoltés. Les plus sages critiques eux-mêmes, comme Marmontel, doutaient de Boileau et le discutaient. Roucher et Lebrun-Pindare, eux aussi, célèbrent leurs « audaces » et les aventures où ils lancent les Muses. Le dédain des règles, des poétiques, des aca-démies et du style noble est une mode, comme le goût des jardins anglais, des torrents helvétiques et des fan-tômes ossianiques.

SA SENSIBILITÉ.

Les Élégies *de Chénier, où il chante ses amours, furent commencées, lui-même nous l'assure, quand il avait dix-neuf ans; il y travaillait encore dans ses dernières années.*

Chénier a pensé qu'il n'y avait pas de génie poétique qui ne vînt du cœur : « L'art ne fait que des vers, le cœur seul est poète. » Mais ce sont les pensées et les termes mêmes de Rou-cher ou de Lebrun : « En me faisant plus tendre, ils (mes parents) m'ont formé poète. » « La poésie est mère et fille de l'amour. » Il a cru qu'on n'écri-vait pas de beaux vers et de grands poèmes dans le silence trop sage du cabinet et sous la conduite de la raison. Il a cru aussi bien aux « délires » de l'inspiration. Le poète qui aspire à chanter la beauté s'enfonce dans les bois, seul, errant comme un insensé, en ruminant dans son cerveau les brûlants tableaux des poètes. Mais c'est ainsi que le Dorval de Diderot, possédé de son dieu, errait dans les cam-pagnes solitaires. C'est ainsi que Roucher s'assied sur la roche sauvage, devant les arcades des monts, les cascades, la sombre horreur des forêts, pour sentir frémir, dans son sein, « de l'ins-piration le délire extatique ».

ANDRÉ CHÉNIER quelques jours avant sa mort. Portrait peint à Saint-Lazare par Suvée (musée de Carcassonne).
CL. BULLOZ.

C'est ainsi que Bertin s'ensevelit dans les grottes pro-fondes des déserts de Fontainebleau. Chénier a rêvé de peintures « romantiques ». Mais le romantique ne se distinguait pas pour lui du pittoresque; ces deux mots sont pour lui synonymes : c'est une grotte ou chantent des satyres et des nymphes; c'est « un jeune poète doux, innocent, l'enfant des neuf sœurs ». Il y a un tout autre romantisme sinon dans les vers, tout au moins dans la prose de Léonard, dans les vers que Bertin a rimés sur les Pyrénées. Le Tourneur distinguait nettement le pittoresque et le romantique. La distinction était déjà courante quand Chénier les confondait encore.

Chénier n'a compris ni l'amour ni la vie comme un romantique. Il y a autour de lui des âmes vraiment roman-tiques pour qui vivre, c'est souffrir d'inguérissables bles-sures et de rêves désespérés. Mais pour Chénier, s'il n'est pas possible de vivre sans souffrir, c'est parce qu'il n'y a pas de vie sans bataille : bataille de l'amour et bataille de la gloire. En amour, il y a les « belles » qui trahissent; et pour la gloire, elle se donne trop souvent aux intrigants et aux médiocres. Mais tout de même les joies compensent les souffrances. La vie est bonne, puis-qu'elle nous donne les plaisirs. Chénier a aimé ardemment la vie pour ses plaisirs. Il n'a pas été de ceux qui les pour-suivent jusqu'à la débauche grossière; mais il est jeune, ardent, voluptueux. Il sait, comme ses maîtres Tibulle ou Catulle, que les roses du banquet et les sourires des femmes ne nous sauvent pas de l'inévitable mort et de l'inconstance : qu'importe, si les roses sont belles et si les sourires, d'ailleurs éphémères, des femmes sont sincères ? L'amour est pour lui un peu plus qu'un jeu, car il s'y laisse prendre ; et il souffre, d'une souffrance violente, aiguë, quand il sait qu'on ne l'aime plus. Mais ce sont des blessures qui tranchent dans sa chair et ne rongent pas son âme. L'espoir du lendemain et la conquête d'une autre belle effacent la trahison. Il y a ainsi dans les *Élégies* (avec d'admirables morceaux qui s'y trouvent par aventure et qui pourraient être transférés dans les *Bucoliques*) quelque chose qui les sauve de l'oubli. Ce n'est pas la personne de Lycoris, de Camille ou des autres : elles n'importent pas plus que la Catilie et l'Eucharis de Bertin ou l'Éléonore de Parny. Nous savons qui elles furent parfois ; nous sommes pour d'autres moins renseignés. Qu'importe ? Chénier n'a guère aimé que leur corps, et parfois leur esprit, parce qu'elles étaient ingénieuses, avec cette ardeur païenne qui mêle au plaisir et à la volupté comme une religion de la vie et de la beauté.

LA MÈRE D'ANDRÉ CHÉNIER, d'après une peinture de Cazes conservée au musée de Carcassonne.
CL. LAROUSSE.

SON ORIGINALITÉ.

Elle est surtout sensible dans les pièces qu'il voulait intituler Bucoliques. *Elles comprennent quelques poèmes :* l'Aveugle, le Mendiant, le Malade, *et un grand nombre de pièces plus courtes ; la plupart sont inachevées et certaines ne sont qu'ébauchées. Il avait commencé à composer ses* Bucoliques *dès l'âge de seize ans (deux d'entre elles sont datées de 1778).*

Ce n'est pourtant pas la sensibilité de Chénier qui fait son originalité. Elle réside d'abord, et c'est le point le plus clair, dans son amour pour les lettres de la Grèce. Il était fier de son origine hellénique. C'est chez les Grecs qu'il a cherché ses maîtres ; c'est avec eux qu'il a vécu. Il n'était pas le seul, sans doute, à revenir vers Homère, Sophocle ou Théocrite. Vers 1770, l'érudition, l'art et la mode même s'intéressent à tout ce qui fait revivre la Grèce antique. Les traductions d'Homère, de Pindare se multiplient. Leroy édite, de 1758 à 1770, ses *Ruines des plus beaux monuments de la Grèce* ; Caylus publie son *Recueil d'antiquités* et ses études à partir de 1752. On traduit l'*Histoire de l'art* de l'Allemand Winckelmann, trois fois de 1766 à la Révolution. Les meubles et les costumes français s'inspirent de l'art grec et des costumes grecs. Chénier était l'élève ou l'ami de Guys, qui publie, en 1771, un *Voyage littéraire de la Grèce* ; de Brunck, qui donne d'excellentes éditions de poètes grecs et latins ; de Choiseul-Gouffier, qui commence, en 1780, la publication d'un *Voyage pittoresque de la Grèce* ; de Barthélemy, dont le *Voyage du jeune Anacharsis en Grèce* date de 1783. Mais s'il fut leur élève, il aurait pu être leur rival pour le savoir et leur maître pour le goût. Il a étudié toute la littérature grecque avec une ardeur d'enthousiasme et une précision d'érudition qui l'ont fait vivre vraiment, loin des Fannys et des Glycères en robe à paniers, avec des Lycoris aux

pieds nus et des Galatées aux tuniques flottantes. Ce n'est pas seulement Homère qu'il connaît, et Théocrite, mais Nonnus, Musée, Oppien, Denys le géographe. Il les connaît en érudit. Il fréquente les scoliastes et dépouille les grammairiens, Théon, Ératosthène, Photias, Clément d'Alexandrie. Il se met à l'école des philologues, de Brunck, de Davies, de Runken, de Walkenaër, dont le fils lui communique les remarques manuscrites sur Callimaque. Il a la curiosité des plus menus détails et des usages les plus précis. Toute l'immense richesse du vocabulaire grec, celui de la décadence comme celui de Sophocle ou d'Homère, lui est présente. Il écrit parfois des vers grecs. Il vit dans un monde de textes et de pensers grecs, et, parce qu'il est poète, dans un monde d'images et d'harmonies grecques.

C'est ainsi que, sans effort, tout ce qu'il voit, tout ce qu'il imite, tout ce qu'il rêve, s'évoque avec l'harmonie heureuse et la grâce délicate que la Grèce symbolise pour nous. Ce qu'il aime surtout et ce qu'il comprend des Latins, ce n'est pas l'élégance ingénieuse d'Horace ou ce qu'il peut y avoir de passion ardente dans l'*Énéide* ; c'est ce que les Latins doivent aux Grecs, c'est tout l'hellénisme romain, Catulle, Tibulle, Properce et le meilleur d'Ovide, qui vient de la Grèce. S'il imite l'*Hamlet* de Shakespeare, c'est pour « peindre la belle de Scio d'une manière antique », si bien antique que nous ne songerions pas à Shakespeare sans une note, écrite par Chénier, qui nous révèle la source de son inspiration. Voici un autre *quadro* :

> Viens, là sur des joncs frais, ta place est toute prête.
> Viens, viens. Sur mes genoux viens reposer la tête.
> Les yeux levés vers moi tu resteras muet
> Et je te chanterai la chanson qui te plaît.

Qui s'aviserait, si Chénier ne nous avertissait, que ces vers sont imités de l'*Henry IV* du même Shakespeare ? Pareillement, nous savons par lui, ou par d'évidents rapprochements, que *Clytie*, *Pannychis*, *les Colombes*, d'autres fragments, sont imités des idylles de Gessner ; mais il n'y reste plus rien de zurichois. C'est tout ce que les yeux de Chénier regardent qui se transpose ainsi :

> Des monts du Beaujolais aspect délicieux,
> Quand l'Azergue limpide, enfant de ces beaux lieux,
> Descendant sur les prés et la côte vineuse,
> Vient grossir de ses eaux la Saône limoneuse...

Et quand Chénier ne précise pas par quelque indication géographique, rien ne subsiste de la réalité contemporaine :

> Fille du vieux pasteur, qui d'une main agile,
> Le soir emplis de lait trente vases d'argile,
> Crains la génisse pourpre, au farouche regard,
> Qui marche toujours seule et qui paît à l'écart.
> Libre, elle lutte et fuit, intraitable et rebelle ;
> Tu ne presseras point sa féconde mamelle,
> A moins qu'avec adresse un de ses pieds lié,
> Sous un cuir souple et lent ne demeure plié.

On jurerait que ce tableau bucolique est imité de quelque poète grec ; mais une note de Chénier nous détrompe : « Vu et fait à Catillon près Forges, le 4 août 1792, et écrit à Gournay le lendemain. » Son rêve, d'un seul élan, franchit les espaces et les siècles. Il n'est plus qu'un contemporain d'Homère, de Bion ou de Théocrite.

C'est là une première originalité de Chénier. Si l'on

commence, autour de lui, à s'intéresser à l'histoire et à l'art des Grecs, on ne les lit guère encore que dans des traductions et ce n'est pas eux que les poètes imitent. Saint-Lambert, Roucher imitent Thomson, Milton, Young, Pétrarque, Racine, Voltaire, J.-B. Rousseau; Delille traduit les *Géorgiques;* Bertin ou Parny savent par cœur Tibulle, Properce, Catulle, Ovide : ils ne vont pas, à travers eux, jusqu'aux Grecs, leurs maîtres. Léonard ou Berquin les ignorent encore plus profondément. Seul Chénier a empli ses yeux de la beauté grecque.

Mais constater qu'il s'est nourri de la littérature grecque, ce n'est, pourtant, voir que le caractère extérieur de son génie. Car la littérature grecque est vaste et diverse, plus diverse même que Chénier ne le croyait; d'Homère à Longus et de Sapho à Léonidas de Tarente, elle a reflété bien des âmes et bien des beautés changeantes. Chénier ne s'est pas soucié de ces diversités. Il a contemplé, à travers les héros d'Homère et les pasteurs de Théocrite, une même vision de la beauté. Elle est grecque, puisque c'est la Grèce qui l'inspire, mais elle est sienne surtout.

AUTRE EN-TETE de l' «Histoire de l'Art» de Winckelmann. — CL. LAROUSSE.

Il l'a recréée d'abord, comme tous les grands écrivains recréent, même lorsqu'ils semblent imiter. Il a fait son miel de toutes choses, comme La Fontaine. On n'a pas déterminé tous ses emprunts : ils sont innombrables. « L'idée de ce long fragment, écrit-il, à propos de *Lycoris*, m'a été fournie par un des beaux morceaux de Properce. Mais je ne me suis point asservi à le copier. Je l'ai étendu; je l'ai souvent abandonné pour y mêler, selon ma coutume, des morceaux de Virgile et d'Horace et d'Ovide, et tout ce qui me tombait sous la main. » C'est ainsi qu'il projette de traduire une épigramme de Bacchylide, à la façon de Virgile parlant du tombeau de Bianor. Pour peindre l'enlèvement d'Europe, il mêle Ovide et Moschus; pour tel passage de *l'Aveugle*, il imite Homère, *les Argonautiques*, Virgile et peut-être Calpurnius; pour *le Malade*, Virgile et la *Phèdre* de Racine. Mais il n'a ramassé « ce qui lui tombait sous la main » que pour des raisons précises, ou du moins un sûr instinct l'a guidé pour ne prendre à ses modèles que ce qui convenait à son génie.

Il est malaisé de ramener ces raisons à des formules et d'expliquer cet instinct comme on explique les méthodes de Condillac. Ce sont des raisons d'art et des décisions du goût aussi souples et subtiles que la vision intérieure du poète. Il abrège, quand il le faut : le combat des Cen-

taures et des Lapithes, qui avait dans Ovide plus de trois cents vers, n'en a plus que quarante dans *l'Aveugle*. Mais il ajoute aussi, à l'occasion. Sa petite Pannychis, c'est la Clymène de Gessner; mais il étend le morceau par des emprunts à l'*Anthologie*. S'il chante *l'Enlèvement d'Europe*, il ajoute à Ovide et à Moschus. Il n'a pas d'autre règle que son goût. Ainsi, selon les cas, on retrouve ses modèles ou on les perd, on les discerne avec précision ou on ne les entrevoit qu'à peine; mais il faut toujours un effort d'application pour convenir que tel vers est pris d'Ovide, ou d'Homère, ou de Gessner. Si précises que soient les sources et si nombreuses, la couture, comme le disait Chénier, est invisible et le modèle s'absorbe dans la copie.

La grâce de Chénier est grecque ou du moins elle reflète l'image qu'évoque pour nous la Grèce, parce qu'elle est faite surtout d'harmonies plastiques, auxquelles le style ajoute comme une ligne musicale. Chénier ne semble pas avoir été très sensible à cette grâce complexe et trop savante de l'intelligence et du goût, qui était celle de son siècle. Les femmes qu'il a aimées avaient assurément l'élégance espiègle et raffinée des femmes que peignaient Boucher et Fragonard, ou les naïvetés inquiétantes des laitières de Greuze. Il n'en est rien resté d'ailleurs, ou presque rien, dans ses élégies. Mais il a senti profondément cette grâce éternelle qu'exprime à la fois si mystérieusement et si clairement une taille qui s'incline, un bras qui s'arrondit, les nœuds d'une chevelure, la courbe flottante d'un vêtement. Dans la poésie de Chénier, constamment, c'est le corps qui parle aux yeux et qui les enchante. Ce n'est pas la grâce plus belle que la beauté; c'est celle qui se confond avec la beauté. « Il faut peindre des jeunes filles marchant vers la statue d'un dieu, tenant d'une main sur leur tête une corbeille de fleurs et de l'autre les pans de leur robe... et d'autres attitudes qu'il faut tirer des marbres, des pierres et des peintures antiques. » « Représenter une jeune fille qui soulève sa robe jusqu'au genou pour entrer dans l'eau. » «Rendre cette peinture de Gessner d'une fille qui, au bord de l'eau, mollement inclinée, retient d'une main les plis de sa robe et de l'autre se lave le visage et attend que l'eau se calme, se regarde et rit de se voir si jolie. » Chez Gessner ce n'est qu'une image « touchante », perdue dans la banalité d'une peinture de l'innocence; pour Chénier, c'est l'essentiel. Et ses poèmes se déroulent comme une frise où

EN-TETE de l' « Histoire de l'Art » de Winckelmann (traduite en 1766), dont Chénier a subi l'influence. — CL. LAROUSSE.

s'assemblent les gestes et les contours divins de la beauté, à la fois fixée dans le marbre et frémissante de vie :

> Toujours ce souvenir m'attendrit et me touche,
> Quand lui-même, appliquant la flûte sur ma bouche,
> Riant et m'asseyant sur lui, près de son cœur,
> M'appelait son rival et déjà son vainqueur.
> Il façonnait ma levre inhabile et peu sûre
> A souffler une haleine harmonieuse et pure,
> Et ses savantes mains, prenant mes jeunes doigts,
> Les levaient, les baissaient, recommençaient vingt fois,
> Leur enseignant ainsi, quoique faibles encore,
> A fermer tour à tour les trous du buis sonore.

Les plus célèbres des poèmes de Chénier, *l'Aveugle, Hylas, la Jeune Tarentine*, sont faits ainsi d'une succession d'images qui s'ébauchent ou se précisent, mais qui toutes dessinent des gestes, des courbes, des flottements, des cortèges animés d'une grâce insaisissable et pourtant sûre.

La poésie de Chénier est donc constamment plastique ; mais elle l'est autrement que celle de Leconte de Lisle ou de Heredia. Il a cherché cette « naïveté » qui fut l'un des rêves de son époque compliquée. « Un sentiment noble, dit-il, n'est sublime que par naïveté… ; c'est donc la naïveté seule qui produit en nous des émotions vives, profondes et rapides. » Être naïf, c'était sans doute pour lui ne pas écrire comme un Dorat, éviter les extravagances anglaises, être simple ; mais c'était aussi vivre dans les lointains de l'antique Hellas. Cette simplicité, que nous aimons à confondre avec l'harmonie, la paix et le bonheur, ne peut jamais être contemporaine. C'est un beau mensonge dont nous ne pouvons jamais croire qu'il est présent : il y faut un recul, recul dans l'espace de campagnes inconnues, plus sûrement recul dans une Arcadie ou une Sicile légendaires. Chénier nous entraîne loin des réalités médiocres

PAGE DE TITRE du « Voyage pittoresque de la Grèce », par Choiseul-Gouffier (1ᵉʳ volume, 1782). Fleuron de Moreau le Jeune, gravé par Varin. — CL. LAROUSSE.

de la vie vers une Antiquité où il semble si aisé d'être heureux que la douleur même et la mort y trouvent comme un apaisement et une harmonie. D'ailleurs, la naïveté de l'idylle ne peut pas résulter simplement de la vérité d'un décor, de la simplicité des gestes, du costume, des horizons. Il y faut la simplicité des sentiments. Nous avons conscience que nos âmes, compliquées par l'incessant travail des civilisations, mêlent sans cesse l'artifice et la nature, ce qui est appris et ce qui est sincère. Nous rêvons alors de toucher le fond primitif de l'âme humaine et les formes élémentaires de ses émotions. C'est là ce que Chénier a su, bien souvent, retrouver. Il n'avait pas un cœur naïf, pas plus que Bertin ou Parny, et moins peut-être que Léonard ou Colardeau. Dans ses *Bucoliques* mêmes, sans parler de ses *Élégies*, il y a bien souvent des « délicatesses » qui sont des mièvreries ; des tableaux que Boucher ou Fragonard auraient pu illustrer. Il a su pourtant exprimer autre chose. « Il y a, dit-il, des sentiments si purs, si simples, des pensées si éternelles, si humaines, si nôtres, si profondément innées dans l'âme, que les âmes de tous les lecteurs les reconnaissent à l'instant. » Ce sont ces sentiments qu'il a su reconnaître et exprimer à son tour. Un poète aveugle que rencontrent des enfants dans la campagne et qui chante : c'est le premier émoi de l'âme humaine devant la poésie et l'harmonie. — Un mendiant qui fut un riche, qui n'est plus qu'un exilé misérable et qu'accueille une enfant innocente : c'est le drame de la fortune contraire, de la pitié, de la reconnaissance. — Un jeune homme qui se meurt d'amour parce qu'il est timide et que celle qu'il aime est fière : c'est la tragi-comédie du désespoir et des revanches de l'amour. — Moins encore : des jeux de jeunes filles ou de petites filles ; des coquetteries spontanées et candides ; des chants de pasteurs ; des espoirs, des inquiétudes, des rencontres d'amants ; les soins de la vie rustique ; des idylles marines qui traduisent le besoin de l'aventure et de l'inconnu ; des légendes de l'antique mythologie où les grandes forces éternelles de la nature et de l'âme s'animent ; au terme de ces destinées, la mort et des tombeaux, des épitaphes, des amantes qui pleurent et se lamentent, des fantômes adorés qu'on croit saisir dans l'ombre de la nuit et le souffle des vents. C'est bien là tout un poème de la vie éternelle et comme la chanson de l'humanité. Ce n'est pas l'humanité qui lutte et pense, celle que Chénier voulait exprimer dans l'*Hermès* ou l'*Amérique* ; mais c'est celle qui vit, s'égaie, pleure, aime, meurt, selon la loi naturelle, avec « naïveté ».

SON STYLE, SA LANGUE ET SA VERSIFICATION.

Voir D. Mornet, l'Alexandrin français dans la deuxième moitié du XVIIIᵉ siècle, *1907*.

La grâce et la naïveté de Chénier ne sont pas faites seulement de ces images ou des sentiments qu'il traduit ; elles sont une harmonie sonore, une harmonie plastique ou une harmonie d'émotions :

> Tout roseau, tout caillou, tout chaume est écarté
> Qui troublerait un peu le cristal argenté
> De son style riant de grâce et de nature,
> Doux, limpide et semblable à l'onde la plus pure.

C'est bien là l'harmonie du style de Chénier : la grâce et la nature y rient ; il coule avec l'aisance musicale et transparente d'une fontaine :

> Au coucher du soleil, si ton âme attendrie
> Tombe en une muette et molle rêverie,
> Alors, mon Clinias, appelle, appelle-moi.
> Je viendrai, Clinias, je volerai vers toi.
> Mon âme vagabonde à travers le feuillage
> Frémira. Sur les vents ou sur quelque nuage
> Tu la verras descendre, ou du sein de la mer,
> S'élevant comme un songe, étinceler dans l'air ;
> Et ma voix toujours tendre et doucement plaintive,
> Caresser en fuyant ton oreille attentive.

Chénier n'a pas créé ce style sans effort. Il écrivait en vers avec facilité ; mais il a voulu faire difficilement des vers faciles. Au moment où la Révolution éclate, il a vingt-sept ans : ses portefeuilles sont remplis abondamment de poèmes, dont quelques-uns nous semblent aujourd'hui achevés ; il n'a rien publié pourtant. Il attendait que, lentement, au gré de l'inspiration capricieuse, il pût remanier encore et atteindre la perfection. Ses manuscrits donnent la preuve, à chaque page, de cette patience et de cette conscience. Au hasard de ses lectures et de ses rêves, il ébauche brièvement un plan de bucolique, il note le vers ou le groupe de vers qui traduit une image harmonieuse, une pensée délicate ; il évoque un tableau qui, plus tard, s'encadrera dans un ensemble plus complet. Ou bien il développe en prose une sorte de scénario, note des images, des attitudes, des propos ; de place en place des vers jaillissent, qui se sont formés d'eux-mêmes dans sa pensée. Ou bien il écrit en vers son poème, bref ou long ; puis il le récrit entièrement, en modifiant des expressions ou des images. Telle élégie a été reprise ainsi trois fois. Ce poète de la grâce fluide et de l'harmonie délicate a pratiqué la vertu qui, selon Buffon, est l'essence même du génie : la longue patience.

On peut analyser quelques-uns des procédés les plus apparents de Chénier. Il n'était pas un « puriste ». Il réclamait pour le poète et l'homme de génie le droit de « reculer les bornes » de la langue. Dans la pratique, son audace ne va pas très loin. Ses archaïsmes *(exorable)*, ses latinismes *(rive aréneuse, expédier les mystères)*, ses constructions empruntées à la syntaxe du XVIIe siècle ont leurs équivalents chez ses contemporains. Comme ses contemporains, il n'a pas évité toujours l'obscurité et la manière :

> Venez apprendre
> Quels doux larcins, d'Hercule insidieux rivaux...

Il a biffé lui-même *insidieux*, puis écrit à côté du mot biffé : « maniéré ». Il aurait pu biffer quelques autres tournures et surtout de fâcheuses élégances. Il s'est complu fort sérieusement à ces métamorphoses qui posent au lecteur des énigmes, spirituelles sans doute, mais aussi peu « naïves » qu'il se peut : *l'albâtre docile, au fond des eaux, formé des dépouilles du lin*, c'est le papier. Il y a chez Chénier une bonne douzaine de ces périphrases. Mais de tels artifices sont moins rares chez ses contemporains ; leurs archaïsmes sont souvent inutiles et leurs latinismes presque toujours gauches ou obscurs. L'originalité de Chénier est aussi (lui-même sans doute aurait dit : surtout) dans certaines alliances de mots et certaines constructions, dans ce qu'il appelait, en songeant à la fois aux pensées et au style, « des nœuds certains, imprévus et nouveaux ». Il a voulu faire à la langue « une heureuse violence » :

> Qu'un sein voluptueux, des lèvres demi-closes,
> Respirent près de nous leur haleine de roses...

« Le second vers, note Chénier, me semble heureux à cause de l'haleine attribuée aux palpitations du sein... ; en poésie un mot passe à la faveur d'un autre ». Il a fait ainsi passer heureusement bien des mots :

> Le toit s'égaie et rit de mille odeurs divines...
> De sourire et de plainte il mêle son langage...
> Sa bouche, tous ses traits, en longs et noirs torrents
> Jaillissent...

Il multiplie enfin les anacoluthes, les tours rapides où le sens suit la pensée sans s'astreindre à une construction rigoureuse :

> Il dit ; plonge ; et, perdant au sein de la tourmente
> La planche sous ses pieds fugitive et flottante,
> Nage, et lutte, et ses bras et ses efforts nombreux,
> Et la vague, en roulant sur les sables pierreux,
> Blême, expirant, couvert d'une écume salée,
> Le vomit...

GRAVURE tirée du « Voyage pittoresque de la Grèce », de Choiseul-Gouffier. Scyros est l'île où se place le poème de « l'Aveugle ». — CL. LAROUSSE.

Chénier a eu le don d'entraîner la pensée et l'image dans un mouvement si clair et si sûr qu'on oublie la stricte logique grammaticale. Il a eu le secret des « violences » qui sont heureuses parce qu'elles suivent fidèlement la vision intérieure et l'émotion du poète et restituent le mouvement même de la vie.

On a cru et l'on croit encore qu'au milieu de poètes attardés dans la monotonie des rythmes classiques, il a donné le modèle de toutes les libertés romantiques du vers. En réalité, les libertés de Chénier sont à peu près celles de ses contemporains, qui ont très souvent et délibérément renoncé aux règles de Malherbe et de Boileau :

> Ma mère, adieu. Je meurs ; et tu n'as plus de fils.
> Non, tu n'as plus de fils. Ma mère bien-aimée,
> Je te perds... Une plaie ardente, envenimée,
> Me ronge... Avec effort je respire ; et je crois
> Chaque fois respirer pour la dernière fois.

Il y a là des coupes avant ou après l'hémistiche : il y en a presque aussi souvent chez Delille et chez Roucher ; des rejets : Delille et Roucher usent aussi du rejet. Chénier a des vers à coupe ternaire : Delille emploie la coupe ternaire aussi souvent que lui. Les rejets sont beaucoup plus nombreux chez Chénier (c'est là son « audace » préférée) ; mais les enjambements se rencontrent plus souvent chez Delille, Roucher et d'autres. Le génie de Chénier n'est donc pas dans la doctrine, qui est assez banale vers 1780 : il est seulement dans l'usage qu'il en sait faire. Delille ou Roucher, à l'ordinaire, s'appliquent à être audacieux ; ils le sont méthodiquement et laborieusement. Le vers de Chénier suit sans effort, comme sa langue, le mouvement de ses images et de la vie.

VIII. — LE BILAN DU XVIIIe SIÈCLE ENRICHISSEMENT DE L'ESPRIT FRANÇAIS

Sur l'esprit du XVIIIe siècle, voir : Tocqueville, *l'Ancien Régime et la Révolution, 1850 ;* Taine, les Origines de la France contemporaine, t. I, l'Ancien régime, *1876 ;* D. Mornet, *les Origines intellectuelles de la Révolution française, 1933. — Sur l'influence de la France à l'étranger, voir :* B. Strauss, *la Culture française à Francfort, 1914 ;* E. Haumant, *la Culture française en Russie, 1910 ;* Kont, *Étude sur l'influence de la littérature française en Hongrie, 1902 ;* É. Bouvy, *Voltaire et l'Italie, 1898 ;* G. de Reynold, *le Doyen Bridel et les origines de la littérature suisse romande, 1909 ;*

B. Faÿ, l'Esprit révolutionnaire en France et aux États-Unis à la fin du XVIIIe siècle, *1924; Audra,* l'Influence française dans l'œuvre de Pope, *1931; H. Bédarida et P. Hazard,* l'Influence française en Italie au XVIIIe siècle, *1934. — La plus importante correspondance littéraire de l'époque est celle de Raynal, Grimm, Diderot et Meister, dont une précieuse édition a été donnée par Maurice Tourneux, 16 vol., 1877-1882.*

La pensée française a subi au XVIIIe siècle des transformations profondes. Sans doute les conséquences pratiques de ces transformations sont, jusqu'à la Révolution, insignifiantes. Au moment de la convocation des États généraux, « l'esprit philosophique » ou « la voix du sentiment » n'avaient guère obtenu que deux choses : la réforme de la justice criminelle par la suppression de la question préalable, et la reconnaissance des mariages entre protestants : c'était peu pour une philosophie triomphante. Les bonnes volontés restaient isolées. La taille, la dîme, les gabelles pesaient aussi lourdement ; les famines restaient aussi cruelles. Il n'y avait pas grand-chose de changé, en apparence, dans le royaume de France, depuis cent ans.

Mais c'est l'esprit qui était changé. Tout un avenir était préparé : non seulement l'avenir immédiat de la Révolution, mais celui de toute la pensée contemporaine. Le XVIIIe siècle a façonné ou, pour le moins, préparé toutes les forces intérieures qui conduisent depuis lors la pensée française.

C'est d'abord un goût et comme un besoin invincible de raison. Le XVIIIe siècle n'a pas inventé ce besoin, aussi vieux que l'humanité civilisée, puisqu'il conduit pour une part notre Renaissance et même notre Réforme. Rabelais ou Montaigne, puis Molière ou Gassendi, sont à certains égards des hommes du XVIIIe siècle. Mais, avant le XVIIIe siècle, la raison a ses droits ; elle n'a pas tous les droits. Ce n'est pas elle qui, en fait, gouverne la vie française, puisque c'est le Roi, l'Église, le Parlement. Au contraire, le XVIIIe siècle, comme le disait Fontenelle, va « réduire toute chose sous l'empire de la raison ». C'est la spéculation qui aura le droit de juger la vie et le raisonnement qui devra conduire le gouvernement. C'est-à-dire qu'il ne suffit même pas pour qu'une chose soit bonne qu'on en sente ou qu'on en croie sentir les bienfaits ; il ne suffit pas qu'elle nous donne un sentiment d'aise, de sécurité, de nécessité pour qu'elle ait le droit de durer. Il faut encore qu'on la comprenne et qu'on se prouve à soi-même qu'elle est vraie ou juste ; il faut qu'elle soit approuvée par l'intelligence. Et notre intelligence peut approuver et défendre les choses mêmes qui nous blessent et nous répugnent ; il suffit qu'elles aient leur place nécessaire dans son raisonnement. Par exemple, Diderot ou d'Holbach détestent au fond d'eux-mêmes tous les prêtres, et toute contrainte religieuse leur est odieuse. Mais quand ils construisent un État, celui de Catherine II ou celui de l'*Éthocratie,* ils ne voient pas, pour conduire la « populace »,

GLORIFICATION DE LOUIS XV. Frontispice de Gravelot pour l' « Encyclopédie élémentaire » publiée par de Petity en 1767. — CL. LAROUSSE.

d'autre moyen qu'une religion. Ils concluront donc — raisonnablement — à une religion d'État.

Bonne ou mauvaise, cette souveraineté de la raison a du moins créé définitivement une force sociale : l'intelligence. Au XVIIe siècle, l'intelligence ne compte pas ; ou plutôt elle ne compte que comme un moyen. On écrit non pour le plaisir et pour l'art, mais pour « l'instruction », entendons l'instruction morale. Au XVIIIe siècle même, pendant longtemps, quand on n'est pas du commun, on fréquente les gens de lettres et les beaux esprits, mais comme on fréquente son intendant ou son maître à danser, quitte à les traiter en faquins ou à les faire rosser, s'ils sont impertinents. Le duc de Rohan discute avec Voltaire à coups de bâton, donnés par ses laquais, et Caylus lui-même tient les Vernet, les Boucher, les Diderot pour une racaille agréable qu'on laisse à la porte quand elle ennuie. Seulement la racaille finit par triompher des grands seigneurs, et l'intelligence prit son rang à côté de la naissance et de la fortune. Pour tenir sa place dans le monde, au XVIIIe siècle, il faut plaire. On plaît bien entendu parce qu'on est puissant, riche ou bien fait. Mais on plaît aussi parce qu'on a des « idées » et parce qu'on sait les faire valoir. Il faut être « philosophe ». Et les philosophes apparaissent, à l'occasion, comme plus redoutables que ceux mêmes qui détiennent la puissance. Voltaire est le roi Voltaire ; Rousseau, citoyen de Genève, discute d'égal à égal avec Christophe de Beaumont, archevêque de Paris ; Diderot frappe, en causant, le genou de Catherine II. Et les rois, empereurs ou impératrices, s'ils méprisent peut-être au fond d'eux-mêmes ces gens de rien, mettent leur amour-propre à rivaliser avec eux. Ils n'affirment plus seulement que tel est leur bon plaisir ; ils démontrent ou font démontrer qu'ils ont raison. Ils se piquent d'être intelligents autant que d'être justes ou puissants. Frédéric II, Catherine II, Joseph II et d'autres s'honorent d'être des princes « philosophes ». Quand le roi de Danemark vient à Paris, en 1768, il reçoit dix-huit savants ou philosophes. Et quand le prince Henri de Prusse y vient à son tour, en 1784, il traite les gens de lettres à sa table, même s'ils sont, comme Baculard d'Arnaud, de pauvres hères. Les empires eux-mêmes se donnent les airs d'être réduits sous l'empire de la raison.

Mais cette raison ou cette intelligence française a sa marque propre. Le XVIIIe siècle n'a pas été seulement un siècle raisonnable, car il y a trop de façons d'être ou de se croire raisonnable. Il a été le siècle qui a voulu démontrer à tous ses raisons. Ce goût de la démonstration, de la propagande, disons même de la prédication philosophique a donné à la pensée française quelques-unes de ses qualités les plus précieuses : elle a été claire, sociable, sociale. Elle fait descendre la pensée du ciel philosophique sur la terre de la vie pratique. Elle n'envisage plus les questions sous l'aspect de la pensée pure, mais sous l'aspect de leurs conséquences sociales. Elle nous révèle des droits et nous dicte des résistances ; elle nous trace des chemins pour aujourd'hui ou pour demain. Par là elle s'oblige à être claire non plus pour les docteurs en Sorbonne, les régents de collège, les académiciens, mais pour tous. Il faut que le système, la discussion, la démonstration soient aussi aisés à suivre que le roman ou la comédie du jour. Si l'on discute de la Providence, ou du luxe, ou de la liberté du commerce des grains, ou de la tolérance, il faut convaincre non plus quelques gens de lettres ou quelques curieux, mais tous les curieux; et ces curieux sont tout un monde. On n'écrit plus des thèses de collège ou de Sorbonne, mais des appels à l'opinion publique. Et l'opinion ne comprend que ce qui est simple, ou même ce qui est élémentaire.

Elle ne comprend même, bien souvent, que ce qui la divertit. Être clair, ce ne sera plus seulement réduire les abstractions à des éléments simples, peu nombreux, logiquement ordonnés; ce sera les exprimer en formules élégantes et vives, sous des costumes, dans des décors qui donnent du mouvement et du pitto-

La Contemplation de la Nature.   La Loi naturelle ou l'Empire de la Raison.

Ces compositions de Monnet ornent « le Comte de Valmont ou les Égarements de la Raison » (édition de 1781), par l'abbé Gérard, hostile à Rousseau comme aux philosophes; mais elles semblent imaginées pour illustrer la « Profession de foi du Vicaire savoyard » ou quelque livre philosophique. — Cl. Larousse.

resque. La clarté de la pensée du XVIIIe siècle, c'est ce qui fait que l'optimisme de *Candide* est plus clair que l'optimisme de Wolf ou même de Pope, le fatalisme de *Jacques le Fataliste* plus clair que celui de Spinoza ou même de Lucrèce, la théorie de la tolérance dans *Bélisaire* ou dans *les Incas* plus claire que tous les traités sur la tolérance, la pédagogie de l'*Émile* plus claire que celle de Locke ou de Rollin. La clarté du XVIIIe siècle n'est pas seulement d'être pratique et non plus métaphysique, populaire et non plus technique, c'est encore d'être divertissante. La philosophie, très souvent, ne s'enferme plus dans des traités, des dissertations et des discours; elle se loge et se déguise dans des romans, des contes, des dialogues, voire dans des facéties. Elle se mêle à la « douceur de vivre ». Penser n'est plus un effort, un repliement, une austérité; c'est un divertissement, une expansion, une joie naturelle de la vie.

Malgré leur prestige, la clarté et la raison françaises eurent évidemment, au XVIIIe siècle, leurs ignorances et leurs erreurs. On les a dénoncées, nous l'avons dit, avec âpreté. Ces critiques sont pour une part justifiées. Libres de raisonner, empêchés de réformer ou de créer, les philosophes se sont préoccupés de leur raisonnement avec une ardeur aveugle et, peut-être, imprudente. Ils ne se sont presque jamais demandé comment on pouvait passer de la doctrine à l'action. Surtout, ils ont cru, presque tous, que la spéculation avait tous les droits et qu'elle ne faisait courir aucun risque à l'action, qu'on pouvait souhaiter dans toute société une religion pour le peuple et démontrer que toutes les religions sont fausses. Ils ont à la fois trop cru et trop peu cru aux idées : ils se sont persuadés tour à tour qu'elles étaient la mesure de la réalité et que la réalité n'était pas touchée par elles; que des philosophes peuvent conduire le monde et que le monde ne se souciera pas des

démonstrations des philosophes. Et ceux qui ont vu leurs idées à l'œuvre, sans eux ou contre eux, ont été épouvantés.

C'est à eux-mêmes sans doute qu'ils devaient s'en prendre. Mais s'ils avaient jeté sur le siècle un coup d'œil qui l'embrassât dans son ensemble, ils auraient pu se rendre compte qu'ils avaient pourtant créé les formes de pensée que devait contrôler et corriger l'esprit d'abstraction et de système. Ce qui juge en dernier ressort le procès entre les idées, c'est l'observation et l'expérience. C'est dans les sciences d'observation et d'expérience que l'esprit humain et les choses se rencontrent. Les méthodes des sciences expérimentales sont celles qui nous ont appris ce que c'est que comprendre : non pas nous comprendre nous-mêmes, ce qui ne nous met même pas d'accord avec les autres, mais comprendre une réalité qui ne nous obéit que si nous nous soumettons d'abord à elle. Or, c'est justement le XVIIIe siècle qui a définitivement organisé et vulgarisé les méthodes des sciences de la nature. Non seulement Lavoisier a fondé toute la chimie moderne, mais les physiciens et les naturalistes, s'ils n'ont pas fait de découvertes aussi cohérentes et aussi fécondes, ont dit, à peu près aussi exactement qu'un Stuart Mill et un Berthelot, ce que c'est qu'observer, expérimenter, prouver, et ils ont établi les conditions strictes qui transforment une idée abstraite, une hypothèse, en une loi vérifiée, en une réalité pratique. La «philosophie», pour tout le XVIIIe siècle, et jusque dans le plus humble collège, c'est de la mécanique, de la physique, de l'histoire naturelle, en même temps que de la logique ou de la métaphysique. Les savants proprement dits ont été compris et suivis par tous les esprits cultivés.

C'étaient là surtout des méthodes pour étudier les sciences de la nature. Il restait à comprendre cette vie humaine où les forces spirituelles, quelle que soit leur origine, jouent un rôle prépondérant. Pascal avait dit que le cœur a des raisons que la raison ne connaît pas. Il est très certain que ces raisons-là ne semblaient ni très décisives ni très respectables à un Voltaire, à un Helvétius, même à un Condorcet. Mais tout le XVIIIe siècle ne s'est pas enfermé dans la lecture de l'*Essai sur les mœurs*, de l'*Esprit*, ou du *Système de la nature*. Les raisons du cœur avaient été comprises avant Rousseau : Rousseau les revendiqua avec tant d'éloquence que toute la génération fut conquise ou ébranlée. On n'a rien dit depuis lors sur la conscience, sur les certitudes intérieures, sur les lumières du sentiment qui ne soit déjà dans Rousseau. Le siècle des lumières devint aussi celui des «flammes du sentiment». Même, on voulut associer la raison et le sentiment. On ne vit pas d'un côté les disciples de Voltaire et des encyclopédistes, et de l'autre ceux de l'*Héloïse* et de l'*Émile*. S'il y eut des voltairiens qui ne se plaisaient qu'à l'analyse et à l'ironie, des âmes sensibles qui le furent sans jugement et sans mesure, beaucoup subirent à la fois l'ascendant de Voltaire et l'ascendant de Rousseau. Mme Roland, Mme Necker, Mme de Staël, le jeune Sénancour, le jeune Benjamin Constant doivent à Rousseau des élans comme à Voltaire des goûts critiques et des curiosités historiques. Des philosophes aujourd'hui oubliés, mais qui furent très lus, Delisle de Sales, Beaurieu, Raynal, L.-S. Mercier, Dubois-Fontanelle, mêlent Rousseau, Voltaire, Diderot, d'Holbach, les raisons raisonnantes et les épanchements du cœur.

Il est très certain que ni ces philosophes oubliés ni les grands n'ont fixé pour toujours l'accord de la raison et du cœur. Le XIXe siècle a repris le même problème, et le XXe après le XIXe. La pensée française, comme la pensée humaine, cherche encore un équilibre qui semblera toujours aux uns sacrifice de la raison, aux autres méconnaissance du sentiment. Le XVIIIe siècle n'a pas trouvé exactement dans l'ordre littéraire le degré d'harmonie où s'unissent la précision de la pensée abstraite et les frémissements du cœur. Il s'est jeté souvent sans choix et sans mesure dans l'emphase. Par dédain de « l'esprit géomé-

trique », il a cherché le lyrisme et l'émotion dans « les convulsions du style ». Pourtant, c'est au XVIIIe siècle qu'on s'est le plus moqué de ces convulsions, et les ridicules où sont tombés si souvent un Loaisel de Tréogate ou un Baculard d'Arnaud ne sont pas ceux de tous les écrivains sensibles. « Ce qui n'est pas clair n'est pas français », dira Rivarol à la fin du siècle. Son jugement ne rejetait hors de France ni Rousseau ni ses disciples : il n'y a rien de plus solidement ordonné et de plus clairement conduit que le lyrisme de Rousseau ou le pittoresque de Bernardin de Saint-Pierre. Si bien qu'en se flattant d'être « anglomane ou cosmopolite », en se livrant à Richardson, à Shakespeare, à Young, à Ossian ou à Gœthe, le XVIIIe siècle reste encore très exactement français. En fait, il ne se livre pas ; il ne prend guère à l'étranger que ce qu'il a déjà en lui-même ; et il garde justement son besoin de clarté, de mesure et d'équilibre. Il trahit et défigure les Anglais ou les Allemands ; il les adapte, les ordonne, les « épure » ; il les habille à la française.

C'est donc que nous restions nous-mêmes, malgré tout. Le XVIIIe siècle est le siècle où les frontières intellectuelles s'abaissent, où les littératures du Nord se révèlent aux littératures du Midi. La littérature française leur emprunte pour une part son romantisme ; mais elle continue tout de même à se défier des ténèbres et du désordre ; elle s'applique tout au moins à ne pas s'y égarer. Le Bernois Muralt, au début du siècle, avouait « le je ne sais quel charme » qui l'emportait malgré tout vers la France. Sherlock ou Thomas Moore, à la fin du siècle, convenaient comme lui de cet attrait. De 1730 à la Révolution, en effet, la pensée française ne s'est pas altérée. Ni la « philosophie » ni le « romantisme » naissant n'ont étouffé les qualités du goût classique : ils les ont seulement enrichies et diversifiées. La pensée n'en devient ni plus harmonieuse, ni plus profonde, ni, si l'on veut, plus vivante ; mais elle est descendue des hauteurs trop sereines du « Parnasse » sur la terre, où les hommes s'efforcent de mieux comprendre et de mieux vivre.

LA FRANCE ET L'ÉTRANGER AU XVIIIe SIÈCLE

De la fin du XVIIe siècle jusqu'en 1760 environ, il paraît en Angleterre quelque soixante ouvrages qui s'opposent plus ou moins violemment aux dogmes de la religion chrétienne. Une vingtaine sont traduits en français (dont dix avant 1750). Ce sont ceux de Toland, Collins, Chubb, Shaftesbury, Mandeville, Bolingbroke, etc. Ceux qui sont franchement matérialistes et athées n'exercent, avant 1750, que peu d'influence. L'influence réelle ne s'étend que dans la deuxième moitié du XVIIIe siècle, avec ce que Voltaire leur emprunte dans son Dictionnaire philosophique, avec les traductions, adaptations ou ouvrages inspirés d'eux que d'Holbach publie (sans nom d'auteur et sans que personne, à part Diderot, sache qu'il en est l'auteur). Les éditions des divers ouvrages de d'Holbach dépassent, d'ailleurs, avant la Révolution, le chiffre de soixante-dix ; elles ont donc eu (pour le XVIIIe siècle) de très nombreux lecteurs, mais seulement dans les quelque vingt années qui précèdent la Révolution.

Beaucoup plus grande est l'influence du déisme anglais et de ses conséquences, la religion naturelle et la tolérance religieuse. Les moralistes anglais enseignant ainsi que tous les hommes pourraient s'entendre sur les grands principes d'une philosophie et d'une morale spiritualiste, indépendantes de dogmes obscurs, contradictoires ou absurdes, tels que Chesterfield et Bolingbroke, sont bien connus en France où ils font de nombreux séjours et sont les hôtes choyés des salons. A leur influence s'ajoute celle des ouvrages de Pope, qui est considérable. Sans parler des traductions de ses œuvres qui ne touchent qu'accidentellement à la religion et à la morale

(vingt-deux traductions de ses Pastorales, — trente-six de son Essai sur la critique), son Essai sur l'homme a quelque cinquante-cinq traductions jusqu'en 1788. Sa Prière universelle n'a pas moins de succès. Pope est un chrétien convaincu. Mais il n'en reste pas moins qu'il défend une philosophie et une morale sur lesquelles il prétend que tous les hommes pourraient s'accorder, sans distinction de religion. Voltaire est son disciple et l'imite d'assez près dans ses Discours en vers sur l'homme et son poème sur la Loi naturelle. L'influence anglaise contribue donc puissamment à inspirer les ouvrages qui s'efforcent, sur les ruines ou les ignorances des dogmes arbitraires, d'organiser une morale laïque. L'exemple de l'Angleterre, où la liberté de conscience est presque absolue, fortifie peu à peu l'idée de tolérance religieuse, dont la cause est gagnée devant l'opinion dès 1760.

La religion chrétienne est une religion pessimiste dont un des dogmes essentiels est la corruption absolue de la nature humaine à la suite du péché originel et les misères éternelles que cette corruption entraîne. A ce pessimisme s'oppose peu à peu une conception optimiste de la destinée humaine. Les hommes peuvent être heureux, et ils le deviendront de plus en plus, s'ils savent comprendre les conseils de la raison. Le progrès matériel et moral est possible et même assuré. Cet optimisme prend sa forme abstraite et métaphysique dans la doctrine de Leibniz (« Tout est pour le mieux dans le meilleur des mondes possibles. »). Cette doctrine, dans sa construction complexe et subtile, n'est accessible qu'à des lecteurs philosophes. On n'en retient que la conclusion générale.

Mais cet optimisme est vulgarisé par les raisonnements imagés, et d'ailleurs simplistes, de l'Essai sur l'homme, de Pope, et les Discours en vers sur l'homme, de Voltaire.

Notons que l'influence politique de l'Angleterre est faible. En réalité Montesquieu lui-même, dans son Esprit des lois, ne fait de la constitution anglaise qu'un éloge théorique et n'a jamais pensé qu'elle puisse être applicable en France.

Jusqu'à la fin du siècle il y aura, à travers l'Europe, une forte influence française. Cette influence est due : au prestige de notre vie sociale et de nos salons. Cette vie mondaine, avec ses charmes et ses élégances, n'existe qu'en France. Les visiteurs étrangers se pressent dans ces salons, de Grimm à Galiani, de Walpole à Franklin, et ne cessent d'en vanter l'intelligence, l'esprit et la bonne grâce; — à l'éclat de l'art français, aux splendeurs harmonieuses de notre architecture, de notre peinture, de notre sculpture. C'est par centaines que nos architectes, nos peintres, nos sculpteurs sont appelés à l'étranger et que les artistes étrangers viennent étudier en France; — enfin à notre langue, à notre style, à notre art de composer dont on ne cesse jusqu'à la fin du siècle de vanter la clarté. C'est en 1784 que l'académie de Berlin propose comme sujet du concours dont le prix sera remporté par Rivarol : « Qu'est-ce qui a fait de la langue française la langue universelle de l'Europe? »

On vit à Paris aussi longtemps qu'on le peut, pour s'en griser. On devient, comme le disait Chesterfield, « Français par régénération ». C'est dans les salons surtout qu'on trouve sa seconde patrie : Chesterfield chez Mᵐᵉ de Tencin, Jefferson chez Mᵐᵉ Helvétius. On rencontre chez Mᵐᵉ de Tencin : Tronchin, Cramer, Jalabert, tous les Genevois qui se piquent d'élégance ou de science; les Anglais Bolingbroke, Prior, Schaub, Martin, Folkes. Mᵐᵉ Geoffrin, en recueillant la succession de Mᵐᵉ de Tencin, hérite de son prestige. Elle a des carnets d'adresses où s'inscrivent des Polonais, des Italiens, des Russes, des Anglais, des Suédois; lady Hervey, Hume, Walpole sont ses hôtes les plus illustres.

On sait de quel amour violent et résigné Mᵐᵉ Du Deffand se prit, sur le tard, pour Walpole. C'est chez Mˡˡᵉ de Lespinasse que Hume vint conter l'aventure qui le brouilla avec Jean-Jacques et chercher des conseils pour se défendre. Lord Shelburn, Caraccioli, Galiani étaient assidus à ses soirées. Chez Mᵐᵉ Helvétius, les étrangers de distinction se font présenter. Quand Franklin vint à Paris, il était « le bonhomme Richard », féru de morale domestique et tout occupé à régler la vie comme un grand livre; mais Mᵐᵉ Helvétius était sa voisine, et il subit comme tous les autres le charme de celle qu'il appelait Notre Dame d'Auteuil, et qu'il faillit épouser.

Pour quelques-uns Paris est comme la lumière de leur vie et la raison de leur pensée. Tel ce petit abbé Galiani, qui vient de Naples en 1759, comme secrétaire d'ambassade, et qui découvre tout soudain qu'il est « une plante parisienne ». Il est le plus sage des fous et le plus bouffon des sages, « Platon avec la verve et les gestes d'Arlequin ». Il est la joie des salons, et les salons sont toute sa joie; quand il quitte Paris, après dix ans, il ne s'en console pas : sa seule occupation est de bavarder encore, par lettres, avec Diderot, d'Alembert, Voltaire. Tels l'Allemand Grimm et le Suisse Meister, qui ont à Paris leurs amours et leurs affaires et qui se sont chargés de tenir les rois, les princes et tous abonnés étrangers, au courant des nouveautés de la littérature et de la pensée françaises.

Car, si l'on ne peut vivre à Paris, on veut du moins être tenu au courant. Comme les journaux ne disent pas tout ce qu'ils veulent et qu'ils sont ennuyeux parfois, on entretient à Paris des journalistes officieux, qui peuvent avoir leur franc-parler et qui content ce qu'on ne trouve pas dans les imprimés; on a un journaliste pour soi tout seul, si l'on est assez riche : Favart est le journaliste de la comtesse de Durazzo; La Harpe, le journaliste du grand-duc de Russie;

LE BARON DE GRIMM. Dessin de Carmontelle. — CL. LAROUSSE.

Raynal, le journaliste de la duchesse de Saxe-Gotha; ou bien l'on est abonné à cette Correspondance de Grimm et Meister, à cette Correspondance secrète de Métra, à ces Mémoires de Bachaumont qui s'en vont divertir des princes allemands, l'impératrice de Russie, la reine de Suède, le roi de Pologne. C'est l'esprit français, le bon ton français, la mode française qui font, dans toutes les petites cours d'Allemagne, à Bayreuth, à Anspach, à Brunswick, à Gotha, le bon ton et la mode.

Le Mercure est en dépôt dans neuf villes étrangères. En Allemagne, avant Lessing, tout le théâtre est français, traduit du français ou imité du français. Même, après Lessing, ce sont des drames et des opéras-comiques français que l'on joue. A l'académie de Berlin, le président est un Français, Maupertuis; la langue française est celle qu'on y emploie à l'ordinaire. En Russie, c'est « un déluge de livres français ». En Hongrie, une école littéraire d'inspiration française se fonde à partir de 1772. A Copenhague, une chaire de langue et littérature françaises est fondée pour La Beaumelle; Holberg imite Molière. En Suède, on joue Carmontelle et Collé à Stockholm; Bouchardon est nommé directeur de l'académie de peinture et sculpture. L'Italie subit l'influence de Voltaire et admire la Henriade; l'Encyclopédie y est réimprimée au moins deux fois; c'est Condillac qui élève l'infant de Parme; Rousseau est « le catéchisme » des dames de Florence. Goldoni, Maffei, Alfieri, malgré leur originalité et leurs critiques du théâtre français, subissent l'influence de Molière, de Racine.

Pourtant, des critiques de plus en plus vives s'élèvent contre les mœurs et les écrivains français, et on leur oppose, aussi bien en France qu'en Europe, d'autres inspirations et d'autres modèles.

Ce qu'on reproche d'abord aux mœurs et à la littérature françaises, c'est leur frivolité et leur immoralité. Ce reproche est justifié si l'on songe que, dans la société aristocratique et dans la bourgeoisie riche, le mariage n'est plus considéré que comme un contrat assurant des avantages d'argent ou d'influence, et que la liberté de l'adultère devient une sorte de droit pour les époux ainsi mariés; ce cynisme s'étale à plein dans les romans d'un Crébillon fils, d'un Duclos, d'un Dulaurens. Les Français eux-mêmes s'en lassent. L'Angleterre, après la licence des mœurs et des œuvres sous la Restauration, revient avidement au moralisme puritain et sermonneur qui emplit les romans de Richardson. Paméla, Clarisse Harlowe ne sont guère que des sermons prolixes destinés à démontrer que la seule vie qui mérite d'être vécue est celle qui est conduite par la vertu et que, d'ailleurs, la vertu est récompensée et le vice puni. Le succès de Paméla et de Clarisse Harlowe fut considérable dans les traductions de l'abbé Prévost et de Le Tourneur. Sur un autre ton, les œuvres de Fielding (Joseph Andrews, 1742, Tom Jones, 1750) enseignent avec conviction que la meilleure sagesse est, après tout, d'être honnête, juste et bon. Ainsi se préparent le succès et l'influence du roman sermon qu'est la Nouvelle Héloïse.

Malgré la Princesse de Clèves, le roman français, dans la première moitié du XVIIIe siècle, est encore (si l'on en excepte les romans de mœurs mondaines, plus ou moins cyniques) un roman romanesque où domine le goût des aventures singulières jusqu'à l'invraisemblance. Manon Lescaut n'est guère qu'un hasard dans l'abondante production de l'abbé Prévost et n'est, d'ailleurs, qu'un appendice aux Mémoires et aventures (bien romanesques) d'un homme de qualité. Au contraire, Richardson, Fielding, Smollett, malgré le goût des deux derniers pour les hasards pittoresques de la vie, peignent avec fidélité des vies communes, les mœurs des hobereaux de campagne, des gens du peuple et même de la populace. Associé au goût de la morale, ce réalisme, direct chez Richardson ou même chez Smollett, humoristique et fantaisiste chez Fielding et chez Sterne, assura à leurs œuvres, en France, un immense succès qui entraîna celui d'innombrables romans anglais. Par exemple, de 1700 à 1740, on traduit ou adapte seulement seize romans anglais. De 1741 à 1805, six cent trente sont traduits ou imités (ou prétendus traduits ou imités) de l'anglais, la plus grande partie avant 1789.

En même temps tout l'idéal de la littérature française classique est menacé, sous l'influence anglaise d'abord, puis anglaise et allemande après le Werther de Gœthe (traduit en 1776). Malgré les colères de Voltaire, Shakespeare n'a bientôt plus que des admirateurs. Ducis adapte un certain nombre de ses drames. Le Tourneur les traduit dans une édition

de luxe. On commence à croire, avec les Anglais, que ce ne sont ni la raison, ni les règles, ni l'art élégant de plaire qui sont les inspirateurs du génie, mais bien le libre essor de ce génie qui puise ses forces dans les suggestions profondes de la sensibilité. Il est curieux de constater que les œuvres qui dominent, après 1750, toute la littérature européenne sont des œuvres aujourd'hui illisibles (à l'exception sans doute de l'Élégie sur un cimetière de campagne de Gray) : l'Élégie de Gray (traduction en français en 1765), les Méditations sur les tombeaux d'Hervey (traduction en 1771), les Nuits d'Young (traduction complète en 1769), les Idylles et les poèmes de Gessner (traduction des Idylles en 1762). Gessner est un poète fidèle à la tradition des idylles classiques, affadie par des préoccupations moralisantes et d'ailleurs vivifiée par une poésie campagnarde sincère. Mais Gray, Hervey, Young sont des sermonneurs intarissables et confus. Ce qu'ils apportaient de nouveau, et ce qui explique leur immense succès, c'est que dans leurs « méditations » ils reflètent les émotions d'une âme profondément troublée par la « poésie de la nuit et des tombeaux », un goût du sombre et du lugubre (éclairé seulement par l'espérance chrétienne) qui, dans leurs élans, leurs détresses, leurs tâtonnements, renouvelaient les sermons ordonnés et raisonneurs où se résumait alors le lyrisme français. En même temps se répand en France (moins d'ailleurs qu'en Allemagne, en Angleterre ou dans les pays scandinaves) l'idée que la vraie poésie ne peut naître que chez les peuples primitifs, plus proches de la nature et chez qui les puissances de l'imagination et de la sensibilité n'ont pas été émoussées par la civilisation. Ainsi s'explique l'immense succès des poèmes « celtiques » d'Ossian (traduits ou adaptés ou entièrement imaginés par Macpherson — traductions françaises plus ou moins partielles de 1760 à 1774).

Ainsi se crée, vers 1760-1770, ce qu'on appelle et le « cosmopolitisme » (le mot est nouveau) et l'« anglomanie ». Mais ni l'un ni l'autre ne renversent dans notre littérature les valeurs traditionnelles. Les adaptations de Shakespeare, par Ducis, sont applaudies, mais au nom du bon goût et des bienséances elles défigurent constamment Shakespeare. Les traductions de Richardson, plus fidèles, ne respectent pas moins ces bienséances. Quant aux traductions d'Hervey et d'Young, elles taillent sans pitié dans les fourrés de l'original, suppriment la moitié ou les deux tiers de l'œuvre pour en faire, tant bien que mal, un parc à la française. C'est même d'après ces parcs, et non sur les originaux que sont faites le plus souvent les traductions italiennes, espagnoles ou même allemandes.

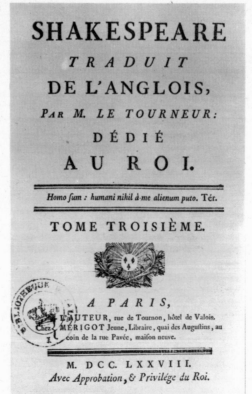

SHAKESPEARE
TRADUIT
DE L'ANGLOIS,
PAR M. LE TOURNEUR:
DÉDIÉ
AU ROI.

Homo sum : humani nihil à me alienum puto. Tér.

TOME TROISIÈME.

A PARIS,
L'AUTEUR, rue de Tournon, hôtel de Valois.
Chez MÉRIGOT Jeune, Libraire, quai des Augustins, au coin de la rue Pavée, maison neuve.

M. DCC. LXXVIII.
Avec Approbation, & Privilége du Roi.

PAGE DE TITRE de la première traduction complète de Shakespeare, en français, par Le Tourneur (1776-1782). — CL. LAROUSSE.

LE XIXᵉ SIÈCLE

CL. VIZZAVONA.

Depuis la Renaissance et les guerres de religion, l'esprit d'affranchissement contre la domination de l'Église et les abus du pouvoir de l'État n'avait cessé de progresser. Au XVIIIe siècle l'État s'était peu à peu désagrégé et l'Église avait perdu beaucoup de ses fidèles. La crise qui éclata en 1789 était inévitable. Après un court accès de violence dans l'été de 1789, la Révolution s'efforça d'être pacifique et respectueuse d'un certain passé. Les États généraux, l'Assemblée nationale, la Constituante essayèrent d'instituer une monarchie constitutionnelle qui rendrait possible une réorganisation de la France. Il apparut vite que ce compromis était impossible : le souverain et son entourage ne voulurent pas accepter ce que la nation voulait, et ils rusèrent avec elle; la guerre et l'invasion firent obstacle à cette reprise du pouvoir par le roi et les nobles. Un grand sursaut d'énergie dressa le peuple; ses chefs décidèrent l'avènement de la démocratie, ou du moins d'une république. Comme, dans cet État désorganisé, le pouvoir était vite et facilement pris par les violents, on se porta aux solutions extrêmes.

La Convention dressa et rendit fort le gouvernement révolutionnaire; la royauté disparut avec le roi; l'Église sembla, elle aussi, emportée; la Terreur régna quelque temps, détruisant les successives formations républicaines. Une main ferme dirigeait les armées; de grandes réformes se préparaient. Mais la réaction thermidorienne, que rendit acceptable la lassitude d'une grande partie de la nation devant cet accès de vie trop intense, permit une marche en arrière. Un nouveau régime, faible, troublé par des coups d'État, permit une certaine anarchie intérieure. Le catholicisme, qu'on avait cru liquidé, au moins comme puissance politique, affirma de nouveau sa vitalité; la Contre-Révolution reprit espoir. Cette période, confuse et trouble, ne pouvait aboutir qu'à une dictature.

Le dictateur fut Napoléon : ç'aurait pu être un autre général. Il voulut pacifier et unir sous son commandement la France qui se divisait dangereusement; il rendit à l'Église une liberté réglée; il codifia en un seul livre les anciennes lois et les nouvelles. Au Consulat succéda l'Empire, que l'Europe considéra, avec raison, comme une continuation du phénomène révolutionnaire. Mais le dictateur était un chef de guerre : il avait la passion des grands conquérants; sa réorganisation de la France tendit surtout à fournir tous les moyens que demandait l'armée pour une tâche dont on ne voyait plus très bien ce qu'elle avait de national. Tout parut de nouveau ébranlé par les désastres de 1814-1815, et la Contre-Révolution put se croire victorieuse.

Les conditions d'existence furent, pendant cette époque, bien peu favorables à la vie littéraire. Les salons se fermèrent, et aussi les académies : quand la vie de société redevint possible, c'était une nouvelle société, qui n'avait plus les traditions de l'Ancien Régime. L'enseignement fut désorganisé; l'Université, créée seulement en 1810, n'aura vraiment d'action que vingt ou trente ans après. Une ou deux générations de jeunes gens sont, presque entières, détournées vers les carrières publiques que créent les besoins immenses de l'armée et de l'administration. Le maître, qui n'aime pas les gens à idées, entend bien diriger selon son dessein l'art et la littérature; les républicains avaient eu la même intention. La police s'occupe beaucoup trop des lettres; la censure encercle les auteurs. La presse, qui avait cru, en 1789, avoir toute liberté et s'était extraordinairement développée, est bientôt contrainte et devient machine de propagande officielle; l'Empire la réduira à presque rien. Cependant, un nouveau public s'était créé, venu des classes moyennes et même populaires, qui n'est pas encore très conscient de ses goûts et de ses besoins d'esprit; il s'incline d'abord sans enthousiasme devant les succès traditionnels; peu à peu, il voudra avoir sa littérature à lui, plus moderne, plus émouvante, même sous des formes que les critiques conformistes déclarent méprisables.

ILS GROGNAIENT, ET LE SUIVAIENT TOUJOURS. Lithographie de Raffet.

RÉCEPTION DE MIRABEAU AUX CHAMPS ÉLYSÉES. Composition de Moreau le Jeune (B. N., Cabinet des Estampes). — CL. LAROUSSE.

PREMIÈRE PARTIE

LA RÉVOLUTION ET L'EMPIRE (1789-1815)

I. — LA LITTÉRATURE RÉVOLUTIONNAIRE

VERS UN RENOUVEAU

Voir : A. Monglond, la France révolutionnaire et impériale. Bibliographie méthodique et descriptive, *1930 et suiv. ; A. Tuetey,* Répertoire général des sources manuscrites de l'histoire de Paris pendant la Révolution française, *1890 et suiv.; M. Tourneux,* Bibliographie de l'histoire de Paris pendant la Révolution française, *1890 et suiv.; A. Aulard,* Paris sous le Consulat..., — ... sous le premier Empire, recueil et documents, *1903 et suiv.; F. Brunot,* Histoire de la langue française, *tome IX, 1927; P. Trahard,* la Sensibilité révolutionnaire, *1936; J. Robiquet,* la Vie quotidienne au temps de Napoléon, *1944; E. Despois,* le Vandalisme révolutionnaire, *1868; 3e édition 1888.*

C'est dans la Décade philosophique *(10 floréal an II-21 septembre 1807, 54 vol. in-8°) qu'on peut le mieux suivre la théorie de la littérature révolutionnaire.*

Non pas une « République de Visigoths », mais une nation qui resplendît de toutes les lumières, comme ils disaient, et où la littérature remplît une fonction sacrée : voilà ce que rêvaient les hommes de la Révolution, et ce rêve fut très beau.

Les salons sont fermés; elle est dispersée, la bonne compagnie qui rendait naguère les arrêts du goût; depuis le 8 août 1793, la plus fidèle gardienne des traditions, l'Académie française, a été supprimée. Plus d'obstacles; le champ est libre aux élans du génie.

La littérature républicaine élabore son programme. Instruire le citoyen : voilà son but. Elle sera morale; loin de rester, comme sous l'ancien régime, le passe-temps des oisifs ou l'organe de la corruption sociale, elle régénérera le peuple. Elle sera démocratique et nationale : car elle choisira ses sujets dans nos fastes, et c'est à tous les citoyens qu'elle s'adressera. Elle sera grande et magnifique : elle ne visera qu'au sublime. Quelles perspectives vont s'ouvrir! Quelles moissons portera la terre de France! La poésie reprendra « l'espèce de ministère public qu'elle exerçait chez les Anciens ». Le théâtre languissait : il va vivre d'une vie nouvelle. Il deviendra, en effet, l'école des adultes, et, par de frappants exemples, enseignera le civisme et le patriotisme à tous les Français. Nos romans étaient médiocres; un peu de patience, nous en aurons d'excellents. « En général, nous n'avions guère en français de romans estimables... Les auteurs ne travaillaient que pour la classe nobiliaire. De là résultaient des peintures de ridicules plutôt que de passions, des miniatures plutôt que des tableaux; on y trouvait peu de vérité, peu de ces traits qui, appartenant à tous les hommes, sont faits pour être reconnus et sentis de tous. » Ainsi parle la grave *Décade*, le 30 messidor an III. Elle nous explique aussi pourquoi le genre historique n'a pas été cultivé en France, et pour quelles raisons il va fleurir : « Les historiens ont négligé tout ce qui pouvait faire ressortir notre nation. N'existant point de patrie, il ne pouvait exister chez eux aucun esprit public... Nous n'avons, à proprement parler, une histoire de France que depuis la Révolution » (10 germinal an X). Il n'est pas jusqu'au style qui, « révolutionné », ne doive devenir mâle et fier.

Nulle part le rôle de la littérature n'apparaît mieux que dans les fêtes du peuple, inconnues à l'époque de la servitude. Tandis que le cortège des guerriers, des enfants, des femmes, des vieillards, se déroulera par les voies triomphales de la cité, on chantera des chœurs qui seront l'œuvre des meilleurs poètes de la nation. Sur les places, le cortège s'arrêtera pour entendre les orateurs qu'inspireront les Muses républicaines. Il reprendra sa route vers l'autel de la Patrie ou vers le Temple de la déesse Raison. Là, encore des hymnes, encore des discours. Puis la foule se répandra dans les théâtres; elle versera de douces larmes en voyant la vertu récompensée sur la scène; elle frémira d'enthousiasme en écoutant les drames patriotiques; bien plus, elle interviendra dans la pièce, elle manifestera par ses cris la haine qu'elle éprouve contre les aristocrates et les tyrans.

Le programme est noble : sachons gré aux hommes de la Révolution de l'avoir conçu. Il n'est point de plus généreux dessein que de vouloir former la conscience nationale par la littérature. Mais que faire pour réaliser cet idéal, si vite? Les événements contemporains — l'ennemi aux frontières, la patrie en danger, la levée en masse, Valmy; et la prise de la Bastille, et la fuite du roi, et la Terreur, et le 9 Thermidor — sont dignes de toutes les épopées : les épopées ne naissent pas au premier appel. Les hommes de génie surgiront-ils tout d'un coup? Les plus hardis parmi les théoriciens de la littérature nouvelle seront fort en peine, quand il s'agira de passer à l'exécution de leur programme; tout en criant : Révolution! ils suivront les plus vieilles routines. Leurs audaces se borneront trop souvent à des excès de rhétorique scolaire. Ils veulent produire de grandes œuvres pour élever le peuple : mais le peuple se prêtera-t-il à l'expérience? Et s'il aime qu'on le flatte, beaucoup d'auteurs n'écriront-ils pas pour le flatter, tout simplement?

D'où beaucoup d'œuvres manquées — superficielles, ou plates, ou grossières — mais qui apparaîtront au moins comme les débris d'une grande lutte : lutte entre le désir ardent de donner à la France une littérature nouvelle, qui corresponde à son état nouveau, et les résistances d'un passé tenace, d'un présent fiévreux. Il n'y aura point de genre que l'esprit révolutionnaire ne tente de transformer et ne transforme pour une part.

D'où, aussi, quelques œuvres belles, qui entreront définitivement dans le patrimoine national. Du rêve qui avait flatté les âmes à l'aube de la Révolution, tout ne s'est pas dissipé; de l'édifice hardi qu'on avait voulu construire, quelques parties au moins demeureront.

LE THÉATRE

Dès 1788, on commence à porter à la scène des pièces qui ne sont que des pamphlets dialogués. La tendance s'accentue en 1789; le 4 novembre de cette année, le Charles IX de Marie-Joseph Chénier, qui avait été interdit sous l'ancien régime, reçoit un accueil triomphal. En 1790, les pièces révolutionnaires se multiplient. Après la proclamation de la liberté du théâtre (13 janvier 1791), on représente avec une sorte de frénésie tout ce qui avait été jusque-là interdit. On attaque la royauté (Sylvain Maréchal, le Jugement dernier des rois, 1793), et

davantage encore le clergé, soit dans des comédies bouffonnes et grossières, comme la Papesse Jeanne, de Léger, ou Une journée du Vatican, de Giraud (1793), soit dans des pièces sombres et pathétiques, comme les Victimes cloîtrées, de Monvel (1791), ou le Fénelon de Marie-Joseph Chénier (1793). La réaction s'affirme dès 1795 (Ducancel, l'Intérieur des comités révolutionnaires; A. Charlemagne, le Souper des Jacobins). Madame Angot ou la Poissarde parvenue, de Maillot (1796), n'a d'autre prétention que de faire rire aux dépens des nouveaux riches : le théâtre révolutionnaire a vécu.

Marie-Joseph Chénier (1764-1811), Œuvres, 1823-1827, 8 vol. — Andrieux (1759-1838), Œuvres, 1818-1823, 4 vol. — Collin d'Harleville (1755-1806), Œuvres, 1821, 4 vol. — Fabre d'Églantine (1750-1794), Œuvres mêlées et posthumes, an XI. — Sous le titre, Théâtre de la Révolution (1877), Louis Moland a publié un recueil de pièces bien choisies.

Voir : E. Jauffret, le Théâtre révolutionnaire, 1869; Henri Welschinger, le Théâtre de la Révolution, 1881; André Liéby, Étude sur le Théâtre de M.-J. Chénier, 1901; E. Lunel, le Théâtre et la Révolution, 1910; Félix Gaiffe, le Drame en France au XVIIIᵉ siècle, 1910; Paul d'Estrée, le Théâtre sous la Terreur, 1913; Jacques Hérissay, le Monde des théâtres pendant la Révolution, 1922; Louis Allard, la Comédie de mœurs en France au XIXᵉ siècle, tome I, 1923.

Sur l'influence exercée par le théâtre révolutionnaire, voir : Eugène Rigal, le Romantisme au théâtre avant les romantiques (Revue d'histoire littéraire de la France, 1915); Edmond Estève, le Théâtre « monacal » sous la Révolution, dans les Études de littérature préromantique, 1923.

Le Théâtre choisi de Guilbert de Pixérécourt (1773-1844), à qui le mélodrame doit son immense succès, a été publié de 1841 à 1843, en 4 vol., avec une préface de Charles Nodier. Voir : Willie-G. Hartog, Guilbert de Pixérécourt, 1913; et Edmond Estève, Guilbert de Pixérécourt, dans les Études de littérature préromantique, 1923.

Dans le théâtre révolutionnaire, on trouve d'abord le legs du passé. C'est le souvenir de Voltaire qui inspire les Ducis, les Legouvé, les Arnault, les Laya, s'évertuant à composer de grandes tragédies historiques qui n'ont pour elles qu'un faux air de noblesse. Les meilleures comédies de l'époque passent pour être *le Philinte de Molière ou la Suite du Misanthrope*, de Fabre d'Églantine (1790), et *le Vieux Célibataire*, de Collin d'Harleville (1792). La seconde, qui ne manque pas d'agrément, mais qui manque de force, est fidèle aux modèles classiques. Dans la première, Alceste a beau devenir républicain, Philinte a beau représenter l'aristocrate odieux : ces surprenantes métamorphoses ne suffisent pas à donner à la pièce un caractère de réelle nouveauté.

Très éloignées de notre tradition, puisqu'elles manquent d'urbanité; non point populaires, mais populacières, sont les pièces qui devaient, comme on disait alors, « électriser les âmes » et puis « transformer le plaisir en leçon ». Tel ce *Jugement dernier des rois*, qui excita l'enthousiasme des sans-culotte. Le pape, l'impératrice de Russie et tous les souverains d'Europe, déportés dans une île déserte, se disputent comme des palefreniers. Ils sont affamés. « Bouffez », leur disent leurs gardiens en roulant au milieu d'eux un baril de biscuits. Alors ils se battent autour de leur pâture. Mais voici qu'un volcan qui domine la scène entre en activité et engloutit les tyrans.... Cet exemple suffit à faire comprendre pourquoi Mᵐᵉ de Staël a dû créer tout exprès, pour désigner certains aspects de cette époque, le mot « vulgarité ».

DEUX FÊTES RÉVOLUTIONNAIRES

Translation des cendres de Voltaire au Panthéon, le 11 juillet 1791. — Fête de l'Être suprême, le 20 prairial an II (8 juin 1794).
(Bibliothèque nationale, Cabinet des Estampes). — CL. LAROUSSE.

Marie-Joseph Chénier. Au-dessous, une des scènes de
« Charles IX » : acte IV, scène VI (B. N., Cab. des Estampes).
Cl. Larousse.

Et cependant, le théâtre révolutionnaire ne sera pas sans
laisser de traces dans l'évolution de notre goût. Par sa violence, par sa brutalité même, il contribuera à l'affranchir.
Les spectateurs, d'abord, ne demandent plus à la scène
la même qualité de plaisir. Peu leur importe d'être émus
selon les règles qui paraissaient sacro-saintes aux lettrés
d'autrefois ! Des règles, séparation des genres ou trois
unités, l'homme du parterre ignore facilement l'existence.
Sa sensibilité, exaltée, aime les surprises, les coups de
théâtre, les effets brutaux. Les auteurs, connaissant les
goûts de ce public blasé par le grand drame qui se joue au
vrai, se hâtent de les satisfaire. Comme décor, ils montrent
des cachots, des oubliettes, des tombeaux. Comme héros,
ils présentent des personnages à la fois forcenés et simplistes, qui parlent le langage le plus emphatique ; le moine
voluptueux, ambitieux, hypocrite, qui commet dans
l'ombre d'épouvantables forfaits, est un de leurs caractères
favoris. Leur technique devient celle du mélodrame.
C'est au lendemain de la Révolution, en effet, que se
constitue définitivement le genre qui satisfait chez le
peuple ce besoin d'émotions grossières. Guilbert de Pixérécourt donne dès 1797 son premier mélodrame à grand
succès, *Victor ou l'Enfant de la forêt* ; une foule d'autres
suivront, destinés à la plus brillante fortune. Ajoutons que
ces auteurs en quête de nouveautés prennent volontiers
leurs sujets dans l'histoire nationale, voire dans l'histoire
contemporaine. De tels choix sont loin de constituer une
nouveauté absolue, assurément, mais ils deviennent l'habitude au lieu d'être l'exception. Voici comment s'exprime
ce Marie-Joseph Chénier qui, en même temps qu'un
Caïus Gracchus et qu'un *Timoléon*, produisit un *Charles IX*,

un *Calas*, un *Fénelon* : « J'avais conçu le projet d'introduire
sur la scène française les époques célèbres de l'histoire
moderne, et particulièrement de l'histoire nationale ;
d'attacher à des passions, à des événements tragiques, un
grand intérêt politique, un grand but moral... J'ai du moins
saisi la seule gloire où il m'était permis d'aspirer : celle
d'ouvrir la route et de composer une tragédie vraiment
nationale. » (*De la liberté du théâtre en France*, 15 juin 1789.)

Un théâtre qui aspire à se dégager des règles, qui tend
à suivre la technique du mélodrame, qui se soucie peu de
psychologie, qui se complaît aux effets de terreur, qui veut
être historique et national — n'est-ce pas comme un premier brouillon du théâtre romantique ? Le brouillon sera
oublié : il n'en aura pas moins servi.

LA POÉSIE

Louis Damade, Histoire chantée de la première
République (1789-1799), *1892 ; Constant Pierre*,
Musique des fêtes et cérémonies de la Révolution
française, *1899 ; —* les Hymnes et chansons de la Révolution, *1904 ; Julien Tiersot*, les Fêtes et les chants
de la Révolution française, *1908.*

Julien Tiersot, Rouget de Lisle, *1892 ; M. de La Faye
et E. Guéret*, Rouget de l'Isle inconnu, *1943. J. Tiersot*,
Histoire de la « Marseillaise », *1916 ; Louis Fiaux*, la
« Marseillaise » : son histoire dans l'histoire des
Français depuis 1792, *1918.*

Si l'on voulait établir la hiérarchie des poésies révolutionnaires, il faudrait placer tout en bas des productions
comme le *Ça ira* ou la *Carmagnole*. Ce sont de curieux
documents ; ce ne sont pas des œuvres d'art.

Viendraient ensuite les pièces de circonstance : il en
est à foison. On dirait que les gens de cette époque ont été
pris soudain du mal d'écrire, autant qu'ils étaient. Victoire,
fête nationale, banquet patriotique, plantation d'un arbre
de la liberté, tout leur est occasion et pretexte. Elles naissent par centaines, ces pièces qui trahissent à la fois la
hâte et l'effort, et qui portent en venant au monde un air
décrépit et vieillot. Ouvrons *le Chansonnier de la Montagne ou Recueil des chansons, vaudevilles, pots-pourris et
hymnes patriotiques, par différents auteurs (an III)*. La
préface, grandiloquente, nous avertit que les Spartiates
ont dû la défaite de leurs ennemis aux mâles accents de
Tyrtée ; que les Gaulois avaient leurs bardes ; que les
Fingal et les Ossian méritent le tribut d'admiration que
l'homme le plus lâche ne pourra refuser à l'indomptable
fierté, à l'austère vertu du républicain ; et que, fidèle à de
si nobles exemples, le présent recueil est destiné à électriser l'esprit public. Mais pour le lecteur alléché par ces
belles promesses, quelle désillusion ! Que de banalités !
Et quelle fâcheuse abondance ! Dans ces pièces de circonstance, il y a de tout, sauf de la poésie.

Franchissons plusieurs degrés, et arrivons aux odes,
qui méritent une plus haute place. Ce sont des pièces de
circonstance, elles aussi, puisque le temps manque pour
mieux faire. Mais leur inspiration n'est pas sans noblesse ;
elles déroulent harmonieusement leurs strophes ; elles
décèlent un art savant. Lebrun-Pindare, après avoir longtemps chanté les fastes de la royauté, devient révolutionnaire avec la Révolution ; il écrit son ode *Sur le vaisseau
« le Vengeur »*. Elle est ample et majestueuse ; seulement,
la facture habile et l'heureuse cadence ne suffisent pas à
compenser la banalité des épithètes et la froideur du coloris.
On voudrait autre chose que des souvenirs mythologiques,
pour célébrer les héros de la Révolution : Lebrun-Pindare
ne peut changer tout d'un coup sa manière, et il appartient
à l'âge précédent.

Avec Marie-Joseph Chénier, nous ne sommes pas loin
de la vraie poésie. Ses hymnes retentirent, soutenus par

la musique de Gossec ou de Méhul, sur les champs de bataille, comme le *Chant du départ* (1794), et dans les grandes fêtes révolutionnaires : hymne pour la fête de la Fédération; hymne pour la fête de la Liberté; hymne à l'Être suprême :

> Source de vérité qu'outrage l'imposture,
> De tout ce qui respire éternel protecteur,
> Dieu de la Liberté, Père de la Nature,
> Créateur et Conservateur;
>
> O toi! seul incréé, seul grand, seul nécessaire,
> Auteur de la Vertu, principe de la Loi,
> Du pouvoir despotique immuable adversaire,
> La France est debout devant toi.
>
> Tu posas sur les mers les fondements du monde,
> Ta main lance la foudre et déchaîne les vents;
> Tu luis dans ce soleil dont la flamme féconde
> Nourrit tous les êtres vivants.
>
> La courrière des nuits, perçant de sombres voiles,
> Traîne à pas inégaux son cours silencieux;
> Tu lui marques sa route, et d'un peuple d'étoiles
> Tu sèmes la plaine des cieux...

On voudrait plus de chaleur sans doute, une plus libre allure, et, pour tout dire, plus de génie. Mais il fallait créer une poésie nationale, et la créer vite : comment ne pas rendre justice à ces improvisateurs, qui n'ont pas seulement le mérite d'avoir tenté la haute entreprise, mais qui l'ont menée si près de son terme?

Nous arrivons au sommet : à la plus belle, à la plus glorieuse production de l'époque révolutionnaire. A Strasbourg, dans la nuit du 25 au 26 avril 1792, un officier de vingt-deux ans, du nom de Rouget de Lisle, excité par les émotions multiples de la journée qu'il vient de vivre — la guerre déclarée aux ennemis de la patrie, les volontaires partant aux armées, l'enthousiasme de la foule, le dîner chez le maire Dietrich, où l'on a parlé des grands événements qui se préparent — compose les paroles et la musique d'un air qu'il intitule le *Chant de guerre de l'armée du Rhin*. Le lendemain il le porte à Dietrich : et celui-ci, émerveillé, invite ses hôtes de la veille à entendre chez lui l'hymne héroïque. Il est bientôt dans toutes les bouches; de Strasbourg, il se répand à travers nos provinces; il arrive à Marseille; les bataillons des volontaires marseillais l'apportent à Paris : il appartient à la nation.

Ainsi naquit *la Marseillaise*. Avant, l'auteur ne s'était guère signalé que par des essais dans la romance et dans l'opéra-comique. Après, il ne parvint plus jamais, malgré ses efforts, à fixer le génie qui l'avait un instant visité; il vieillit dans l'oubli et dans l'aigreur. Et précisément, l'œuvre qu'il composa dans une nuit d'enthousiasme dépasse sa personnalité propre; il enregistra les émotions de l'âme collective; il traduisit la passion et la volonté d'un peuple, à un moment décisif de son existence : le moment où, devant la menace de l'ennemi qui s'approche, il lui reste l'alternative exprimée par la formule révolutionnaire : vaincre ou mourir. *La Marseillaise* est un « phénomène lyrique », ainsi que l'appelle très justement *la Décade* : l'auteur de *la Marseillaise*, c'est l'âme de la Révolution.

LE COMTE DE MIRABEAU. Étude d'après J. Boze (musée Carnavalet). — CL. BULLOZ.

L'ÉLOQUENCE

L'éloquence révolutionnaire a pour théâtre nos assemblées politiques, et d'abord la Constituante. Parmi ses orateurs : Cazalès (1752-1805), Discours et Opinions, 1821; l'abbé Maury (1746-1817), Œuvres choisies, 5 vol., 1827 ; voir Bonet-Maury, le Cardinal Maury d'après ses Mémoires et sa correspondance inédits, 1892; Barnave (1761-1793), Œuvres, 1843; voir X. Roux, Barnave, sa vie et son temps, 1883. Le plus grand de tous est Mirabeau.

Gabriel Honoré Riquetti de Mirabeau, né le 9 mars 1749, mène une existence aventureuse qu'agitent toutes les passions, et se révèle orateur en plaidant sa propre cause devant la grande chambre du Parlement, le 2 mai 1783. Il se jette dans la vie politique aux approches de la Révolution, et, bien que noble, est élu député aux États généraux par le tiers état d'Aix. Il prend vite dans l'Assemblée un rôle de premier plan; sa réponse à M. de Dreux-Brézé, ordonnant au Tiers de se séparer, est restée célèbre : « Allez dire à ceux qui vous envoient que nous sommes ici par la volonté du peuple, et qu'on ne nous en arrachera que par la force des baïonnettes. » Dévoué à la cause du peuple, mais voyant dans la monarchie la garantie de sa souveraineté, il se rapproche de la cour, et a la faiblesse de recevoir d'elle des subsides. Il meurt le 2 avril 1791. (Œuvres, 1820-1821, 8 vol.; 1825-1827, 9 vol.; 1836, 9 vol.; 1912-1921. Les plus beaux discours, 1929.)

Voir : Louis Barthou, Mirabeau, 1913 ; et, sur l'ensemble de cette première période, F.-A. Aulard, les Orateurs de l'Assemblée constituante, 2ᵉ édition, 1905.

L'avènement d'hommes nouveaux, la nécessité de conquérir un public qui se blase, avivent l'éloquence de la Législative. Mais c'est sous la Convention que l'art oratoire atteint toute sa beauté. Les intérêts essentiels de la patrie sont en jeu en même temps que la vie même des orateurs : l'échafaud attend les vaincus. D'un côté, les Girondins : Vergniaud, Guadet († 1794), Isnard (1755-1830), Gensonné (1758-1793), pour ne citer que les plus grands. Vergniaud, né le 31 mai 1753, avocat à Bordeaux, élu à l'Assemblée législative le 31 août 1791, ensuite député à la Convention, est le plus brillant parmi les orateurs de la Gironde. Il entreprend la lutte contre la Montagne, et, vaincu, est exécuté le 31 octobre 1793.

Voir : E. Lintilhac, Vergniaud : le drame des Girondins, 1920. Mᵐᵉ Roland (1754-1793) est l'inspiratrice du groupe. Voir l'édition Claude Perroud de ses Mémoires, 1905 ; Mᵐᵉ Clemenceau-Jacquemaire, Madame Roland, 1926.

La Montagne triomphe. Ses meilleurs orateurs sont Saint-Just (1767-1794) [Œuvres, édition Charles Vellay, 1908-1910 ; édition J. Gratien, 1946 ; voir Marie Lenéru, Saint-Just, 1922], Danton, Robespierre. — Danton, né le 26 octobre 1759, fut clerc de procureur, puis avocat; président du district des Cordeliers, membre de la Commune de Paris, ministre de la Justice sous la Législative, il entre à la Convention comme député de Paris; son éloquence s'est formée au club des Cordeliers. Chef de la Montagne, il mène la lutte contre la Gironde. La Gironde une fois vaincue, il entre en conflit avec Robespierre; et, vaincu par lui, il est guillotiné le 16 avril 1794. Discours, édition André Fribourg, 1910; Discours civiques, édition

Hector Fleischmann, 1920. Voir : F.-A. Aulard, Danton, *1884; Louis Madelin,* Danton, *1914; Louis Barthou,* Danton, *1932. —* Robespierre, *né le 6 mai 1758, avocat à Arras, député à la Constituante et à la Convention, exerce sur les Conventionnels et sur la France une véritable dictature. Il est renversé par la réaction le 9 thermidor, et exécuté le 10 (28 juillet 1794). A cette date, la période héroïque de l'éloquence révolutionnaire est close. Deux éditions des* Œuvres *de Robespierre : l'une par Victor Barbier et Charles Vellay, 1910 et suiv.; l'autre par Eugène Desprez et Émile Lesueur, 1910-1939.* Discours et rapports, *édition Charles Vellay, 1908. Voir : Albert Mathiez,* Robespierre orateur *(Études robespierristes, 1917); G. Walter,* Robespierre, *1946.*

F.-A. Aulard, les Orateurs de la Législative et de la Convention, *deuxième édition, 1907; —* les Grands Orateurs de la Révolution, *1914.*

Ici vient s'offrir la plus vaste matière. Si abondante est la floraison de notre éloquence politique au cours des années révolutionnaires, qu'on n'est embarrassé que par sa richesse même.

Aussi bien a-t-on si dignement loué nos grands orateurs que tout paraît dit sur leur compte. On les a évoqués à la barre de nos assemblées, frémissants de passion, domptant par l'éclat de leur violence non seulement la foule des députés, mais le public tumultueux qui chaque jour envahissait les tribunes. On a marqué les péripéties de ces luttes oratoires qui devenaient des duels à mort. On a répété les phrases les plus fameuses prononcées par les bouches les plus éloquentes : tant et tant, qu'elles ont pénétré dans toutes les mémoires, et qu'elles y demeurent gravées. Il semble, en vérité, qu'il n'y ait plus qu'à répéter les louanges justement accordées à ces orateurs illustres, dont la réputation n'est pas loin d'égaler celle des maîtres de l'éloquence antique.

En quoi, cependant, leur art diffère-t-il de ces grands modèles? D'où leur éloquence tire-t-elle sa physionomie propre, son caractère original? Peut-être de ce qu'ils offrent un admirable exemple du lyrisme à la française, à la fois logique et passionné.

Il s'exprime malgré tous les obstacles, ce lyrisme dont les âmes débordent. Les obstacles viennent des habitudes acquises. Les orateurs qu'inspire un souffle nouveau n'ont à leur disposition qu'un vocabulaire usé, anémié : celui qu'ils ont employé eux-mêmes, avocats ou beaux esprits de province, dans leurs plaidoiries ou dans leurs harangues académiques. Loin de pécher par excès de hardiesse, ils étonnent quelquefois par leur timidité; tout au plus émaillent-ils leurs développements de quelques néologismes qui ne sont pas le meilleur de leur invention, comme *républicaniser, terroriser,* voire *sans-culottiser.* A cela près, ils observent les préceptes traditionnels que leur ont appris les traités de rhétorique, et dont Tite-Live leur a donné l'exemple. Ils sont Français : et donc, ils veulent voir clair, pour raisonner juste. Ils n'aiment pas le désordre. Il leur plaît de charpenter fortement leurs discours, d'en marquer les divisions et les subdivisions, de passer d'une idée à une autre par des transitions soignées.

Mais, peu à peu, ils s'enhardissent. La fièvre oratoire s'empare d'eux; et voici qu'apparaissent les élans lyriques. Ils ne craignent plus de montrer ce « moi » jadis haïssable; ils l'étalent. Ils savent bien, ces orateurs-nés, qu'il faut toucher le cœur d'abord : tâche d'autant plus aisée pour eux qu'ils sont eux-mêmes pleins de sensibilité, pleins d'émoi. Ils connaissent aussi la puissance du rythme et du nombre; ils n'ignorent pas qu'un charme étrange s'empare des esprits, quand on saisit les sens par la musique du verbe. Quelle que soit la matière qu'ils traitent, ils l'animent, ils la vivifient en ramenant aux grands principes les questions

les plus positives; ils développent leurs arguments comme des thèmes : thème de la patrie, thème de l'humanité, thème de la croyance religieuse appropriée à la France révolutionnaire. Ils s'épanchent en amples méditations, en hymnes passionnés : et leur discours se transforme en effusion.

Tel est le cas de Mirabeau. La grandeur de son éloquence vient de la poésie qui l'anime : il est poète par ses images éclatantes, par ses larges mouvements, par son rythme puissant; il est poète parce qu'il est constamment sensible et pathétique; chacun de ses discours est la traduction directe de sa forte personnalité. Mais au milieu de ses envolées même, jamais la logique ne l'abandonne. Il s'adresse au cœur sans oublier la raison : ses épanchements sont des démonstrations; il entraîne, il bouleverse : et en même temps, il prouve et il convainc.

N'oublions ni la puissante voix du tribun ni son corps athlétique, son cou musculeux, sa figure ravagée de petite vérole, sa crinière qu'il agitait : « Quand je secoue ma terrible hure, disait-il, il n'est personne qui osât m'interrompre. » Chacun de ses discours est un combat, et toutes les armes lui sont bonnes. Il ne se fait pas scrupule d'utiliser largement ses souvenirs; il a même des fournisseurs attitrés qui lui préparent la besogne; il n'est pas difficile sur le choix des matériaux : le flot oratoire entraîne tout. Quand il est attaqué, c'est alors « que les ressources de l'éloquence et de la sensibilité », comme il dit, se présentent en foule à son esprit. Il fait face à ses ennemis, se défend à coups de boutoir, attaque à son tour. « On m'emportera de l'Assemblée triomphant, ou en lambeaux », déclare-t-il. Il triomphe, non par les froids artifices d'un rhéteur, mais par le don passionné de lui-même, chaque fois renouvelé. A concevoir ainsi l'éloquence, il s'épuise. Dans les derniers mois de sa courte carrière s'engage la lutte la plus âpre qu'il ait jamais soutenue : non pas contre ses ennemis, mais contre lui-même. Du jour où il est subventionné par le roi, il essaye de défendre à la fois le roi et le peuple : il n'en a pas moins perdu son indépendance. De là naît une gêne continue; de là des explosions de colère contre la cour, de là des menaces, et tous les mouvements d'une passion qui s'exaspère.

L'éloquence des Girondins est facile, aimable; elle n'est jamais sèche ni tendue; elle devient, au moment où s'engage le duel contre la Montagne, vibrante et passionnée sans cesser d'être noble. S'il faut en marquer le défaut, elle est un peu trop accessible aux lieux communs : on les aimait alors éperdument; les Girondins, très diserts, les développaient avec délices. Mais souvent, tandis qu'ils se laissaient aller au plaisir de les dérouler harmonieusement, un souffle les agitait : ils pensaient aux grandes destinées de leur pays transformé par la Révolution, au bonheur de l'humanité, dont ils ne séparaient jamais la cause de celle de la France; ils voyaient dans un proche avenir une république idéale, amie de la littérature et des arts, belle autant que pure, semblable à la république athénienne aux beaux jours de Périclès, mais plus grande, et plus majestueuse, et plus virile. Émus par cette vision, touchés jusqu'aux larmes, soulevés par l'enthousiasme, ils prenaient, pour peindre l'avènement des temps heureux qu'ils souhaitaient, les couleurs brillantes dont les poètes se servent pour évoquer l'âge d'or.

Il y a beaucoup d'orateurs dans leur groupe. L'éloquence de Buzot (1760-1793), ample et riche, ne laisse pas de donner dans l'emphase. Gensonné préfère la solidité à l'éclat, se méfiant des « mouvements tumultueux et précipités ». Guadet, qui aimait l'improvisation, se distingue par sa verve et son ironie. Isnard est tout brûlant de passion : son *Discours sur l'émigration* (29 novembre 1791) reste parmi les belles pages de l'époque. Le plus grand de tous est Vergniaud.

Il est indolent. Il est rêveur, distrait, mélancolique.

DANTON. Peinture anonyme conservée au musée Carnavalet. — CL. LAROUSSE.   MARAT. Peinture de Joseph de Boze, 1793 (musée Carnavalet). — CL. NEURDEIN.   CAMILLE DESMOULINS. Peinture de Rouillard (musée de Versailles). — CL. NEURDEIN.

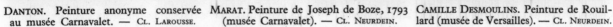

Mais qu'il doive monter à la tribune : alors apparaît un autre homme. Le voilà qui travaille, qui prépare son plan, qui médite ses effets. Sûr d'être soutenu par cette armature logique, il parle avec aisance; il se laisse aller peu à peu, entraîné par le dieu intérieur qui l'inspire : il est « divin à entendre », au témoignage de ses ennemis même.

Il n'est pas seulement l'Orphée de la République nouvelle : il en est le Tyrtée, à l'occasion. Au mois de septembre 1792, la France est menacée, la France est envahie; Longwy a capitulé, Verdun est investi. Évoquons l'Assemblée frémissante, et écoutons la péroraison du discours que prononça, pour inciter tous les citoyens à défendre la patrie, le Girondin Vergniaud :

« Pourquoi les retranchements du camp qui est sous les remparts de la cité ne sont-ils pas plus avancés? Où sont les bêches, les pioches, et tous les instruments qui ont élevé l'autel de la Fédération et nivelé le Champ-de-Mars? Vous avez manifesté une grande ardeur pour les fêtes : sans doute vous n'en aurez pas moins pour les combats; vous avez chanté, célébré la liberté : il faut la défendre. Nous n'avons plus à renverser des rois de bronze, mais des rois environnés d'armées puissantes. Je demande que la Commune de Paris concerte avec le pouvoir exécutif les mesures qu'elle est dans l'intention de prendre. Je demande aussi que l'Assemblée nationale qui, dans ce moment-ci, est plutôt un grand Comité militaire qu'un corps législatif, envoie à l'instant, et chaque jour, douze commissaires au camp, non pour exhorter par de vains discours les citoyens, mais pour piocher eux-mêmes : car il n'est plus temps de discourir, il faut piocher la fosse de nos ennemis, et chaque pas qu'ils font en avant pioche la nôtre. » (Des acclamations universelles se font entendre dans les tribunes. L'Assemblée se lève tout entière, et décrète la proposition de Vergniaud.)

Mais l'orateur qui a bouleversé toutes les traditions reçues, celui qui s'est soustrait à la tyrannie du bon goût au point qu'il est souvent tombé dans le mauvais, à la crainte du ridicule au point qu'il a quelquefois fait rire; celui qui a véritablement « révolutionné » le style de notre éloquence, et mis un bonnet rouge au vieux dictionnaire, c'est Danton. D'autres que lui, parmi les Montagnards, furent admirés pour l'exceptionnelle qualité de leur éloquence : Saint-Just, au style nerveux, serré, aimant les maximes et les sentences; Robespierre, qui n'avait pas les dons naturels de l'orateur, mais que servait une volonté implacable. Il apportait à la tribune de la Convention de longues harangues opiniâtrement travaillées. Sa voix monotone posait des dilemmes, développait des syllogismes, argumentait sans relâche; il dissertait, il prêchait. A Danton appartient le privilège de la force. Son éloquence n'a plus rien de classique. Elle n'est ni composée, ni polie. Elle répudie la mesure et le choix. Cet homme cultivé, qui connaissait bien notre littérature française, et qui n'ignorait ni la littérature italienne ni la littérature anglaise, veut se faire entendre du peuple, et adopte une manière qui plaît au peuple. Il aspire aux applaudissements du club des Cordeliers, non pas aux suffrages des lettrés. Aussi son œuvre oratoire est-elle loin de la perfection; mais elle n'en est pas moins pleine de sève et de puissance. Plusieurs de ses images sont d'une originalité saisissante :

« Le tocsin qu'on va sonner n'est point un signal d'alarme; c'est la charge sur les ennemis de la patrie : pour les vaincre, il nous faut de l'audace, encore de l'audace, toujours de l'audace... » — « J'ai consenti à passer pour buveur de sang. Buvons le sang des ennemis de l'humanité s'il le faut, mais enfin que l'Europe soit libre! » — « Remplissez donc vos destinées; point de passions, point de querelles, suivons la vague de la Liberté!... »

LA PRESSE

On ne saurait songer à donner ici une liste, même sommaire, des feuilles révolutionnaires. Voir : Hatin, Histoire politique et littéraire de la presse en France, 1860; le tome II de la Bibliographie de l'histoire de Paris pendant la Révolution, publiée par Maurice Tourneux, 1890-1906, 4 vol.; et Alma Söderhjelm, le Régime de la presse pendant la Révolution, 1900.

Le Publiciste parisien devient à partir du n° 7 l'Ami du peuple, de Marat (10 septembre 1789-21 septembre 1792). Voir les Pamphlets de Marat, édition Ch. Vellay, 1911, et la Correspondance de Marat, publiée par Ch. Vellay (1908; un Supplément a paru en 1910); Textes choisis, 1945.

Les Révolutions de France et de Brabant, de Camille Desmoulins, ont paru de novembre 1789 à décembre 1791 et d'octobre à décembre 1792. Le Vieux Cordelier a paru du 5 frimaire au 5 pluviôse an II (éd. complète et critique, 1936). Les Œuvres de Camille Desmoulins ont été publiées en 1838, en 1865, en 1874. Voir Jules Claretie, Camille Desmoulins, 1908.

Le journal, au temps de la Révolution, est le complément de la tribune; tout ce que nous venons de dire à propos de l'éloquence, nous pouvons le répéter à propos de la presse. Comme il y a une foule de discours détestables, de même une quantité incroyable de mauvais articles paraissent tous les jours : les mauvais articles sont encore plus nombreux que les mauvais discours ; car quel frein peut retenir le journaliste ?

« C'est une plaisante chose que le métier de journaliste parmi nous. Un bonhomme qui aura rimaillé quelque sottise, ou fourni un méchant article à la *Gazette*, ne sachant que devenir, se met à tenter la fortune en faisant un journal. Le cerveau vide, sans idées, sans vues, il s'en va dans un café recueillir les bruits courants, les inculpations des ennemis publics, les complaintes des patriotes, les lamentations des infortunés ; il rentre chez lui la tête pleine de tout ce fatras, qu'il couche sur le papier, et qu'il porte à son imprimeur, pour en régaler le lendemain les sots qui ont la bêtise de l'acheter. Voilà le tableau des dix-neuf vingtièmes de ces messieurs. » Qui parle ainsi ? C'est Marat, dans son *Ami du peuple* (25 février 1791).

Mais toute la production contemporaine ne mérite pas, il s'en faut, d'être ensevelie dans une disgrâce commune. Tant vaut le rédacteur en chef, tant vaut le journal.

Un journal révolutionnaire ne se présente pas comme un journal d'aujourd'hui. Il est l'œuvre d'un seul homme, rarement d'un très petit groupe d'hommes, jamais d'une collectivité plus ou moins anonyme. Un nom l'emplit tout entier, un caractère, un talent. La part d'information y est réduite ; l'auteur du journal peut s'épancher librement, longuement, sans autres limites que celles de son papier. Il ne s'en fait pas faute. Des *Actes des Apôtres*, royalistes, au grossier *Père Duchêne*, de Hébert, en passant par *le Patriote français*, de Brissot, que de tempéraments divers ! Ici encore, le « moi » s'étale, avec toute la sensibilité surexcitée, toute la passion fougueuse qu'une telle époque peut déchaîner.

C'est ainsi que surgissent, de la masse des gazetiers et des pamphlétaires, plusieurs personnalités vigoureuses. Apre, aigre, perpétuellement occupé à menacer, à dénoncer,

Marat déploie dans chaque numéro de son *Ami du peuple* une force redoutable. Son acharnement fait peur. S'il s'attache à une proie, il ne la lâche plus ; il la harcèle jusqu'à la mort. Son style est tout plein d'expressions conventionnelles et banales ; il parle des *noirs complots*, des *ténébreuses intrigues* ourdis par *les scélérats qui se prostituent à l'aristocratie* : comment trouve-t-il le moyen, avec tout cela, d'être très vivant ? Par l'intensité de la passion tenace qui l'anime.

Il est difficile de ne pas aimer Camille Desmoulins. Ame mobile, exaltée, allant d'instinct vers toutes les grandes causes ; aussi ardent à défendre la Révolution, quand elle lui apparaissait comme l'aube d'une humanité meilleure, qu'à combattre la Terreur dans ses excès, il se peint tout entier dans ses articles. Il a besoin de rester en communication constante avec ses lecteurs, et d'agir sur eux par sympathie ; il les presse, les entraîne, leur fait partager ses ardeurs juvéniles. *Les Révolutions de France et de Brabant* n'évitent pas tous les défauts de la rhétorique classique ; ces développements hâtifs contiennent trop de négligences, trop de souvenirs livresques ; des néologismes qui ne sont pas toujours heureux émaillent un style quelquefois imprécis : mais on y trouve aussi de fort belles pages, brûlantes ou douloureuses, émouvantes toujours. C'est dans *le Vieux Cordelier* que Camille Desmoulins donne sa mesure ; dans *le Vieux Cordelier*, qu'interrompit si vite la mort. La passion y palpite encore ; la tristesse, et comme l'attente d'un destin tragique ; l'horreur du sang versé par Robespierre ; l'élan vers une république purifiée, où l'amour du bien universel remplacera les haines des partis. Ces improvisations éloquentes sont empreintes, elles aussi, de poésie ; d'une poésie tantôt mélancolique et tantôt vengeresse.

Voilà, semble-t-il, des acquisitions qui comptent. La France n'avait plus, depuis le XVIᵉ siècle, d'éloquence politique : celle que la Révolution lui a donnée est d'une beauté sans égale. Plus d'une page immortelle demeure dans ces feuilles qui ne devaient vivre qu'un jour. Au milieu du fatras de la poésie révolutionnaire, on rencontre des chants mémorables et un hymne sublime : croyons-en Michelet, lorsqu'il rappelle ainsi l'origine de la *Marseillaise* : « Il fut donné à la grande âme de la France, en son moment le plus désintéressé et sacré, de trouver un chant — un chant qui, répété de proche en proche, a gagné toute la terre. Cela est divin et rare, d'ajouter un chant éternel à la voix des nations. »

Ce que la Révolution n'a pas achevé, elle l'a préparé. Elle a proposé une théorie nouvelle de la littérature ; elle a souhaité une poésie populaire, un théâtre national ; elle a voulu que l'art s'inspirât du présent, au lieu de demander des leçons à un passé que les circonstances avaient, tout d'un coup, reculé infiniment. Ne soyons pas ingrats ; rendons justice à son œuvre. C'est dans l'imagination et dans la sensibilité du XVIIIᵉ siècle que la critique recherche les

LA LIBERTÉ DE LA PRESSE, d'après une gravure populaire du temps (B. N., Cabinet des Estampes).
CL. LAROUSSE.

origines du romantisme. Rien n'est-plus légitime : à condition de ne point passer tout d'un coup des origines lointaines à l'achèvement, et de réserver à la littérature révolutionnaire une place importante dans l'histoire de nos idées et de notre goût.

II. - SOUS L'EMPIRE

LES IDÉOLOGUES ET LES SAVANTS

Les idéologues (ainsi nommés parce que leur grand œuvre est de constituer la science des idées) forment un groupe serré. Ils se réunissent chez Mme Helvétius, dans les bureaux de la Décade philosophique, *leur journal, et encore aux séances de l'Institut, que la Convention fonde le 25 octobre 1794; plus tard, chez Mme de Condorcet, à la Maisonnette. Partisans convaincus de la Révolution, ils n'en ont pas moins été persécutés sous la Terreur. La*

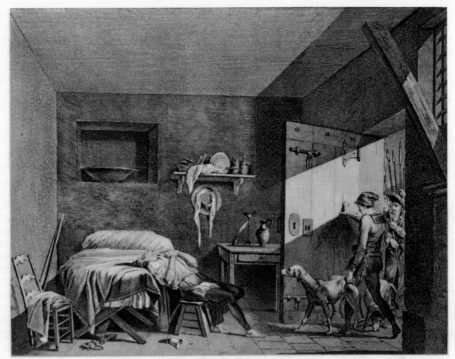

CONDORCET se donnant la mort dans sa prison, d'après une gravure du temps
(B. N., Cabinet des Estampes). — CL. LAROUSSE.

Terreur finie, ils arrivent au pouvoir; plusieurs d'entre eux font partie du Sénat conservateur, du Tribunat. Mais après le 18 brumaire, ils sont expulsés et traqués par Bonaparte, qui les hait. Voici les titres littéraires des principaux d'entre eux : Volney (1757-1820), *auteur, célèbre en son temps, du* Voyage en Syrie et en Égypte (1787), *publie en 1791 les* Ruines ou Méditations sur les révolutions des Empires; *c'est une philosophie de l'histoire enclose dans des « méditations » inspirées des* Nuits d'Young. — Condorcet (1744-1794), *décrété d'accusation sous la Terreur et menacé de l'échafaud, écrit dans sa cachette son* Esquisse d'un tableau historique des progrès de l'esprit humain (1794), *qui est un hymne magnifique au progrès. —* Ginguené (1748-1816), *bon érudit, moins bon écrivain, âme de la* Décade philosophique, *a laissé une* Histoire de la littérature italienne (1811) *qui fit époque. —* Garat (1749-1833) *professe, à l'École normale instituée par la Convention, la doctrine idéologique (1794). — Mais pour que cette doctrine soit exposée au complet, il faut attendre que Destutt de Tracy (1754-1836) publie son livre :* Projet d'éléments d'idéologie à l'usage des Écoles centrales de la République française, an IX. *Cet ouvrage reparaît sous le titre d'*Éléments d'idéologie : *première partie,* Idéologie proprement dite, 1801; *seconde partie,* Grammaire, 1803; *troisième partie,* Logique, 1805; *quatrième et cinquième partie,* Traité de la volonté et de ses effets, 1815; De l'amour, *publié pour la première fois en français par G. Chinard, 1926. —* Cabanis (1757-1808), *médecin de son état, donne un grand livre, le* Traité du physique et du moral de l'homme, *publié pour la première fois, de 1798 à 1799, dans le* Recueil des travaux de l'Institut; *pour la seconde fois en 1802 sous le titre de* Rapports du physique et du moral de l'homme; *pour la troisième fois, après la mort de l'auteur, en 1815. Ses* Œuvres *ont été recueillies en 5 vol., 1823-1825. — Le principal ouvrage de Joseph-Marie, baron de Gérando (1772-1842), est son* Histoire comparée des systèmes de philosophie, 1804, 3 vol.; *reprise et augmentée en 1822, 4 vol. —* Laromiguière (1756-1837),

qui a publié dès 1793 ses Éléments de métaphysique, *donne de 1815 à 1818 ses* Leçons de philosophie sur les principes de l'intelligence ou sur les causes et sur les origines des idées. —* Maine de Biran (1766-1824) *fait paraître en 1803 son livre* De l'influence de l'habitude sur la faculté de penser. —* Claude Fauriel (1772-1844), *dont Sainte-Beuve a dit qu'il était à l'origine de toutes les avenues du XIXe siècle, se rattache au même groupe. Il publie en 1810 une traduction de la* Parthenéide *du poète danois Baggesen, qui contient le manifeste littéraire de l'école;* Chants populaires de la Grèce moderne, 1824; Histoire de la poésie provençale, 1846; Correspondance avec Mary Clarke, 1911, *etc.*

Voir : A. Guillois, le Salon de Mme Helvétius, 1894; — la Marquise de Condorcet, 1897; François Picavet, *les* Idéologues, 1891; J.-B. Galley, Claude Fauriel, 1909; G. Chinard, Jefferson et les Idéologues, 1925; É. Cailliet, la Tradition littéraire des idéologues, Philadelphie, 1943.

Les grands écrivains scientifiques qu'il importe aussi de mentionner ne font pas partie du groupe des idéologues, mais leur action concourt aux mêmes résultats. Voir G. Laurent, les Grands Écrivains scientifiques, 1905.

Quand on a rappelé que les idéologues procèdent du XVIIIe siècle, on n'a rien fait si on ne se hâte d'ajouter que ces disciples de Locke et de Condillac, qui ne renient pas leurs maîtres, savent bien aussi qu'ils les dépassent. Du sensualisme, ils tirent tant et tant de conséquences que la doctrine a l'air nouvelle et prend une vitalité inattendue. En outre, ils ont vu la Révolution, et comme tous ceux qui ont traversé la tourmente, ils veulent conduire les hommes vers un port tranquille où les attend le bonheur. Ces spéculatifs ne se contentent pas de penser pour penser : ils pensent pour agir. Ces rationalistes ont une foi; ils suivent une étoile, qu'ils appellent le progrès.

Ils ont manqué d'éclat : ce n'est pas une raison pour les laisser dans l'ombre. Ils ont travaillé en profondeur et leur œuvre n'est pas morte avec eux. Penchés sur l'âme humaine pour saisir le jeu de ses opérations, ils font de la psychologie une science; ils vont même jusqu'à la psychophysiologie : Stendhal sera leur élève enthousiaste et reconnaissant. Ils bâtissent une science des mœurs dont les positivistes hériteront. Ils fixent une méthode qui deviendra celle de Taine : « Le principe des sciences morales, » disent-ils, « et par conséquent ces sciences elles-mêmes, rentrent dans le domaine de la physique; elles ne sont plus qu'une branche de l'histoire naturelle de l'homme ». Ils préconisent une attitude devant la vie : le culte du fait, la négation de l'*a priori*, la haine du dogmatisme. Ainsi, les idéologues auront inspiré les plus pénétrants de nos psychologues et les plus hardis de nos penseurs.

Ils n'ont pas laissé d'étudier aussi les principes de l'art littéraire. C'est ici l'un des résultats les plus curieux et, semble-t-il, les moins observés de leur travail patient. En luttant partout contre les dogmes, les idéologues n'ébran-

CABANIS (B. N., Cabinet des Estampes).
CL. LAROUSSE.

laient-ils pas la critique dogmatique? La critique dogmatique avait reçu bien des assauts avant le leur : mais elle avait la vie si dure que, toujours menacée, elle résistait toujours, et qu'il n'était pas inutile de l'attaquer une fois de plus, et par sa base. Voilà précisément ce que font les idéologues. Tandis que les partisans des doctrines pseudo-classiques jugeaient les œuvres littéraires d'après leurs caractères extérieurs, afin d'établir entre elles une hiérarchie — toute production est belle qui se conforme aux règles établies —, les idéologues, au contraire, jugent les œuvres par leurs effets psychologiques : toute production est belle qui, voulant toucher la raison, ou l'imagination, ou la sensibilité, y réussit. L'artiste est libre de suivre ou de ne pas suivre les règles; et même, à vrai dire, il n'y a plus de règles : il n'y a plus que des moyens infiniment divers, et tous légitimes, de produire la beauté.

Ils ont formulé au moins deux fois cette esthétique nouvelle. On trouve dans les *Œuvres* de Cabanis les fragments d'une traduction d'Homère élaborée par lui dans sa jeunesse; ils sont accompagnés d'une *Lettre à M. T*** sur les poèmes d'Homère*, toute pleine d'aperçus originaux. La valeur des poèmes d'Homère ne vient pas de ce qu'ils répondent à une définition arbitraire de l'épopée, dit Cabanis; elle vient de ce qu'ils ont jailli du fond de l'âme humaine en sa fraîcheur. Il fallait être bien hardi pour dénoncer ainsi les règles sacro-saintes de l'épopée : Cabanis n'est pas timide. En revendiquant toute liberté pour l'artiste créateur, il rencontre sur son chemin la critique dogmatique de La Harpe et il l'attaque. Il connaît bien aussi la critique historique de Lessing, et il l'approuve; mais il trouve qu'elle ne va pas assez loin et il souhaite de la dépasser : « Dans un écrit sur le *Laocoon* que M. Vanderbourg a traduit avec beaucoup d'élégance et de soin, Lessing propose quelques vues très justes, mais qui demanderaient à être exposées dans un meilleur ordre et modifiées, expliquées, ou quelquefois rendues plus générales par l'indication de leurs rapports avec la véritable théorie des sensations. »

Plus explicitement encore, le nouvel art poétique est formulé dans la préface à la traduction de la *Parthénéide* de Baggesen, par Fauriel. Point d'esprit plus ouvert, plus informé que celui-là : Fauriel veut connaître tout le connaissable en saisissant les choses dans leurs sources et dans leur devenir : fidèle au grand principe énoncé par

Cabanis, que l'important est de remonter aux origines. Il se jette dans les études les plus ingrates avec une manière d'héroïsme : le malheur est qu'absorbé par la recherche, il arrive difficilement à la production. Il n'en exerce pas moins une grande influence autour de lui par son savoir, par la vigueur de son jugement, par la qualité de son âme, toujours prête à donner; son ami le plus illustre, dont il développe l'originalité bien plutôt qu'il ne le soumet à l'action de la pensée française, est le futur chef du romantisme italien, Manzoni. Fauriel, curieux de toutes choses, s'intéresse à un poème publié en allemand par un écrivain danois, Baggesen; il le traduit; les critiques se sont demandé si c'était un poème du genre héroïque ou du genre idyllique : la question des genres est posée, il faut la traiter. Fauriel la traite, en prévenant le public que ses idées « n'ont été puisées dans aucun de nos Traités de rhétorique ou de nos Cours de littérature ». « Toutes les définitions générales qu'on a données de la poésie, dit-il, n'ont servi qu'à prouver l'excessive difficulté d'en trouver une bonne. » Communément, on distingue les compositions poétiques en raison de la diversité ou de la similitude de leur forme. Ce procédé n'aboutit qu'à rapprocher, d'après une ressemblance purement extérieure, celles qui sont au fond les plus différentes par leurs caractères essentiels. Il convient de chercher autre chose. Si l'essence de la poésie, « l'idéalité poétique », consiste à produire une impression dominante sur le cœur de l'homme, c'est de là qu'il faut partir : les compositions poétiques ne peuvent se caractériser que par l'effet psychologique qu'elles produisent. « Ainsi donc, toutes les manières réellement diverses, réellement distinctes, dont l'imagination peut être affectée par la peinture de la destinée de l'homme et des actions humaines, donnent lieu à autant de sortes de compositions poétiques. » Plus de genres, plus de catégories, plus de dogmes.

Dans la longue lutte qui est engagée pour affranchir notre littérature des servitudes pseudo-classiques, les influences étrangères auront leur part, et nous y viendrons. Mais il est curieux de voir comment la pensée française, en suivant les lois de son propre développement et sans intervention extérieure, s'affranchit d'elle-même. Les idéologues sont les héritiers directs du XVIIIe siècle; ils représentent « l'indépendance des idées », « la hardiesse des examens »; ils prolongent et enrichissent notre tradition intellectuelle. Le romantisme, dont le triomphe s'apprête, éclipsera leur œuvre; il ne détruira pas leurs principes. Quand le romantisme aura passé et que le siècle, las des fêtes de l'imagination et de la sensibilité, reviendra vers la raison positive, c'est en eux qu'il reconnaîtra ses maîtres.

Développer la raison, accroître le bonheur, c'est l'idéal que poursuivent aussi, par une action parallèle, les grands écrivains scientifiques de la même période s'honore. « Il n'est pas indispensable, pour bien mériter de l'humanité et pour payer son tribut à la patrie, d'être appelé à ces fonctions publiques et éclatantes qui concourent à l'organisation et à la régénération des empires. Le physicien peut aussi, dans le silence de son laboratoire et de son cabinet, exercer des fonctions patriotiques. N'eût-il contribué, par les routes nouvelles qu'il s'est ouvertes, qu'à prolonger de quelques années, de quelques jours même, la vie moyenne des hommes, il pourrait aspirer aussi au titre glorieux de bienfaiteur de l'humanité. » Ainsi parle Lavoisier. Tous, Laplace, Cuvier, Lamarck, Ampère, possèdent le don d'écrire. Certes, l'originalité particulière à chacun d'eux éclate dans la moindre de leurs pages. Laplace contemple les espaces infinis et les décrit sans en être effrayé; son imagination est « étonnée de la grandeur de l'univers » et « a peine à lui concevoir des bornes »; mais sa raison le rassure; il montre l'harmonie des mouvements célestes dans un style dont Lamartine, Hugo, Sully Prudhomme n'oublieront ni la poésie ni l'ampleur. Cuvier, puissant et lourd, reconstitue avec une sorte d'ivresse rationnelle les espèces disparues; sa manière est solide, vigoureuse, conquérante. Lamarck jette à pleines mains les idées nouvelles; sa prose ressemble volontiers à une série d'équations; point de coquetterie chez lui : qualité rare, qui procure à ses sobres écrits une singulière vigueur. Mais ce qui frappe chez tous et ce qui met sur ces tempéraments originaux une marque commune, c'est la clarté. Le lecteur le plus profane a l'impression qu'il comprend sans peine leurs démonstrations, tant ils possèdent de logique aisée et naturelle. Aucun de ces savants ne pense qu'il doive être obscur pour être profond; tous aiment l'ordre et la lumière.

LES THÉORICIENS DU DROIT DIVIN

Joseph de Maistre est Savoyard de naissance, mais, suivant sa propre expression, naturalisé Français parce que « la langue française est entrée jusque dans la moelle de ses os ». Né à Chambéry en 1753, étudiant à l'Université de Turin, il entre dans la magistrature; il ne laisse pas de participer à la fermentation révolutionnaire; il est membre d'une loge maçonnique. Mais il devient bientôt l'adversaire acharné des idées nouvelles. Quand, en 1792, les armées républicaines envahissent la Savoie, il se réfugie à Lausanne; quand les Français menacent Turin, il se réfugie à Venise (1798-1799). Le roi de Sardaigne l'envoie en 1803 à Saint-Pétersbourg comme ministre plénipotentiaire; il supporte avec dignité les inconvénients d'une misère dorée. Il obtient son rappel en 1817; il meurt en 1821.

Ses livres principaux sont les Considérations sur la France, *1796;* l'Essai sur le principe générateur des constitutions politiques, *1810;* Du pape, *1819;* De l'Église gallicane, *1821; les* Soirées de Saint-Pétersbourg, *1821.* Œuvres complètes, *14 vol., 1884-1887. Des Pensées inédites ont été publiées par Émile Dermenghem dans le* Correspondant *du 25 mai 1922; la* Franc-maçonnerie, *inédit (1782), 1925. — Voir : Antoine Albalat,* Joseph de Maistre, *1914; Émile Dermenghem, le* Centenaire de Joseph de Maistre *(le* Correspondant, *10 février 1921); Georges Goyau, la* Pensée religieuse de Joseph de Maistre, *1921; É. Dermenghem,* J. de Maistre mystique, *1923, rééd. 1946; René Johannet,* Joseph de Maistre, *1932; F. Holdsworth,* J. de Maistre et l'Angleterre, *1936.*

Son frère, Xavier de Maistre (1763-1852), après la réunion de la Savoie à la France, émigre en Russie, où il fait sa carrière dans l'armée. Voyage autour de

JOSEPH DE MAISTRE (B. N., Cab. des Estampes).
CL. LAROUSSE.

ma chambre, 1794; le Lépreux de la cité d'Aoste, *1811; les* Prisonniers du Caucase *et la* Jeune Sibérienne, *1825.* Œuvres complètes, *3 vol., 1825. Voir Alfred Berthier,* Xavier de Maistre, *1921.*

Louis-Gabriel-Ambroise, vicomte de Bonald, né à Milhau en 1754, mort en 1840, est une rude figure de gentilhomme cévenol. Mousquetaire du roi; émigré; rallié à contrecœur au régime napoléonien; haut dignitaire de la Restauration, les régimes changent et il ne change pas. Sévère, autoritaire, il reste tout d'une pièce. Ses œuvres les plus importantes sont : la Théorie du pouvoir politique et religieux dans la société civile, *1796;* l'Essai analytique sur les lois naturelles de l'ordre social, *1801; la* Législation primitive, *1802.* Œuvres, *édition Migne, 3 vol., 1859. — Voir Henri Moulinié,* De Bonald, *1915.*

Contre les idéologues, les défenseurs de la tradition entrent en lice. Courageux, provoquants, ce sont de rudes jouteurs. Tous leurs écrits sentent la bataille. Leur personnalité agressive s'impose, bon gré mal gré, à l'attention. Ils ne sont pas très nombreux, mais ils se dépensent sans compter; et ils possèdent ce qui manque trop souvent aux idéologues : le talent littéraire.

Dans l'œuvre de la Révolution, ils ne font pas de choix; ils la détestent tout entière, en bloc; s'ils pouvaient la supprimer de l'histoire, ils n'hésiteraient pas; au moins veulent-ils la discréditer dans ses causes, la ruiner dans ses effets, l'abolir dans son être. Et pour ce faire, ils composent des œuvres ardentes, violentes, excessives, toutes pleines d'une beauté paradoxale et farouche. Essayons de les comprendre.

Aux yeux de Joseph de Maistre, la Révolution est un châtiment de Dieu. La France a commis, le jour de l'exécution de Louis XVI, le pire de tous les crimes, l'attentat contre la souveraineté. Il était juste qu'elle fût punie, et d'autant plus sévèrement qu'elle avait une mission spéciale à remplir : elle devait exercer sur toute l'Europe une sorte de magistrature, surtout religieuse; plus elle a failli, et plus il importait que Dieu sévît contre elle. Ainsi la guillotine, la Terreur, les guerres de la Révolution sont les modalités d'une loi divine. Il faut que les innocents payent pour les coupables; il faut que le sang coule. De ce mal apparent naît le bien; point de châtiment qui ne purifie; « le genre humain peut être considéré comme un arbre qu'une main invisible taille sans relâche, et qui gagne souvent à cette opération ». Le bourreau a un rôle social; le bourreau est grand et noble, puisqu'il est l'instrument de Dieu.

D'un exemple si éclatant et si proche sort la leçon de l'avenir. Le crime qui a fait de la Révolution française « le plus haut degré de corruption connu », « une pure impureté », est d'avoir voulu substituer l'homme à Dieu. L'homme s'est substitué à Dieu, en s'imaginant qu'il était capable d'établir une constitution, voire de l'écrire. Et Joseph de Maistre va répétant : la constitution est œuvre divine; les lois fondamentales d'une nation ne sauraient être écrites. Il ne se démentira jamais : selon lui, toute désobéissance à l'autorité instituée par Dieu et sanctionnée par la tradition, toute velléité d'indépendance — fût-ce celle de l'Église gallicane vis-à-vis de la papauté — est un crime qui mérite et qui entraîne le châtiment.

Il met un style brillant au service de ces doctrines inflexibles. Il est un écrivain de race : le don semble inné dans la famille. Son frère Xavier eut en partage l'observation fine et délicate, l'humour, une sensibilité toujours distinguée : toutes qualités aimables dont se pare ce charmant *Voyage autour de ma chambre*, qui a fondé sa réputation. Il savait jouer nonchalamment avec les idées et les sentiments, et inviter le lecteur à participer lui-même à ce jeu. Il n'était pas très profond, bien qu'il ne manquât pas d'humanité ; mais, dans le domaine intermédiaire entre les émotions superficielles et les passions obscures de l'âme, il était roi. Joseph de Maistre eut pour son lot l'éclat, la violence et l'insolence, non dépourvue de grâce. Il raisonne avec sa sensibilité ; même ses syllogismes sont nerveux. Il n'est jamais si naturel que dans le paradoxe. Non pas, en vérité, par artifice littéraire : sa bonne foi est entière ; sa conviction est pressante, acharnée. Mais telle est sa nature, impétueuse, dominatrice. A la richesse, à la fougue de son tempérament, son style doit une inépuisable vivacité. Ce Savoyard, qui a vu Paris pour la première fois à l'âge de soixante-trois ans, manie notre langue en maître. Il aime les images, et il les aime neuves et frappantes : « Nous sommes tous attachés au trône de l'Être suprême par une chaîne souple, qui nous retient sans nous asservir. Librement esclaves, les hommes opèrent tout à la fois librement et volontairement ; ils font réellement ce qu'ils veulent, mais sans pouvoir déranger les plans généraux. » — « Si l'on imagine une montre dont tous les ressorts varieraient continuellement de force, de poids, de dimension, de forme et de position, et qui montrerait cependant l'heure invariablement, on se formera quelques idées de l'action des êtres libres relativement aux plans du Créateur. » (*Considérations sur la France.*)

Joseph de Maistre n'est pas un neutre ; on l'admire, ou on l'exècre ; personne ne reste indifférent devant lui. De récentes études ont montré qu'il avait plus de largeur d'esprit, voire plus de libéralisme qu'on ne le dit d'ordinaire, et qu' « assoiffé du besoin de comprendre l'homme, assoiffé du besoin de comprendre Dieu », loin d'adopter dès la période de sa formation une attitude intransigeante, il a longuement évolué. Mais dans les écrits qu'il a destinés au public, ce n'est pas ainsi qu'il apparaît. Il ne cherche pas, il ne doute pas ; il est bien sûr de tenir la vérité : ceux qui ne le croient pas sur parole sont des aveugles, ou des gens de mauvaise foi. Il met une âpre joie à se montrer intolérant, partial, et toujours excessif. Il est le maître de ceux qui font de la violence une vertu.

Joseph de Maistre écrivait à de Bonald, peu avant sa mort : « Je n'ai rien pensé que vous ne l'ayez écrit ; je n'ai rien écrit que vous ne l'ayez pensé. » Peut-être : mais non pas assurément de la même façon. Entre ces deux défenseurs du trône et de l'autel, quelle différence de tempérament ! Joseph de Maistre se joue, et de Bonald s'applique ; Joseph de Maistre tire le plus brillant des feux d'artifice, et de Bonald bâtit à chaux et à sable. Le plus Français des deux, c'est le Savoyard. De Bonald n'accorde rien à la fantaisie, et presque rien à l'art. Il lui plairait de n'être que raison pure ; à peine a-t-il besoin de l'expérience ; de tous les livres

DE BONALD (B. N., Cabinet des Estampes).
CL. LAROUSSE.

écrits par les hommes, quatre ou cinq lui suffisent, le reste est vain. Non qu'il ne soit capable de porter, sur la littérature, les jugements les plus vigoureux ; mais quand il s'attache à établir la théorie du pouvoir, tout entier à sa besogne, il pose quelques principes fondamentaux, et déduit, déduit sans relâche. Ses ouvrages de doctrine présentent l'aspect d'une série de théorèmes ; il fait de la géométrie politique.

Le problème est toujours le même : il faut abattre l'œuvre de la Révolution, rétablir les vrais principes constitutifs des sociétés. Comment s'est formée la société ? Le premier fait social est la famille. La famille se compose du père, qui est le pouvoir ; de la mère, qui est intermédiaire entre le père et l'enfant ; et de l'enfant. La société se constitue sur ce type : elle se compose du roi, qui est le pouvoir, le pouvoir unique, indépendant, définitif, actif, perpétuel ; des ministres ; des sujets. Il n'en va pas autrement de la société religieuse : le pouvoir est Dieu ; l'intermédiaire entre le pouvoir et les sujets, participant de la nature de l'un et des autres, est l'Homme-Dieu ; les sujets sont la catholicité. Ces deux organisations, la civile et la religieuse, forment par leur union la seule société véritable : l'homme n'y peut rien changer. Quand il s'érige en législateur de la société civile, en réformateur de la société religieuse, autant vaudrait qu'il cherchât à modifier, par exemple, les lois de la pesanteur. Le gouvernement monarchique et la religion catholique dérivent de la nature des choses ; ils s'imposent avec le caractère de nécessité des lois de la nature. « Toute société religieuse ou politique qui n'est pas encore parvenue à sa constitution naturelle tend nécessairement à y parvenir ; toute société religieuse ou politique que les passions de l'homme ont écartée de sa constitution naturelle tend nécessairement à y revenir. »

En suivant la loi naturelle, l'homme ne fait que suivre la volonté de Dieu, qui non seulement le crée, mais le maintient par un acte continu de conservation. Il suffit de prouver Dieu pour prouver du même coup la vérité de toute la théorie. Or de Bonald, cherchant « une base certaine aux connaissances humaines, une vérité première de laquelle on puisse légitimement déduire toutes les vérités subséquentes, un point fixe auquel on puisse attacher le premier anneau de la chaîne de la science, un critérium qui puisse servir à distinguer la vérité de l'erreur », trouve, à la fin, ce qu'il désire ; et cette preuve merveilleuse que nous attendions sur sa promesse, c'est le langage humain. Car, dit de Bonald, l'homme n'a pu créer son langage : le langage est le don d'une puissance supérieure, Dieu. La démonstration est achevée.

Elle est laborieuse. Il n'y a guère d'exemple, dans la littérature française, d'une manière semblable à celle de Bonald : « Il existe une et une seule *constitution* de société politique, une et une seule *constitution* de société religieuse ; la réunion de ces deux *constitutions* et de ces deux sociétés *constitue* la société civile ; l'une et l'autre constitution résultent de la nature des êtres qui composent chacune de ces deux sociétés, aussi *nécessairement* que la pesanteur résulte de la nature des corps.

Ces deux *constitutions* sont *nécessaires* dans l'acception métaphysique de cette expression, c'est-à-dire qu'elles *ne pourraient être autres qu'elles ne sont, sans choquer la nature des êtres qui composent chaque société... »*

Il s'agit, on le voit, d'une démonstration à la fois compacte et passionnée. Avec cela, du trait, des antithèses, des oppositions : « Toutes les vérités sont utiles aux hommes; la maxime est essentiellement vraie, et la raison en est évidente : c'est que tout ce qui est utile aux hommes est une vérité. » Ou bien : « Si le calvinisme est la démocratie de la religion, le luthérianisme en est l'aristocratie. » Mais ces traits eux-mêmes sont plus âpres et plus incisifs que brillants. Jusque dans les aphorismes que de Bonald énonce volontiers, on retrouve le caractère dominant de son esprit : le dogmatisme, sans appel. Aurait-il si vigoureusement défendu l'autorité, si le goût de l'autorité n'avait été l'essence même de son tempérament ?

En voyant la construction qu'il échafaude, on pense d'abord aux machines de guerre du moyen âge, ingénieuses et lourdes. Mais il est plus moderne qu'il ne paraît. D'où vient, en effet, qu'il a fourni aux générations qui se sont succédé, et même à nos contemporains, nombre d'arguments et de théories ? Son œuvre est une mine inépuisable. Non pas seulement parce qu'elle présente aux esprits un système imposant, dont toutes les parties sont liées avec une apparence de logique irréfutable; mais parce qu'elle combat l'œuvre des philosophes avec les armes des philosophes eux-mêmes. Elle est nourrie de Montesquieu et de Rousseau; elle est pleine de considérations politiques qui procèdent, à n'en pas douter, de *l'Esprit des lois;* elle dérive du *Contrat social.* Elle met au service de la tradition quelques-unes des forces de la pensée moderne. Enfin de Bonald appartient à la catégorie des constructeurs. Dans les temples que bâtissent les architectes d'idées, que d'esprits aiment à s'abriter !

Sur la valeur intrinsèque de ces théories, qu'elles viennent des idéologues ou de leurs adversaires, nous n'avons pas à nous prononcer. Mais nous devons observer qu'une fois de plus, dans l'histoire des lettres françaises, notre art est autre chose qu'un jeu de dilettantes ou de sceptiques; il ne se désintéresse ni de la pensée ni de l'action

L'ÉMIGRATION

Henri Forneron, Histoire générale des émigrés pendant la Révolution française, *1884-1890, 3 vol.; Ernest Daudet,* Histoire de l'émigration, *1904-1907, 3 vol.; M. de Lescure,* Rivarol et la société française pendant la Révolution et l'émigration, *1883; A. Le Breton,* Rivarol, *1895; Paul Hazard,* le Spectateur du Nord, *dans la* Revue d'histoire littéraire de la France, *1906; F. Baldensperger,* Chateaubriand et l'émigration royaliste à Londres, *dans les* Études d'histoire littéraire, *2ᵉ série, 1910; —* Klopstock et les émigrés français à Hambourg, *dans la* Revue d'histoire littéraire, *1913; —* le Mouvement des idées dans l'émigration française, *2 vol., 1924.*

Sur Charles de Villers (1765-1815), voir : Louis Witmer, Charles de Villers, *1908; E. Eggli,* les Lettres à Jean de Müller, *dans la* Revue de littérature comparée, *1922; — l' « Érotique comparée » de Charles de Villers, 1927.*

Des milliers de Français, gens sédentaires par humeur et casaniers par tradition, viennent à s'expatrier; ils séjour-

UN ÉMIGRÉ, d'après une caricature du temps (B. N., Cabinet des Estampes). CL. LAROUSSE.

nent longuement hors de France; quand ils y rentreront, n'auront-ils vraiment rien oublié, rien appris ? Telle est la question que pose l'émigration.

Elle commence dès 1789. Des nobles, des prêtres, des officiers, des bourgeois, fuient la Révolution menaçante. Ils s'en vont pour quelques semaines, pour quelques mois tout au plus : le temps de laisser passer l'orage. Les plus belliqueux gagnent Coblence, et grossissent l'armée des princes, qui doit reconquérir la France et exterminer les Jacobins. Mais la France ne se laisse pas conquérir, les Jacobins ne se laissent pas exterminer. Les mois d'attente deviennent des années. Des colonies nombreuses d'émigrés se forment à Turin, à Genève, à Lausanne, aussi longtemps que les armées républicaines ne menacent pas ces villes; à Hambourg; à Londres. Il y a des émigrés en Espagne, en Hollande; quelques-uns en Amérique, comme Talleyrand; on en trouve aux Indes. Joseph de Maistre est un émigré; de Bonald en est un autre : « L'émigration », dit ce dernier avec sa gravité coutumière, « est l'événement le plus singulier de l'époque la plus mémorable des temps modernes. »

Parmi les émigrés, les gens de lettres ne manquent pas : Rivarol et Sénac de Meilhan, lequel publie en 1797 un roman intitulé *l'Émigré;* Boufflers et Vanderbourg; Chênedollé et Sevelinges; de Gérando et Jordan; Mᵐᵉ de Genlis et Mᵐᵉ de Flahaut; Fontanes et Delille; une foule d'autres. Mais ce ne sont pas seulement les gens de lettres, c'est une partie du public français qui refait à l'étranger son éducation. Sans doute, beaucoup d'émigrés restent très français, et même très parisiens; ils mettent une sorte de point d'honneur à ne rien perdre de leur frivolité native; ils vivent ensemble, le plus qu'ils peuvent; ils affectent de mépriser les pays barbares où le sort les a jetés. Mais la vie est dure, il faut gagner son pain. Ils ont vendu leurs bijoux : plus de ressources. De bonne grâce ils se mettent au travail; tel peint des éventails, et tel vend des fanfreluches; celui-ci se fait maître à danser, cet autre précepteur. Tout cela ne va point sans que ces exilés entrent en contact avec leurs hôtes. Ils apprennent plus ou moins l'anglais ou l'allemand. Ils lisent. Quelquefois même, animés de plus hauts desseins, ils fondent des journaux : à Londres, le *Paris* de Peltier informera la colonie française des choses de la politique; à Hambourg, *le Spectateur du Nord* mettra les Français au courant de la littérature allemande, et les Allemands au courant de la littérature française. Des relations personnelles se nouent entre écrivains : Chateaubriand se fait présenter à Lewis, l'auteur fameux du *Moine*, roman diabolique; Chênedollé va frapper à la porte de Klopstock. Quand tous ces émigrés ne voudraient rien apprendre, quand ils fermeraient obstinément leur esprit aux nouveautés, il est au moins un fait d'expérience dont ils sont forcés de s'enrichir. De par le vaste monde, plusieurs pays se vantent de posséder une littérature au moins égale en valeur à la nôtre; ils revendiquent même un droit de supériorité pour certains de leurs auteurs : les Italiens, par exemple, ne s'avisent-ils pas d'exhumer Dante, et de le donner pour le plus grand des écrivains? Les Allemands, qui s'éveillent à peine, ne prétendent-ils pas à la gloire de posséder des génies originaux? La relativité du goût : voilà certes une grande leçon.

Par l'émigration, la continuité du courant qui amenait vers la France la pensée étrangère se trouve assurée. Il n'avait pas cessé de faire sentir sa force sous la Révolution, parce que les révolutionnaires, vivant sur leur acquis, suivaient le mouvement commencé. Mais les communications avec l'Europe étant interrompues par la guerre, la France court le risque de ne plus être alimentée en nouveautés : or les émigrés rapporteront, avec le goût des littératures étrangères, le désir de les mieux faire connaître à la France. Et désormais, l'effort des initiateurs et des traducteurs sera plus puissant que les vicissitudes même de la politique. C'est en vain que la littérature officielle dénoncera les crimes de la perfide Albion, et que Napoléon mettra l'anglophobie à l'ordre du jour : un Chateaubriand n'oubliera jamais qu'à Londres, dans la mansarde où il souffrait du froid et de la faim, il n'avait pas eu de meilleurs amis que Beattie et Milton.

Par l'émigration, une transformation plus profonde s'accomplira. Au XVIIIᵉ siècle, nous admettions volontiers les œuvres étrangères, à condition qu'elles eussent été, d'abord, polies et raffinées par le goût français. Présentées dans leur originalité primitive, elles auraient effarouché et quelquefois dégoûté le public. Il importait de faire leur toilette : et c'était l'œuvre des traducteurs. Ces longs romans trop touffus pour notre impatience, ils les réduisaient d'un tiers. Ces pièces barbares de Shakespeare, ils les soumettaient à la règle des trois unités. Il ne saurait en être tout à fait de même après l'émigration. Au contraire, ceux qui auront connu vraiment les réalités étrangères, et les auront pour ainsi dire touchées du doigt, ne voudront plus les considérer à travers nos habitudes et nos préjugés. Ils demanderont qu'on revienne, au besoin, sur l'œuvre des premiers traducteurs, estimant qu'ils ont trahi leurs modèles. Ils assureront non seulement la continuité des influences extérieures, mais encore leur progrès.

Si nous avions persisté, fiers du dogme de notre hégémonie littéraire, à croire à notre supériorité sur tout l'univers, nous nous serions appauvris et bientôt épuisés. Pour qu'il y ait hégémonie spirituelle, il ne suffit pas de la volonté de ceux qui l'exercent. Or les peuples européens n'admettaient plus la nôtre; partout les nationalités se réveillaient ou se formaient, créant partout des littératures nationales.

UN ÉMIGRÉ REVENANT A PARIS, d'après une caricature du temps (B. N., Cab. des Estampes). CL. LAROUSSE.

Émigrand. Revenant. a. Paris.

Notre Révolution elle-même avait contribué à cette libération : car le jour où nous avions proclamé les droits de l'homme, nous avions proclamé du même coup les droits des peuples. Et le peuple italien, le peuple allemand confiaient à leurs philosophes, à leurs historiens, à leurs poètes, le soin de traduire leurs aspirations à l'unité. Notre bonne fortune permet qu'ayant envoyé au dehors des messagers involontaires, ceux-ci reviennent mieux informés et plus riches. Ils nous font comprendre la nécessité d'un renouvellement, si nous voulons rendre à nos lettres leur éclat d'autrefois. Nous avons trop de culture, et pas assez de spontanéité : il nous le disent. Ils ne craignent même pas d'affirmer que nous devons prendre modèle sur des auteurs moins raffinés, mais plus libres que les nôtres.

Pour voir jusqu'où peut aller l'enthousiasme d'un émigré en faveur de l'étranger, il faut s'arrêter à Charles de Villers. C'était un officier de l'armée du roi qui consacrait ses loisirs à la littérature et à la philosophie. Il partageait toutes les curiosités du XVIIIᵉ siècle finissant; toutes ses inquiétudes aussi. Il cherchait sa voie, à l'aventure. Vient la Révolution : il émigre, et rejoint l'armée des princes. Le voilà dans la foule des émigrés; comment va-t-il diriger sa vie? Il erre dans différentes villes d'Allemagne, et finit par se fixer à Gœttingue. C'est là qu'il découvre la science allemande : elle a pour lui tant de prestige, que cet ancien capitaine d'artillerie veut redevenir étudiant, et s'assied sur les bancs de l'Université. Il a trouvé sa vocation, il le sent bien; il servira désormais d'intermédiaire entre la France et l'Allemagne; son rôle dans la vie sera de « germaniser les Parisiens ». L'Allemagne se vante de posséder un philosophe admirable, dont les Français ignorants ont à peine entendu le nom jusqu'alors : Kant. Il importe de faire connaître sa doctrine. D'abord dans un article du *Spectateur du Nord*, ensuite dans un livre, *Philosophie de Kant ou Principes fondamentaux de la philosophie transcendentale*, par *Charles de Villers, de la Société royale de Gœttingue* (1801), il essaie de résumer à l'usage des Français cette grande philosophie. Fait capital, il initie Mᵐᵉ de Staël à l'Allemagne; il engage avec elle une correspondance suivie, pour modifier les jugements qu'elle a portés sur le Parnasse germanique dans son livre *De la Littérature*; quand elle entreprend le voyage à Weimar, il l'attend à Metz, pour lui expliquer comment elle doit voir le pays qu'elle a résolu de visiter. Il initierait à l'Allemagne le monde entier, c'est sa mission. Le Premier consul fait-il occuper par ses troupes le Hanovre, Brême, Hambourg, afin d'interdire à l'Angleterre l'accès des ports allemands, l'occasion est bonne; vite Charles de Villers écrit un *Appel aux officiers de l'armée de Hanovre qui peuvent et veulent mettre à profit le loisir de leur position* (Lubeck, 1803). « Fréquentez les Universités allemandes, leur dit-il; cultivez les sciences, les lettres, la philosophie; refaites votre éducation intellectuelle; apprenez « la « langue la plus savante de l'Europe », qui « vous récompen- « sera avec usure de ses épines grammaticales ». En 1802, l'Institut met au concours cette question : *Quelle a été l'influence de la réformation de Luther sur la situation politique des différents États de l'Europe et sur le progrès des lumières ?* Pour faire ressortir les traits spécifiques du génie allemand, Charles de Villers prend part au concours; son *Essai sur l'esprit et l'influence de la réformation de Luther* est couronné (1804). Il se donnera jusqu'au bout à la tâche qu'il s'est assignée, si difficile qu'elle soit, et si ingrate. Il a trouvé pour représenter son attitude un amusant symbole : il est le *Janus bifrons*, l'observateur aux deux visages, tourné à la fois vers les deux pays. « La littérature française, autrefois si florissante, semble frappée aujourd'hui d'une sorte de stérilité; elle a donc besoin d'être vivifiée, ou, si l'on veut, alimentée par celle des nations étrangères. La connaissance de leurs ouvrages peut faire renaître l'émulation, et, par là, une salutaire activité ramènera bientôt les beaux jours de cette même littérature. » Certes, tous les émigrés ne sont pas comme Charles de Villers. Heureusement; car il ne tient pas la balance égale; sa prévention pour l'Allemagne le rend injuste pour son propre pays. Mais c'est un apôtre, et il faut pardonner aux apôtres l'excès de leur zèle. Son œuvre relève d'une nouvelle littérature, française et européenne : la littérature des émigrés.

NAPOLÉON ET LA LITTÉRATURE IMPÉRIALE

On peut suivre la formation littéraire de Napoléon dans Frédéric Masson et Guido Biagi, Napoléon inconnu, *1895;* Napoléon, manuscrits inédits, *1907. Ses* Œuvres littéraires *ont été recueillies par Tancrède Martel, 1888 et 1910.*

L'édition de sa Correspondance, *publiée par ordre de Napoléon III (1858-1869, 32 vol. in-4°), comprend aussi ses proclamations. Il faut y joindre un* Supplément *publié en 1887 et de très nombreux compléments qui ont paru à diverses époques; voir, notamment, sa* Correspondance inédite, *conservée aux Archives de la guerre, publiée par E. Picard et L. Tuetey, 1912. Ses proclamations et ses discours ont été maintes fois édités séparément; et par exemple, en 1896, par Georges Barral, dans une édition populaire. Voir aussi* Napoléon, textes choisis et commentés, *par Guillon, 1913.*

Consulter : E. Yung, Bonaparte et son temps, *1880-1881; Antoine Guillois,* Napoléon, l'homme, le politique, l'orateur, *2 vol., 1889; Henri Welschinger,* la Censure sous l'Empire, *1882.*

La littérature impériale comporte un immense déchet. Pour se faire une idée de la tragédie de l'époque, voir : A.-V. Arnault (1766-1834), Œuvres, *1824-1827; ou Luce de Lancival (1764-1810),* Œuvres, *1826; ou Legouvé (1764-1812),* Œuvres, *1826; ou Brifaut (1781-1857),* Ninus II, *tragédie en cinq actes, 1814. Sur Népomucène Lemercier (1771-1840), le moins fade de tous ces auteurs, voir Maurice Souriau,* Népomucène Lemercier et ses correspondants, *1908.*

La comédie est représentée par Andrieux (1759-1833), Œuvres, *1818-1823; par Alexandre Duval (1767-1842),* Œuvres, *1822-1823 (Bellier Dumaine,* Alexandre Duval et son œuvre dramatique, *1905); par C.-G. Étienne (1778-1845),* Œuvres, *1846-1853 (C. Le Senne,* Monsieur Étienne et son théâtre sous l'Empire, *1913); par Picard (1769-1828),* Œuvres, *1821.*

Sur les romanciers, voir André Le Breton, le Roman français au dix-neuvième siècle, *1901. Sur les femmes auteurs, voir : Arnelle,* Une oubliée, Madame Cottin, *1914; J. Harmand,* Madame de Genlis, *1912; J. Turquan,* Une illuminée au dix-neuvième siècle, la Baronne de Krüdener, *1900; de Maricourt,* Madame de Souza, *1907; A. Marquiset,* les Bas-bleus du premier Empire, *1903.*

Parmi les poètes, citons Baour-Lormian (1770-1850), auteur de tragédies, de satires, de poésies officielles, et traducteur d'Ossian (consulter P. Van Tieghem, Ossian en France, *1916); Berchoux (1765-1839),* Œuvres, *1829; Chênedollé (1769-1833),* Œuvres complètes, *nouvelle édition précédée d'une notice par Sainte-Beuve, 1864; (Mme P. de Samie,* Chênedollé, *1922); Esménard (1769-1811), auteur de* la Navigation, *1805; Fontanes (1757-1821),* Œuvres, *1839; Millevoye (1782-1816),* Œuvres, *1822 (Pierre Ladoué,* Un précurseur du romantisme, Millevoye, *1912). Consulter Henri Potez,* l'Élégie en France avant le romantisme, de Parny à Lamartine, *1898; et Camille Latreille,* la Poésie élégiaque à la veille des Méditations, *dans le* Mercure de France *du 15 mars 1920.*

Sur la vogue du genre troubadour, voir : Fernand Baldensperger, le Genre troubadour, *dans les* Études d'histoire littéraire, *1907; et Henri Jacoubet,* le Comte de Tressan et les origines du genre troubadour, *1923.*

Sur la critique littéraire, voir : Ch.-M. Des Granges, Geoffroy et la critique dramatique sous le Consulat et l'Empire, *1897.*

Sur les tendances préromantiques, voir P. Van Tieghem, le Romantisme dans la littérature européenne, *1948.*

Ce fut peut-être à la littérature que Bonaparte voulut d'abord demander la gloire.

Il aimait les livres : au moins les aimait-il à sa façon. Toute sa vie, il en voulut avoir sous la main, prêts à tromper sa fièvre. Ces bibliothèques de camp dont il prenait soin d'indiquer personnellement la composition; ces nouveautés de Paris qu'on lui envoyait par chaque courrier, si loin qu'il fût; ce *Plutarque* qu'un Cosaque prit dans sa voiture pendant la retraite de Russie; cet *Ossian* qui l'accompagna jusqu'à Sainte-Hélène, car il chérissait Ossian entre tous les poètes : autant de preuves, entre autres, d'un attachement qui fut capricieux et brutal, mais qui ne se démentit pas.

BONAPARTE haranguant la division Vaubois, sur le plateau de Rivoli. Dessin de Raffet (B. N., Cabinet des Estampes). — CL. LAROUSSE.

Mais, jeune sous-lieutenant, il ne se contentait pas d'emplir de livres et d'emporter en Corse une malle si imposante qu'elle faisait l'étonnement de son frère, ni de s'enfermer dans sa chambre avec des livres, au grand scandale de ses camarades, moins laborieux : il écrivait; il voulait être auteur. Ses œuvres, son *Histoire de la Corse*, qui est de 1791, et son *Souper de Beaucaire*, qui est de 1793, nous permettent-elles d'ouvrir le champ à notre fantaisie et d'évoquer un Bonaparte qui fût devenu grand écrivain, s'il n'était pas devenu Napoléon? Elles nous permettent au moins une étonnante affirmation : Bonaparte, débutant dans la carrière des lettres, manque de personnalité. Il a trop lu; il est trop sous l'influence de ses maîtres, qui sont Raynal et Rousseau : il suit trop docilement le goût du jour. On a conservé des essais bien curieux qui le montrent subissant la mode, ou mieux les modes contemporaines. Ses *Réflexions sur le suicide* sentent leur Werther; son *Comte d'Essex* trahit l'anglomanie. Il brigue un prix de l'académie de Lyon (que de jeunes imaginations l'exemple de Rousseau n'aura-t-il pas excitées!) et c'est dans le style le plus déclamatoire qu'il traite le sujet : *Déterminer les vérités et les sentiments qu'il importe le plus d'inculquer aux hommes pour leur bonheur*. Son *Discours* a été publié en 1826 par le général Gourgaud. On y lit : « Le bonheur n'est que la jouissance de la vie la plus conforme à son organisation. Hommes de tous les climats, de toutes les religions, y en aurait-il d'entre vous à qui le préjugé de leurs dogmes empêcherait de sentir l'évidence de ce principe? Eh bien! qu'ils mettent la main droite sur leur cœur, la main gauche sur leurs yeux, qu'ils rentrent en eux-mêmes, qu'ils soient de bonne foi!... » — « Que le ministre de la plus sublime des religions, qui doit porter des paroles de paix et de consolation dans l'âme navrée de l'infortuné, connaisse les douces émotions de l'épanchement; que le nectar de la volupté le rende sincèrement pénétré de la grandeur de l'aurore de la vie : alors, vraiment digne de la confiance publique, il sera l'homme de la nature et l'interprète de ses décrets; qu'il choisisse une compagne, ce jour sera le vrai triomphe de la morale et les vrais amis de la vertu le célébreront de cœur. » A ce pathos, qui reconnaîtrait Napoléon?

Mais il est extraordinaire de voir combien peu son premier apprentissage influa sur sa manière définitive; à peine quelques métaphores, quelques traits à l'antique rappellent-ils de loin en loin la rhétorique chère à ses débuts. Il inventa une éloquence nouvelle : celle des ordres du jour, des proclamations militaires, des harangues avant la bataille ou après la victoire. Sans doute fut-il servi par ce sens des réalités qui demeure un des traits les plus frappants de son génie. Il importait d'obtenir sur l'âme des soldats le plus d'effet avec le moins de paroles. D'où des allocutions très courtes, solidement composées dans leur brièveté même, pour qu'elles se gravent dans les plus simples esprits; des formules frappantes, de préférence au commencement et à la fin. Les arguments qu'il retient sont ceux qui touchent l'âme des soldats : la promesse d'une paix opulente après les fatigues de la conquête; l'émulation, l'amour-propre, l'orgueil du corps, l'honneur. Il sait encore que ce qui agit le plus sur le soldat, c'est l'idée qu'il se fait du chef. Si les troupes n'ont dans leur chef une foi profonde et comme superstitieuse, il est difficile de rien obtenir d'elles. Aussi Napoléon affirme-t-il, impose-t-il sa personnalité : il n'avait pas à se contraindre pour y réussir. Il se fait passer avant tous les autres. « Moi et l'empereur d'Autriche, » dit-il, contrairement à l'usage invétéré de notre langue. Il faut que ce « moi » impérial devienne le fétiche de l'armée. Sûr d'elle et sûr de lui, il ne loue pas toujours; il excite, il blâme, il flétrit avec les mêmes procédés, le même style nerveux, concentré, puissant. Chateaubriand a défini Napoléon « le plus large souffle de vie qui ait jamais animé argile humaine ». Ce souffle a passé dans les harangues fameuses qu'on a longtemps répétées dans nos chaumières : « Soldats, vous avez en quinze jours remporté six victoires, pris vingt et un drapeaux, cinquante-cinq pièces de canon... » — « Du haut de ces monuments, quarante siècles vous contemplent... »

Seulement, sa trace dans l'histoire de nos lettres ne s'arrête pas là; il a fait peser sur elles tout le poids de sa dictature. Il sait qu'on doit les honorer et il ne perd aucune occasion de manifester à leur égard des attentions particulières. Elles sont une manière de puissance, qu'il est bon d'avoir de son côté. Les écrivains contribuent à l'éclat du trône; leur rôle n'est pas seulement de faire passer à la postérité le nom des souverains, mais d'attester dès le temps présent le bonheur et la reconnaissance des sujets. S'ils obéissent bien, comme les préfets et les gendarmes, à eux les faveurs, les pensions, les grands prix institués tout exprès. Cependant ils offrent cette particularité d'être plus dangereux s'ils entrent dans l'opposition, qu'utiles s'ils restent dans le devoir; car ils sont très capables d'influer sur l'esprit public, et quiconque tourne l'esprit public contre l'empereur devient criminel d'État. Pour les misérables qui pervertissent et empoisonnent le peuple en lui apprenant la désobéissance et la révolte, tous les châtiments sont bons. Les conséquences d'un tel régime, rigoureusement appliqué aux écrivains, sont faciles à deviner. Si l'on veut se rendre compte du degré de platitude où une littérature officielle peut arriver, qu'on ouvre seulement les *Hommages poétiques à LL. MM. II. RR. sur la naissance du roi de Rome*, que les éditeurs donnent pour « un monument remarquable de l'état actuel des lettres ». Le recueil est très remarquable, en effet; on dirait que les auteurs de toutes ces odes, de tous ces hymnes, de tous ces dithyrambes rivalisent à qui trouvera les images les plus banales, les métaphores les plus usées, le style le plus pâle pour ce seul objet : l'éloge de S. M. l'Empereur.

Le résultat, c'est que les forces agissantes de la pensée française se manifesteront ou bien contre la volonté du maître, ou bien en dehors d'elle, et que la littérature impériale proprement dite ressemblera au royaume des ombres, toute lumière abolie et toutes voix étouffées. Aux écrivains qui s'interdisent la pensée parce que la pensée est dangereuse, resterait l'art; mais l'exemple de cette période donne raison à ceux qui veulent qu'il n'y ait point de grand art possible sans liberté. On ne cherche pas à créer, à innover : bien plutôt se rattache-t-on peureusement au passé. Tel est le commandement de la critique, depuis La Harpe (1739-1803), qui publie, en 1799, son *Cours de littérature ancienne et moderne*, jusqu'à Geoffroy (1743-1814), dont les feuilletons furent réunis en un *Cours de littérature dramatique*, en 1819-1820. Il y a un guide de cette nécropole, le *Tableau historique de l'état et des progrès de la littérature française depuis 1789* (1809, puis 1816), de M.-J. Chénier (1764-1811). Il ne donne pas seulement la nomenclature des œuvres, il permet de comprendre les causes de cette stérilité. Les auteurs sont soigneusement étiquetés, chacun dans sa case; rien n'est laissé au génie ou seulement à la fantaisie; tout est mesuré, jugé, condamné ou loué de la manière la plus dogmatique. Avec cela, un style emphatique et pompeux. Cette critique officielle avait de quoi paralyser toute velléité d'indépendance, de quoi briser tout essor, à supposer que la critique ait jamais eu un tel pouvoir. On dirait qu'elle devient de plus en plus étroite à mesure qu'elle sent son règne plus menacé.

Les comédies, qui se multiplient — celles d'Andrieux, celles d'Alexandre Duval, celles d'Étienne le censeur, auquel il arriva cette mésaventure singulière d'avoir lui-même une de ses pièces censurée — ne vont pas au-delà des succès éphémères. Celles de Picard sont meilleures; Picard ne laisse pas de posséder sinon le comique profond, au moins quelque gaieté sincère; *la Petite Ville* (1801), adroitement combinée et riche d'effets scéniques, est capable encore d'exciter le rire. Le thème, emprunté à La Bruyère, est joli : « J'approche d'une petite ville et je suis déjà sur une hauteur d'où je la découvre... Je me récrie et je dis : quel plaisir de vivre sous un beau ciel et dans un séjour si délicieux ! Je descends dans la ville, où je n'ai pas couché deux nuits que je ressemble à ceux qui l'habitent : j'en veux sortir. » Mais Picard borne son ambition à saisir les mœurs du jour ; tout au plus regrette-t-il de ne point vivre dans une époque moins changeante pour embrasser une plus longue période dans ses observations ; il ne comprend même pas qu'à travers les fluctuations des modes, ce sont les traits éternels du cœur humain qu'il faut fixer.

Les auteurs tragiques sont redoutablement féconds ; chaque année voit paraître nombre de pièces grandiloquentes, en cinq actes et en vers, dont Voltaire, plus souvent encore que Racine, fournit les modèles. Ils reviennent inlassablement aux sujets antiques, mais ils se tournent aussi vers les pays étrangers, auxquels ils demandent un peu de couleur locale : pauvre couleur locale, terne et fragile, si la plupart de ces tentatives rappellent le cas de Brifaut, lequel, voyant son *Don Sanche* interdit par la censure, le transforma aussitôt en *Ninus II :* et sans difficulté, l'Espagne devint l'Assyrie. D'autres poursuivent la grande épopée, comme Fontanes, qui polit toute sa vie une *Grèce sauvée*, qu'il n'acheva point. D'autres s'obstinent à doter la France, qu'elle le veuille ou non, du vaste poème didactique dans lequel ils feront entrer toute la science moderne : comme Chênedollé, l'auteur du *Génie de l'homme*, ou comme Esménard, l'auteur de *la Navigation*. D'autres ont des prétentions plus modestes et se contentent d'offrir à l'admiration publique des apologues et des fables : tel Ginguené ou Arnault. « La Fontaine mis à part, dit Arnault, on compte au moins deux cents fabulistes français, et la cinquième partie de ces auteurs est vivante. » Quarante, c'est beaucoup ; on en voudrait un seul, et qui fût bon. Quant à ceux qui ambitionnent la gloire du traducteur, ils sont innombrables. Car elle n'était pas alors la moins prisée : il s'agissait de rivaliser avec le modèle et de le dépasser. Mais de tant d'auteurs qui se crurent célèbres, qui moururent assurés de passer à la postérité, que reste-t-il ? A peine l'écho de quelques noms sonores, Luce de Lancival ou Baour-Lormian.

Le grand poète du temps, le traducteur des *Géorgiques*, l'illustre auteur des *Jardins*, Delille (1738-1813), donne, de 1800 à 1812, *l'Homme des champs, la Pitié, l'Imagination, les Trois Règnes de la nature, la Conversation.* Il décrit, décrit impitoyablement ; le fin du fin consiste à chercher la difficulté pour la vaincre ; rien n'échappe à ses prises, pas même la machine électrique. La périphrase fleurit et s'épanouit, glorieuse. Delille connaît admirablement son métier ; il sait en utiliser toutes les ressources : voire, il montre de la hardiesse, à sa façon, dans l'emploi de tel ou tel procédé. En ciselant ses vers, il risque des coupes

JACQUES DELILLE dictant des vers. Composition de Danloux (musée de Versailles). — CL. GIRAUDON.

inhabituelles, destinées à faire valoir ses petits effets. Par son application, par sa dextérité, par son mécanisme, par ses faux brillants, il est, à n'en pas douter, un des représentants les plus caractéristiques de l'époque.

Ce n'est pas qu'on ne rencontre certains tempéraments vigoureux qui se sentent mal à l'aise dans cette atmosphère et qui voudraient se libérer, fût-ce au prix de quelque scandale. Tel ce Népomucène Lemercier, que la nature affligea d'un caractère inquiet et ses parents d'un prénom ridicule. Quitte à aboutir aux plus notables insuccès, il cherche et varie sa recherche. Un jour il apporte au théâtre une tragédie gauloise, un autre jour il rêve d'une tragédie shakespearienne et il écrit un *Christophe Colomb ;* une autre fois, c'est *Philippe Auguste* qui le tente. Dans son *Pinto* (1800), il a réalisé une conception originale : au cours d'une conspiration tragique qui doit libérer le Portugal de la domination espagnole, celui qui tient les fils du complot, ranime les courages, écarte les obstacles surgissant à la dernière minute, agit et triomphe — c'est un valet, c'est Pinto : Pinto est ancêtre de Ruy Blas, si l'on veut. Mais quand on a tout dit, il reste que Népomucène Lemercier n'est qu'un talent avorté.

Ce qui manque, ce n'est pas l'émoi des âmes : les âmes sont frémissantes, et le rêve même a sa place en cette période que l'on croit dévouée tout entière à l'action. Les femmes aiment la langueur des romances et la plainte des harpes ; elles se délectent aux lectures qui les emportent loin du réel et qui donnent des fêtes à leur imagination ; elles recherchent les sombres plaisirs des cœurs mélancoliques. Mais ce ne sont encore que des aspirations confuses ; les écrivains du jour sont incapables de les traduire. Pour dire le renouveau qu'on attend, et qu'on sent près de venir, les poètes n'ont à leur disposition qu'un vocabulaire vieilli et des formes surannées. Les auteurs étrangers répondent mieux aux désirs des lecteurs : Ossian arrive au comble de sa faveur ; pour le célébrer, peintres et musiciens rivalisent avec les poètes. Young et ses *Nuits*, Gray et son *Cimetière de campagne*, qu'on traduit sans relâche depuis plus de trente ans, plaisent encore aux cœurs sensibles. Français et Françaises relisent Gœthe, « dont le *Werther* obtint autrefois et conserve encore un succès si général et si légitime » ; ils lisent Wieland et Auguste Lafontaine, qui se recommande par « ses principes de philanthropie » (M.-J. Chénier).

C'est aux romans, en effet, que s'attaque de préférence l'armée des traducteurs et des adaptateurs : nouvelles anglaises, nouvelles allemandes, histoires imitées de l'anglais, histoires imitées de l'allemand. Mme Radcliffe, qui a importé d'Angleterre en France le « genre noir », fait école ; à sa suite, on s'évertue à peindre des châteaux ténébreux, d'horrifiques fantômes, d'effroyables mystères. C'est une mode ; bientôt c'est une manie. Parce qu'on veut éprouver le frisson des épouvantements, on se presse aussi aux théâtres du boulevard, où sévit le mélodrame : le mélodrame qui, à défaut d'autres mérites, offre un aliment

FEMMES AUTEURS. De gauche à droite et de haut en bas : Mme Roland, Mme de Staël, Mme de Genlis, Mme Campan, Mme Cottin, Mme Dufrénoy (B. N., Cabinet des Estampes). — CL. LAROUSSE.

aux sensibilités exaltées. Sans doute, il n'est pas « écrit », comme dit Geoffroy ; il n'est joué que par des acteurs médiocres, tandis que Talma fait valoir la tragédie devant des parterres de rois. Pixérécourt (1773-1844) n'en continue pas moins sa carrière triomphale ; il n'émeut pas suivant les règles, mais il émeut. Pour cette même raison encore, des romanciers populaires comme Ducray-Duminil (1753-1835) ou Pigault-Lebrun (1761-1819) conquièrent la foule. Le roman littéraire semble réservé aux femmes : à Mme Cottin (1770-1807), à Mme de Souza (1761-1836), à Mme de Krüdener (1764-1824), qui publie en 1803 une *Valérie* que Mme de Staël n'oubliera pas ; à Mme de Genlis (1746-1830), qui multiplie les ouvrages historiques et moraux.

Les Français reprennent, en les croyant inexplorées, des routes qui avaient sollicité déjà la curiosité de l'âge précédent. Les âmes s'évadent vers le passé, espérant y trouver simplicité, fraîcheur, jouvence ; les érudits partent à la conquête du moyen âge, résolus à connaître enfin cette terre toujours lointaine. Dès 1798, Millin a commencé la publication de ses *Antiquités nationales* : « tombeaux, inscriptions, statues, vitraux, fresques, tirés des abbayes, monastères, châteaux et autres lieux », voilà, disait-il fièrement, les vrais titres de gloire de la nation. Sous l'Empire, il continue son labeur, poursuivant à travers les provinces de France les vestiges de notre passé. Un compilateur, Joseph de Rosny, publie, en 1809, une revendication plus vigoureuse qu'exactement informée des mérites et de la gloire du moyen âge dans son *Tableau littéraire de la France pendant le XIIIe siècle*. En 1806, l'Institut choisit les croisades comme sujet de concours ; un Français et un Allemand, Choiseul d'Aillecourt et Heeren, se partagent le prix ; Charles de Villers prend la peine de traduire le mémoire allemand à l'usage du public français (*Essai sur l'influence des Croisades*, 1808). Et Michaud commence en 1812 son *Histoire des Croisades*, volumineuse et solide.

Sans attendre les résultats de la recherche érudite, la

littérature, qui est plus pressée, exploite à l'aventure cette séduisante matière. Curieux assemblage, le genre troubadour voisine avec le genre noir. Que de pages soupirant pour leurs dames ! Que de dames filant la quenouille en leur castel ! Que de chevaliers sur leurs palefrois ! Que de romances langoureuses ! — Que d'ignorance aussi, et malgré tout, quel touchant et naïf désir de changer d'âme en changeant de décor ! En 1803, Paris et la province se pâment à la lecture des *Poésies de Marguerite-Éléonore-Clotilde de Valon-Chalys, depuis Madame de Surville, poète français du quinzième siècle*. Ce n'était, à la vérité, qu'un pastiche, exécuté par Charles Vanderbourg. Piqué d'émulation, Fabre d'Olivet, qui avait donné en 1799 *Azalaïs et le gentil Aimar, histoire provençale traduite d'un ancien manuscrit*, publie, cette même année 1803, *le Troubadour, poésies occitaniques du XIIIe siècle*. Le XVe siècle, c'est déjà l'époque moderne ; mais le XIIIe, à la bonne heure ! Et puis, Clotilde de Surville n'avait donné que des élégies ; il donne, lui, un poème épique ; et, par surcroît, il bâtit une théorie de la poésie chevaleresque dans une *Introduction* qui paraît aujourd'hui fort amusante, mais non pas dans le sens où l'entendait Fabre d'Olivet. Avec *les Chevaliers de la Table ronde* et *Amadis de Gaule*, Creuzé de Lesser a les honneurs de plusieurs éditions, tant la mode s'affirme. On trouve encore aujourd'hui, dans les bibliothèques romantiques, *la Gaule poétique*, de Marchangy, dont la première édition parut l'année 1813. N'oublions pas le sous-titre : la Gaule poétique, *ou l'Histoire de France considérée dans ses rapports avec la poésie, l'éloquence et les beaux-arts*. L'auteur voulait ouvrir à nos artistes, à tous nos artistes, musiciens, sculpteurs ou poètes, les fastes de l'histoire de France. Il a si bien réussi que la préface de la cinquième édition de l'ouvrage, en 1834, revendiquera « la gloire d'avoir popularisé l'histoire de France, qu'auparavant d'injustes préjugés repoussaient loin des Muses, qui égaraient leurs tributs sur des patries étrangères ». Raynouard (1761-1836), qui a donné en 1805 une tragédie « nationale », *les Templiers*, prépare de son côté son *Choix de poésies originales des troubadours* (1816), qui fera époque non seulement en France, mais dans toute l'Europe. — C'est ainsi que coule à travers ces temps arides le frais ruisseau qui venait du plus profond de notre sol. On l'avait découvert au XVIIIe siècle avec ravissement. A présent, on l'aime encore davantage ; on cherche à le mieux connaître, et on espère trouver la Muse de la vraie poésie sur ses bords.

Dans l'air flottent des effluves de poésie. De leur lyre vieillotte, quelques chanteurs tirent des accents qui émeuvent. Legouvé, dans *les Souvenirs*, dans *la Sépulture*, dans *la Mélancolie*, aime à noter des émotions sincères et à peindre la divinité qui a désormais conquis les cœurs :

Voilà donc tes bienfaits, sombre mélancolie !
Par toi de l'univers la scène est embellie ;
Tu sais donner un prix aux larmes, aux soupirs,
Et nos afflictions sont presque des plaisirs.
Ah ! si l'art à nos yeux veut tracer ton image,
Il doit peindre une vierge, assise sous l'ombrage,
Qui, rêveuse et livrée à de vagues regrets,
Nourrit au bruit des flots un chagrin plein d'attraits,
Laisse voir, en ouvrant ses paupières timides,
Des pleurs voluptueux dans ses regards humides,
Et se plaît aux soupirs qui soulèvent son sein,
Un cyprès devant elle et *Werther* à la main...

Chênedollé, qui plut à Sainte-Beuve, n'est pas sans une grâce discrète. On rencontre des vers harmonieux et tristes dans l'œuvre de Millevoye, qui, de tous les écrivains de cette génération, fut le plus près d'être un poète :

> Il est sur un lointain rivage
> Un arbre où le plaisir habite avec la mort.
> Sous ses rameaux trompeurs malheureux qui s'endort!
> Volupté des amours! cet arbre est ton image.
> Et moi, j'ai reposé sous le mortel ombrage :
> Voyageur imprudent, j'ai mérité mon sort.

Le Poète mourant, d'où ces vers sont tirés, et *la Chute des feuilles*, pour ne citer que les plus célèbres parmi ses délicates élégies, nous montrent désormais accompli l'association de la poésie avec la douleur, avec la mort. Ce sont comme les préludes de *l'Isolement* ou de *l'Automne* ; lorsque Lamartine ébauchera, en 1817, *Un poète mourant*, qu'il reprendra plus tard pour l'insérer dans les *Nouvelles Méditations*, il montrera le lien qui unit les derniers versificateurs de l'Empire aux premiers poètes romantiques.

Mais tous ces éléments d'une vie nouvelle sont encore épars ou informes; ils tendent vers l'être sans réussir à prendre corps. Aux raisons qui nous poussent à admirer les chefs-d'œuvre littéraires s'en ajoutent d'autres, lorsque nous considérons de combien d'essais infructueux, de tentatives avortées ils sont précédés, accompagnés et d'ailleurs suivis. Il faut beaucoup d'humus à ces plantes rares.

III. — Mᵐᵉ DE STAËL

« *Je ne puis séparer mes idées de mes sentiments... Comment distinguer son talent de son âme? Comment écarter ce qu'on éprouve, et se retracer ce que l'on pense? Comment imposer silence aux sentiments qui vivent en vous, et ne perdre cependant aucune des idées que ces sentiments nous font découvrir?* » C'est ainsi que parle

MADAME DE STAEL, d'après un portrait exécuté en 1789 (B. N., Cabinet des Estampes).
CL. LAROUSSE.

Mᵐᵉ de Staël, dans la conclusion de son livre De la littérature; *et c'est ainsi qu'elle est : intelligence et sentiment à la fois, raison et passion. Son grand-père paternel était un Brandebourgeois, naturalisé Suisse en 1724; il devint professeur de droit à l'Académie de Calvin, les autorités cantonales de Genève ayant saisi l'avantage d'avoir « un professeur allemand pour enseigner le droit public d'Allemagne, qui attirerait en ce pays la noblesse allemande ». A cause de cette hérédité sans doute, elle garda toujours au plus profond d'elle-même une prédilection instinctive pour le Nord. « Toutes mes impressions, toutes mes idées me portent de préférence vers les littératures du Nord. » En 1784, sa famille acquerra un beau domaine près de Lausanne, à Coppet, sur le lac : ce sera son asile et sa forteresse. Elle est née à Paris, le 26 avril 1766; son père, Jacques Necker, était alors ministre de Genève; on sait qu'il acquit bientôt en France une immense popularité, car on attendait de lui, avec la restauration des finances, le salut du royaume. Par sa mère, Suzanne Curchod, elle appartenait à la Genève protestante, cosmopolite, anglomane de la fin du XVIIIᵉ siècle. Toute jeune fille, Germaine Necker eut comme école un des plus brillants salons de Paris; assise sur son tabouret bas, se tenant bien droite pour faire figure, à côté de sa mère, elle recevait les hommages de Marmontel, de Grimm, de l'abbé Raynal. Elle adora la vie mondaine, les conversations, et Paris la Grand-Ville : d'autant plus qu'à son adoration se mêlait*

une pointe d'inquiétude. Elle avait un peu peur de notre esprit caustique, de notre sentiment du ridicule qu'elle saisissait mal, de notre légèreté qui n'était pas son privilège. Elle n'était heureuse qu'à Paris, mais elle n'était pas une Parisienne. Elle était Française de culture, et presque d'âme : toute la différence est dans le « presque ».

Elle rêva de très bonne heure la gloire des lettres : d'abord comme divertissement; plus tard, pour tromper son désir inassouvi de bonheur. On a d'elle des essais dramatiques, des nouvelles, des vers, qui remontent à ses jeunes années. Elle épousa, en 1786, le baron de Staël, ambassadeur de Suède; mais elle ne trouva pas dans le mariage la félicité qu'elle rêvait, et la gloire ne devait être pour elle que le « pis-aller du bonheur ». Elle donne en 1789 des Lettres sur Jean-Jacques Rousseau, *où elle exprime sous une forme encore juvénile sa grande admiration pour le philosophe genevois.*

Sous la Révolution, elle veut jouer un rôle politique. Déclarée suspecte à deux reprises, elle est deux fois obligée de se retirer à Coppet. En 1794, elle fait la connaissance de l'homme qui sera la passion et le tourment de sa vie, Benjamin Constant. Son livre De l'influence des passions sur le bonheur des individus et des nations *(1796) donne une idée de sa manière, mais ne donne pas encore la mesure de son talent.*

Bonaparte la détesta. Elle ne le détesta pas tout de suite; mais puisqu'il prenait l'offensive et qu'il représentait précisément le contraire des principes de liberté qui lui étaient chers, elle accepta la lutte. Et ce fut, jusqu'en 1814, un duel aux péripéties diverses, où Bonaparte, ayant pour lui la force, l'employa sans ménagement, sans pitié. La critique officielle accueille d'un ton acerbe le premier grand livre de Mᵐᵉ de Staël, De la littérature considérée dans ses rapports avec les institutions sociales *(an VIII, avril 1800) : dans le salon de Mᵐᵉ de Staël, on cabale contre le Premier consul. Après* Delphine *(1802), elle reçoit l'ordre de s'éloigner à quarante lieues de Paris. Elle part pour l'Allemagne, d'où elle est brusquement rappelée par la mort de son père (1804); puis elle visite l'Italie; elle en rapporte l'idée et les décors de* Corinne, *qu'elle publie en 1807. Elle essaie de se rapprocher de Paris, rôdant autour du cercle qu'elle n'a pas le droit de dépasser, et parfois le franchissant, pour voir : un nouvel ordre d'exil la frappe le 9 avril 1807. Alors elle retourne en Allemagne, d'où elle revient en 1808. Dans les intervalles de cette vie errante, elle tient ses assises de reine exilée dans son château de Coppet. Là passent ou séjournent les cosmopolites, les errants, les inquiets; les penseurs aussi, et les écrivains qui préparent la littérature de l'Europe nouvelle : Simonde de Sismondi (1773-1842), l'auteur de la* Littérature du midi de l'Europe *(1813) [Voir J. R. de Salis, Sismondi, 1932. Carlo Pellegrini a commencé en 1933 la publication de la* Correspondance *de Sismondi]; Bonstetten (1745-1832) [voir M. L. Harking, Ch. V. de Bonstetten, 1921]; Mallet-le-Suédois, Zacharias Werner, et tant d'autres. Mais cette cour brillante ne la console pas d'être loin de Paris. En 1810, installée à Chaumont-sur-Loire, elle corrige les épreuves de son livre* De l'Allemagne, *lorsque Napoléon fait détruire les feuilles tirées, briser les formes, et menace de faire arrêter l'auteur par ses gendarmes. Elle rentre à Coppet. Même à Coppet elle n'est pas libre; on la surveille; on lui interdit de bouger. En 1812, elle s'échappe; elle gagne la Russie, la Suède, l'Angleterre, d'où la chute de Napoléon la rappelle à Paris.*

Elle avait épousé secrètement, en secondes noces, l'année 1811, un officier de vingt-quatre ans, M. de Rocca; en 1815, elle le conduit en Italie pour soigner sa santé. Un article qu'elle publie dans la Biblioteca italiana *de Milan, au sujet des traductions de l'allemand et de l'anglais, inaugure une retentissante polémique, qui est à l'origine du romantisme italien. La Restauration la déçoit. Elle meurt à Coppet, le 13 juillet 1817.*

Œuvres : 1820-1821, 17 vol. in-8°; 1836, 3 vol., grand in-8°. Il faut ajouter aux ouvrages recueillis dans ces éditions : Dix années d'exil, *édition Paul Gautier, 1904;* Des circonstances actuelles qui peuvent terminer la Révolution, *édition John Viénot, 1906; et un grand nombre de lettres, notamment une correspondance échangée avec son père, et étudiée par le comte d'Haussonville en 1925; voir aussi* Lettres à B. Constant, *1928.*

Consulter : P. E. Schazmann, Bibliographie des œuvres de M*me* de Staël, *1938; lady Blennerhasset,* Madame de Staël et son temps, *trad. française, 3 vol., 1890; A. Sorel,* Madame de Staël, *1890; Ém. Faguet,* Politiques et moralistes, *1*re* série, 1901; P. Gautier,* Madame de Staël et Napoléon, *1903; P. Kohler,* Madame de Staël et la Suisse, *1916; H. Glaesener, la* Révélatrice d'un peuple, *Bruxelles, 1921; Mac Nair Wilson,* Madame de Staël, *traduction française, 1934; D. G. Larg,* Madame de Staël, la Vie dans l'œuvre, *1924; la* Seconde Vie, *1929; J. Mistler,* Madame de Staël et Maurice O'Donnell, *1926; J. de Broglie,* Madame de Staël et sa cour au château de Chaumont en 1810, *1936; P. de Lacretelle,* Madame de Staël et les hommes, *1939.*

« DE LA LITTÉRATURE CONSIDÉRÉE DANS SES RAPPORTS AVEC LES INSTITUTIONS SOCIALES »

La relativité des lois, quelle idée plus commune au xviiie siècle, depuis Montesquieu ? C'est pourtant d'elle que Mme de Staël s'empare d'abord; et elle lui donne un intérêt nouveau. Son dessein est bien marqué : elle offre une interprétation philosophique de la littérature. « Je me suis proposé d'examiner quelle est l'influence de la religion, des mœurs et des lois sur la littérature; et quelle est l'influence de la littérature sur la religion, les mœurs et les lois. Il existe dans la langue française, sur l'art d'écrire et sur les principes du goût, des traités qui ne laissent rien à désirer; mais il me semble que l'on n'a pas suffisamment analysé les causes morales et politiques qui modifient l'esprit de la littérature. »

La perfectibilité indéfinie de l'espèce humaine, quel lieu commun plus rebattu ? C'est pourtant de ce lieu commun que Mme de Staël s'empare; et d'emblée, elle le rajeunit. « Il me semble que l'on n'a pas encore considéré comment les facultés humaines se sont graduellement développées par les ouvrages illustres, en tout genre, qui ont été composés depuis Homère jusqu'à nos jours... » Telle est la seconde démonstration qu'elle se charge d'entreprendre dans son livre. Tant il est vrai que tirer des conséquences nouvelles de principes dès longtemps établis, c'est encore être original.

Allégrement, survolant les civilisations et les siècles, elle montre que toujours les lettres sont liées aux institutions, et que toujours les lettres et l'esprit humain progressent, par une ascension sinon parfaitement régulière, au moins constante. Son bagage de connaissances est trop léger pour l'embarrasser. Elle est obligée par la logique de sa théorie de montrer que la littérature latine est supérieure à la littérature grecque, puisqu'elle est venue après :

elle le montre d'autant plus aisément qu'elle ne connaît bien ni l'une ni l'autre. Elle prononce sur la littérature italienne des jugements qui soulèveront des clameurs au-delà des Alpes; elle exécute brièvement la littérature espagnole. Elle déclare qu'Ossian est le père des littératures du Nord; surprenante paternité !

Mais lorsqu'elle arrive au bout de son chemin commence la difficulté vraie. Tout le livre est bâti en vue d'une époque, la Révolution; et en vue d'une littérature donnée, la littérature républicaine. Il s'agissait de montrer que, les institutions révolutionnaires étant supérieures à toutes celles qui les ont précédées, la littérature républicaine l'emporte sur toutes les littératures antérieures. Sinon, la démonstration ne sera plus juste, et toute la théorie s'écroulera. Mme de Staël est animée par le grand souffle de 1789; elle est, en outre, la théoricienne d'un parti. Elle a conçu sa doctrine au moment où ses amis politiques, une fois la Terreur passée, prenaient le pouvoir, cherchaient à fonder une République sage et libre; et son livre devait être le code littéraire correspondant à cet heureux état, le code littéraire du Directoire... Seulement, elle ne peut pas effacer de son esprit le souvenir de la Terreur, de la « vulgarité » qui a envahi les productions de l'époque. Le goût, l'urbanité, l'émulation, tout ce qui inspirait les écrivains de l'ancien régime a disparu. Et puis, tandis qu'elle écrit, les événements se précipitent, la liberté touche à son déclin; quand elle a fini d'écrire, la liberté n'est plus. Elle est décontenancée; il faut qu'elle renonce, démentie par les faits, à appliquer sa théorie à l'état actuel du peuple français; arrivée au terme qu'elle poursuivait, le présent la contredit; elle prend un accent de tristesse pour faire l'aveu de sa désillusion : « J'ai suivi l'histoire de l'esprit humain depuis Homère jusqu'en 1789. Dans mon orgueil national, je regardais l'époque de la Révolution de France comme une ère nouvelle pour le monde intellectuel. Peut-être n'est-ce qu'un événement terrible ! Peut-être l'empire d'anciennes habitudes ne permet-il pas que cet événement puisse amener de longtemps ni une institution féconde, ni un résultat philosophique... »

Mais elle se reprend. Le présent immédiat lui donne tort : elle mettra sa confiance dans l'avenir; elle n'abandonnera pas ses idées, « dussent-elles ne trouver leur application que dans un autre pays ou dans un autre siècle ». Elle continuera donc à décrire, dans la seconde partie de son livre, « quel devrait être le caractère de la littérature d'un grand peuple, d'un peuple éclairé, chez lequel seraient établies la liberté, l'égalité politique et les mœurs qui s'accordent avec ces institutions ». Faisant confiance à l'humanité, elle en appelle aux temps futurs. Dans l'État idéal qui ne manquera pas de s'établir un jour, les lettres ne seront pas un jeu frivole. Nourries de pensée, elles contribueront au bien public. Les écrivains seront les auxiliaires des gouvernants : souvent même les gouvernants seront choisis parmi les écrivains. Il n'est pas jusqu'aux ouvrages d'imagination qui ne doivent contribuer à l'utilité générale, car « un écrivain ne mérite de gloire véritable que lorsqu'il fait servir l'émotion à quelques grandes vérités morales ». La mission de lettres est de sauvegarder la liberté — laquelle est la condition même du talent... Ainsi de suite : il y a, dans cette confiance obstinée, une incontestable beauté.

Et que de glanes on peut recueillir, au cours du livre ! Du xviiie siècle, elle devrait tenir une hostilité marquée contre le moyen âge, époque gothique et barbare, contre cette « suite de plus de dix siècles, pendant lesquels on croit assez généralement que l'esprit humain a rétrogradé ». Mais non; il ne se peut pas que l'esprit humain ait rétrogradé, puisqu'il est en progrès, par principe. Voilà donc Mme de Staël obligée de montrer que le moyen âge n'a pas nui aux destinées du monde; qu'il a servi, au contraire, à « la propagation des lumières » et au « perfectionnement des facultés intellectuelles ». C'est alors que les barbares se sont civilisés ; ils sont devenus chrétiens, et la religion chrétienne était indispensablement nécessaire à la civilisation ; les mœurs du Nord, trop rudes, et celles du Midi, trop efféminées, se sont fondues dans un heureux mélange... Ainsi le moyen âge est réhabilité, non par le pittoresque, non par le sentiment, non pas même par l'érudition, comme d'autres essayent de le faire vers la même époque, mais par la raison, par les nécessités de la théorie des lumières.

Du XVIIIe siècle, Mme de Staël reçoit un préjugé classique invétéré ; en même temps, des curiosités fort éveillées pour les littératures anglaise et allemande ; le sentiment encore vague d'une différence irréductible entre certaines formes de l'art et de la vie, entre les brumes d'Allemagne et le soleil d'Italie, entre Homère et Ossian, dont la comparaison hante les esprits.

CORINNE AU CAP MISÈNE. Le prince Auguste de Prusse, pour qui Gérard exécuta cette peinture en 1819, avait demandé que Corinne fût représentée sous « les traits embellis de Mme de Staël » ; le prince fit présent de ce tableau en 1821 à Mme Récamier, qui l'accrocha dans son salon de l'Abbaye-aux-Bois, puis le légua au musée de Lyon en 1849. — CL. BULLOZ.

Or elle doit, pour soutenir sa thèse, hiérarchiser les littératures ; elle serre de plus près les idées éparses, les précise, les condense, et fait jaillir la formule qui marque la dislocation définitive de l'idéal classique : « Il existe, ce me semble, deux littératures tout à fait distinctes, celle qui vient du Midi et celle qui descend du Nord. »

Du XVIIIe siècle lui vient l'image d'un Shakespeare déformé, barbare de génie, qu'on ne peut tolérer en France qu'en lui enlevant sa barbarie, voire en accommodant son génie aux lois de notre bon goût. Elle ne laisse pas de conserver quelques-uns de ces préjugés ; et, par exemple, elle s'applique fort à discuter sur le génie et sur le goût. Mais les contemporains qui auront lu ses développements sur Shakespeare se formeront de Shakespeare une idée nouvelle. Car elle l'explique par son temps, par son pays, par son caractère insulaire, par sa valeur psychologique ; et elle le comprend parce qu'elle l'aime. Il y a, dans le livre *De la Littérature*, beaucoup de ces aperçus ingénieux ou profonds.

• LES ROMANS DE Mme DE STAEL

Delphine a paru d'abord à Genève, en 1802, 4 vol. in-12 ; puis à Paris, an XI (1803), 3 vol. in-12.

Voir : Brunetière, les Romans de Mme de Staël, dans les Études critiques sur l'histoire de la littérature française, 4e série. Sur ses deux voyages en Italie, Maria Teresa Porta, Mad. de Staël e l'Italia, Florence, 1909 ; et Guido Muoni, Ludovico di Breme e le prime polemiche intorno a Mme de Staël e al romanticismo in Italia, 1902.

Le plus beau roman de Mme de Staël n'a pas été écrit : c'est sa vie. Les expressions qui seront à la mode vers 1830

— « l'ivresse », « l'enthousiasme », « les transports », « les ardeurs », et « les sensations trop vives et trop fortes », et « le pouvoir d'animer les mondes » — se trouvent déjà sous la plume des contemporains qui veulent la peindre. Écoutons Mme Necker de Saussure, sa parente et sa fidèle amie, qui a tracé sa biographie pour la postérité : « Son âme était plus vivante qu'aucune autre. Elle aimait, elle croyait, elle pensait davantage, elle était plus capable de dévouement et d'action, elle l'était parfois de jouissances, mais aussi elle souffrait avec plus de vivacité, et l'intensité de sa douleur était terrible. Ce n'est pas son esprit qu'il faut accuser de ses peines ; ses hautes lumières ne lui ont donné que des consolations ; c'est sa grande, sa dévorante imagination, cette imagination du cœur, son levier pour remuer les âmes qui a ébranlé la sienne et troublé sa tranquillité. Et ce don, le plus sublime peut-être, ce don unique dans sa réunion avec d'autres aussi étonnants, a fait d'elle un génie audacieux et une femme malheureuse. »

Comment, avec de telles facultés, Mme de Staël aurait-elle pu ne pas vivre le plus aventureux, le plus passionné des romans ! Avouons-le : ses romans écrits sont plus ternes, et n'ont pas, de nos jours, très bonne réputation. *Delphine* a vieilli ; les interminables lettres de correspondants si prolixes fatiguent ; l'œuvre est trop longue. Et pourtant sa lecture a fait pleurer de beaux yeux ; on conserve dans les archives de Coppet plus d'une lettre jaunie où s'exprimait naïvement l'émoi d'âmes sensibles bouleversées par les malheurs de l'héroïne ; Elvire, la tendre Elvire de Lamartine, a répété l'épigraphe du livre : « *Un homme doit savoir braver l'opinion, une femme doit s'y soumettre.* » Attaques, ripostes, pamphlets, clefs montrèrent l'intérêt que l'opinion publique prenait à ce roman ; l'Empereur l'eut entre les mains, et le déclara immoral, antisocial, anticatholique. — *Corinne* se soutient davantage. C'est, si l'on veut, un *Guide d'Italie* qui, mieux que l'innombrable série des *Guides* antérieurs, permet de pénétrer dans l'intimité du pays. Il est vrai que Mme de Staël n'a guère le sentiment de la nature, et qu'on chercherait en vain dans son livre les beaux paysages italiens. Elle a fait effort, en revanche, sous l'influence de son grand ami le poète Monti, non seulement pour corriger ce que ses premiers jugements avaient eu de trop expéditif au sujet de la littérature italienne, mais pour rendre justice à un peuple qui, précisément alors, se réveillait, et voulait reconquérir sa liberté. L'Europe s'obstinait à ne voir qu'une Italie paresseuse, et paisiblement esclave : Mme de Staël eut le grand, l'incomparable mérite de souhaiter et de prévoir sa résurrection. Ajoutons qu'elle a dessiné quelques types nationaux — l'Italien, l'Anglais, le Français — qui sont fort joliment saisis. Tous les Français ne se reconnaîtront pas, heureusement, dans le très frivole comte d'Erfeuil, qui tient de la caricature plutôt que du portrait : il n'en est pas moins fort piquant.

Mais voici l'essentiel des deux ouvrages. Ils sont destinés à illustrer cette thèse, que la femme est une victime de la société. En effet, Delphine aime Léonce, qui l'aime en retour; mais Delphine, incapable d'obéir aux mesquines conventions du monde, est soupçonnée, condamnée, abandonnée par Léonce, et meurt de douleur et d'amour. — Corinne aime Oswald, qui l'aime; mais Corinne, femme supérieure, douée de tous les talents, ne peut se faire pardonner par le monde cette supériorité; Oswald trouve le bonheur auprès d'une femme moins brillante, et Corinne mourra de douleur et d'amour. Tragique destinée de la femme, humble esclave des préjugés, et d'autant plus malheureuse que sa personnalité est plus forte ! Heureuse destinée de l'homme, qu'on respecte et qu'on craint même lorsqu'il brave l'opinion, et qui se fait lui-même sa loi !

On considère communément ces romans comme des manifestes du féminisme naissant. Il est clair que Mme de Staël prêche en faveur de la femme; mais est-ce bien de féminisme qu'il s'agit ? Delphine et Corinne ne parlent qu'au nom des grandes dames, pour qui l'opinion du monde est tout : voilà déjà une restriction capitale. Ces grandes dames ne réclament ni l'égalité politique ni même l'égalité civile des sexes. Si les héroïnes de Mme de Staël veulent agir en politique, c'est en influant sur l'esprit de l'homme qu'elles aiment : procédé contre lequel les féministes protesteraient sans doute de toutes leurs forces. Bien plus : si Corinne et Delphine trouvaient le bonheur dans un mariage régulier, à la fois désiré par elles et sanctionné par la société, c'en serait fini de leurs plaintes.

Il s'agit, bien plutôt, d'une explosion d'individualisme ; ce dont souffre Mme de Staël, ce n'est pas de voir la femme exclue de ses droits légitimes; c'est de la contrainte imposée par la société à la passion. Fidèle « au système qui considère la liberté absolue de l'être moral comme son premier bien » (c'est ainsi qu'elle s'exprimait dès 1796, dans son traité *De l'influence des passions sur le bonheur des individus et des nations*), elle juge les institutions sociales de ce point de vue particulier. Elle est pour le divorce, qui permet à deux êtres qui ne s'aiment plus de se séparer, pour se joindre à d'autres êtres qu'ils aiment. Elle est contre le catholicisme, qui non seulement représente à ses yeux une doctrine d'obligation et de contrainte, mais qui rend le « moi » haïssable et prêche l'effacement de l'individu, le

renoncement; elle exprime avec force ses objections et sa répugnance : et du coup, *Delphine* devient une manière de « Génie du protestantisme », qui s'oppose au *Génie du christianisme* de Chateaubriand. Elle est pour la liberté de la passion. Elle en arrive à la conception du héros effréné, au-dessus des lois : « Les lois de la société ont été faites pour l'universalité des hommes; mais quand un amour sans exemple dévore le cœur..., penses-tu qu'aucune de ces lois, calculées pour les circonstances ordinaires de la vie, puisse subjuguer de tels sentiments ? » (*Delphine*, III, 1). Le devoir même n'existe plus : « Que m'importe ce qu'on peut dire sur le devoir ? Les tourments n'affranchissent-ils pas des devoirs ? Quand la fièvre vient assaillir un homme, on n'exige plus rien de lui... N'ai-je pas aussi mon délire ? » (III, 5). Ou bien encore — c'est toujours le héros qui parle, Léonce, non point Delphine : « Oublie l'univers, il n'est plus, il ne reste que notre amour » (III, 48).

Arrivés à ce point d'exaltation, de tels personnages devraient aboutir à la révolte, à la négation de l'ordre social, au blasphème contre l'ordre divin : mais ils laissent ce soin à leurs successeurs, qui s'en chargeront. Mme de Staël aurait été quelque peu effrayée, sans doute, si elle avait pu voir la troupe des sombres héros romantiques. Sa propre thèse est plus modeste; ses cris se transforment en plaintes. Elle en revient toujours à souhaiter un appui, un soutien; « son âme n'est pas faite pour résister seule aux orages du sort » (I, 24); sa conviction la plus profonde est que « les femmes n'ont d'existence que par l'amour; l'histoire de leur vie commence et finit avec l'amour » (I, 7). Moins que le féminisme, les romans de Mme de Staël défendent les droits de l'individualisme passionnel.

« DE L'ALLEMAGNE »

Mme de Staël, en passant par Metz, où l'émigré Charles de Villers l'initie aux choses allemandes, se rend à Weimar; elle y arrive le 14 décembre 1803. Elle y fait la connaissance de Gœthe et de Schiller. Elle va voir au théâtre de la cour les pièces allemandes; elle lit, elle traduit, elle s'informe. « Mme de Staël, dit un contemporain, Bœttiger, étudie beaucoup notre littérature; elle se propose de publier un Voyage en Allemagne dans lequel elle fera entrer le résultat de ses recherches, et insérera même quelques traductions et extraits. » De Weimar, elle part pour Berlin; c'est là qu'elle fait la connaissance d'Auguste-Guillaume Schlegel, qui devient le précepteur de ses fils, et qui complète son initiation à la culture allemande. Les cours que Schlegel professe d'abord à Berlin (1801-1804), puis à Vienne (1808), seront une des principales sources d'inspiration du livre De l'Allemagne; *en 1814, Mme Necker de Saussure les a traduits en français et publiés sous le titre de* Cours de littérature dramatique.

UN DES INFORMATEURS de Mme de Staël : Auguste-Guillaume Schlegel (B. N., Cab. des Estampes). — CL. LAROUSSE.

Ce premier séjour dure jusqu'au mois d'août 1804. Le second s'étend de la fin de 1807 à juillet 1808; Mme de Staël visita Munich, Vienne où elle séjourna, et de nouveau Weimar.

De l'édition du livre De l'Allemagne, *détruite par Napoléon en 1810, on n'a retrouvé que deux exemplaires; l'ouvrage parut à Londres en 1813, et à Paris en 1814. — Voir : le comte d'Haussonville,* Madame de Staël et l'Allemagne, *1929; J. A. Henning,* l'Allemagne de Madame de Staël et la polémique romantique, *1929; comtesse J. de Pange,* Aug.-Guill. Schlegel et Mme de Staël, *1938; — Mme de Staël et la découverte de* l'Allemagne, *1929; Edm. Eggli*, le Débat romantique, tome I, *1933.*

Mᵐᵉ de Staël, ajoutant son expérience, le travail de sa claire intelligence et sa passion aux résultats acquis par le XVIIIᵉ siècle, a formulé la théorie et donné l'exemple du cosmopolitisme.

Son livre *De l'Allemagne* contient d'abord une de ces images commodes, simplistes, dont les peuples ont besoin pour se représenter la vie d'un autre peuple. Elle ramassait en un seul tableau les traits épars que traducteurs, journalistes, voyageurs, avaient dessinés depuis cinquante ans déjà. Elle vantait avec plus de chaleur le naturel, la naïveté, la simplicité germaniques; elle insistait avec plus de complaisance sur les habitudes, sur les mœurs des Allemands; elle fournissait des données plus amples, plus précises, et généralement plus exactes, sur l'ensemble de leur littérature, neuve et fraîche. Elle expliquait la philosophie, la métaphysique allemandes, faisait sortir Kant, ses prédécesseurs, ses successeurs, des limbes où ils gisaient encore : à côté du tendre Gessner, du grave Klopstock, du méchant Lessing, et de M. Gœthe, auteur des *Souffrances du jeune Werther* — lesquels représentaient aux yeux des contemporains l'essentiel de la littérature allemande — elle faisait surgir le monde des philosophes à l'esprit profond.

Mais elle ne s'en tint pas à ce séduisant, à ce vivant tableau. Elle n'avait jamais cessé de professer son admiration pour l'Angleterre, pays des fortes originalités individuelles, des libres institutions politiques, terre qui a fourni au monde le plus grand génie qui ait paru parmi les fils des hommes, Shakespeare. Elle essayait de la comprendre dans son être intime, dans son essence; non pas en la jugeant du dehors, mais en se faisant une âme anglaise. Dès lors, rien ne lui semblait plus naturel, plus légitime, que de l'encourager à défendre son esprit national, fût-ce contre Napoléon, fût-ce contre la France. — D'autre part, elle était arrivée à Rome avec les préjugés habituels des Français. Mais bientôt, faisant un effort de justice, elle avait essayé de juger l'Italie du point de vue italien. — Elle était venue à l'Allemagne sans enthousiasme, en exilée, rebelle à la langue, ayant presque peur de cette atmosphère pesante qu'elle imaginait sans la connaître.

Conquise ensuite, et sentant obscurément s'éveiller en elle ses prédilections héréditaires, elle avait adopté le point de vue allemand pour juger l'Allemagne. Allant ainsi d'un pays à un autre, les aimant tous, Anglaise avec les Anglais, Italienne avec les Italiens, Allemande avec les Allemands, elle se formait une âme faite de toutes ces âmes. Elle était cosmopolite; elle déclarait que le moment était venu d'avoir « l'esprit européen ».

Et comme toute pensée, chez elle, devenait passion et acte, elle voulait présenter aux Français l'exemple le plus différent d'eux-mêmes, le peuple qui se trouvait « à l'autre extrémité de la chaîne morale »; elle leur donnait l'Allemagne comme modèle. Les Français, disait-elle, au lieu de vouloir imposer au monde l'admiration de leur propre génie, avaient intérêt à se mettre à l'école de l'Allemagne, non pas, certes, pour la copier servilement. Mais ils s'appauvrissaient; leur originalité s'était effacée par une trop longue pratique sociale, comme s'efface l'effigie des monnaies vieillissantes; la tradition classique, épuisée, était impuissante à leur fournir une sève nouvelle. Pourquoi ne demanderaient-ils pas à un peuple jeune, puissant, original, le secret de rajeunir leur imagination, d'assouplir leur pensée, de renouveler leur littérature en même temps que leur âme ?

De cette littérature nouvelle, Mᵐᵉ de Staël donnait une éclatante formule. Elle avait enrichi sa pensée, depuis l'époque où elle distinguait deux grands groupes intellectuels, le Nord et le Midi; elle la reprenait en l'élargissant :

« CONFÉRENCE DE Mᵐᵉ DE STAEL ». Gravure de Debucourt (B. N., Cab. des Estampes, collection Hennin). — Cʟ. Larousse.

« Le nom de romantique a été introduit nouvellement en Allemagne, écrivait-elle, pour désigner la poésie dont les chants des troubadours ont été l'origine, celle qui est née de la chevalerie et du christianisme. Si l'on n'admet pas que le paganisme et le christianisme, le Nord et le Midi, l'Antiquité et le Moyen Age, la chevalerie et les institutions grecques et romaines, se sont partagé l'empire de la littérature, l'on ne parviendra jamais à juger sous un point de vue philosophique le goût antique et le goût moderne. On prend quelquefois le mot classique comme synonyme de perfection. Je m'en sers ici dans une autre acception, en considérant la poésie classique comme celle des Anciens, et la poésie romantique comme celle qui tient de quelque manière aux institutions chevaleresques. Cette division se rapporte également aux deux ères du monde : celle qui a précédé l'établissement du christianisme, et celle qui l'a suivi. »

Entre les deux, elle n'hésitait pas : « La littérature des Anciens est chez les Modernes une littérature transplantée; la littérature romantique ou chevaleresque est chez nous indigène, et c'est notre religion et nos institutions qui l'ont fait éclore... La littérature romantique est la seule qui soit susceptible encore d'être perfectionnée, parce que, ayant ses racines dans notre propre sol, elle est la seule qui puisse croître et se vivifier de nouveau; elle exprime notre religion; elle rappelle notre histoire; son origine est ancienne, mais non antique. » (*De l'Allemagne*, II, 11.)

Ainsi Mᵐᵉ de Staël conseillait à la France de se mettre à l'école de l'Allemagne, pour aboutir à une littérature qui fût à la fois moderne, européenne, et nationale — la littérature romantique. C'est l'objet des deux premières parties de l'ouvrage; la troisième, *la Philosophie et la morale,* et la quatrième, *la Religion et l'enthousiasme*, bien que géné-ralement moins connues, ne sont pas moins importantes ; elles le sont peut-être davantage, s'il est vrai qu'elles expriment le principe qui anime l'ensemble. Car c'est ici le triomphe du sentiment. Mme de Staël est partie du rationalisme ; nous avons vu quelle foi elle avait dans le règne des lumières. Peu à peu elle hésite ; on trouverait déjà la trace de ces hésitations dans *Corinne*, qui est empreinte d'une vague religiosité.

En 1807 et en 1808 se produit en elle un travail de renouvellement. On parle beaucoup religion à Coppet ; toutes les dispositions religieuses y sont représentées, même le mysticisme, même l'illuminisme. Mme de Staël écoute et s'émeut. Elle ne se rallie pas à une doctrine ; mais elle accepte tout ce qui est aspiration, élan, abandon, fusion avec le grand Tout mystérieux. Or elle trouve cet état nouveau de son âme légitimé, pour ainsi dire, par l'exemple de l'Allemagne, où la philosophie devient méta-physique, et la religion mysticisme ; où l'on parle sans paraître ridicule du sentiment de l'infini ; où le plus grand penseur des temps modernes, Kant, « rallie constamment l'évidence du cœur à celle de l'entendement ». On ne saurait trop mettre en relief un passage comme celui-ci : « On s'est accoutumé à considérer la philosophie comme destructive de toutes les croyances du cœur ; elle serait alors la véritable ennemie de l'homme ; mais il n'en est point ainsi de la doctrine de Platon, ni de celle des Alle-mands ; ils regardent le sentiment comme un fait, comme le fait primitif de l'âme ; et la raison philosophique comme destinée seulement à rechercher la signification de ce fait. »

Le sentiment considéré comme le fait primitif de l'âme : voilà ce qu'elle rencontre, ce qu'elle est infiniment heureuse de rencontrer chez les idéalistes allemands, et dans les principes directeurs de la conscience allemande. Aussi le livre se termine-t-il par un hymne à l'enthousiasme, sans lequel il n'est ni morale, ni art, ni jouissance d'aucune espèce, ni vie véritable. De la doctrine rationnelle de la perfectibilité indéfinie, elle est arrivée à l'exaltation des puissances irrationnelles de l'âme. Et ici encore, elle annonce et elle prépare la psychologie romantique.

Sur le livre *De l'Allemagne*, un débat est engagé. Les uns l'accablent, et répètent le mot du ministre de la police impériale, annonçant à Mme de Staël son bannissement : « Votre dernier ouvrage n'est pas français... » Les autres l'exaltent. Il a contribué à rompre la « muraille de Chine » qui encerclait l'esprit français ; il nous a libérés.

Il faut convenir que sur un livre très riche et très com-plexe, on peut porter des jugements très divers, et tous légitimes. Oui, celui-ci a été utile. Précisément parce que la pensée française est très saine, et que sa puissance d'as-similation ne craint pas d'être débordée, qui lui propose des modèles étrangers lui rend service. Par eux, elle se renouvelle ; elle ne risque pas d'être opprimée par eux. Tout au long de son histoire, elle a fait appel à la culture des pays voisins : l'Espagne après l'Italie ; et après l'An-gleterre, l'Allemagne. Elle a beaucoup reçu, et elle est reconnaissante à ceux qui lui ont donné ; elle a beaucoup travaillé sur ces apports, elle les a transformés suivant les lois de son propre génie ; et toujours elle a rendu au monde au moins autant qu'elle avait emprunté. Mme de Staël a bien fait de lui montrer des sources nouvelles d'inspira-tion ; Mme de Staël a fait mieux encore, lorsque, remontant des effets aux causes, elle a revendiqué non seulement pour toutes les littératures, mais pour toutes les nations, le droit à la liberté.

Seulement, elle n'a pas suivi elle-même les règles de la stricte justice qu'elle proclamait avec tant de courage. Elle a péché par légèreté ; par complaisance. Elle a parcouru les villes allemandes un peu vite ; elle se contentait de voir ce qu'on lui montrait, de croire ce qu'on lui disait ; elle admira toutes choses, parce qu'elle voulait admirer. Elle

détestait la France napoléonienne ; et pour la rendre déte-stable, elle décrivait, par contraste, une Allemagne, toute belle et toute pure, vraie patrie de l'idéal. En Allemagne tout était probité, douceur, vertu. Point de criminels ; point de voleurs pour dérober seulement les fruits sur les arbres ; beaucoup de savants, de philosophes, de métaphy-siciens ; et d'un bout à l'autre de la Germanie, un doux concert de musique, suave comme l'âme du pays. La pensée y occupait tellement les esprits qu'on y méprisait l'action : à plus forte raison, l'intérêt. Ainsi l'Allemagne, vue par elle, s'embellissait, et se faussait. Séduisant tableau, et dangereux mirage ; car la génération suivante croira Mme de Staël sur parole ; elle croira que dans les campagnes d'outre-Rhin s'est réfugiée toute la candeur, toute la pureté des temps primitifs. Les romantiques le croiront, et leurs successeurs aussi ; et personne n'écoutera les pro-phètes de malheur qui dénonceront le livre *De l'Allemagne*, Heine railleur ou Quinet désabusé ; et notre erreur durera jusqu'au jour où, brusquement, l'Allemagne conquérante se dressera devant nous, et nous écrasera. De cette perni-cieuse illusion, et de la part qu'elle eut à notre défaite en 1870, Mme de Staël est responsable pour une part.

Elle n'écrit pas bien ; tout le monde sait que son voca-bulaire manque non seulement de pittoresque, mais de précision ; et que son style répond mal à la vigueur de sa pensée. Ses pages ne sont que des conversations écrites. Au cours de l'après-midi, ou pendant le dîner, elle lance un sujet ; elle provoque la discussion ; elle recueille les propos de ses hôtes ou de ses convives : elle-même s'échauffe, et elle abonde en idées ingénieuses et nouvelles. La nuit venue, elle note ce qu'elle vient d'entendre : c'est sa façon de composer. Ainsi, en parcourant un chapitre du livre *De l'Allemagne*, supposez un cercle de brillants causeurs : celui-ci émet une idée, cet autre la nuance ou la corrige, cet autre encore la contredit ; Mme Récamier répond à Benjamin Constant, qui dans la chaleur du jeu trouve une formule spirituelle ; Schlegel émet une critique ; le poète Monti se lance dans une tirade éloquente. Le style de Mme de Staël est fait de cette conversation inégale, capri-cieuse, qu'elle discipline le mieux qu'elle peut. Elle écrit non seulement comme elle parle, mais comme les autres parlent.

Ainsi le secret de son influence n'est pas dans la musique de ses phrases ou dans la couleur de ses mots. Il est d'abord dans son attitude ; elle a beaucoup moins détruit que construit : elle émet des théories, elle bâtit des systèmes qu'il faut bien qu'on discute. Quand elle attaque, ce n'est jamais pour le plaisir d'attaquer, encore moins de railler, car elle n'entend rien à l'ironie ; c'est pour dresser l'autel d'un nouveau dieu à la place de l'autel qu'elle abat. — Elle a beaucoup agi, en second lieu, à cause de la qualité de sa pensée : très moderne, très vivante. Parmi toutes les idées qui se présentaient à elle, elle choisissait ; et comme elle avait l'instinct de l'action, comme elle était plus soucieuse de l'avenir que respectueuse du passé, elle rejetait celles qui lui semblaient caduques, pour s'atta-cher de préférence aux forces viables. — Elle a beaucoup agi, enfin, par la foule des idées de détail qu'elle a propa-gées. Car ces idées s'en sont allées de par le monde « comme des montures sans cavaliers ».

IV. — CHATEAUBRIAND

François-René de Chateaubriand est né à Saint-Malo, le 4 septembre 1768. Sa première enfance se passa dans la petite ville bretonne, devant la mer. Il fait ses études au collège de Dol, puis au collège de Rennes : il veut devenir marin. Mais sa vocation change ; il songe à em-brasser l'état ecclésiastique, et va terminer ses humanités à Dinan. A dix-sept ans, il revient chez ses parents, à

Combourg; et là, dans le morne manoir, dans le décor austère des bruyères et des forêts, il passe avec sa sœur Lucile deux années de mélancolie et d'exaltation. Son père obtient pour lui un brevet de sous-lieutenant au régiment de Navarre; il quitte Combourg en *1784*, et tient garnison à Cambrai. Après la mort de son père (*1786*), il vit à Paris, est introduit à la cour : mais il fréquente surtout les gens de lettres et, quand paraissent ses premiers vers dans l'Almanach des Muses (*1789*), il se sent plein d'émotion et de fierté. Tenté par la gloire des grands explorateurs, il s'embarque, le 8 avril *1791*, pour l'Amérique. La nouvelle de l'arrestation de Louis XVI le rappelle en France; il se marie à peine débarqué, émigre, rejoint l'armée des princes, est blessé au siège de Thionville, et pense mourir pendant la retraite. Il passe en Angleterre, où il restera jusqu'en *1800*. Il y endure la misère, le froid, la faim même; il fait des traductions, il donne des leçons pour vivre; il enseigne le français dans de petites villes de la province anglaise. Il rentre en France sous un faux nom, en attendant sa radiation de la liste des émigrés. La publication d'Atala (*1801*) et du Génie du christianisme (*1802*) le fait entrer dans la gloire. Bonaparte, qui veut mettre à son service cette grande force, l'envoie comme attaché d'ambassade à Rome; c'est alors qu'il écrit à son ami Fontanes l'admirable Lettre sur la campagne romaine. Il est de retour à Paris en *1803*; nommé ministre dans le Valais, il donne sa démission après l'exécution du duc d'Enghien. Il publie René, en *1805* (déjà paru dans le Génie du christianisme); en *1809*, les Martyrs; en *1811*, l'Itinéraire de Paris à Jérusalem. En *1814*, à la chute de Napoléon, il fait paraître en faveur de la royauté une brochure intitulée : De Buonaparte et des Bourbons, qui a un immense retentissement. Il suit Louis XVIII à Gand pendant les Cent-Jours, comme ministre de l'Intérieur, devient pair de France : la Monarchie selon la Charte (*1816*) le fait tomber en disgrâce. Ambassadeur à Berlin en *1821*, à Londres en *1822*, plénipotentiaire au congrès de Vérone, ministre des Affaires étrangères (*1823*), il entre dans l'opposition en *1824*. Ambassadeur à Rome en *1827*, il donne sa démission en *1829*, à l'avènement du ministère Polignac. En *1830*, il refuse de se rallier au gouvernement de Louis-Philippe. Entre temps avaient été publiées ses Œuvres complètes, édition Ladvocat (*1826-1831*), où paraissent, pour la première fois, les Aventures du dernier Abencérage, le Voyage en Italie, le Voyage au Mont-Blanc, le Voyage en Auvergne, les Natchez et le Voyage en Amérique. Il publie encore des Études historiques (*1831*), l'Essai sur la littérature anglaise et la traduction du Paradis perdu de Milton (*1836*), le Congrès de Vérone (*1838*), la Vie de Rancé (*1844*). Ses dernières années sont entourées de l'affection de Mme Récamier, qui adoucit la fin morose d'une brillante existence. Il meurt le 4 juillet *1848*; il est enterré, comme il l'avait demandé, dans l'îlot du Grand-Bé, devant Saint-Malo. De nombreuses publications collectives ont suivi l'édition Ladvocat. La publication de sa correspondance avait été entreprise par L. Thomas (*1912-1925*), 5 vol. (inachevée); voir : Lettres à la comtesse de Castellane, *1927*; Chateaubriand et Hyde de Neuville, *1929*.

Voir : Sainte-Beuve, Chateaubriand et son groupe littéraire sous l'Empire, *1861*; A. Cassagne, la Vie politique de Chateaubriand, Consulat, Empire, Première Restauration, *1911*; J. Lemaitre, Chateaubriand, *1912*; M. Levaillant, Splendeurs et misères de M. de Chateaubriand, *1922*; J. Van Ness Smead, Chateaubriand et la Bible, *1924*; M. H. Milner, Chateaubriand and English literature, *1925*; Mme M.-J. Durry, l'Ambassade romaine de Chateaubriand, *1927*; Pierre Moreau, Chateaubriand, *1927*; Blaise Briod, l'Homérisme de Chateaubriand, *1928*; E. Beau de Loménie, la Carrière politique de Chateaubriand, de *1815* à *1830*, *1929*; A. Poirier, les Idées artistiques de Chateaubriand, *1930*; le Bulletin de la Société Chateaubriand (depuis *1930*); H. Le Savoureux, Chateaubriand, *1930*; H. Bérenger, Chateaubriand, *1931*; A. Dollinger, les

LE CHATEAU DE COMBOURG. Lithographie de Ciceri, d'après le baron Taylor, pour les « Voyages pittoresques et romantiques de l'Ancienne France » (« Bretagne », 1846). — CL. LAROUSSE.

Études historiques de Chateaubriand, *1932*; M.-J. Durry, la Vieillesse de Chateaubriand, *1933*; J. Deschamps, Chateaubriand et Angleterre, *1933*; J. Deschamps, Chateaubriand en Angleterre, *1934*; Marie-Louise Pailleron, Madame de Chateaubriand, *1934*; M. Duchemin, Chateaubriand, *1938*; Louis Martin-Chauffier, Chateaubriand ou l'Obsession de la pureté, *1946*.

L'HOMME ET L'ÉCRIVAIN

C'est « l'enchanteur », comme l'appelait son ami Joubert. Ses décors, semblables à des visions de rêve, grandioses et lumineux; ses personnages, qu'on dirait pris aux contes de l'Orient; sa phrase, qui est musicale et qui agit directement sur notre sensibilité : tout cela nous tient sous un charme invincible. La prose française, telle qu'elle apparaît dans la tradition d'un Voltaire ou d'un Renan, admirable par sa précision et sa netteté, est plus sobre que riche : Chateaubriand lui donne une richesse inconnue avant lui, et que nul n'a égalée.

Si nous cherchons à surprendre le magicien au moment où il prépare ses sortilèges, nous le trouvons qui travaille et qui peine. Sensible à la critique, il profite des conseils que lui donnent ses amis, et des railleries de ses ennemis même. C'est un artisan scrupuleux, qui sue d'ahan sur ses ouvrages. Il les revoit lorsqu'ils sont imprimés, et, d'édition en édition, il les change encore. Après tout, rien de surprenant dans ce labeur : nous savons qu'en matière de style, on n'arrive à donner l'impression de la facilité qu'au prix d'un dur effort. Mais voici bien autre chose. Ce grand peintre de la nature doit aux livres une partie de son inspiration. Il a beaucoup voyagé; mais il a lu bien davantage. Et quand il voyageait, il se contentait d'un coup d'œil rapide, pour saisir les ensembles : les détails du paysage ne l'intéressaient pas. Évoquons-le, si nous voulons, dans le costume du trappeur, parcourant à cheval les déserts

LA CAMPAGNE ROMAINE. « Figurez-vous quelque chose de la désolation de Tyr et de Babylone, dont parle l'Écriture; un silence et une solitude aussi vastes que le bruit et le tumulte des hommes qui se pressaient jadis sur ce sol... » (« Lettre à M. de Fontanes sur la campagne romaine »). — CL. ALINARI.

d'Amérique; habillé en pèlerin, à genoux devant les eaux du Jourdain. Mais évoquons-le aussi dans son cabinet de travail. Car à peine rentré de ses courses lointaines, il prend ses bons livres; il les reprend, pour mieux dire, puisqu'il les connaissait avant de partir : et il leur demande les matériaux de ses descriptions. Ses prédécesseurs sont comme d'obscurs artisans qui lui ont préparé la besogne. A eux le genre de travail qui consiste à donner de la réalité une image terne et fidèle. A lui de transformer ces pâles ébauches en éclatants tableaux. Un coup de sa baguette et tout s'anime : le Meschacebé, père des fleuves, enfle ses eaux; autour de l'Acropole, le soleil de l'Attique vient glacer de rose les ailes noires et lustrées des corneilles. A peine a-t-il besoin de voir les choses; il aime mieux créer un monde de poésie, d'où la laideur est exclue, où tout s'harmonise, où tout est noble et grand. Ce monde, étant beau, est vrai, selon lui. Car c'est ici le trait le plus curieux peut-être de sa psychologie : il fait de la beauté la mesure de la vérité. Il y a deux réalités; la première est pauvre, souvent maussade : vie de tous les jours, aspect figé du monde. Celle-là ne compte guère. L'autre est mouvante et complaisante : on la transforme à son gré, on l'enrichit, on la pare; on s'y réfugie, on y est à l'aise. Ce royaume de l'imagination et de l'art, c'est la réalité supérieure. Il n'est de vrai que les mirages.

Il a eu l'existence la plus belle et la mieux remplie. Après une jeunesse qui fut comme baignée de poésie, il s'en va vers les aventures lointaines; quand il rentre en France, c'est pour faire l'épreuve de la souffrance, qui ennoblit son âme. Il connaît les amitiés les plus fidèles et les plus touchantes amours. Il conquiert la gloire assez jeune pour la savourer longuement, délicieusement. Il a le pouvoir et la richesse; il se donne même le luxe de gaspiller la richesse et de mépriser le pouvoir; car il a tout dominé, et ne s'est laissé dominer par rien. Tant d'éclat, tant d'action efficace, aurait de quoi satisfaire le mortel le plus difficile. Mais il ne sera pas satisfait. Il commencera toutes choses avec passion, pour se sentir aussitôt dégoûté de toutes choses. Il sera las avant même de jouir. Il se demandera toujours : « A quoi bon? » Il promènera son

ennui à travers l'existence. Il portera toute sa vie « son cœur en écharpe ». Et peut-être revenons-nous ici au trait fondamental de son caractère : s'il est à la fois ardent et désabusé, c'est que la réalité de tous les jours lui paraît mesquine auprès de l'autre, plus belle, plus vraie, meilleure.

Est-il tout à fait proche de nos cœurs? Nous le voudrions plus voisin de nous. Il ne se donne pas en entier, ou du moins il se reprend vite. Il a l'air de rester, de par sa volonté, au-dessus de cette humanité dont il a pourtant partagé les faiblesses. On dirait d'un grand seigneur qui a consenti à mener pour un temps la vie de ses vassaux, sans oublier qu'il était de condition supérieure. Or nous pardonnons difficilement à ceux que nous aimons quand ils se tiennent ainsi sur la réserve et ne s'abandonnent pas en retour. Vieillissant, il ne laisse pas d'exagérer encore cette attitude de demi-dieu, adoré à l'Abbaye-aux-Bois. Ne retiendrons-nous que l'excès même de cette vanité? Ce serait être bien sévère, ou bien lourd. Il arrive qu'on aime certains auteurs au premier abord, tandis qu'une connaissance plus approfondie de leur vie et de leur œuvre désenchante, et diminue l'estime où on les tenait : avec Chateaubriand, c'est le contraire qui arrive; plus on le pratique, et mieux on l'aime. Il pèche souvent par orgueil, jamais par médiocrité d'âme; ce grand culte de soi connaît au moins une limite, qui est le culte de l'honneur. Sa complaisance à se mettre en scène a quelque chose de si naïf et de si spontané qu'elle désarme. Quelquefois, souvent même, il en mesure l'exagération : alors il se détend et sourit, car il ne manque ni d'esprit ni d'humour. Il lui sera beaucoup pardonné, pour avoir dit qu'il considérait le Chevalier de la Manche comme « le plus noble, le plus brave, le plus aimable et le moins fou des mortels ».

LE GÉNIE DU CHRISTIANISME

Le Génie du christianisme *a paru le 24 germinal an X (14 avril 1802), en 5 volumes in-8°, à Paris, chez Migneret. D'après Chateaubriand, un premier volume fut publié d'abord à Londres : cette édition fut interrompue par son retour en France au mois de mai 1800 (floréal an VIII). Après une refonte de tout l'ouvrage, il recommença l'impression à Paris, mais l'arrêta après le deuxième volume. L'édition de 1802 ne serait donc que la troisième. Consulter : Victor Giraud, Chateaubriand, Études littéraires, 1904; — Nouvelles Études sur Chateaubriand, 1912; — le Christianisme de Chateaubriand, 1925; Albert Monod, De Pascal à Chateaubriand, les défenseurs français du christianisme de 1670 à 1802, 1916; Y. Le Fèvre, le Génie du christianisme, 1929; P. Moreau, la Conversion de Chateaubriand, 1933.*

Mentionnons ici les amis qui forment groupe autour de Chateaubriand. Ce sont : Fontanes (1757 - 1820), Œuvres, 1839, 2 vol.; voir A. Wilson, Fontanes, 1928; — Joubert (1754-1824) : Chateaubriand lui-même a publié ses Pensées, en 1838; elles ont été rééditées par Victor Giraud, 1909; les Carnets de Joubert, 1938; Correspondance de Fontanes et de Joubert, 1943; voir : Victor Giraud, Moralistes français, 1923;

CHATEAUBRIAND. Portrait par Paulin Guérin (Collection de M. le comte de Chateaubriand). — CL. BIBL. NAT.

A. Beaunier, la Jeunesse de Joubert, *1918;* Joseph Joubert et la Révolution, *1919;* le Roman d'une amitié, Joseph Joubert et Madame de Beaumont, *1924; Rémy Tessonneau,* J. Joubert éducateur (1754-1824), *1944.* — *Sur Chênedollé (1769-1833), voir Mᵐᵉ de Samie,* Chênedollé, *et* Extraits du journal de Chênedollé, *1922.* — *Chateaubriand est en correspondance avec le Lyonnais Ballanche (1776-1847);* Œuvres, *1833; voir : Huit,* la Vie et les œuvres de Ballanche, *1904; A. J. George,* P.-S. Ballanche precursor of romanticism, *1945.*

Consulter, sur Mᵐᵉ de Beaumont : Marie-Louise Pailleron, Pauline de Beaumont, *1930; A. Beaunier,* Trois Amies de Chateaubriand, *1912;* — *sur Mᵐᵉ Récamier, E. Herriot,* Madame Récamier, *1904 (nouvelle édition, 1925).*

FONTANES. Peinture attribuée à Danloux (musée de Versailles). — CL. BIBL. NAT.

style encore exubérant. Rentré en France, il comprit mieux ce que le goût du jour pouvait supporter en fait d'innovations, et ce qu'il n'eût point toléré. Il comprit mieux, surtout, les besoins de l'âme française. Il lut ses manuscrits à ses amis; il écouta les conseils de leur sagesse. C'est un groupe exquis que celui qui se penche autour de son génie naissant, pour le protéger en le regardant s'épanouir. Il y a auprès de lui Fontanes, qui l'a connu à Londres pendant l'émigration, et qui tempère discrètement sa fougue : poète du genre mélancolique, auteur d'un *Jour des morts* qui l'a rendu célèbre, Fontanes lui est utile, car il a le goût un peu timide peut-être, mais sûr. Il deviendra grand maître de l'Université, par la faveur de Napoléon, ce qui lui permettra de mettre au service de ses amis son influence toujours prête et souvent efficace. Il y a Joubert, qui a la vocation de l'amitié, qui devine le génie de Chateaubriand, l'épure, le modère, l'aide à se révéler; Joubert, le moraliste et le philosophe qui le soir jette sur le papier ses réflexions de la journée; plus tard, on extraira de ce journal des *Pensées* pénétrantes et délicates. Il y a Chênedollé, qui suit le sillage de Chateaubriand, avec d'autant plus de fidélité qu'il aime sa sœur Lucile. Il y a Mᵐᵉ de Beaumont... Tous ces amis, fins et tendres, lui firent crédit; tous assistèrent à l'éclosion de l'œuvre qui devait être, pour beaucoup de raisons, un des plus grands livres du siècle.

Pour beaucoup de raisons : parce que c'est un livre passionné, capable de provoquer tous les sentiments, sauf l'indifférence. Parce qu'il contient — même si l'on en contredit la thèse principale — des beautés littéraires impérissables. Parce qu'il ne considère à part ni la littérature, ni la morale, ni la religion, mais qu'il essaie de saisir dans son ensemble la complexité de la vie sociale. Parce qu'il marque un moment important dans l'histoire des variations de notre psychologie nationale : la France, qui avait anxieusement attendu le règne des lumières, retourne vers le passé, vers la tradition. La raison l'a déçue, elle veut essayer du sentiment; or, le *Génie du christianisme* enregistre cette orientation nouvelle. Mais écoutons Chateaubriand, qui, au chapitre premier de son livre, a expliqué lui-même son plan et son dessein :

« Quatre parties, divisées chacune en six livres, composent notre ouvrage.

« La première traite du dogme et de la doctrine.

« La seconde et la troisième renferment la poétique du christianisme, ou les rapports de cette religion avec la poésie, la littérature et les arts.

« La quatrième contient le culte, c'est-à-dire tout ce qui concerne les cérémonies de l'Église, et tout ce qui regarde le clergé séculier et régulier. »

Voilà le plan de son livre; en voici le dessein :

« Ce n'étaient pas les sophistes qu'il fallait réconcilier à la religion, c'était le monde qu'ils égaraient. On l'avait séduit en lui disant que le christianisme était un culte né du sein de la barbarie, absurde dans ses dogmes, ridicule dans ses cérémonies, ennemi des arts et des lettres, de la raison et de la beauté; un culte qui n'avait jamais fait que verser le sang, enchaîner les hommes, et retarder le bonheur et les lumières du genre humain. On devait donc

Il faut partir de ses débuts, de ses premiers bouillonnements. Dès sa jeunesse il avait lu, écrit, entassé les notes et les brouillons. A Londres, il se consolait de ses misères en écrivant dans sa mansarde, la nuit, la grande œuvre qui devait l'illustrer aux yeux du monde. Il s'agissait d'expliquer les causes et les effets de la Révolution française. Et ce fut un livre étrange, où il versa toute son érudition de fraîche date, toute sa pensée tourmentée. Le titre portait : *Essai politique et moral sur les Révolutions anciennes et modernes, considérées dans leurs rapports avec la Révolution française* (1797). Rien de moins. Pour illustrer le présent à la lumière du passé, il comparait Anacréon à Voltaire, Simonide à Fontanes, Sapho à Parny; il faisait toute l'histoire de l'humanité, en lui révélant le secret de ses erreurs. Il était « philosophe » alors. Il démolissait les dogmes; il attaquait les prêtres; et il se demandait, à la fin : Quelle sera la religion qui remplacera le christianisme? Car il était tout ensemble obsédé par le problème religieux, et hostile à la foi chrétienne. Des notes dont il couvrit les marges d'un exemplaire imprimé de son *Essai* — l'exemplaire confidentiel — le montrent très voisin de l'athéisme.

Mais il apprend à Londres la mort de sa mère, qui a longtemps pleuré sur ses égarements; et sa sœur Julie (Mᵐᵉ de Farcy), qui lui envoie la funeste nouvelle, meurt avant qu'il ne la reçoive. Il s'émeut à ce double coup. Il se repent, il se convertit. « Ces deux voix sorties du tombeau, cette mort qui servait d'interprète à la mort, m'ont frappé; je suis devenu chrétien; je n'ai point cédé, j'en conviens, à de grandes lumières surnaturelles; ma conviction est sortie du cœur; j'ai pleuré, et j'ai cru. » Il écrira désormais pour la plus grande gloire de la religion : ce sera sa façon d'expier ses fautes contre la foi. Sans doute son évolution dépend-elle de causes plus nombreuses et plus compliquées que celles qu'il nous présente en ces termes; il n'a pas résisté à la tentation de dramatiser un peu les choses. Mais il est certain qu'il y a eu crise religieuse, conversion, dessein de faire servir aux intérêts du christianisme une vocation littéraire invincible. Ainsi naquit, l'an 1799, le projet d'un livre qui devait s'appeler *Des beautés poétiques de la religion chrétienne*, et qui deviendra, après une élaboration de trois années, le *Génie du christianisme*.

Cette longue préparation ne fut pas inutile. Le jeune écrivain creusa son sujet, modifia son plan, corrigea son chercher à prouver, au contraire, que de toutes les religions qui ont jamais existé, la religion chrétienne est la plus poétique, la plus humaine, la plus favorable à la liberté, aux arts et aux lettres; que le monde moderne lui doit tout, depuis l'agriculture jusqu'aux sciences abstraites, depuis les hospices pour les malheureux jusqu'aux temples bâtis par Michel-Ange et décorés par Raphaël. On devait montrer qu'il n'y a rien de plus divin que sa morale, rien de plus aimable, de plus pompeux que ses dogmes, sa doctrine et son culte; on devait dire qu'elle favorise le génie, épure le goût, développe les passions vertueuses, donne de la vigueur à la pensée, offre des formes nobles à l'écrivain, et des moules parfaits à l'artiste; qu'il n'y a point de honte à croire avec Newton et Bossuet, Pascal et Racine; enfin il fallait appeler tous les enchantements de l'imagination et tous les intérêts du cœur au secours de cette même religion contre laquelle on les avait armés...

LE TRIOMPHE DE LA RELIGION SUR L'ATHÉISME RÉVOLUTIONNAIRE. Gravure commémorant le rétablissement du culte par Bonaparte (1802). — CL. LEMARE.

« Il est temps qu'on sache enfin à quoi se réduisent ces reproches d'*absurdité*, de *grossièreté*, de *petitesse*, qu'on fait tous les jours au christianisme; il est temps de montrer que, loin de rapetisser la pensée, il se prête merveilleusement aux élans de l'âme et peut enchanter l'esprit aussi divinement que les dieux de Virgile et d'Homère. Nos raisons auront du moins cet avantage qu'elles seront à la portée de tout le monde et qu'il ne faudra qu'un bon sens pour en juger. On néglige peut-être un peu trop, dans les ouvrages de ce genre, de parler la langue de ses lecteurs : il faut être docteur avec le docteur, et poète avec le poète. Dieu ne défend pas les routes fleuries quand elles servent à revenir à lui, et ce n'est pas toujours par les sentiers rudes et sublimes de la montagne que la brebis égarée retourne au bercail... » (*Génie*, Introduction).

Cette très belle page éclaire tout le livre. D'abord Chateaubriand transporte le débat religieux devant la foule, et du coup donne à son livre une portée presque infinie : il atteindra ceux qui entendent peu de chose à la théologie, mais ont besoin d'une foi. Ensuite, et surtout, il change la nature du débat. Il ne se met pas à argumenter avec « les sophistes », comme il les appelle, en apportant des preuves d'ordre intellectuel; leur domaine, c'est la raison; son domaine, à lui, ce sont « les enchantements de l'imagination et les intérêts du cœur ». Qu'ils continuent, s'ils le veulent, à parler leur langage; il en parle un autre. Il dit : Le christianisme est de toutes les religions la plus émouvante et la plus belle; donc elle est vraie. Enfin, il

FRONTISPICE de la première édition illustrée du « Génie du christianisme » (1803). — CL. LAROUSSE.

rend à la pratique de la religion sa dignité. Lorsqu'on est croyant et Français à la fois, on ne peut pas ne pas être sensible aux railleries que provoquent, chez les incrédules, non seulement les mystères du dogme, mais les cérémonies du culte. On n'aime pas à voir, ou à deviner le sourire du voisin. Pour revenir à la religion sans respect humain, il faut une aide. Justement, Chateaubriand l'apporte. Il renverse les rôles. Ceux qui raillent, ceux qui ricanent, ceux-là sont les petits esprits. Ils sont insensibles à la grandeur, à la beauté. Voltaire s'est moqué des mystères, de l'Incarnation, ou de la Trinité. Chateaubriand répond à l'ironie par la poésie : « Il n'est rien de beau, de doux, dans la vie, que les choses mystérieuses... »

Le moment est des plus favorables : les autels de la déesse Raison sont abandonnés; la grande majorité de la nation retourne au culte catholique; les églises rouvrent leurs portes, et Bonaparte signe le Concordat. Chateaubriand aide la tradition à se reformer. Il répète ce que l'apologétique chrétienne avait commencé à dire dès la seconde moitié du XVIIIᵉ siècle, et jusqu'à la veille de la Révolution; elle voulait prouver la vérité de la religion par sa beauté. Les traités, les lettres pastorales, les livres d'édification, les sermons même, contiennent nombre de formules de ce genre. La Révolution retarde ce mouvement des âmes, sans l'interrompre. A Lyon, en 1801, Ballanche publie un ouvrage intitulé : *Du sentiment considéré dans ses rapports avec la littérature et les arts :* il n'est pas impossible que Chateaubriand ait pris dans ce livre son titre, son beau titre sonore et expressif, *Génie du christianisme*. Il profite donc non seulement des besoins existants, mais de la préparation déjà commencée.

On a souvent montré les répercussions de l'ouvrage, immédiates ou lointaines. Il élargit l'horizon. Après lui, le gothique eut décidément le droit d'être beau; Notre-Dame de Paris l'emporta sur les temples grecs, comme la Bible sur Homère. Le moyen âge, mis à la mode par les poètes du genre troubadour, rétabli théoriquement dans ses droits par Mme de Staël, commença d'être senti et compris, sinon connu tout à fait. La mythologie fut décidément bannie, et n'eut plus guère de refuge que dans les poésies· officielles : Chateaubriand, sachant bien qu'il attaquait là « un des plus anciens préjugés de l'école », la combattit à fond, montra qu'elle rapetissait la nature, qu'elle était froide et languissante, et exalta le merveilleux chrétien. La nature s'agrandit jusqu'à l'immensité. Les ruines achevèrent d'acquérir toute leur dignité de symbole, et les plus belles se dressèrent sous les cieux les plus tourmentés. Le naïf, le simple, le touchant, furent admirés; on aima le son des cloches, les vieux noëls, les fêtes des villages, la grande tristesse des prières pour les morts; on s'étonna d'avoir pris si longtemps l'artificiel pour le beau; il y eut un retour aux émois primitifs de l'âme. A la critique elle-même, Chateaubriand conseillait de rechercher les beautés, avec bienveillance, et non plus les défauts, avec acrimonie; et c'était une révolution du goût, devenant plus libre et plus généreux; un appel à l'originalité, à la spontanéité; une manière d'invitation faite au génie créateur, débarrassé de la tyrannie de la règle et du mécanisme. En somme, tout ce que le sentiment et l'imagination, voulant assurer leurs droits en face de la raison et quelquefois contre elle, cherchaient confusément depuis un demi-siècle, était ici précisé, exalté, magnifié. Par sa forme même, très loin d'une perfection toujours égale et soutenue; exubérante, écrasant quelquefois les choses sous la splendeur des mots; mais puissante, riche d'images et d'effusions, poétique et lyrique, ornée de morceaux de bravoure qui ont pris place dans les anthologies et font les délices des connaisseurs en même temps qu'ils charment les simples; par sa forme même, le *Génie du christianisme* annonce l'aube des temps romantiques.

ATALA

Atala appartient à ce qu'on pourrait appeler le fonds américain de Chateaubriand. Les notes prises sur les lectures qu'il fit pour se préparer au voyage, ses impressions exotiques, les nombreux matériaux accumulés à Londres, les recensions d'ouvrages parus ultérieurement, forment un répertoire d'où il tire Atala, une partie au moins de René, *les* Natchez *(édition Chinard, 1932), le* Voyage en Amérique.

Atala ne devait être d'abord qu'un des épisodes du Génie du christianisme. « *Quelques épreuves de cette petite histoire s'étant trouvées égarées, pour prévenir un accident qui me causerait un tort infini, je me vois obligé de la publier à part, avant mon grand ouvrage* », *écrivait Chateaubriand en 1800, dans une lettre adressée au* Journal

des Débats *et au* Publiciste. Atala ou les Amours de deux sauvages dans le désert *parut ainsi un an avant le* Génie, *en 1801. M. Victor Giraud a donné une reproduction de l'édition originale (1905). Consulter : Anatole Le Braz*, Au pays d'exil de Chateaubriand *(1909) : Henri Chatelain*, les Critiques d'Atala et les corrections de Chateaubriand, *dans la* Revue d'histoire littéraire de la France, *1902.*

La question de savoir ce que Chateaubriand a vu au juste en Amérique, et jusqu'où il est allé, a été posée par Joseph Bédier, Études critiques, *1903. Le dernier état du problème se trouve dans Gilbert Chinard*, l'Exotisme américain dans l'œuvre de Chateaubriand, *1918. Voir, sur la question des origines d'*Atala, *Paul Hazard*, l'Auteur d' « Oderahi, histoire américaine », *dans la* Revue de littérature comparée, *juillet 1923.*

Les lecteurs accueillirent *Atala* avec enthousiasme. Éditions, contrefaçons, traductions se succédèrent en quelques mois; on vit Atala sur la scène, Atala au musée des figures de cire; jusque dans les auberges de rouliers, des images populaires représentèrent les malheurs d'Atala. Tout de suite la critique comprit la valeur représentative de l'ouvrage et le combattit âprement. Ginguené dans *la Décade*, Morellet, M.-J. Chénier, les représentants du parti philosophique, raisonnèrent contre lui, ou le tournèrent en ridicule. Vainement. « Après tant de succès militaires, un succès littéraire paraissait un prodige; on en était affamé. L'étrangeté de l'ouvrage ajoutait à la surprise de la foule. *Atala* tombant au milieu de la littérature de l'Empire, de cette école classique, vieille rajeunie, dont la seule vue inspirait l'ennui, était une sorte de production d'un genre inconnu... Le vieux siècle la repoussa, le jeune l'accueillit. » *(Mémoires d'outre-tombe.)* La mode était aux romans de terreur, aux romans noirs venus d'Angleterre : *les Mystères d'Udolphe*, d'Ann Radcliffe; *le Moine*, de Lewis. Au lieu de cela, une très simple et très pure histoire d'amour. Une thèse sociale et une thèse religieuse, fortement posées, artistement soutenues : la nature est mauvaise, l'homme est corrompu; la religion est nécessaire pour dominer les passions. Des cieux nouveaux, une nature inconnue; de l'exotisme américain en abondance : les amours de deux sauvages dans le désert. Que de surprises dans ces courtes pages; et quel charme !

A vrai dire, elles sont plus complexes qu'il ne parut alors; et bien que Chateaubriand ait visé à la « simplicité antique », ce qui constitue la valeur du roman, c'est bien plutôt sa richesse et la multiplicité de ses aspects. C'est une très simple histoire d'amour, soit. Mais cet amour n'est pas si pur! on y trouve aisément des traces de sensualité, même au milieu des effusions religieuses. Et l'héroïne n'est pas si simple! Atala n'est pas une sauvagesse du désert : elle est l'image idéale des femmes que Chateaubriand a aimées; elle est surtout cette créature de rêve, cette fée, cette « sylphide » en qui, ardent et solitaire, il incarnait ses désirs. Et Chactas est un sauvage bien compliqué : il a comparé l'immensité de nos aspirations à la petitesse du réel; il connaît la mélancolie, l'ennui, la désespérance; il sait que « le cœur le plus serein ressemble au puits de la savane Alachua : la surface nous en paraît calme et pure; mais quand vous regardez le fond du bassin tranquille, vous apercevez un large crocodile que le puits nourrit de ses ondes ».

Le roman contient une thèse sociale : Chateaubriand ne croit pas à la bonté de la nature humaine. Mais il y a cru, du temps qu'il était philosophe : et voilà pourquoi Chactas, destiné à montrer la supériorité de l'état social, éprouve pour l'état de nature une nostalgie marquée.

Le roman contient une thèse religieuse : Chateaubriand annonce qu'il veut réaliser ce paradoxe, de faire entrer dans la littérature française un moine qui ne soit pas ridicule. « Si je n'attendris pas, je ferai rire : on en jugera. » Mais outre que cette hardiesse n'était plus si nouvelle, le missionnaire mutilé qui recueille Atala mourante et qui l'ensevelit, qui dompte Chactas révolté et l'oblige à admirer la puissance de la religion,

LES FUNÉRAILLES D'ATALA. Ce tableau de Girodet, d'abord exposé au Salon de 1808, y connut un vif succès (musée du Louvre). — CL. GIRAUDON.

ne laisse pas de parler comme « une espèce de philosophe ». On dirait qu'il a été d'abord, dans je ne sais quelle forme antérieure du récit, un de ces sages vieillards que le XVIIIe siècle chargeait si volontiers d'exprimer ses moralités, sans froc et sans croix.

Mais le plus curieux, c'est l'exotisme de Chateaubriand. De récentes études ont montré qu'à n'en pas douter, il n'a pas poussé ses voyages aussi loin qu'il s'est plu à le dire. Il a été reçu par Washington, il est allé au Niagara; il a pu prendre une idée rapide de certains aspects du pays; mais il n'a sûrement vu ni les Florides, ni l'embouchure du Mississippi, ni les lieux qu'il peint de couleurs si brillantes dans son roman. Même s'il avait eu le temps matériel de parcourir les énormes distances que ces expéditions supposent — ce qui n'est pas —, les obstacles de toute nature qui surgissaient dans ces pays sauvages l'auraient arrêté; il eût été tué, dès les premiers pas, par les Indiens, alors en pleine révolte. On l'a montré, et on a trouvé, en même temps, les livres qui avaient remplacé pour lui la nature. Il a utilisé les voyageurs qui avaient vu, eux, les régions qu'ils décrivaient, et qui sont légion.

Il faut bien le comprendre ici; car s'il est assez vague sur la réalité de ses expéditions, quand il les raconte dans le *Voyage en Amérique* ou dans les *Mémoires d'outre-tombe*, il y a un point sur lequel il ne transige pas : la vérité de ses peintures. « La nature américaine y est peinte avec la plus scrupuleuse exactitude », déclare-t-il nettement. Comment cela?

Être exact, pour lui, ce n'est pas voir personnellement les choses, et les rendre telles qu'il les a vues; c'est ne rien dire qui

ne soit déjà dans les livres. Au besoin, et si c'eût été la mode à l'époque, il aurait pu mettre des notes au bas des pages, renvoyant aux auteurs qu'il avait utilisés. Seconde opération, qui ne nuit pas non plus à « l'exactitude », telle qu'il l'entend : ces détails puisés dans les écrivains les plus différents, peignant les régions les plus diverses aux époques les plus variées, il les assemble d'après leur valeur pittoresque. Il confond, une fois de plus, vérité avec beauté.

Il a pris partout, et à tout le monde : à Homère et à la Bible, à Gessner et à Ossian, à Sophocle et à Racine; il a peut-être emprunté quelque chose aux *Incas*, de Marmontel; il doit beaucoup à *Paul et Virginie*, première ébauche d'*Atala*. Avec un sentiment des nuances incomparable, il s'est mis à assortir les pierres innombrables de cette mosaïque; il a laissé le terne et le gris; il n'a retenu que les couleurs les plus éclatantes et les plus pures; il les a fait valoir les unes par les autres; il a effacé les raccords. Il faut se mettre bien près, il faut chercher, pour distinguer par endroits, à peine visible, la ligne qui décèle l'assemblage : tout le monde prend la mosaïque pour une fresque, même son auteur.

RENÉ: « LE MAL DU SIÈCLE » DANS RENÉ, OBERMANN ET ADOLPHE.

René *a fait d'abord partie du Génie du christianisme; Chateaubriand l'en a détaché en 1805, pour le publier à part, avec Atala.*

A René, dont le héros est la plus éclatante incarnation de l'ennui, de la désespérance qui deviendront le mal du siècle, il faut joindre l'Obermann de

VIGNETTE de Tony Johannot ornant le titre de l'« Histoire de la vie et des ouvrages de M. de Chateaubriand », par Scipion Marin (1832). Chateaubriand est représenté bénissant la sauvageonne Atala. CL. LAROUSSE.

Sénancour (1770-1846) et l'Adolphe de Benjamin Constant : bien qu'Obermann ait passé inaperçu à son apparition, en 1804, et n'ait été exhumé qu'en 1833, par Sainte-Beuve (Rêveries sur la nature primitive, 1799; Aldomen ou le Bonheur dans l'obscurité, 1925, qui est une première version d'Obermann); et bien qu'à l'époque qui nous occupe, Benjamin Constant soit en train de vivre son roman, qui ne paraîtra qu'en 1816.

Voir l'édition critique des Rêveries, par Joachim Merlant, 1911, et celles d'Obermann, par Gustave Michaut, 1912-1913, et A. Monglond, 1948. Consulter : J. Merlant, Sénancour, 1907; G. Michaut, Sénancour, 1909. — Voir l'édition critique d'Adolphe, par G. Rudler, Manchester, 1919, et celle de J. Mistler, Journal intime, Cahier rouge, Adolphe, *1946;* Journal intime *(incomplet), 1895 et 1928; le Cahier rouge, 1907; Correspondance de B. Constant et d'Anna Lindsay, 1933; Lettres de Julie Talma à B. Constant, 1933. Consulter : G. Rudler, la Jeunesse de Benjamin Constant, 1909; A. Fabre-Luce, Benjamin Constant, 1939.*

Sur un rythme d'une majesté soutenue, avec mélancolie, avec splendeur, René fait la confession de sa vie. Il s'est laissé aller au « vague des passions »; il s'est dégoûté du réel; il « n'a plus eu conscience de son existence que par un profond sentiment d'ennui »; et « ne pouvant trouver de remède à cette étrange blessure de son cœur », il prend la résolution de quitter la vie. Seule, la tendresse de sa sœur Amélie l'arrache à la mort. Mais il découvre qu'Amélie a conçu pour lui une passion coupable; et qu'elle a cherché dans le cloître un refuge contre la faiblesse de son cœur.

En racontant cette tragique histoire, Chateaubriand analyse un état psychologique qu'il croit avoir découvert, « presque entièrement inconnu aux Anciens, insuffisamment observé par les modernes » : c'est le mal du siècle. Cet état précède, dit-il, le développement des grandes passions chez les jeunes gens. Il comprend au moins trois données : une grande avidité, poussée jusqu'à l'exaltation, d'exercer toutes les facultés humaines; la conscience des obstacles qui s'opposeront à l'immensité de ces désirs; la conviction que, si la réalité même se prêtait à ces rêves, le cœur ne serait pas encore satisfait : car tout en désirant, on sait que rien ne vaut la peine d'être désiré; de sorte qu' « on est détrompé avant d'avoir joui ». Le mal est sans remède; il condamne tout effort à la stérilité, ramène toute action au néant : son aboutissement logique est le suicide. Pour tromper cet ennui morbide, on s'adonne aux pires curiosités, aux dépravations, aux crimes : mais on ne fait qu'ajouter le remords à la conscience accrue de la vanité de toutes choses.

René, en 1802; en 1804, l'*Obermann*, de Sénancour, qu'ont précédé les *Rêveries sur la nature primitive de l'homme*, du même auteur (1799); l'*Adolphe*, de Benjamin Constant (1816) : que de héros désespérés! quelle sombre lignée, issue de Saint-Preux et de Werther! Ce n'est pas un roman qu'*Obermann*: c'est la longue analyse d'une âme malade. Sénancour (car il est aisé de reconnaître l'auteur en son héros) se retire de la société des hommes, pour se soustraire à toutes les influences, et être vraiment lui-

même : « Je dois rester, quoi qu'il arrive, toujours le même et toujours moi, non pas précisément tel que je suis dans des habitudes contraires à mes besoins, mais tel que je me sens, tel que je veux être, tel que je suis dans cette vie intérieure, seul asile de mes tristes affections. Je m'interrogerai, je m'observerai, je sonderai ce cœur naturellement vrai et aimant, mais que tant de dégoûts peuvent avoir déjà rebuté. Je déterminerai ce que je suis, je veux dire ce que je dois être; et cet état une fois bien connu, je m'efforcerai de le conserver toute ma vie, convaincu que rien de ce qui m'est naturel n'est dangereux ou condamnable, persuadé que l'on n'est jamais bien que quand on est selon sa nature, et décidé à ne jamais réprimer en moi ce qui tendrait à altérer ma forme originale... » (Lettre IV). Déterminer ce qu'il est, ce qu'il doit être : voilà justement l'impossible. Aucune des réponses que les autres hommes donnent au problème de la destinée ne satisfait Obermann; aucune des croyances qui leur donnent la paix ne calme son doute; aucune des passions qui les divertissent ne lui semble valoir la peine d'être éprouvée. Rien ne demeure en lui que le sentiment d'un « intolérable vide ». Le pire, c'est que ce sentiment affreux ne va pas sans douceur et sans charme : « D'où vient à l'homme la plus durable des jouissances de son cœur, cette volupté de la mélancolie, ce charme plein de secrets qui le fait vivre de ses douleurs et s'aimer encore dans le sentiment de sa ruine? » (Lettre XXIV). Dans le temps même où Obermann s'interroge sur le sens de la vie, il sait que toutes les explications seront vaines; il souffre de son scepticisme incurable, il jouit de sa douleur. Même l'amour de la nature, qui pourrait l'apaiser, n'aboutit qu'à un désir d'anéantissement dans le grand Tout inanimé. Des dissertations littéraires, historiques, philosophiques, des poussées d'exaltation sentimentale, d'admirables descriptions de la haute montagne ou de la forêt, des paradoxes aussi interrompent sans jamais l'arrêter longtemps cette analyse implacable, qui n'aborde une nouvelle matière que pour la détruire à son tour. Il n'y a pas, dans notre littérature, une œuvre où l'on trouve plus subtilement dépeintes et plus secrètement chéries les forces destructives de la vie, pas une œuvre qui contienne un plus redoutable hommage à la puissance du Néant.

Adolphe est plus pathétique, plus humain. C'est, si l'on veut, une variation sur le thème d'Elle et Lui : mais quelle profondeur nouvelle, quelle sincérité, quelle puissance, dans l'analyse de l'âme du héros! Adolphe aime Ellénore; dès qu'Ellénore l'aime à son tour, il commence à ne l'aimer plus. Il ne peut ni l'aimer, ni cesser de l'aimer; ni lui avouer qu'il se détache d'elle, ni le lui cacher; ni rompre, ni rester à ses côtés; ni garder son souvenir, ni l'oublier. Car il est sans volonté. Son intelligence aiguë, impitoyable, saisit tous les mouvements de son âme, pénètre jusqu'à ses replis les plus cachés : mais précisément, « cette portion de nous qui est pour ainsi dire spectatrice de l'autre » empêche l'autre de se décider, d'agir. Il souffre de cet état qui va s'exaspérant : il fait souffrir Ellénore jusqu'à la torture, jusqu'à la mort. Il trouve des accents désespérés pour caractériser son mal, pour s'accuser, pour faire retomber sur lui tous les torts; il ne trouve rien pour se guérir. Telle est, comme il le dit, « la

AMÉLIE ET RENÉ. Illustration d'A. Johannot pour « René », dans l'édition Furne des « Œuvres complètes ». — CL. LAROUSSE.

bizarrerie de son cœur misérable ». Autour d'Elle et de Lui, peu de comparses; les changements de scène n'importent guère; tout le drame se passe dans les cœurs. Aucun air de bravoure, aucune romance, aucun duo, rien pour l'ornement; on sent un effort continu pour arriver à l'analyse exacte et précise des sentiments : tout trait qui ne serait pas sobre, tout procédé qui sentirait l'artifice, équivaudraient à des mensonges. Adolphe, décrivant son propre caractère, veut aller jusqu'au bout de sa confession, courageusement, cruellement. Un écrivain moins sûr risquerait de tomber dans la sécheresse. Ce n'est pas le cas de Benjamin Constant : sans recourir jamais aux sanglots romantiques, l'auteur d'*Adolphe* sait rendre poignante l'émotion du lecteur.

Quelle est l'originalité du héros de Chateaubriand, parmi ces gravures à l'eau-forte? René est plus orgueilleux que ces orgueilleux même; il est plein de magnificence et de superbe. Chateaubriand lui a prêté une âme encore plus trouble; il l'a conduit jusqu'au voisinage du crime. Nous voyons la crise de l'intelligence chez Obermann; la crise de la volonté chez Adolphe : nous commençons par voir, chez René, la crise du sentiment, mais parée et embellie. « Il y a une haute coquetterie dans René », dit Sainte-Beuve.

CHATEAUBRIAND A SA SORTIE DE BETHLÉEM. Illustration d'Alfred Johannot, pour l'« Itinéraire de Paris à Jérusalem ». (B. N., Cab. des Estampes).
CL. LAROUSSE.

LES MARTYRS, L'ITINÉRAIRE.
LES AVENTURES DU DERNIER ABENCÉRAGE

Chateaubriand commence les Martyrs *quelques mois après la publication du* Génie du christianisme. *Le héros de cette grande épopée en prose, Eudore, est un Grec d'Arcadie qui a servi vaillamment sous les Romains, mais qui est persécuté comme chrétien. Tandis qu'il est appelé à Rome, il envoie à Jérusalem la femme qu'il aime, Cymodocée, pour la mettre sous la protection de la mère de Constantin. Il est condamné et meurt dans le cirque avec Cymodocée, qui l'a rejoint.*

Pour peindre de tels tableaux, Chateaubriand veut voir la Grèce et l'Orient; il s'embarque, en 1806, à Venise, et rentre en France le 3 mai 1807, après s'être arrêté quelque temps en Espagne. Les Martyrs *paraissent au mois de mars 1809 et trouvent auprès de la critique et du public un accueil assez froid. L'*Itinéraire de Paris à Jérusalem *paraît en 1811. Les* Aventures du dernier Abencérage, *court récit composé vers 1807, ne verront le jour qu'en 1826 (voir l'édition critique procurée par Paul Hazard et Mᵐᵉ M.-J. Durry, 1926).*

*On a eu l'idée d'appliquer à l'*Itinéraire *la méthode qui avait donné, pour le* Voyage en Amérique, *de si curieux résultats; on*

a constaté, de même, que Chateaubriand avait imaginé beaucoup plus qu'il n'avait vu (Garabed der Sahaghian, Chateaubriand en Orient, Venise, 1914; Pierre-Maurice Masson, Chateaubriand en Orient, 1912, étude recueillie dans Œuvres et maîtres, 1923). Édition critique de l'Itinéraire par E. Malakis, 1946.

L'*Itinéraire de Paris à Jérusalem* est un livre singulièrement plaisant, car il est capable de satisfaire tous les esprits. Ceux qui aiment à surprendre Chateaubriand dans son travail de marqueterie pourront se divertir à leur aise, en découvrant que ce récit d'impressions personnelles est surtout fait d'un voyage à travers les voyageurs. Contre les dangers que cette méthode lui fait courir, il se débat comme un beau diable, tantôt affirmant qu'il a bien le droit d'être inexact, s'il lui plaît; et tantôt qu'il est parfaitement exact, et qu'il ne tiendrait qu'à lui de citer ses auteurs. Il les cite quelquefois; mais l'ingrat relègue dans l'ombre ou passe sous silence ceux qu'il a le plus consciencieusement pillés. Tout ce manège est fort amusant.

Ceux qui aiment ses mirages ne se divertiront pas moins. Orages et tempêtes, traversées qui sont de continuels naufrages, bandits et pillards, fièvres et maladies : que de dangers auxquels il échappe! Quelle auréole! et quelles lueurs d'apothéose! Julien, le domestique de Monsieur, qui voyageait avec lui, et dont M. Édouard Champion a publié le très prosaïque *Journal*, n'a pas vu toutes ces scènes dramatiques. Il n'a pas vu Chateaubriand cingler de sa cravache la figure d'un spahi, en étrangler un autre, décharger son pistolet devant des officiers turcs d'assez près pour brûler leurs moustaches. Aux yeux de Julien,

LA VALLÉE-AUX-LOUPS, près de Sceaux, où Chateaubriand vécut de 1807 à 1817. Gravure de Felipe Cardano, d'après Constant Bourgeois, tirée de la « Description des nouveaux jardins de la France et de ses anciens châteaux » d'A. de Laborde (1808).
CL. LAROUSSE.

LA TENTATION D'EUDORE. Gravure de Noël Bertrand, d'après H.-F. Schopin (B. N., Cabinet des Estampes). — CL. LAROUSSE.

les auberges sont restées des auberges, et leurs propriétaires — pachas somptueux pour son maître — sont restés d'humbles hôteliers. Au reste, Chateaubriand ne plane pas toujours au-dessus de la réalité. Il trace de plaisantes caricatures des Sancho Pança qui cheminent à ses côtés : Julien, son valet de chambre; Joseph le Milanais ou Jean le Grec. Il sourit; il se moque un peu de lui-même. Le glorieux s'efface, l'homme d'esprit et le « bon garçon » réapparaissent. Puis tout recommence.

Mais les lecteurs qui se délectent aux visions de beauté trouveront aussi leur compte. Si, pour décrire ces lieux sacrés, tout chargés d'histoire et de légende, il faut beaucoup d'amour et beaucoup d'imagination, qui pouvait les évoquer mieux que Chateaubriand? L'artiste qui veut donner une image de la Grèce entreprend la tâche la plus difficile, parce qu'il risque de rester toujours au-dessous des représentations idéales que nous rêvons : une couleur trop vive, un trait lourd, et nous sommes déçus : notre songe était plus beau. Chateaubriand n'a pas vu les détails; il n'a pas voulu les voir. Mais il a saisi les grandes lignes des paysages, les harmonies générales, et jusqu'à la tonalité de l'atmosphère. Il est incapable de rendre les réalités de la Grèce et de la Terre sainte : d'autres sont incapables d'en rendre la poésie.

Il voyageait pour connaître les endroits où il plaçait la scène de ses *Martyrs*, pour « donner à la peinture des lieux célèbres des couleurs locales » (c'est à lui que l'expression doit sa fortune); en pèlerin aussi. Mais, ce qu'il n'avouera que plus tard, il voyageait parce qu'il espérait trouver aux Lieux saints « de la gloire pour se faire aimer »; et il avait hâte de porter cette gloire, toute fraîche, aux pieds de la femme qui l'attendait en Espagne. Sa traversée de l'Espagne n'est pas un détour : c'est le but. Ainsi *les Aventures du dernier Abencérage* sont le complément naturel de l'*Itinéraire*. Nous y retrouvons sa technique et ses procédés : couleurs éclatantes, empruntées cette fois à Grenade, à l'Alhambra; conflit religieux séparant deux cœurs qui s'aiment; supériorité du christianisme sur la religion musulmane; nobles personnages, tous un peu au-dessus de l'humaine nature; châteaux gothiques, défis et duels, preux chevaliers et nobles dames, costumes selon le style troubadour et romances, bref les ornements qui conviennent à celui qui a remis le moyen âge en honneur;

nous y retrouvons même la propre personnalité du conteur, sous la figure du très galant et très héroïque Aben-Hamet. Chateaubriand se donne le plaisir de peindre la femme qu'il aime, sous le nom de Blanca del Bivar. Le plus curieux, c'est qu'avec tant d'éléments disparates, tant d'emprunts de détail faits à des voyageurs divers, il trouve le moyen de conserver à l'ensemble des *Aventures du dernier Abencérage* une somptueuse beauté.

Les Martyrs ou le Triomphe de la religion chrétienne devaient être la grande œuvre, après laquelle on peut faire ses adieux à la Muse, ayant rempli une illustre carrière. La gloire de l'épopée a tenté Chateaubriand toute sa vie. Jeune, composant *les Natchez*, il a voulu faire l'épopée de l'homme de la nature. Dans la pleine force de son talent, il écrit l'épopée du christianisme. « J'ai avancé, dans un premier ouvrage, que la religion chrétienne me paraissait plus favorable que le paganisme au développement des caractères et au jeu des passions dans l'épopée; j'ai dit encore que le *merveilleux* de cette religion pouvait peut-être lutter contre le merveilleux de la mythologie; ce sont ces opinions, plus ou moins combattues, que je cherche à appuyer par un exemple... »

Bâtir une œuvre à l'appui d'une thèse, voilà qui est dangereux pour un poète : l'inspiration veut plus de liberté. Le défaut fut précisément d'opposer le merveilleux chrétien au merveilleux païen, comme s'ils étaient d'égale nature; de chercher dans le christianisme des « ressorts », des « machines », des « inventions poétiques »; de proposer une substitution de procédés là où il eût fallu renouveler l'esprit.

Et pourtant, le sujet est un de ceux que l'humanité ne se lasse pas de reprendre, avide de savoir quand et comment les dieux s'en sont allés, et si vraiment ils sont partis. Chateaubriand ne laisse pas d'avoir pour le paganisme une tendresse qui transparaît malgré lui. Moderne par ses aspirations, par le sens même de sa pensée et de sa vie, il reste classique et païen par éducation, par tradition, par amour, par certains procédés de son génie. Ce contraste éclate ici. Il prend avec l'histoire et l'archéologie d'étranges libertés, malgré un très sincère effort d'érudition : il n'en réussit pas moins à donner une image singulièrement vivante des civilisations disparues. Augustin Thierry a raconté que sa vocation historique s'était éveillée à la lecture du combat des Francs, au sixième livre des *Martyrs*. Ce combat n'est pas exact dans ses détails, il s'en faut; mais, en matière de couleur locale, tout est affaire de degré : la peinture de Chateaubriand constituait, par rapport à son époque, un progrès si considérable qu'il y avait vraiment révélation. En outre, elle est belle, capable de ravir les imaginations, de se graver dans les mémoires. De même pour tant de tableaux célèbres : la rencontre de Cymodocée et d'Eudore, Rome sous les empereurs, Velléda dans les forêts des Gaules, Athènes aux jours des Panathénées, le Colisée où les chrétiens sont jetés aux bêtes : vivantes fresques, débordantes de mouvement, éclatantes de couleur.

LES MÉMOIRES D'OUTRE-TOMBE. LA VIE DE RANCÉ

Chateaubriand songe à écrire ses Mémoires dès 1803; il les reprend chaque fois qu'il a des loisirs; dans le salon de Mme Récamier, il en lit des passages à un petit groupe

*de familiers : des murmures
d'approbation s'élèvent autour du
demi-dieu qui achève d'assurer
son immortalité. Il avait « semé
l'or », suivant la devise de son
écusson : pour avoir de quoi
vivre, il les vendit à une société
d'amis, à la condition expresse
que la publication ne commencerait qu'après sa mort. La société
céda ses droits au journal la
Presse, de sorte que les Mémoires
d'outre-tombe eurent le sort
étrange de paraître d'abord en
feuilleton. L'édition Biré a été
longtemps la meilleure (1898-
1901, 6 vol.; nouvelle édition
revue par Pierre Moreau, 1947);
M. Levaillant a donné, en 194 ,
une nouvelle édition, critique (1a
Pléiade), et en 1948 une «édition
du centenaire», intégrale et critique. Voir : M.-J. Durry, En
marge des «Mémoires d'outre-
tombe», fragments inédits, 1933;
M. Levaillant, Chateaubriand,
Mme Récamier et les «Mémoires
d'outre-tombe », 1936; Deux*

Mme RÉCAMIER A L'ABBAYE-AUX-BOIS. Peinture de F.-L. Dejuinne (1826). — Cl. Larousse.

livres des «Mémoires d'outre-tombe», *édition critique par*
M. Levaillant, *1936.*

*Sur un curieux fragment autobiographique qui se rat-
tache aux* Mémoires d'outre-tombe, *voir Victor Giraud,
Chateaubriand, Amour et Vieillesse, 1922.*

Sur la Vie de Rancé *(1844), voir la préface de Julien Benda
à l'édition de 1921 (collection des* Chefs-d'œuvre méconnus),
et une étude d'Albert Thibaudet, la Question Rancé, *dans
la* Revue critique des idées et des livres, *10 juin 1921.*

Chateaubriand en 1847. Peinture d'Antoine Étex (collection
de M. André Stévenin). — Cl. Bibl. Nat.

Les *Mémoires d'outre-tombe* nous fournissent le témoignage le plus magnifique et le plus éclatant sur le grand
rôle que Chateaubriand voulut tenir et qu'il tint parmi
les hommes. Cette œuvre aux majestueuses proportions,
qui n'est peut-être pas toujours sincère, mais qui est toujours ingénue, embrasse une période de soixante-dix
années. Avec plus d'amour que jamais, plus librement,
plus intimement, Chateaubriand recommence à parler de
lui-même, faisant de son moi toujours ardent, toujours
blasé, le centre de l'univers. « J'écris principalement,
dit-il, pour rendre compte de moi-même à moi-même...
Aujourd'hui que je regrette encore mes chimères sans les
poursuivre, que parvenu au sommet de la vie je descends
vers la tombe, je veux avant de mourir remonter vers mes
belles années, expliquer mon inexplicable cœur... »

Suivant ici la loi commune, il se penche sur sa jeunesse
avec prédilection; et cela nous vaut, dans les premiers
livres des *Mémoires*, des évocations non seulement brillantes, mais délicates, mais émues. Qui ne connaît le récit
de son adolescence? Qui ne se rappelle les fièvres et les
désespérances de Combourg? Ce ne sont pas, à proprement parler, des confessions, c'est bien plutôt une ode
aux strophes triomphales. Entre chaque strophe, Chateaubriand se livre à des dissertations historiques, politiques,
littéraires : il se repose. La halte terminée, il recommence
à orchestrer ses souvenirs.

Sa confession véritable, il nous l'a donnée, cependant.
René vieillissait et il souffrait de vieillir. Le temps, le
temps inexorable était la seule puissance qui osât lui faire
affront. Une génération nouvelle avait surgi, qui lui dis-
putait la gloire. Elle l'appelait le Sachem, avec une révérence dont il sentait bien l'ironie. Il dédaignait, après tout,
ces romantiques qui n'avaient fait que suivre sa trace;
il avait pour ces hommes débiles tout le mépris de l'homme
fort. Mais ce qu'il ne pouvait dominer, c'était son propre
tourment. Il sentait en lui toutes les ardeurs de la jeunesse,
aussi vivaces qu'au premier jour, plus impérieuses peut-
être, et voici que René avait des cheveux blancs.

A soixante et un ans, comme il était aux eaux de Cau-
terets, il rencontra « une jeune Occitanienne » qui lui
écrivait depuis longtemps et qui lui offrit son amour.
Il eut le courage de la repousser. Mais de son écriture
vieillissante et toujours hautaine, en des pages qui sont à

LA « CONFESSION DÉLIRANTE » : « Oh! non, non, ne viens plus me tenter. Songe que tu dois me survivre, que tu seras encore longtemps jeune, quand je ne serai plus. Hier, lorsque tu étais assise avec moi sur la pierre, que le vent de la cime des pins nous faisait entendre le bruit de la mer, prêt à succomber d'amour et de mélancolie, je me disais : « Ma main est-elle « assez légère pour caresser cette blonde chevelure ? Que peut- « elle aimer en moi ? Une chimère que la réalité va détruire... » Manuscrit autographe de Chateaubriand (B. N., Département des Manuscrits, Nouvelles Acquisitions françaises, ms. 12454).

CL. LAROUSSE.

la fois le roman et l'histoire de son cœur inassouvi, il confessa « le chaos de sa nature » et « l'horreur de ses années » :

« Oh! non, jeune grâce, va à ta destinée, va chercher un amant digne de toi. Je pleure des larmes de fiel de te perdre. Je voudrais dévorer celui qui possédera ce trésor. Mais fuis, environnée de mes désirs, de ma jalousie, et laisse-moi me débattre avec l'horreur de mes années et le chaos de ma nature, où le ciel et l'enfer, la haine et l'amour, l'indifférence et la passion se mêlent dans une confusion effroyable. »

Il avait soixante-quinze ans lorsqu'il publia sa *Vie de Rancé*. Certes, ce n'est pas un chef-d'œuvre à la manière classique, toujours égal à lui-même et régulier. Mais ce qui fait le prix de ce livre admirable, trop longtemps demeuré dans l'oubli, c'en est le tragique accent. Chateaubriand y fait œuvre d'hagiographe; il raconte la vie de ce Rancé qui, après s'être livré passionnément à toutes les dissipations du monde, entre au cloître, devient le réformateur de la Trappe et donne l'exemple de la plus austère vertu. Le narrateur y fait œuvre d'historien à sa manière : il interrompt quand bon lui semble le récit et se met à peindre; voici l'Hôtel de Rambouillet, voici Port-Royal, et voici la cour de Rome l'an 1660. A son appel, les grandes figures d'autrefois, dames, rois et capi-

taines, sortent de leur tombeau. Mais plus encore que Rancé et son époque, c'est lui-même qu'il raconte; et il recommence une fois encore sa confession.

Visions de Bretagne et visions des jours d'exil; heures de puissance et de gloire; débats du cœur, « combats inconnus », chers fantômes, troublantes réalités : il essaie d'étreindre toute sa vie. Mais il n'étreint plus que le vide. Eh quoi! le présent n'est que ruines; plus d'espoir, plus d'amour, plus de sourires de femmes? « Malheur à l'âge pour qui la nature a perdu ses félicités! » Et s'il se retourne vers le passé, voici que le passé même échappe à ses prises. Tout est lointain, tout est décoloré : « Tout est fragile; après avoir vécu quelque temps, on ne sait plus si on a bien ou si on a mal vécu. » Le temps effacera-t-il l'ombre de son ombre? Le crépuscule qui descend estompe jusqu'aux souvenirs; il faut les abandonner dans la nuit. « Rompre avec les choses réelles, ce n'est rien; mais avec les souvenirs! Le cœur se brise à la séparation des songes, tant il y a peu de réalités dans l'homme. » Quelle amertume! Quelle humiliation! Tout sombre, même la douleur : « chagrins qui n'intéressent personne, gémissements qui vont se perdre dans l'Océan muet qui s'avance sur nous. » Il ne lui reste, pour se consoler de son propre néant, que le néant de l'homme : « Quand vous remueriez ces souvenirs qui s'en vont en poussière, qu'en retireriez-vous, sinon une nouvelle preuve du néant de l'homme? Ce sont des jeux finis que des fantômes retracent dans des cimetières avant la première heure du jour. » Ainsi s'exprime en phrases d'une harmonie souveraine la désespérance de ses dernières années.

Et pourtant le sillon qu'il a tracé est profond. Son œuvre propre est d'avoir tout subordonné à la beauté. De ce qu'il l'a confondue avec la vérité, devons-nous lui tenir rancune? C'est un si grand rôle que de représenter la poésie dans le monde, et c'est un si haut privilège que de laisser après soi d'indestructibles harmonies, quand on quitte enfin la compagnie des hommes pour celle des vents et des flots dans le tombeau du Grand-Bé, que nous devons mêler de la reconnaissance aux sentiments que nous éprouvons pour Chateaubriand. Appliquons-lui largement la maxime généreuse qu'il a réclamée pour les autres. Retenons ses mérites; épargnons les vains reproches à sa grande ombre, et rangeons-le parmi « ces hommes divins qui chantent sur la lyre ». — « Ces chantres sont de race divine; ils possèdent le seul talent incontestable dont le ciel ait fait présent à la terre » *(René)*.

LE TOMBEAU DE M. DE CHATEAUBRIAND, d'après une gravure parue en 1843 dans le « Magasin pittoresque ». L'emplacement du tombeau est marqué par une croix. — CL. LAROUSSE.

LA FRANCE ET L'ÉTRANGER DE 1789 A 1815

Il y a peu d'époques dans l'histoire de l'Europe où les frontières aient été si souvent crevées et sans cesse mouvantes; les armées françaises ont été à Berlin, à Vienne, à Rome, à Madrid, à Moscou, aux îles Ioniennes, au Caire... : une agitation des peuples plus intense que celle qui précède les années de la Renaissance en France. Mais cette analogie est trompeuse; entre 1789 et 1815 les nationalismes s'exaspèrent et se défendent assez bien contre les tentations de curiosité au-dehors. La France s'estimait la « grande nation » et qui n'avait rien à apprendre : elle exportait ses idées et ses constitutions, elle était entraînée à vouloir imposer ses codes, sa culture, sa langue. L'armée, qui la représentait à l'étranger, n'avait pas souci de connaître la pensée ou les livres des populations occupées. Celles-ci se défendirent par un contre-nationalisme, qui les fit se replier vers leurs traditions, vers leur propre culture, afin de garder leur indépendance. Très caractéristique le cas de l'Italie que Napoléon incorpora à la France, où il essaya d'embrigader les hommes de lettres et d'imposer par la force la connaissance du français. Après 1815, seuls les libéraux, et à cause de leur foi politique, restèrent un peu sensibles à cette influence.

Il y eut pourtant en France un grand mouvement de population qui eût pu donner de nouveaux horizons. L'émigration, on l'a vu, fit vivre pendant plusieurs années à l'étranger plus de cent cinquante mille Français, pour la plupart aristocrates et bourgeois aisés, de ceux parmi lesquels se faisait l'élite intellectuelle. Ils furent, dans l'ensemble, peu curieux, mais, avec le temps, ils ne purent pas ne pas voir et ne pas entendre. Sous la Révolution et sous l'Empire, il y a eu une « littérature d'émigrés », plus vivante et plus annonciatrice que la littérature à l'intérieur des frontières : Chateaubriand, Mme de Staël, Benjamin Constant, tous rénovateurs des lettres; de Bonald, Joseph de Maistre, qui bâtissent une philosophie de la Contre-Révolution. On a vu l'importance de ce « groupe de Coppet » qui, en Suisse, autour de Mme de Staël, essayait de dégonfler l'admiration des Français pour eux-mêmes et de leur infuser, comme un sang nouveau, une nouvelle conception du beau et l'admiration de nouveaux modèles. L'effet fut considérable, mais à retardement; c'est en 1810 que Mme de Staël fait son voyage d'Allemagne; c'est après 1814 que ses idées pénètrent en France. Dès 1800, un émigré, Ch. de Villers, avait essayé de faire lire Kant; mais son audience ne paraît avoir été que de quelques lecteurs.

Pourtant des influences passent la frontière vers Paris.

Deux ou trois journaux ou revues se spécialisent dans l'information sur les littératures du Nord. Le goût pour Shakespeare se maintient et s'étend à une portion plus grande de son œuvre : en 1801, Ch. Nodier prétend révéler ses « Pensées ». Ossian est au plein de son succès : l'Empereur l'aime, les écrivains l'imitent, les grisettes ont des prénoms ossianiques. Faust ou Gœtz de Berlichingen sont à peu près inconnus : mais on continue à s'enthousiasmer pour Werther : Ch. Nodier, entre 1800 et 1808, en publie plusieurs contrefaçons. Les drames de Kotzebue, ceux de Schiller, et surtout les Brigands, transformés en mélodrames, ont du succès. On continue à pratiquer Gessner; on n'ignore pas tout à fait Klopstock, Wieland, Lessing; on traduit quelques « ballades » de Gœthe, de Schiller, de Bürger. De temps en temps sourd un trait de lumière sur les théories de Schlegel, de Herder, de Wolf, de Winckelmann. L'Angleterre, que le blocus isole bientôt, ne fait connaître que peu de ses livres nouveaux : les romans « noirs » de Lewis et Ann Radcliffe, qui satisfont le goût d'émotion des spectateurs de mélodrame; quelques poèmes noirs aussi, notamment de Gray et d'Young.

Du Midi, de l'Italie en particulier, dont Ginguené fait connaître l'histoire littéraire, il vient peu de chose qui ne soit déjà entré dans la tradition française : Dante, le Tasse, l'Arioste restent des lectures classiques; on apprend, surtout si l'on a passé quelques semaines en Italie, les noms d'Alfieri, de Monti, d'Ugo Foscolo.

Aucune de ces influences n'est très déterminante. Il ne s'impose pas de nouveaux modèles, comme bientôt après W. Scott ou Byron. Les livres à idées font peut-être alors plus impression que les livres à effets d'émotion ou d'art. Ceux des Français qui acceptent difficilement l'idéal classique sont encouragés par des alliés, que quelquefois ils connaissent bien mal, mais dont ils admettent qu'ils aient de bonnes raisons d'avoir un bel idéal à eux. Ces Français sont, entre 1800 et 1810, par exemple, une très petite minorité. Les idées de gloire, de conquête, de prestige, de doctrine classique forment un complexe très fort dont on ne sait pas isoler le dernier élément : les concessions au goût de l'étranger apparaissent comme les concessions d'un « défaitisme », que seule la défaite rendra acceptable pour un public un peu plus nombreux. On le verra bien, au début de la querelle romantique, où toutes ces influences, subitement renforcées, passent enfin, à la cosaque, et devant une audience généralement consternée, notre frontière littéraire.

LE SONGE D'OSSIAN. Le poète endormi voit en songe les héros qu'il a évoqués. Dessin d'Ingres (musée du Louvre).

LES GRANDS FAITS POLITIQUES ET SOCIAUX DE 1815 A 1852

Trente-sept années qui commencent avec Waterloo et s'achèvent avec le coup d'État du Deux-Décembre ; une Restauration dont on dira bientôt qu'elle est venue « dans les fourgons de l'étranger », — une monarchie bourgeoise sortie de la révolution de 1830, — le drame confus qui a suivi 1848, et où les journées d'émeute, le désordre, la peur préparent l'avènement d'un prince-président, d'un empereur ; des rois de France de la branche aînée des Bourbons qui apportent de l'exil tout le poids de leurs souvenirs, — un roi des Français, fils de cette lignée populaire des Orléans qui entend composer avec la Révolution, — des tribuns qui dialoguent avec la foule jusqu'au jour où une Assemblée nationale prend leur place, où un prétendant encore énigmatique se rend maître de l'Assemblée.

Autour d'eux, une foule d'acteurs et de comparses : les ultras de 1815 que déçoivent bientôt les modérations ou les timidités ministérielles; les hommes du Conservateur, les royalistes de la Quotidienne ou du Drapeau blanc en face des doctrinaires des Débats, des libéraux du Constitutionnel; un brusque assaut, en 1820, le jour où le duc de Berry vient de tomber sous le couteau de Louvel, et où, le pied des ministres ayant « glissé dans le sang », les royalistes évincés s'emparent du pouvoir sous la devise : la Charte et les honnêtes gens; une ombre qui, vers le même temps, se lève de l'Océan, cette légende de Napoléon qui vient de mourir à Sainte-Hélène, et qui apporte aux mécontents, aux fils de la Révolution, une sorte de pacte d'alliance sous les espèces de ces écrits qui sont le mémorial de son exil et les témoignages de ses derniers compagnons; la nostalgie de la gloire s'irritant à l'appel de ce grand souvenir, comme si, avec le départ des dernières troupes d'invasion, se confirmait le mot provocant qu'un jeune professeur, Victor Cousin, a jeté du haut de sa chaire à ses étudiants : « Nous n'avons pas été vaincus à Waterloo »; une aventure de gloire entreprise par Chateaubriand : la guerre d'Espagne de 1823; un nouvel hiatus, dans la ligne brisée des événements : Chateaubriand est exclu du ministère; avec lui, une flamme, un prestige quittent la Restauration, se retournent contre elle : celui qui enrôlait au service du trône et de l'autel la jeunesse de la Société des bonnes lettres, des odes et des cantates, a déclaré la guerre au trône, et cette jeunesse, qui porte en elle l'avenir, hésite déjà, quitte à son tour le trône, bientôt l'autel; une autre façon d'être jeune et d'être grand, qu'elle n'avait pas prévue, se révèle à elle avec la découverte de Byron, du grand destructeur, du hors-la-loi-sociale; et cette campagne de Grèce, cette libération du peuple hellène, qui aurait dû servir, à la veille de 1830, la cause de Charles X, tourne à la gloire du byronisme, du libéralisme, de la Révolution. Déjà Hugo n'est plus le poète du duc de Bordeaux ou du Sacre de Charles X; il devient celui de l'ode A la Colonne. Par une voie dont la pente est encore insensible, le Lamennais de l'Essai sur l'indifférence et du Défenseur, qui avait dit : « Dieu et l'autorité », devient celui qui va dire bientôt : « Dieu et la liberté ». A l'heure où il lance sa flotte à la conquête d'Alger, le vieux roi est déjà condamné par les élections, par ses propres ordonnances, par l'impuissance de son ministère Polignac. Une nouvelle équipe politique attend son tour. Elle se forme et s'affirme dans les colonnes du Globe...

Le tableau historique va se dérouler. 1830 n'a pas interrompu son rythme contrasté, où tour à tour les hommes du mouvement et ceux de la résistance l'emportent. Demain ce sera le duel de Thiers et de Guizot; aujourd'hui, au milieu des soulèvements qui sont les dernières convulsions des journées de Juillet, parmi les excès du sac de l'Archevêché ou des émeutes ouvrières de Lyon, ce n'est encore que l'agitation fiévreuse d'un régime mal établi qui cherche son équilibre. Du dehors, l'étranger nous observe; des nationalités comptent sur nous; la Belgique, émancipée de la servitude des traités de Vienne, établit à notre frontière un état ami, et promet enfin une contrepartie à cette sorte de conjuration de l'Europe monarchique qui pèse depuis quinze ans sur la France libérale. Et nous aussi, si nous pouvions abolir jusqu'aux derniers vestiges de ces traités qui ont été signés contre nous ! Mais notre espérance exaltée reçoit, en plein élan, le démenti humiliant des faits : l'Europe est encore liguée contre la France, chaque fois que celle-ci retrouve sa vocation de libératrice des peuples. En cette année 1840, où les cendres de l'Empereur reviennent, au milieu d'une belle illusion d'épopée, la menace d'une guerre se dessine, et d'une guerre où nous serions seuls; l'Angleterre, avec laquelle les hommes de Juillet se flattaient de vivre en entente cordiale, frappe à coups répétés la politique, l'honneur même de ce régime; des deux côtés du grand fleuve, poètes allemands et poètes français se jettent leurs défis par-dessus « le Rhin allemand ». Pour avoir reculé devant l'aventure téméraire, la monarchie de Louis-Philippe est condamnée. Sa sagesse bourgeoise paraît immobilité ou capitulation. La France, frémissante de rêves romantiques, est « une nation qui s'ennuie » : les tribuns du mouvement et de la campagne des banquets vont le répétant. Il suffira du premier incident, de la première faiblesse, pour que le roi des Français soit, à son tour, emporté à l'exil. « Comme un autre en trois jours, il tombait en trois heures », dira Vigny.

Le mouvement et la résistance vont se retrouver, sous d'autres noms, de 1848 à 1851 : c'est le mouvement qui porte Lamartine à cette dictature de la parole et de la gloire, d'où il tombera dans une impopularité besogneuse; c'est lui qui va multipliant les arbres de la liberté, les manifestations en faveur de la Pologne ou de l'Irlande, les provocations à l'Europe; mais la résistance attend son heure : elle va l'avoir avec Louis-Napoléon Bonaparte.

Telle est la trame des événements; mais elle n'est pas toute l'histoire. L'histoire véritable de cette époque est dans « l'éducation sentimentale », qu'ont reçue les successives générations.

LA CATHÉDRALE. Dessin à la plume exécuté par V. Hugo (musée Victor-Hugo). — CL. LAROUSSE.

DEUXIÈME PARTIE

DE LA RESTAURATION AU SECOND EMPIRE (1815-1852)

I. — LES GÉNÉRATIONS ROMANTIQUES

Répertoires bibliographiques : Charles Asselineau, Bibliographie romantique, *1873; L. Derôme,* les Éditions originales des romantiques, *1887; Maurice Escoffier,* le Mouvement romantique, *essai de bibliographie, 1934.*

Une collection de textes romantiques a été publiée sous la direction d'Henri Girard, la Bibliothèque romantique. *Elle était complétée par une série d'*Études romantiques.

Études d'ensemble : Pierre Martino, l'Époque romantique en France (1815-1830), *1945; Maurice Souriau,* Histoire du romantisme en France, *3 vol., 1927-1928; Jean Giraud,* l'École romantique française, *1928; Pierre Moreau,* le Romantisme, *1932.*

Les jugements suscités par le romantisme ont été rarement impartiaux. Voir sur les remous de l'opinion : Henri Girard et Henri Moncel, Pour et contre le romantisme, *bibliographie des travaux publiés de 1914 à 1926, 1928. Parmi les critiques qui en ont dénoncé les dangers : Pierre Lasserre,* le Romantisme français, *1907 (2ᵉ édition, 1922); Ernest Seillière,* le Mal romantique, *1908; Louis Reynaud,* le Romantisme. Ses origines anglo-germaniques, *1926.*

L'histoire de la notion de romantisme implique celle des mots mêmes de romantique *et de* romantisme. *Elle a été faite à plusieurs reprises, notamment par Alexis François,* Où en est « romantique » ? *(*Mélanges *Baldensperger, 1929).*

Le romantisme n'est pas seulement un mouvement littéraire : il est lié à une révolution dans les mœurs et les modes. Voir : Louis Maigron, le Romantisme et les mœurs, *1910; —* le Romantisme et la mode, *1911.*

Par-delà les lettres, il étend son action à tous les arts; il les relie les uns aux autres en correspondances, en relations qui les renouvellent les uns par les autres (voir : Prosper Dorbec, les Lettres dans leurs contacts avec l'atelier du peintre, *1929). Sur ce que fut, dans son ensemble, l'art romantique,* voir un ouvrage collectif de Louis Hautecœur, Paul Vitry, Paul Jamot, André Joubin, Henri Focillon, René Schneider, Léon Rosenthal, Adolphe Boschot, etc. *:* le Romantisme et l'art, *Laurens, 1928.*

Plus particulièrement, sur l'apport du romantisme à la peinture et de la peinture au romantisme : Léon Rosenthal, la Peinture romantique, *1900; Raymond Escholier,* Delacroix, peintre, graveur, écrivain, *3 vol., 1929 (on consultera le* Journal *de Delacroix, édité par André Joubin; 3 volumes, 1932).*

Sur les romantiques et la musique : F. Baldensperger, Sensibilité musicale et romantisme, *1925; Julien Tiersot,* la Musique aux temps romantiques, *1930, et la* Chanson populaire et les écrivains romantiques, *1934; Raymond Leslie Evans,* les Romantiques et la musique, *1934; Adolphe Boschot,* la Jeunesse d'un romantique, Hector Berlioz, *1906, et* Un romantique sous Louis-Philippe, Hector Berlioz, *1908. (Voir les* Mémoires *d'Hector Berlioz.)*

Les caractères divers du romantisme ont donné lieu à des études particulières; soit qu'on en ait distingué les premiers ébranlements dans la tradition des théosophes et des illuminés (Auguste Viatte, les Sources occultes du romantisme, *2 vol., 1928); soit qu'on ait décrit son aspect « troubadour » (Jacoubet,* le Genre troubadour et les origines françaises du romantisme, *1928); soit encore qu'on ait fait le tableau de ses curiosités exotiques (Pierre Jourda,* l'Exotisme dans la littérature française depuis Chateaubriand. Le Romantisme, *1938). Sur ses orientations politiques : André Joussain,* Romantisme et politique, *1924; Jacques Poisson,* le Romantisme et la souveraineté. *Enquête bibliographique sur la philosophie du pouvoir pendant la Restauration et la monarchie de Juillet, 1931. Sur les puissances de rêve qu'il recèle, et qui, en Allemagne comme en France, l'ont amené jusqu'à des formes toutes proches du surréalisme le plus moderne : Albert Béguin,* l'Ame romantique et le rêve. *Essai sur le* romantisme allemand et la poésie française, *1937*. *Sur les affinités qui permettent aux tendances romantiques de rejoindre certaines de celles qui les ont précédées ou suivies* : Georges Pellissier, le Réalisme du romantisme, *1912* ; *Pierre Moreau,* le Classicisme des romantiques, *1932*.

Le mouvement des idées littéraires, la fièvre des controverses sur l'art méritent à cette époque le nom de « bataille romantique ». C'est la Bataille romantique *que Jules Marsan a étudiée en deux volumes, 1912-1924.*

Sur les milieux, salons, témoins ou acteurs de la vie littéraire, la série des conférences de Funck-Brentano, Mme Pailleron, Paul Reynaud, Henry Bidou, etc. : la Vie parisienne à l'époque romantique. Salons et cénacles romantiques ; *Léon Séché,* Muses romantiques, *1910* ; *Marcel Bouteron,* Muses romantiques, *1934* ; *Jean Balde,* Madame de Girardin, *1913.* Le Journal *d'Eugénie de Guérin traduit la vie repliée et ardente d'une âme provinciale de ce temps (*Journal et fragments, *1862* ; Lettres, *1864.* *Voir Mgr Barthès,* Eugénie de Guérin, *1929).*

Pour imaginer la vie d'autres milieux, de cette bohème souvent truculente et turbulente, parfois douloureuse, qui s'agita de l'impasse du Doyenné (avec Théophile Gautier, Gérard de Nerval) jusqu'aux tavernes du Quartier Latin, on évoquera l'existence des petits romantiques grâce à : E. Asse, les Petits Romantiques, *1900* ; *Henri Lardanchet,* les Enfants perdus du romantisme, *1905* ; *Jules Marsan,* la Bohème romantique, *1929.*

*Mais il importe surtout de retenir les témoins directs de l'époque, les relations qui tiennent plus des mémoires que de l'histoire (*Théophile Gautier, Histoire du romantisme, *1874), les journaux intimes (*Fontaney, Journal intime, *p. p. R. Jasinski, 1925* ; *Ferdinand Denis,* Journal, *p. p. Pierre Moreau, 1932), les souvenirs des salons ou des milieux littéraires (*Mme Ancelot, *les* Salons de Paris, *1858* ; *Philarète Chasles,* Mémoires, *1876* ; *E. Legouvé,* Soixante ans de souvenirs, *2 vol., 1886-1887* ; *comtesse d'Agoult [Daniel Stern],* Mes souvenirs, *1877* ; *Auguste Barbier,* Souvenirs personnels, *1883* ; *Édouard Fournier,* Souvenirs poétiques de l'école romantique, *1880* ; *Victor Pavie,* Souvenirs de jeunesse et revenants, *1887* ; *Véron,* Mémoires d'un bourgeois de Paris, *1853-1866, etc.).*

LA GÉNÉRATION DE 1815

Sur le débat romantique entre 1815 et 1830 : René Bray, Chronologie du romantisme, *1932* ; *Edmond Eggli et Pierre Martino,* le Débat romantique en France (1813-1830). Pamphlets, manifestes, polémiques, *t. I, 1933. Sur la part prise par la presse à ce débat et sur les organes qui ont favorisé ou combattu le romantisme :* Ch. M. Des Granges, la Presse littéraire sous la Restauration, *1907* ; *Helen Maxwell King,* les Doctrines littéraires de la Quotidienne, *1920* ; *le* Conservateur littéraire, *réédité par J. Marsan, 1920 et suiv., 4 vol. parus, Société des textes français modernes ; la* Muse française, *réédité par Jules Marsan, 2 vol., Société des textes français modernes, 1907-1909* ; *Ph. Gonnard,* Benjamin Constant et le groupe de la Minerve *(Revue bleue, 1913)* ; *Petric,* le Groupe littéraire de la Minerve française, *1927. On a particulièrement dégagé la part qui revient, dans l'avènement du romantisme, à l'influence de Mme de Staël :* Jan Allan Henning, *l'*Allemagne de Mme de Staël et la polémique romantique, *1929.*

*Mais il faut distinguer les divers milieux qui ont été les foyers de romantismes divers : romantisme provincial des Jeux Floraux (*Joseph Dedieu, le Romantisme à Toulouse, les Annales romantiques, *1913)* ; *romantisme royaliste et chrétien, qui crut d'abord trouver ses chefs dans les Alexandre Soumet, les Jules de Rességuier (*Anna Beffort, Alexandre Soumet, sa vie, ses œuvres, *1908* ; *Paul Lafond,* Jules de Rességuier et ses amis, *1910)* ; *et surtout ce groupe de la* Muse française *(*Léon Séché, le Cénacle de « la Muse française », *1908* ; *Irving Stone,* la Fin de « la Muse française », *Revue d'Histoire littéraire, 1929), qui choisit pour foyer poétique le salon de Charles Nodier (*Michel Salomon, Charles Nodier et le groupe romantique, *1908)* ; *fidèles de Chateaubriand, du trône et de l'autel, qui n'acceptent le romantisme que pour sa propagande légitimiste, et qui, demain, le rejetteront s'il se compromet dans la rébellion byronienne et la Révolution (*Margaret H. Peoples, la Société des bonnes-lettres, 1821-1830, *1923)* ; *jeunesse royaliste et chrétienne encore, mais alliée à quelques voltairiens, et encline au libéralisme, qui s'assemble autour d'Émile Deschamps (*Henri Girard, Émile Deschamps, 1791-1871, *1921), ou, bientôt, autour de Sainte-Beuve (*Léon Séché, le Cénacle de Joseph Delorme, 1827-1830, *2 vol., 1911)* ; *groupe du Globe, plus doctrinaire, acquis au « juste milieu », et qui prépare l'esprit et la politique de la monarchie de Juillet, tout en prônant un romantisme plus curieux d'idée étrangère et de cosmopolitisme qu'exalté d'inspiration poétique (*Pierre Trahard, le Romantisme défini par « le Globe », *1924)* ; *cénacle d'esprits froids, caustiques et pénétrants, qui ne demandent pas à la nouvelle littérature et à l'art nouveau la chaleur d'un enthousiasme ou l'exaltation d'une foi, mais l'exercice de leur esprit critique, une connaissance plus avertie de l'homme, vrai cénacle stendhalien auquel le curieux Delécluze ouvrit son salon (*Delécluze, Souvenirs de soixante années, *1862* ; Journal de Delécluze (1824-1828), *p. p. R. Baschet, 1948* ; *René Baschet,* E. J. Delécluze, témoin de son temps, *1942).*

En dehors du Racine et Shakspeare *de Stendhal, de la préface de* Cromwell, *de celle de l'*Othello *de Vigny, les principaux manifestes romantiques de cette période sont l'article d'Alexandre Guiraud,* Nos doctrines, *dans la* Muse française *(1824), et la préface des* Études françaises et étrangères *d'Émile Deschamps (1828), rééditée par Henri Girard, 1923.*

Le rôle que l'Université a joué dans la formation de cette génération de 1815 ou de 1820 a été mis en lumière par Adrien Garnier, Frayssinous, son rôle dans l'Université sous la Restauration, *1925.*

CHARLES NODIER en 1824. Peinture de Paulin Guérin. — CL. LAROUSSE.

La génération de 1815 est plus sensible encore que celle de René, et plus frémissante. L'ennui la tourmente plus cruellement, parce que, après la chute de Napoléon, elle n'a plus pour se divertir les dangers des batailles et l'enivrement des victoires. Elle est moins disposée à se soumettre aux lois sociales, plus prompte à faire du « moi » la mesure de l'univers. C'est ce « moi » orgueilleux et tourmenté qu'elle va chercher à exprimer : les artistes, abandonnant enfin les formes que leur léguait le passé, traduiront en œuvres de beauté leurs émois : et dès lors une nouvelle période commence dans l'histoire de nos lettres.

Pour que le romantisme arrive à prendre de lui-même une conscience exacte, il faudra bien des années, bien des efforts. On voit la date de la victoire, et c'est après la bataille d'*Hernani*, en 1830; on voit mal le moment précis où le grand mouvement des âmes en mal de renouveau, qui date de plus d'un demi-siècle, aboutit à une doctrine achevée. Au moins peut-on connaître quelques-uns de ces groupements qui donnent confiance aux jeunes auteurs, partis à la conquête du public, quelques-unes de ces chapelles où l'on est heureux de célébrer, entre fidèles, un culte encore mal défini, mais fervent. Il y avait aux premiers jours de la Restauration un curieux homme, plein de talent et de fantaisie, d'une activité intellectuelle inlassable, sans cesse avide d'acquérir pour donner, excellent connaisseur du passé et très ami des nouveautés, fussent-elles paradoxales : c'était Charles Nodier. Il était capable d'entreprendre aussi bien des compilations savantes que des romans très romanesques, des traductions de Shakespeare aussi bien que des études de linguistique. Il avait l'imagination si vive qu'il ne distinguait pas très nettement entre le rêve et la réalité; les héros mélancoliques à la Werther, les brigands éperdus ne le contentaient même pas : l'exotisme, le satanisme, le vampirisme tentaient sa curiosité. Au reste, il se déguisait seulement; et de ses déguisements, il était le premier à rire.

Or Charles Nodier, au mois d'avril 1824, fut nommé bibliothécaire de l'Arsenal. Il ouvrit son salon aux jeunes écrivains, dont il se faisait volontiers l'animateur; il y venait aussi des artistes, peintres, graveurs, musiciens : artistes et écrivains auront à soutenir les mêmes combats. La fille du maître de la maison, Marie, s'accompagnant elle-même au piano, chantait les premières romances romantiques. On dansait; surtout, on causait; on démolissait les vieilles bastilles et on fondait la littérature nouvelle, en causant. Il y avait là des écrivains demeurés sans gloire, qui n'ont rien laissé de durable; à côté d'eux, des talents distingués, qui ne mûrirent qu'à moitié, comme cet Arvers qui soupira pour Marie Nodier le sonnet demeuré fameux :

> Mon âme a son secret, ma vie a son mystère...

Et il y eut aussi Hugo, Vigny, Sainte-Beuve, Musset plus tard; Musset qui, bien longtemps après, devait rappeler les chères soirées où furent applaudis ses premiers vers :

> Gais comme l'oiseau sur la branche,
> Le dimanche,
> Nous rendions parfois matinal
> L'Arsenal.
> La tête coquette et fleurie
> De Marie
> Brillait comme un bluet mêlé
> Dans le blé...
>
> Quelqu'un récitait quelque chose,
> Vers ou prose,
> Puis nous courions recommencer
> A danser...
> Alors dans la grande boutique
> Romantique,
> Chacun avait, maître ou garçon,
> Sa chanson...

Tel fut ce qu'on a coutume d'appeler « le premier Cénacle ». Mais déjà ces débutants avaient, ainsi qu'on doit s'y attendre, leur revue attitrée. Elle s'appelait *la Muse française*, et parut du 18 juillet 1823 à la fin de

UNE SOIRÉE A L'ARSENAL. Eau-forte de Tony Johannot. — CL. LAROUSSE.

juin 1824. Sa devise annonçait fièrement le début d'un nouvel âge d'or : « *Jam nova progenies cœlo demittitur alto.* » Elle était dirigée surtout par Émile Deschamps. C'était un esprit fin, vif, ingénieux, très féru de littératures étrangères, très nourri de nos bons auteurs. Son frère, Antony, était plus sombre et plus passionné : on l'apparentait volontiers à Dante, qu'il aimait et qu'il traduisit. Émile Deschamps avait, pour son compte, l'intelligence assez large et assez souple pour ne renoncer en aucune façon au legs du XVIIIᵉ siècle, et pour s'orienter néanmoins vers l'avenir. Il recevait, lui aussi, les jeunes écrivains dans son salon, rue Saint-Florentin; comme on l'a fort bien dit, « le romantisme débutait sous les auspices d'un sentiment poétique par excellence, l'amitié ».

A feuilleter *la Muse française*, on rencontre, non sans quelque surprise, voisinant avec les novateurs les plus hardis, quelques poètes de la génération précédente comme Brifaut et Baour-Lormian, gloires éphémères de l'Empire. On y trouve aussi les noms d'auteurs qui brillèrent d'un éclat sans lendemain, comme Soumet et Guiraud, qui multiplièrent épopées ou tragédies, sans jamais rien faire de mieux : l'un, que *la Pauvre Fille* (1814); l'autre, que *le Petit Savoyard* (*Élégies savoyardes*, 1823).

N'oublions pas les collaboratrices, les « Corinnes » : Mᵐᵉ Sophie Gay; Delphine, sa fille, qui devait devenir Mᵐᵉ de Girardin; Mᵐᵉ Desbordes-Valmore, celle-ci amante passionnée, mère tendre et vaillante, muse sincère du romantisme.

De nombreux journaux, peu à peu, aidèrent aussi le romantisme à s'affirmer : les *Annales de la littérature et des arts*, le *Mercure du XIXᵉ siècle*, les *Annales romantiques*, *la Quotidienne*, qui présente cette particularité qu'on y fut tour à tour hugophobe et hugolâtre, avec le même acharnement. Dans le nombre, on peut distinguer *le Globe*, fondé en 1824. Non pas que *le Globe* fût romantique, selon les formules premières : il s'en faut de beaucoup. Mais il partait d'un principe nettement énoncé : il voulait « défendre avec mesure, discrétion, le droit des jeunes poètes à l'innovation et le libre-échange entre toutes les littératures », en tenant « la balance égale entre le goût national et les influences étrangères ». Il se dressait donc contre la vieille école; et en critiquant la jeune, à l'occasion, il l'obligeait à préciser son programme. D'autre part, *le Globe* représente

« GRAND CHEMIN DE LA POSTÉRITÉ ». Détail d'une caricature de Benjamin (musée Victor-Hugo). — CL. GIRAUDON.

un apport de sympathies nouvelles : tandis que le romantisme, à l'origine, est catholique et ultra-royaliste, les rédacteurs du *Globe*, pour la plupart des universitaires, sont des libéraux. Avec eux s'annonce un nouveau romantisme, qui sera celui de 1830.

LA GÉNÉRATION DE 1830

Jules Marsan, l'École romantique après 1830 (Revue d'Histoire littéraire, *1916*); *Henri Tronchon*, Une crise d'âmes, 1830 (Revue des cours et conférences, *15 février 1926*). — *Sur l'un des courants d'idées où s'opposent le plus énergiquement deux familles d'esprits de 1830 : ceux qui veulent mettre l'art au service de l'esprit social, ceux qui défendent son indépendance et proclament ses droits sacrés, voir Albert Cassagne,* la Théorie de l'art pour l'art en France, *1906*.

L'année 1830 est une grande date, non seulement dans l'histoire politique, mais dans celle des idées, des lettres et des arts. « Plus qu'une date historique dans le dix-neuvième siècle, dira Ernest Legouvé,... une date morale. » Gautier a célébré, dans son *Histoire du romantisme*, l'explosion de cette année héroïque, et ses parfums vertigineux. « Nous vivions alors, écrira Gérard de Nerval, dans une époque étrange... Nous étions ivres de poésie et d'amour... » Et la nostalgie de cette belle équipée d'une génération demeurera chez les épigones : Banville chantera, dans sa *Ballade des regrets pour l'an 1830* :

O poésie, ô ma mère mourante,
Comme tes fils brûlaient d'un pur amour
Dans ce Paris de l'an 1830...

Ce Paris est parcouru de « Jeune France » aux cheveux mérovingiens, de « bousingots » aux figures d'émeute, de dandys aux élégances provocantes — habitués du Café de Paris et du Théâtre-Italien — de « lionnes » qui mènent la vie à grande allure, de « grisettes » sentimentales, qui pleurent aux mélodrames et rient aux turbulentes facéties de la vie de bohème. Balzac en a décrit les pays, aussi divers entre eux que des terres étrangères, le Quartier Latin, où règnent les Rastignac et les Rubempré, futurs grands hommes, qui n'ont, pour l'instant, que leurs ambitions et leur pauvreté famélique; le Faubourg Saint-Germain, foyer élégant et choisi des souvenirs, des regrets de la France de la Restauration qui se prolonge après

1830; la Chaussée d'Antin, fastueux empire de cette bourgeoisie opulente de finance, de commerce et de politique, qui est la vraie souveraine du régime de Juillet. Chacun de ces mondes distincts a ses foyers, ses organes. Les doctrinaires du « Juste Milieu » se retrouvent au *Journal des Débats* des frères Bertin; le romantisme assagi, informé de cosmopolitisme et d'éclectisme, domine à la *Revue des Deux Mondes*, fondée en 1829, et dont le directeur, Buloz, exerce une sorte de dictature littéraire; les fervents de l'esthétique nouvelle, de la religion romantique de l'art, ont *l'Artiste*...

Entre ces coins opposés de la société, une guerre latente ne cesse de se poursuivre. Pour l'artiste, le bourgeois est « le Philistin », incarné en M. Joseph Prudhomme; les fauves du romantisme, Lassailly, Pétrus Borel « le Lycanthrope », se déchaînent contre la morale sociale et pharisienne de cette classe parvenue. Mais l'esprit bourgeois, peu à peu, envahit les artistes eux-mêmes; avec lui, l'appétit de l'argent et les mœurs mercantiles. La foi un peu folle de 1830 s'éteint en quelques années, dans une société positive, industrielle, où la lutte pour la vie fait sentir cruellement la vanité des beaux mensonges. C'est presque un bilan de faillite que dresse Sainte-Beuve en 1840, quand il écrit son article : *Dix ans après en littérature*.

Deux ou trois ans après, en cette année 1843 qui fut celle des *Burgraves* et de la *Lucrèce* de Ponsard, on ne pouvait plus s'y tromper : le « coucher du soleil romantique », comme dira Baudelaire, était proche.

II. — LA POÉSIE ROMANTIQUE

Voir : Brunetière, l'Évolution de la poésie lyrique en France au dix-neuvième siècle, *2 vol., 1894; Emmanuel Barat,* le Style poétique et la révolution romantique, *1904*.

LAMARTINE

Trois éditions collectives des œuvres de Lamartine ont paru de son vivant : chez Gosselin, 13 vol., 1840 ; chez Furne, 8 vol., 1845-1849 ; chez l'auteur, 40 vol., 1860-1863. Trois autres ont été publiées après sa mort : l'édition des Bibliophiles, 9 vol., 1885-1887; l'édition Lemerre, 12 vol., 1885-1887, et l'édition Hachette, 22 vol., 1900-1907.

*Études d'ensemble : Jules Lemaître,
les Contemporains, 6ᵉ série, 1897;
Ernest Zyromski, Lamartine, poète
lyrique, 1897; Pierre-Maurice Masson,
Lamartine, 1910; Paul Hazard, Lamartine, 1925; Henri Guillemin, Lamartine, l'homme et l'œuvre, 1940, dans la
collection le Livre de l'étudiant.*

*Sur certaines des tendances de la
poésie de Lamartine : Jean Des Cognets,
la Vie intérieure de Lamartine, 1911;
Marc Citoleux, la Poésie philosophique
au XIXᵉ siècle, Lamartine, 1905.*

*Sur certaines des influences qui s'y font
jour : influences du XVIIIᵉ siècle, surtout de Parny, perceptibles dans ses premiers vers : P.-M. Masson, Lamartine et
les deux Éléonores (Revue d'histoire
littéraire, 1913); influences ossianesques:
Poplavsky, l'Influence d'Ossian dans
l'œuvre de Lamartine, 1905; influences
mennaisiennes : Christian Maréchal,
Lamennais et Lamartine, 1907; l'État
présent des études lamartiniennes, 1933,
de Jean Baillou et Ethel Harris offre un
utile précis de la question lamartinienne
à la date de 1933.*

LE CHATEAU DE SAINT-POINT au temps de Lamartine. Gravure de Lemaître, d'après Régnier. — CL. LAROUSSE.

SES DÉBUTS. LES MÉDITATIONS

*Alphonse de Lamartine est né en 1790 à Mâcon. Il
passa dans la maison paternelle de Milly (à une quinzaine de kilomètres de Mâcon) une partie de son enfance.
Il fut élevé auprès de cinq sœurs, ses cadettes, par son
père, gentilhomme campagnard (qui vécut jusqu'en 1840),
et par sa mère (née en 1770, morte en 1829), dont il ne
s'est pas lassé de célébrer l'intelligence, la grâce, la piété.
Il fit ses études à Lyon, à la pension Pupier (1801-1803),
puis à Belley, chez les Pères de la Foi (1803-1808), où il
se lia avec les trois plus chers amis de sa jeunesse, Aymon
de Virieu, Louis de Vignet, Prosper Guichard de Bienassis.
Il vécut ensuite chez son père, à Milly et à Saint-Point.
Pour couper court à une intrigue d'amour de sa vingtième
année, ses parents l'envoyèrent en Italie (1811-1812) : à
Naples, il s'éprit de Graziella. Rentré en Bourgogne, il
trompe son désœuvrement par d'innombrables lectures. En
1814, il entre aux gardes du corps et tient garnison à
Beauvais jusqu'aux Cent-Jours; au
retour de Louis XVIII, il ne se soucie
plus de suivre la carrière militaire.
Depuis sa seizième année, il s'exerçait
à la poésie; il avait composé ou ébauché
des tragédies : Saül, Médée; un poème
épique, Clovis; des élégies. C'est en
septembre 1816, aux eaux d'Aix-les-
Bains, qu'il rencontra la femme du
physicien Charles : « Elvire »; elle
mourut aux derniers jours de l'année
suivante (18 décembre 1817).*

*Il publia sans nom d'auteur, entre
le 4 et le 11 mars 1820, les Méditations poétiques, à Paris, au dépôt
de la librairie grecque-latine-alle-
mande, chez Nicolle, rue de Seine,
nº 12. Il renonça presque aussitôt à
l'anonymat. En 1834, il ajoutera à ce
recueil une préface, Des destinées
de la poésie; en 1849, des « Commentaires » (voir, dans la collection des
Grands Écrivains de la France,
l'édition des Méditations procurée par
Gustave Lanson, 2 vol., 1915).*

LAMARTINE EN 1819. Portrait par V. Auger (B. N., Cab. des Estampes). — CL. LAROUSSE.

*Trois mois après la publication des Méditations, le
6 juin 1820, Lamartine épousa, à Genève, une Anglaise,
Eliza Birch, et partit avec elle pour l'Italie : il venait
d'être nommé attaché à la légation de Naples. Il occupa ce
poste jusqu'en juin 1821, revint en France et publia en 1823
ses Nouvelles Méditations poétiques; de 1825 à 1828, il
vécut en Italie, en qualité de secrétaire d'ambassade à
Florence.*

*Consulter, outre l'ouvrage d'ensemble de Pierre de Lacretelle
sur les Origines et la jeunesse de Lamartine, 1911: Anatole
France, l'Elvire de Lamartine, notes sur M. et Mᵐᵉ Charles,
1893; Léon Séché, Lamartine de 1816 à 1830, 1905;
— le Roman d'Elvire, 1909; René Doumic, Lettres d'Elvire
à Lamartine, 1906; Jean Des Cognets, les Manuscrits de
Lamartine (Revue d'histoire littéraire de la France, 1913);
Paul Hazard, les Influences étrangères sur Lamartine;
les Premières Méditations (Revue des cours et conférences,
1922-1923).*

*La tragédie de Saül, conçue par Lamartine dès 1812,
fut écrite en 1817-1818; voir, dans
la collection de la Société des textes
français modernes, la réédition qu'en
a publiée Jean Des Cognets, 1918.*

Victor Hugo écrivait, le 12 juillet
1830, à Lamartine : « Devéria a
fait de vous un portrait que j'ai trouvé
beau et que je lui ai conseillé de
publier. C'est une grande et noble
figure qui débarbouillera l'idée étrange
que le public devait se faire de vous
d'après tous les petits portraits
coquets, mignards et décolletés qui
couvraient vos éditions. »

Ce serait une étrange erreur, en
effet, de ne voir en Lamartine que
l'élégiaque, que « le poète mourant ».
Il eut toutes les inspirations : les
plus mélancoliques, mais les plus
hautes et les plus vives aussi. Quelle
richesse d'idées et quelle fougue !
Quel large flot de génie! L'histoire
de sa vie dépasse en beauté, en harmonie, la légende que lui-même a créée.

PAGE DE TITRE de la dix-huitième édition des « Méditations poétiques » (1830). — CL. LAROUSSE.

Il charme par la simplicité de son élégance naturelle. Il est serviable, généreux. Il aime, comme il sied à un gentilhomme, la chasse, les chiens de race, les chevaux fougueux; il est « un grand diable de Bourgogne », un « vrai vigneron ». Mais son âme « intarissable » idéalise toutes ses aventures, toutes ses amours. Il s'éprend de son pays, de l'humanité, du Dieu de sa jeunesse toute catholique, puis du Dieu de ses rêves philosophiques; et de chacun de ces amours il se fait une religion. Il vit dans le rêve; mais, « avide d'action et né pour l'action », il n'oublie pas le réel. Ce poète devient avec aisance un diplomate, un orateur parlementaire, un ministre, un tribun; et quand les événements politiques l'auront « écrasé sans l'aplatir », il saura, désenchanté, se garder pourtant pur de fiel. Ainsi il concilie les extrêmes : le vers semble sa langue naturelle et il est un de nos plus excellents prosateurs; il est le poète séraphique : mais quel satirique il serait, s'il daignait multiplier ses « morsures de cygne »!

Homme de lettres, il le fut très peu. « La poésie n'était pas mon métier; c'était un accident, une aventure heureuse, une bonne fortune dans ma vie. » Il s'avoue avec désinvolture « incapable du pénible travail de la lime et de la critique sur soi-même ». Il y a du vrai dans les dires naïvement orgueilleux de sa Préface des Recueillements, où il se donne comme écrivant ses vers d'un seul jet : son cœur dicte, sa plume obéit.

Et pourtant, le « Lamartine ignorant qui ne sait que son âme » n'est qu'un mythe. Au jour où il publia les Méditations, il y avait quinze ans et plus que le jeune poète étudiait nos classiques, et Voltaire, et Jean-Jacques, et les auteurs étrangers; il y avait douze ans qu'il avait com-

mencé à versifier à la façon de Parny. Ces « quatre petits livres d'élégies » qu'il avait failli donner au public en 1816 étaient déjà les fruits d'un long apprentissage. Il a exécuté bien des gammes avant de trouver ses pures harmonies.

Sa poésie est surtout musique : une musique fluide, suave, éolienne. Mais du chant mélodieux, angélique, il s'élèvera au chant viril, tumultueux, vibrant de mâles pensées. Sous la poussée de sentiments intenses débordant de son âme magnifiquement expansive, il ajoutera à sa lyre, lui aussi, « une corde d'airain ». On lui fait tort si l'on s'obstine à ne voir en lui que « le chantre d'Elvire ».

Mais le jour où le chantre d'Elvire se révéla demeure, dans l'histoire de nos lettres, à jamais mémorable. « Non, écrira Sainte-Beuve quarante-cinq ans plus tard, ceux qui n'en ont pas été témoins ne sauraient s'imaginer l'impression vraie, légitime, ineffaçable que les contemporains ont reçue des premières Méditations de Lamartine au moment où elles parurent. » Victor Hugo, alors âgé de dix-huit ans, s'écriait dans le Conservateur littéraire : « Voici donc enfin des poèmes d'un poète, des poésies qui sont de la poésie. »

En effet, la poésie de l'âge précédent était tout mécanisme : celle-ci est tout sentiment. Et le sentiment chez Lamartine est très complexe : chaste et ardent à la fois, s'il évoque les misères et les grandeurs des amours humaines; avide de sécurité et tout ensemble plein de trouble, si le poète parle de la nature, de la mort ou de Dieu. Cette poésie à peine matérielle, imprécise comme le rêve, vibration pathétique qui caresse et qui berce, éveille dans les âmes des résonances sans fin.

Avec un tact très sûr, Lamartine a éliminé de ses Méditations les traits biographiques trop précis, les confidences trop personnelles. On sait d'ailleurs aujourd'hui que la malade d'Aix-les-Bains, pâle et charmante « avec ses bandeaux noirs et ses yeux battus », n'est pas la seule amante qu'il ait chantée sous le doux nom d'Elvire : la pièce intitulée A Elvire, qui développe un thème épicurien, s'adresse à Graziella; l'Automne fut inspiré par la jeune Anglaise que Lamartine devait épouser. Poésie et vérité se fondent dans ses vers avec délicatesse : il ne retient que l'éternel.

Il n'est point, sans doute, dans notre poésie, de pièces qui soient plus célèbres en France et à travers le monde que celles dont se compose le mince recueil des premières Méditations. Autant peut-être que le Lac, que le Vallon, que l'Isolement, les compositions religieuses et morales, l'Homme, le Désespoir, la Prière, la Foi, méritent cette universelle renommée : Lamartine a rendu à la poésie sa dignité et sa vertu le jour où il y a réintégré les spéculations qui dirigent la vie et qui tentent d'expliquer la mort.

On s'est attaché à déterminer les sources des Méditations : beaucoup de rapprochements ingénieux ont permis de mesurer exactement ce que Lamartine doit à ses devanciers. Cette enquête, loin de l'amoindrir, le grandit. Elle permet de souligner l'originalité de son tempérament poétique, l'indépendance de sa pensée. En face de Byron, qui séduit tant de jeunes romantiques et les entraîne dans son torrent de révolte, il représente les besoins spiritualistes, les exigences d'un christianisme héréditaire, l'appel du « dieu tombé qui se souvient des cieux ». Entre les classiques qui s'attardent et les premiers débordements de l'imagination romantique, il est à la fois héritier du passé et créateur d'une poésie nouvelle, « classique parmi les romantiques », comme l'appelle Victor Hugo en 1820. C'est qu'il n'est ni d'une école ni d'un poncif. Qu'on allègue tour à tour comme ses inspirateurs le Psalmiste, Ossian, Pétrarque, Rousseau, Parny, Chateaubriand, et tant d'autres auteurs, depuis l'Anglais Young jusqu'au Portugais Manoël, la véritable source des Méditations n'en reste pas moins la vie sentimentale du poète. On peut reconnaître au passage dans ses pièces maintes

ALPHONSE DE LAMARTINE. Portrait exécuté par François Gérard vers 1830 (musée de Versailles). — CL. NEURDEIN.

réminiscences, voire déceler bien des emprunts conscients. Mais où trouver le même pathétique? la même sincérité? la même qualité d'âme? Où trouver une œuvre qui traduise mieux, pour employer une expression qui est de Lamartine lui-même, « ce qu'il y a de plus intime dans le cœur et de plus divin dans la pensée »?

DES « MÉDITATIONS » AUX « HARMONIES »

On lit, dans une lettre de Lamartine à son ami Virieu, datée du 15 février 1823 : « Je viens de vendre 14 000 francs comptant mon deuxième volume des Méditations; *ayant vendu mon livre, il a bien fallu le faire. » En réalité, Lamartine ne faisait guère, depuis deux ans qu'il était revenu de l'Italie à Saint-Point, qu'achever et ordonner des pièces déjà composées ou ébauchées.*

Ses Nouvelles Méditations *parurent en novembre; le mois précédent, il avait publié son poème de la* Mort de Socrate *(voir G. Lanson,* le Manuscrit de « la Mort de Socrate », *dans les* Mélanges offerts à M. Émile Picot, 1913). *En 1825, Lamartine donna le* Dernier Chant du Pèlerinage d'Harold *(voir* Edmond Estève, Byron et le romantisme français, *1907). Les* Harmonies poétiques et religieuses *parurent en juin 1830 (voir* Gustave Allais, *le* Lyrisme de Lamartine dans les « Harmonies », *article de la* Revue d'histoire littéraire de la France, *1910).*

Les *Nouvelles Méditations* reprennent quelques-uns des thèmes des premières : le poète évoque à nouveau, épuré par le temps, le souvenir d'Elvire. Mais il trouve aussi des accents inentendus pour célébrer son bonheur d'époux, l'enchantement d'un rêve vécu parmi les parfums de l'Italie, en pleine lumière. Enivré d'une volupté nuptiale et chaste, il bénit la vie et parfois il emprunte à la poésie biblique ses tons les plus ardents pour exalter l'amour. Quand, sur la terre italienne, il se remémore le pays natal et qu'avec nostalgie il évoque le décor heureux de son enfance, sa peinture est plus précise que naguère, plus réelle :

> Oui, je reviens à toi, berceau de mon enfance,
> Embrasser pour jamais tes foyers protecteurs!
> Loin de moi les cités et leur vaine opulence!
> Je suis né parmi les pasteurs.
>
> Enfant, j'aimais comme eux à suivre dans la plaine
> Les agneaux, pas à pas, égarés jusqu'au soir,
> A revenir comme eux baigner leur blanche laine
> Dans l'eau courante du lavoir...
>
> J'aimais les voix du soir dans les airs répandues,
> Le bruit lointain des chars gémissant sous leur poids
> Et le sourd tintement des cloches suspendues
> Au cou des chevreaux dans les bois.

Dans *la Mort de Socrate*, Lamartine fait du sage antique une sorte de prophète du Christ : « On sent déjà dans les entretiens de Socrate, dit l'Avertissement, comme un avant-goût du christianisme près d'éclore. » Dans *le Dernier Chant du Pèlerinage d'Harold*, il interprète à sa guise l'un des plus beaux poèmes de Byron, pour rendre hommage à « la plus grande nature poétique des temps modernes » : au lieu de l'irréligion affectée par Byron et

LE PREMIER REGRET. Frontispice de Tony Johannot pour les « Harmonies » (édition des « Œuvres complètes » de Lamartine parue en 1850 chez Gosselin et Furne). — CL. LAROUSSE.

de son scepticisme impénitent, il lui prête, à son heure dernière, comme un désir de retour à la foi chrétienne. Ainsi il idéalise, selon son sentiment de chrétien, la figure du philosophe grec et celle du poète anglais.

La même inspiration anime le recueil des *Harmonies poétiques et religieuses*. Lamartine veut les consacrer

> Au seul digne, au seul saint, au seul
> [grand, au seul bon.

Il avait songé à les intituler *Psaumes modernes*. Ce sont, en effet, le plus souvent des psaumes, des cantiques, des hymnes, d'une profusion triomphante, intarissable, qui illustrent le *Cœli enarrant gloriam Dei*. Dans *le Chêne*, dans *l'Humanité*, où se développent de majestueux symboles, c'est un poète philosophe qui se manifeste. De même dans *l'Hymne à la Douleur*, tout imprégné d'une poignante sincérité.

Pour Lamartine, en effet, la douleur fut toujours principe d'énergie : chacun de ses deuils, le tirant brusquement de son rêve, l'a relancé vers l'action.

De nouvelles inspirations se font jour, qui inquiètent ses amis de naguère. Ce poète chrétien n'est-il pas tenté par le panthéisme? Il est aisé, en les détachant, en en sollicitant le sens, de tirer de ses *Harmonies* plus d'un vers panthéiste. Jamais il n'acceptera cette imputation; mais une philosophie vague, où se mêlent des reflets de germanisme et, déjà, d'Orient, noie la pensée religieuse qui lui dictait autrefois les méditations de *l'Immortalité* ou de *Dieu*.

Plusieurs de ses *Harmonies* sont des pièces politiques. Les jours de 1820 sont loin déjà où il professait un royalisme intransigeant : sa doctrine, ou plutôt son idéal, a grandement évolué. Il est attiré désormais par l'idée de liberté et s'oriente vers la République. Aussi adjure-t-il les royalistes, au nom de la religion du Christ comme au nom de la raison, de ne pas s'entêter dans la réaction, d'aider au progrès moral et social, de ne pas entraver « la marche de l'humanité vers le but de sa destinée divine ». Cette profession de foi et cette exhortation, il les exprime dans son poème, *les Révolutions;* et il fait de ces strophes hardies et confiantes la dernière des *Harmonies*.

LE VOYAGE EN ORIENT

Les Souvenirs, impressions, pensées et paysages pendant un voyage en Orient *(1832-1833) ou* Notes d'un voyageur *ont paru en 1835 (4 vol.). Voir* Christian Maréchal, *le* Véritable Voyage en Orient, *1908 — Sur l'ensemble des voyages de Lamartine, voir* Robert Mattlé, Lamartine voyageur, *1935.*

Dès 1826, Lamartine avait écrit : « J'ai plus de politique que de poésie dans la tête. » Trois ans plus tard, comme Victor Hugo lui avait souhaité dans une de ses lettres l'accès de la tribune, il lui répondait : « Nous voulons l'ordre et nous estimons la liberté; nous respectons ce qui est respectable du passé; nous espérons ce qui est désirable de l'avenir; nous savons surtout que la politique est une science expérimentale. » La Révolution de 1830 le décida. En mai 1831, il se présenta à la députation dans les Flandres, à Bergues : une de ses sœurs, qui habitait le pays, avait préparé sa candidature. Il échoue.

Il se dispose alors à visiter l'Orient : « Un voyage est une action, écrira-t-il plus tard; on ne sait que ce qu'on a vu. » Il part le 18 juillet 1832, emmenant sa famille et toute une suite : il va vers le berceau des religions, vers le pays merveilleux du soleil. La Grèce et le Bosphore le transportent, puis le désert, « miroir de l'infini ». Devant les ruines de Balbek, devant les cèdres plusieurs fois centenaires du Liban, qu'il ne voit que de loin, son imagination se familiarise avec l'énorme. Il élargit ses horizons et son âme. Brusquement, la mort de sa fille, âgée de dix ans, Julia, qu'il avait laissée à Beyrouth tandis qu'il partait pour Jérusalem, le frappe en plein cœur. Il regagne la France, meurtri et désenchanté, plus incertain encore qu'au départ de sa foi religieuse. Il ne l'a pas retrouvée au tombeau du Christ. Le poète chrétien qu'il avait paru être ne résistera pas longtemps aux sollicitations de l'époque, à celles de ses amis de la libre pensée, comme ce Dargaud dont M. Des Cognets a montré l'influence insistante sur le poète.

Durant son absence, le siège de député de Bergues, qu'il avait vainement brigué naguère, était devenu vacant; et la nouvelle lui était venue en Orient que cette fois les électeurs l'avaient choisi pour les représenter. Il écrit en octobre 1833 : « Je suis anéanti, perdu; j'ai vécu; je ne désire que respect et silence, et malheureusement il faut peut-être que j'aille m'asseoir sur un banc politique pendant quelques mois. » Mais une fois de plus, pour son « cœur sans repos », la douleur sera un stimulant. Quelle perspective que l'activité politique pour un idéaliste tel que lui! L'action n'est-elle pas une poésie réalisée, la plus sublime de toutes les poésies?

JOCELYN. LA CHUTE D'UN ANGE

Ces deux poèmes, on le verra plus loin, sont deux fragments d'une vaste épopée philosophique et cyclique de l'humanité, les Visions, *dont il reste quelques autres débris, notamment un épisode inachevé des* Chevaliers. *Voir Henri Guillemin, édition critique des* Visions, *1936.*

Lamartine a raconté dans ses Confidences *et ses* Nouvelles Confidences *comment il a poétisé dans* Jocelyn *une aventure de jeunesse de son ami l'abbé Dumont, curé de Bussières. Il a commencé à travailler à ce poème en 1831, s'est remis à la tâche à son retour d'Orient, l'a achevé en 1835. C'est en 1836 que paraît, chez Furne et Gosselin, en 2 vol. in-18,* Jocelyn, *épisode trouvé chez un curé de campagne. Aux éditions qui suivront, il joindra un « Post-scriptum » pour se défendre contre le reproche de s'en être pris au célibat des prêtres et contre des accusations d'hétérodoxie et de panthéisme. En 1839, pour plaire aux lecteurs qu'attristait un dénouement trop sombre, il en publie un autre, l'épilogue selon lequel les âmes de* Jocelyn *et de* Laurence *s'unissent au ciel.*

Voir : Christian Maréchal, Jocelyn *inédit, 1909; Henri Guillemin, le « Jocelyn » de Lamartine, étude historique et critique, avec des documents inédits, 1936.*

La Chute d'un ange parut en mai 1838. Voir Georges Ascoli, la Chute d'un ange, dans la Revue latine, 1907.

Unissant la force et la douceur, *Jocelyn* déroule une idylle originale, la légende douloureuse des « des-

LAMARTINE ET LADY STANHOPE. Frontispice du « Voyage en Orient » (édition des « Œuvres complètes » parue de 1836 à 1840 chez Gosselin et Furne). — CL. LAROUSSE.

tinées brisées »; mais il exalte aussi l'acceptation des épreuves, le sacrifice virilement consenti. Lamartine a situé l'action à l'époque de la Révolution, dans un décor qu'il connaissait bien, celui des Alpes de Savoie. De grands paysages y apparaissent, ondoyants et frémissants,

Tout bleus, tout nuancés d'éclatantes couleurs,
Tout trempés de rosée et tout fragrants d'odeurs.

Le grand mérite de *Jocelyn*, suivant Sainte-Beuve, est qu'il mêle à la poésie grandiose des cimes alpestres la poésie des humbles cœurs; il semblait au critique que Lamartine avait donné à la France une épopée d'un genre nouveau, familière et populaire, dont le curé de village était le héros, et il souhaitait que *Jocelyn* devînt pour la France ce que *l'Odyssée* avait été pour la Grèce. Trop d'éléments hétérogènes se sont fondus dans ce poème pour que le vœu de Sainte-Beuve se soit réalisé. Du moins, Sainte-Beuve ne s'est-il pas trompé sur la sincérité profonde de Lamartine : ce sont, en effet, ses propres sentiments que le poète prête à Jocelyn, choisissant parmi les plus tendres souvenirs de son enfance et de sa jeunesse. Il y confesse ses pieuses extases du temps où il était écolier à Belley, l'éveil de son cœur à l'amour, son goût pour la nature riante ou sauvage. La mort de la mère de Jocelyn, les funérailles de Laurence ne sont-elles pas l'évocation la plus émouvante de la mort et des funérailles de la mère du poète? Jocelyn sous les fenêtres de Laurence, n'est-ce pas Lamartine devant la maison

JOCELYN. Illustration de Tony Johannot (édition de 1850 des « Œuvres complètes »). — CL. LAROUSSE.

d'Elvire ? Dans cette narration toute débordante de lyrisme, le vers alexandrin ne suffit pas toujours au poète ; parfois il l'abandonne et des stances jaillissent. C'est l'hymne au Printemps, c'est l'hymne au Travail, c'est l'hymne aux Laboureurs :

> Et les hommes ravis lièrent
> Au timon les bœufs accouplés,
> Et les coteaux multiplièrent
> Les grands peuples comme les blés,
> Et les villes, ruches trop pleines,
> Débordèrent au sein des plaines,
> Et les vaisseaux, grands alcyons,
> Comme à leurs nids les hirondelles,
> Portèrent sur leurs larges ailes
> Leur nourriture aux nations.

Jocelyn n'était, dans le dessein de Lamartine, qu'un épisode d'une vaste épopée. Il avait communiqué cette idée à Virieu dès 1823 ; il lui écrit en 1826 : « Je viens d'être enfin inspiré tout de bon ; j'ai conçu l'œuvre de ma vie..., un poème immense comme la nature, intéressant comme le cœur humain, élevé comme le ciel. » Il avait imaginé cette fiction : un ange déchu, Cédar, s'est épris d'une mortelle, Daïdha ; par la force de la pitié et de l'amour, il est devenu un homme. Dieu consent à cette métamorphose, mais Cédar devra passer, à travers les temps, par des réincarnations sans fin : il symbolisera la lente ascension de l'âme humaine vers la beauté et la vérité. L'épopée symbolique, à tendances humanitaires, répondait bien au goût du temps : Edgar Quinet, compatriote et ami de Lamartine, n'avait-il pas publié dès 1833 son *Ahasvérus* ? Lamartine n'achèvera jamais la sienne : tout au plus en publiera-t-il, dans ses *Nouvelles Confidences*, quelques fragments ; mais en 1839, encouragé par le succès de *Jocelyn*, il en fit paraître un autre épisode, *la Chute d'un ange*.

« Ce poème, a écrit Georges Ascoli, il faut l'explorer comme une forêt vierge. Original, énergique et viril, il doit séduire même ceux qui se plaignent de rencontrer trop souvent dans les poésies de Lamartine la nonchalance monotone d'une âme indécise et trop tendre. Magnifiquement lyrique par la passion qui le conçut et qui l'anime, par l'abondance d'images riches ou brillantes où se peignent, avec l'âme de l'auteur, les pays d'Orient et de longs siècles plus anciens que l'histoire, ce poème se concentre parfois en des morceaux épiques d'invention hardie, grands d'allure comme de larges fresques, où le détail souvent étrange, apocalyptique, révèle l'invention puissante, déconcertante, d'un auteur plus qu'humain. »

Le souffle social dont frémissait mainte page de *Jocelyn* soulève encore dans *la Chute d'un ange* la pensée du poète et anime ses « Paroles d'un croyant ». La VIIIe Vision formule en vers vigoureux les articles de la foi nouvelle de Lamartine : Dieu est dans tout ; l'amour est la loi du monde ; il faut aimer fraternellement tous les hommes, toutes les créatures.

Hugo et Leconte de Lisle admiraient tous deux cette épopée inégale et magnifique, paradoxale et puissante, trop souvent méconnue.

LES RECUEILLEMENTS POÉTIQUES

Les Recueillements poétiques *parurent chez Gosselin en 1839, précédés d'une lettre-préface, à laquelle Sainte-Beuve répliqua par un bel article, où il reprochait à* Lamartine *son affectation de prendre à la légère la fonction du poète* (Portraits contemporains, *t. I*). *Plus tard viendront s'ajouter à ce recueil des* Épîtres et poésies diverses. *Voir Jean Des Cognets*, Utopie (Revue d'histoire littéraire de la France, *1913*). *Sur la chronologie des* Recueillements, *Henri Guillemin a publié une étude dans la* Revue des cours et conférences *de 1939*.

Malgré l'échec de *la Chute d'un ange*, qui avait « dépaysé » ses admirateurs, Lamartine revint une fois encore à la poésie. Les *Recueillements* manifestent la transformation profonde de son être. Ce sont des pièces de circonstance, vibrantes et brûlantes comme les sentiments qui les avaient impérieusement dictées : des lettres, des discours, des toasts, des professions de foi, des consolations, des épitaphes. Le poète est ici un animateur qui veut entraîner vers les sommets ses compagnons de route. En plusieurs pièces, il célèbre les morts qui lui sont chers, la duchesse de Broglie, Louis de Vignet, sa fille Julia. Professant un christianisme élargi jusqu'à n'être plus que la religion de l'humanité, il se penche sur ceux qui souffrent et qui peinent ; il renie le temps où il ne pleurait que sa propre douleur. C'est dans la pièce admirable *A M. Félix Guillemardet, sur sa maladie*, qu'il raconte sa conversion sociale :

> Frère, le temps n'est plus où j'écoutais mon âme
> Se plaindre et soupirer comme une faible femme
> Qui de sa propre voix soi-même s'attendrit,
> Où par des chants de deuil ma lyre intérieure
> Allait multipliant, comme un écho qui pleure,
> Les angoisses d'un seul esprit.....
>
> Ma personnalité remplissait la nature :
> On eût dit qu'avant elle aucune créature
> N'avait vécu, souffert, aimé, perdu, gémi,
> Que j'étais à moi seul le mot du grand mystère
> Et que toute pitié du ciel et de la terre
> Dût rayonner sur ma fourmi.
>
> Puis mon cœur, insensible à ses propres misères,
> S'est élargi plus tard aux douleurs de mes frères :
> Tous mes maux ont coulé dans le lac de mes pleurs :
> Et, comme un grand linceul que la pitié déroule,
> L'âme d'un seul, ouverte aux plaintes de la foule,
> A gémi toutes les douleurs.

Mais lors même qu'il chante les douleurs de ses frères, un optimisme impénitent subsiste en lui, et une candeur obstinée : jamais il n'a su, jamais il n'a voulu voir le mal. Le compagnon le plus fidèle de sa destinée a été l'Espoir.

Il aime d'instinct toutes les idées généreuses ; il appelle de tous ses vœux les temps heureux où les haines seront abolies, où tous les hommes s'aimeront en frères dans l'univers apaisé. Anticipant sur l'avenir, le poète d'*Utopie* évoque l'âge d'or de l'humanité ; au *Rhin allemand* de Becker, il répond en 1841 par *la Marseillaise de la Paix* :

> Ma patrie est partout où rayonne la
> [France,
> Où son génie éclate aux regards éblouis.
> Chacun est du climat de son intelligence :
> Je suis concitoyen de tout homme qui
> [pense ;
> La vérité, c'est mon pays !

Désormais il ne composera plus guère de vers. Plus tard, condamné au labeur d'écrire pour gagner sa vie, des retours attristés vers son passé lui dicteront quelques « méditations d'arrière-saison », ses « vrais recueillements », fleurs d'automne exquises, *le Désert* (1856), *la Vigne et la maison* (1857) :

> Ne rejoindrons-nous pas tout ce que nous
> [aimâmes
> Au foyer qui n'a plus d'absent ?

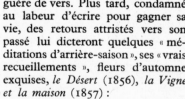

LAMARTINE EN 1844. Dessin de Chassériau (musée du Louvre). — CL. BULLOZ.

LAMARTINE, HOMME POLITIQUE

Les discours de Lamartine ont été recueillis dans la France parlementaire, Œuvres oratoires et écrits politiques *(1864-1865), 6 vol. Voir : Pierre Quentin-Bauchart,* Lamartine, homme politique, *1903; —* Lamartine et la politique étrangère de la Révolution de février, *1907; Louis Barthou,* Lamartine, orateur, *1916; —* Autour de Lamartine, *1925; Ethel Harris,* Lamartine et le peuple, *1932.*

Lamartine serait « un rêveur égaré dans la politique » : c'est vite dit. N'a-t-il pas fait grande figure dans l'histoire, ce noble poète ? Il n'a pas été plus trompé par son « utopie » que d'autres par les calculs positifs de leur égoïsme ou de leur orgueil. Il était naturellement éloquent : encore eut-il soin de perfectionner sa manière par l'exercice. Il débuta à la tribune de la Chambre en parlant de l'Orient, qu'il connaissait pour l'avoir vu. En 1835, il défend la liberté de la presse. Peu à peu, il aborde les questions les plus diverses : tantôt il exprime avec ampleur ses opinions sur l'enseignement secondaire; tantôt il traite des rentes, des chemins de fer, de la propriété littéraire, voire de la question du sucre de betterave, toujours avec compétence. On s'accorde à regarder son discours sur le retour des cendres de l'Empereur (26 mai 1840) comme son chef-d'œuvre. En dénonçant les dangers que ferait courir au régime le réveil de l'enthousiasme napoléonien, il se montrait prophète.

Après avoir « siégé au plafond », car il ne voyait de place pour lui dans aucun parti, jalousement indépendant, plus ambitieux pour ses idées que pour lui-même, il passe décidément à l'opposition. Attendant son heure, « parlant par la fenêtre », c'est à la France qu'il en appelle de la politique étroite du gouvernement; il rêve d'élargir le pays légal par le suffrage universel.

Il lance les images magnifiques à profusion et fait briller « une parole de pourpre et d'or ». Il met une logique nerveuse au service d'une haute raison; et il a, en même temps, des intuitions de génie. Gardant la mesure dans la véhémence, il demeure, à la tribune, fidèle à la muse austère qui lui avait dicté sa réponse à la *Némésis* des pamphlétaires Méry et Barthélemy.

Dès 1843, il travaille à cette *Histoire des Girondins*, qu'il lancera avec un énorme retentissement en 1847. Entraînante, chaude d'éloquence, c'est l'apologie d'une politique plutôt que d'un parti. Il prévoyait une nouvelle révolution, et voulait qu'elle évitât l'ornière sanglante de 93 et les excès du jacobinisme; il rêvait le progrès dans l'ordre.

Membre du gouvernement provisoire de 1848, ministre des Affaires étrangères, il exerça durant trois mois une sorte de dictature oratoire. Parfois au péril de sa vie, il joua un rôle héroïque dans les dures journées révolutionnaires, jusque sur les barricades et face à l'émeute, que surprennent et maîtrisent ses sublimes apostrophes. Sa haute taille dominait la foule. « Les vêtements en lambeaux, le col nu, les cheveux ruisselants de sueur, il sortait, il entrait, plus porté qu'escorté par les groupes de citoyens et de gardes nationaux... » Après l'apothéose, l'échec : le coup d'État du 2 décembre marque la fin de son rôle politique. Naguère :

> ..... tribun de paix soulevé par la houle,
> Offrant, le cœur gonflé, sa poitrine à la foule
> Pour que la liberté remontât pure aux cieux,

LAMARTINE ET LEDRU-ROLLIN revenant de l'Hôtel de Ville, le 15 mai 1848. Lithographie de l'époque (B. N., Cabinet des Estampes). — CL. LAROUSSE.

il ne demande plus que l'oubli dans le silence :

> Que la feuille d'hiver au vent des nuits semée,
> Que du coteau natal l'argile encore aimée
> Couvrent vite mon front moulé dans le linceul!
> Je ne veux de vos bruits qu'un soupir de la brise,
> Un nom inachevé dans un cœur qui se brise :
> J'ai vécu pour la foule, et je veux dormir seul.

LES DERNIÈRES ANNÉES

Le Conseiller du peuple *(mars 1849-2 décembre 1851),* puis le Pays, *qui sont des publications politiques;* le Civilisateur, *périodique où parut la* Vie des grands hommes, *ajoutent peu à la gloire de Lamartine. Son* Cours familier de littérature, *publié par livraisons mensuelles de 1856 à 1869, comprend 168 « entretiens » et forme 28 volumes, d'où ont été extraits en 1872 trois volumes de* Souvenirs et portraits. *(Voir Marie-Starley Hinrichs,* le Cours familier de littérature de Lamartine, *1930.) Cet ouvrage vaut mieux que les compilations hâtives qui s'intitulent :* Histoire de la Restauration *(1851-1853),* Histoire des Constituants *(1854),* Histoire de la Turquie *(1854-1855),* Histoire de la Russie *(1855).* L'Histoire de la Révolution de 1848 *(1849) offre des portraits vigoureux et des scènes pathétiques. On s'attache davantage aux confessions romanesques que le poète appela* Confidences *(1849),* Nouvelles Confidences *(1851),* Mémoires inédits *(1871); à ses romans autobiographiques :* Raphaël, pages de la vingtième année *(1849),* Graziella *(1851); à* Geneviève, histoire d'une servante *(1851); au* Tailleur de pierres de Saint-Point *(1851).*

Valentine de Lamartine a publié en 1873 des Poésies inédites *de son oncle, et sa* Correspondance *(1873-1875, 6 vol.), ainsi que des* Lettres à Lamartine *(1892). Une nouvelle édition de la* Correspondance *postérieure à 1830 a été entreprise par les élèves de M. Levaillant, sous la direction de leur maître (tome I, 1944). M. Guillemin a édité* Lettres des années sombres, *1942;* Lettres inédites, *1946. — Voir : G. Charlier, la* Genèse de Graziella *(Correspondant, 1912); R. de Brémont,* Autour de Graziella, *1931; les* Souscriptions de Lamartine, *dans le* Bulletin de la Société le Vieux Papier, *1918;*

P. et V. Glachant, Papiers d'autrefois, *1899;* C. La-*treille*, les Dernières Années de Lamartine, *1925. Et aussi Maurice Barrès*, l'Abdication du Poète, *1914.*

Dès 1835, Lamartine était ruiné. Sa générosité inconsidérée, son goût du luxe, sa manie de spéculations agricoles et de combinaisons financières l'avaient chargé de dettes : en 1851, le chiffre s'en élevait à cinq millions. Par point d'honneur, se condamnant lui-même aux travaux forcés, il se fit « manœuvre de lettres ». Il passa les jours désolés de sa vieillesse solitaire à écrire sans répit. Il écrivit en prose, car il avait de l'art des vers une trop haute idée pour lui demander un gagne-pain. Il publia, pour sauver Milly et Saint-Point, les *Confidences*, qui donnent de sa vie une image quelquefois embellie, mais toujours délicate et charmante. Il y évoquait avec émotion des figures aimées dans leur milieu pittoresquement ressuscité. Ses courts romans, *Graziella* et *Raphaël*, sont encore des confidences, mais dramatisées. Jouet des illusions et des souvenirs qu'il caresse, Lamartine les poétise. Il ne faut pas prendre ces idylles romantiques pour des histoires tout à fait vraies; au moins ont-elles le charme de la légende. Deux récits pathétiques, le sacrifice de la servante Geneviève et celui de Claude, le tailleur de pierres, procèdent de la même veine : une sympathie vraie pour les humbles, le goût des réalités champêtres, le sentiment de la nature y respirent.

Le *Cours familier de littérature* est un ouvrage trop dédaigné. Tantôt compilateur hâtif, travaillant à coups de ciseaux, fier d'« écrire plus que ses deux secrétaires ne peuvent copier »; tantôt, au contraire, séduisant le lecteur par la grâce souple et noble de son style, l'étonnant par l'acuité de sa pensée et l'abondance de sa lecture, Lamartine y rédige ses *Mémoires d'Outre-Tombe*, mais sans orgueil, sans faste, sans amertume. Après avoir eu tant à souffrir des hommes, il écrit : « Je ne me venge de rien, grâce à Dieu. » Il y parle noblement des écrivains qu'il a connus : avec candeur, sans rancune ni jalousie; il salue les talents naissants : Mistral, à l'apparition de *Mireille*. Guéri de l'utopie, mais confiant dans l'avenir, avec une raison mûrie par la vie, Lamartine fait part à ses trop rares souscripteurs de ce que sa vieillesse savait.

« J'aime mieux mourir de travail que de douleur », disait-il. Malgré ce labeur héroïque, sa détresse s'aggravait. Sur la proposition d'Émile Ollivier, une loi accorda, en avril 1867, « la rente viagère d'un capital de 500 000 francs à M. de Lamartine, à titre de récompense nationale ». Il mourut le 28 février 1869, et fut enterré à Saint-Point, dans le sol natal. Rien ne le caractérise mieux qu'un mot de Théophile Gautier : « Lamartine, c'est la poésie même. »

ALFRED DE VIGNY

Alfred de Vigny publie, en mars 1822, un in-8° de 58 pages intitulé : Poèmes. *Ce volume contient* Héléna, *épopée en trois chants, et trois poèmes antiques, trois poèmes judaïques, trois poèmes modernes.*

Éloa *ou la sœur des anges paraît en 1824.*

Les Poèmes antiques et modernes *(1826) comprennent les poèmes de 1822, moins* Héléna, *et six poèmes nouveaux : le*

ALFRED DE VIGNY. Lithographie de Frey, d'après le portrait de Jean Gigoux. — CL. LAROUSSE.

Déluge, Moïse, Dolorida, le Trappiste, la Neige, le Cor.

En 1829, une édition nouvelle recueille les poèmes précédents et y ajoute Madame de Soubise, le Bain d'une dame romaine, *et la* Frégate « la Sérieuse ».

Paris *(1831) et les* Amants de Montmorency *(1832) sont réunis à l'édition des* Poèmes antiques et modernes *de 1837. Voir, dans la collection de la Société des textes français modernes, les* Poèmes antiques et modernes, *édition critique publiée par Edmond Estève, 1914; les* Destinées, *1924.*

Dans la Revue des Deux Mondes *paraissent, sous le titre général de* Poèmes philosophiques *: la* Sauvage *(15 janvier 1843); la* Mort du loup *(1ᵉʳ février 1843); la* Flûte *(15 mars 1843); le* Mont des Oliviers *(1ᵉʳ juin 1843); la* Maison du berger *(15 juillet 1844); la* Bouteille à la mer *(1ᵉʳ février 1854). Les* Destinées *(1864) comprennent, outre ces six poèmes, les* Oracles, *la* Colère de Samson, Wanda, *l'*Esprit pur *et les* Destinées, *pièce qui donne son nom au recueil. Voir la remarquable édition des* Destinées *publiée par V.-L. Saulnier, Droz, 1947. Le* Journal d'un poète *a été publié par Louis Ratisbonne, en 1867. Nouvelle édition plus complète (F. Baldensperger, t. I, 1935).*

Daphné *a été éditée en 1912.*

Œuvres complètes *1868-1870, 8 vol.; 1903-1908. L'édition F. Baldensperger est en cours de publication depuis 1914. Consulter : E. Dupuy*, Vigny, ses amitiés, son rôle littéraire, *2 vol., 1910-1912; —* Vigny, la vie et l'œuvre, *1913; Ed. Estève*, Vigny, *1923; M. Citoleux*, Vigny. Persistances classiques et affinités étrangères, *1924; Pierre Flottes*, Alfred de Vigny, *1925; la* Pensée politique et sociale de Vigny, *1927; Pierre Moreau, les* Destinées d'Alfred de Vigny, *nouvelle édition, 1946; E. Lauvrière*, A. de Vigny, *1946; G. Bonnefoy*, la Pensée religieuse et morale d'Alfred de Vigny, *1946.*

SA VIE

Lorsqu'il vient au monde, à Loches, le 27 mars 1797, son père, Léon-Pierre de Vigny, ancien officier des armées du roi, est sexagénaire; sa mère, Amélie de Baraudin, approche de la quarantaine; et ils ont perdu trois enfants nés avant lui. Peut-être s'est-il exagéré à lui-même l'antiquité de sa noblesse; mais il est bien la fleur tardive d'une lignée qui s'éteint : « Ces deux sangs nobles, l'un de ma famille paternelle et toute française de la Beauce, et du centre même de nos vieilles Gaules, l'autre d'origine romaine et sarde, ces deux sangs se sont réunis dans mes veines pour y mourir. »

C'est un don funeste que cette aristocratie instinctive, quand on n'est pas riche. C'en est un autre qu'une sensibilité frémissante, prompte à se replier sur elle-même. Enfant, Vigny est choqué par la grossièreté de ses camarades; il souffre en silence, à l'âge des jeux et des rires. « Le temps le plus malheureux de ma vie fut celui du collège, parce que, devançant mes compagnons dans les études, ils étaient humiliés de se voir inférieurs à un plus jeune et me prenaient en haine. Cela me rendit sombre, triste et défiant. »

Comme tous les « enfants du siècle », il rêve de la gloire des armes. A dix-sept ans, il entre dans la première compagnie rouge de la Maison du roi : c'est le moment où les Bourbons viennent de rentrer en France, et où un gentilhomme peut et doit servir le roi. Mais aussitôt arrivent les Cent-Jours. Lorsque Louis XVIII revient et que Vigny est nommé sous-lieutenant au 5ᵉ régiment d'infanterie de la garde, le 4 avril 1816, la vie militaire se réduit pour lui à tenir garnison à Courbevoie, à Vincennes, à Rouen; puis à Strasbourg, comme capitaine. En 1823, il tressaille : l'expédition d'Espagne va lui permettre enfin de combattre; son régiment se met en route. Mais il s'arrête aux Pyrénées; et la vie de garnison recommence, à Oloron, à Pau, à Orthez. Vigny est découragé. Après avoir sollicité congé sur congé, il obtient à trente ans sa mise en réforme. Il est demeuré, dit-il, « entre l'écho et le rêve des batailles ».

L'amour lui fut un autre tourment. Après deux idylles, toutes deux contrariées, il avait épousé à Pau, le 3 février 1825, une jeune Anglaise, Lydia Jane Bunbury. Il était de tempérament passionné et voluptueux de goût; mais il était toute délicatesse dans l'expression, toute réserve dans la tenue. « De Vigny, dit Alexandre Dumas, ne touchait jamais à la terre que par nécessité; quand il reployait ses ailes et qu'il se posait, par hasard, sur la cime d'une montagne, c'est une concession qu'il faisait à l'humanité. » Nul mieux que lui n'a chanté la Pudeur :

> D'où venez-vous, Pudeur, noble crainte, ô mystère
> Qu'au temps de son enfance a vu naître la terre,
> Fleur de ses premiers jours qui germez parmi nous,
> Rose du Paradis, Pudeur, d'où venez-vous ?
> Vous pouvez seule encor remplacer l'Innocence...
>
> (*Éloa.*)

Une fois il aima d'un amour ardent, éperdu, qui lui fit connaître tous les délires, l'actrice Marie Dorval (Voir : Marie Dorval, *Lettres à A. de Vigny*, 1942.) Il exprimera, après la rupture, son amertume infinie :

> Une lutte éternelle, en tout temps, en tout lieu,
> Se livre sur la terre en présence de Dieu
> Entre la bonté d'Homme et la ruse de Femme,
> Car la Femme est un être impur de corps et d'âme...
> . . . .
> Quand le combat que Dieu fit pour la créature
> Et contre son semblable et contre la nature
> Force l'homme à chercher un sein où reposer,
> Quand ses yeux sont en pleurs, il lui faut un baiser.
> Mais il n'a pas encor fini toute sa tâche :
> Vient un autre combat plus secret, traître et lâche;
> Sous son bras, sur son cœur se livre celui-là :
> Et, plus ou moins, la Femme est toujours Dalila.
>
> (*La Colère de Samson.*)

D'instinct, il portait aux lettres une affection si haute que ses livres de prédilection étaient les plus grands : la Bible, Shakespeare. Il se lia d'amitié avec les jeunes écrivains qui avaient conçu le dessein de renouveler la littérature; il parut dans le salon de l'Arsenal. « De tous les oiseaux libres qui prirent leur essor en 1830, dit Barbey d'Aurevilly, c'est le cygne qui partit le premier. » Et Vigny lui-même, dans la Préface à l'édition de 1837 de ses poèmes, rappelle qu'il a fait entendre le premier un

MARIE DORVAL. Lithographie de Frey, d'après Léon Noël. — CL. LAROUSSE.

chant original dans le concert des voix romantiques : « Le seul mérite qu'on n'ait jamais disputé à ces compositions, c'est d'avoir devancé en France toutes celles de ce genre, dans lesquelles une pensée philosophique est mise en scène sous une forme épique ou dramatique... Dans cette route d'innovations, le poète se mit en marche bien jeune, mais le premier. »

Son roman de *Cinq-Mars* (1826), où l'on croit reconnaître un Walter Scott français, est bien accueilli; lorsqu'il fait représenter à la Comédie-Française *Othello* (1829), il a sa bataille et sa victoire. Il est fêté; Victor Hugo, alors, l'aime et l'admire : ce sont peut-être les années les plus heureuses de sa vie. Mais après cette période d'activité et de production, le malheur l'accable. Sa mère est frappée d'une attaque d'apoplexie; sa femme est malade. Il vit dans sa propriété du Maine-Giraud, « quittant la maladie pour le chagrin, et le chagrin pour la maladie ».

Il fait l'épreuve de la souffrance physique. A ces tristesses accumulées, il oppose deux remèdes stoïques : l'âpre joie de la solitude et le labeur de l'esprit. La lampe du penseur solitaire brille tard dans la nuit : « Les heures de la nuit, quand elles sonnent, sont pour moi comme les voix douces de quelques tendres amies qui m'appellent et me disent, l'une après l'autre : « Qu'as-tu?... » Ce sont les heures des Esprits, des Esprits légers qui soutiennent nos idées

LE MAINE-GIRAUD (Charente). — CL. COMM. PAR « LES ANNALES »

sur leurs ailes transparentes et les font étinceler de clartés plus vives... »

Que de fois n'a-t-on pas rappelé cette « tour d'ivoire » où il s'enferme alors! Il ne faut cependant pas abuser de cette métaphore fameuse. Vigny avait le cœur trop haut, trop tendre, et trop humain, pour que sa tristesse devînt misanthropie. Il restait sensible à l'appel de l'amitié; les jeunes écrivains s'adressaient à lui avec confiance, et il ne les décevait pas. Il était accueillant aux esprits d'élite, qu'il savait distinguer : Brizeux, Barbier, Boulay-Paty, Marmier, Turquety, Fontaney, Victor de Laprade, Théodore de Banville. Écoutons encore une de ses confidences les plus touchantes; elle nous montre comment la piété filiale du poète s'accroît de l'ardeur de son dévouement et de la grandeur de ses muets sacrifices : « J'aurais mieux aimé me faire soldat que d'emprunter le moindre argent à mes plus proches parents... Le travail est beau et noble. Il donne une fierté et une confiance en soi que ne peut donner la richesse héréditaire. Bénis soient donc les malheurs d'autrefois, qui ôtèrent à mon père et à mon grand-père leurs grands châteaux de la Beauce, puisqu'ils m'ont fait connaître cette joie du salaire d'ouvrier qu'on apporte à sa mère, en secret, et sans qu'elle le sache! »

Au moment de la Révolution de 1830, il avait conçu l'espoir qu'une société meilleure s'organiserait enfin, dans laquelle l'homme de lettres trouverait sa juste place. En effet, il est accessible aux idées, d'où qu'elles viennent; il partage son admiration entre Lamennais, les disciples de Benjamin Constant et même les novateurs saint-simoniens; il veut être « citoyen de son temps »; il évoque, dans les vers de *Paris*, le grand creuset où, dans le tumulte des contradictions, se façonne un monde nouveau; il entreprend d'écrire des poèmes de la vie présente, les *Élévations*, où il se propose de partir des faits les plus menus de la vie réelle pour s'élever aux grandes idées qu'ils signifient, et à la philosophie du siècle... La révolution de 1848 réveille en lui cet espoir, que le régime de Juillet, avec ses ministres doctrinaires et ses « avocats d'un jour », avait déçu (Vigny ne lui pardonnait pas cet accueil ironique et persifleur qu'il avait reçu du comte Molé, ce 29 janvier 1846 où, après tant d'échecs, il était entré à l'Académie française). Comme la révolution de 1830, la révolution de 1848 le déçoit. Il se présenta, en effet, aux élections de 1848 et de 1849 : mais les électeurs ne voulurent pas d'Alfred de Vigny.

« C'est ainsi que cette âme avide d'indépendance, et qui en aurait eu toutes les fiertés, ne parvint pas à la conquérir sur la Destinée, mais qu'elle goûta une à une l'amertume de toutes les servitudes : servitudes de la race, de la société, de l'argent, de la femme, du corps, de la souffrance physique, jusqu'à la servitude de la mort, qui fut à la fois le dernier signe de son esclavage et son entrée dans la liberté. » (Pierre-Maurice Masson, *Alfred de Vigny*, 1908.) Il mourut le 17 septembre 1863.

L'ANGOISSE PHILOSOPHIQUE D'ALFRED DE VIGNY

La pensée d'Alfred de Vigny n'est pas l'expression d'une doctrine cohérente en toutes ses parties, et systématique; elle reflète, bien plutôt, le combat dont son âme fut le théâtre. Sa conception du monde est pessimiste; mais dans le temps même où il doute, il a la nostalgie d'une croyance. Si bien qu'après avoir affirmé que le mal règne en maître, il ne peut se résoudre à conclure que le mal règne définitivement, et seul. L'idée que le sort de l'humanité s'améliore, ou du moins pourra s'améliorer un jour, lui sourit, en dépit de toutes les raisons qu'il trouve de croire le contraire. Ces deux états d'esprit ne sont même pas successifs en lui; ils coexistent : l'un plus prononcé, celui qui le porte à prendre courageusement son parti du mal universel; l'autre plus secret, mais invincible. Il ne ressemble pas à ceux qui, s'arrêtant dans leur route,

s'aperçoivent qu'ils se sont trompés, et changent brusquement de chemin. Il continue à chercher, après avoir décidé que tout n'est que ténèbres, parce qu'il n'a pu abolir en lui le désir de retrouver des étoiles : et il en retrouve, en effet.

L'homme est condamné au malheur; et cette condamnation s'applique avec une force inexorable aux individus les plus nobles, les plus grands. Sombre philosophie de la destinée qui peut aboutir à la révolte blasphématoire de Byron, — de ce Byron que Vigny connaît bien. Mais, chez Vigny, cette certitude d'une condamnation se transfigure en orgueilleuse et dédaigneuse résignation : sa condamnation même est un signe de grandeur. Moïse, l'élu de Dieu, est écrasé sous le poids de sa propre puissance : il ne peut même plus attendre la sympathie de ses frères humains, qui ne le comprennent pas, et reculent d'effroi devant lui. On ne voit, si on consulte les annales de l'humanité, que des exemples d'iniquité et de douleur. Le déluge engloutit les innocents comme les coupables; la fille de Jephté est toute tendresse et son père la fait périr au nom de Jéhovah :

> Seigneur, vous êtes bien le Dieu de la vengeance,
> En échange du crime il vous faut l'innocence :
> C'est la vapeur du sang qui plaît au Dieu jaloux.

Pour peindre notre condition misérable, Vigny se plaît à emprunter à Pascal une saisissante image, et à la développer à plusieurs reprises : « Voici la vie humaine. Je me figure une foule d'hommes, de femmes et d'enfants, saisis dans un sommeil profond. Ils se réveillent emprisonnés. Ils s'accoutument à leur prison et s'y font de petits jardins. Peu à peu, ils s'aperçoivent qu'on les enlève les uns après les autres, pour toujours. Ils ne savent ni pourquoi ils sont en prison ni où on les conduit après, et ils savent qu'ils ne le sauront jamais. » (*Journal d'un poète*, 1832.)

Les mortels se flattent de cette illusion puérile, que la nature les entoure, et les berce de ses bras maternels. Mais le poète a su lever son masque, et ne s'abuse plus sur son compte :

> Elle me dit : « Je suis l'impassible théâtre
> Que ne peut remuer le pied de ses acteurs;
> Mes marches d'émeraude et mes parvis d'albâtre,
> Mes colonnes de marbre ont les dieux pour sculpteurs.
> Je n'entends ni vos cris ni vos soupirs; à peine
> Je sens passer sur moi la comédie humaine,
> Qui cherche en vain au ciel ses muets spectateurs.
>
> Je roule avec dédain, sans voir et sans entendre,
> A côté des fourmis, les populations;
> Je ne distingue pas leur terrier de leur cendre,
> J'ignore en les portant le nom des nations.
> On me dit une mère, et je suis une tombe;
> Mon hiver prend vos morts comme son hécatombe,
> Mon printemps ne sent pas vos adorations... »
>
> C'est là ce que me dit sa voix triste et superbe,
> Et dans mon cœur alors je la hais, et je vois
> Notre sang dans son onde et nos morts sous son herbe,
> Nourrissant de leur suc la racine des bois.....

(La Maison du berger.)

Resterait la foi, refuge suprême. Mais si un Dieu de bonté avait créé le monde, pourquoi le mal? Et pourquoi ce Dieu est-il resté insensible, non seulement à la plainte qui monte vers lui du fond des âges, mais à la prière de Jésus, au mont des Oliviers? Le ciel est vide :

> S'il est vrai qu'au jardin sacré des Écritures,
> Le Fils de l'homme ait dit ce qu'on voit rapporté;
> Muet, aveugle et sourd au cri des créatures,
> Si le ciel nous laissa comme un monde avorté,
> Le juste opposera le dédain à l'absence,
> Et ne répondra plus que par un froid silence
> Au silence éternel de la Divinité.

(Le Mont des Oliviers.)

Puisque l'homme est condamné à souffrir, sans que le mystère de sa destinée lui soit jamais révélé, qu'il souffre au moins avec dignité; dans sa lutte inégale contre les puissances mauvaises, qu'il soit soutenu par l'honneur! Qu'il fasse comme le loup devant les chasseurs, qui meurt sans jeter un cri :

> Gémir, prier, pleurer, est également lâche!.....

De même, puisque tous les hommes sont également des victimes, qu'ils adoucissent leur commune misère par la pitié! Il faut aimer non pas ce qui est éternel, mais ce qui passe; il faut aimer « la majesté des souffrances humaines... » Ainsi l'honneur et la pitié subsistent, dans le naufrage universel : et ces épaves peuvent soutenir encore les mortels. En même temps qu'il nuance ainsi de tendresse sa virile et hautaine résignation, Alfred de Vigny exprime avec une force accrue une conviction qui n'a jamais cessé d'être présente à son esprit, parce qu'elle est la raison même de son existence : l'idée est une valeur en soi; l'écrit, qui permet à l'idée de se conserver et de se propager de génération en génération, est sacré; et même, à l'époque moderne, le règne de l'idée et de l'écrit tend à se substituer au règne de la violence.

Par la vertu de ces forces spirituelles, on peut arriver à améliorer la condition de l'homme. C'est le sens de *la Bouteille à la mer*. Un « grave marin », sur le point de sombrer, enferme dans une bouteille le récit des observations et des découvertes qu'il a faites durant son voyage. Longtemps la bouteille voguera au gré des flots; mais, un soir, un pêcheur la saisira dans ses filets; et elle portera un enrichissement spirituel à notre pauvre espèce humaine :

> Le vrai Dieu, le Dieu fort est le Dieu des idées!
> Sur nos fronts où le germe est jeté par le sort,
> Répandons le savoir en fécondes ondées;
> Puis, recueillant le fruit tel que de l'âme il sort,
> Tout empreint du parfum des saintes solitudes,
> Jetons l'œuvre à la mer, la mer des multitudes :
> Dieu la prendra du doigt pour la conduire au port.

De cette œuvre de la pensée sort un travail de civilisation; et le pessimisme du poète a pour contrepartie cette sorte d'optimisme qui se promet une humanité meilleure. Devant le spectacle de l'humanité ancienne ou contemporaine, le poète éprouve les mêmes tourments et les mêmes espérances qui agitent alors les plus nobles esprits. Il dit, dans *Wanda*, l'obscure servitude qui se perpétue sur la Russie; mais *la Sauvage* proclame les conquêtes du génie occidental et chrétien, l'ordre juste qu'il établit même sur les terres déshéritées. L'homme est en marche. Une ère s'annonce, qui sera le règne de *l'Esprit pur*.

Ainsi, Vigny ne compte pas au nombre de ces esprits inflexibles qui, sûrs de la vérité désespérée qu'ils ont trouvée, la proclament impitoyablement au monde : tel un Leopardi. Il hésite; il cherche; il croit voir une « aile d'azur » passer dans la nuit. Il est moins logique, peut-être; mais non pas moins humain.

SON ART

Vigny s'émeut : il s'émeut vite, et « ce qui ne fait qu'effleurer les autres le blesse jusqu'au sang ». De cet émoi personnel, il tire une idée générale. Cette idée générale, il la traduit par un symbole. Il semble bien, en effet, qu'on retrouve dans la plupart de ses œuvres cette triple richesse : sa sensibilité se trahit par un frémissement à peine perceptible, qu'il voudrait cacher, mais dont il n'est pas le maître; l'idée s'affirme, vigoureuse, et le symbole la revêt d'un manteau de pourpre et d'or.

ÉLOA OU LA SŒUR DES ANGES. Composition exécutée vers 1833 par Ziegler. — CL. LAROUSSE.

POÈMES,

PAR M. LE COMTE

ALFRED DE VIGNY,

AUTEUR DE CINQ-MARS;

SECONDE ÉDITION, REVUE, CORRIGÉE ET AUGMENTÉE.

PARIS,

CHARLES GOSSELIN, LIBRAIRE

DE S. A. R. MONSEIGNEUR LE DUC DE BORDEAUX,

RUE SAINT-GERMAIN-DES-PRÈS, N. 9;

URBAIN CANEL, RUE J.-J. ROUSSEAU, N° 16;

LEVAVASSEUR, PALAIS-ROYAL.

M DCCC XXIX.

PAGE DE TITRE de l'édition de 1829 des « Poèmes » de Vigny. Vignette de Tony Johannot. — CL. LAROUSSE.

La création est chez lui le fruit du labeur. Élaboration lente, patiente, dont il nous explique les vicissitudes. Il nous confie comment, au gré de sa méditation, au hasard de ses lectures, un thème va germer et croître en lui : « Lorsqu'une idée neuve, juste, poétique est tombée de je ne sais où dans mon âme, rien ne peut l'en arracher; elle y germe comme le grain dans une terre labourée sans cesse par l'imagination. » Sans perdre de temps, il trace un plan, esquisse un développement : « A peine une idée m'est venue, je lui donne dans la même minute sa forme et sa composition, son organisation complète. » Sur cette ébauche il fait apparaître peu à peu les couleurs et les formes. Besogne sans éclat, dit-il : « Ce n'est là qu'un pauvre mérite d'attention, de patience et de mémoire; mais ensuite, il faut choisir et grouper autour d'un centre inventé : c'est l'œuvre de l'imagination, et de ce grand *bon sens* qui est le génie même. » Ainsi le poème s'organise et se compose, abandonné, repris, retouché minutieusement : « Je perfectionne longtemps le moule de la statue, je l'oublie, et quand je me mets à l'œuvre après de longs repos, je ne laisse pas refroidir la lave un moment. » Il se représente volontiers lui-même comme un sculpteur, patient et consciencieux : « Si vous aimez mes statues, écrivait-il à un ami, soyez content en me sachant dans mon atelier, au milieu des bois, le ciseau à la main. En vérité, depuis que j'ai quitté l'armée, j'ai toujours aimé à mener ainsi la vie d'un sculpteur. »

Son art réfléchi nous prend par sa profondeur, par le charme de vers mystérieux et caressants, d'une ample et mélancolique harmonie, gonflés de pensée, lourds d'émotion contenue. Son imagination est plus vigoureuse que féconde, plus capable de faire jouer la lumière sur une image choisie que de prodiguer les visions. Il n'est pas un styliste curieux, épris d'un contour inédit ou d'une ciselure étrange; mais, ami de bien des artistes, sculpteurs, peintres, musiciens, admirateur des maîtres de tous les temps, il sait voir et noter le détail avec sobriété et précision, brosser un fond de décor à larges touches, ample et net. Son style est parfois entaché d'un peu de préciosité, de froideur, ou d'obscurité; mais après un vers embarrassé, le sentiment brise l'entrave, l'idée enlève le poète, qui bientôt plane, « divin et chaste cygne ».

Le poète-philosophe d'*Éloa* et des *Destinées* est aussi l'auteur de charmantes idylles antiques. Les vers souples et plastiques de *la Dryade* évoquent invinciblement le souvenir de *la Jeune Tarentine* et de *l'Aveugle*. Si bien qu'une question se pose, que les confrontations de textes, les discussions de chronologie, n'ont pas résolue : Vigny n'aurait-il pas, plus profondément qu'il n'a voulu le faire paraître, subi l'influence des poésies d'André Chénier publiées en 1819? Même n'a-t-il pas, par un artifice de dates fallacieuses, dissimulé ses dettes, laissé croire que ses inspirations de poésie antique étaient antérieures à 1819? En tout cas, il ne faut pas méconnaître toute une veine de poésie du XVIIIe siècle qui se prolonge en lui : images, périphrases, vocabulaire, et jusqu'à je ne sais quelle grâce sensuelle, ses premiers vers sont encore de ce siècle.

Quelles surprises ne nous réservait-il pas, s'il eût mené à bien tous ses projets? Souvent il ébauche et ne termine pas; les feuillets abandonnés et repris, les plans dressés de sa belle écriture anguleuse, les poèmes esquissés, montrent assez qu'il se décidait difficilement à conclure. Le *Journal d'un poète* prouve aussi qu'il n'a laissé s'échapper qu'une partie des flots tumultueux qui s'agitaient en lui.

Mais son œuvre poétique ne doit-elle pas à sa sobriété, à sa brièveté même, son caractère plus émouvant? Les autres romantiques se prodiguent : ne nous plaignons pas de trouver chez Alfred de Vigny une réserve qui ajoute à sa dignité, et qui le rend plus cher à une élite. Grâce à lui, la poésie, sans cesser d'être harmonie, devient pensée. Ses harmonies ne sont jamais vulgaires, ni banales. Sa pensée cherche à résoudre, courageuse, l'énigme de l'univers; elle ne se laisse pas divertir, et poursuit sans trêve son haut dessein. « Tous les grands problèmes de l'humanité, dit-il, peuvent être discutés dans la forme des vers. Je l'ai prouvé. »

ALFRED DE VIGNY en costume d'académicien. Crayon de Heim, 1858 (musée du Louvre). — CL. LAROUSSE.

VICTOR HUGO

On trouvera dans le Manuel de l'amateur de livres du XIXe siècle *de Gabriel Vicaire (1894) une bibliographie détaillée des œuvres de V. Hugo. P. Dubois, Bio-bibliographie de V. Hugo, de 1802 à 1825, 1913. Parmi les éditions collectives qui s'intitulent Œuvres complètes de V. Hugo, nous nous bornerons à citer les trois plus récentes : l'édition « ne varietur » (48 vol. in-8°, 1880-1885; 70 vol. in-18, 1889-1898); l'édition « nationale illustrée » de E. Testard (43 vol. in-4°, 1884-1890); l'édition « définitive », publiée par Paul Meurice et Gustave Simon (en cours de publication, nombreux inédits). — Les lettres de Victor Hugo n'ont pas encore été toutes recueillies en volumes. Voir les publications partielles intitulées : Lettres à la fiancée, 1901; Correspondance de V. Hugo, 2 vol., 1895; Correspondance de V. Hugo avec P. Meurice, 1909.*

Parmi les nombreuses études d'ensemble consacrées à Victor Hugo, citons : E. Dupuy, V. Hugo, l'homme et le poète, 1887; E. Biré, Victor Hugo, 4 vol., 1883-1894; Ch. Renouvier, V. Hugo : le poète, 1893; — V. Hugo : le philosophe, 1900; F. Gregh, V. Hugo, 1934; P. Berret, V. Hugo, 1927; André Bellessort, V. Hugo, Essai sur son œuvre, 1929.

Sur les influences subies par V. Hugo : Claudius Grillet, la Bible dans V. Hugo, 1910; Amédée Guiard, Virgile et V. Hugo, 1910.

Sur ses idées générales : A. Guiard, la Fonction du poète, étude sur V. Hugo, 1928.

Sur ses idées et son action politiques : Pierre de Lacretelle, la Vie politique de V. Hugo.

Sur son art : André Joussain, l'Esthétique de V. Hugo : le pittoresque dans le lyrisme et l'épopée, 1915; E. Huguet, le Sens de la forme dans les métaphores de V. Hugo, 1904; — la Couleur, la lumière et l'ombre dans les métaphores de V. Hugo, 1905; Mysie E. Robertson, l'Épithète dans les œuvres lyriques de V. Hugo publiées avant l'exil, 1927; A. Rochette, l'Alexandrin chez V. Hugo, 1911; A. Le Du, les Rythmes dans l'alexandrin de V. Hugo; — le Rythme dans la prose de V. Hugo, 1930.

Il faut mentionner à part la biographie composée par Mme Victor Hugo : Victor Hugo raconté par un témoin de sa vie, 2 vol., 1863.

LES DÉBUTS.
LES ODES ET BALLADES. LES ORIENTALES

Voir : Louis Guimbaud, la Mère de V. Hugo, 1930; L. Barthou, le Général Hugo, 1926; Gustave Simon, l'Enfance de V. Hugo, 1904; Ernest Dupuy, la Jeunesse des romantiques, 1905; et surtout E. Benoît-Lévy, la Jeunesse de Victor Hugo, 1928.

Victor Hugo naquit le 26 février 1802, « d'un sang breton et lorrain à la fois », à Besançon, où son père, qui était officier, tenait garnison. Son père l'emmène avec lui en Corse (1802-1805), en Calabre (1806) et l'appelle auprès de lui en Espagne (1811). De retour à Paris, où il vit près de sa mère et de ses deux frères, Abel et Eugène, l'enfant commence, dans le jardin sauvage des Feuillantines, à aimer la nature et la poésie. En 1815, il est mis à la pension Cordier et suit les classes du lycée Louis-le-Grand. On le destine à l'École polytechnique : mais sera-t-il soldat ? Il se sent déjà poète : « Je veux être Chateaubriand ou rien, » écrit-il en 1816 sur un de ses cahiers d'écolier. Ses premiers essais, des odes ardemment royalistes, lui valent, aux Jeux floraux de Toulouse, « l'amaranthe d'or »; en 1820, il est élu « maître ès jeux floraux », pour son poème Moïse sur le Nil. Dès 1819, il avait fondé un journal, le Conservateur littéraire, qui parut jusqu'en mars 1821 (voir la réédition qu'a commencé à publier Jules Marsan pour la Société des textes français modernes, 1920 et suiv.).

En juin 1822, il publie son premier recueil de vers, les Odes et poésies diverses, chez Pelicier, 1 vol. in-12, « imprimé avec des têtes de clous sur du papier à chandelles ». Un second recueil, orné d'un frontispice de Devéria, paraît en mars 1824, chez Ladvocat, sous le titre de Nouvelles Odes. Un troisième (1826) comprend, sous le titre d'Odes et ballades, treize odes et dix ballades. Ce titre, Odes et ballades, devient en août 1828 celui de l'édition où V. Hugo rassemble les pièces des trois volumes : soixante-douze odes et quinze ballades. F. Bauër, les Ballades de V. Hugo. Leurs origines françaises et étrangères, 1936.

Les Orientales paraissent, chez Gosselin, en janvier 1829 (deux ans après la Préface de Cromwell). Voir Louis Guimbaud, les Orientales de Victor Hugo, 1928.

Laissons, si curieuses soient-elles, les premières compositions poétiques de « l'enfant prodige », les « bêtises », comme Victor Hugo les a plaisamment appelées, qu'il écrivait avant sa naissance »; laissons ses tragédies, *Irtamène* et *Athélie*, et ses poèmes académiques; voici ses *Odes et Ballades*.

Dans les *Odes et Ballades*, Victor Hugo, faisant appel plus qu'il ne l'avoue dans sa préface à tous les artifices de la rhétorique classique, manie déjà avec une adresse magistrale les strophes les plus amples. Disciple de Chateaubriand et de Lamennais, il célèbre, en des pièces de circonstance, le trône et l'autel; mais le christianisme tout entier lui fournit des sujets dramatiques ou pittoresques : « Mes chants volent à Dieu, comme l'aigle au soleil. » Il ne laisse pas de traduire aussi quelques-uns de ses sentiments personnels : *le Regret, le Vallon de Chérizy, A toi* sont dédiés à sa fiancée. « La poésie, dit la préface, n'est pas dans la forme des idées, mais dans les idées elles-mêmes. La poésie, c'est tout ce qu'il y a d'intime en tout. » Déjà il nous livre ici « les émotions d'une âme ».

Il nous livre aussi ses ambitions : dès 1823, Victor Hugo définit hardiment la fonction du poète. Le poète est le prophète, le mage : il est semblable :

... A ces grands monts que la nouvelle aurore
Dore avant tout à son réveil,
Et qui longtemps, vainqueurs de l'ombre,
Gardent, jusque dans la nuit sombre,
Le dernier rayon du soleil.

Dans la Préface des *Nouvelles Odes*, Victor Hugo se tient encore à égale distance des deux écoles; mais il va bientôt pencher vers le romantisme. Il rêve de chevaliers et de châtelaines, il essaie la ballade, ce genre vanté par Mme de Staël. Nodier peuple les chaumières et les forêts de lutins et de sylphes; des sorcières et des monstres hantent les vieux burgs en ruine célébrés par le romantisme allemand : à son

Toi qu'en ces murs, pareille aux rêveuses sylphides,
Ce vitrage éclairé montre à mes yeux avides,
Jeune fille, ouvre-moi...

(Le Sylphe.)

FRONTISPICE d'Achille Devéria pour les « Nouvelles Odes » (1824). — CL. LAROUSSE.

tour, Hugo donne dans le fantastique et s'éprend des traditions populaires, en même temps que les artistes ses amis, Devéria, les deux Johannot, Célestin Nanteuil, Poterlet, Louis Boulanger. Mode à laquelle l'influence germanique des *lieds* n'est pas étrangère : qui n'a, dans cette ère de romantisme troubadour, mis un moyen âge de fantaisie dans des lieds romanesques ? Les *Ballades* de Victor Hugo sont le chef-d'œuvre de ce folklore au goût de la Jeune France où se côtoient Émile Deschamps et le Mérimée de *la Guzla*.

Sainte-Beuve l'intéresse à la poésie du XVIe siècle et l'amène, par le culte de la Pléiade, à la virtuosité. Le poète des *Ballades* va délaisser les rythmes de Chénier et de Lamartine pour ceux de Ronsard et de Du Bellay. Il ira jusqu'à tenter, dans ses fantaisies gothiques, des tours de force comme *la Chasse du Burgrave* et *le Pas d'armes du roi Jean* : ce ne sont que des jeux. Un autre souffle anime *Mon enfance, les Deux Iles*, l'*Ode à la Colonne*, où, d'un cœur enthousiaste, Hugo, fils de soldat, évoque son enfance promenée, de camp en camp, à travers l'Europe; célèbre les deux îles, berceau et tombeau de l'Empereur, et honnit la Sainte-Alliance; une autre forme d'art surgit, dans *Pluie d'été*, dans *Rêves*. Par

VICTOR HUGO ADOLESCENT. Peinture anonyme conservée au musée Victor-Hugo. — CL. BULLOZ.

LE SUPPLICE DE MAZEPPA. Peinture de Louis Boulanger, 1827 (musée de Rouen). — CL. PETITON.

la cadence harmonieuse des sons, par la diversité chatoyante des images, un autre Hugo se révèle.

Dans *les Orientales* vont triompher son imagination, son don de la couleur, sa fécondité verbale, son habileté rythmique. La mode est à l'Orient; *les Massacres de Scio* de Delacroix sont de 1824, l'année même où Byron tombait à Missolonghi; l'engouement pour la Grèce, après la victoire de Navarin, atteint son comble. Hugo imagine un Orient qu'il n'a pas visité, il croit se souvenir d'une Espagne romanesque, lumineuse et sonore, qu'il n'a fait qu'entrevoir enfant; il a lu l'*Itinéraire* de Chateaubriand, les *Chants populaires de la Grèce moderne* de Fauriel; il a consulté l'aimable orientaliste Ernest Fouinet; son frère Abel, puis Émile Deschamps, l'ont initié au *Romancero*, et cela lui suffit pour créer un éblouissant rêve d'Orient, pour évoquer :

> La ville aux dômes d'or, la blanche Navarin
> Sur la colline assise entre les térébinthes.

Il rivalise avec Delacroix dans les *Têtes du sérail* et dans *Feu du ciel*, avec Byron dans *Mazeppa* et *Clair de lune* ; il s'essaie, pour tenter les musiciens amis du Cénacle, aux mélodies mélancoliques ou caressantes de *la Captive* ou de *Sarah la Baigneuse* ; musicien lui-même, il s'amuse un instant aux fantaisies rythmiques des *Djinns*. Le symbole douloureux de *Mazeppa*, l'amoureuse tendresse des *Adieux de l'hôtesse arabe*, rehaussent enfin, d'une ombre de sentiment, le mirage aux tons crus de cet Orient voluptueux, épique et sauvage.

LES RECUEILS LYRIQUES DE 1831 A 1840

Les Feuilles d'automne *paraissent en 1831* ; les Chants du crépuscule, *en 1835* ; les Voix intérieures, *en 1837* ; les Rayons et les Ombres, *en 1840*.

De la même période datent : En voyage, France et Belgique (*ouvrage qui ne sera publié qu'en 1890*), Choses

vues (*2 vol. posthumes, parus en 1887 et en 1900*). Le Rhin *a paru d'abord en 2 volumes (1842*), puis, avec des additions, en 4 volumes (1845*).

Voir : Léon Guimbaud, V. Hugo et Juliette Drouet, *1914* ; Louis Barthou, les Amours d'un poète, *1919* ; M. Levaillant, Tristesse d'Olympio, *fac-similé du manuscrit autographe avec une étude sur Victor Hugo, poète du souvenir et de l'amour, 1928*; — V. Hugo, Juliette Drouet et Tristesse d'Olympio, *1945* ; Maurice Clouard, les Dessins de V. Hugo (*Revue d'histoire littéraire de la France, 1898*); Louis Barthou, Un voyage romantique en 1836 (*album de dessins de V. Hugo et de Célestin Nanteuil*), *1920*.

Quand Victor Hugo publie *les Feuilles d'automne*, le recueil le plus personnel qu'il ait composé jusqu'alors, il est déjà l'auteur de *Cromwell*, d'*Hernani*, de *Marion Delorme*, de *Notre-Dame de Paris*. L'école romantique, qui a pris pleine conscience d'elle-même dans le « second Cénacle », le salue comme son chef.

Ses goûts, ses sentiments, son orientation politique ont bien changé depuis les *Odes*. Il fait part au lecteur de cette évolution : « Des feuilles tombées, des feuilles mortes, comme toutes feuilles d'automne. Ce n'est point là de la poésie de tumulte et de bruit. Ce sont des vers sereins et paisibles, des vers comme tout le monde en fait ou en rêve, des vers de la famille, du foyer domestique, de la vie privée, des vers de l'intérieur de l'âme; c'est un regard mélancolique et résigné, jeté çà et là sur ce qui est, surtout sur ce qui a été. » Il rappelle ses premières années, sa mère tant aimée, morte trop tôt; son père, « fier vétéran, âgé de quarante ans de guerre »; avec délicatesse, d'un ton souvent simple et charmant, il confesse ses regrets et ses espérances, ses désillusions et ses ambitions, sa mélancolie à relire ses « lettres d'amour », les « lettres à la fiancée ». S'il parvient encore à trouver du bonheur à son foyer, c'est que des enfants le parent : « Laissez, tous ces enfants sont bien là... »

Mais aussi il a pris conscience des dons qu'il a reçus de Dieu, de sa mission. Il se sent prédestiné à une tâche plus haute encore. Marqué d'un signe fatal, le poète, ce voyant, doit être aussi un justicier :

> Je hais l'oppression d'une haine profonde...
> Et j'ajoute à ma lyre une corde d'airain.

> Si vous voulez, à l'heure où la lune décline,
> Nous monterons tous deux la nuit sur la colline
> Où gisent nos aïeux.
>
> (*A un voyageur.*)

VIGNETTE de Tony Johannot ornant la page de titre des « Feuilles d'automne » (édition de 1832). — CL. LAROUSSE.

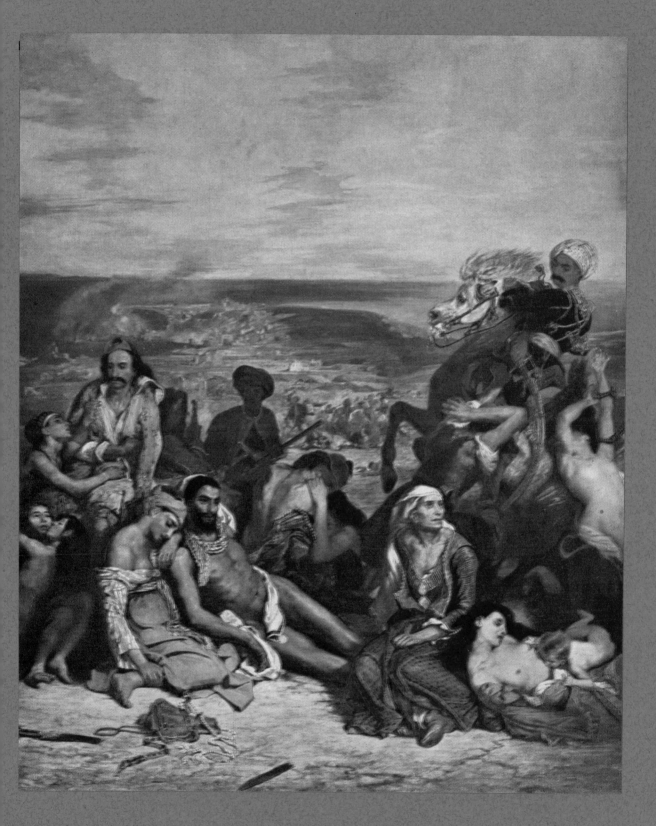

SCÈNES DES MASSACRES DE SCIO
Peinture de Delacroix exposée au Salon de 1824.
Musée du Louvre.

Cette corde d'airain, il commence à la faire vibrer dans *les Chants du crépuscule* pour la satire politique, sociale ou morale. Le recueil est d'inspiration très variée : des pièces de circonstance, *A la Colonne, Napoléon II,* célèbrent la « légende de l'Aigle »; d'autres, *A Canaris,* l'*Hymne aux morts,* exaltent l'amour du sol natal et de la liberté; beaucoup de poèmes appartiennent au genre intime. Hugo confesse encore ses regrets, ses doutes, « lie affreuse » au fond de son cœur, l'amertume que font naître en lui les critiques et les attaques; il chante tour à tour l'affection qu'il conserve à sa femme, malgré les griefs qu'il a contre elle, et l'amour qu'il a voué à Juliette Drouet. Le mystère des initiales n'était obscur pour personne et des censeurs austères se scandalisaient. Mais que ne pardonnait-on pas au poète à qui l'on devait tant ?

ADÈLE HUGO. Portrait par Louis Boulanger (musée Victor-Hugo). — CL. LAROUSSE.

VICTOR HUGO EN 1834. Portrait par Louis Boulanger. — CL. LAROUSSE.

Deux ans après, paraissaient *les Voix intérieures* : « La Porcia de Shakespeare parle quelque part de cette *musique que tout homme a en soi.* Malheur, dit-elle, à qui ne l'entend pas! Cette musique, la nature aussi l'a en elle. Si le livre qu'on va lire est quelque chose, il est l'écho bien confus et bien affaibli sans doute, mais fidèle, l'auteur le croit, de ce chant qui répond en nous au chant que nous entendons hors de nous. » Ce recueil est une offrande magnifique à la mémoire du général comte Hugo, dont le nom, comme le dit la page de dédicace, n'avait pas été inscrit sur l'Arc de l'Étoile. Exaltant la gloire des armées de l'Empire, la pièce *A l'Arc de Triomphe,* « rêverie immense » sur soixante siècles, se distribue en une ample symphonie, hardiment variée et contrastée, dont le motif central est la reprise d'un thème de Chateaubriand sur la poésie des ruines. *Les Voix intérieures* relèvent aussi de la poésie intime : on y admire maint poème inspiré par le sentiment de la famille, toujours vivace ou ravivé. Ailleurs enfin, interprète de la nature, Hugo esquisse une fraîche vallée virgilienne, « faite de flots dormants et de rameaux penchés », ou bien il fouille, Albert Dürer romantique, une forêt tourmentée et hallucinée, pleine de « chênes monstrueux »; ou bien encore, il s'élève magistralement jusqu'au symbole : la Vache, c'est la « mère universelle », la nature indulgente aux hommes et rêvant à Dieu.

Dans *les Rayons et les Ombres,* le lecteur d'aujourd'hui, prophète après l'événement, trouve aisément l'annonce et le germe des œuvres de Victor Hugo pendant l'exil. Mais en 1840, qui aurait pu présager la voie où s'engagerait le poète, épris de la Bible, de Virgile et de Dante? Ce livre, qui clôt « la seconde partie

JULIETTE DROUET en 1832. Portrait par Léon Noël. — CL. LAROUSSE.

de la pensée de l'auteur », résume, avec la même variété d'inspiration, de la « guitare » à la rêverie nostalgique, tous les chants publiés depuis dix ans : encore et toujours les souvenirs d'enfance, l'affection religieuse pour une mère chérie, le sentiment sincère et profond de la nature, « la charité pour les pauvres, la tendresse pour les misérables » : toute la poésie de la mer dans *Oceano nox ;* dans *Tristesse d'Olympio,* toute la poésie du souvenir.

Les dernières pièces datent de 1840. Désormais, jusqu'aux *Châtiments,* Hugo ne publiera plus de vers lyriques. Sans doute, il en écrira encore, mais il les gardera en portefeuille. Cette époque est celle d'une crise trouble, dont des noms de femmes (Juliette Drouet, Mme Biard) sont inséparables. C'est aussi le moment d'un grand deuil familial : le 4 septembre 1843, la fille aînée du poète, Léopoldine, mariée depuis peu à Charles Vacquerie, s'est noyée par accident, avec son mari, dans la Seine, à Villequier. Des années de silence, au moins apparent, suivront la terrible épreuve. Mais aussi une ambition, qui a d'anciennes origines en lui, le dispute à la poésie des vers : la vraie « fonction du poète », c'est d'être homme d'État. La politique, qui avait enlevé Lamartine à la poésie, tente décidément Hugo. *Le Rhin* n'est pas seulement un livre plein de « choses vues » et aussi de visions fantastiques : la *Conclusion,* contemporaine du discours de réception à l'Académie (1841), dit assez clairement les visées politiques du poète voyageur ; avec de « vieux livres du quai », ou des articles de journaux, tout frais encore, il rebâtit l'histoire, un peu à sa guise ; il fait la leçon au peuple, dispose des alliances, et remanie la carte de l'Europe. Bientôt, en 1845, il entrera à la Chambre haute, et *le National* plaisantera le nouveau « pair lyrique » de France. En 1848, il sera élu représentant du peuple ; en 1849, membre de l'Assemblée législative. Il prononça devant les Chambres de nombreux discours; mais l'orateur en lui était desservi par le poète : à la tribune, il lisait trop ou récitait trop. Ainsi que Lamartine, mais avec moins de maîtrise, il aborde les sujets les plus divers, traite successivement de la Pologne, de la consolidation et de la défense du littoral menacé par la mer, de la propriété des œuvres d'art. « Tout ce qu'il disait à la tribune aurait pu être mis en vers »; ces mots de Jules Simon contiennent une critique et un éloge également mérités.

Le coup d'État du 2 décembre força Victor Hugo à se réfugier en Belgique, puis dans les îles anglo-normandes; l'exil allait le rendre à lui-même et à la poésie.

LES CHATIMENTS. LES CONTEMPLATIONS

Deux éditions des Châtiments *parurent en même temps, en octobre 1853 : l'une expurgée, avec la mention « Bruxelles, chez Henri Samuel », l'autre complète, avec la mention « Genève et New-York, imprimerie universelle Saint-Hélier ». L'édition Hetzel (1870) contient quelques pièces de plus. Des poèmes du même temps et dirigés pareillement contre Napoléon III et ses partisans se trouvent dans les recueils intitulés* les Quatre Vents de l'esprit *(1881),* Années funestes *(1898). Les* Châtiments *(éd. P. Berret, 1932).*

Les Contemplations *ont été publiées pour la première fois en avril 1856, 2 vol., à Paris, chez Pagnerre et Michel Lévy (consulter l'édition J. Vianey, dans la collection des* Grands Écrivains, *3 vol., 1922).*

Voir : Auguste Vacquerie, Profils et grimaces, *1856; François-Victor Hugo,* la Normandie inconnue, *1857; Victor Hugo,* l'Archipel de la Manche, *1883; Charles Hugo,* les Hommes de l'exil, *1875; Paul Chenay,* Victor Hugo à Guernesey, *1902; Paul Stapfer,* Victor Hugo à Guernesey, *1906. Sur la conclusion religieuse qui se dégage, surtout des* Contemplations, *voir : Denis Saurat,* la Religion de Victor Hugo, *et Auguste Viatte,* Victor Hugo et les illuminés de son temps, *1942.*

L'exil grandit Victor Hugo. A Jersey, puis à Guernesey, jeté en pleine solitude, il va, de toutes les forces de sa maturité robuste, se raidir contre le destin :

Je resterai proscrit, voulant rester debout,

dira-t-il. Il veut ajouter au prestige de ses œuvres la gloire d'une attitude inflexible et hautaine; de son île, il va imposer à la France sa domination morale et intellectuelle. Pendant dix-huit ans, sa confidente, sa grande inspiratrice sera la mer.

A Marine-Terrace, qui tourne le dos à la campagne pour regarder l'Océan, à Hauteville-House dans son belvédère vitré, il vit et travaille devant un horizon immense, en respirant tous les souffles du large. A cette rude atmosphère marine il devra, selon le mot de Michelet, « une force fouettée, la force d'un homme, qui marche pendant des heures dans le vent, et prend deux bains de mer par jour »; sa puissance de vie devient plus intense, sa sensibilité plus profonde, sa vision du monde plus pénétrante à la fois et plus ample.

Le spectacle qu'il a sous les yeux est bien fait pour plaire à son imagination éprise d'antithèses; sur la mer, tantôt sinistre

FRONTISPICE d'Honoré Daumier pour « les Châtiments » (B. N., Cabinet des Estampes).
CL. LAROUSSE.

et tantôt charmante, le calme succède aux orages. Même contraste dans l'île : la côte, nous dit-il, est presque partout sauvage : falaises abruptes, profondément déchiquetées, éboulements, récifs, gouffres; mais l'intérieur est riant : vallons abrités et tièdes, sentiers ombragés; partout des prairies, des fleurs et des parfums. A chaque pas, au cours de ses promenades, Hugo découvre l'antithèse, loi de sa pensée, dont inconsciemment il fera la loi du monde. Dans cette opposition universelle des choses entre elles, il voudra voir un combat, et de ce combat il s'efforcera de déduire une doctrine philosophique. Il regarde l'Océan monter à l'assaut des falaises, le soleil lutter contre les nuages, les vents et les flots batailler à grand fracas; deux grands principes se disputent l'univers : de la lumière et de l'ombre, du bien et du mal, lequel triomphera?

Le ressentiment de l'homme politique déçu contre l'intrigant qu'il a servi, mais surtout la fureur du libéral contre l'usurpateur, enflamment Hugo dans *Napoléon le Petit* (1852) et dans l'*Histoire d'un crime* (1852 et 1877). La même révolte indignée anime encore *les Châtiments,* lancés de Jersey. Trop de violences, trop d'invectives dépareraient cette œuvre, si la puissance de l'inspiration, la profondeur de l'émotion, la sonorité tonnante du verbe n'entraînaient tout irrésistiblement. Œuvre de passion, *les Châtiments* sont en même temps une œuvre d'art. Ironie, insulte, malédiction, on y retrouve tous les tons de la satire; chansons, odes, élégies, tous les rythmes et tous les mètres s'y succèdent; apostrophes, contemplations, visions, symboles, toutes les formes familières à la pensée de Hugo s'y rencontrent. Mais sous l'infinie variété de l'expression, l'inspiration reste une. De *Nox* jusqu'à *Lux,* du prologue lugubre qui ouvre le recueil à la « vision sublime » qui le termine, les poèmes les plus divers se pressent et se poursuivent d'un même élan, d'un même souffle, pour s'achever par un acte de foi et d'espoir en l'avenir.

Car le passé s'appelle haine
Et l'avenir se nomme amour.

Rasséréné après l'explosion de sa colère, l'exilé écrit en 1854 à Paul Meurice : « Je crois que le moment serait bon pour publier un volume de vers calmes. *Les Contemplations* après *les Châtiments.* Après l'effet rouge, l'effet bleu. » Ainsi devait se réaliser un projet vieux de vingt ans, celui des « Contemplations d'Olympio. » Le nouveau recueil sera d'une inspiration largement humaine : « mémoires d'une âme », dit la préface, et, si l'on en croit le poète, mémoires de toutes les âmes. « Une destinée est écrite là jour à jour. Est-ce donc la vie d'un homme? Oui, et la vie des autres hommes aussi. Nul de nous n'a l'honneur d'avoir une vie qui soit à lui. Ma vie est la vôtre, votre vie est la mienne, vous vivez ce que je vis, la destinée est une. Ah! insensé, qui crois que je ne suis pas toi! Deux volumes : *Autrefois, Aujourd'hui;* un abîme les sépare : le tombeau. »

Pour former ces deux volumes, Hugo rassemble des pièces de genres très divers, sans se soucier de contrastes parfois déconcertants : tel poème d'allure épique s'apparente à *la Légende des siècles,* telle bluette aux *Chansons des rues et des bois.* Ici, le Hugo sensuel qui célèbre la rencontre de la belle fille « effarée et sauvage » semble essayer, en l'honneur de Virgile, le masque du faune; tout à côté, il dédie à la fidèle, à l'indulgente Juliette des vers d'amour d'une tendresse parfois passionnée, le plus souvent apaisée et grave; puis, soit au souvenir du temps où, « grand diable de seize ans », il était en rhétorique, soit sous la piqûre de critiques sournoises, éclate un poète débordant de verve satirique et d'humour, qui, avec une terrible bonne humeur, fouaille les cuistres qui l'ont tourmenté.

Triste pourtant, découragé par accès, il se recueille. Il relit ses vers inédits, il se rappelle, avec une vivacité de vision presque hallucinée, son roman sentimental, sa vie littéraire, sa mission sociale et le terrible deuil qui l'a frappé en 1843. De tout ce qu'il a versé, dans *les Contemplations*, des émotions de son âme, c'est *Pauca meae*, venu du cœur, qui parle le mieux au cœur. *Larmes*, tel est le titre auquel le père avait d'abord songé pour l'offrande à la mémoire de sa fille chérie; puis, si tendrement mélodieux, le vers de Virgile à Gallus résonne en lui, et, comme un écho du poète qu'il aimait, Hugo à son tour murmure : « *Pauca meae*..., quelques vers pour mon enfant. » Des vers pour elle, il en avait écrit dans le premier débordement de son désespoir, lorsque la dure nouvelle était venue le frapper; il en écrit chaque jour que le souvenir l'assaille, car, morte, elle continue à vivre en lui, à lui apparaître avec tous les visages sous lesquels, de jour en jour, d'année en année, depuis son âge enfantin, elle s'était fait adorer; et chaque fois que revient l'anniversaire, il lui porte, en même temps qu' « un bouquet de houx vert et de bruyère en fleur », une gerbe de vers. Cri du premier déchirement ou prière résignée du souvenir apaisé, ils sont toujours étrangement poignants, ces vers bouleversés par les sursauts d'un cœur blessé.

Mais, tandis que son cœur pleure, sa raison voudrait comprendre pourquoi « il faut que des êtres charmants s'en aillent », comment cette cruauté de la Providence est possible. Il s'efforce de concevoir l'univers et les desseins sans nombre qui le régissent. Une véritable angoisse métaphysique l'envahit : il redoute les choses inconnues que fait Dieu « au fond de cet azur immobile et dormant »; perdu dans l'ombre, jouet douloureux des principes ennemis qui se disputent le monde, le visionnaire qu'il est entrevoit, comme les philosophes anciens, plein d'une terreur sacrée, deux grandes mains qui déplacent les astres « sur le noir échiquier ». Le monde est sombre, tous les efforts des hommes, condamnés à la douleur, sont vains; dès l'aurore, il faut combattre, lutter, souffrir pour aboutir brutalement au « vaste et profond silence de la mort » :

Oh! Seigneur, ouvrez-moi les portes de la nuit,
Afin que je m'en aille et que je disparaisse!...

Cependant, par instants, le poète se reprend; soumis, mais non pas résigné, il cesse de maudire, sans pouvoir cesser de pleurer; il revient à Dieu, il lui rapporte « les morceaux de son cœur », il convient de la faiblesse, de l'impuissance, de la disproportion de l'homme; il se prosterne, sans comprendre, dans un acte de foi désespéré; il s'efforce de croire que la mort « ouvre le firmament », il imagine un séjour de lumière et de paix, des « gouffres de joie », une « radieuse et bleue éternité », un « éblouisse-

LA FILLE DU POÈTE : LÉOPOLDINE. Dessin de Mme Victor Hugo (musée Victor-Hugo).
CL. FREULER.

ment céleste ». Mais il ne parvient pas à écarter tout à fait l'antique idée des morts prisonniers de leur tombe; il recule d'horreur devant « l'affreux cercueil », il frémit de pitié en songeant à cette ombre où peut-être les morts chéris ont froid, et d'où

Comme à travers un rêve ils entendent
[nos voix.

Ce qui donne à ces poèmes une puissance d'émotion si intense, si directe, c'est qu'ils sont véritablement les mouvements d'une âme qui se cherche et qui cherche Dieu, tour à tour désespérée, apaisée, révoltée, résignée, dans le tumulte des sentiments les plus primitifs, qui se heurtent, désordonnés, contradictoires, image même de la vie; mais c'est aussi à la simplicité si profonde de leur forme qu'ils doivent leur valeur humaine. Aucune emphase, aucune rhétorique; pas de grands mots : en des vers d'un métal plein, d'une ligne sobre, l'expression simple, nue, souvent familière, parfois spontanément jaillie du parler populaire, mais prolongée toujours jusqu'au fond de notre sensibilité par d'infinis retentissements. Les mots de cette douleur sont les mots de toutes les douleurs, et chacun croirait pouvoir les trouver :

Voyez-vous, nos enfants nous sont bien nécessaires,
Seigneur...

Cette douleur, a-t-on dit, est arrangée et composée; les dates des pièces dans le recueil ne correspondent point aux dates du manuscrit; Hugo a modifié arbitrairement le classement des poèmes. Artifice d'autant plus sensible que la « manière » du poète s'est renouvelée depuis *les Voix intérieures* et *les Rayons et les Ombres* : sa langue s'est chargée de hardiesses; les doubles substantifs et toute une mythologie verbale l'envahissent; son vers se brise plus volontiers en coupes ternaires, qui l'agitent d'un mouvement plus emporté ou l'arrachent plus frénétiquement aux formes traditionnelles de notre prosodie. Et l'on éprouve quelque malaise à voir attribuer à sa jeunesse ou à ses années triomphantes des poèmes qui portent si apparemment les stigmates sublimes du temps de l'exil. Il n'en reste pas moins que chacun est la traduction d'une émotion sincère, et l'ordre établi après coup par l'auteur correspond au rythme le plus humain de toutes les douleurs. N'est-ce pas là précisément ce qu'il souhaitait dans sa préface ? N'a-t-il pas voulu, surmontant sa propre peine, consoler la peine d'autrui, se pencher sur tous les malheurs des hommes ?

Seule la conscience de sa mission sociale peut l'arracher à son accablement, lui donner de nouvelles forces pour expliquer la nature, pour éclairer toute chose de la clarté divine et prêcher la justice, la pitié et la bonté.

A la loi de meurtre, il voudrait substituer la loi d'amour, loi sainte, « tout aimer ou tout plaindre », et la loi de bonté, « être bon, c'est bien vivre ».

Pour les humbles, pour ceux qui souffrent, il demande non seulement la justice, mais la pitié. D'ailleurs, ce n'est pas seulement pour l'homme qu'il réclame équité et bonté; il les exige encore pour l'animal : il s'attendrit sur le cheval martyrisé par le roulier; il va jusqu'à aimer les créatures les plus honnies, le crabe, l'araignée. Une large sympathie le pousse vers tout ce qui vit et même vers l'inanimé; la contemplation lui emplit le cœur d'amour, et c'est une véritable vénération qu'il voue à la nature, aux arbres, aux fleurs, aux rochers, à l'univers tout entier, qui vit près de Dieu, plus près de Dieu peut-être que nous. Tel est le panthéisme, mêlé de métempsycose et de manichéisme auquel, sous l'influence des illuminés de son temps — un Éliphas Levy, un Boucher de Perthes, un Pierre Leroux, son voisin d'exil —, aboutit le poète de *Ce que dit la bouche d'ombre.*

LA LÉGENDE DES SIÈCLES

La Légende des siècles a paru en trois séries : 1859, 1877, 1883 (consulter l'édition publiée par Paul Berret dans la collection des Grands Écrivains, *1920 et suiv.).*

Voir : Eugène Rigal, Victor Hugo, poète épique, *1900; Paul Berret*, le Moyen Age européen dans « la Légende des siècles », *1911; —* la Légende des siècles, *1935.*

Dans sa préface de 1859, Hugo esquissait le plan de l'œuvre immense qu'il rêvait, dont *la Légende des siècles* n'était qu'un fragment et que devaient couronner *Dieu* et *la Fin de Satan.*

DESSIN DE VICTOR HUGO pour servir de frontispice à « la Légende des siècles » (musée Victor-Hugo). — CL. LAROUSSE.

« Exprimer l'humanité dans une espèce d'œuvre cyclique, la prendre successivement et simultanément sous tous ses aspects : histoire, fable, philosophie, religion, science, lesquels se résument en un seul et immense mouvement d'ascension vers la lumière, faire apparaître, dans une sorte de miroir sombre et clair..., cette grande figure une et multiple, lugubre et rayonnante, fatale et sacrée : l'Homme, voilà de quelle pensée, de quelle ambition si l'on veut, est sortie *la Légende des siècles...* »

Le poète visait haut : plus que jamais épris de pensée philosophique, il a élaboré une doctrine : mage convaincu, il reçoit de l'au-delà des révélations et des inspirations; il croit même, à de certains moments, que les tables tournantes lui transmettent les messages des esprits. Dès 1843, il a écrit *le Rouet d'Omphale;* en 1846, après avoir lu des chroniques de Jubinal sur les chansons de geste, *Aymerillot* et *le Mariage de Roland;* en 1852, il a composé la *Première Rencontre du Christ avec le tombeau;* mais c'est surtout vers la fin de 1857 qu'il travaille à cette « Légende de l'humanité » qui deviendra *la Légende des siècles* et qui, en dépit de redites, « sombres assonances de l'histoire », de lacunes, d'insistances qu'explique sa condition de proscrit, constitue un ensemble harmonieux et grandiose. Le poète embrasse le passé fabuleux, l'histoire, l'avenir de l'humanité tout entière : aux évocations bibliques, terribles ou touchantes, pleines de majesté ou pleines de grâce, succèdent, retentissantes du fracas des armes, illuminées des éclairs des épées légendaires, les gestes médiévales où les preux s'opposent aux félons et aux monstres; puis ce sont les trônes d'Orient dans l'éclat de leur splendeur barbare, l'Italie dévastée par les empereurs allemands, l'Espagne de l'Inquisition et de la grande Armada. Les humbles animaux et les pauvres gens du temps présent ont aussi leur place dans l'épopée et le livre s'achève en visions apocalyptiques, chargées de symboles. Les personnages les plus différents, depuis Caïn vêtu de peaux de bêtes jusqu'à Jeannie sous sa mante à longs plis, surgissent tour à tour dans les décors les plus variés,

de la citadelle énorme et surhumaine de Tubalcaïn à la pauvre cabane de la femme du pêcheur. Selon sa coutume, pour enluminer les fonds, pour donner aux caractères de ses héros plus d'accent, Hugo a étalé l'érudition la plus disparate : souvenirs classiques, souvenirs bibliques, épaves des plus invraisemblables lectures : journaux, revues, mais surtout dictionnaires encyclopédiques ou historiques, le plus souvent le dictionnaire de Moreri, il a tout mis en œuvre. Il a même puisé, pour *les Pauvres Gens,* dans l'obscur poème d'un inconnu, Lafont, *les Enfants de la morte.*

Le recueil, cependant, reste un, car l'homme y a marqué fortement l'empreinte de sa personnalité, le poète celle de son art, le philosophe celle de sa pensée. Il n'est pas de pièce de *la Légende des siècles* où ne grondent, comme un écho des *Châtiments,* les rancœurs et les colères de l'exilé contre les tyrans, sa haine et sa méfiance des prêtres. Il n'est pas non plus un de ces drames épiques où nous ne reconnaissions ce don qu'avait Hugo d'évoquer, sous ses formes les plus pittoresques ou les plus solennelles, la nature, océans, torrents, fleuves, montagnes, forêts, d'en faire un fond immense à son tableau. Jamais Victor Hugo n'a mieux manifesté le pouvoir qui était en lui de saisir directement les lignes, les couleurs, les contrastes des rayons et des ombres, « le combat du jour et de la nuit ». Des « choses vues », sa mémoire a retenu fidèlement l'ensemble, stylisé, aussi bien que le détail précis. Son imagination entre les diverses parties du grand Tout surprend des harmonies secrètes, des analogies émouvantes, et ses vers, orchestrés avec une magnifique ampleur, épuisent les ressources de tous les registres et de toutes les sonorités.

D'un bout à l'autre de *la Légende des siècles,* le même art, la même puissance créatrice dressent en haut relief des personnages saisissants, imaginent pour les peindre le trait le plus net, le plus coloré. Même unité dans la composition, dans l'équilibre entre la description, le dialogue et le drame, dans la façon dont le drame est construit et conduit vers ces dénouements soudains, véritables coups de théâtre, enfermés dans un seul vers aux lignes nettes; partout enfin même souplesse, même éclat, même richesse de la forme. La métaphore est chez Victor Hugo l'expression spontanée de la pensée; l'antithèse jaillit naturellement; l'image s'épanouit d'elle-même en symbole : on a même pu dire que souvent elle créait l'idée.

Mais ce qui réalise l'harmonie profonde de *la Légende des siècles,* c'est que toutes les actions, atroces ou sublimes, qu'elle retrace ne sont que l'illustration d'une même doctrine philosophique qui, du *Sacre de la femme* à *Pleine Mer, Plein Ciel,* se développe avec une magnifique ampleur. A chaque instant nous sentons frémir cette âme que le poète prête à la moindre parcelle de l'univers; partout nous entendons murmurer cette conscience qui, tout au long de l'échelle des êtres, de l'inanimé à l'animé, s'efforce de s'élever vers Dieu pour s'absorber en lui; nous la devinons au milieu même des erreurs et des crimes, cette ascension obstinée de l'âme universelle vers le bien; de poème en poème, nous entrevoyons la lutte acharnée de l'esprit pour s'arracher à la matière qui l'écrase; et, dans l'enthou-

siasme de son inébranlable foi au progrès, le poète prophé-
tise une fois de plus le triomphe final de la lumière sur
l'ombre. Immense revanche dont l'esprit de la Renaissance a été, en un moment de l'histoire, l'éblouissante
promesse. Pour symboliser ce moment, le poète place
au cœur de la *Légende* cette allégorie mythique du *Satyre*
qui représente le triomphe des forces de la nature sur les
oppressions millénaires, une religion de la vie qui détrône
l'Olympe usurpateur.

Les *Chansons des rues et des bois*, qui paraissent en 1865,
c'est « Pégase mis au vert »; la fantaisie lyrique, la musique
du verbe, la fraîcheur des croquis et le pittoresque des
impressions n'en font pas moins de ce recueil aimable le
délassement d'un maître. Une préciosité volontairement
un peu mièvre s'égaie en calembours, en jeux de mots et
d'idées, et réduit à la miniature les plus grands thèmes
de l'amour et de la nature. Puis vient la guerre. L'exilé
rentre dans la France envahie; il prend part aux luttes
et aux déchirements d'où sort la Troisième République,
se défend des tentations qui lui viennent de la Commune, et, cependant les subit jusqu'à s'en juger un
moment compromis. Mais les deuils et les années ne
l'abattent pas. En 1872, il publie *l'Année terrible*, pleine
de patriotisme et d'indignation vengeresse. En 1877, avec
Welff, avec *les Trois Cents*, avec *l'Aigle du casque*, avec *la
Paternité*, avec *Petit Paul*, la seconde lignée de *la Légende*
n'a pas dégénéré. Dans *l'Art d'être grand-père*, publié
en cette même année 1877, à la bonhomie, aux tendresses,
aux sentiments touchants de l'aïeul se mêlent des satires
et des polémiques parfois déplaisantes. Puis viennent *le
Pape* (1878), *la Pitié suprême* (1879), *l'Ane*, et *Religions et
Religion* (1880), apothéose de la philosophie humanitaire,
mythique et apocalyptique de Hugo, tour à tour bizarre
ou sublime, à coup sûr inspirée et sincère. Le poète y
médite sur la science et sur la conscience, sur la justice
et la bonté, sur l'âme des choses et des bêtes, sur les métamorphoses et les palingénésies, sur les possibilités sombres
ou lumineuses de la vie universelle. Quelles trouvailles
ne fait-on pas jusque dans les recueils touffus, publiés
après sa mort, où Hugo a recueilli les miettes de ses festins, *les Quatre Vents de l'esprit, Toute la lyre, Dernière
Gerbe* et jusque dans ses poèmes inachevés, *la Fin de
Satan* et *Dieu : la Fin de Satan*, annonce messianique de
la réconciliation, du pardon, de l'avènement de « l'Ange
Liberté », après les longs siècles de
douleurs, de condamnations, de
péchés, de prisons et de potences;
Dieu, revue apocalyptique des religions, des conceptions obscures ou
lumineuses du divin, depuis ses
formes les plus primitives et les plus
aveugles, jusqu'au drame contrasté
du manichéisme, jusqu'à la haute
morale de l'Évangile, et, par-delà
l'Évangile même, jusqu'au panthéisme, qui est, décidément, la philosophie de cette poésie.

ALFRED DE MUSSET

M. Clouard, Bibliographie des
œuvres de Musset, *1883.*

Les *Œuvres complètes d'Alfred
de Musset ont été publiées pour
la première fois en 1866, et souvent
rééditées; on se reportera à l'édition d'Edmond Biré, 1907. Il
faut y ajouter les Œuvres complémentaires, publiées par Maurice
Allem en 1911, et plusieurs volumes
de lettres :* Correspondance de

...Dans leur immense joie il vit les dieux terribles.

LE SATYRE. Peinture de Fantin-Latour (musée Victor-Hugo).
CL. FREULER.

George Sand et d'Alfred de Musset, *publiée par Félix
Decori, 1904;* Correspondance, *publiée par Léon Séché,
1907;* Lettres d'amour d'Aimée d'Alton, *publiées par Léon
Séché, 1910.*

*Études d'ensemble : Arvède Barine, Alfred de Musset,
1893; Léon Séché, Alfred de Musset, 1907, 2 vol.; Maurice
Donnay, Alfred de Musset, 1913. Dans son* Alfred de
Musset, *Émile Henriot a suggéré le caractère épileptique
de la maladie d'Alfred de Musset et
souligné les conséquences morbides des
dédoublements de personnalité auxquels
le poète paraît avoir été sujet. —
Pierre Gastinel, le Romantisme
d'Alfred de Musset, 1933. Philippe
Van Tieghem a publié un précis sur
Alfred de Musset dans la collection
le Livre de l'étudiant, 1945.*

*La Biographie d'Alfred de Musset,
par son frère Paul, publiée en 1877,
reste une de nos meilleures sources
d'information ; il ne faut toutefois
l'utiliser qu'avec précaution.*

LES DÉBUTS

*Alfred de Musset est né à Paris, en
1810, de Musset-Pathay, fonctionnaire
doublé d'un érudit aimable, et d'Edmée
Guyot-Desherbiers. Il fait de brillantes études au collège Henri-IV ; il
est plusieurs fois lauréat du concours
général. Il essaie du droit, de la
médecine ; il échoue dans les bureaux
d'une entreprise de chauffage des
casernes. Ce sont les lettres qui vont
le libérer. Il fréquente Nodier, puis*

VICTOR HUGO. Photographie de Nadar.

Victor Hugo ; les jeunes romantiques applaudissent les premières œuvres de cet adolescent : une ballade intitulée Un rêve, *qu'imprime en 1828 une revue de province ;* le Lever; Venise; *la fameuse* Ballade à la lune.

En 1828, Musset publie une traduction de l'Anglais mangeur d'opium, *de Thomas de Quincey, non sans traiter le texte avec une grande liberté et ajouter beaucoup du sien. Cette traduction a été réimprimée en 1920, avec préface de Claude Farrère.*

En janvier 1830 paraissent les Contes d'Espagne et d'Italie, *qui rendent célèbre ce « chérubin du romantisme ».*

Consulter : Jacques Boulenger, les Dandys, *1907 ; Léon Séché,* la Jeunesse dorée sous Louis-Philippe, *1910 ; Jean Giraud,* Alfred de Musset et trois romantiques allemands, *dans la* Revue d'histoire littéraire de la France, *1911, 1912, 1917.*

« Le front mâle et fier, la joue en fleur et qui gardait encore les roses de l'enfance, la narine enflammée du souffle du désir, il s'avançait le talon sonnant et l'œil au ciel, comme assuré de sa conquête et tout plein de l'orgueil de la vie. » C'est en ces termes que Sainte-Beuve dépeint Alfred de Musset, entrant dans le salon de Nodier, à l'Arsenal, lors de ses débuts. Est-il plus séduisante apparition ? Il a cette naturelle aisance, cette élégance innée qu'aucune application n'arrive à égaler, et qui semble un don des dieux. Il est tout pétillant d'esprit : il reste spirituel, et malicieux, et ironique, même lorsqu'il est ému. Son intelligence est des plus vives, des plus souples; elle possède une grâce primesautière qui lui permet de s'intéresser à tout, de tout comprendre sans jamais s'alourdir.

Il est la fantaisie, le caprice mêmes. Il lit un jour Boccace, et l'autre jour Shakespeare; il va d'Aristophane à Byron; les Anciens, les Français, les Anglais, les Allemands, tout est pâture à sa curiosité. De chacun de ces livres aimés, ses vers profiteront. Mais il trouvera le moyen de rester parfaitement lui-même en s'appropriant les richesses d'autrui; et c'est encore Sainte-Beuve qui le constate : « Son imagination, à l'origine, s'imprégnait sensiblement de ses lectures; le poème ou le roman qu'il avait feuilleté la veille n'était pas du tout étranger à la chanson ou au caprice du lendemain... L'écho d'une pensée étrangère, en traversant cette âme et cet esprit de poète si français, si parisien, devenait à l'instant une voix de plus, une voix toute différente, ayant son timbre à soi et son accent. L'imitation, chez lui, est enlevée d'une aile si légère que bientôt elle disparaît, et on ne la distingue plus. »

Dans la fougue de ses vingt ans, il est avide de toutes les jouissances de la vie. Il est précoce; il l'est presque trop. Il s'est livré au plaisir, et la volupté lui est devenue nécessaire. C'est un dandy; il fera partie de la jeunesse dorée, sous Louis-Philippe; il lui plaira d'étonner le vulgaire par l'élégance excessive de ses habits, par ses manières : il aimera les paris extravagants, les folles équipées, les soupers bruyants, tous les « plaisirs à fracas ». C'est la mode; les « orgies » sont très bien portées, vers 1830. Pour Musset, ce n'est pas une mode seulement. Il prend le goût des excitants; il demandera plus d'une fois au champagne, au punch, de l'aider à trouver une inspiration rebelle. Il court d'aventure en aventure; il est, suivant le mot d'une femme d'esprit, le prince Phosphore de Cœur Volant.

Cet esprit, cette grâce primesautière de la pensée, cette curiosité très informée, cette sensibilité avide, contribuent à marquer les *Contes d'Espagne et d'Italie* d'une empreinte originale. Musset se plaît à scandaliser les classiques en assemblant les couleurs les plus criardes, en jonglant avec les rythmes difficiles, en disloquant l'alexandrin :

J'ai connu, l'an dernier, un jeune homme nommé
Mardoche, qui vivait nuit et jour enfermé.
O prodige! il n'avait jamais lu de sa vie
Le *Journal de Paris*, ni n'en avait envie.

Il n'avait vu ni Kean, ni Bonaparte, ni
Monsieur de Metternich; — quand il avait fini
De souper, se couchait, précisément à l'heure
Où (quand par le brouillard la chatte rôde et pleure)
Monsieur Hugo va voir mourir Phébus le blond.
Vous dire ses parents, cela serait trop long.

Il n'a vu, en 1830, ni l'Italie ni l'Espagne : ce n'est pas une raison pour ne pas décrire Venise ou Madrid; au moins le souvenir de la réalité ne borne-t-il pas l'essor de la fantaisie. Madrid, c'est la ville aux sérénades, où des senoras long voilées descendent les escaliers bleus; Venise la Rouge, c'est la ville des galants abbés, des danseuses, de l'amour et de la folie. Les couleurs sont bizarrement attribuées, il faut l'avouer ; mais elles sont si éclatantes ! Elles ne sont pas très différentes, il faut en convenir, des couleurs de ces *Orientales* dont Musset ne tardera pas à se moquer dans *Namouna* : villes aux toits bleus, blanches mosquées...' Elles s'accordent à la folie capricieuse des personnages. Il faut des décors fortement enluminés pour les belles et tragiques histoires que Musset raconte. L'amour passe de la tendresse à la violence; il est toujours prêt à se changer en haine et à s'assouvir dans le sang. Trompé par Juana d'Orvedo, don Paez tue son rival Etur, tue Juana, et se tue lui-même. La Camargo arme le bras de Desiderio contre l'inconstant Raphaël. Portia, depuis que le hasard a placé le jeune Dalti sur son chemin, ne peut plus aimer son maître et seigneur, le vieux comte Luigi : Dalti tue Luigi, et part avec Portia. Du sang, de la volupté, et de la mort...

Musset ne laisse pas de faire aussi les honneurs de sa propre personne, et de se présenter au public sous des masques assez transparents. C'est ainsi que Raphaël incarne sa paresse et son humeur fantasque; Mardoche, son dandysme, sa précoce rouerie, son goût de l'amour, et son ennui romantique. Il fait entrevoir une âme encore confuse, pleine de richesses profondes qui affleurent tour à tour.

Mais s'il fallait choisir entre les qualités qui séduisent dans cette œuvre juvénile, c'est le style surtout qu'on retiendrait. Le tour désinvolte, le ton cavalier, l'impertinente allure, amusent et ravissent; et tandis qu'on suit les jeux de cet adolescent de génie, on voit jaillir les plus neuves et les plus fraîches images, les vers les plus brûlants et les plus passionnés, et la plus étincelante poésie.

DES CONTES D'ESPAGNE ET D'ITALIE AUX POÉSIES COMPLÈTES

Au mois de juin 1833, il a fait la connaissance de George Sand : le drame de sa vie va s'engager. Les péripéties en sont bien connues : le départ pour Venise, la maladie du poète, la rupture; il revient en avril 1834, rapportant « un corps malade, une âme abattue, un cœur en sang, mais qui aime encore ». George Sand rentre en France à son tour; des raccommodements, puis de nouvelles scènes de rupture se succèdent jusqu'à la séparation définitive, en mars 1835.

Les Poésies complètes *de Musset, comprenant les* Contes d'Espagne et d'Italie, *les* Poésies diverses, Un spectacle dans un fauteuil *(publié d'abord en 1833) et les* Poésies nouvelles, *paraissent en 1840.*

Consulter : George Sand, Elle et Lui, *1859 ; Paul de Musset,* Lui et Elle, *1859 ; Louise Colet,* Lui, *1859 ; Spœlberch de Lovenjoul,* la Véritable Histoire de Elle et Lui, notes et documents, *1897 ; Paul Mariéton,* Une histoire d'amour, George Sand et Alfred de Musset, *1897 ; Charles Maurras,* les Amants de Venise, *1902 ; A. Feugère,* Un grand amour romantique. George Sand et Alfred de Musset, *1927. Dans la* Véritable Aventure vénitienne, *1938, Antoine Adam a présenté une curieuse version des faits, qui bouleverse quelques dates admises jusque-là.*

Dans *les Secrètes Pensées de Raphaël*, qui datent de juillet 1830, Musset faisait une déclaration qui surprit désagréablement quelques-uns de ses amis romantiques :

> Salut, jeunes champions d'une cause un peu vieille,
> Classiques bien rasés, à la face vermeille,
> Romantiques barbus, aux visages blêmis!
> Vous qui des Grecs défunts balayez le rivage,
> Ou d'un poignard sanglant fouillez le moyen âge,
> Salut! J'ai combattu dans vos camps ennemis.
> Par cent coups meurtriers devenu respectable,
> Vétéran, je m'assois sur mon tambour crevé;
> Racine, rencontrant Shakspeare sur ma table,
> S'endort près de Boileau, qui leur a pardonné.

A vrai dire, il avait déjà, et bien avant cette profession de foi, mêlé de l'ironie à ses adorations. Dans « la grande boutique romantique », il ne lui plaisait pas d'être considéré comme un simple apprenti. Les autres pouvaient courir, s'ils voulaient, après la rime riche : il la fuyait, pour son compte. Afin de faire pièce à ses amis, il avait changé les rimes de sa ballade andalouse, qui était, dit Sainte-Beuve, mieux rimée dans le premier jet. Il ne faisait donc que continuer une évolution dès longtemps commencée, lorsqu'il écrivait, aussitôt après le succès de son premier recueil : « Je suis loin d'avoir une manière arrêtée. J'en changerai probablement plusieurs fois encore. » Il voulait « se déhugotiser » : y réussira-t-il tout à fait?

N'être ni classique ni romantique, telle est son ambition. Il se rattache à la lignée de ces très libres esprits qui n'appartiennent, dans notre littérature, à aucune école; nourris du suc des Anciens, et cependant très modernes; n'ayant peur ni des choses ni des mots; grands ennemis non seulement de tout mensonge, mais de toute affectation; libres et francs d'allure. Il les reconnaît volontiers pour ses maîtres et pour ses amis. C'est Mathurin Régnier, c'est La Fontaine, c'est Molière. Molière déclarait que la seule grande règle est de plaire : le credo littéraire de Musset ne va pas beaucoup plus loin. Le poète doit laisser parler son cœur; s'il réussit à communiquer son émotion à ses lecteurs, peu importent toutes les règles du monde. « J'ai rencontré Eugène Delacroix, un soir, en rentrant du spectacle; nous avons causé peinture en pleine rue, de sa porte à la mienne et de ma porte à la sienne, jusqu'à deux heures du matin; nous ne pouvions pas nous séparer. Avec le bon Antony Deschamps, sur le boulevard, j'ai discuté de huit heures du soir à onze heures. Quand je sors de chez Nodier ou de chez Achille (Devéria), je discute tout le long des rues avec l'un ou avec l'autre. En sommes-nous plus avancés? En fera-t-on un vers meilleur dans un poème, un trait meilleur dans un tableau? Chacun de nous a dans le ventre un certain son qu'il peut rendre comme un violon ou une clarinette. Tous les raisonnements du monde ne pourraient faire sortir du gosier d'un merle la chanson du sansonnet. Ce qu'il faut à l'artiste ou au poète, c'est l'émotion. Quand j'éprouve, en faisant un vers, un certain battement de cœur que je connais, je suis sûr que mon vers est de la meilleure qualité que je puisse pondre. » (Lettre à Paul de Musset, 4 août 1831.)

Il n'est donc ni classique ni romantique. Certes, il ne veut pas écrire comme l'abbé Delille; mais il ne veut pas non plus donner dans les manies du jour. On lit dans la même lettre à son frère : « Depuis

ALFRED DE MUSSET en costume de page. Dessin d'Achille Devéria (B. N., Cabinet des Estampes). — CL. LAROUSSE.

mes derniers vers, ils disent tous que je suis converti; converti à quoi? S'imaginent-ils que je me suis confessé à l'abbé Delille, ou que j'ai été frappé de la grâce en lisant La Harpe? On s'attend sans doute à ce qu'au lieu de dire : « Prends ton épée, et tue-le, » je dirai désormais : « Arme ton bras d'un glaive homicide et tranche le fil « de ses jours. » Bagatelle pour bagatelle, j'aimerais encore mieux recommencer *les Marrons du feu* et *Mardoche* ». Mais, d'autre part : « Plagiat pour plagiat, j'aime mieux un beau plâtre pris sur la Diane chasseresse qu'un monstre de bois vermoulu décroché d'un grenier gothique... » *(Lettres de Dupuis et Cotonet, première lettre.)* Il manifeste nettement son admiration pour la Grèce antique, son respect pour Racine : il raille les sots qui ne jurent que par les littératures étrangères; et les doctrines romantiques, enfin, ne rencontreront pas de critique plus impitoyable que lui.

Mais il a beau faire : il n'échappe pas à l'influence de son époque, et reste romantique malgré lui. Souvent sa sensibilité l'emporte sur sa claire raison; et sa volonté n'est pas assez forte pour servir de frein. Romantique est sa conception de l'amour, passion fatale, supérieure aux lois de la société; romantique, sa conception de la nature, à laquelle il prête ses propres émotions; romantique, sa recherche de Dieu, qui reste un débat sentimental sans conclusion. Tour à tour, il regrette le temps où le ciel sur la terre « vivait et respirait dans un peuple de dieux »; il est païen, jusqu'à l'orgie; il se retourne avec un espoir tremblant vers le Dieu chrétien que le « hideux sourire » de Voltaire a insulté; il se plaint que « les comètes », devenues matière de science, aient dépeuplé notre ciel; de vagues notions de l'illuminisme à la mode suppléent aux dogmes perdus. Et il est en proie à la désespérance; une fièvre le consume; il sanglote dans la nuit.

Dans les poésies qu'il compose de 1830 à 1840, cette sensibilité va s'exprimer tout entière. Musset se croyait très blasé; et pourtant, il disait, vers le temps de sa rencontre avec George Sand : « Je sens qu'il me manque encore je ne sais quoi. Est-ce un grand amour? Est-ce un malheur? Peut-être tous deux... » (P. de Musset, *Biographie d'A. de Musset*, p. 104.) Tous deux vinrent, en effet. Les pièces où passe l'écho de son grand amour et de son malheur, ces *Nuits* qui comptent parmi les morceaux les plus célèbres de notre littérature, permettent de saisir les caractères profonds de son lyrisme.

Il se distingue d'abord par la profonde sincérité de la plainte qu'il fait entendre. Alfred de Musset, dans les premiers moments de son désespoir, se lamente et gémit; il n'est plus, comme il le déclare lui-même, qu'un enfant qui souffre. Point de rébellion stoïque, point de respect humain. Il dit comment la douleur l'a abattu et le laisse prostré; comment elle a tari en lui toutes les sources de la vie; comment il n'a plus conscience que de son accablement et de sa lassitude infinie; et il le dit d'un ton si simple et si sincère qu'on ne peut pas ne pas être ému de pitié. Lorsque la période d'abattement sera passée, des sursauts de colère l'agiteront; mais il est moins vigoureux peut-être lorsqu'il maudit, qu'il n'est touchant lorsqu'il se plaint.

Troublantes aussi sont les hallucinations dont il est victime. Il nous

... Au chevet du lit vint s'asseoir
Un orphelin vêtu de noir,
Qui me ressemblait comme un frère.

COMPOSITION d'Eugène Lami pour la « Nuit de décembre » (B. N., Cabinet des Estampes). — CL. LAROUSSE.

Dépouille devant tous l'orgueil qui te dévore,
Cœur gonflé d'amertume et qui t'es cru fermé.
Aime, et tu renaîtras; fais-toi fleur pour éclore;
Après avoir souffert, il faut souffrir encore;
Il faut aimer sans cesse, après avoir aimé.

Puis le temps fermera sa plaie; Musset pardonnera, le souvenir se dépouillera de son amertume première et lui deviendra très doux.

Mais, en réalité, l'apaisement ne sera pas complet et cette angoisse, qui persiste en dépit du temps, en dépit de la volonté du poète, en dépit de ses affirmations mêmes, accroît le pathétique de son lyrisme. Alfred de Musset semble être arrivé à la sérénité dans *Souvenir* (1841), que l'on peut joindre au recueil de 1840, puisque la pièce est comme la conclusion du cycle des *Nuits*. Il est revenu à Fontainebleau, qu'il avait visité jadis en compagnie de George Sand, et en revoyant ces lieux chéris, il s'étonne lui-même de ne pas souffrir :

Tout mon cœur te bénit, bonté consolatrice!
Je n'aurais jamais cru que l'on pût tant souffrir
D'une telle blessure, et que sa cicatrice
Fût si douce à sentir.

Mais les vers lui reviennent à l'esprit, où Dante affirme qu'il n'est pire misère qu'un souvenir heureux dans les jours de douleur : et aussitôt Musset se trouble. Avec une sorte de colère, il riposte; il ne veut pas qu'on essaie de le persuader que le souvenir de son grand amour — le seul bien qui lui reste au monde — lui est cruel. Il a peur de la souffrance obscure qui le travaille encore et qu'il veut dompter. Les strophes qu'il consacre à défier la loi de l'universel écoulement des choses, à déifier, à éterniser son souvenir doivent leur beauté sublime à ce qu'elles ont l'air d'une bravade tragique et obstinée :

La foudre maintenant peut tomber sur ma tête,
Jamais ce souvenir ne peut m'être arraché;
Comme le matelot brisé par la tempête,
Je m'y tiens attaché.

Je ne veux rien savoir, ni si les champs fleurissent,
Ni ce qu'il adviendra du simulacre humain,
Ni si ces vastes cieux éclaireront demain
Ce qu'ils ensevelissent.

Je me dis seulement : A cette heure, en ce lieu,
Un jour, je fus aimé, j'aimais, elle était belle;
J'enfouis ce trésor dans mon âme immortelle,
Et je l'emporte à Dieu!

LES DERNIÈRES ANNÉES

Les Poésies nouvelles *paraissent en 1852. — Sur les dernières années et sur la maladie du poète, voir Adèle Colin*, Dix Ans chez Alfred de Musset, 1847-1857, *1899.*

Musset n'avait pas trente ans qu'il avait déjà cueilli les plus beaux fruits de son arbre enchanté. Son déclin commençait; il le savait, il en souffrait; quels vers plus poignants que ceux de *Tristesse* (1841)?

J'ai perdu ma force et ma vie
Et mes amis et ma gaîté;
J'ai perdu jusqu'à la fierté
Qui faisait croire à mon génie...

dépeint, dans la *Nuit de mai*, ses palpitations et ses frissons lorsqu'il voit apparaître la Muse, qui va chercher à le consoler :

Pourquoi mon cœur bat-il si vite?
Qu'ai-je donc en moi qui s'agite
Dont je me sens épouvanté?
Ne frappe-t-on pas à ma porte?
Pourquoi ma lampe à demi morte
M'éblouit-elle de clarté?
Dieu puissant! tout mon corps frissonne...

Or, ce ne sont point là figures de rhétorique; ses intimes nous apprennent qu'il était quelquefois hanté par des visions. Par une étrange disposition, d'ordre pathologique, il lui arrivait de voir son « double », cet étranger vêtu de noir qui lui ressemblait comme un frère, dont il parle dans la *Nuit de décembre*. Une autre apparition le hante dans la *Nuit d'octobre* :

Va-t'en, retire-toi, spectre de ma maîtresse!
Rentre dans ton tombeau, si tu t'en es levé;
Laisse-moi pour toujours oublier ma jeunesse,
Et, quand je pense à toi, croire que j'ai rêvé!.....

On voit de reste ce que de telles hallucinations ajoutent de puissance morbide à l'expression de son désespoir. Ni Lamartine, ni Vigny, ni Hugo n'ont traduit de ces états d'égarement. Peut-être parce qu'aucun d'eux n'a été aussi proche des troubles fantaisies du romantisme allemand. L'auteur de *Fantasio* est de la race d'âmes qui a donné à l'imagination de ce temps Hoffmann le fantastique. Il a quelques-uns de ces délires poétiques qui font le charme inquiétant de Jean-Paul Richter et qui, dégénérant en ironie corrosive, aboutissent à Henri Heine.

Sa passion, jamais Alfred de Musset ne l'oubliera. En apparence, il suivra la loi commune; à la période d'abattement succédera une période d'excitation, et comme de frénésie :

O Muse! que m'importe ou la mort ou la vie?
J'aime, et je veux pâlir; j'aime, et je veux souffrir;
J'aime, et pour un baiser je donne mon génie;
J'aime, et je veux sentir sur ma joue amaigrie
Ruisseler une source impossible à tarir.

J'aime, et je veux chanter la joie et la paresse,
Ma folle expérience et mes soucis d'un jour,
Et je veux raconter et répéter sans cesse
Qu'après avoir juré de vivre sans maîtresse,
J'ai fait serment de vivre et de mourir d'amour.

Certes, il faut s'entendre, lorsqu'on parle à son propos de déclin. Les poésies qu'il compose de 1840 à 1857 suffiraient à la gloire de beaucoup d'autres. Lorsqu'il se sent inspiré, il trouve des accents d'une fraîcheur qui rappelle ses plus beaux jours. Quoi de plus charmant que *Simone*, où il raconte à la manière de La Fontaine une histoire de Boccace? Quoi de plus gracieux et de plus vigoureux à la fois que les deux thèmes enlacés d'*Une soirée perdue ?* Quoi de plus délicatement mélancolique que les stances adressées à Charles Nodier ou à son frère revenant d'Italie ? Quoi de plus spirituel que *Le mie prigioni ?*

Seulement, sa production se raréfie. Il garde cette fierté de ne vouloir jamais forcer l'inspiration : il profanerait la poésie, pense-t-il, s'il transformait la fonction du poète en une besogne. Passe encore pour la prose ! A la rigueur, et s'il le faut absolument, on peut écrire en prose une nouvelle pour gagner son pain. Mais les vers sont un langage divin : et donc, il faut attendre que les dieux les dictent. En vain Buloz, le directeur de la *Revue des Deux Mondes*, à qui Musset réserva la plus grande partie de sa production, le presse amicalement de tenir ses promesses : il n'obtient que quelques vers, et à grand-peine. « Le fait est, lui écrit le poète, que je suis allé, depuis peu, souvent à Versailles ; que là, j'ai senti quelque chose devant cinq ou six marches de marbre rose, dont je veux parler. J'ai même fait quelques strophes là-dessus. Mais une idée de ce genre ne peut avoir aucun prix par elle-même... Quant à l'amplifier ou à la paraphraser pour vous en faire trois ou quatre pages, à tort ou à raison, je regarde cela ni plus ni moins comme honteux. »

Musset écrit donc de moins en moins. Aux longs poèmes, il préfère de courtes pièces : des sonnets, des rondeaux, des chansons tristes. Il aime mieux jouer aux échecs, écouter de la musique ou causer avec des amis que prendre la peine d'écrire. Pour qu'il compose, il lui faut une émotion vive ; ou un souvenir, car le passé qu'il se remémore lui fournit plus d'émotions, et de plus vives, que le présent :

> Aveugle, inconstante, ô fortune !
> Supplice enivrant des amours !
> Ote-moi, mémoire importune,
> Ote-moi ces yeux que je vois toujours.
>
> (*Souvenir des Alpes*, 1851.)

Il est de plus en plus nerveux, irritable. Il est atteint d'une maladie de cœur qu'il ne soigne que par intermittence et qu'il décrit lui-même peu de temps avant sa fin :

> L'heure de ma mort, depuis dix-huit mois,
> De tous les côtés sonne à mes oreilles.
> Depuis dix-huit mois d'ennuis et de veilles,
> Partout je la sens, partout je la vois.
> Plus je me débats contre ma misère,
> Plus s'éveille en moi l'instinct du malheur ;
> Et, dès que je veux faire un pas sur terre,
> Je sens tout à coup s'arrêter mon cœur.
> Ma force à lutter s'use et se prodigue ;
> Jusqu'à mon repos, tout est un combat ;
> Et, comme un coursier brisé de fatigue,
> Mon courage éteint chancelle et s'abat.

Le 2 mai 1857, il mourut, enfin apaisé. De tous les jugements qu'on a portés sur lui, celui de Taine est le plus juste peut-être : « Celui-là, du moins, n'a jamais menti. Il n'a dit que ce qu'il sentait, et il l'a dit comme il le sentait. Il a pensé tout haut... »

AUTRES POÈTES ROMANTIQUES

Il va sans dire que quelques œuvres se rattachant encore à la tradition classique continuent à paraître pendant cette période. Citons les pamphlétaires Barthélemy

ALFRED DE MUSSET en 1854. Lithographie de Gavarni (B. N., Cab. des Estampes). — CL. LAROUSSE.

(1796-1867) et Méry (1790-1865), dont le recueil hebdomadaire de satires, la Némésis (1831-1832), doit à une vigoureuse réplique de Lamartine de n'être pas oublié. Henri de Latouche (1785-1851) multiplia les poésies, les romans, depuis la publication intitulée Histoire et procès complet des prévenus de l'assassinat de M. de Fualdès *(1818) jusqu'au bizarre* Fragoletta *(1829) ; son meilleur titre de gloire est d'avoir procuré la première édition des poésies d'André Chénier (1819). Pourtant on ne saurait méconnaître la part que ce curieux homme, d'un caractère caustique et difficile, — mais qui n'en sut pas moins exercer une influence réelle sur une George Sand, et mettre, dans la vie d'une Marceline Desbordes-Valmore, toute la poésie d'un grand amour et d'une grande douleur, — a prise comme malgré lui au mouvement d'idées qui devait aboutir au romantisme : son Mercure de France au* XIXe *siècle, son* Figaro *furent de ces foyers de discussion critique où libéraux et romantiques, jusque-là ennemis, apprirent à se connaître et furent tentés de s'allier. Et tout en poursuivant de sarcasmes la « camaraderie » romantique, ce franc-tireur donna l'exemple de tentatives dont les romantiques tireront parti (voir Frédéric Ségu,* Henri de Latouche, *1932). Viennet (1777-1868) reste fidèle à la forme classique de l'épître. Mais ces auteurs sont submergés par le romantisme triomphant.*

On trouvera dans la Bibliographie romantique *d'Asselineau (1873) et dans Ph. Martinon,* Bibliographie chronologique des principaux recueils lyriques de l'époque romantique *(Annales romantiques, 1911), l'indication des œuvres des poètes romantiques : Félix Arvers (1806-1851) ; Auguste Barbier (1805-1882) ; Pétrus Borel, dit le Lycanthrope (1809-1859) ; Évariste Boulay-Paty (1804-1864) ; Auguste Brizeux (1806-1858) ; Louise Colet (1810-1876) ; Charles Coran (1814-1883) ; Antony Deschamps (1809-1869) ; Charles Dovalle (1807-1829) ; A. Fontaney (1803-1837) ; Ulrich Guttinguer (1785-1866) ; Jules Lefèvre-Deumier (1797-1857) ; Élisa Mercœur (1809-1835) ; Hégésippe Moreau (1810-1838) ; Amédée Pommier (1804-1877) ; Gaspard de Pons (1798-1860) ; Jules de Rességuier (1789-1862) ; Jules de Saint-Félix (1806-1869) ; Adolphe de Saint-Valry (1796-1867) ; Mme Amable Tastu (1798-1885) ; Édouard Turquety (1807-1867).*

Consulter : Sainte-Beuve, Portraits littéraires *et* Portraits contemporains *; Eugène Asse, les* Petits Romantiques, *1900 ; Henri Lardanchet, les* Enfants perdus du romantisme, *1905 ; André Pavie,* Médaillons romantiques, *1909 ; Léon Séché, le* Cénacle de Joseph Delorme, *1912.*

Sur Marceline Desbordes-Valmore (1785-1859) : Jacques Boulenger, Marceline Desbordes-Valmore, *1909 ; Lucien Descaves, la* Vie douloureuse de Marceline Desbordes-Valmore, *1910.*

Les Œuvres complètes *de Gérard de Nerval (1808-1855) ont paru pour la première fois en 1868, 5 vol. ; une autre édition a été entreprise chez Champion. Une autre édition a paru au Divan. Sa* Correspondance *a été publiée par Jules Marsan au Mercure de France (1911). Mlle G. Marie a publié* Des inédits de Gérard de Nerval, *1939. Consulter Aristide Marie,* Gérard

Gérard de Nerval. Photographie de
Nadar.

Marceline Desbordes-Valmore en 1833.
Cl. Larousse.

de Nerval, *1914;* — Bibliographie des œuvres de
G. de Nerval, *1926.*

Gaspard de la Nuit, *d'Aloysius Bertrand (1807-
1841), a été publié pour la première fois en 1842; Cargill
Sprietsma,* Louis Bertrand. Œuvres poétiques, *1926.*
Voir Cargill Sprietsma, L. Bertrand, *1926.*

Les Reliquiæ de Maurice de Guérin *(1810-1839) ont
été publiées pour la première fois en 1861 par G.-S. Trébutien, avec une notice de Sainte-Beuve (Œuvres complètes, p. p. B. d'Harcourt, 1947). Consulter :*
A. Lefranc, Maurice de Guérin, *1910;* Ernest Zyromski,
Maurice de Guérin, *1921;* — Eugénie de Guérin, *1921.*
— *L'abbé Decahors a consacré à* Maurice de Guérin,
*en 1929, sa thèse principale et fait de sa thèse complé-
mentaire une édition critique des deux poèmes de Guérin,*
le Centaure *et la* Bacchante.

Les recueils de poésies de Sainte-Beuve sont intitulés :
Vie, poésies et pensées de Joseph Delorme, *1829;*
Consolations, *1830;* Pensées d'août, *1837. A ces
œuvres, réunies pour la première fois en 1845 sous le titre
de* Poésies complètes, *ajouter le* Livre d'amour, *publié
par Jules Troubat en 1904.* — *Voir : Gustave Michaut,*
le Livre d'amour de Sainte-Beuve, *1905;* Louis Barthou, *les* Amours d'un poète, *1919.*

Théophile Gautier *(1811-1872) a publié en 1830 son
recueil intitulé* Poésies; *en 1833,* Albertus; *en 1852, les*
Émaux et Camées *(plusieurs éditions augmentées);
en 1863, les* Poésies nouvelles. *Une édition collective a
paru en 1875-1876, 2 vol.;* Poésies complètes, *édition
Jasinski, 1932, 3 vol. Consulter : Spœlberch de Lovenjoul,*
Histoire des œuvres de Théophile Gautier, *1887;*
Maxime Du Camp, Théophile Gautier, *1890;* R. Jasinski,
les Années romantiques de Théophile Gautier, *1929,
et, du même auteur, une édition critique de* Espana, *1929.*

Que de talents il conviendrait d'évoquer encore! Que
de fleurs, gracieuses, vigoureuses, ou étranges, dans ce
beau jardin de poésie! Les vers qui furent inspirés à Hégésippe Moreau par la Voulzie, le doux ruisseau de son
pays natal, gardent encore leur charme; ils méritent un
souvenir à cette étrange figure de poète amer, rebelle,
« bâtard de Diogène », comme il s'appelait, et qui sut
allier pourtant à toutes les misères d'une vie manquée

les délicatesses et les nostalgies du
« myosotis ». Ceux qui aiment les
beaux cris de colère relisent les *Iambes*
d'Auguste Barbier (1831), nées sous
le coup de 1830, de la révolution, de
la « curée » qui suivit, vigoureuses
invectives d'un Juvénal qui précède
et suscite le Victor Hugo des *Chants
du crépuscule,* et qui plus tard trouvera des admirateurs chez les parnassiens, pour le dessin mâle et la sonorité métallique de ses vers. Brizeux
a toujours ses fidèles, qui retrouvent
dans *Marie* (1832) et dans *les Bretons*
(1845) l'âme de la vieille Armorique.
Nous avons mentionné déjà, parmi les
collaboratrices de *la Muse française,*
Marceline Desbordes-Valmore. « Qui a
lu une fois Mme Desbordes-Valmore,
a écrit Sainte-Beuve, la relira souvent.
Il ne nous appartient pas de lui assi-
gner une place parmi les talents de cet
âge; on aime mieux d'ailleurs la goûter
en elle-même que la comparer. Son
rôle dans la création lui a été donné
cruel et simple : toujours souffrir,
chanter toujours ! Elle n'y a pas
manqué, et si, contre l'usage, ses
paroles harmonieuses n'ont pas été guérissantes pour
elle, elles n'ont pas, du moins, été inutiles à d'autres;
elles ont aidé, dans l'ombre, bien des cœurs de femmes à
pleurer. L'avenir, nous le croyons, ne l'oubliera pas.
Tout d'elle ne sera pas sauvé sans doute; mais, dans le
recueil définitif des *Poetae minores* de ce temps-ci, un
charmant volume devra contenir sous son nom quelques
idylles, quelques romances, beaucoup d'élégies, toute une
gloire modeste et tendre. » La postérité a donné raison au
critique. Marceline Desbordes-Valmore n'a pas seulement
cette gloire enviable, que tous les enfants de France
répètent quelques-uns de ses vers que lui dicta son cœur
maternel; elle est de ces rares auteurs qui, après avoir paru
entrer dans l'ombre, sont ramenés à l'éclat du jour. Nous
lui savons gré, aujourd'hui, d'avoir su traduire une passion si profonde par de si simples, de si pures harmonies;
et nous admirons sa poésie instinctive et tendre, murmurée
comme un chant de ce Verlaine qui lui demanda quelques-
uns de ses secrets simples et subtils.

Nous devrions certes rappeler d'autres renommées.
Mais ils étaient plus nombreux que les rameurs de la
galère capitane, ces poètes qui partirent d'un même élan
pour la conquête de la gloire. Les voix de Lamartine, de
Hugo, de Vigny, de Musset, dominent un chœur presque
innombrable. Aux environs de 1830, toute une jeunesse
ardente se prit à chanter; le romantisme est fait de ces
multiples harmonies. Chacune des personnalités vigoureuses qui contribuèrent à donner au lyrisme de cette
époque un incomparable éclat mérite les soins de la postérité. Mais forcés de nous limiter, nous nous en tiendrons
aux poètes qui jouèrent, à leur tour, le rôle de précurseurs.

Gérard de Nerval n'annonce-t-il pas de loin les symbolistes et les décadents? Il avait le don de la forme simple,
délicate et ferme à la fois. Mais la vie ne fut jamais pour
lui qu'un rêve dont il attendait le réveil. Partout où il
mena ce rêve errant : en Allemagne, où l'attiraient la
poésie tragique du *Faust* de Gœthe, la poésie fantastique
de Bürger et les *Lieder* mélancoliques; en Orient, vers des
mirages; dans le Valois, pour entendre les vieilles légendes
du terroir, si émouvantes en leur simplicité; dans les
bas-fonds de Paris, dont il faisait ses palais et ses royaumes :
partout il essaya d'atteindre, au-delà des apparences,
l'insaisissable réalité. Ses vers sont les échos de ses

amours transfigurées, de ses visions troublantes, de sa folie trop réelle. Dans les sonnets de ses *Chimères*, une mystérieuse et obscure splendeur reflète ce monde du sommeil qui fait communiquer le visible à l'invisible. Il y rejoint d'autres êtres qu'il a été, et des mortes — la reine de Saba, Mélusine — qu'il a aimées :

> Mon front est rouge encor du baiser de la reine.

Est-il Lusignan ? est-il Biron ? Il se souvient, ce premier des surréalistes, qu'il a eu de grandes aventures dans un monde de réminiscences, dont un roman de ses délires, *Aurélia*, évoquera les délices et les terreurs. Partout il regarda, sous vingt formes, Jenny Colon, l'actrice qu'il avait aimée, et qu'il avait perdue. Il sombrera, jusqu'à la maison de santé du docteur Blanche, jusqu'au suicide, une nuit d'hiver, dans la rue de la Vieille-Lanterne. Le style de ses admirables nouvelles, qui composent *les Filles du feu*, et parmi lesquelles se trouve l'incomparable *Sylvie*, ne cesse pas d'être simple et frais ; et il exprime cependant les pressentiments obscurs, les mystérieuses harmonies, les souvenirs des existences antérieures, les révélations sur l'existence future que Gérard de Nerval croit saisir dans son âme malade. Le contraste n'est pas seulement saisissant : il est douloureux.

Après qu'Aloysius Bertrand eut terminé sur un lit d'hôpital sa vie fantasque, les connaisseurs essayèrent d'arracher son œuvre à l'oubli, et Sainte-Beuve prit la peine de la recommander au public. Elle présentait, en effet, en ce temps où les originalités ne manquaient point, un caractère exceptionnel. Aloysius Bertrand pensait qu'il existe une matière plus difficile à travailler que le vers, et plus capable de produire des effets rares et subtils. Il sut faire tenir, dans des « quadri » menus, le pittoresque fouillis du xv⁰ siècle, de sa Bourgogne natale, des rues et des toits de Dijon ; il mit en médailles quelques rêves d'évasion, dans un monde où l'on oublie la vulgarité moderne pour quelques folies et quelques hallucinations. Et ces réussites, il les réalise à l'aide de la seule prose. Un des premiers il écrivit de menus poèmes denses et serrés, qui réalisaient du coup la perfection d'un genre nouveau. Un des grands reproches que la critique classique avait adressés à Chateaubriand était que sa prose fût poétique. Après Aloysius Bertrand, on saura quel secours peut apporter à la poésie une prose rythmée et cadencée selon des lois plus difficiles et plus secrètes que celles qui régissent les vers. C'est l'exemple que donnait, vers le même temps, Maurice de Guérin. Si la postérité a entouré son *Centaure* et sa *Bacchante* d'une pieuse admiration, et qui croît encore, c'est sans doute parce qu'elle trouve dans les œuvres de ce noble et douloureux esprit, « avec l'expression la plus haute de la tristesse humaine, la plus pathétique des leçons » (E. Zyromski). Mais c'est encore parce que Maurice de Guérin a exprimé sa nostalgie des âges primitifs, d'un naturisme généreux, de l'antique sève païenne (rêve étonnant et émouvant, chez ce malade qui devait mourir jeune, chez ce fils spirituel du groupe de la Chesnaie et des entretiens de Lamennais), dans la prose la plus harmonieuse et la plus vigoureusement rythmée. Tous ceux qui, dans la deuxième moitié du xixᵉ siècle, et jusqu'à nos jours, ont travaillé à faire de la prose française un instrument de poésie raffinée, doivent quelque chose à ces novateurs. En tête de ses *Poèmes en prose*, Baudelaire placera sa tentative hardie sous le patronage d'Aloysius Bertrand, de Maurice de Guérin, et d'Alphonse Rabbe, qui les avait précédés : « Quel est celui de nous qui n'a pas... rêvé le miracle d'une prose poétique, musicale sans rythme et sans rime, assez souple et assez heurtée pour s'adapter aux mouvements lyriques de l'âme, aux ondulations de la rêverie... »

L'œuvre de Sainte-Beuve aura, elle aussi, des répercussions lointaines. C'est un poète romantique que son

COMPOSITION de Gustave Doré sur la mort de Gérard de Nerval. — CL. BULLOZ.

Joseph Delorme ; il a lu, nous dit-il, tous les romans de la famille de *Werther* et de *Delphine*, *le Peintre de Salzbourg*, *Adolphe*, *René*, *Édouard*, *Adèle*, *Thérèse Aubert* et *Valérie* ; Sénancour, Lamartine et Ballanche ; Ossian, Cowper et Kirke White : on le voit bien, à son langage et à ses sentiments. La raison a perdu tout empire sur cet infortuné qui est une victime à l'avance condamnée par le sort. Il est avide d'amour et de gloire : or, il traîne dans la solitude et dans l'obscurité des jours pleins d'ennui. Il meurt en pleine jeunesse, prenant la suite de ces « poètes mourants » qui abondaient déjà dans la littérature élégiaque de la fin de l'Empire. Si Sainte-Beuve se bornait à nous décrire cette psychologie, il ne pourrait pas prétendre à donner une note nouvelle. Mais sa Muse, dit-il, n'est pas « une odalisque brillante » :

> Non. Mais quand seule au bois votre douleur chemine,
> Avez-vous vu là-bas, dans un fond, la chaumine
> Sous l'arbre mort ? Auprès, un ravin est creusé ;
> Une fille en tout temps y lave un linge usé.
> Peut-être à votre vue elle a baissé la tête ;
> Car, bien pauvre qu'elle est, sa naissance est honnête.
> Elle eût pu, comme une autre, en de plus heureux jours,
> S'épanouir au monde et fleurir aux amours,
> Voler en char, passer aux bals, aux promenades,
> Respirer au balcon parfums et sérénades ;
> Ou, de sa harpe d'or éveillant cent rivaux,
> Ne voir rien qu'un sourire entre tant de bravos.
> Mais le ciel dès l'abord s'est obscurci sur elle,
> Et l'arbuste en naissant fut atteint de la grêle.
> Elle file, elle coud, et garde à la maison
> Un père vieux, aveugle, et privé de raison.
> Si, pour chasser de lui la terreur délirante,
> Elle chante parfois, une toux déchirante
> La prend dans sa chanson, pousse en sifflant un cri
> Et lance les graviers de son poumon meurtri.
> Une pensée encor la soutient ; elle espère
> Qu'avant elle bientôt s'en ira son vieux père.
> C'est là ma Muse, à moi.....

Voilà, certes, une comparaison inattendue et originale. Et que chantera cette humble muse ? Ce que la vie humaine a de terne et de banal ; les sentiments étouffés, les mélancolies aux tons amortis. Elle s'arrêtera, avec une complaisance toute particulière, aux spectacles que les autres muses romantiques feignent d'ignorer, parce qu'elles sont trop grandes dames : elle décrira la réalité de tous les jours. Il lui plaira d'observer, par exemple, un coin des boulevards extérieurs : « Ces longs murs noirs, ennuyeux à l'œil, ceinture sinistre du vaste cimetière qu'on appelle une grande ville; ces haies mal closes laissant voir, par des trouées, l'ignoble verdure des jardins potagers; ces tristes allées monotones, ces ormes gris de poussière, et, au-dessous, quelque vieille, accroupie avec des enfants au bord d'un fossé; quelque invalide attardé, regagnant d'un pied chancelant la caserne; parfois, de l'autre côté du chemin, les éclats joyeux d'une noce d'artisans... » Tels seront les thèmes d'une poésie qui prétend, non pas certes au brillant et à l'éclat, mais à la vérité. Avoir découvert, en regardant mieux, un monde que les romantiques dédaignaient d'explorer; leur avoir laissé les sanglots sonores et les cris éperdus, pour prendre le mode mineur; avoir précédé dans cette découverte d'un trésor des humbles, les Verlaine, les Baudelaire, qui ne cacheront pas leur prédilection pour sa poésie méconnue; avoir créé cette tonalité familière où le vers rase la prose et annonce les tableaux parisiens d'un Coppée; s'être efforcé enfin de donner aux lettres françaises quelque chose de ce que possède le lakisme anglais, cet accent intime, cette nuance de vie quotidienne des Wordsworth et des Cowper : telle est, sans doute, l'originalité de Sainte-Beuve, qui fera école.

Avec Théophile Gautier, enfin, la poésie s'achemine vers le Parnasse. Sans doute, parce que sa première vocation de peintre subsiste dans son art de poète. Il est de ceux qui établirent une alliance entre l'atelier du « rapin » et le travail des vers : dans cette science de la « transposition d'art », qui permet aux mots de rivaliser avec les effets du coloriste, du ciseleur, de l'émailleur, il vint avant Baudelaire, avant Heredia. Il fit, sous forme de poèmes, des Téniers, des Ribera, des Zurbaran. Par ces dons, il enrichit d'un pouvoir prestigieux le romantisme de 1830 auquel il appartint d'abord.

Car il fut, par toute sa jeunesse, un romantique : quelque chose ferait défaut à la bataille d'*Hernani*, s'il n'y avait pas eu l'éclat de son gilet. Dans ses premiers vers, il ne manqua pas de faire sonner très haut toutes les fanfares à la mode. Mais entre son premier recueil et les *Émaux et Camées*, vingt-deux ans s'écoulent : c'est assez, sans doute, pour que s'apaisent les plus folles ardeurs. Et précisément, dans ces *Émaux et Camées*, que la postérité retient comme son plus beau titre de gloire, on trouve à la fois la trace d'un romantisme ancien, et l'exemple d'un art nouveau.

Il y a, dans cette œuvre, plus d'une strophe mélancolique. Le poète s'attriste; il songe aux amours passées, aux tourments qui lui furent chers; un vieil air entendu au passage, l'air du *Carnaval de Venise*, après avoir évoqué dans son esprit la splendeur miroitante de la cité des eaux, devient pour lui l'accompagnement douloureux d'un « clair de lune sentimental »; il laisse échapper une larme. N'est-ce pas une psychologie très

romantique que celle qu'il dépeint dans la pièce intitulée *Tristesse en mer ?*

> Mon désir avide se noie
> Dans le gouffre amer qui blanchit;
> Le vaisseau danse, l'eau tournoie,
> Le vent de plus en plus fraîchit.
>
> Oh! je me sens l'âme navrée :
> L'Océan gonfle, en soupirant,
> Sa poitrine désespérée,
> Comme un ami qui me comprend.
>
> Allons, peines d'amour perdues,
> Espoirs lassés, illusions
> Du socle idéal descendues,
> Un saut dans les moites sillons!
>
> A la mer, souffrances passées,
> Qui revenez toujours, pressant
> Vos blessures cicatrisées
> Pour leur faire pleurer du sang!

A vrai dire, il lutte contre cette émotion qui l'envahit. Il veut qu'elle reste discrète; souvent il la relègue à la fin de ses poèmes. Si elle prenait trop de place, elle risquerait de faire trembler sa main, de troubler ses yeux. Or, il veut peindre des tableaux impeccables, aux lignes pures, aux couleurs nettes. Il s'est convaincu, avec l'âge, que ce qui donne à la poésie une valeur éternelle, ce n'est pas l'étalage des sentiments, mais la perfection de la forme. Tout passe, les amours, les colères, et les regrets même :

> Tout passe. L'art robuste
> Seul a l'éternité.
> Le buste
> Survit à la cité
>
> Et la médaille austère
> Que trouve un laboureur
> Sous terre
> Révèle un empereur.
>
> Les dieux eux-mêmes meurent!
> Mais les vers souverains
> Demeurent
> Plus forts que les airains.
>
> Sculpte, lime, cisèle;
> Que ton rêve flottant
> Se scelle
> Dans le bloc résistant!

Le jour où Théophile Gautier écrit ces vers, une nouvelle période s'ouvre dans l'histoire de notre poésie.

III. — LE THÉÂTRE ROMANTIQUE
AVANT HERNANI

De 1820 à 1830 se dessine peu à peu le mouvement d'où sortira le drame romantique, malgré l'opposition des comédiens et du public. Les voies sont préparées par le mélodrame, à la poétique duquel le théâtre romantique fera plus d'un emprunt, et qui forme des acteurs et des metteurs en scène dont quelques-uns seront, pour Hugo et pour Dumas, de précieux auxiliaires.

Pour la connaissance du théâtre avant le romantisme, voir les œuvres de Lebrun (6 vol., 1844 à 1863) et de Casimir Delavigne (6 vol., 1843); Sainte-Beuve, Portraits contemporains, t. III, et Nouveaux Lundis, t. VI; Paul Bonnefon, Pierre Lebrun et « le Cid d'Andalousie » (Revue d'histoire littéraire de la France, 1913); Jules Lemaitre, Impressions de théâtre, t. III; Mme Fauchiet-Delavigne, Casimir Delavigne intime, 1907. Sur l'influence misonéiste

THÉOPHILE GAUTIER en 1839. Portrait par Auguste de Châtillon (musée Carnavalet).

de la Comédie-Française, voir Des Granges, la Comédie et les mœurs sous la Restauration et la monarchie de Juillet, *1904, et aussi, dans le Cénacle de la Muse française, de Léon Séché, 1908, les chapitres I (sur l'apport de Guiraud et de Soumet au théâtre) et VIII (sur le rôle du baron Taylor, très favorable au romantisme). Voir également, sur les premières tentatives de la jeune école :* C. Latreille, Un poète du premier cénacle romantique, Michel Pichat *(Revue d'histoire littéraire de la France, juillet-septembre 1901), à propos des représentations de* Léonidas *et de* Guillaume Tell.

Sur le mélodrame, voir les Chefs-d'œuvre du répertoire du mélodrame, *1825, 20 vol.;* P. Ginisty, le Mélodrame *(1911); Van Bellen,* les Origines du mélodrame, le Théâtre populaire avant 1790, *1933; sur les acteurs,* P. Ginisty, Bocage *1926;* J. Truffier, Mélingue, *1933; sur la décoration et la mise en scène,* A. Allevy-Viala, *la Mise en scène en France dans la première moitié du* XIXe *siècle, 1938.*

Voir plus haut ce qui concerne la Muse française *et le* Conservateur littéraire. *Pour* Racine et Shakspeare *et la* Préface de Cromwell, *voir les éditions critiques de* Pierre Martino, *1925, et* Maurice Souriau, *1897.*

Sur les Scènes historiques *de Mérimée et de ses imitateurs, voir* Jules Marsan, la Bataille romantique, *et* Marthe Trotain, les Scènes historiques, Étude sur le théâtre livresque à la veille du théâtre romantique, *1923. Sur les influences étrangères, voir* Borgerhoff, le Théâtre anglais à Paris sous la Restauration, *1912, et* le Schiller en France, *d'*E. Eggli, *particulièrement important pour l'histoire du théâtre.*

Pourquoi *Hernani* fut-il l'occasion d'une « bataille » ? Un combat suppose deux adversaires de force à peu près égale, et, à distance, nous comprenons mal que la jeune vigueur romantique ait eu besoin de lutter pour abattre le classicisme expirant. Mais l'un des antagonistes était, en réalité, plus redoutable, et l'autre moins sûr de lui que nous ne serions portés à le croire aujourd'hui.

Une phalange d'auteurs, oubliés de nos jours, mais alors en vogue, avaient été formés dans le respect des « règles » et tenaient ferme pour les sacro-saintes formules auxquelles ils devaient leurs succès. Étienne de Jouy (1764-1846), Viennet (1777-1868) étaient des hommes de l'autre siècle; Ancelot (1794-1854) et Mme Ancelot (1792-1875) avaient reçu l'éducation littéraire toute classique du premier Empire. D'autres, bien que plus favorables aux tendances nouvelles, restaient néanmoins timides, plus même, en apparence, que les classiques. C'était un curieux paradoxe que de voir Pichat avec *Léonidas* (1825), Soumet avec *Cléopâtre* (1814), *Saül, Clytemnestre* (1822), *Une fête de Néron* (1830), rester fidèles à l'antique, alors qu'en 1819 Lancelot débutait brillamment avec un *Louis IX* et Casimir Delavigne avec *les Vêpres siciliennes.* Mais la mise en œuvre importait plus que le choix des sujets : on pouvait traiter les plus modernes dans l'esprit le plus rétrograde. C'était peut-être le moyen le plus sûr d'arriver au succès, parce qu'on

UNE DANSEUSE ROMANTIQUE : Fanny Elssler en costume espagnol (musée Carnavalet, Estampes). — CL. LAROUSSE.

ménageait ainsi les deux grandes forces de résistance : le public et les acteurs.

Le public de la Comédie-Française est un public mondain, de sens artistique médiocre, de préjugés tenaces, qui juge, dit un chroniqueur des *Débats* en 1824, « quelquefois d'après ses sensations, mais plus souvent d'après les principes conservateurs d'un art qu'il se croit appelé à protéger ». Ses applaudissements n'allaient qu'aux gloires consacrées, ou bien aux œuvres qui, extérieurement, leur ressemblaient. La partie la plus cultivée de cette assistance était formée de ceux qu'on appelait, et qui s'appelaient eux-mêmes, les « connaisseurs », vieux habitués sachant par cœur les pièces du répertoire, dans lesquelles ils aimaient peut-être le souvenir de leur jeunesse; ils entendaient y retrouver les « beautés » qui les avaient charmés jadis, ou qu'on leur avait fait admirer au collège; ils attendaient, au moment marqué, l'effet connu, et n'admettaient pas volontiers ce qui dérangeait leurs habitudes. Parmi ces connaisseurs trônaient les critiques, dont les arrêts, prononcés dans les gazettes, avaient, pour les gens du monde, la même autorité que celle des « doctes » dans les ruelles.

Les acteurs se gardaient bien de mécontenter ce parti de conservation. Aussi bien ne désiraient-ils lui présenter que des nouveautés prudentes et des audaces timides. Le décret de 1807, en fixant la hiérarchie des théâtres et des genres, celui de 1811 (décret de Moscou) en donnant à la Comédie-Française le prestige d'un corps officiel, avaient fait de ses sociétaires les juges souverains de la haute littérature dramatique, les dispensateurs de la gloire théâtrale et les défenseurs résolus de la tragédie classique. Talma (1763-1826), Saint-Prix (1758-1834), Mlle Duchesnois (1777-1835) lui devaient leur réputation; tout ce qui n'était pas dans la tradition de leur emploi les trouvait hostiles, toute innovation excitait leur méfiance. Au temps de la Restauration, ils avaient atteint l'âge où l'on éprouve quelque peine à changer de manière, où l'on ne voit pas d'un œil favorable ce qui servirait les talents plus jeunes, encore capables de s'adapter.

Cependant s'élaboraient ailleurs des techniques susceptibles de contribuer efficacement à la rénovation. Dès le dernier quart du XVIIIe siècle, le ballet abandonnait, avec Noverre et Dauberval, les sujets héroïco-mythologiques, simples prétextes à l'exécution de pas classiques, toujours les mêmes, pour chercher les thèmes du *ballet d'action* dans l'évocation de la vie campagnarde. Le plus grand succès du nouveau genre avait été *la Fille mal gardée*, de Dauberval, en 1786. Le mouvement, retardé, contrarié par le goût de Napoléon pour le gréco-romain, ne se dessina franchement qu'après la Restauration; mais, dès 1806, sous l'influence de Bernardin de Saint-Pierre et, sans doute aussi, de la créole Joséphine, Pierre Gardel et Jean Aumer avaient tiré de *Paul et Virginie* deux ballets contenant chacun un « pas nègre », introduisant ainsi dans la chorégraphie le goût de la couleur locale et de l'exotisme.

Ce ne sont là pourtant que des velléités intéressantes, qui témoignent des nouvelles dispositions de quelques artistes et du public, mais qui n'étaient pas capables d'entraîner un vaste mouvement de tout l'art théâtral. Les

AU THÉATRE. Peinture de Daumier. — CL. MOREAU FRÈRES.

œuvres maîtresses du ballet romantique sont toutes postérieures aux grands drames : *le Dieu et la Bayadère* est
de 1830, *la Sylphide* de 1832, *la Révolte au sérail* de 1833,
Giselle de 1841, *la Péri* de 1843; si bien qu'on peut se
demander lequel, du drame ou du ballet, doit le plus à
l'autre. A tout le moins faut-il admettre que l'influence
fut réciproque; mais les premières recherches des choré-
graphes avaient ouvert la voie.

Plus nette et plus profonde fut l'action du mélodrame.
Né d'un croisement bizarre de la comédie larmoyante et
du roman noir, il conservait tous les défauts de l'un et de
l'autre, mais le mouvement, le pathétique, une grandiloquence qui pouvait devenir du lyrisme, fournissaient des
moyens d'art utilisables; sans compter que ce n'était pas,
après tout, un mérite méprisable que d'émouvoir le peuple
et les cœurs féminins :

> Vive le mélodrame où Margot a pleuré.

Rien de plus facile que d'en railler la déclamation ampoulée et triviale tout ensemble, le fantastique enfantin, les
clichés, les accessoires macabres, sans compter la psychologie rudimentaire de ses innocents persécutés par les
traîtres les plus sombres, de ses vaillants redresseurs de
torts, qui châtient immanquablement le crime au cinquième acte, au moment où on les croit perdus eux-mêmes.
Tout cela, certes, prêtait à rire, pas plus cependant, à
tout prendre, que les tirades en alexandrins chevillés, les
héros affadis ou gonflés de rhétorique, les fureurs en style
noble, les confidents chargés de se faire conter, pour l'information du spectateur, ce qu'ils savent depuis longtemps.
Du moins le mélodrame avait-il sur la tragédie anémique
et monotone l'avantage de l'exubérance et de la variété.
Des scènes bouffonnes entre les scènes terribles, des
vertus et des vices en contradiction avec le rang social des
personnages, introduisaient dans ces frustes productions
des contrastes qui leur donnaient, à défaut d'autres mérites,
un relief vigoureux. Le public du Boulevard, plus spontané, moins esclave des conventions, moins raffiné, mais
plus sensible, était « empoigné », comme disait l'argot des
coulisses : l'action, transportée, au cours des tableaux,
de la mansarde au salon et du château à la cabane, satisfaisait son désir d'évasion; les bois et les souterrains peu-

plés de fantômes charmaient son imagination de grand
enfant; le triomphe assuré des gens de bien désarmés sur
la toute-puissance du mal satisfaisait la soif de justice
des âmes populaires. Le mélodrame réalisait cette communion de l'œuvre et du spectateur qui est l'essence même de
l'émotion théâtrale. Bien que sans valeur artistique, il
renfermait des éléments qu'un artiste pouvait utiliser.

C'est à l'école du mélodrame fantastique ou pseudo-
historique, c'est à l'Ambigu, voire au Cirque Olympique
des Franconi, parfois même sur d'obscurs tréteaux de
banlieue ou de province, que se formèrent les grands
interprètes du drame romantique. Frédérick Lemaître
(1800-1876), qui sera Kean dans la pièce de Dumas
(Variétés, 1836) et Ruy Blas dans celle de Victor Hugo,
avait conquis de bonne heure la célébrité par ses fameuses
créations de Robert Macaire dans *l'Auberge des Adrets*
(Ambigu, 1824) et de Georges de Germany dans *Trente
ans ou la Vie d'un joueur* (Porte-Saint-Martin, 1827).
Dans ce dernier drame, il avait pour partenaire Marie
Dorval (1798-1849) qui avait couru la province depuis
l'enfance, avant d'être engagée, à vingt ans, à la Porte-
Saint-Martin, et qui devait créer Kitty Bell dans *Chatterton* (1835). Louise Baudouin, la reine de *Ruy Blas*, était
une élève de Frédérick Lemaître; après la faillite de
l'Odéon (1829), Provost (1798-1845) et Beauvallet (1801-
1863) furent recueillis, l'un par la Porte-Saint-Martin,
l'autre par l'Ambigu. De l'Ambigu venaient encore Saint-
Firmin, qui fut don César, Mauzin, qui fut don Salluste,
et Guyon, le Magnus des *Burgraves*, que la Comédie-
Française avait deux fois repoussé (1833 et 1838). Tous ces
acteurs étaient des jeunes : les plus âgés avaient à peine
dépassé la trentaine lorsque parurent les premières œuvres
romantiques. Ils ne s'embarrassaient guère des traditions
et se faisaient peut-être un plaisir de les traiter sans
respect, pour faire pièce aux « grands comédiens ».
Ils ne comptaient que sur leur audace et leur fougue.

FRÉDÉRICK LEMAITRE entouré de ses principaux rôles :
Robert Macaire, Richard d'Arlington, Toussaint-Louverture,
Georges de Germany, Kean (sous deux aspects), don César
(musée Carnavalet, Estampes). — CL. LAROUSSE.

En même temps qu'un nouveau style de jeu, le mélodrame allait faire naître un nouveau style de présentation. Le décor cessait d'être un accessoire qu'on pouvait réduire à quelques indications sommaires. Cimetières, ténébreux châteaux, repaires de brigands, sites horribles que la tempête ou l'hallucination changeait en visions de cauchemar, tout ce merveilleux puérilement terrible était mis réellement sous les yeux. Le peintre, le machiniste devenaient des personnages; leurs inventions, même quand la pièce n'était pas écrite pour servir de prétexte au décor, faisaient les trois quarts du succès. Les directeurs du Boulevard s'assuraient à prix d'or les concours les plus fameux : Ciceri, décorateur en chef de l'Académie de musique, travaillait pour la Porte-Saint-Martin et pour le Cirque; ses paysages, que Daguerre animait par les prestiges de son diorama, faisaient l'admiration de tous les publics : en 1828, le sabbat du *Faust* de Béraud, Merle et Nodier soulevait l'enthousiasme autant que l'éruption du Vésuve dans *la Muette de Portici*. La même année, un à-propos célébrait à l'Ambigu la « Muse du Boulevard », Scénéis, muse de la mise en scène. Des moyens nouveaux d'expression étaient mis à la disposition des nouvelles doctrines.

Celles-ci essayaient déjà de se formuler dans les deux premiers organes de la jeune école : *le Conservateur littéraire* (décembre 1819-mars 1821) et *la Muse française* (juillet 1823-juin 1824). Toutefois *le Conservateur* ne fait que traduire le malaise de ces débutants inexpérimentés en face des productions médiocres du théâtre contemporain : ils reconnaissent qu'il est déclamatoire, conventionnel, faux, sans aucune originalité, mais ils ne cherchent pas encore les moyens de quitter l'ornière. On reconnaît que Delavigne est un peu moins faible qu'Ancelot, mais il s'en faut qu'on salue *les Vêpres siciliennes* comme le chef-d'œuvre qui montrerait les voies de la rénovation. On garde le respect, le culte des modèles; on allègue l'exemple de Corneille et de Racine, voire les préceptes de Boileau; on parle, incidemment, du théâtre allemand avec une désinvolture assez dédaigneuse, et de Shakespeare sur un ton que Voltaire eût approuvé.

Cette ignorance hostile des théâtres étrangers, excitée encore par les passions politiques, se manifesta d'une manière pénible en 1822 : une troupe d'acteurs anglais, venue à Paris, fut accueillie par les sifflets des classiques, des libéraux et des bonapartistes; une seconde tentative, le surlendemain 2 août, détermina une véritable émeute : les représentations ne purent continuer que sur une scène d'amateurs et devant une assistance réduite de souscripteurs. Cependant, le public allait être bientôt mieux informé : Guizot venait de remanier la traduction de Shakespeare par Le Tourneur, en l'accompagnant d'une préface nettement favorable aux idées nouvelles; Barante publiait une traduction de Schiller (1821); Fauriel faisait connaître les tragédies de Manzoni et sa lettre contre les unités; Stendhal donnait, dans un magazine anglais paraissant à Paris (*Paris Monthly Review*, octobre 1822-janvier 1823), deux des articles qui formèrent la première

UN DÉCOR DE CICERI pour « Aladin ou la Lampe merveilleuse », opéra-féerie de Nicolo (1822).
CL. LAROUSSE.

édition de *Racine et Shakspeare* (mars 1823). Il ne semble pas que cette brochure ait eu un grand retentissement : on ne prenait guère Stendhal au sérieux; on le tenait pour un brillant causeur, qui s'amusait à soutenir les plus sophistiques paradoxes dans ces réunions de lettrés dont les *Mémoires* de Delécluze nous ont transmis le souvenir. Pourtant il ne faisait qu'exprimer, sous une forme piquante, les inquiétudes et les aspirations des jeunes.

On s'aperçoit de son influence en comparant aux hésitations du *Conservateur* le langage déjà plus net de *la Muse française*. Les attaques se précisent, les griefs se définissent. On s'en prend à la langue « non pas *classique*, mais *des classes...*, ce jargon græco-gallique obligé de passer par la mémoire pour arriver au cœur, et tombé désormais en partage à la médiocrité »; on s'en prend à cette poésie « toujours préoccupée de la crainte de se compromettre » et n'osant jamais, sans une « espèce d'escorte métonymique... aborder l'idée ou le mot énergique qui l'exprimerait ». On applaudissait le *Saül* de Soumet (1822), qui faisait entrevoir ce que pourrait être le drame moderne, dégagé des routines; mais l'œuvre paraît encore timide : le compte rendu de G. Desjardins consacre de longues pages à dire quelles possibilités offrait un pareil sujet, possibilités que l'auteur a laissées de côté.

Le texte le plus important de *la Muse française* est l'article d'Alexandre Guiraud intitulé : « *Nos doctrines* », en tête de la VIIe livraison (janvier 1824). Il a déjà l'allure d'un manifeste. Pour la première fois, les novateurs s'efforcent de justifier par l'histoire leur volonté d'indépendance et prennent position en face de leurs devanciers. Notre littérature, fondée depuis le XVIe siècle sur l'imitation de l'antique, puis sur l'imitation des premiers imitateurs, s'est éloignée de plus en plus de la vérité. Mais, après la Révolution, qui a rompu avec le passé, coupé au pied la « société flétrie » du XVIIIe siècle, l'heure est venue d'exprimer les aspirations nouvelles d'un monde « régénéré par un baptême de sang ». Un art plus *vrai* doit naître, qui s'inspirera non des Anciens, trop éloignés de nous, mais des étrangers dont la littérature « née de l'inspiration du moment, sans érudition préalable, présentée aux suffrages du peuple et non à celui des savants », est plus « vraie » que la nôtre. Il n'est pas question de demander à ces étrangers des modèles : ce serait remplacer une imitation par une autre; mais, à leur école, l'artiste doit apprendre à « être soi », au lieu de n'être éternellement qu'un disciple.

Guiraud, en écrivant ces pages, ne voulait pas exposer les principes d'une dramaturgie nouvelle, mais une doctrine littéraire de portée générale; on devine bien, cependant, que le théâtre est au premier rang de ses préoccupations : c'est au théâtre qu'il emprunte les preuves de la « dégénération » de notre littérature; parmi les maîtres étrangers qu'il invoque, Lope de Vega, Shakespeare, Pétrarque, Cervantès, Dante, Schiller, trois sont des poètes dramatiques. Aussi bien la brochure de Stendhal faisait-elle porter le débat sur le théâtre exclusivement. Or, un incident allait lui donner un retentissement qu'elle n'avait pas eu tout d'abord. Le 24 avril 1824, dans une séance publique de l'Institut, l'académicien Auger attaquait violemment les romantiques, et au mois de juillet suivant, à la distribution des prix du Concours général, le grand maître de l'Université reprenait le même thème : les romantiques étaient dénoncés comme des révolutionnaires dangereux. Stendhal répliqua par son *Racine et Shakspeare* n° 2, où il attaquait à la fois les classiques et les ultras : la querelle devenait politique; l'opposition s'y intéressa plus qu'elle n'avait fait deux ans auparavant et la diffusion des idées nouvelles s'en trouva favorisée.

Selon l'auteur du nouveau *Racine et Shakspeare*, la « tragédie romantique » devait être une pièce en prose, affranchie des unités de temps et de lieu et dont le sujet serait emprunté à l'histoire nationale. Cette réforme radicale était rendue nécessaire par le changement des mœurs depuis la Révolution; le « Romantisme » devenait « l'art de présenter aux peuples les œuvres qui, dans l'état actuel de leurs habitudes, sont susceptibles de leur donner le plus de plaisir possible ». Avec plus de force que Guiraud, Stendhal posait le principe de la transformation obligatoire du théâtre parallèlement aux transformations de la société.

C'est l'idée qui va être reprise et amplifiée dans la *Préface de Cromwell* (1827). Cette fois, Hugo ne se borne pas à considérer deux moments de notre histoire : il prétend retracer dans son ensemble l'évolution poétique de toute l'humanité. Trois âges, d'après lui, se seraient succédé :

l'âge lyrique, l'âge épique et l'âge moderne, qui est essentiellement l'âge du drame. Ce troisième âge commence avec le christianisme, auquel est due la notion de la double nature de l'homme, mélange de bien et de mal, de sublime et de grotesque : l'essence du drame est de montrer cette antithèse.

On peut sourire de ce qu'a d'ambitieux et de sommaire à la fois une pareille théorie; mais ce n'en était pas moins une théorie, un ensemble d'affirmations sur lesquelles pouvait se fonder une dramaturgie. D'ailleurs il y avait dans la *Préface* autre chose que ces aventureuses considérations : elle protestait, avec plus de véhémence que Stendhal, contre les unités; elle attaquait, avec plus de verve que le terne Guiraud, le prétendu style noble, qui rendait impossible toute expression vraie d'un sentiment fort. Mais, loin de rejeter l'alexandrin, Hugo réclamait seulement la réforme de la langue et du mètre : il fallait, comme il dira plus tard, « disloquer ce grand niais » et « appeler le cochon par son nom »; il écrivait déjà : « Malheur à l'écrivain si son vers fait la petite bouche. » Enfin, et c'était l'essentiel, ce manifeste n'était qu'une *préface* : il était suivi d'une œuvre qui montrait l'application à côté de la théorie. Que cette œuvre fût injouable, il importait peu : l'adaptation aux nécessités matérielles de la scène se ferait par la suite; le principal était qu'on ne pouvait plus reprocher aux romantiques d'être des négateurs chimériques et stériles.

De son côté, Mérimée avait mis les théories de Stendhal en pratique dans le *Théâtre de Clara Gazul* (1825). C'étaient des drames en prose qui ne respectaient pas les unités. En les attribuant à l'imaginaire comédienne espagnole dont il n'aurait été que le traducteur, Mérimée ne cédait pas seulement à son goût de la mystification : un pareil subterfuge autorisait toutes les audaces que le public aurait condamnées sans miséricorde chez un auteur français. En ne destinant pas son œuvre à la représentation, il éludait la triple tyrannie de la censure, des comédiens et du parterre; il pouvait donner en toute liberté un exemple de ce que serait le théâtre renouvelé. Un seul pas restait à faire : sur le pseudomodèle étranger, il fallait traiter un sujet pris dans notre histoire nationale, avec une hardiesse de touche qui fît oublier les timides et trop classiques tentatives du président Hénault, du comte Rœderer et d'Oultrepont. Mérimée l'essaya dans les « Scènes historiques » de *la Jaquerie* (1828).

Si l'on juge d'après le nombre d'imitations qu'il suscita, ce « théâtre livresque » eut un grand succès. En même temps que Vitet et ses *Scènes de la Ligue* (1829), les résurrections dialoguées tentèrent un grand nombre d'écrivains. N'exagérons pas leur influence : elles apparaissent à la veille des grands drames, et la mode en persiste quelques années après que le romantisme s'est imposé à la scène. Les deux mouvements sont parallèles et non pas issus l'un de l'autre, mais les scènes historiques demeurent comme un témoignage curieux de goûts et de tendances qui nous aident à comprendre certains caractères des luttes prochaines.

On y remarque d'abord la préférence — en partie d'intention politique — pour certaines époques mouvementées et pittoresques : les guerres de religion (Saint-Germain, *le Tumulte d'Amboise*, 1829; Saint-Esteben, *la Mort de Coligny*, 1830), ou la fin du moyen âge (Lavallée, *Jean sans Peur*, 1829). Mais on y remarque aussi l'attrait qu'exercent la Révolution et l'Empire : l'année 1828, celle de *la Jaquerie*, voit paraître une *Mort de Louis XVI* (Duchatelier), un *Dix-huit brumaire* (Loève-Veimars), une *Conspiration de Malet* (Dittmer

CLARA GAZUL ET PROSPER MÉRIMÉE.

Dessin de Delécluze. Un « cache » permet de retrouver aisément les traits de Mérimée dans ceux de l'imaginaire comédienne (B. N., Cabinet des Estampes). — CL. LAROUSSE.

et Cavé) ; l'année suivante, on pourra lire encore une *Mort des Girondins* (Duchatelier) et *les Septembriseurs* (Régnier d'Estourbel) ; en 1830, dans la *Revue de Paris*, *les Mécontents* de Mérimée évoqueront une conspiration royaliste sous Napoléon. En 1831, Bonnier publiait encore un *Neuf-Thermidor*, et E. d'Anglemont, en 1832, une « histoire-drame » sur *le Duc d'Enghien*. Fait capital et inquiétant : la jeune école prétendait faire revivre des époques toutes récentes et encore, pour ainsi dire, chargées d'électricité.

Lebrun l'avait osé, bien avant Hugo. Son adaptation de la *Marie Stuart* de Schiller, achevée dès 1816, avait été applaudie en 1820, et il avait entrepris, deux ans plus tard, de produire sur la scène française *la Estrella de Sevilla*, de Lope de Vega. Mais son *Cid d'Andalousie*, terminé en mai 1823, allait se heurter à de multiples intrigues, assez tortueuses, et très révélatrices. La Commission des théâtres veut arrêter au passage une pièce dans laquelle un roi d'Espagne joue un rôle assez peu honorable (une antithèse romantique avant la lettre) ; l'intervention de Chateaubriand l'amène à plus d'indulgence, mais ce sont alors les comédiens qui multiplient les difficultés. Derrière leurs objections étranges, on aperçoit sans peine les menées de Mlle Duchesnois pour barrer la route à Mlle Mars, à qui est destiné le premier rôle. De leur côté, les gens de lettres s'agitent : Lebrun, le 11 novembre 1824, se plaint avec amertume d'Ancelot qui lui « recrute des ennemis ».

Après d'interminables discussions, la pièce fut enfin représentée le 1er mars 1825 : elle fut écoutée avec attention, mais ne remporta qu'un succès d'estime. Elle durait une heure de plus qu'une tragédie ordinaire; le cinquième acte, en particulier, parut traînant : ce n'était pas le moyen de faire taire la cabale. Les critiques jugèrent d'après leurs préventions politiques : pour *le Globe*, *le Cid d'Andalousie* était une « très remarquable production »; pour *le Drapeau blanc*, c'était l'œuvre « plus bizarre qu'originale » d'un « imitateur maladroit ». A la vérité, les exigences de la censure et l'insuffisance, probablement voulue, de certains interprètes avaient défiguré l'ensemble. S'ingéniait-on à créer dans la salle une atmosphère d'hostilité ? A la troisième représentation, le contrôleur aurait refusé l'entrée de la salle à des personnes soupçonnées d'être amies de l'auteur ou de sa principale interprète. Que le fait soit exact ou non, il reste que les représentations furent suspendues après la quatrième. L'année suivante, vers la mi-juin, Talma tombait malade et mourait en octobre. Lebrun perdait en lui son défenseur, et *le Cid d'Andalousie* fut oublié. Lorsque son auteur fut reçu à l'Académie française, en 1828, M. de Feletz ne fit qu'une brève allusion, un peu dédaigneuse, à cette œuvre « qui, composée sous l'influence d'un autre système littéraire, n'est point indigne de ses aînées ».

Ce n'était certes pas une pièce capable de soulever l'enthousiasme et de rallier des admirateurs fervents pour tenir tête aux adversaires. Mais l'histoire de son échec est intéressante surtout parce qu'elle montre l'espèce de mauvaise foi passionnée contre laquelle durent se défendre les œuvres de la nouvelle école. C'est là une circonstance

MADEMOISELLE MARS, une des plus brillantes interprètes du théâtre romantique. Peinture de Kinsoen (Bowes Museum, Barnard-Castle).
CL. GIRAUDON.

à ne pas perdre de vue pour qui veut juger équitablement les luttes qui suivirent.

De plus en plus elles tournèrent à l'avantage des romantiques. En 1829, *Henri III et sa cour* remportait un éclatant succès, en dépit des violentes colères du clan royaliste. Quelques mois plus tard, nouvel orage, et victoire nouvelle, avec l'*Othello* de Vigny. Non seulement la règle des unités était enfreinte ouvertement (le décor changeait huit fois!), mais les « convenances » étaient violées sans nulle retenue : on voyait Cassio ivre, Desdémone se faisant déshabiller avant de se mettre au lit, Othello réclamant à sa malheureuse femme le fameux « mouchoir », mot bas que Lebrun avait risqué dans *Marie Stuart*, mais qui, cette fois, revenait à huit reprises. Ces « fautes » n'empêchèrent pas la pièce d'être applaudie.

La *Lettre à Lord... sur la soirée du 24 octobre 1829 et sur un système dramatique* s'égaie aux dépens de ces « faibles » qui ont poussé « des cris longs et douloureux » parce qu'on appelait l'objet en question par le nom que tout le monde lui donne. Mais elle allait plus loin : elle osait réclamer pour le vers dramatique les libertés que s'étaient permises Molière, et Racine même dans la comédie ; elle montrait aussi que le « style noble » était la conséquence, ridicule mais inévitable, d'une conception dramatique où « l'expression simple » était remplacée par un langage d'apparat : dire *hymen* au lieu de *mariage*, comme fait Racine, menait infailliblement à désigner les « espions » de police par une périphrase élégante, comme fait Ducis. Vigny tournait en ridicule « le vieux trépied des unités sur lequel Melpomène s'asseyait, assez gauchement quelquefois »; il n'acceptait que « l'unité d'intérêt dans l'action », revendiquant pour le poète le droit de faire « mouvoir des existences entières »; quant à la conception opposée, il la tient pour définitivement morte; c'est pour lui « le système qui vient de s'éteindre ».

Le fait est que le goût public avait changé. Dès 1827, des acteurs anglais étaient revenus à Paris, malgré le mauvais vouloir de l'administration, et leur spectacle, bien que pauvrement présenté, reçut un accueil bien différent de celui de 1822. La troupe fut autorisée à prolonger son séjour jusqu'au 3 mars 1828; les critiques reconnurent, les uns avec joie, les autres avec dépit, la vérité du jeu anglais, auprès duquel celui des Français parut déclamatoire et conventionnel. Mlle Mars, dit la *Pandore*, ne manqua pas une seule représentation; elle allait montrer bientôt qu'elle avait profité de cet exemple, autant que de celui des acteurs du Boulevard.

D'HERNANI AUX BURGRAVES

Le théâtre romantique entre 1829 et 1842 est représenté par trois écrivains de tempérament et de valeur artistique fort différents : Dumas père, Hugo, Vigny. Le premier n'était guère qu'un faiseur habile et amusant, dont la production, très abondante, est, littérairement, de qualité inférieure; le second est un artiste puissant, mais inégal : de toute son œuvre dramatique, deux pièces seulement ont survécu, grâce à l'éclat de la forme et à l'idéalisme généreux d'une pensée, qui reste, malgré tout, un peu superficielle et oratoire. Mais l'application sans prudence de théories contestables aboutit à l'échec justifié des Burgraves (1843). Le troisième est un penseur plus profond, mais dénué de tempérament dramatique; une seule pièce de lui compte encore : Chatterton (1835), œuvre intéressante et douloureuse, mais peu faite pour scène.

L'éclat du théâtre romantique fut passager : treize années seulement séparent les premières victoires d'un revers dont il ne se relèvera pas. Mais la défaite est seulement apparente : si les théories de la Préface de Cromwell se révèlent erronées, elles agissent tout de même par les réflexions qu'elles provoquent, par les initiatives nouvelles qu'elles suscitent.

Sur Dumas père, voir : Sainte-Beuve, Premiers Lundis, t. II; J.-J. Weiss, le Théâtre et les mœurs *(3e édition, 1889);* H. Parigot, le Drame d'Alexandre Dumas, *1898 ;* F. Sarcey, Quarante Ans de théâtre, t. IV; J. Lemaitre, Impressions de théâtre, t. III.

Sur V. Hugo, voir : F. Brunetière, Époques du théâtre français, *1892 ;* A. Blanchard, le Théâtre de Victor Hugo et la Parodie, Amiens, *1894;* G. Lote, En préface à Hernani. Cent Ans après, *1935; pour l'établissement du texte, voir* P. et V. Glachant, Essai critique sur le théâtre de V. Hugo, *2 vol., 1902 et 1903.*

Sur Vigny, voir : E. Sakellaridès, Alfred de Vigny, auteur dramatique, *1902;* E. Estève, Alfred de Vigny, sa pensée et son art, *1923, en particulier livre II, chap. I et II; sur les rapports du théâtre de Vigny et des événements politiques de son temps, on consultera avec profit* P. Flottes, la Pensée politique et sociale d'Alfred de Vigny, *1926, en particulier les chap. IV (sur la Maréchale d'Ancre) et VI (sur Chatterton); utiles renseignements sur l'accueil de la presse;* G. Bonnefoy, la Pensée religieuse et morale d'Alfred de Vigny, *1946.*

Il a paru préférable, pour des raisons qui seront indiquées plus loin, de reporter à la troisième partie de cet exposé ce qui concerne le théâtre de Musset.

ALEXANDRE DUMAS. Dessin d'Achille Devéria (B. N., Cabinet des Estampes). — CL. LAROUSSE.

ALEXANDRE DUMAS

Victoire d'*Hernani* en 1830 — échec des *Burgraves* en 1843 : l'histoire du théâtre romantique tient presque tout entière entre ces deux dates. Tout compte fait, c'est l'histoire d'une tentative manquée, en dépit de réussites. Les œuvres n'ont point confirmé la doctrine, et la postérité n'a guère réformé les jugements des contemporains que pour en aggraver la sévérité.

Des vingt-cinq volumes du théâtre de Dumas père, que subsiste-t-il? Rien de plus forcené, de plus faux, que son drame prétendu moderne d'*Antony* (1831). Ce bâtard violent et fastueux, qui jette aux postillons des louis venus on ne sait trop d'où, et qui ne recule pas devant des crimes (car il faut bien employer le pluriel!); la victime de ce « hors-le-monde » fort mondain, cette désœuvrée incapable de faire le moindre geste pour se dégager de l'emprise diabolique, tout cela est d'un romanesque enfantin, pire que les plus absurdes fictions du mélodrame.

Il est vrai que l'œuvre est restée longtemps au répertoire, mais ce fut pour le plus grand malheur du théâtre romantique. Ce qu'avait d'inquiétant la conception « passionnelle » de l'homme (et de la femme!) ne pouvait être inoffensif qu'à la faveur du recul historique : il y avait un danger sérieux à laisser croire aux sots et aux sottes que pareille démesure charnelle pouvait être la marque d'une nature d'élite.

Quant aux drames « historiques », le temps en a fait bonne justice. On a repris naguère *la Tour de Nesle* (1832) : succès de curiosité, passablement ironique et sans durée; mais qui se rappelle les six actes et les vingt-trois tableaux de *Napoléon Bonaparte* (1831), le « mystère » de *Don Juan de Marana* (1832) ou la tragédie de *Caligula* (1835)? Rien de tout cela ne supporte plus même la lecture : dès les premières pages, la platitude ampoulée rebute, et on se demande comment *Henri III et sa cour* (1829) et les autres pièces de même sorte purent aller aux nues.

C'est que le public d'alors y trouvait ce que ne lui offraient guère les derniers tenants de la tragédie classique : avant Thierry, dont les *Récits des temps mérovingiens* ne paraissent qu'en 1840, avant Michelet qui ne commence qu'en 1833 à publier son *Histoire de France*, Dumas tentait une résurrection. L'image était fausse? la couleur locale plaquée? Nous en jugeons de la sorte parce que les grands historiens nous ont rendus difficiles, mais les lecteurs de Velly ou d'Anquetil y trouvaient un pittoresque vivant qui avait pour eux tout le charme de la nouveauté. Au surplus, si l'écriture de ces drames est dénuée de toute valeur d'art, elle est éminemment scénique; elle « fait de l'effet », elle fournit surtout à l'acteur l'occasion de « faire des effets », et ce n'est pas un médiocre avantage pour un dramaturge que d'offrir à ses interprètes des occasions de succès personnel. Enfin, ces drames, enfantins parfois, ne sont jamais ennuyeux : aujourd'hui même, ils amusent encore par leur agencement habile et mouvementé. Dumas avait le don, l'instinct du théâtre; par malheur, ce n'était qu'un faiseur adroit, d'ailleurs plus soucieux de la recette que de la perfection; il fallait un artiste pour donner à l'école romantique le chef-d'œuvre qu'elle attendait. Elle le trouva en *Hernani*.

VICTOR HUGO

On a tant parlé de la fameuse « bataille » qu'il semble d'abord inutile de rappeler des faits connus et des anecdotes un peu trop souvent contées. Mais, à mieux regarder, on voit qu'il n'est pas inutile d'éclaircir une atmosphère de légende. Combien s'imaginent aujourd'hui qu'à la fin d'une première tumultueuse, *Hernani* s'imposa d'un seul coup et que les acclamations firent taire, une fois pour toutes, les sifflets! Il n'est que de relire l'*Histoire du romantisme* de Gautier pour constater que, durant des semaines, il fallut tenir tête à l'adversaire, avec des alternatives de succès et de revers. Après trente-trois représentations, le débat n'était pas tranché; la querelle continuait dans la presse, où les classiques ne se privaient pas d'ergoter.

Pourtant quelques voix plus modérées parvinrent à se faire entendre : *la Revue française*, très sévère pour l'œuvre, loue hautement le « courage » de la tentative, si éloignée des « molles transactions » tentées jusqu'alors. Ce défenseur de l'alexandrin classique rend justice au dialogue, même quand son oreille est déroutée ou son purisme choqué : « Où il y a demande et réponse, échange d'amour ou de haine, de plaisanteries ou d'outrages, vous trouverez là le poète et vous l'admirerez ». Toutes les sévérités de ce classique résolu se terminaient par cet hommage à l'adversaire : « La scène française gardera la trace de son passage ».

De nos jours, l'enthousiasme qu'*Hernani* déchaîna semble peu justifié — d'aucuns disent brutalement : ridicule. On raille volontiers, avec les parodistes de la première heure, la rhétorique intempestive de ces personnages à la psychologie sommaire, comme aussi les nombreuses « ficelles » de mélodrame, escaliers dérobés, conspirateurs, fioles de poison et le reste. Mais ce sont là critiques trop faciles, qui laissent de côté le véritable problème. Tous les drames de Hugo sont aussi romanesques, aussi dénués de vraisemblance qu'il est possible de l'être; on retrouve dans tous le même bric-à-brac lugubre : pourquoi donc *Marion de Lorme* (1829), *le Roi s'amuse* (1832), *Lucrèce Borgia, Marie Tudor* (1833), *Angelo* (1835), *les Burgraves* (1843) même n ont-ils pas survécu, alors que *Ruy Blas* (1838) et *Hernani* demeuraient au répertoire? Qu'y a-t-il, dans ces deux œuvres, qui ait pu les sauver de l'oubli?

La supériorité de la forme, d'abord. Tous les deux sont des drames en vers, et en beaux vers. L'alexandrin n'est plus, pour Hugo, ce qu'il est encore parfois pour Lamartine et pour Vigny : un moule étroit et incommode, dans lequel il faut faire entrer la pensée après coup et vaille que vaille; c'est un moyen d'expression naturel et comme spontané, une véritable musique, chantée sans effort par un incomparable virtuose. La *Préface de Cromwell* avait dit ce que devait être le vers dramatique, mais *Cromwell* n'ayant pas été représenté, l'expérience n'avait pas été faite. Après *Hernani*, on ne pouvait plus contester que le rythme, assoupli, varié, affranchi des contraintes arbitraires, capable de prendre tous les tons et de se mouler sur la pensée, ne lui donnât une force que la prose ne connaissait pas. Comme l'avait dit la *Préface*, « le fer devenait acier ». Les malveillants prétendront un jour que la splendeur verbale masque la pauvreté du fond.

Mais, s'il en était ainsi, pourquoi tous les drames en vers n'auraient-ils pas survécu? Il faut bien admettre qu'*Hernani* et *Ruy Blas* s'élevaient au-dessus du *Roi s'amuse* et des *Burgraves* par d'autres mérites. Et ces mérites sont la grandeur et la générosité.

L'histoire n'y est pas rapetissée aux piètres dimensions de l'anecdote; elle sert, au contraire, de fond grandiose à une intrigue assez inconsistante, derrière dona Sol et son amant, il y a don Carlos et ses ambitions impériales; le triomphe du proscrit, le succès de la conjuration, auraient changé la face du monde. Il n'en va pas tout à fait de même pour *Ruy Blas* : que don Salluste parvienne ou ne parvienne pas à déshonorer Marie de Neubourg, que le pauvre « ver de terre amoureux d'une étoile » meure ou survive, il importe peu à la destinée de l'Espagne. Cependant, le cérémonial étouffant, comme les intrigues tortueuses de cette cour, nous font apercevoir le drame d'une grande monarchie à son déclin. « Dans *Hernani*, le soleil de la Maison d'Autriche se lève; dans *Ruy Blas*, il se couche » : c'est ainsi que V. Hugo termine la préface de ce dernier drame, et il lui est permis de prétendre, sans trop d'exagération, que son drame peut être examiné « par l'esprit grave et consciencieux... du point de vue de la philosophie de l'histoire ».

Ce fond-là manquait chez Dumas : les sarbacanes, les bilboquets, le laboratoire truqué, la sorcellerie pour rire de Ruggieri, ne laissent pas entrevoir le tragique de l'époque; le Balafré, malgré sa vengeance féroce, reste un George Dandin sanglant. Or, *les Burgraves* sont presque dans le même cas, à cette différence près (et elle n'est pas négligeable) qu'à l'origine de ce drame il y a les émotions réellement ressenties par Hugo lors de sa visite aux ruines féodales du Rhin (1838). Mais le miracle scénique ne s'est pas accompli, la pièce n'est pas digne de son décor. On n'aperçoit guère que la brutalité de ces féodaux pillards; on ne peut concevoir que ces ancêtres, dont ils sont les héritiers dégénérés, leur aient été sensiblement supérieurs. La vendetta compliquée de Guanhumara, ses drogues mystérieuses, les morts qui ne sont pas tués, l'enfant volé qui se retrouve, appartiennent au pire matériel du mélodrame, pour ne rien dire des enfantillages, comme

La première représentation d'« Hernani ». Caricature de Grandville (B. N., Cabinet des Estampes). — CL. LAROUSSE.

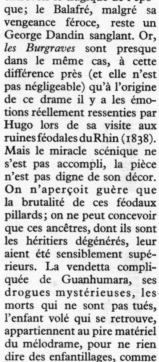

ces portraits qui peuvent — au XIIIe siècle — se décrocher et se retourner, ou comme ces carcans merveilleux qui peuvent passer en un clin d'œil du cou des captifs à ceux de leurs maîtres. On cherche en vain dans tout cela cette « vie presque royale » que V. Hugo prétendait « reconstruire par la pensée »; encore moins y retrouverait-on le plus petit reflet de la politique unificatrice, paraît-il, de Barberousse. Ce qu'il peut y avoir de grandeur sauvage dans ce moyen âge, c'est dans *Eviradnus* qu'il faut chercher, pas dans *les Burgraves*.

De même, *le Roi s'amuse* ne nous présente qu'un monarque passablement paillard, servi par un bouffon qui reste un assez méprisable drôle. Non seulement on ne retrouve là rien de ce qui fit la grandeur de cette cour artiste et chevaleresque, mais on ne peut même pas s'apitoyer sur l'affreuse aventure de Triboulet : il est trop loin et trop au-dessous de nous. Hernani et Ruy Blas nous donnent, au contraire, le spectacle d'une humanité capable de se dépasser. Don César sur le mode picaresque, Ruy Blas sur le mode élégiaque et douloureux, sont deux héros; don Carlos, Ruy Gomez, Hernani, sont tous trois généreux au sens cornélien du mot. Figures grossièrement taillées tant qu'on voudra, mais grandes figures tout de même, capables d'émouvoir ce qu'il y a de meilleur et de plus sain chez le spectateur; capables aussi — et pour la même raison — d'offrir de beaux rôles à des

FRONTISPICE pour « Marie Tudor », par Célestin Nanteuil (1833).
CL. LAROUSSE.

interprètes à leur taille. Ces personnages de Hugo, dit M. Louis Jouvet, assez sévère pour ce théâtre, sont des « jouets insensés », mais il ajoute aussitôt : « On peut en faire quelque chose. » Offrir une prise au talent de l'acteur, lui permettre de satisfaire ce besoin de grandeur, de dépassement, qu'éprouve chaque assistant, lorsqu'il participe vraiment au jeu théâtral, n'est-ce pas, en dépit de toutes les imperfections, la marque d'une véritable œuvre dramatique ?

A cette grandeur, à cette noblesse, il faut encore ajouter cette « vérité absolue et qui n'a rien de transitoire », que Banville retrouvait dans ce théâtre comme dans celui de Shakespeare : « Je connais Roméo, écrivait-il en 1873, je connais Ruy Blas, parce qu'ils sont exaltés par l'amour, mordus par la jalousie, transfigurés par la passion, poursuivis par la fatalité, broyés par le destin. Ils sont un homme comme je suis un homme. » Mais cette « humanité » des drames romantiques survivants, ne serait-ce pas cette « Nature » que nos classiques (les vrais !) s'efforçaient de peindre ? Pas tout à fait.

Pour Corneille et pour Racine, l'objet propre de l'œuvre dramatique est de faire vivre des *individus*, en leur prêtant des paroles et des actes, des passions et des vices qui non seulement soient intelligibles à tous les spectateurs, mais encore constituent un mélange complexe et spécial, qui ne se retrouvera chez nul autre ; d'où la nécessité de l'analyse minutieuse et des nuances délicates. Hugo proteste bien qu'il veut peindre, lui aussi, des individus, mais ce qu'il cherche avant tout c'est le *symbole*, la représenta-

tion par un personnage de toute une classe, de tout un groupe social, et, par les conflits de l'intrigue, l'évocation des luttes qui jettent ces groupes l'un contre l'autre. Ainsi, don César et don Salluste personnifieront chacun une moitié de la noblesse espagnole, et Ruy Blas, « le peuple orphelin, pauvre, intelligent et fort » ; ces trois hommes font « vivre et marcher... trois faits, et dans ces trois faits toute la monarchie espagnole » : voilà comment la préface résume l'idée maîtresse de la pièce, en spécifiant, au surplus, que ce drame n'est qu'un aspect particulier de la tragédie éternelle des monarchies qui s'écroulent. C'est bien là une aspiration vers une vérité universelle, mais elle ne saurait comporter l'étude pénétrante d'une âme individuelle : ces personnages symboliques veulent être dessinés à grands traits, peints en teintes plates, vigoureusement opposés — tout le contraire des portraits minutieux, aux nuances délicates et subtiles, que peignaient les classiques.

ALFRED DE VIGNY

Cette recherche du symbole est visible dans l'œuvre dramatique de Vigny. C'est par là seulement qu'il se rapproche de son illustre contemporain, dont il n'a ni l'imagination ni la puissance de verbe, mais qu'il dépasse par la force de la pensée. Est-il vraiment homme de théâtre ? Ses débuts sont d'un timide : il se borne au rôle d'adaptateur, avec *Othello* (1827), *le Marchand de Venise* (1829), qui ne fut pas représenté, *Roméo et Juliette*, qu'il projetait d'écrire avec Émile Deschamps et qu'il abandonna. Puis il s'essaie au drame « historique », avec *la Maréchale d'Ancre* (1831), où se manifestent certaines tendances personnelles curieuses. On peut assurément sourire de cette fatalité qui fait mourir, juste au pied de la borne d'où s'élança l'assassin Ravaillac, ce Concini qui aurait été l'instigateur du crime ; mais ce qui est plus intéressant, c'est d'avoir mêlé à cette conspiration contre le favori un bourgeois sensé, rude, sans illusion sur la valeur morale des gens en place ; c'est d'avoir terminé le drame sur le cri déçu de l'homme du peuple resté seul devant le cadavre de Borgia. Picard, a-t-on dit, est un contemporain de Louis-Philippe et non de Louis XIII. Il se peut, mais n'est-ce pas quelque chose de neuf et d'éminemment théâtral que cet effort pour exprimer, dans un tableau du passé, des sentiments modernes ? C'est de ce côté que Vigny devait trouver sa voie avec *Chatterton*, une pièce très romantique dans le fond, très peu romantique dans la forme.

Pas de sujet historique, nulle antithèse dans l'âme des personnages, à peine un mélange, très discret, de comique ; à peine une infraction à la règle des unités : quatre actes sur cinq se jouent dans le même décor ; une action, comme eût dit Racine, simple et peu chargée de matière : « C'est l'histoire d'un homme qui écrit une lettre le matin et qui attend la réponse jusqu'au soir : elle arrive et le tue » ; mais cela suffit pour dire « le martyre perpétuel et la perpétuelle immolation du poète ».

L'artiste — ou même plus généralement tout esprit supérieur — ne saurait être que malheureux dans une société incapable de le comprendre, à plus forte raison de l'aimer. Ce sentiment de la solitude morale, et même sociale, est essentiellement romantique. Dans quelle mesure est-il justifié ? dans quelle mesure n'est-il qu'une attitude ? Peu importe : il est. C'est pourquoi l'œuvre sera si chaleureusement applaudie, pourquoi elle éveillera des échos si prolongés. C'est la pensée de *Chatterton* qu'on retrouvera dans *l'Albatros* de Baudelaire et chez Banville dès avant *les Exilés*. Les jeunes gens de la seconde génération romantique, ceux qui débutent vers la fin du règne de Louis-Philippe, admireront le verbe sonore de V. Hugo, mais c'est de Vigny, et de son drame en particulier, qu'ils tiennent leur pessimisme et leur aversion pour le bourgeois,

« celui qui pense bassement ». De toutes les pièces romantiques, il n'en est aucune qui ait joué, dans l'histoire des idées, un rôle d'une telle importance.

Il y a bien un drame dans *Chatterton*, mais il est tout intérieur : il se joue dans l'âme de la douce, de la vertueuse Kitty Bell, que la pitié mène à l'amour, un amour dont elle aurait honte si elle en avait conscience — et qui la tue. Marie Dorval, disent les contemporains, traduisait admirablement cette crise morale. Que sa passion pour l'auteur, son tempérament fougueux et tout en contrastes, son talent primesautier, capable d'infinie délicatesse et de folle audace, aient su donner une vie intense au personnage; que le triomphe de l'œuvre ait été, pour une large part, le triomphe personnel de l'actrice, rien n'est plus certain, mais cela contribua-t-il à donner de la consistance au drame? Ce beau rôle pour une actrice exceptionnelle suffisait-il à constituer une action?

En comparant la pièce aux chapitres de *Stello* d'où elle est tirée, nous voyons sans peine les raisons de notre malaise : la perspective des rôles a été bouleversée. Le brutal John Bell, l'âpre et clairvoyant quaker substitué au docteur Noir ont pris un relief qu'ils n'avaient pas d'abord; la suffisance du lord-maire, soulignée par la sottise évaporée de son cousin (personnage nouveau), accentue l'ironie amère de la scène; mais, au milieu de ces changements, le personnage de Chatterton reste pâle et abstrait. L'intérêt se porte sur des rôles de second plan et sur des idées de second plan. Posée par un sot, la question du lord-maire : « Quel est le rôle du poète? » — question capitale dans la pensée de Vigny — nous trouble moins que la question accidentelle du quaker au juste selon la loi : « Ta loi est-elle juste selon Dieu? »

Il faut sans doute aller plus loin et admettre que la donnée n'est pas très scénique. Pour qu'il y ait action, il faut que les personnages aient prise les uns sur les autres. Or, le génie est « puissant et solitaire »; parfois les hommes tombent à genoux devant lui, plus souvent ils l'insultent, mais, dans les deux cas, il reste en dehors de la vie commune. Le drame de Vigny se joue autour de Chatterton sans que celui-ci s'y mêle. Se joue-t-il entre les autres acteurs? Pas davantage : ni la suffisance du lord-maire, ni la dureté pharisienne de John Bell ne sauraient être entamées, et nul ne le tentera. Le quaker essaiera-t-il au moins de sauver son ami le poète? Il s'aperçoit vite que c'est impossible aussi. Il était difficile de faire une pièce avec des personnages fermés, pour ainsi dire, les uns aux autres. Émouvant, excellent sujet de nouvelle, cette histoire de Chatterton était médiocrement théâtrale : malgré ses qualités, malgré la hauteur de la pensée, malgré un premier succès éclatant, la pièce n'a pas survécu.

ÉCHEC DU THÉATRE ROMANTIQUE

A juger d'après les apparences, on pourrait donc estimer que la tentative romantique pour rénover le théâtre n'aboutit pas. Il serait vain de vouloir expliquer cet échec par des circonstances purement extérieures. Les drames romantiques eurent à lutter contre des adversaires redoutables : la « blague » dénigrante et l'autorité ombrageuse. Presque tous furent blasonnés, caricaturés, non sans malveillance; mais de médiocres plaisanteries auraient-elles tué des œuvres faites pour durer? Par malheur, les brocards frappaient juste et dévoilaient des faiblesses réelles : quand les parodistes raillaient les « Buses graves » ou « Cornaro tyran pas doux », ils dénonçaient à bon droit la creuse rhétorique du vieux Job ou le ridicule vaudevillesque du podestat-mari trompé. Quant à l'arbitraire de la police, aux tracasseries de la censure, ils auraient peut-être retardé, mais plus sûrement ravivé après coup, le succès de pièces d'abord persécutées. Que Louis-Philippe ait interdit *le Roi s'amuse*, que Napoléon III ait proscrit jusqu'en 1867 tout le théâtre de V. Hugo, cela

FRONTISPICE pour « Chatterton », par Edouard May (1835).
CL. LAROUSSE.

ne pouvait avoir pour conséquence que de rendre à ce théâtre, après 1848 ou 1871, un regain de popularité. S'il ne le trouva pas, nous devons admettre qu'il était déjà mort, et pour d'autres raisons.

La plus grave, car elle tenait à un des caractères essentiels de la poétique romantique, c'est que la fameuse antithèse, tant prônée par la *Préface de Cromwell*, se révélait, à l'usage, comme un procédé arbitraire et conventionnel, un élément d'invraisemblance et de fausseté. A la rigueur, on pouvait admettre une contradiction entre le caractère d'un personnage et son rang social : qu'un don Salluste eût l'âme d'un valet et son laquais l'âme d'un gentilhomme, cela ne dépassait pas les anomalies d'expérience courante; Corneille n'avait-il pas présenté comme des pleutres le gouverneur Félix et le roi Prusias? Mais pouvait-on accepter de même une contradiction purement intérieure, l'amour maternel dans le cœur d'une empoisonneuse, la passion allant chez une courtisane jusqu'au sacrifice? Passe encore si pareil contraste nous est attesté par l'histoire : Bossuet avait signalé une inquiétante complexité dans l'âme de Cromwell, et V. Hugo ne faisait que reprendre, en la forçant, la même idée. Mais Lucrèce Borgia, Triboulet, la Tisbe ne sont pas connus comme des âmes à ce point étranges, et nous avons, cette fois, le sentiment que l'auteur a combiné cet invraisemblable mélange uniquement pour les besoins de son drame. Il a beau soutenir que cette contradiction est au fond même de notre nature : elle n'apparaît que comme un accident et non comme le principe générateur des actes humains. A bien regarder, il y a plus d'antithèses, plus de contradictions, et plus profondes, chez les personnages de Racine. Aussi bien Hugo n'a-t-il pas usé toujours de cet artifice et Vigny le dédaigne-t-il complètement : il est loin de jouer dans la technique le rôle de premier plan que lui attribuaient les théories.

Sur d'autres points, il était visible que les questions posées par les manifestes de l'école n'étaient pas résolues. Le drame devait-il être écrit en vers ? L'exemple de V. Hugo semblait le démontrer, mais l'exemple de Vigny démontrait le contraire. Devait-on emprunter les sujets à l'histoire nationale ? Ni *le Roi s'amuse*, ni *la Maréchale d'Ancre*, encore moins *Henri III et sa cour* ou *Charles VII chez ses grands vassaux*, ne prouvaient qu'on pût rencontrer dans ce domaine de quoi faire un chef-d'œuvre. Les deux seules pièces qui s'élevaient au-dessus des autres étaient espagnoles; on pouvait se demander si cet « exotisme » ne contribuait pas à leur succès, et pour une large part. Fallait-il rompre avec les unités ? fallait-il mélanger le bouffon au tragique ? L'expérience n'attestait nullement que ce fussent là des réformes essentielles. Le quatrième acte de *Ruy Blas* révèle une extraordinaire verve burlesque, mais c'est une exception, probablement unique; les changements de décor restent limités à cinq par pièce, et nulle œuvre romantique n'atteint les proportions des grands drames-chroniques anglais, *Macbeth*, ou *Richard III*, ou *Jules César*. Loin de se rapprocher de la poétique shakespearienne, on revenait, d'instinct, comme l'avait tout de suite remarqué Philarète Chasles, à celle des classiques : le drame, au lieu de conter une vie entière, se concentrait sur un épisode. Aussi bien, au plus fort de leur offensive contre Aristote, les romantiques ne s'étaient-ils jamais attaqués à l'unité d'action.

Autre symptôme : les chefs de l'école restaient sans vrais disciples. Les écrivains de la seconde génération romantique se détournent de la scène, ou, s'ils y reviennent, c'est avec des œuvres qui ne ressemblent guère à celles de leurs maîtres. Cela ne les empêche pas d'admirer *Hernani*, d'avoir pour « le Père » un véritable culte, surtout lorsqu'il est « là-bas dans l'île », mais leurs respectueuses réserves et la direction nouvelle de leurs efforts montrent assez que le drame de V. Hugo ne les satisfait plus. Il ne suffit pas de prétendre que le romantisme, étant par essence une révolte contre les règles scolastiques, une libération de l'individu, ne pouvait imposer de nouvelles formules, c'est-à-dire une nouvelle tyrannie. S'il en était ainsi, nous devrions trouver, entre les dociles et les indépendants, toute une gamme d'imitateurs plus ou moins fidèles. Cela ne se produit pas. On ne saurait attribuer davantage ce brusque arrêt de la production théâtrale romantique à la néfaste influence de la trop fameuse « Commission des théâtres » : quelles qu'aient été l'étroitesse de son goût, l'étrangeté de ses pudeurs, l'acrimonie de son antiromantisme; si nombreux qu'aient été les méfaits de la censure — et ils sont innombrables — ils n'auraient pu empêcher que la représentation d'œuvres suspectes, mais non leur impression, et les éditeurs eussent accueilli, rien que pour fronder, les pièces dans le style de *Ruy Blas* ou même d'*Angelo*. Mais de pareilles pièces ne parurent pas : on voulait, on cherchait « autre chose ». Les cadets ont-il renié leurs aînés ? En aucune façon : ils les admirent, ils entendent mettre à profit leur

exemple, mais, à l'occasion, pour éviter leurs erreurs. *Les Burgraves* étaient une défaite; et une défaite méritée : ils en cherchèrent les causes, ils révisèrent leurs théories, et cette espèce d'examen de conscience artistique permit de sauver ce que, malgré tout, la dramaturgie des premiers romantiques renfermait de juste et de fécond.

APRÈS LES BURGRAVES

La chute des Burgraves *détermine une triple réaction : celle de l'esprit bourgeois, qui prétend opposer à la morale romantique une morale plus saine; celle des classiques, qui prétendent restaurer la tragédie, à laquelle le talent de Rachel vient de rendre l'éclat; celle des romantiques eux-mêmes, qui découvrent bientôt les faiblesses de leurs théories et s'efforcent de retrouver une voie meilleure. Mais le théâtre bourgeois de Scribe reste, moralement et artistiquement, médiocre; celui d'Augier ne lui devient supérieur qu'au moment où il cesse d'être antiromantique pour se tourner vers l'étude et la satire des mœurs bourgeoises. Quant aux classiques, la vogue même que retrouve Racine a pour résultat de montrer à quel point ils sont éloignés de leur maître et incapables de revenir aux véritables principes de son art. Seule compte la création par Musset d'un théâtre romantique, qui ne recourt point aux procédés que l'expérience a condamnés.*

Les pièces de Musset sont contemporaines des succès de V. Hugo, mais elles n'ont paru sur la scène qu'après 1846 ; elles peuvent donc être considérées comme un essai de correction, de « redressement » de la poétique romantique fourvoyée. Toutefois, ces œuvres charmantes manquaient de la vigueur indispensable pour faire école.

Pour cette période, voir : Sainte-Beuve, Lundis, t. III et XIV; — Portraits contemporains, t. II; G. Planche, Portraits littéraires, t. I; — Nouveaux Portraits littéraires, t. II; F. Sarcey, Quarante ans de théâtre, t. IV ; Latreille, la Fin du théâtre romantique, François Ponsard, 1899 ; P. Morillot, Émile Augier, 1901 ; Arvède Barine, Alfred de Musset, 1893; L. Lafoscade, le Théâtre d'Alfred de Musset, 1904 ; P. Dimoff, la Genèse de Lorenzaccio, 1936 ; P. Gastinel, le Romantisme d'Alfred de Musset, 1933; Ph. Van Tieghem, Musset, 1944 ; J. Pommier, Variétés sur Alfred de Musset et son théâtre, 1944.

RÉACTION ANTIROMANTIQUE

Pour les romantiques, *les Burgraves* étaient une défaite; pour leurs adversaires, ce n'était pas une victoire. Il ne suffisait pas que la pièce fût tombée : il fallait proposer autre chose à la place. Alors se manifesta l'impuissance de l'antiromantisme. Ses partisans ne purent substituer une autre forme d'art à celle qui venait, assuraient-ils, de succomber. Les comédies « historiques » de Scribe, comme *Bertrand et Raton* (1833) ou *le Verre d'eau* (1840) rabaissaient l'histoire au niveau de l'anecdote, et la montraient, avec une adresse de vaudevilliste, sous l'aspect le plus mesquin. Quant aux censures, elles étaient si pauvres et si maladroites qu'on s'en explique sans peine la stérilité. *La Camaraderie* (1837) attaquait assez venimeusement les romantiques : parmi les faux grands hommes qui se

RACHEL dans « Bajazet », de Racine (musée Carnavalet, Estampes). — CL. LAROUSSE.

font la courte échelle, elle introduisait un poète, aussi charlatan que ses compères, et facilement reconnaissable. C'était plus bête que méchant, et totalement dénué de portée. Les attaques d'Augier, dans l'*Aventurière* (1838) et dans *Gabrielle* (1849), avaient le mérite, au moins, de s'en prendre à la doctrine : il dénonçait, dans le théâtre romantique, une psychologie fausse et une morale dangereuse; au sacripant généreux, à la courtisane amoureuse jusqu'à l'héroïsme, et rachetée par son sacrifice, il opposait l'intrigante vulgaire et son peu recommandable complice. Annibal ne ressemblait guère à don César, ni Clorinde à la Tisbe, et c'était le défenseur des vertus familiales qui démasquait l'une et l'autre. Quant à Gabrielle, sa pauvre cervelle, détraquée par le sublime en toc de la nouvelle école, finissait tout de même par découvrir que le vrai « poète » c'était le père de famille, fût-il notaire. « L'école du bon sens » réclamait les droits de la vérité, ceux des bonnes mœurs traditionnelles et de la respectabilité bourgeoise, contre la dissolvante prédication d'une espèce d'anarchisme lyrique.

Encore eût-il fallu que ces peintures fussent plus vraies que celles dont la pernicieuse fausseté était dénoncée. Or, les deux tristes héros de l'*Aventurière* sont d'une gredinerie non moins irréelle que la grandeur d'âme des plus conventionnels personnages de V. Hugo. Le cas de Gabrielle ne prouvait rien contre le romantisme, pas plus que celui d'Emma Bovary, tout à fait analogue; c'est d'ailleurs un pauvre moyen de polémique — bien qu'il soit usuel — que de rendre une doctrine responsable de toutes les déformations que lui infligent les sots. Des gens se trouvent encore, à l'heure actuelle, pour démontrer, à grand renfort de sophismes, l'immoralité foncière du romantisme; du moins s'efforcent-ils d'en trouver la preuve dans les œuvres mêmes, non dans les contresens d'inintelligents badauds. Fût-il vrai, d'ailleurs, que l'esprit du théâtre romantique c'est l'apologie de la passion déchaînée, le refus de toute contrainte sociale, la révolte contre toute loi humaine, et au besoin divine, il aurait fallu, face aux doctrines pernicieuses, affirmer les bons principes avec autant de vigueur et de talent. C'est ce que les dramaturges bourgeois ne firent pas. Au milieu de toutes les criailleries, pas toujours très sincères, n'apparut pas une seule œuvre qui substituât aux idées honnies d'autres conceptions d'un meilleur aloi.

Même carence au point de vue artistique. Ici, pourtant, la partie semblait plus belle. Prendre, contre des novateurs irrespectueux et téméraires, la défense d'une école qui avait fait ses preuves, qui s'était affirmée par des chefs-d'œuvre, semblait facile. Tout au plus fallait-il « jeter un peu de lest », sacrifier les pâles imitateurs, le sot bétail des copistes, et revenir à l'étude sérieuse des vrais maîtres. Le mouvement parut se dessiner grâce à Rachel. A l'heure même où triomphait *Ruy Blas*, cette jeune fille de dix-huit ans faisait revivre Camille et Monime, Pauline et Roxane, en attendant Phèdre. Ses triomphes prouvaient que la tragédie classique de la belle époque était une œuvre d'art toujours jeune, toujours capable d'émouvoir lorsqu'un acteur de génie savait l'animer. Réponse éclatante et sans

Lucrèce, de nos jours, par un destin plus beau,
A su briser enfin de pénibles entraves;
Loin de se contenter de filer son fuseau,
Elle sait faire encor filer les vieux *Burgraves*.

LUCRÈCE ET LES BURGRAVES. Caricature de Daumier (B. N., Cabinet des Estampes).
CL. LAROUSSE.

réplique à ceux qui prétendaient « se délivrer des Grecs et des Romains » et affectaient à l'égard de Racine, en respectant un peu plus Corneille, un mépris injustifié. Mais ce n'était pas là du tout ce qui pouvait trancher le débat en faveur des classiques de 1840.

De ce que les vers de nos deux grands tragiques, dits par la jeune Rachel, retrouvaient leur jeunesse et leur éclat, il ne s'ensuivait nullement que les vers de leurs derniers disciples bénéficieraient de la miraculeuse résurrection. Le fait que l'artiste s'en tenait aux grands maîtres du passé aurait donné plutôt à penser qu'elle n'avait aucune confiance dans le répertoire des successeurs et ne le jugeait pas digne de ses efforts. La sensibilité fougueuse de son jeu, la simplicité voulue de son costume, qui ne s'interdisait pourtant pas un discret effort de couleur locale, tout ce qu'elle apportait de neuf, tout ce qui justifiait son grand succès, n'était-ce pas une interprétation romantique de la tragédie, une interprétation qui ne ressemblait pas à celle qu'en avait donnée la Champmeslé, avec sa déclamation à demi chantée et ses falbalas pompeux? Racine joué par Rachel, c'était toujours Racine, mais dans un style nouveau, plus chargé de vérité humaine. Des chefs-d'œuvre seuls pouvaient résister à pareille transfiguration. Loin de servir la cause des classiques attardés, la grande artiste montrait à quel point les copistes étaient loin de celui qu'ils prétendaient suivre fidèlement; en restituant à la tragédie un visage digne de sa grandeur, elle rendait impossibles ses pâles imitations. De fait, l'académisme se montra, tout comme la bourgeoisie, incapable de substituer au théâtre romantique une création personnelle et viable. Le triomphe de Ponsard avec *Lucrèce*, six semaines après l'échec des *Burgraves*, fut sans lendemain : on eut beau faire autour de la pièce tout le vacarme possible, le drame néo-classique n'était pas né ce jour-là.

En réalité, ce furent les romantiques eux-mêmes qui tirèrent de la mésaventure les conclusions nécessaires. A ce point de vue, les chroniques théâtrales de Banville, en 1849, au *Dix décembre*, puis au *Pouvoir*, sont d'un grand intérêt : il y dénonce l'abus de la couleur locale, la grandiloquence, la psychologie conventionnelle et fausse, toutes les tares du drame romantique. « L'école de 1830, déclare-t-il sans ambages, mène l'art à un abîme »; elle n'a déjà plus qu'un « idéal de convention », réalisé par des « procédés de convention », alors que le véritable romantisme c'est d'abord « la complète sincérité »; il consiste pour le poète « à reproduire son propre idéal », à la scène comme dans le livre, « avec des moyens qui lui soient propres et qui soient d'accord avec son tempérament ». Baudelaire, à la même époque, définissait le romantisme comme « l'expression actuelle de la beauté »; c'était revenir, sous une forme à peine renouvelée, à la définition qu'avait donnée Stendhal. C'était reconnaître qu'au théâtre la révolution romantique avait fait œuvre surtout négative : elle avait brisé les vieilles idoles, ruiné l'autorité des règles, balayé les pompeuses défroques du style noble; toutes les vieilles formules avaient perdu leur valeur, mais aucune autre ne s'affirmait à leur place. La voie était libre désormais, chaque tempérament pouvait s'affirmer sans contrainte, nonobstant l'avis contraire d'Aristote, de Boileau, de La Harpe... Encore fallait-il un tempérament, et qui fût de théâtre. Il ne s'en trouva qu'un : celui de Musset.

ALFRED DE MUSSET

Il est assez paradoxal de considérer comme un homme de théâtre, et peut-être le meilleur de toute l'école, un écrivain dont presque toute l'œuvre dramatique fut écrite d'abord pour la lecture et non pour la représentation. Et il ne paraîtra pas moins étrange de considérer comme une réaction contre la dramaturgie romantique des pièces contemporaines des succès de V. Hugo. Après l'échec de *la Nuit vénitienne* (1er décembre 1830), Musset se borne, jusqu'en 1845, à publier ses comédies dans la *Revue des Deux Mondes ;* le *Spectacle dans un fauteuil* (1832) et *Lorenzaccio* (1834), qui parurent en recueils séparés, ne furent pas joués davantage. Un théâtre né dans de pareilles conditions risquait de n'être théâtral que par sa forme extérieure, dialogue et découpage en scènes. Il n'en fut rien cependant : ses qualités scéniques enchantèrent une actrice, Mme Allan-Despréaux, qui découvrit le *Caprice* à Saint-Pétersbourg et le fit applaudir à la Comédie-Française en 1846. *André del Sarto, le Chandelier* ne furent joués qu'après la révolution de Février ; *Il ne faut jurer de rien, Il faut qu'une porte soit ouverte ou fermée* suivirent de près, et leur succès fut tel que les revues de fin d'année s'en égayèrent : l'une d'elles représenta la Comédie-Française sous les traits d'une paysanne incapable de s'exprimer autrement que par proverbes. Seules les dernières comédies furent écrites pour la représentation : *On ne saurait penser à tout* en 1849, ainsi que *Louison ; Carmosine* en 1850; *Bettine* en 1851. *Les Caprices de Marianne* (1833) ne furent joués que dix-huit ans plus tard, après des remaniements regrettables exigés par la censure et les comédiens. A cause de cette réussite à retard, le théâtre de Musset peut bien être appelé un théâtre post-romantique : il représente ce qu'on accepta du romantisme au lendemain de sa défaite.

Musset, au surplus, est un indépendant : il a horreur d'être étiqueté, enrégimenté, « mis en troupeau »; sa verve entend, comme on l'a déjà vu, s'exercer aussi bien contre les «classiques bien rasés» que contre les «romantiques barbus»; *Mardoche*, dès 1829, raille le pessimisme byronien, et en 1836, deux ans avant *Ruy Blas*, les *Lettres de Dupuis et Cotonet* traiteront la jeune école avec autant d'irrévérence que la vieille. Un tel homme était doué pour apercevoir très vite les défauts des nouveaux drames. Il subit d'abord leur influence, mais pour peu de temps : il y a bien du mélodrame dans *la Nuit vénitienne* et dans *André del Sarto;* il n'y en a plus guère dans *les Caprices de Marianne*. On peut dire qu'en cette année 1833 un théâtre nouveau est né, fort différent de celui que préconisaient les aînés.

Différent d'abord par son inspiration. Musset n'a pas abandonné complètement l'histoire — *André del Sarto* et *Lorenzaccio* en sont la preuve —, mais il ne lui a guère demandé un sujet que ces deux fois. On sait d'ailleurs que c'est un mérite à ses yeux que de « n'être point historique ». Pas plus que les grandes actions, il ne recherche les grandes œuvres : il préfère les *minores* et, de ce XVIIIe siècle que ses compagnons tiennent en si médiocre estime, Marivaux surtout, le peintre de l'amour naissant qui s'ignore ou qui ne voudrait pas s'avouer; Carmontelle aussi, et ses *Proverbes*, dont la tradition se maintenait durant le premier tiers du siècle : le recueil de Théodore Leclercq, paru en 1823, augmenté en 1833, contient d'amusants croquis de mondains ou de provinciaux, de comédiens amateurs et de comédiens sans le savoir. Le trait est un peu appuyé parfois, la « charge » est un peu grosse, mais il y a dans ces œuvrettes beaucoup de verve, d'esprit, d'observation juste. Musset devait les connaître et s'en est peut-être souvenu.

Il doit aussi quelque chose aux conteurs italiens, mais pas à tous indifféremment : il n'est attiré ni par la sensualité cynique ni par les passions farouches et sanguinaires, mais par les jolies aventures de roman, qui s'achèvent dans un sourire. Un galant trop pressé est berné par une jeune femme spirituelle et vertueuse..., voilà ce qu'il emprunte à Bandello pour en faire *la Quenouille de Barberine ;* une pauvre fille meurt d'un amour sans nul espoir possible; une ruse délicate fait connaître sa passion à celui qui en est l'objet; ce chaste aveu, noblement accueilli, sauve la malade... et c'est ce que Boccace fournit pour *Carmosine*.

Cette Italie un peu plus délicate que nature, Musset ne se pique pas d'en peindre fidèlement les mœurs : il les polit encore, il les affine, il les francise. Barberine a plus de retenue, Ulric plus de fierté que la Barbera de Bandello et son mari. Tels autres personnages qui restent, chez le conteur italien, vulgaires, pour ne pas dire plus, sont présentés avec une si humoristique fantaisie qu'on ne saurait leur tenir rigueur de quelques démarches risquées. Leur élégance aristocratique leur donne, comme aux personnages de Marivaux, quelque chose de légèrement irréel qui désarme nos résistances et nos sévérités. Toutefois, au lieu de cette finesse un peu sèche et trop intellectuelle du XVIIIe siècle, il règne dans ce théâtre de Musset une atmosphère de sensibilité vraie, d'émotion tout ensemble contenue et soutenue, qui jamais n'explose en tirades enflammées, qui pourtant fait vibrer constamment l'âme des acteurs — et celle de l'auditoire par contagion. C'est par là seulement qu'est rejointe la poétique nouvelle.

Nulle recherche de la couleur locale. *Namouna*, dès 1832, a dit ce qu'il en faut penser. L'action se passe en des pays de rêve, comme dans les comédies de Shakespeare. Le château où le duc Laerte s'amuse à mystifier ses filles, celui où Perdican badine avec l'amour, l'Allemagne de *Fantasio*, la Sicile de *Carmosine*, ce sont terres de contes bleus; la maison de maître André, le petit salon de Mathilde de Chavigny, n'ont pas plus de réalité; la Florence de *Lorenzaccio* est à peine plus historique. Le pittoresque ne veut que plaire, fournir pour l'intrigue un joli cadre, amusant, chatoyant; le décor n'est plus un élément de vérité, mais seulement de poésie. Son rôle est de situer la pièce, non en un point déterminé de l'espace et du temps, mais hors de l'un et de l'autre : il est un moyen d'évasion.

L'antithèse n'est acceptée que pour des fins analogues. Musset la tient en piètre estime : c'est un « oripeau » qu'il est trop facile de « ravauder »; mais c'est un moyen de ne pas tomber dans le tragique noir, et peut-être de montrer qu'on ne prend pas au sérieux les histoires sombres tout à fait au sérieux. La fable douloureuse s'éclaire d'un sourire, provoqué par quelque burlesque fantoche : près de Carmosine consumée d'un amour sans espoir, Ser Vespasiano fait la roue; dans la demeure où succombera l'infortunée Rosette, passent et repassent la trogne enluminée de maître Blazius, l'aigre humeur et les maigres tibias de dame Pluche. Parfois l'antithèse est dans le personnage même et le sauve de l'odieux : le podestat Claudio serait-il supportable s'il n'était bouffon ? Il est si parfaitement absurde que sa noirceur devient comme irréelle; il nous rappelle que tout se passe au pays de nulle part, que tout cela n'est pas arrivé.

Pourtant il y a dans ce mélange de la tristesse et du rire un élément de réalité. Est-ce, comme le soutient la *Préface de Cromwell*, l'image de la double nature humaine, telle que le christianisme l'a révélée? Musset ne s'encombre pas de si haute philosophie : il lui suffit d'avoir, dans son for intérieur, le sentiment de cette dualité. L'opposition de deux personnages, c'est bien souvent celle qui mettait aux prises, en lui-même, le grand artiste et l'homme de plaisir, un peu moins grand. Octave le joyeux débauché, Celio l'âme sérieuse et mélancolique, Clavaroche le séducteur et Fortunio l'amoureux timide, c'est toujours Musset — dédoublé. Qui sait même si, dans ses crises de sagesse,

A QUOI RÊVENT LES JEUNES FILLES.

LA COUPE ET LES LÈVRES.

Eaux-fortes gravées par Célestin Nanteuil, en 1833, pour le « Spectacle dans un fauteuil ». — CL. LAROUSSE.

il ne s'adressait pas, à lui plus étourdi que Valentin, des sermons plus véhéments que ceux de l'oncle Van Buck ?

Par là, ce théâtre est essentiellement romantique, plus romantique sans doute que nul autre. Il est fait de poésie personnelle, comme tout le reste de l'œuvre. Distraction frivole de Valberg, ironie blasée de Fantasio, sensibilité parfois inquiète, toujours délicate, et sensuelle pourtant, marivaudage de mondain spirituel, libertinage de grand seigneur qui ne dédaigne pas de lutiner les soubrettes, ce sont là toujours, sous différents noms et comme sous différents éclairages, des aspects différents de l'âme de Musset. De là son goût médiocre pour les sujets historiques, qui l'obligeaient à peindre d'autres âmes que la sienne. La seule fois qu'il ait été séduit, c'est probablement parce qu'il se sentait une affinité particulière avec cet étrange Lorenzaccio, tout ensemble idéaliste et débauché.

Il préfère la peinture de l'amour, qui fut la grande affaire de sa vie; la subtile analyse du cœur féminin, dont il eut une merveilleuse intuition. Pour cela, les moyens les plus simples lui suffisent, la donnée la plus simple sera la meilleure : une enfant mariée trop jeune découvre la jalousie — et c'est *Louison ;* une artiste s'aperçoit qu'elle s'est éprise d'un indigne — et c'est *Bettine ;* un jeune seigneur revient au château paternel, une pauvre fille s'éprend de lui et elle en meurt — et c'est *On ne badine pas avec l'amour.* Musset dédaigne

le drame à la mode
Où l'intrigue, enlacée et roulée en feston,
Tourne comme un rébus autour d'un mirliton.

Par là il se rapproche de Racine autant, sinon plus, que de Molière; chez lui, comme chez Vigny, on constate un retour à la poétique des vrais classiques.

Mais on aperçoit les limites de cet art charmant : il se prête mal aux grands développements. Sur quinze comedies, cinq n'ont qu'un acte, une seule en a plus de trois, et les plus connues sont les plus courtes. Bibelots de prix, certes, mais bibelots tout de même, qui ne pouvaient suffire pour déterminer un mouvement nouveau, pour imposer une formule dramatique nouvelle. Il eût fallu, d'ailleurs, pour provoquer une renaissance du théâtre romantique, d'autres tempéraments non moins exceptionnels que celui de Musset : tout le monde ne saurait se représenter sur la scène et y faire convenable figure. Ces petits chefs-d'œuvre ne risquaient pas de rencontrer beaucoup d'imitateurs — quelques contrefacteurs tout au plus. Pouvaient-ils facilement trouver les interprètes qui leur convenaient, un public capable de les comprendre ? C'est au moins douteux. Ce théâtre était écrit pour des hommes de loisir, et cultivés; pour une double aristocratie de la fortune et de l'esprit : ce n'étaient pas les contemporains de Louis-Philippe, encore moins ceux de Napoléon III, qui pouvaient fournir ce public-là. Enfin, il faut bien l'avouer, ces bluettes, capables de charmer les délicats, ne peuvent susciter le frisson d'émotion collective, exaltante, qui naît d'une œuvre dramatique puissante. Leurs personnages sont délicieux, amusants, touchants parfois, mais, trop souvent, il y a en eux un fond de scepticisme, de sécheresse, d'égoïsme pour tout dire, qui les tient loin de nous. Sur ce point, le théâtre de V. Hugo, malgré toutes ses faiblesses, reste supérieur à celui de Musset. Là encore se reconnaît Musset lui-même : il est insensible aux misères d'autrui, il lui manque le don de sympathie; son attitude si peu compréhensive à l'égard des réformateurs socialistes le prouve assez. Une seule fois, dans *Lorenzaccio,* il témoigne d'un peu de générosité. Peut-être l'influence de George Sand y est-elle pour quelque chose ? Mais *Lorenzaccio* est unique.

BILAN DU THÉÂTRE ROMANTIQUE

Somme toute, le bilan du romantisme au théâtre n'est pas des plus satisfaisants. Des prétentions doctrinales de la *Préface de Cromwell,* il ne subsiste à peu près rien; des moyens dramatiques recommandés par elle, presque tous ont été abandonnés, sinon formellement condamnés, par les romantiques eux-mêmes; de toute la production qu'elle inspira, trois œuvres seulement subsistent, sur lesquelles il y a plus d'une réserve à faire. Quoiqu'ils ne manquent de vigueur ni comme artistes ni comme penseurs, Hugo et Vigny ne nous donnent pas cette joie d'esprit complète que nous procure *Phèdre* ou *Britannicus.* Et c'est un fait curieux et instructif que de voir la poétique du drame romantique revenir, à la suite d'un sérieux examen de conscience, aux principes de la tragédie racinienne. Une conciliation était-elle possible ? une synthèse heureuse aurait-elle fait naître un art nouveau ? Le seul qui aurait pu le tenter ne manquait ni du talent ni de la sensibilité nécessaires; mais son dandysme et la misère morale dans laquelle il sombra l'empêchèrent de devenir le créateur puissant qu'il aurait fallu. Le théâtre romantique disparut sans avoir inspiré un chef-d'œuvre complet.

Mais il a profondément agi, pour ainsi dire, par sa force de libération. Il a dissipé de malfaisantes équivoques. Loin de ruiner les gloires du XVIIe siècle, il en aurait plutôt, involontairement, ravivé l'éclat; il a contribué à dégager les monuments authentiques de toute la végétation parasite qui les avait envahis depuis cent ans et plus. Il a échoué quand il a voulu déduire, d'affirmations philosophiques et historiques discutables, une théorie du drame; il n'a pas trouvé sur la scène sa forme parfaite, mais il a montré que l'artiste pouvait, et devait, choisir celle qui convenait le mieux à son tempérament, sans s'astreindre à respecter les cadres arbitraires et les classifications surannées. Il a ouvert la porte toute grande aux audaces, aux témérités peut-être, mais certainement aux initiatives fécondes. Une bonne partie de sa production est déjà morte, mais c'est grâce à lui que notre théâtre est demeuré vivant.

IV. — LE ROMAN, LE CONTE ET LA NOUVELLE

Études générales : Paul Morillot, le Roman en France depuis 1610 *jusqu'à nos jours,* 1892; *Eugène Gilbert, le Roman en France pendant le* XIXe *siècle,* 1896; *André Le Breton, le Roman français au* XIXe *siècle (seule a paru la première partie : Avant Balzac,* 1901*). Quelques textes de l'époque romantique posent la question du genre romanesque, et annoncent ce qui deviendra de notre temps la querelle du Roman (tels sont la préface de la Comédie humaine de Balzac; les articles d'Émile Souvestre, Du roman [Revue de Paris,* 1836]; *de Paulin Limayrac, Du roman philanthrope et moraliste [Revue des Deux Mondes,* 1844]; *Du roman actuel et de nos romanciers, ibid.,* 1845; *et, plus tard, l'ouvrage d'Alfred Nettement, le Roman contemporain, ses vicissitudes, ses divers aspects, son influence,* 1864*).*

Si l'on s'interroge sur ce que devait être la rencontre du romantisme et du genre romanesque, il apparaît, dès l'abord, qu'elle devait favoriser le roman personnel, l'analyse des sentiments individuels, l' « égotisme » et la confession du moi. Sur cet aspect du roman romantique, voir : Joachim Merlant, le Roman personnel de Rousseau à Fromentin, 1905; *Jean Hytier, les Romans de l'individu,* 1928*.*

Mais le romantisme étant aussi évasion, rêve, aventure,

« TRÉSOR DES FÈVES... vit sourdre du sable un superbe pavillon... qui monta, grandit, s'épanouit au loin... et s'arrondit en arcades innombrables, dont chacune supportait à la clef de son cintre un riche lustre de cristal, chargé de bougies musquées ». Illustration de Tony Johannot pour les « Contes choisis » de Nodier (édit. Hetzel, 1853).
CL. LAROUSSE.

attrait du fantastique, il est naturel que certaines des études consacrées au roman de cette période mettent en lumière soit le thème de l'aventure et l'influence de Fenimore Cooper (Georgette Bosset, Fenimore Cooper et le roman d'aventures en France vers 1830, 1928*); soit les thèmes fantastiques et l'influence d'Hoffmann (Marcel Breuillac, Hoffmann en France, Revue d'histoire littéraire,* 1906*); soit encore ce que le « roman noir » anglais a apporté de thèmes terrifiants et frénétiques à notre roman romantique (A. M. Killen, le Roman terrifiant ou Roman noir de Walpole à Ann Radcliffe,* 1924*). Et cette autre évasion que l'histoire offrait au roman, surtout sur la suggestion de Walter Scott, devait multiplier les romans de couleur historique, étudiés par Louis Maigron, le Roman historique à l'époque romantique,* 1898*.*

Il se trouve, d'ailleurs, que la représentation de la vie sociale et l'étude des mœurs, que réclamait le roman historique, n'a pas été sans contrecoup sur le roman d'observation contemporaine, et a orienté le roman romantique vers un roman de mœurs, d'où sortira le roman naturaliste. Voir : Charles-Brun, le Roman social en France au XIXe *siècle,* 1910; *et David-Owen Evans, le Roman social sous la monarchie de Juillet,* 1930*. Tout particulièrement, un milieu, souvent ignoré des époques antérieures, a été, alors, l'objet d'un véritable genre, d'une grande richesse : la province, la petite ville, le village, le monde rustique. On verra plus loin les études qui concernent cette peinture de la vie provinciale ou rustique chez George Sand ou chez Balzac. Voir aussi : E. Dordan, le Paysan français d'après les romans du* XIXe *siècle, Toulouse,* 1923; *et sur le plan de la littérature comparée, en particulier pour l'influence du roman alémanique en France : Rudolf Zellweger, le Début du roman rustique. Suisse, Allemagne, France,* 1941*.*

Nous aurons à considérer d'abord quelques romanciers qui firent transition entre l'âge précédent et la grande période romantique. Sur la duchesse de Duras (1779-1828), *voir G. Pailhès, la Duchesse de Duras,* 1910*. Sur le vicomte d'Arlincourt* (1789-1856), *voir : Alphonse Séché et Jules Bertaut, Au temps du romantisme,* 1909; *A. Marquiset, le Vicomte d'Arlincourt, prince des romantiques,* 1909*. Les Œuvres complètes de Pigault-Lebrun* (1753-1835) *ont paru en vingt volumes, de* 1822 *à* 1824*.*

Sur Charles Nodier (1780-1844), *voir Jean Larat, la Tradition et l'exotisme dans l'œuvre de Charles Nodier,* 1923; *et Bibliographie des œuvres de Charles Nodier, suivie de documents inédits,* 1932*.*

Faut-il s'étonner que, dans ce genre aussi, le passé se prolonge, en même temps que s'élaborent les œuvres nouvelles ? La duchesse de Duras continue la tradition de Mme de Staël : on a même rappelé à son propos le souvenir de Mme de La Fayette, et c'est un grand honneur pour elle.

Elle ne se contente pas de donner de sobres analyses sentimentales; elle veut montrer comment « les barrières sociales sont la fatalité contre laquelle viennent se briser les élans du cœur ». Dans *Ourika*, roman qu'elle publia en 1824, l'héroïne est une jeune négresse, affinée, choyée, et pourtant déclassée dans une noble famille française : elle aime sans espoir et meurt de détresse. Dans *Édouard* (1825), Mme de Duras met en scène une autre victime du préjugé social : Édouard est un roturier; un roturier n'épouse pas une grande dame; son cœur se brisera; et la femme qu'il aime ne souffrira pas moins que lui.

Du vicomte d'Arlincourt, on a dit plaisamment qu'il était « le clair de lune de Chateaubriand ». Une grande solennité d'allures, la peinture de passions débordantes et de scènes frénétiques, selon le goût du « roman noir » des Ann Radcliffe et des Lewis, un style extraordinairement ampoulé avec des phrases disloquées qui firent appeler l'auteur le « vicomte inversif », de transparentes allusions politiques valurent à ses romans une éphémère célébrité. Mais il ne survécut pas à la mode du style troubadour, qu'il avait fait sien. Qui lit aujourd'hui *le Renégat* ou *Ipsiboé*, ou même *le Solitaire* (1821), qui pourtant fut traduit en six langues et mis à la scène ?

Tout à l'opposé, Pigault-Lebrun, poursuivant une carrière commencée dès le XVIIIe siècle, satisfaisait les goûts populaires. Il joignait à une imagination extravagante et facétieuse une âme sensible. Il avait une gaieté faubourienne et polissonne, une pointe de voltairianisme, un certain réalisme bourgeois, des qualités d'observation et une extrême facilité : il entassa en quarante ans quarante romans. Il y décrivait les classes moyennes et les petites gens de son temps. On le comparait à Lesage et à Fielding; il nous semble aujourd'hui plus voisin de Paul de Kock.

Charles Nodier, qui dans sa prime jeunesse a payé un large tribut au werthérisme, passe du roman d'aventures (*Jean Sbogar*, 1818) au roman noir (*Lord Ruthwen ou les Vampires*, 1820). Puis son talent assagi lui dicte ces contes frais et naïfs où la poésie se marie à l'humour. Les lutins sont ses amis; il a longtemps vécu avec les sylphes : de ce commerce, il a gardé une légèreté charmante et malicieuse, qui séduit. Il sait observer les hommes, aussi, et la nature. *Trilby ou le Lutin d'Argail* (1822), *la Fée aux miettes* (1831), *Trésor des fèves et Fleur des pois*, *Histoire du chien de Brisquet* (1844) : autant de fantaisies délicieuses, ironiques et tendres, où survivent l'esprit et la grâce de ce causeur exquis. Poésie et réalité — cette œuvre d'un Franc-Comtois respire le génie à la fois réaliste et fantastique du folklore de sa province. Cette Franche-Comté, dans sa tradition littéraire comme dans son tempérament, a de mystérieuses affinités avec l'Écosse de Walter Scott, et Nodier en a tiré un parti naïf et habile, — d'une naïveté qui sourit d'elle-même, d'une habileté qui fait de lui, selon le mot de Sainte-Beuve, un admirable « phrasier ». Le Gérard de Nerval des *Filles du feu* prolongera, avec une grâce plus subtile, ce romantisme de folklore et de passé provincial qu'il avait aimé chez Nodier.

LES POÈTES ROMANCIERS

Vigny publie en 1826 Cinq-Mars *ou* Une conjuration sous Louis XIII; *dans la préface de la 14e édition (1827), intitulée* Réflexions sur la vérité dans l'art, *il expose sa conception du genre.* Stello *ou les Diables bleus paraît en 1832;* Servitude et grandeur militaires, *en 1835.* Daphné, *roman resté jusqu'alors inédit, a été publié en 1912 par Fernand Gregh.*

Sur les sources de Cinq-Mars, *voir Marc Citoleux,* Alfred de Vigny. Persistances classiques et affinités étrangères, *1924, pp. 67-144.*

Les romans de Victor Hugo sont les suivants : Han d'Islande, *1823;* Bug Jargal, *écrit partiellement en*

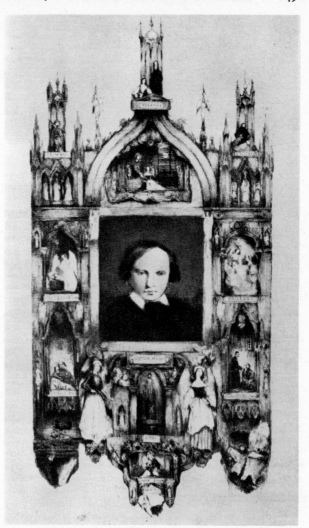

Frontispice de Célestin Nanteuil pour « Notre-Dame de Paris » (édition Renduel, 1833). — CL. LAROUSSE.

1818, publié en 1825; le Dernier Jour d'un condamné, *1829;* Notre-Dame de Paris, *1831;* Claude Gueux, *1834;* les Misérables, *1862; les* Travailleurs de la mer, *1866;* l'Homme qui rit, *1869;* Quatrevingt-treize, *1873. Sur les sources de* Notre-Dame de Paris, *une série d'articles d'E. Huguet,* Revue d'histoire littéraire, *1901, 1903; G. Ascoli, les* Misérables, *1934.*

Alfred de Musset a publié la Confession d'un enfant du siècle *en 1836 (édition revue et corrigée, 1840). Ses* Contes et Nouvelles *ont été publiés à de longs intervalles, dans la* Revue des Deux Mondes, *de 1837 à 1854.*

*L'*Histoire d'un merle blanc *a paru d'abord dans les* Scènes de la vie privée des animaux, *en 1842.*

Sainte-Beuve a publié Volupté *en 1834. Voir Christian Maréchal, la* Clef de « Volupté », *1905, et l'édition de* Volupté *par Pierre Poux, 1927.*

Théophile Gautier a publié, en 1833, les Jeune France, *romans goguenards; en 1835 et 1836,* Mademoiselle de Maupin; *en 1837,* Fortunio; *en 1845, un recueil de* Nouvelles; *en 1857, un recueil intitulé* Romans et contes; *en 1858, le* Roman de la momie; *en 1863, le* Capitaine Fracasse; *et des récits de voyages :* Tra los Montes, *1843;* Italia, *1852;* Constantinople, *1853;* Voyage en Russie, *1867. Voir la* Préface de Mademoiselle de Maupin *dans l'édition G. Matoré; et Jasinski, Genèse et sens du « Capitaine Fracasse » (Revue d'histoire littéraire de la France, 1948).*

LES TRUANDS ASSIÈGENT NOTRE-DAME DE PARIS. Composition de Chifflart (musée Victor-Hugo). — CL. GIRAUDON.

Vigny s'est essayé d'abord au roman historique. Dans *Cinq-Mars*, il veut ressusciter le passé plus fidèlement, dit-il, que Walter Scott lui-même : car Walter Scott invente ses personnages et les fait agir à sa fantaisie ; pour son compte, il mettra en scène des personnages célèbres dont les actions sont connues et ne peuvent être altérées : Cinq-Mars, le conspirateur ; Richelieu ; Louis XIII. Seulement, il veut aussi que son roman soit l'épopée de la noblesse, conspirant contre la royauté qui l'opprime, et vaincue par elle ; et encore, qu'il donne « le spectacle de l'homme philosophique profondément travaillé par les passions de son caractère et de son temps » ; et encore, qu'il renferme une leçon morale... Pour concilier ces ambitions avec le scrupule historique, que de peine il se donne ! Il distingue deux ordres de vérités : la vérité des faits, la vérité de la fable. Celle-ci, qui comporte les explications, les symboles, les leçons, est le domaine de l'art ; c'est à elle que le romancier doit s'attacher. Aussi bien l'histoire se transforme-t-elle spontanément en fiction, par l'œuvre du peuple,

qui la déforme et qui en tire une utilité. L'écrivain a le droit de collaborer à cette déformation inévitable, en introduisant dans l'histoire psychologie et philosophie. Il résulte de ces desseins contradictoires que *Cinq-Mars* n'est ni une page d'histoire, il s'en faut, ni un roman irréprochable, malgré l'admiration dont les contemporains l'ont entouré. Ce qu'il y faut surtout chercher, c'est l'idée qui anime l'œuvre entière d'Alfred de Vigny : les grandeurs humaines, les élites de la race, de l'esprit et du cœur, sont condamnées par l'universel nivellement. Le grand homme, le héros, est écrasé par la société moderne.

Le génie aussi, — c'est *Stello* qui le dira. Un sentiment profond et sincère anime cette étrange *Consultation du docteur Noir*, où le poète nous attendrit sur le triste destin des poètes. « Le poète méconnu, étouffé, ulcéré, que les gouvernements haïssent ou dédaignent, et que la foule ne couronne pas, » était devenu pour Vigny un héros favori, « dont il revendique les douleurs ou dont il venge l'angoisse » (Sainte-Beuve). Il dépeint la mort désespérée de Gilbert, de Chatterton, d'André Chénier, et montre comment, avec une égale indifférence, la royauté absolue, la monarchie constitutionnelle et la république laissent périr de misère, quand elles ne le tuent pas, l'être rare qui a reçu le don fatal.

Dans *Servitude et grandeur militaires*, il plaide la cause du soldat, « autre paria moderne ». Il rassemble des souvenirs : les siens propres et ceux des humbles héros qu'il a connus dans l'armée. De ces observations, de ces récits, choisissant les traits qui se présentaient à lui « comme un vêtement assez décent et d'une forme digne d'envelopper une pensée choisie », ému d'une fraternelle pitié et d'une admiration clairvoyante, il élève à l'abnégation, à la discipline, à l'honneur, un pieux et noble monument.

Dans le roman, Victor Hugo verse tous les émois de sa sensibilité, toutes les visions et tous les rêves de son imagination. Il commence par le genre noir, ou, comme on disait alors, par le genre frénétique, qui, dès longtemps importé d'Angleterre — nous l'avons rappelé plus haut —, n'avait pas cessé de faire les délices d'innombrables lecteurs. Du moins, en composant son très macabre *Han d'Islande*, a-t-il inséré et comme caché dans le sombre tissu

GILLIATT ET LA PIEUVRE. Composition de G. Doré pour « les Travailleurs de la mer », 1866 (musée Victor-Hugo). — CL. FREULER.

de ses fictions horribles une délicate histoire d'amour, la sienne : « Il n'y a dans *Han d'Islande*, disait la préface de 1833, qu'une chose sentie, l'amour du jeune homme ; qu'une chose observée, l'amour de la jeune fille ; tout le reste est deviné, c'est-à-dire inventé. » — Est-il envahi par des préoccupations humanitaires ; se déclare-t-il hostile à la peine de mort ? Deux romans expriment ses idées de réforme sociale, *le Dernier Jour d'un condamné* et *Claude Gueux*. — A-t-il occasion d'observer, à Guernesey, la rude vie des marins ? Il la décrit dans *les Travailleurs de la mer*, non sans la transformer en symbole : elle représente la lutte de l'homme contre la fatalité des choses. Il écrit deux romans historiques, *l'Homme qui rit* et *Quatrevingt-treize* ; mais le premier n'est qu'une manière de jeu énorme, où il se laisse aller à son goût des contrastes, mêlant le mélodrame à l'idylle ; l'autre, bien conçu, bien mené, et qui offre à l'admiration du lecteur des caractères vigoureux et pathétiques, lui sert à affirmer ses sympathies républicaines. Ainsi Victor Hugo s'attache moins à étudier la psychologie de ses personnages qu'à faire d'eux ses porte-parole. Deux romans, ou plutôt deux épopées, demeurent entre tous : *Notre-Dame de Paris* et *les Misérables*.

Esmeralda, la petite danseuse à la chèvre, et le séduisant capitaine Phébus de Chateaupers, et le pervers Claude Frollo, et la vieille sachette, et le monstrueux et tendre sonneur de cloches, Quasimodo, et les truands qui grouillent dans la cour des Miracles : que de personnages qui vivent chacun d'une vie à la fois intense et simplifiée, comme il convient aux héros d'une épopée populaire ! Mais un autre personnage les domine tous, la Cathédrale. Pour étudier la Cathédrale, Hugo avait consulté son ami l'architecte Robelin et fouillé les livres de nombreux archéologues, Sauval, de Breul, Lenglet-Dufresnoy, Dulaure ; puis, par la magie du pouvoir épique qui était en lui de créer des mythes, il a insufflé aux vieilles pierres une âme qui vibre de toutes les passions humaines : et c'est elle qui mène l'action.

Les Misérables sont un roman historique, aux chapitres qui s'intitulent *Waterloo, l'Année 1817, Paris en 1832, la Barricade de la rue Saint-Merry;* et aussi un roman policier, machiné comme un mélodrame; et encore un roman lyrique, particulièrement dans l'épisode des amours de Marius et de Cosette, où Victor Hugo (lui-même l'a avoué) a retracé ses propres amours. Mais *les Misérables* sont surtout l'épopée de Jean Valjean, régénéré par le remords, de Fantine, rachetée par l'amour maternel, l'épopée humanitaire et démocratique des déshérités et de tous ceux qui souffrent pour la justice.

Il ne faut pas oublier, d'ailleurs, le moment où Victor Hugo achève et publie *les Misérables*. Certes, le dessein en remontait loin, déjà; et il avait depuis longtemps établi, sous le titre *les Misères*, une première version qui a été publiée par Gustave Simon en 1937. Mais, entre temps, le déroulement de la grande fresque de *la Comédie humaine*, les romans des bas-fonds par lesquels Eugène Sue avait conquis une popularité de feuilletoniste, ne l'avaient pas laissé indifférent. Ses tendances socialistes s'étaient accentuées; et, de l'exil, il jeta à la face de la société moderne sa triple accusation, la dénonciation du triple crime de notre civilisation, que symbolisent les figures de Jean Valjean le bagnard, de Fantine la prostituée, et du « gamin » Gavroche : « la dégradation de l'homme par le prolétariat, la déchéance de la femme par la faim, l'atrophie de l'enfant par la nuit ».

Avec Hugo, le roman romantique aboutit à l'histoire sociale; avec Musset, il reste l'histoire d'un cœur. Dans *la Confession d'un enfant du siècle*, Musset raconte son éternel tourment d'amour; il y montre combien il était ingénieux à torturer celle qu'il aimait, dès qu'il aimait, et à se torturer lui-même. Il cherchait une passion idéale, pour s'enivrer d'elle : aussitôt trouvée, il l'empoisonnait par le soupçon. Comme il s'est un peu guindé pour décrire ses désillusions et ses souffrances, voire pour s'accuser lui-même, on le trouve déclamatoire : il est pourtant très sincère. Ce qui ne vieillira pas, et ce qui confère à sa confession la valeur d'un document inoubliable, c'est l'analyse du mal du siècle qui remplit le second chapitre. Musset

GAVROCHE. Dessin de V. Hugo (musée Victor-Hugo). — CL. BULLOZ.

y a fixé pour toujours l'état psychologique de sa génération. « Pendant les guerres de l'Empire, tandis que les maris et les frères étaient en Allemagne, les mères inquiètes avaient mis au monde une génération ardente, pâle, nerveuse. Conçus entre deux batailles, élevés dans les collèges au roulement des tambours, des milliers d'enfants se regardaient entre eux d'un œil sombre, en essayant leurs muscles chétifs... » Or, au moment où ces enfants vont arriver à l'âge d'homme, Napoléon, dieu des batailles et de la gloire, a été effleuré par l'aile d'Azraël, et précipité dans l'Océan. « Alors s'assit sur un monde en ruines une jeunesse soucieuse... »

Les *Nouvelles* et les *Contes* sont écrits d'une plume alerte, élégante, et piquante à l'occasion. Musset s'y confesse encore, dans *le Fils du Titien* et *les Deux Maîtresses*, par exemple. Il y confesse un peu George Sand, dans *le Merle blanc;* mais le plus souvent il se contente de donner libre cours à son esprit charmant, à sa grâce pimpante et légère. Il peint avec une émotion complice la vie insouciante de Bernerette et de Mimi Pinson. Cette jolie prose, claire, transparente, de pure source française, voisine de celle de Voltaire, vouloir la distinguer des vers de Musset, c'est, selon le mot de Sainte-Beuve, « vouloir couper une abeille en deux ».

Le poète des *Pensées d'Août* s'essaya, lui aussi, au roman. C'est une œuvre à la fois délicate et puissante que *Volupté;* trop raffinée peut-être et trop fouillée. « Le véritable objet de ce livre est l'analyse d'un penchant, d'une passion, d'un vice même, et de tout ce côté de l'âme que le vice domine,... du côté languissant, oisif, attachant, secret et privé, mystérieux et furtif, rêveur jusqu'à la subtilité, tendre jusqu'à la mollesse, voluptueux enfin. » Tel est le jugement de Sainte-Beuve lui-même. Son héros, Amaury, qui est un Adolphe plus tendre et plus pur, aime Mme de Couaën et « finit par ensevelir au séminaire son mysticisme inquiet et dévoyé ». On sait de reste que Sainte-Beuve se rappelle, ici, sa propre histoire et celle de Mme Victor Hugo; mais Joseph Delorme n'entrera pas au séminaire, comme Amaury : bénédictin de lettres, il se consolera en écrivant *Port-Royal*.

Madame de Pontivy (1837) ajoute comme un épilogue à *Volupté*. Cette nouvelle « n'a été écrite », de l'aveu de Sainte-Beuve, « qu'en vue d'une seule personne et pour la lui faire lire, et pour lui en faire agréer et partager le sentiment ». Elle vise à démontrer « la force de vie et d'immortalité qui convient à l'amour vrai, cette impuissance à mourir, cette faculté de renaître et cette jeunesse de la passion recommençante avec toutes ses fleurs ».

Des récits charmants et passionnés : *le Clou d'or*, mystérieuse ébauche, que lui inspira l'amitié amoureuse qu'il éprouvait pour Mme d'Arbouville, une jeune femme qui n'était pas jolie, « mais mieux »; *la Pendule; Cristel* (1839), nouvelle touchante, pleine de tristesse discrète, attestent que, contrairement aux insinuations de ses ennemis, Sainte-Beuve ne se livra pas à la critique faute de posséder les qualités du romancier.

De Théophile Gautier on a souvent répété cet éloge qui pourrait bien enfermer une critique : qu'il fut un homme pour lequel le monde extérieur existait. C'est sa faute, puisqu'il l'a dit lui-même, et puisque, après avoir tenté l'exploration du monde intérieur, il a décidément pris le parti de s'en tenir au pittoresque, au lieu de travailler en profondeur. Ce n'est pas qu'il manque du sens de l'observation psychologique : dans *les Jeune-France*, il raille les affectations des romantiques ridicules ; dans *Mademoiselle de Maupin*, les extravagances de la fausse sentimentalité et du délire platonique. Tout cela n'alla point sans quelque scandale. Mais plus tard, « l'invasion du *cant* et la nécessité de se soumettre aux convenances des journaux » le jettent « dans la description purement physique ». Il est vrai qu'il y excelle. Que de silhouettes amusantes dans son *Capitaine Fracasse* ; et quelles vives couleurs ! L'imagination de Gautier est à la fois réaliste et fantaisiste : d'où son charme original. « Figurez-vous que vous feuilletez des eaux-fortes de Callot ou des gravures d'Abraham Bosse, illustrées par des légendes. » Ajoutons à Abraham Bosse et à Callot, la veine picaresque de ces « Grotesques » du XVIIᵉ siècle, à qui Gautier consacra, ailleurs, de si savoureuses pages : le *Roman comique* de Scarron profile ses comédiens en voyage et ses aventuriers de la bohème derrière cette histoire de truculent style Louis XIII.

Ainsi, chaque poète a nuancé son œuvre romanesque du même tempérament poétique que traduisaient ses vers. Il y a, dans *le Capitaine Fracasse*, cette verve colorée, cette vigueur d'eau-forte, qui sont dans la manière d'*Albertus*, de *la Comédie de la mort*, d'*Espana* ; Sainte-Beuve, quand il conte romanesquement sa décevante expérience, reste le poète des *Rayons jaunes* et du *Livre d'amour*, insinuant, désenchanté et replié sur sa vie secrète ; le Musset de la *Confession* a les mêmes élans et les mêmes abattements que celui des *Nuits* et de *Tristesse* ; la prose de Victor Hugo déroule, comme ses poèmes, des fresques épiques où la passion et la colère mettent des reflets de lyrisme et de satire ; Alfred de Vigny a écrit, dans ses romans comme dans ses poèmes philosophiques, le drame triste et inéluctable des *Destinées*. Et, si nous rouvrions les romans de Lamartine, dans *Graziella*, dans *Raphaël*, nous retrouverions toute la ferveur amoureuse et jeune du temps des *Méditations ;* dans *Geneviève*, dans *le Tailleur de pierres de Saint-Point*, la noblesse familière de *Jocelyn*.

GEORGE SAND

Amandine-Aurore-Lucie Dupin est née à Paris en 1804. Elle descendait du maréchal de Saxe par son père, officier aventureux et brave, « dont la courte vie fut un roman de guerre et d'amour ». Sa grand-mère, une de ces femmes du XVIIIᵉ siècle au caractère raisonnable et froid, était cette Mᵐᵉ Dupin de Francueil qui avait été l'amie et la protectrice de Jean-Jacques Rousseau. Sa mère, Victorine Delaborde, était une de ces grisettes que George Sand peindra, aimantes et légères, dans tel de ses romans. G. Sand passe son enfance à Nohant, dans l'Indre. De 1817 à 1820, comme son « caractère de combat » s'affirmait déjà, on la met au couvent des

Anglaises, à Paris : elle y traverse une crise de mysticisme. Puis elle revient à Nohant : elle lit Jean-Jacques, son initiateur intellectuel, Bernardin de Saint-Pierre, Chateaubriand, bien des philosophes, au hasard.

En 1822, on la marie au baron Casimir Dudevant ; c'est une bonne maîtresse de maison, qui sait tailler des layettes pour ses deux enfants, Maurice et Solange, et faire des confitures. Cependant, la vie commune devenant impossible, les époux se séparent. En 1830, la jeune femme s'installe à Paris ; elle travaille pour vivre. Elle essaie de la peinture, puis du journalisme ; elle compose, en collaboration avec

GEORGE SAND. Portrait exécuté par Delacroix en 1834 (collection particulière). — CL. BULLOZ.

Jules Sandeau, un roman, Rose et Blanche, *qui paraît sous le nom de Jules Sand (1831). Mais la même année,* Indiana, *qu'elle écrit seule, rend célèbre le nom de George Sand, sous lequel seront publiés, pendant quarante ans, tant de romans.*

Œuvres complètes, *édition Michel Lévy, 105 volumes (romans, nouvelles et contes, 85 vol. ; théâtre, 5 vol. ; etc.). En outre, on a publié plusieurs recueils de lettres de G. Sand :* Lettres de G. Sand à Musset et à Sainte-Beuve, 1897 ; Correspondance de G. Sand et d'A. de Musset, *publiée par Félix Decori, Bruxelles, 1904 ;* Correspondance de G. Sand et de Flaubert, 1906. Le Roman d'Aurore Dudevant et d'Aurélien de Sèze (1928) *contient sa correspondance avec cet ami, à qui la lia une amitié amoureuse. —* Outre l'Histoire de ma vie (1854-1855), George Sand a rédigé un Journal intime, *publié en 1926.*

Consulter : Wladimir Karénine, G. Sand, sa vie et ses œuvres, 4 vol., 1899-1926 ; *Albert Le Roy,* G. Sand et ses amis, 1903 ; *Samuel Rochéblave,* G. Sand et sa fille, 1905 ; *René Doumic,* G. Sand, 1909 ; *Émile Moselly,* G. Sand, 1911 ; *Louise Vincent,* G. Sand et l'amour, 1917 *et* 1920 ; *Ernest Seillière,* G. Sand, mystique de la passion, de la politique et de l'art, 1920 ; *J. Davray,* G. Sand et ses amants, 1935 ; *A. Adam,* le Secret de l'aventure vénitienne, 1938 ; *M.-L. Pailleron,* G. Sand, 1943 ; *Dorrya Fahmy,* G. Sand, auteur dramatique, 1935.

« Il n'y a en moi rien de fort que le besoin d'aimer, » a écrit George Sand. Sa vie ne contredit point cet aveu. Après avoir couru de nombreuses aventures sentimentales, George Sand prêchera l'amour de l'humanité ; puis elle s'apaisera en aimant la nature. Elle finira par aimer son prochain plus qu'elle-même ; et ce renoncement lui permettra de terminer sa vie, ballottée par tant d'orages, dans un port tranquille et sous un ciel rasséréné.

Son originalité a été souvent méconnue. « Elle écoute quand d'autres parlent, comme si elle cherchait à absorber en elle-même le meilleur de vos paroles, » écrit Henri Heine de sa « grande cousine ». Henri de Latouche, qui lui apprit à se relire et à se corriger, disait d'elle : « C'est un écho qui double la voix. » En vérité, c'est un écho merveilleux, qui la transforme.

La faculté maîtresse de George Sand est sans doute l'imagination. Elle se complaît parmi les illusions et les chimères, rêvant un monde selon son cœur. « Nous sommes une race infortunée et c'est pour cela que nous avons un impérieux besoin de nous distraire de la vie réelle par les mensonges de l'art. » Mais cet idéalisme romanesque s'unissait à un sens très vif de la réalité. Elle a donné un jour, à propos de Balzac, sa propre théorie du roman, « œuvre de poésie autant que d'analyse » : « Il y faudrait des situations vraies et des caractères vrais, réels même, se groupant autour d'un type destiné à résumer le sentiment ou l'idée principale du livre. Ce type représente généralement la passion de l'amour, puisque tous les romans sont des histoires d'amour... Il faut idéaliser cet amour, ce type, par conséquent, et ne pas craindre de lui donner toutes les puissances dont on a l'aspiration en soi-même, ou toutes les douleurs dont on a vu ou senti la blessure. Mais, en aucun cas, il ne faut l'avilir dans le hasard des événements; il faut qu'il meure ou triomphe, et on ne doit pas craindre de lui donner une importance exceptionnelle dans la vie, des forces au-dessus du vulgaire, des charmes ou des souffrances qui dépassent tout à fait l'habitude des choses humaines, et même un peu le vraisemblable admis par la plupart des intelligences. En résumé, idéalisation du sentiment qui fait le sujet, en laissant à l'art du conteur le soin de placer ce sujet dans des conditions et dans un cadre de réalité assez sensible pour le faire ressortir, si, toutefois, c'est bien un roman qu'on veut faire. » (*Histoire de ma vie*, IV, 15.)

Elle se charge de « l'idéalisation des sentiments ». Mais « le cadre de réalité », il faut d'abord qu'elle le voie : « J'aime avoir vu ce que je décris, dit-elle; n'eussé-je que trois mots à dire d'une localité, j'aime à la regarder dans mon souvenir et à me tromper le moins que je peux. » Ses yeux, qui paraissent rêveurs, sont attentifs à saisir toutes les formes de la vie; sa mémoire les enregistre fidèlement. Si George Sand a l'air lointain, absent, c'est qu'elle est « la contemplatrice ». « Elle va errer, regarder, écouter ainsi, sans bien savoir ce qu'elle accomplit, somnambule de jour... La nuit, cette femme restituera au monde de l'âme et de l'esprit tout ce qu'elle a reçu du monde matériel et visible. » (A. Dumas, Préface du *Fils naturel*.)

Inlassable, elle écrivait, a-t-on dit, comme elle respirait. La nuit, de préférence, avec une inépuisable facilité, sous la dictée de son génie, elle couvrait des pages après des pages. Elle est la « merlette lettrée »

dont Musset fait la caricature dans l'*Histoire d'un merle blanc* : « Elle pondait ses romans avec une facilité presque égale à la mienne, choisissant toujours les sujets les plus dramatiques, des parricides, des rapts, des meurtres, et même jusqu'à des filouteries, ayant toujours soin, en passant, d'attaquer le gouvernement et de prêcher l'émancipation des merlettes... Il ne lui arrivait jamais de rayer une ligne, ni de faire un plan avant de se mettre à l'œuvre. » De ce don singulier et de cette habitude, les inconvénients se devinent à l'avance : la prolixité, et un certain flottement dans la composition. Mais Renan a dit justement : « Le génie joue avec l'erreur, comme l'enfance avec les serpents; il n'en est pas atteint. » Mme Sand traversa tous les rêves; elle sourit à tous, crut un moment à tous; son jugement pratique put quelquefois s'égarer; mais, comme artiste, elle ne s'est jamais trompée. »

LÉLIA. Gravure sur acier de Robinson, d'après Lépaule, pour la « Galerie des femmes de George Sand » (1843). — CL. LAROUSSE.

LES ROMANS PASSIONNELS

On a pris coutume de répartir les romans de George Sand en quatre groupes : *romans passionnels, romans socialistes, romans champêtres* et *romans romanesques. Nous adopterons ce mode de classement, qui ne va pas sans une part d'arbitraire, mais qui est commode. Dans la première catégorie se rangent* Indiana (*1832*), Valentine (*1832*), Lélia (*1833*), Jacques (*1834*), Mauprat (*1837*), *romans auxquels il n'est pas illégitime de rattacher le* Secrétaire intime (*1834*) *et les* Lettres d'un voyageur (*1834-1837*). — *Sur la genèse de* Jacques, *voir Luigi-Foscolo Benedetto,* A propos d'un roman *de G. Sand (Revue d'histoire littéraire de la France, 1911). Henri Carré a décelé quelques sources de* Mauprat : Querelles entre gentilshommes campagnards, bourgeois et paysans du Poitou au XVIIIe siècle *(Revue du XVIIIe siècle, 1914). — A. Sand,* le Roman d'Aurore Dudevant et d'Aurélien de Sèze, *1928 (à propos de* Lélia).

George Sand, tout imprégnée de *la Nouvelle Héloïse*, de *Werther*, de *René*, d'*Obermann*, semblait vouée au « genre intime », comme disaient les romantiques de 1830. Ses premières œuvres sont faites, pour une large part, de confessions, transposées, idéalisées, mais indéniables. A cette époque elle est froissée par la vie, déçue dans ses rêves et dans sa fierté, révoltée par ses mécomptes et ses rancunes, animée aussi par son « idéalité sensuelle », par ses passions inassouvies. Elle charge ses héroïnes, Valentine et Indiana, de protester contre les préjugés et même contre les lois. Indiana, la préface nous en avertit, est un type; « c'est la femme, l'être faible, chargée de représenter *les passions* comprimées, ou, si vous l'aimez mieux, supprimées par *les lois* ; ... c'est l'amour heurtant son front aveugle à tous les obstacles de la civilisation. » N'appelle-t-elle pas aussi *Lélia* « l'action la plus hardie et la plus loyale » de sa vie? Ce roman d'un lyrisme étrange, qu'est-ce autre chose que la confession d'une désenchantée, qui poursuivait, sans l'atteindre jamais, la plénitude de l'amour? Dans son mysticisme, Sand croit que l'amour vient de Dieu, qu'il est des créatures d'exception, des âmes élues, marquées pour les grandes passions. Qu'on rende à ces passions naturelles la liberté! Qu'on brise les entraves de la civilisation, les conventions hypocrites et tyranniques! La sincérité d'un amour en purifie jusqu'aux égarements. « Nous nous tiendrons lieu l'un à l'autre d'innocence et de vertu, » dit une des héroïnes de George Sand.

Mais l'amour, qui fait tant de mal, peut être aussi une force bienfaisante. *Mauprat* glorifie « ce sentiment exclusif, éternel, avant, pendant et après le mariage ». Bernard, le sauvage, le brigand, est dompté et civilisé par la douceur de sa cousine Edmée; il devient un honnête homme, presque un héros.

Ces romans autobiographiques et lyriques, et ces exquises *Lettres d'un voyageur*, qui, en des pages toutes pleines de pittoresque, de tendresse, d'exaltation, nous font la confidence des amours de George Sand avec Alfred de Musset, à Venise, préludent déjà aux romans sociaux. Par endroits, en effet, George Sand dresse d'éloquents réquisitoires contre l'organisation sociale, plaide pour l'émancipation de la femme ou pour la réhabilitation de la fille séduite. Par ailleurs, ses descriptions de paysages de la Marche ou du Berry laissent prévoir ses idylles rustiques.

LES ROMANS SOCIALISTES

Le Compagnon du tour de France *paraît en 1840 ;* Consuelo, *en 1842-1843 ;* le Meunier d'Angibault, *en 1845;* le Péché de Monsieur Antoine, *en 1847. —* *Voir : Lucien Buis*, les Théories sociales de G. Sand, *1910; J. Lairac*, George Sand révolutionnaire, *1948.*

A chacun des avatars de George Sand, Mme de Girardin disait : « Cherchez l'homme! » Ce mot, cruellement spirituel, n'est point sans quelque vérité. Lamennais, Pierre Leroux, Michel de Bourges, Barbès, Jean Reynaud, exercèrent de visibles influences sur la pensée de la féconde romancière. Mais Lamennais et Pierre Leroux marquèrent leur ascendant sur bien d'autres qu'elle, sur Sainte-Beuve et sur Victor Hugo, par exemple. L'originalité de George Sand aura consisté à prêter aux idées d'autrui un accent de généreuse émotion qui en décuplait la puissance. Aux alentours de 1840, en effet, elle devient l'adepte décidée de la doctrine socialiste et de la religion humanitaire. Sa sympathie s'épand sur l'ouvrier, qu'elle croyait connaître; sur le campagnard, qu'elle connaissait bien; sur le peuple. Elle prêche, avec un optimisme ingénu, un socialisme sensible, mystique, conciliateur. Elle a horreur de la violence. Elle compte plus sur la réforme des mœurs que sur la refonte des lois. Elle rêve la fusion des classes, et, pour la hâter, elle marie la roture et l'aristocratie. C'est l'amour qui reçoit d'elle la mission d'initier les humains à l'égalité et à la fraternité.

Ainsi, dans *le Compagnon du tour de France,* la noble Yseult de Villepreux épouse Pierre Huguenin, « un homme du peuple, afin d'être peuple ». Ainsi, dans *le Meunier d'Angibault,* Henri Lemor, un artisan héroïque, refuse la main de la baronne de Blanchemont, qu'il adore, parce que la richesse est contraire à ses principes; mais le château de cette riche veuve vient-il à brûler, par bonheur! alors il peut l'épouser. Dans *le Péché de Monsieur Antoine,* tout le monde est plus ou moins communiste, à commencer par M. Antoine de Chateaubrun, gentilhomme revenu par conviction à la vie du peuple, — et père de la charmante Gilberte. Seul fait exception M. Cardonnet, manufacturier froid et dur comme ses machines. Le régime industriel s'entendra dire de dures vérités : M. Cardonnet n'en

deviendra pas moins digne, à la fin, de Gilberte.

A la propagande sociale se mêle, intimement et secrètement, une sorte de propagande religieuse. D'une religion selon la *Profession de foi du Vicaire savoyard* (n'oublions pas que George Sand est l'auteur d'enthousiastes *Réflexions sur Jean-Jacques Rousseau*), teintée de franc-maçonnerie, respectueuse du Christ, mais d'un Christ apôtre de « révolte légitime », rebelle aux disciplines catholiques. Telle est la foi qu'exaltent *la Comtesse de Rudolstadt, Consuelo.* Et l'amour la couronne : « Nous sommes tous des hommes divins, dit *Spiridion,* quand nous aimons et quand nous concevons la perfection. Nous sommes tous des messies, quand nous travaillons à assurer son règne sur la terre; nous sommes tous des Christs quand nous souffrons pour elle. »

LES ROMANS CHAMPÊTRES

Dès 1839, George Sand se fixe dans le Berry ; elle sera reprise, reconquise par son pays. A ses romans politiques se mêlent des œuvres d'inspiration plus paisible ; elle inaugure la série de ses romans champêtres; la révolution de 1848 n'obtiendra d'elle que quelques écrits de polémique, et ne l'arrachera qu'un instant à son terroir. Jeanne *paraît en 1844;* la Mare au diable, *en 1846;* la Petite Fadette, *en 1849;* François le Champi, *en 1850;* les Maîtres sonneurs, *en 1852.* François le Champi *et* les Maîtres sonneurs *ont été arrangés pour la scène; pour la scène, G. Sand écrit aussi* Claudie *(1851), pièce idyllique et sentimentale. — Voir Louise Vincent*, la Langue et le style rustique de G. Sand dans les romans champêtres, *1916; — G. Sand et le Berry; — le Berry dans l'œuvre de G. Sand, 2 vol., 1919.*

La dame de Nohant, retrouvant la fraîcheur première de ses rêveries d'enfant, trace dans un cadre aimé les portraits embellis des humbles paysans de son Berry natal. « Mieux vaut une douce chanson, un son de pipeau rustique, un conte pour endormir les petits enfants,... que le spectacle des maux réels, renforcés et rembrunis encore par les couleurs de la fiction. » *(La Petite Fadette.)* « Vous faites la Comédie humaine », disait-elle à Balzac; « et moi, c'est l'Églogue humaine que j'ai voulu faire. »

Elle excelle à peindre les paysages du Berry : est-il tableau plus justement célèbre que celui qui ouvre *la Mare au diable?* Par un rayonnant soleil d'automne, des paysans guident l'areau dans les terres grasses; les grands bœufs paisibles obéissent à leur voix... Elle excelle à dévider tout au long, comme les vieilles fileuses du pays sous le manteau de la cheminée, les contes rustiques, longs et doux. Toute la fraîcheur, toute la grandeur aussi de la vie champêtre ont passé dans ses romans. En ces décors d'une vérité parfaite, elle fait vivre des êtres simples et beaux. Elle les idéalise volontiers : les principaux personnages surtout, car les comparses sont souvent dessinés avec plus de réalisme. Elle conserve quelques-uns des traits qui les caractérisent; mais elle ne croit pas devoir les retenir tous. « Quand mon ami est borgne, je le regarde de profil » : ainsi fait George Sand avec ses amis des champs. Son art s'apparenterait plutôt à l'art de Millet ou de Rosa Bonheur qu'à celui de Courbet. Ses regards fraternels ne s'arrêtent guère aux vulgarités; ce n'est pas qu'ils les ignorent; mais ils préfèrent se reposer sur ce qui plaît, sur ce qui charme. Par d'harmonieux et subtils mensonges, elle embellit, elle

LA MARE AU DIABLE, d'après un dessin de Maurice Sand, à Nohant.

transfigure toujours un peu ses personnages. Elle sait bien, puisqu'elle est fermière, qu'on rencontre parfois aux champs l'avarice et la jalousie, la finasserie et la tracasserie, ou même la brutalité. Et de quelques notes vigoureuses, elle empêche l'idylle de tourner au bleu et au rose. Mais, délibérément, elle obéit à ses sympathies naturelles, et plus encore à ses principes : « La mission de l'art est une mission de sentiment et d'amour. » (Préface de *la Mare au diable*.)

LES ROMANS ROMANESQUES

L'âge est venu ; George Sand est maintenant « la dame de Nohant », indulgente, désormais, aux faiblesses humaines, qu'elle ne partage plus. Elle pratique la bonté avec la sagesse. Elle est très occupée par la mise en valeur de ses champs ; elle se passionne pour son théâtre de marionnettes ; elle cultive l'art d'être grand-mère. Elle reçoit beaucoup, car elle est très hospitalière ; elle reste l'amie fidèle de Sainte-Beuve, de Hugo, de Michelet ; elle donne volontiers des conseils aux jeunes écrivains : Flaubert, Dumas fils, Fromentin, Edmond About. La guerre de 1870, puis la Commune, la frappent douloureusement ; elle pleure des larmes de sang sur « le mal de sa nation et de sa race ». Elle meurt en 1876.

De ce crépuscule aimable datent ses romans romanesques : les Beaux Messieurs de Bois-Doré, 1856-1858 (mis à la scène en 1862) ; Jean de la Roche, 1860 ; le Marquis de Villemer, 1861 (G. Sand en tire une pièce de théâtre en 1865) ; Mademoiselle de la Quintinie, 1863 ; Mademoiselle de Merquem, 1868. L'Histoire de ma vie paraît en 1854 et en 1855. A ces « confessions », il faut ajouter plusieurs volumes de souvenirs et d'impressions.

Dans les histoires gracieuses, idylles bourgeoises ou aristocratiques, contées complaisamment par la dame de Nohant, vieillie, mais souriante et incurablement optimiste, on trouve moins de fougue et d'exaltation, moins de thèses et de chimères, mais des analyses morales plus variées et plus délicates encore que dans les œuvres précédentes, les romans rustiques mis à part. L'intrigue est tantôt compliquée, comme dans *Jean de la Roche* ; tantôt simple, comme dans *le Marquis de Villemer* ; mais toujours la justesse du ton et l'aisance de l'allure prêtent un charme rare aux fines analyses sentimentales de ces beaux contes d'amour. Non sans que revienne d'ailleurs, en sourdine, la propagande de ses années romantiques en faveur de la « bonne nature », de la « morale de la nature » contre celle de l'Église. Il y aura, jusque dans les derniers romans, jusque dans *Mademoiselle de la Quintinie*, une religion selon le *Vicaire savoyard*.

Il n'en est pas moins vrai que loin d'être la femme d'un seul livre, elle a renouvelé sans cesse ses productions, avec une facilité qui tient du miracle. « Ses œuvres, a écrit Renan, sont vraiment l'écho de notre siècle. »

Ce ne serait pas lui rendre toute justice que d'oublier la rare qualité de son style. Elle s'exprime dans une langue parfaitement naturelle, à la fois facile et colorée. Ses récits sont aisés et vivants ; ses dialogues, tout pleins d'une verve savoureuse. Ce style a paru « impersonnel » aux partisans de l'art pour l'art. Faudrait-il donc ne compter pour rien l'ampleur, l'abondance « doux-coulante », la transparence, l'harmonie et, — souvent, sinon toujours, — la divine simplicité ?

HONORÉ DE BALZAC

Honoré de Balzac est né à Tours, le 20 mai 1799. Son père était administrateur de l'hospice de la ville ; son grand-père était un paysan du Tarn, nommé Balssa ; sa mère était d'origine parisienne. Il fait ses études chez les Oratoriens de Vendôme et les termine à Paris, où son père est nommé,

BALZAC dans son costume de travail. Portrait par Louis Boulanger (1836). — CL. LAROUSSE.

en 1814, administrateur des vivres de la Iʳᵉ division militaire. Il commence son droit en 1816 ; en même temps, il fait un stage chez un avoué, qu'il quittera au bout de dix-huit mois pour faire un autre stage chez un notaire. Mais la littérature le tente : ses parents lui accordent un délai de deux ans pour qu'il s'acquière un nom, s'il en est capable. Il écrit un drame, Cromwell, qui semble mauvais aux connaisseurs ; son premier roman, l'Héritière de Birague (1822), ne leur paraît pas beaucoup meilleur. Il publie une quarantaine d'essais dans des genres divers, sous des noms fantaisistes et sonores : Horace de Saint-Aubin, M. de Vieillerglé, Saint-Alme, lord R'hoone. Puisque la littérature ne lui réussit pas, il se fait imprimeur, puis fondeur de caractères : ces entreprises se terminent par une liquidation, en 1828. Dès cette époque, ses dettes s'élèvent à une centaine de mille francs ; et sa vie ne sera qu'une suite d'embarras d'argent. Il peinera, pour satisfaire créanciers et usuriers ; il gagnera des sommes considérables : mais toujours un peu moins qu'il ne dépensera.

Un roman intitulé le Dernier Chouan (1829) lui vaut enfin quelque notoriété. Alors, avec une fougue qui est sans exemple dans l'histoire de nos lettres, il entasse volumes sur volumes. Il n'est point d'année qui ne compte, parmi la foule de ses productions, un ou plusieurs chefs-d'œuvre : en 1830, la Maison du Chat qui pelote, Gobseck ; en 1831, la Peau de chagrin ; en 1832, le Colonel Chabert, le Curé de Tours, Louis Lambert ; en 1833, le Médecin de campagne, Eugénie Grandet ; en 1834, le Père Goriot..... Ainsi de suite : il faut des pages entières pour établir la bibliographie de cet inépuisable génie.

Balzac ne veut pas que ses œuvres aient l'air de naître au hasard. Il essaie quelques groupements partiels : il réunit plusieurs romans dans une série qu'il intitule Scènes de la vie privée (2 volumes, 1830 ; 2 autres volumes, 1832). Puis il imagine un plus vaste classement : ses Études de mœurs au XIXᵉ siècle, qui paraissent de 1834 à 1835, comprennent quatre volumes de Scènes de la vie privée, quatre de Scènes de la vie de province, *quatre de Scènes de la vie parisienne.*

Fut-ce, comme on l'a dit souvent, un de ses amis, le marquis de Belloy, revenant d'Italie, en 1841, tout imprégné du souvenir de la Divine Comédie de Dante, qui lui suggéra ce beau titre, la Comédie humaine? C'est possible. Le fait est que Balzac fit paraître, de 1842 à 1846, la Comédie humaine, en 16 volumes in-8°. Ce n'était pas assez; en 1845, il dressait un catalogue de cent quarante-trois de ses ouvrages, les uns déjà parus, les autres ébauchés ou projetés, qu'il voulait recueillir en une édition collective. Il n'eut pas le loisir de les écrire tous : il s'en faut d'une cinquantaine. Entre temps, il se divertissait en composant ses Contes drolatiques, *où il pastiche la langue et le style de Rabelais (1832-1837), et des pièces de théâtre : mais* Vautrin *(1840) fut interdit, et* Mercadet *ne fut joué qu'après sa mort. Il existe, dans la riche collection de Lovenjoul, conservée à Chantilly, d'autres essais de théâtre qui ont été publiés par Douchan Milatchitch, le* Théâtre inédit d'Honoré de Balzac, *1930 (voir également : Douchan Milatchitch, le* Théâtre d'Honoré de Balzac, *1930).*

Sa vie sentimentale fut assez agitée. Son premier amour avait été pour Mme de Berny, sa « Dilecta », son Égérie (voir Albert Arrault, Mme de Berny, éducatrice de Balzac, Tours, 1945; Geneviève Ruxton, la « Dilecta » de Balzac, 1910). En 1832, il commence à correspondre avec une Polonaise, la comtesse Hanska, qui bientôt lui inspire une grande passion. Il fait d'elle sa confidente; il va la rejoindre, par échappées, en Suisse, à Vienne, à Rome, à Saint-Pétersbourg, à Kiev. Il l'épouse, le 14 mars 1850, et meurt peu après, le 19 août (voir : Floyd, Women in the life of Balzac, 1921, trad. 1926; S. de Korwin-Piotrowska, Balzac et le monde slave; Mme Hanska et l'œuvre balzacienne, 1933).

Une édition de ses œuvres, dite définitive, a paru de 1869 à 1876, en 24 volumes in-8°, par les soins de sa veuve et conformément aux indications qu'il avait laissées. Plusieurs autres éditions collectives ont paru par la suite. L'édition Marcel Bouteron et Henri Longnon, 1912-1940, compte 40 volumes. La Correspondance de Balzac a été publiée en 1876; ses Lettres à l'étrangère (Mme Hanska), en 1899, 1900 et 1933, en 3 volumes (inédits dans la Revue de Paris, 1947). D'autres correspondances ont été éditées à diverses reprises dans la série des Cahiers balzaciens. Sur la correspondance de Balzac, voir : Spoelberch de Lovenjoul, Autour d'Honoré de Balzac, 1897; A propos des lettres de Balzac (Bulletin du bibliophile, 1906). Des Pensées, sujets, fragments inédits ont été recueillis par J. Crépet en 1910; le Catéchisme social a été publié par Bernard Guyon, en 1933. On retrouvera de curieux textes de Balzac publiciste dans les revues qu'il a dirigées : la Chronique de Paris en 1836, la Revue parisienne en 1840 (recueillis dans l'édition Conard). Parmi les témoignages directs sur l'homme, il faut distinguer celui de Léon Gozlan, Balzac en pantoufles, 1856 (réédité en 1941), et le livre de sa sœur, Laure Surville, Balzac, sa vie et ses œuvres d'après sa correspondance, 1858 (voir également : Marc Blanchard, Témoignages et jugements sur Balzac, 1931). Consulter : Spoelberch de

ILLUSTRATION de G. Doré pour les « Contes drolatiques » de Balzac (édition de 1855).
CL. LAROUSSE.

Lovenjoul, Histoire des œuvres de Balzac, 3e édition, 1888; W. H. Royca, Bibliographie de Balzac, 1929.

Voir : André Le Breton, Balzac, 1905; F. Brunetière, Balzac, 1906; André Bellessort, Balzac et son œuvre, 1924; A. Billy, Vie de Balzac, éd. augm. 1947; Gabriel Hanotaux, la Jeunesse de Balzac, 1922; L.-J. Arrigon, les Débuts littéraires de Balzac, 1924; les Années romantiques de Balzac, 1927; — Balzac et la contessa, s. d.; A. Prioult, Balzac avant « la Comédie humaine » (1818-1829), 1936; R. Bouvier et E. Maynial, les Comptes dramatiques de Balzac, 1938; Philippe Bertault, Balzac et la religion, 1942; A. Béguin, Balzac visionnaire, 1946; Bernard Guyon, la Pensée politique et sociale de Balzac, 1947. — Dans la collection le Livre de l'étudiant, Philippe Bertault a publié un utile précis des questions balzaciennes : Balzac, l'homme et l'œuvre, 1947. Sur les perspectives cosmopolites de son œuvre : F. Baldensperger, Orientations étrangères dans l'œuvre de Balzac, 1927.

LA COMÉDIE HUMAINE

C'est en tête de l'édition générale de la Comédie humaine, *en 1846, que paraît le célèbre avant-propos qui est vraiment le manifeste de Balzac. « Un écrivain doit avoir en morale et en politique des opinions arrêtées; il doit se regarder comme un instituteur des hommes... » Mais dès 1833, d'après sa sœur Laure Surville, il avait conçu ce procédé essentiel, qui donne à son œuvre son caractère de « comédie humaine » : le retour des mêmes personnages de roman en roman.*

Voir : Marcel Barrière, l'Œuvre de Balzac, 1890; Anatole Cerfbeer et Jules Christophe, Répertoire de « la Comédie humaine », 1887; Edith Preston, Recherches sur la technique de Balzac : le retour systématique des personnages dans l'œuvre de Balzac, 1927; A. Canfield, les Personnages reparaissant dans « la Comédie humaine » (Revue d'histoire littéraire, janvier-mars et avril-juin 1934); César Émery, Balzac, les grands thèmes de « la Comédie humaine », 1943.

Pour entreprendre de « tracer dans ses infimes détails la fidèle histoire, le tableau exact des mœurs de notre société moderne », comme il est dit dans le prospectus qui annonçait, au mois d'avril 1842, *la Comédie humaine*, il fallait une singulière audace, une volonté obstinée, une énergie au travail presque illimitée : aucun de ces dons ne manque à Balzac.

Il est un fort entre les forts. Sanguin, puissant d'encolure, il est expansif, exubérant; Champfleury l'appelle « un sanglier joyeux ». Il a besoin de se dépenser en causeries, en correspondances, en visites, en fugues et en farces, en plaisirs, bohème et dandy tour à tour. Il aime l'argent, non certes pour l'argent lui-même, mais pour faire le magnifique. Tandis qu'il est poursuivi par ses créanciers, son imagination lui suggère des combinaisons fabuleuses : il exploitera les forêts de chênes-lièges de Pologne ou les mines de Sardaigne, et les millions lui viendront en foule. Les millions ne viennent pas; Balzac est abattu pour un temps, mais il se relève : « Je suis comme sur un champ de bataille; la bataille est perdue, il s'agit

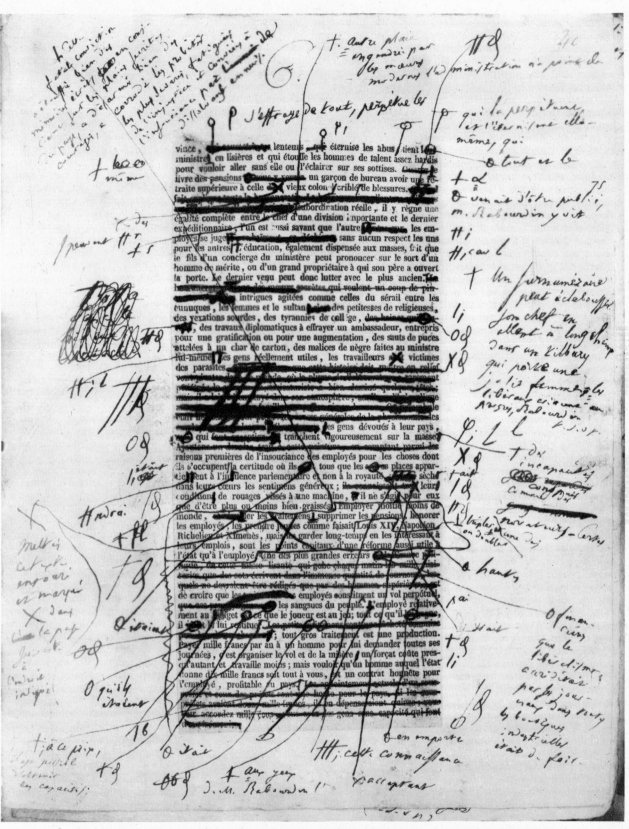

UNE ÉPREUVE DE « LA FEMME SUPÉRIEURE » (« LES EMPLOYÉS »), AVEC LES CORRECTIONS DE BALZAC
(B. N., Département des manuscrits, Nouvelles Acquisitions françaises, nº 6899, fº 40). — CL. LAROUSSE.

simplement d'en gagner une autre. » Il se prend et se donne volontiers pour un nouveau Napoléon : « Ce que Napoléon n'a pu achever par l'épée, je l'accomplirai par la plume. » Il parsème sa correspondance de mots tels que ceux-ci : « C'est mon Marengo! » — « C'est mon Champaubert! » — « Ma campagne de France! » Quoi d'étonnant, dès lors, à ce qu'il ait eu toutes les audaces, même celle de peindre la comédie humaine en un immense tableau ?

Pour remplir un aussi grand dessein, il ne recule devant aucun labeur. Il se condamne « aux travaux forcés de la littérature »; il est « un galérien de plume et d'encre ». — A M\ufffdme de Girardin, qui se disait son élève, il écrivait en 1834 : « Le maître est esclave;... il est toujours couché à six heures, au moment où vous allumez la vie, les bougies de votre élégante cage; où vous faites briller, de plus, votre esprit;... puis il se lève à minuit et demi, pour travailler douze heures. » Dans les périodes de presse, il s'enferme pendant six semaines, pendant deux mois, volets et rideaux fermés; et il travaille sans relâche, parfois dix-huit heures d'affilée, à la lueur de quatre bougies, vêtu d'une robe blanche pareille à la robe des dominicains. Il jette sur le papier, fiévreusement, une première rédaction du roman, qu'il a longuement médité; quand elle lui revient de l'imprimerie, il la transforme, couvre les épreuves de retouches et d'additions qui feront le désespoir des typographes; plusieurs rédactions se succèdent ainsi. *Le Médecin de campagne*, écrit en soixante-douze heures, exigea soixante nuits de corrections. Quand enfin le roman a paru, Balzac ne se tient pas pour quitte : il revoit le texte, et d'édition en édition le modifie encore. Il travaille pour la gloire et pour la fortune; il travaille aussi pour le plaisir de travailler. Il y a des gens qui aiment à s'enivrer de fatigue, et il semble bien être de ceux-là.

Tant d'audace et une si longue patience ne suffiraient pas, s'il ne possédait à un degré éminent les qualités qui lui permettent d'appréhender la matière humaine qu'il veut dominer et ordonner. Sa capacité d'assimilation est considérable; écolier, il était déjà avide de lectures; sa curiosité est restée infatigable et son appétit d'apprendre surprenant. Il trouve le temps de dévorer tout ce qui paraît, sans dédaigner les livres du passé, les meilleurs et les pires. Sans cesse il observe; tous les milieux qu'il traverse sont les objets de ses expériences. Il veut étudier sur place la scène de ses romans, à Paris, en province, à l'étranger même. Tel soir il suit des ouvriers, les file, note leurs propos avec minutie; une autre fois, il s'attache aux pas de pauvres diables : « Je pouvais épouser leur vie, je me sentais leurs guenilles sur le dos; je marchais les pieds dans leurs souliers percés; leurs désirs, leurs besoins, tout passait dans mon âme. » Il s'observe lui-même dans les différentes épreuves de sa vie sentimentale, qu'il transcrira dans ses romans. Il profite des observations d'autrui, harcelant de questions précises et détaillées ses informateurs bénévoles. Il prend soin d'interroger les spécialistes, à l'occasion. Enfin et surtout, il est un « voyant ». — « Chez moi, dit-il, l'observation était dès

LA COMTESSE DE MORTSAUF. Illustration de Bertall pour « le Lys dans la vallée » (édition Furne des « Œuvres complètes »). — CL. LAROUSSE.

ma jeunesse devenue intuitive. Elle pénétrait l'âme sans négliger le corps; ou plutôt, elle saisissait si bien les détails extérieurs qu'elle allait sur-le-champ au-delà. » *(Facino Cane.)*

Il ne sera pas toujours égal à lui-même; il connaîtra des moments d'inspiration moins heureuse, où il n'échappera ni à l'emphase ni à la préciosité. Il commettra l'erreur de se croire un très profond docteur ès sciences politiques, philosophiques et métaphysiques. Mais ces imperfections mêmes s'ajoutent à son caractère essentiel, sans le contredire. Son caractère essentiel, c'est son intensité de vie. Il est tout ardeur et tout flamme : il faut bien qu'il y ait dans ce métal en fusion des scories. Si quelques-unes des expériences qu'il tente sont moins réussies, c'est qu'il veut les tenter toutes. Plus de calme, plus de modération nuiraient sans doute à sa puissance. Brunetière estime que c'est à Balzac, et non à Dumas, que convient le mot de Michelet : *Une force de la nature.* « Une puissance obscure et indéterminée, écrit-il, une fécondité sans mesure ni règle, une sourde activité qui s'accroît des obstacles qu'on lui oppose et qui tourne ceux qu'elle ne renverse pas, une inconscience dont les effets ressemblent, en les surpassant, à ceux du plus profond calcul, inégale d'ailleurs, capricieuse, « tumultuaire », si j'ose ainsi dire, et capable en sa confusion d'engendrer des monstres aussi bien que des chefs-d'œuvre : tels sont précisément l'imagination et le génie de Balzac. Une telle force n'a pas besoin d'art. Tout ce qu'elle contient en soi aspire nécessairement à *être*, et *sera*, si les circonstances le permettent. Elle ne forme pas d'autres projets, elle n'a pas d'autres intentions, plus lointaines ou plus délibérées, que de se manifester, que de s'exercer et, si l'on veut, que d'étonner le monde par la grandeur de son déploiement. »

Si l'on se demande quelles influences ont agi sur Balzac, on discerne d'abord celle des grands observateurs du cœur humain : Molière, La Bruyère, Saint-Simon. D'autre part, Balzac a partagé l'engouement de son époque pour Walter Scott; il voulait, disait-il, « être Walter Scott, plus un architecte ». En outre, Diderot l'a fait réfléchir sur les différences que les « conditions » mettent entre les hommes. Telle page de Diderot *Sur les caractères* (développant d'ailleurs une des plus piquantes réflexions de La Rochefoucauld) a pu provoquer le jeu de sa fantaisie et de son observation à la fois, et on l'a citée comme capable d'avoir fourni une des idées directrices de *la Comédie humaine*. « Sous la forme bipède de l'homme, écrit Diderot, il n'y a aucune bête innocente ou malfaisante dans l'air, au fond des forêts, dans les eaux, que vous ne puissiez reconnaître : il y a l'homme-loup, l'homme-tigre, l'homme-renard, l'homme-taupe, l'homme-pourceau, l'homme-mouton (et celui-là est le plus commun). Il y a l'homme-anguille,... l'homme-brochet, qui dévore tout; l'homme-serpent, qui se replie en cent façons diverses...; l'homme-épervier, l'homme-oiseau de proie... » Chez Lavater et chez Gall, Balzac a appris à établir des rapports certains entre les apparences physiques et le moral des hommes. Rien ne lui plaît tant

Camusot, par Henri Monnier. Gobseck, par Charles Jacques. César Birotteau, par Bertall.

TYPES DE « LA COMÉDIE HUMAINE ». Gravures tirées de l'édition Furne des « Œuvres complètes » (1842-1848). — CL. LAROUSSE.

que le mot « physiologie » : *physiologie de la toilette ; des positions ; de l'adjoint ; de l'employé ; physiologie gastronomique ; physiologie des boulevards de Paris :* ces titres lui sont chers, sans oublier celui qu'il a rendu le plus célèbre de tous : *physiologie du mariage.* Il se croit un Cuvier : « Donnez-moi un gant, je reconstitue l'homme »; — et même un Geoffroy Saint-Hilaire, car il étudie les variations des espèces sociales. Mais quand on a fait la somme de toutes ces influences, quelle disproportion entre ce qu'il a reçu et ce qu'il a donné!

L'édifice qu'il a bâti est si vaste, en effet, qu'on a peine à l'embrasser d'un seul regard. D'abord les *Études de mœurs,* qui ne comprennent pas moins de six subdivisions : Scènes de la vie privée, Scènes de la vie de province, Scènes de la vie parisienne, Scènes de la vie politique, Scènes de la vie militaire, Scènes de la vie de campagne. Puis les *Études philosophiques.* Puis les *Études analytiques.* Certes, l'architecte n'a pas établi entre les trois grands corps de logis de sa construction un équilibre parfait : les *Études de mœurs* sont incomparablement plus amples que les *Études analytiques* et que les *Études philosophiques.* De même, les six subdivisions des *Études de mœurs* sont loin d'être égales : les Scènes de la vie privée, de la vie de province, de la vie parisienne l'emportent en nombre, et de beaucoup, sur les trois autres. Enfin, la mort n'a pas attendu que l'architecte eût achevé ses travaux; beaucoup des plans esquissés n'ont pas été conduits à leur terme; et par exemple les Scènes de la vie militaire, qui devaient comprendre vingt-quatre ouvrages, se réduisent, en fait, à un seul roman, *les Chouans,* et à une seule nouvelle, *Une passion dans le désert.* Mais ces disproportions mêmes et ces ouvrages restés à l'état d'ébauche donnent un caractère plus tourmenté, et comme tragique, à une tentative qui ne prétendait à rien de moins qu'à reconstruire toute la réalité.

LES CRÉATURES DE BALZAC

Sur la peinture des physionomies chez Balzac (groupées selon les âges, puis étudiées dans les éléments caractéristiques d'un visage — couleur des yeux, couleur des cheveux, etc. —, et enfin éclairées par les comparaisons dont Balzac use pour les évoquer), voir : Pierre Abraham, Créatures chez Balzac, 1931. — Sur les caractères et les types, Hélène Altszyle, la Genèse et le plan des caractères dans l'œuvre de Balzac, 1928; P. Louis, les Types sociaux chez Balzac et chez Zola, 1925; Ed. Nass, les Types pathologiques chez Balzac (Chronique médicale, 1er décembre 1902).

L'étude de certains types ou de certaines classes chez Balzac a fait l'objet de travaux particuliers : le médecin, à plusieurs reprises (Dr P. Caujole, la Médecine et les médecins dans l'œuvre de Balzac, Lyon, 1900; Pr. Bonnet-Roy, Balzac, les médecins, la médecine et la science, 1944), les paysans (Blanchard, la Campagne et ses habitants dans l'œuvre d'Honoré de Balzac, 1931), les soldats (Jules Bertaut, les Poilus de la Grande armée dans Balzac, Revue du mois, 1915). Voir également : Mary Wingfield Scott, Art and artists in Balzac's Comédie humaine, 1937; Marthe Spitzer, les Juifs de Balzac, 1939.

Sur certains cadres et milieux de la Comédie humaine : Norah W. Stevenson, Paris dans « la Comédie humaine » de Balzac, 1938; Clouzot et Valensi, le Paris de « la Comédie humaine » : Balzac et ses fournisseurs, 1926; M. Serval, Sur les localités dans l'œuvre de Balzac (Nouvelle Revue critique, avril 1930); Jared Werger, The Province and the Provinces in the work of Honoré de Balzac, 1935; A. Arrault, la Touraine de Balzac, 1943.

Le caractère essentiel que Balzac a reconnu à la génération qu'il a peinte est la volonté de puissance, l' « impérialisme » d'une ambition qui emprunte sa flamme aux souvenirs napoléoniens. Voir : M. B. Ferguson, la Volonté dans « la Comédie humaine » de Balzac, 1935; E. Seillière, Balzac et la morale romantique, 1922; Joseph, les Souvenirs de l'esprit napoléonien chez Balzac, Toulouse, 1924.

La scène varie sans cesse. En de multiples décors parisiens, tourangeaux, berrichons, bretons, dauphinois, tous

LA GRANDE NANON, par Henri Monnier.

EUGÉNIE GRANDET, par Célestin Nanteuil.
Illustrations pour « Eugénie Grandet »
dans l'éd. Furne des « Œuvres complètes »
(1842-1848). — CL. LAROUSSE.

les milieux, toutes les professions, tous les caractères sont retracés au naturel. Au milieu de comparses presque innombrables, quelques personnages qu'on retrouve en passant d'un ouvrage à l'autre jouent les grands premiers rôles. Comme il arrive dans l'existence réelle, on rencontre dans l'œuvre de Balzac une foule de figures fugitives qui représentent la mobilité de la vie, et d'autres, toujours les mêmes, qui en représentent la fixité. Tous ces personnages sont vrais et concrets. En transposant la réalité, Balzac ne l'a pas affaiblie; il n'a pas dépouillé les êtres humains de leurs caractères pour faire d'eux des fantômes chimériques. Il a su prolonger jusque dans nos âmes l'hallucination qu'il entretenait en lui-même. « Tout cela est bel et bien, disait-il à Jules Sandeau qui venait de perdre une sœur, mais revenons à la réalité : avec qui marierons-nous Eugénie Grandet? »

Peut-être a-t-il été moins juste de ton, d'une main moins sûre, quand il a peint les grandes dames et le faubourg Saint-Germain, que lorsqu'il a fait revivre ces clercs de la basoche au milieu desquels il a vécu pendant trois ans, ou ce monde qui fut le sien, des imprimeurs, des journalistes, des gens de lettres. Avec quelle passion concentrée et chargée de sa riche expérience il montre la férocité des hommes d'argent! « Je ne contesterai pas à M. de Balzac, a écrit Sainte-Beuve dans une page malveillante, de savoir peindre et surtout décrire ce qu'il sait le mieux, ce qu'il a connu, manié et pratiqué à fond, tout ce monde des viveurs, des usuriers, des aventuriers, des revendeurs à la toilette et des brocanteurs, des agents d'affaires, des gens de lettres bohèmes et cupides, des femmes intrigantes, des femmes nerveuses, des libertins, des filles aux yeux d'or, et les Rastignac, et les de Marsay, et les Mercadet, et tant d'autres! » Au jugement de Taine il est, par excellence, le peintre des scélérats — de ceux du grand monde et de la bohème, du bagne et de la banque ou de la politique. Sans doute. Mais dans cet âpre tableau de la lutte pour la vie, il atteint à une sorte de grandeur. Ses Rastignac et ses Rubempré sont des conquérants. Dans une société qui est faite de dévorants et de dévorés, ils sont du parti des dévorants, tout prêts à recevoir les leçons cyniques de Vautrin, qui leur enseigne à jouer leur

vie comme une belle partie, et à gagner : « A défaut d'un amour sacré qui remplit la vie, cette soif du pouvoir peut devenir une belle chose. »

La Comédie humaine est peut-être dans sa plus grande part le roman de la conquête de Paris. Elle est aussi le heurt des âmes provinciales et de la vie parisienne, de leurs éblouissements et de leurs « illusions perdues », de tout ce que la province abdique de vertus, de beaux rêves et de forces du passé en se perdant dans cet océan ou dans cette jungle qui noie ou dévore le génie de Rubempré et la poésie de Modeste Mignon. Elle est, enfin, le recueil des maladies de l'âme et des nerfs, des monomanies et des fatalités physiologiques que la fréquentation des médecins et des « carabins » a imposées à l'imagination de Balzac comme une obsession. Même l'amour paternel d'un père Goriot n'est qu'un instinct triste et animal, qui porte en lui le germe de toutes les déchéances; même l'obstination sublime d'un idéaliste, dans *la Recherche de l'absolu*, devient une force aveugle de destruction, une puissance maléfique. « A son insu, qu'il le veuille ou non, qu'il y consente ou non, dira Victor Hugo, l'auteur de cette œuvre immense et étrange est de la forte race des écrivains révolutionnaires... »

L'ART DE BALZAC

Voir : Maurice Bardèche, Balzac romancier, *1940 et 1943. Sur son style et sa langue : John Marvin Burton*, Honoré de Balzac and his figures of speech, *1922 ; Gilbert Mayer*, la Qualification affective dans les romans d'Honoré de Balzac, *1940.*

La genèse de certains romans de Balzac a fait l'objet d'études particulières; entre autres : Spoelberch de Lovenjoul, la Genèse d'un roman de Balzac, « les Paysans », *1901; H. Bachelin*, « les Paysans », critique du texte de Balzac (Mercure de France, *1924); Mario Roques*, Manuscrit et éditions du « Père Goriot », corrections et variantes (Revue universitaire, *1905); Jules Bertaut*, « le Père Goriot » de Balzac, *1929. Sur le caractère classique de son œuvre : P. Barrière*, Balzac et la tradition littéraire classique, *1928.*

Contre tant de critiques qui lui reprochent des impropriétés et même des incorrections, son orgueilleuse affirmation s'élève : « Il n'y a que trois hommes à Paris qui sachent leur langue : Hugo, Gautier et moi. » Il sait sa langue, en effet, et s'il paraît bien loin de la perfection des classiques, c'est qu'il se fait de la perfection une autre idée. Le bon écrivain n'est pas celui qui pare tous les objets d'une beauté uniforme, mais celui qui adapte sans cesse son style à tous les objets et qui dit exactement ce qu'il veut dire. Que ceux qui sont tentés d'être sévères pour le style de Balzac relisent l'article fameux que Taine lui a consacré dans ses *Essais de critique*. Taine explique à merveille que Balzac s'adresse non plus aux habitués des salons, non plus à une élite raffinée ainsi que le faisaient, consciemment ou non, les grands romanciers de l'âge précédent, mais à toute la société moderne, disparate et blasée, qui a besoin de nouveauté, de singularité et de surprise; qu'il crée, en conséquence, un style approprié à cet auditoire nouveau; et que ce style est une manière de chaos gigantesque qui frappe par sa richesse et par sa grandeur, par sa chaleur, par sa violence, et par son étrange poésie.

Que *la Comédie humaine* présente plus d'un trait qui l'apparente au romantisme, voilà qui n'est pas douteux. Balzac professe un goût quelquefois immodéré pour les tirades lyriques ; il aime aussi d'un amour ingénu le mélodramatique et le fantastique. Il ne laisse pas de donner parfois dans les exagérations d'une sensibilité trop prompte à s'émouvoir. Il échafaude des théories et des systèmes qui doivent plus à l'exubérance de son imagination qu'à une philosophie profonde. Dans son œuvre transparaît sans cesse, qu'il le veuille ou non, son « moi » impérieux et fougueux. De là, d'ailleurs, ce romanesque déchaîné qui, dans une existence comme celle de Vautrin, nous jette en

LE PÈRE GORIOT, par Daumier.

MADAME VAUQUER, par Bertall.

Illustrations pour « le Père Goriot » dans l'édition Furne des « Œuvres complètes » (1842-1848).
CL. LAROUSSE.

dehors de la vie, vers cette « poésie infernale » que Balzac lui-même admire dans son bagnard sublime. Ce « réaliste » est, à la vérité, un « visionnaire passionné ». Baudelaire l'a dit avec une pénétrante justesse : « Toutes ses fictions sont aussi profondément colorées que ses rêves. Depuis le sommet de l'aristocratie jusqu'aux bas-fonds de la plèbe, tous les acteurs de sa *Comédie* sont plus âpres à la vie, plus actifs et rusés dans la lutte, plus patients dans le malheur, plus goulus dans la jouissance, plus angéliques dans le dévouement que la comédie du vrai monde ne nous les montre... Toutes les âmes sont des armes chargées de volonté jusqu'à la gueule. C'est bien Balzac lui-même. Et comme tous les êtres du monde entier s'offraient à l'œil de son esprit avec un relief puissant et une grimace saisissante, il a fait se convulser ses figures ; il a noirci leurs ombres et illuminé leurs lumières. Son goût prodigieux du détail, qui tient à une ambition immodérée de tout voir, de tout faire voir, de tout deviner, de tout faire deviner, l'obligeait d'ailleurs à marquer avec plus de force les lignes principales, pour sauver la perspective de l'ensemble. Il me fait penser quelquefois à ces aquafortistes qui ne sont jamais contents de la morsure, et qui transforment en ravines les écorchures de la planche. »

Excès, excitations de l'imagination qui sont d'un romantique. Et cependant ce romantique — tant il est vrai que de telles classifications comportent toujours une part d'arbitraire et que le génie se plaît à les démentir — n'en est pas moins le créateur du roman réaliste. Non pas seulement parce qu'il emploie des procédés qui donnent une fidèle image des choses, décrit avec minutie les paysages et les intérieurs et dresse

SILHOUETTE DE BALZAC, par Dantan.

d'impitoyables inventaires de mobiliers ; non pas seulement parce qu'il fait appel à la science, qui doit l'aider à trouver la vérité sous les apparences ; non pas seulement parce qu'il cherche à établir des faits positifs, en ne faisant usage que de documents exacts : mais encore, et surtout, parce qu'il marque le moment où le roman cesse d'être fiction, pour se mouler sur le réel. Grâce à lui le roman ne se bornera plus à étudier des âmes d'exception, qui prétendent appeler sur leur cas particulier l'attention de tout l'univers ; il ne se bornera plus à retracer telles scènes historiques des siècles passés ; il enregistre le présent ; il est la vie, et toute la vie, qu'il reproduit avec son mouvement même, et dans son cours tumultueux.

L'INFLUENCE DE BALZAC

Le Culte de Balzac étudié par Marcel Bouteron dans la Revue des Deux Mondes, *15 mai 1924, n'a pas été seulement influence littéraire, mais action directement exercée sur la société, prise directe sur une génération, ses modes et ses mœurs. Les articles où Sainte-Beuve parle de Balzac (*Portraits contemporains, t. II ;* Causeries du Lundi, *t. II ; appendice du tome I*er *de* Port-Royal, *édition de 1860) trahissent une antipathie de nature, qui fait contraste avec l'admiration de Baudelaire, qui cherche chez Balzac l'expression du héros «moderne» (voir André Ferran,* l'Esthétique de Baudelaire, *1933), et avec l'étude pénétrante de Taine (*Nouveaux Essais de critique et d'histoire*). Émile Zola et le roman naturaliste revendiquent le patronage de son nom (É.Zola,* le Roman expérimental, *1880 ; — les* Romanciers naturalistes, *1881 ; Pierre Martino,* le Roman réaliste sous le second Empire, *1913) ; Paul Bourget et l'école traditionaliste du début de ce siècle nomment parmi leurs* *maîtres ce romancier dont le royalisme fait, à leurs yeux, un champion de la politique contre-révolutionnaire. Nous avons eu, depuis, d'autres images de Balzac, avec Alain (Avec Balzac, 1937), Ramon Fernandez (Balzac, 1943). Les étrangers ont surtout admiré en lui le théoricien de l'énergie : Stefan Zweig, Dickens et Balzac, 1927; Ernst-Robert Curtius, Balzac, traduit de l'allemand par Henri Jourdan, 1933.*

Les principaux romans de Charles de Bernard sont : la Femme de quarante ans, Gerfaut (1838), le Gentil-homme campagnard (1847). Voir Van der Wal, Charles de Bernard, 1940.

C'est pour ces raisons, semble-t-il, que Balzac a si fortement agi. Son influence s'est exercée immédiatement sur George Sand, qu'il a contribué à ramener du roman lyrique au roman d'observation, ainsi qu'en témoigne leur correspondance; et sur Victor Hugo, qui sans lui n'aurait peut-être pas conçu *les Misérables*. Il n'eut guère pour disciple direct que Charles de Bernard, l'auteur de *Gerfaut* et de quelques œuvres où sont conservées de curieuses esquisses de l'époque. Mais tout un courant du roman moderne dérive de lui : Flaubert, Maupassant, les Goncourt, Alphonse Daudet, Zola, Paul Bourget ont suivi la voie qu'il avait ouverte.

Il a écrit : « L'immensité d'un plan qui embrasse à la fois l'histoire et la critique de la société, l'analyse de ses maux et la discussion de ses principes, m'autorise, je crois, à donner à mon ouvrage le titre sous lequel il paraît aujourd'hui : *la Comédie humaine*. Est-ce ambitieux? N'est-ce que juste? » A cette question, Victor Hugo a répondu en ces termes dans le discours qu'il a prononcé sur la tombe de Balzac : « Tous ses livres ne forment qu'un livre, livre vivant, lumineux, profond, où l'on voit aller et venir et marcher et se mouvoir, avec je ne sais quoi d'effaré et de terrible mêlé au réel, toute notre civilisation contemporaine; livre merveilleux que le poète a intitulé comédie et qu'il aurait pu intituler histoire, qui prend toutes les formes et tous les styles...; livre qui est l'observation et qui est l'imagination; qui prodigue le vrai, l'intime, le bourgeois, le trivial, le matériel, et qui, par moments, à travers toutes les réalités brusquement et largement déchirées, laisse entrevoir le plus sombre et le plus tragique idéal... Il saisit corps à corps la société moderne. Il arrache à tous quelque chose, aux uns l'illusion, aux autres l'espérance, à ceux-ci un cri, à ceux-là un masque. Il fouille la vie, il dissèque la passion. Il creuse et sonde l'âme, le cœur, les entrailles, le cerveau, l'abîme que chacun a en soi..... Voilà l'œuvre qu'il nous laisse, œuvre haute et solide, robuste entassement d'assises de granit, monument, œuvre du haut de laquelle resplendira sa renommée. » (*Actes et paroles, Avant l'exil*, 20 août 1850.)

STENDHAL

Une édition collective des Œuvres de Stendhal a paru chez Michel Lévy de 1853 à 1855, en 17 volumes. Sa Correspondance a été publiée en 1908 par Adolphe Paupe et P.-A. Cheramy; il faut y joindre ses Lettres à Pauline, sa sœur, publiées en 1921 et quelques autres recueils. Cette correspondance comprend maintenant 10 volumes (édition du Divan). — Une édition nouvelle des Œuvres complètes avec préfaces, notes et commentaires, en cours de publication depuis 1913, sous la direction de Paul Arbelet et d'Édouard Champion, est et restera inachevée. Une édition complète de l'œuvre, en 79 volumes, a été donnée par H. Martineau de 1927 à 1937 (le Divan) avec une Table alphabétique des noms cités (de très nombreux inédits).

Principales études bibliographiques : Henri Cordier,

Bibliographie stendhalienne, 1914; Louis Royer, Bibliographie stendhalienne (1928-1937), 1930-1938, continuée par V. del Litto (1938 et suiv.); Pierre Jourda, État présent des études stendhaliennes, 1930.

Consulter : H. B. par l'un des quarante (Mérimée), 1864; Arthur Chuquet, Stendhal-Beyle, 1902; Adolphe Paupe, la Vie littéraire de Stendhal, 1914; Pierre Martino, Stendhal, 1914 (nouvelle édition refondue, 1933); H. Delacroix, la Psychologie de Stendhal, 1918; Arthur Schurig, Friedrich von Stendhal, « Henri Beyle », Das Leben eines Sonderlings, 1921; R. Kayser, Stendhal oder das Leben eines Egotisten, 1928; Paul Hazard, Vie de Stendhal, 1927; M. Leroy, Stendhal politique, 1929; Albert Thibaudet, Stendhal, 1931; Alain, Stendhal, 1935; Pierre Jourda, Stendhal. L'homme et l'œuvre, 1935; Jean Prévost, la Création chez Stendhal. Essai sur le métier d'écrire et sur la psychologie de l'écrivain, 1942; H. Martineau, l'Œuvre de Stendhal, 1945; Maurice Bardèche, Stendhal romancier, 1948. — Voir aussi Pierre Jourda, Stendhal raconté par ceux qui l'ont vu, 1931.

SES DÉBUTS. STENDHAL MILANAIS

Henry Beyle est né à Grenoble le 23 janvier 1783. Il appartenait à une famille de bourgeoisie aisée, qu'il détesta dès sa jeunesse, prenant le contre-pied de toutes ses croyances et de tous ses sentiments : elle était pour la tradition, et il fut pour l'aventure; pour la royauté, et il fut jacobin; pour le catholicisme, et il le répudia. Il suivit les cours de l'École centrale de Grenoble. Il y apprit les mathématiques, le dessin; il y fit même connaissance avec Shakespeare, qui devait devenir un de ses dieux. Mais il doit peu à ses maîtres, et beaucoup à ses innombrables lectures. C'est dans l'Idéologie de Destutt de Tracy qu'il trouvera sa discipline intellectuelle. Il s'abreuvera d'idéologie, en effet; de l'idéologie, il attendra non seulement la connaissance du cœur humain, mais le pouvoir de dominer les autres hommes, en agissant sur les ressorts cachés de leur âme.

Cependant il était venu à Paris, au lendemain du 18-Brumaire, pour se présenter à l'École polytechnique. Pris de mélancolie, il tombe malade. Pierre Daru, son parent dévoué et son protecteur sévère, le fait entrer dans les bureaux de la Guerre, puis l'envoie en Italie, en 1799. Il séjourne à Milan; à l'automne de l'année 1800, il devient sous-lieutenant au 6ᵉ dragons. Mais il ne se sent pas fait pour la carrière militaire; il donne sa démission en 1802 et vit à Paris, où il fréquente les salons et les coulisses. Ses ressources étant précaires, il est obligé de solliciter un emploi : en 1806, il est nommé adjoint aux commissaires des guerres. On l'envoie en Allemagne; il réside à Brunswick; la petite ville allemande de Stendal lui fournira son pseudonyme. Il suit en Russie la Grande Armée. Il devient un fonctionnaire de quelque importance : auditeur au Conseil d'État, inspecteur de la comptabilité du mobilier de la Couronne, intendant à Sagan (1813). Pendant la campagne de France, il est envoyé à Grenoble pour organiser la résistance à l'envahisseur; mais il s'éclipse bientôt, et retourne en Italie, où il était déjà revenu par deux fois, en 1811 et en 1813 : sa carrière littéraire va commencer.

Les Lettres écrites de Vienne en Autriche sur le célèbre compositeur Haydn, suivies d'une Vie de Mozart, et de Considérations sur Métastase et sur l'état présent de la musique en France et en Italie, par Louis Alexandre César Bombet, ont paru en 1814. — L'Histoire de la peinture en Italie, par M. B. A. A. (Monsieur Beyle, ancien auditeur), a paru en 1817; voir Paul Arbelet, l'Histoire de la peinture en Italie et les plagiats de Stendhal, 1914. — Rome, Naples et Florence en 1817, par M. de Stendhal, officier de cavalerie, a paru en 1817.

Consulter : Paul Arbelet, la Jeunesse de Stendhal, 1914; Gabriel Faure, Au pays de Stendhal, 1920; Francesco Novati, Stendhal e l'anima italiana, 1914;

Paul Hazard, les Plagiats de Stendhal (Revue des Deux Mondes, *15 septembre 1921*); *P.-P. Trompeo*, Nell' Italia romantica. Sulle orme di Stendhal, *1924*; *Charles Simon*, Stendhal et la police autrichienne (Revue de littérature comparée, *juillet 1923*); *Pierre Martino*, Sur les pas de Stendhal en Italie, *1934*.

Henri Beyle, aspirant à la gloire, songea d'abord à se distinguer par quelque grande œuvre dans le genre noble : par un poème épique, *le Paradis perdu* ou *la Mort de César* ; par une tragédie, *Ulysse* ou *Hamlet*, qui aurait uni les beautés de Shakespeare à celles d'Alfieri. Il s'aperçut assez vite qu'il s'était fourvoyé : « La tragédie, n'étant pas de ma nature, me scie. » La comédie, les comédiennes aidant, le retint plus longtemps. Après avoir étudié, la plume à la main, Molière, Destouches, Sedaine, Collin d'Harleville, après avoir ébauché un traité sur le rire, il esquissa plusieurs pièces. Les alexandrins de *Letellier ou le Pervertisseur* sont assez méchamment rimés pour qu'on s'explique sa diatribe contre les vers dans *Racine et Shakspeare*. Décidément, ce n'était pas par le théâtre qu'il devait arriver au succès. Sa voie véritable, il ne devait la trouver qu'en Italie.

Voilà sans doute un curieux phénomène dans l'histoire de nos lettres. Stendhal se transplante; il fait de l'Italie sa patrie véritable; de toutes les villes au monde, Milan seule est suivant son cœur. Il n'est plus Henri Beyle, il est *Arrigo Beyle, Milanese*. « Quand je suis avec des Milanais et que je parle milanais, j'oublie que les hommes sont méchants, et toute la partie méchante de mon âme s'endort à l'instant. » La musique italienne le charme; entendre un opéra de Cimarosa, voir un ballet de Vigano lui semble la volupté suprême; son paradis, c'est la Scala. Son premier séjour fut moins heureux peut-être qu'on ne le dit communément : certes il connut de beaux moments, comme sous-lieutenant au 6e dragons; mais il eut aussi des déboires, dont il garda toute sa vie le cuisant souvenir. Le souvenir des moments heureux l'emporta; et son imagination accrut sa nostalgie dans les brumes de l'Allemagne ou les neiges de la Russie. En août 1814, son parti est pris : il s'installe à Milan; il s'arrange pour vivre avec ses maigres rentes au pays de la félicité. Il y reste jusqu'en 1821 : peut-être y serait-il resté toujours, sans un grand désespoir d'amour, et sans la police autrichienne, qui prit pour un *carbonaro* cet homme étrange, occupé de « la chasse au bonheur ».

C'est un homme étrange, en effet; son âme est diverse, et subtilement contradictoire. A le connaître superficiellement, on le prend pour un cœur sec. Il est narquois, ironique, sceptique. Il prétend ne suivre d'autre loi que celle de son intérêt; de l'égoïsme, il fait une doctrine, qu'il appelle l'égotisme. Il méprise infiniment le vulgaire. A mieux l'observer, on trouve chez lui de la timidité, de la tendresse, et un grand besoin d'aimer. En France, à Paris, il souffre dans sa sensibilité; car il craint d'être ridicule, et il a l'épiderme particulièrement délicat aux piqûres d'amour-propre. Il n'y trouve pas le grand amour que sans cesse il attend : c'est la faute des Françaises, pense-t-il. Alors il s'en va vers le pays où chaque individu a le droit d'être ce qu'il est, sans que les voisins s'étonnent et se scandalisent; vers le pays de la liberté; vers le pays où les femmes aiment passionnément, sans calcul et pour toujours.

STENDHAL JEUNE. Portrait exécuté au physionotrace (crayon préparatoire). CL. LAROUSSE.

Il fréquente à Milan les salons, les théâtres; il écoute les discussions littéraires, essaie de prendre part aux querelles littéraires et défend le *romanticisme*. Il s'initie à la musique, à l'art italien. Il lit beaucoup. Pour suivre son penchant naturel, pour s'occuper, pour gagner quelque argent peut-être, il risque ses premiers ouvrages : d'abord les *Lettres sur Haydn, Mozart et Métastase;* ensuite l'*Histoire de la peinture en Italie*.

Pour ses deux premiers ouvrages, le procès est jugé. Il y a mis fort peu de lui-même; et ce peu est exquis sans doute : sa grâce capricieuse, son agilité, son esprit se manifestent déjà, par endroits. Mais il a pris beaucoup aux autres, aux Italiens surtout. Il ne leur a pas pris seulement des faits, des dates, et toute cette matière commune que les auteurs se passent indifféremment les uns aux autres; il leur a pris encore des idées, des impressions qu'il présente comme siennes, des phrases, et des développements entiers. Il convient d'interpréter au pied de la lettre l'avertissement qu'il donne dans une des notes de ses *Lettres sur Haydn, Mozart et Métastase :* « On n'a pas noté avec exactitude toutes les idées pillées. Cette brochure n'est presque qu'un centon. »

Dans *Rome, Naples et Florence en 1817*, sa personnalité se révèle avec autrement de force. Certes, Stendhal est familier, on le sent bien, avec les écrits des voyageurs qui l'ont précédé sur les routes d'Italie : on ne court pas grand risque de se tromper, en prédisant que, quelque jour, les chercheurs qui se sont fait une spécialité de retrouver les sources des grands ouvrages, ou simplement les lettrés qui reliront Misson, de Brosses, Lalande ou Dupaty, signaleront de nouveaux emprunts faits par Stendhal à des modèles qu'il a assidûment pratiqués. Mais des qualités profondément originales s'affirment dans ce livre charmant. Stendhal développe ses idées par une série de touches successives, légères et précises à la fois. Il ne se soucie pas de composer savamment : il s'amuse; et le lecteur, qui tout de suite se prend au jeu, s'amuse aussi à suivre docilement les caprices de son alerte fantaisie. Son style évite jusqu'au moindre soupçon d'emphase; il est très simple et très pur. Stendhal, qui aime les boutades, déclarera plus tard que son modèle, en fait de style, est le Code civil; et qu'il en lit tous les jours quelques pages, pour s'entraîner à écrire. Comprenons qu'il a horreur des faux brillants, qu'il recherche les définitions nettes et vigoureuses, et qu'il veut que toutes ses phrases soient chargées de sens. Ce qu'il n'a pas trouvé dans le Code civil, c'est l'allure primesautière de ce style vivant. De l'Italie, il nous donne une image nouvelle. L'antiquité l'intéresse moins que le présent; l'énergie des caractères, l'ardeur des passions, le goût de la volupté, le mépris de la mort, voilà ce qu'il trouve dans l'Italie de la Renaissance, dans l'Italie moderne, dans l'Italie contemporaine; et cette découverte le ravit. Il ne cessera plus de la communiquer à ses lecteurs. Et quelle occasion, enfin, d'étudier l'homme! Dans ce sol généreux, la plante humaine croît plus vivace qu'en aucun autre pays du monde. Aussi Stendhal collectionne-t-il les observations psychologiques, avec une curiosité qui ne tolère aucune restriction. A l'exception de ses grands romans, il n'y a peut-être pas, dans toute son œuvre, de livre plus attachant que *Rome, Naples et Florence*.

DE L'AMOUR.
LE ROUGE ET LE NOIR

Rentré à Paris au mois de juin 1821, Stendhal met longtemps à se consoler d'avoir dû quitter le Paradis terrestre. Il organise sa vie du mieux qu'il peut, essayant de concilier son goût du dandysme avec sa pauvreté. Entre 1821 et 1830 se place sa production la plus abondante. Il écrit pour les journaux ; il envoie régulièrement des comptes rendus de livres à diverses revues anglaises. (Il fait des voyages en Angleterre en 1817, 1821 et 1826.) Il publie, en 1822, De l'amour ; *en 1823 et 1825,* Racine et Shakspeare ; *en 1824, la* Vie de Rossini ; *en 1825, une brochure intitulée* D'un nouveau complot contre les industriels ; *en 1827,* Armance ou quelques scènes d'un salon de Paris en 1827 ; *en 1829, les* Promenades dans Rome ; *à la fin de 1830, le* Rouge et le Noir, *chronique du XIXᵉ siècle.*

Consulter : Doris Gunnell, Stendhal et l'Angleterre, *1908 ; et sur divers épisodes de cette vie amoureuse : P. Arbelet, les* Amours romantiques *de Stendhal et de Victorine, 1924 ; —* Stendhal épicier *ou les Infortunes de Mélanie, 1926 ; —* Louason ou les Perplexités amoureuses de Stendhal ; *M.-J. Durry,* Une passion de Stendhal : Clémentine, *1927 ; Luigi-Foscolo Benedetto,* Indiscrétions sur Giulia, *1934. — Pour éclairer la théorie du romantisme, ou, pour mieux dire, du « romanticisme » selon* Racine et Shakspeare, *on se reportera à l'édition qu'a donnée de ce texte Pierre Martino (2 vol. 1925) ; elle reproduit notamment un inédit de Stendhal : le « Romanticismo nelle arti ». —* André Le Breton, « le Rouge et le Noir » de Stendhal, *dans la collection « Les Chefs-d'œuvre de la littérature expliqués ». Dans le* Bulletin de l'Académie des sciences, belles lettres et arts de Besançon, *1939, Abel Monnot a réfuté de façon pertinente l'opinion selon laquelle le cadre franc-comtois et bisontin de ce roman était de fantaisie et déguisait un décor réellement dauphinois (S. Chabert,* Stendhal et le paysage dauphinois, *Revue bleue, 1923).*

LE ROUGE ET LE NOIR

CHRONIQUE DU XIXᵉ SIÈCLE

PAR M. DE STENDHAL.

TOME PREMIER.

PARIS

A. LEVAVASSEUR, LIBRAIRE PALAIS ROYAL

1831.

Le Rouge et le Noir. Page de titre de l'édition originale. — Cl. Larousse.

Il y a dans la *Vie de Rossini* une foule d'anecdotes savoureuses, racontées avec verve ; des confidences personnelles en abondance, et une doctrine affirmée sous de multiples formes : celle de la supériorité de la musique italienne, qui tient à la supériorité de la conception italienne de la vie. On trouvera sans peine, de par le monde, des biographies plus exactes et plus scrupuleuses ; on ne trouvera guère de plus étincelante chronique. — Il y a, dans les *Promenades dans Rome*, deux ouvrages juxtaposés. Tantôt Stendhal se souvient qu'il écrit un guide, et il « force », comme il dit, « dans le genre instructif » : alors il prodigue les développements érudits, qui semblent lourds et qui ne sont pas très personnels. Tantôt au contraire, et pour notre grand plaisir, il s'abandonne ; il décrit « l'art d'aller à la chasse au bonheur en Italie » : alors nous retrouvons sa fantaisie,

sa pénétration, et les admirables qualités dont il avait fait preuve dans *Rome, Naples et Florence*.

Mais tandis qu'il exploite ainsi son fonds italien, il exerce d'une autre manière sa « profession » d'analyste, son « métier d'observateur du cœur humain ». Prosper Mérimée, son ami, prétendait ne l'avoir jamais vu qu'amoureux, ou croyant l'être ; et Stendhal a dit lui-même, dans *Henri Brulard* : « L'amour a toujours été pour moi la plus grande des affaires, ou plutôt la seule. » Il n'est pas surprenant, dès lors, qu'il ait écrit un traité *De l'amour*. Or s'il y a, dans les *Promenades dans Rome*, deux ouvrages, il y en a au moins trois dans le livre *De l'amour*. D'abord, toute une série de chapitres, cousus en hâte, pour lui permettre de faire plus imposante figure en librairie : quelle opération utile on ferait, en coupant le fil qui retient mal ces chapitres disparates, pour ne conserver que l'essentiel ! Ensuite, des théories physiologiques et psychologiques sur la nature et sur les caractères de l'amour. La plus justement célèbre est celle de la cristallisation : « Aux mines de sel de Salzbourg, on jette dans les profondeurs abandonnées de la mine un rameau d'arbre effeuillé par l'hiver ; deux ou trois mois après, on le retire couvert de cristallisations brillantes ; les plus petites branches, celles qui ne sont pas plus grosses que la patte d'une mésange, sont garnies d'une infinité de diamants mobiles et éblouissants ; on ne peut plus reconnaître le rameau primitif. Ce que j'appelle cristallisation, c'est l'opération de l'esprit qui tire de tout ce qui se présente la découverte que l'objet aimé a de nouvelles perfections. » Enfin et surtout, ce livre contient des aveux. Stendhal avait aimé passionnément deux femmes. La première l'avait fort vulgairement trompé. Mais il s'était adressé très haut en aimant la seconde : et celle-ci, insensible, l'avait dédaigné. Il nous laisse entrevoir son inguérissable plaie ; et sa confession, qui tient en quelques pages, reste parmi les plus poignantes qu'aient arrachées aux hommes les tourments d'amour.

C'est une étude de cristallisation que le premier essai publié par Stendhal dans le genre romanesque, *Armance* ; c'est une étude des passions amoureuses, en même temps qu'une « chronique du XIXᵉ siècle », que *le Rouge et le Noir*. En feuilletant la *Gazette des Tribunaux*, qu'il appelait « le livre d'or de l'énergie française au XIXᵉ siècle », il avait trouvé un fait divers tragique. Antoine Berthet, fils d'un maréchal-ferrant du Dauphiné, ancien séminariste, avait été condamné à mort et guillotiné à Grenoble, le 23 février 1828, pour avoir blessé d'un coup de pistolet une dame Michoud, qu'il aimait. Sur cette donnée, Stendhal ourdit une intrigue que Taine analyse de la sorte : « Julien est un petit paysan qui, ayant appris le latin chez son curé, entre comme précepteur chez un noble de Franche-Comté, M. de Rénal, et devient l'amant de sa femme. Quand les soupçons éclatent, il quitte la maison pour le séminaire. Le directeur le place en qualité de secrétaire chez le marquis de La Môle, à Paris. Il est bientôt homme du monde, il a pour maîtresse Mlle de La Môle, qui veut l'épouser. Une lettre de Mme de Rénal le dépeint comme un intrigant hypocrite. Julien, furieux, tire deux coups de pistolet sur Mme de Rénal; il est condamné et exécuté. »

Stendhal avait raison de protester, quand on l'assimilait à son héros Julien Sorel : du moins lui a-t-il prêté plusieurs de ses sentiments, de ses idées, de ses maximes; du moins a-t-il incarné en lui un type d'humanité qui lui était cher. L'énergie : voilà ce que représente, en effet, Julien Sorel. Peu importe que cette énergie s'exerce contre les usages, contre la morale; peu importe même qu'elle aboutisse au crime : elle s'exerce, c'est l'essentiel; aucune jouissance au monde n'est comparable à celle-là. La société se venge, et c'est son droit; elle peut bien anéantir l'homme qui s'est jugé supérieur à toutes les lois humaines : elle ne peut pas vaincre son énergie. Julien Sorel, parti de très bas, veut arriver au pouvoir et à la richesse : par quels moyens? Les moyens sont indifférents. Entre le « rouge » et le « noir », il choisit d'abord le « noir », conformément à son intérêt. « Quand Bonaparte fit parler de lui, la France avait peur d'être envahie; le mérite militaire était nécessaire, et à la mode. Aujourd'hui, on voit des prêtres de quarante ans avoir cent mille francs d'appointements, c'est-à-dire trois fois autant que les fameux généraux de division de Napoléon... : il faut être prêtre. » C'est ainsi qu'il raisonne. Il emploie d'autres moyens, quand les circonstances l'y obligent : mais sa volonté ne change pas. Ce héros redoutable conquiert successivement deux femmes. Mme de Rénal, la première, est une figure de grande amoureuse, tendre, sentimentale et sensuelle, à l'italienne; l'autre, Mathilde de La Môle, est une jeune Française, orgueilleuse et froide. Mais elle aime Julien pour sa force de volonté, pour son audace; elle l'admire jusque dans son crime. Et elle ensevelit de ses mains la tête de son amant.

STENDHAL en costume de consul. Portrait exécuté vers 1835 par Silvestro Valeri (collection particulière). — CL. BULLOZ.

LA CHARTREUSE DE PARME

En 1830, Stendhal est nommé consul à Trieste, et rejoint son poste; mais Metternich refuse l'exequatur à ce libéral. On le nomme alors consul à Civita-Vecchia, dans les États pontificaux. Sa vie est sans joie; il se console en faisant de nombreuses fugues à Rome, et de fréquents séjours à Paris. Il meurt à Paris le 22 mars 1842. — Voir : Louis Farges, Stendhal diplomate, 1892; R. Dollot, les Journées adriatiques de Stendhal, 1929; R. Boppe, Stendhal à Rome, 1944.

Les Mémoires d'un touriste paraissent en 1838. La Chartreuse de Parme, par l'auteur de Rouge et Noir, paraît en 1839. — Voir, pour toutes questions concernant le texte et la publication de l'ouvrage, la Préface que Paul Arbelet a écrite pour la reproduction en fac-similé d'un exemplaire de la Chartreuse annoté par Stendhal, et qui a été publiée à part (1922). — Luigi-Foscolo Benedetto, en retrouvant le titre primitif du roman la Chartreuse Noire, a mis la critique sur la piste d'une interprétation curieuse de ses intentions.

Vanina Vanini, le Coffre et le revenant, le Philtre *paraissent d'abord dans la* Revue de Paris; Vittoria Accoramboni, les Cenci, la Duchesse de Palliano, l'Abbesse de Castro, *dans la* Revue des Deux Mondes. L'Abbesse de Castro *(1839) donne son titre à un recueil collectif de ces chroniques italiennes. Une nouvelle inédite,* Suora Scolastica, *a été publiée en 1922 par Henry Debraye, etc.*

Les œuvres posthumes de Stendhal forment une vraie bibliothèque. Citons les Nouvelles inédites *(1855); les* Mélanges d'art et de littérature *(1867); la* Vie de Napoléon *(1876; autre édition par Jean de Mitty en 1897); le* Journal de Stendhal *(1888);* Lamiel *(1889); la* Vie de Henri Brulard *(1890; réédition par Henry Debraye, 1913); les* Souvenirs d'égotisme *(1892; réédition par H. Martineau, 1941);* Lucien Leuwen *(1894-1926); le* Journal d'Italie *(édité par Paul Arbelet, 1911); l'*Ouvrage de Grammaire, 1818 *(publié par Pierre Martino, 1923);* Une position sociale *(publiée par Henry Debraye, 1927); les pensées qui formaient sa* Filosofia nova, *plusieurs nouvelles italiennes, etc. Tous ces ouvrages, et bien d'autres toujours inachevés, la totalité à vrai dire des manuscrits conservés à Grenoble, ont été reproduits dans l'édition du Divan : on y a même publié les notes que Stendhal aimait à écrire sur ses livres et sur ceux des autres, et qui sont très précieuses pour sa biographie. — Une véritable chapelle entretient le culte stendhalien (voir Léon Blum, Stendhal et le beylisme, 1914). Elle s'est même, un jour, constituée en un « Stendhal-Club » imaginaire, qui a mis son estampille sur des publications intitulées, par exemple,* Soirées du Stendhal-Club, *1905-1908. Maître de psychologie subtile et d'analyse, Stendhal a été aussi, pour les âmes tendues vers la volonté de puissance comme Gobineau (Charles Simon, Stendhal et Gobineau, 1927) et comme Nietzsche, un initiateur attrayant; et c'est comme maître de vie intense qu'il a généralement exercé de l'influence à l'étranger (Charles Simon, le Sillage de Stendhal en Allemagne, 1927; Stefan Zweig, Trois Poètes de leur vie : Stendhal, Casanova, Tolstoï, traduit en 1938).*

La Chartreuse de Parme est un admirable livre. L'évocation de Milan au temps de la conquête française; le grand drame de Waterloo représenté non pas comme le voit un stratège, mais comme le vit un de ses humbles acteurs; la France après la chute de l'Empereur; la minutieuse peinture d'une petite cour d'Italie du *Risorgimento*, lorsque s'éveille le goût de la liberté, et que les gouvernants usent de tous les moyens d'action, brutaux ou subtils, pour maintenir leur despotisme; tant de scènes pittoresques enfin, traitées dans la manière la plus piquante et la plus originale, suffiraient à mettre ce livre hors de pair. Mais il ne présente pas seulement une suite infiniment riche et variée de tableaux d'histoire et de tableaux de mœurs, interprétés par un artiste au regard aigu, à la main déliée. On dirait que Stendhal lit dans les cœurs; le plus naturellement du monde, sans effort apparent, avec désinvolture, il saisit les mobiles cachés, et il les montre. Les personnages

LE CHATEAU SAINT-ANGE, à Rome, en 1818. C'est d'après ce monument que Stendhal imagina la tour Farnèse, prison de Fabrice del Dongo. Gravure de R. Wallis, d'après E. F. Batty (B. N., Cabinet des Estampes). — CL. LAROUSSE.

secondaires, qu'il s'agisse de soldats, de courtisans, de comédiens ou de geôliers, ne sont jamais des ombres destinées à faire ressortir le caractère des héros : ce sont des créatures vivantes, analysées chacune dans son être propre et dans sa substance; nous reconnaissons en eux les traits véritables de l'humaine condition. A plus forte raison les protagonistes méritent-ils tout l'intérêt du psychologue. Chez Fabrice del Dongo, qui est un Julien Sorel moins farouche, et plus désintéressé; chez la Sanseverina, qui, sous ses caprices apparents, cache une logique amoureuse pleine d'obstination; chez ce modèle des politiques qui s'appelle le comte Mosca, nous pouvons suivre l'éveil des passions, leur cristallisation, leur impérieux pouvoir, leur triomphe. Stendhal s'amuse à rechercher, dans chacun de leurs actes, le mobile inavoué qui les explique, et que le vulgaire ne comprend pas. Pour pénétrer profondément dans les domaines obscurs d'où notre sensibilité dirige notre vouloir, il n'a pas besoin de longs préparatifs, ni d'analyses pédantes : une phrase lui suffit, un mot; et il passe. Seulement, la phrase est toujours vraie, et le mot toujours juste. Sans doute n'a-t-il écrit aucun livre avec plus d'amour. Il y a mis ce qu'il avait de plus cher : ses rêves. Dans *la Chartreuse de Parme*, les hommes sont tels que lui-même aurait voulu être; les femmes sont telles qu'il aurait voulu les aimer, pour être aimé d'elles en retour. A son observation impitoyable, il mêle la nostalgie d'une âme toujours avide de bonheur; et, tout en étudiant en sceptique la comédie humaine, il fait exprimer par ses personnages les regrets attendris de son cœur vieillissant.

Il avait fait, en fouillant les bibliothèques de Rome, une découverte qui l'avait ravi. Des chroniques de l'époque de la Renaissance, où se lisaient de belles histoires d'amour et de mort; des histoires vraies, qui confirmaient ses théories sur l'énergie et sur la passion italiennes; quelle joie! Il avait fait recopier ces chroniques, pour son plaisir; bientôt il songea à les utiliser. L'histoire de la famille Farnèse, qui lui servit pour *la Chartreuse de Parme*, demeura au second plan du roman : car l'abondance de ses souvenirs personnels et l'essaim de ses songes lui ren-

daient l'invention facile. Mais ces récits hauts en couleur lui paraissaient si dramatiques qu'il pouvait, pensait-il, les présenter au public tels qu'ils etaient, dans leur brièveté saisissante. Il lui suffisait d'en retoucher le style, qui n'était pas assez simple pour son goût; de choisir, le cas échéant, entre plusieurs versions différentes, ou de les renforcer les unes par les autres : quelle fiction vaudrait jamais ces intrigues vécues?

Ainsi naquirent, l'une après l'autre, ses *Chroniques italiennes*. Les faits qu'elles rapportent sont moins certains, à vrai dire, que Stendhal ne pensait; en effet, les textes qu'il a trouvés ne font que répéter, sur le tard, des traditions déjà romancées. Qu'importe, puisqu'ils contiennent précisément ce que Stendhal cherchait? Des familles dont les membres se haïssent et se tuent; des religieuses toutes brûlantes d'amour profane; des sbires qui donnent l'assaut aux couvents; des empoisonnements, de beaux assassinats, des crimes féroces; et pour finir, l'échafaud qui se dresse sur les places publiques : voilà leurs personnages et leurs thèmes préférés; et cette vision d'une humanité sanglante emplit les dernières œuvres de cet Italien de la Renaissance qui ne se consola jamais d'être un Français du XIXe siècle.

Ce sont du moins les dernières œuvres qu'il ait fait paraître lui-même. Mais, depuis sa mort, ses papiers inédits ont révélé bien des trésors cachés, brouillons abandonnés, esquisses rapides, chapitres achevés, confidences depuis longtemps prêtes pour l'impression et toujours retenues. La moindre feuille par lui laissée est une bonne fortune pour les lettrés : et toute publication d'un de ces textes fait événement.

La fortune de Stendhal est étrange, comme le fut sa vie même, et son caractère. Le succès ne lui vint pas de son vivant; il n'y eut guère que Mérimée, qui l'aimait d'une amitié sans indulgence, pour soupçonner sa valeur d'écrivain; et, pour en être sûr, il n'y eut guère que Balzac, qui fit paraître dans sa *Revue parisienne* un article enthousiaste après avoir lu *la Chartreuse de Parme*. Lui-même escomptait que ses œuvres connaîtraient la gloire vers 1880, ou plus tard : « Je mets un billet à une loterie dont le gros lot se réduit à ceci : être lu en 1935. » Ce gros lot, il l'a gagné. Son nom est glorieux. Bien plus, il ne laisse pas d'exciter des passions contradictoires : il y a des « stendhaliens » et des « antistendhaliens ». Surprenante aventure : Henri Beyle est plus vivant aujourd'hui qu'il y a cent ans.

PROSPER MÉRIMÉE

Prosper Mérimée (1803-1870) publie, après le Théâtre de Clara Gazul *(1825) et la* Guzla ou Choix de poésies illyriques *(1827), la* Jaquerie, *scènes féodales (1828), la* Famille de Carvajal *(1828), et la* Chronique du règne de Charles IX *(1829), qui reste un des modèles les plus achevés du roman historique tel qu'on le concevait alors. Il publie ensuite une série de nouvelles, qui sont toutes demeurées célèbres :* Mateo Falcone, l'*Enlèvement de la redoute, le* Vase étrusque, la Double Méprise, la Vénus d'Ille *(*Mosaïque; Contes et nouvelles, *1833). Après plusieurs volumes de récits de voyages, dont les* Notes d'un voyage en Corse *(1840), il donne* Colomba *(1841) et* Carmen *(1845). Après sa mort ont paru ses* Lettres à une inconnue *(1873), qui s'appelait Jenny Daquin, ses* Lettres à une autre inconnue *(1875), ses* Lettres à Panizzi *(1881), sa* Correspondance inédite *(1896). D'autres lettres de Mérimée ont été publiées à diverses reprises : lettres à Esteban Calderon (1910), à Sutton Sharpe (1911), à Thiers (1920), à la princesse Mathilde (1922), à des jeunes filles (1923), à Francisque Michel (publiées par Henri Bremond, 1928), à la comtesse Montijo (publiées par Gabriel Hanotaux, 1929-1930), aux* Grasset *(publiées par M. Parturier, 1929), à la comtesse de Boigne (publiées par Laurent de Sercey, 1933), à la duchesse de Castiglione-Colonna (publiées par P. Trahard, 1939), etc. Ses* Lettres anglaises à Fanny Lagden *ont été publiées en 1935. M. Parturier a entrepris, au Divan, une édition de la* Correspondance générale de Mérimée, *dont 5 vol. ont paru à la date de 1946. — Ses* Œuvres complètes *ont été publiées chez Calmann-Lévy (21 vol., s. d.), et une édition critique avait été entreprise par la librairie Champion où une douzaine de volumes ont paru.*

Étude bibliographique et critique : Trahard et Josserand, Bibliographie des œuvres de Mérimée, *1929. — Études générales sur l'homme et l'œuvre :* A. Filon, Mérimée et ses amis, *1894; —* Mérimée, *1898;* P. Trahard, la Jeunesse de Prosper Mérimée *(1803-1834), 2 vol., 1925; —* Prosper Mérimée de 1834 à 1853, *1928; —* la Vieillesse de Mérimée *(1854-1870), 1930; A. de Luppé,* Mérimée, *1945. — Sur l'art de la nouvelle chez Mérimée et son travail d'écrivain :* P. Trahard, Prosper Mérimée et l'art de la nouvelle, *1923;* Paul Bourget, Prosper Mérimée nouvelliste *(*Revue des Deux Mondes, *1920);* Maurice Souriau, *les* Variantes de « Mateo Falcone » *(*Revue d'histoire littéraire, *1913);* Pierre Moreau, Deux Remarques sur la phrase de Mérimée, *ibid., 1924. — Les sources, la genèse de certaines de ses œuvres ont été l'objet d'une étude particulière. Voir pour la Corse de Mérimée :* G. Courtillier, l'Inspiration de « Mateo Falcone » *(*Revue d'histoire littéraire, *1920);* G. Charlier, *la* Source principale de « Mateo Falcone », *ibid., 1921;* Marcaggi, *les* Sources de « Colomba » *(*Revue de Paris, *1928);* G. Roger, Mérimée et la Corse, *1945; sur son Espagne :* A. Dupouy, « Carmen » de Mérimée, *1930; sur ses thèmes fantastiques :* M.-L. Pailleron, Prosper Mérimée et « le Filleul de l'Ours » *(*Revue de Paris, *1920); sur ses variations au sujet de la couleur locale, qu'il a recherchée, avant d'affecter à son égard un scepticisme désinvolte :* J.-W. Hovenkamp, Prosper Mérimée et la couleur locale, *1928.*

Il est un aspect de Mérimée où se décèle ce qu'il y a de désinvolture et d'élégante impertinence dans cet ironiste un peu froid, un peu sec, qui héritait du XVIIIᵉ siècle : c'est ce goût de la mystification que trahissent des œuvres comme le Théâtre de Clara Gazul, *attribué à une imaginaire comédienne espagnole, et comme* la Guzla, *petits poèmes en prose qui se donnent pour des traductions d'un poète populaire illyrien. On consultera sur eux :* V.-M. Yovanovitch, « la Guzla » de Prosper Mérimée *(1911). Pour son théâtre, on se reportera à ce qui est dit plus haut du théâtre livresque à la veille de 1830 (page 238).*

PROSPER MÉRIMÉE en 1829. Lithographie d'Achille Devéria (B. N., Cab. des Estampes).
CL. LAROUSSE.

Mérimée est de la même famille d'esprits que Stendhal. C'est un dilettante; il aime les livres rares et les amis de choix; il a horreur du vulgaire. Il mène à Paris une existence très mondaine, qu'il interrompt pour de longs voyages à travers la France; car il est inspecteur des monuments historiques, et de sa tâche il se fait un plaisir. Sa curiosité le mène aussi vers les pays étrangers à maintes reprises. Lorsque Eugénie de Montijo, qu'il a connue enfant, devient impératrice, Prosper Mérimée devient du même coup un des familiers de la cour, fournisseur littéraire de Leurs Majestés Impériales. Or, ce sceptique, qui fait profession de ne cueillir jamais que la fleur de la vie (encore ne la trouve-t-il pas assez belle à son gré, et encore est-il pessimiste par surcroît), cache soigneusement la tendresse qui est en lui. Il a beau faire : une sensibilité délicate, une mélancolie profonde transparaissent dans ses écrits dès qu'ils sont inspirés par l'amitié ou par l'amour.

Quel que soit le mérite de ses autres œuvres — études historiques, archéologiques, portraits, récits de voyages, comédies —, son nom reste attaché à la nouvelle. Ce fut là sa spécialité vraie. Cette forme resserrée lui permit de mettre en valeur son talent d'observateur exact, aigu et même cruel, ses dons de coloriste et son art des visions brusques et violentes. Sous les formes multiples de la vie, qu'il saisit avec force et qu'il note avec une sobre puissance, il recherche les sentiments primitifs, fussent-ils excessifs ou pervers; il lui plaît de les retrouver aussi bien chez les habitants des campagnes sauvages que chez les habitués des salons parisiens. La nature humaine dans sa violence, voilà ce qu'il aime. En Corse, il contemple le maquis, les « montagnes pelées », les « blanches chapelles funéraires », les maisons fortifiées, les « châtaigniers séculaires d'où s'envole la rêverie d'Orso »; il peint d'une touche sûre et rapide ce pays ensoleillé. Il s'informe des usages locaux; il prête l'oreille à la *ballata* et au *vocero*, et il note encore les traits de mœurs qu'il recueille et qui sont indispensables à l'intelligence des caractères étranges qu'il veut mettre en relief. Il étudie enfin la Colomba vivante dont il va faire l'héroïne de sa nouvelle et il fixe son caractère, farouche et vrai, pour la postérité.

Est-il romantique ? Assurément; il l'est par son goût pour le spectacle des souffrances morales, qui le délectent étrangement; par son amour de la couleur, par sa passion de l'exotisme : car il ne se contente pas d'être anglomane; il est curieux de connaître l'âme russe et de la faire connaître à la France : c'est lui qui introduit chez nous Pouchkine, Tourguéniev, Gogol; et l'influence slave se marque dans sa nouvelle intitulée *Lokis*. Mais, en même temps, il déteste ce que le romantisme adore : les effusions lyriques, les cris de passion, les confidences. Il s'efface derrière ses personnages et veut les représenter, non pas tels qu'il est lui-même, mais tels qu'ils sont. Il est l'ennemi de la sensiblerie, de l'éloquence vague, du pittoresque plaqué, de la philosophie facile. Il est réaliste. Mais ne trouve-t-on pas aussi chez lui quelques-uns des traits les plus sûrs de l'art classique : la sobriété, la simplicité, l'ambition de traduire en œuvres belles non pas les modes passagères, mais les passions éternelles de l'homme? Il est difficile de ranger dans un groupe donné ce très libre esprit. Retenons, pour la lui appliquer, la phrase qu'il a écrite à propos de Tourguéniev : « L'artiste qui a gravé certaines médailles grecques est l'égal de celui qui a sculpté un colosse. »

DIVERS ROMANCIERS. LE ROMAN POPULAIRE

ALEXANDRE DUMAS. EUGÈNE SUE

Alexandre Dumas publie en 1844 les Trois Mousquetaires; en 1844-1845, le Comte de Monte-Cristo; en 1845, Vingt Ans après et la Reine Margot. Ses romans ne doivent pas faire oublier ses Mémoires pleins de verve, d'une véracité historique souvent douteuse, mais dont les exagérations et le mouvement font un truculent roman d'aventures (22 volumes, 1854), ni ses relations de voyages dont la couleur a aussi, le plus souvent, plus de fantaisie et de romanesque que d'authenticité.

Voir, sur le pittoresque personnage de Dumas : Henry Lecomte, Alexandre Dumas, sa vie, son œuvre, 1923; Lucas Dubreton, la Vie d'Alexandre Dumas père, 1928; sur les Trois Mousquetaires, Charles Samaran, D'Artagnan, 1912; Henri d'Alméras, les Trois Mousquetaires, dans la collection des « Grands Événements littéraires ». — Sur la question des collaborateurs de Dumas, l'article de Quérard dans les Supercheries littéraires dévoilées, et Gustave Simon, Histoire d'une collaboration : Alexandre Dumas et Auguste Maquet, 1919.

Eugène Sue (1804-1859) publie en 1832 Atar Gull; en 1843, les Mystères de Paris; en 1844-1845, le Juif errant; en 1847-1849, les Sept Péchés capitaux; de 1849 à 1857, les Mystères du peuple.

HENRI MONNIER TRAVESTI EN JOSEPH PRUDHOMME.
Photographie de Carjat.

SIGNATURE de Joseph Prudhomme. — CL. LAROUSSE.

Voir : N. Atkinson, Eugène Sue et le roman-feuilleton, *1929*; *A. Bertuccioli*, les Origines du roman maritime français; *Jacques Boulenger*, les Dandys, *1910*; *Paul Lafond*, l'Aube romantique, *1910*.

Sur Claude Tillier (1801-1844), auteur de Mon oncle Benjamin *(1843) et de pamphlets nivernais : Cornicelius*, Claude Tillier, *1910*; *F.-P. O'Hara*, Claude Tillier, *1939*.

Comme elle fut féconde en poètes et en dramaturges, cette époque fut féconde en romanciers. Déjà le temps a rejeté dans l'ombre quantité d'œuvres qui parurent éclatantes alors. Il en est d'autres qui s'estompent : celles d'Alphonse Karr (1808-1899), dont le premier roman, *Sous les tilleuls* (1832), fut peut-être le meilleur; d'Henri de Latouche (1785-1851); de Jules Sandeau (1811-1883); de Frédéric Soulié (1800-1847). *Mon oncle Benjamin*, de Claude Tillier, appartient à cette catégorie de romans qui obtiennent à l'étranger le succès qu'ils n'ont pas en France.

Deux auteurs, en marge du roman, ont dessiné d'amusantes silhouettes. L'un est Louis Reybaud (1799-1879). Dans son *Jérôme Paturot à la recherche d'une position sociale* (1843), il a finement analysé la psychologie de ces génies médiocres qui croient partir à la conquête du monde et que la vie remet en leur vraie place : Paturot, après avoir « parcouru toute la sphère des découvertes modernes dans l'ordre littéraire, philosophique, religieux, social, et même industriel », finit sous les espèces d'un marchand de bonnets de coton. L'autre est Henri Monnier (1799-1876), qui fut dessinateur, écrivain, et acteur par surcroît : tant son talent fut agile. Il eut la gloire de créer un type qui demeure; son immortel Joseph Prudhomme apparaît dans ses *Scènes populaires dessinées à la plume* (1830), réapparaît dans toute une série d'œuvres conçues dans la même manière caricaturale, s'épanouit enfin dans les *Mémoires de M. Joseph Prudhomme* (1857). Le nom, les aphorismes, et jusqu'aux traits physiques de ce bourgeois bourgeoisant sont dans la mémoire de tous.

Le roman populaire trouve sous la Monarchie de juillet des conditions nouvelles de développement. C'est l'époque où la presse quotidienne accroît sa clientèle par l'appât du feuilleton. *La Presse, les Débats, le Constitutionnel, le Siècle* se disputent à prix d'or les œuvres des romanciers en vogue, car les directeurs n'ignorent pas qu'un roman à succès peut faire la fortune de leur journal. Ainsi naît une « littérature industrielle », comme l'appelle Sainte-Beuve; elle compte Alexandre Dumas et Eugène Sue parmi ses fournisseurs les plus heureux.

Ceux qui aiment *les Trois Mousquetaires* et *Monte-Cristo* n'y cherchent pas une observation psychologique profonde : ils savent bien qu'ils seraient déçus. Mais il y a des moments où l'on veut oublier le réel et où l'essor de l'imagination, qui emporte les âmes loin d'un présent douloureux, devient un besoin. Leur lecture procure le divertissement souhaité; elle est un repos et un plaisir. On fait avec l'auteur une manière de pacte : il aura le droit de sortir du vraisemblable, mais il fournira, en échange, des intrigues tout à la fois compliquées et faciles à suivre, des descriptions vives et amusantes, des dialogues rapides, des personnages pittoresques qu'entraîne un tourbillon d'aventures. On lui permet de prendre avec l'histoire toutes les libertés qu'il voudra, à condition qu'il présente des héros sympathiques, vaillants et toujours amoureux, et qu'il punisse les traîtres. Athos, Porthos, Aramis, d'Artagnan ne vieillissent pas, puisque, par définition, ils ne sont pas soumis aux contingences humaines.

La carrière littéraire d'Eugène Sue a été compliquée. Il a commencé par naviguer; il a même assisté, en qualité de chirurgien de la marine, à la bataille de Navarin; aussi a-t-il pu initier ses lecteurs à la vie de périls et d'aventures des gens de mer. Puis il a mené la vie du dandy : aussi a-t-il peint la haute société, la « fashion », comme on disait alors. Ensuite il a composé des romans historiques. Enfin, il s'est donné aux romans-feuilletons, et avec quelle abondance! Il s'est mis à représenter la vie journalière du peuple, non sans réalisme; il l'a flatté dans ses opinions politiques; il a pris des airs de réformateur social. La *Phalange* socialiste de 1842 crut reconnaître dans ses feuilletons des *Mystères de Paris* une orientation humanitaire; les incompris ou les affranchis lui écrivirent des lettres ferventes et virent en lui leur défenseur.

Il faut citer enfin, à un plus bas degré, l'infatigable Paul de Kock (1794-1871), qui poursuivra bien au-delà de l'époque romantique sa fructueuse carrière. Mais ne risque-t-on pas, à le citer seulement, de sortir tout à fait de la littérature?

V. — L'HISTOIRE ET LA CRITIQUE
HISTORIENS

Consulter : Jules Simon, Thiers, Guizot, Rémusat, 1885; — Mignet, Michelet, Henri Martin, 1889; Émile Faguet, Politiques et moralistes du XIXe siècle (3 séries, 1891, 1898, 1900); Camille Jullian, Extraits des historiens français du XIXe siècle, 1897; Louis Halphen, l'Histoire en France depuis cent ans, 1914; Pierre Moreau, l'Histoire en France au XIXe siècle. État présent des travaux et esquisse d'un plan d'études, 1935.

Augustin Thierry a-t-il eu raison d'écrire que l'histoire « serait le cachet du XIXe siècle et qu'elle lui donnerait son nom »? Jamais du moins le genre historique, réalisant l'union de l'art et de la science, n'a plus brillamment fleuri qu'à l'époque romantique. Jamais les historiens, écrivains et savants à la fois, n'ont édifié de plus vastes monuments littéraires.

Malgré la censure et des restrictions à la liberté de la presse, la Restauration rendit à la pensée la libre pratique que lui avait refusée le régime impérial. Lamartine, dans *les Destinées de la poésie*; Michelet, dans *Ma jeu-*

GUIZOT tel qu'il figure dans un tableau de C. Jacquand, représentant un conseil des ministres aux Tuileries en 1842 (musée de Versailles).
CL. GIRAUDON.

nesse; Edgar Quinet, dans l'*Histoire de mes idées*, s'accordent à le reconnaître. Le sentiment de vivre au lendemain d'une grande catastrophe, au sortir d'une période où des siècles semblaient entassés, une curiosité ardente pour les âges révolus, le goût du pittoresque, le désir de demander au passé la clef des événements actuels et des leçons pour l'avenir, la passion de faire œuvre utile animèrent nos historiens de 1815 à 1850. Tous s'adressaient au grand public, qu'ils voulaient éclairer et mettre à même de jouer à bon escient un rôle politique.

Il était naturel, d'ailleurs, qu'en un régime de Restauration l'histoire servît à soutenir le rétablissement du passé ou à combattre pour les libertés modernes. Dans cette lutte de deux Frances, une France nouvelle et une ancienne France qui s'affrontent, on va chercher des armes dans les souvenirs des races d'où la France est sortie. Romanistes, germanistes, celtisants expliquent de façons contraires les origines de nos institutions et notre vocation nationale. Pour un Montlosier (*De la monarchie française depuis son établissement jusqu'à nos jours*, 3 volumes, 1814; 8 volumes, 1824), nul salut que dans la noblesse; nulle liberté que pour elle; le tiers état est un peuple d'esclaves, une impure horde d'étrangers; pour Augustin Thierry, les Gaulois ont une revanche millénaire à prendre sur leurs envahisseurs Germains, qui sont aujourd'hui la noblesse d'Ancien Régime; l'histoire de France est celle d'une longue guerre de deux peuples, de la longue oppression de Jacques Bonhomme, qui lentement, de siècle en siècle, a retrouvé et reconquis ses droits perdus.

Ainsi comprise, l'histoire cesse d'être l'exercice académique, la dissertation philosophique qu'elle avait été trop souvent : elle retrouve sa vie, sa couleur; elle est mêlée aux passions contemporaines.

GUIZOT. TOCQUEVILLE

Né à Nîmes en 1787, François Guizot fut élevé à Genève. Il écrivait avec aisance l'anglais et l'allemand. En 1812, Fontanes crée pour lui, en Sorbonne, une chaire d'histoire moderne. Protestant et libéral, il devient tour à tour, sous la Restauration, maître des requêtes, conseiller d'État, directeur des affaires commerciales. Après la chute du ministère Decazes, il retourne à sa chaire; il y professe à deux reprises : en 1821-1822, puis de 1828 à 1830. Il est, avec Villemain et Victor Cousin, de ce fameux « triumvirat de Sorbonne », qui exalte les passions intellectuelles et politiques de la jeunesse. Il publie des Essais sur l'histoire de France (1823), une Histoire de la civilisation, une Histoire de la Révolution d'Angleterre (1826-1827). Il dirige la publication de grandes collections de documents relatifs à la Révolution d'Angleterre et à l'histoire de France. A partir de 1830, il prend une part active à la politique, en champion de la bourgeoisie et en théoricien du juste milieu. Ministre de l'Instruction publique de 1832 à 1837, il est ministre des Affaires étrangères et le vrai chef du gouvernement de 1840 à 1848. De 1858 à 1868 il publie ses Mémoires, et meurt en 1874. — Voir : Sainte-Beuve, Causeries du lundi, t. I, et Nouveaux Lundis, t. I; A. Bardoux, Guizot, 1894; Ch.-H. Pouthas, Guizot pendant la Restauration, 1923.

Alexis de Tocqueville (1805-1859) fut magistrat, publiciste, député dès 1839, ministre des Affaires étrangères, en 1849, dans le cabinet Odilon Barrot. Il publie de 1836 à 1839 De la démocratie en Amérique, *puis, en 1856, l'*Ancien Régime et la Révolution. *De 1861 à 1865 parut sa* Correspondance; *en 1893, furent publiés ses* Souvenirs, *mordants et brillants, enrichis de portraits vifs et qui dénotent une psychologie perspicace. — Consulter la notice placée par son ami Gustave de Beaumont en tête de la publication intitulée* Œuvres et correspondance inédite d'Alexis de Tocqueville, *1861; Sainte-Beuve,* Premiers Lundis, *t. II,* Causeries du lundi, *t. XV,* Nouveaux Lundis, *t. X et t. XI; G. d'Eichthal,* A. de Tocqueville, *1897; Roland Marcel,* Essai politique sur A. de Tocqueville, *1910; Antoine Redier,* Comme disait M. de Tocqueville, *1929; Charles Cestre,* Alexis de Tocqueville, témoin et juge de la civilisation américaine *(Revue des cours et conférences, 1933).*

C'est en Guizot, grave, rigide, mûr de bonne heure, que les historiens philosophes de la Restauration saluèrent leur chef. Il étudie les institutions primitives des peuples, recherche les lois de leurs transformations. S'il semble « se borner à des faits généraux, à des assertions », il considère comme un devoir « de regarder de près aux plus petits détails et sait que toutes les questions ont leur importance ». (*Essais sur l'histoire de France.*) Professeur, orateur, homme d'étude et homme d'action, il fut un organisateur impérieux, dans l'administration des affaires publiques comme dans ses livres. Ce doctrinaire protestant et énergique, d'une chaleur contenue sous les apparences froides, méridional, en qui l'Angleterre, qu'il admire, a imprimé quelque chose de son génie, a justifié le mot de Sainte-Beuve : « Il maîtrise le désordre dans l'histoire. » Ses cours en Sorbonne, d'où il tira ses *Essais sur l'histoire de France*, lui servaient à l'occasion à rallier le public à un programme de gouvernement libéral. Dans son *Histoire de la civilisation*, il marque le rôle décisif des grands hommes, Clovis, Charlemagne, Saint Louis, dans les sociétés qu'il restitue à larges traits et dont il pénètre l'âme. Dans l'*Histoire de la Révolution d'Angleterre*, son chef-d'œuvre, ce doctrinaire exprime son admiration pour le parlementarisme. Sous l'influence de Barante, son ami, il fait dans cet ouvrage une plus large part qu'en ses livres antérieurs à la narration pittoresque, sans se départir de sa sobriété un peu austère. Toujours il domine sa matière; il compose avec rigueur, s'exprime avec exactitude et netteté. Ni recherche, ni emphase, de rares images, un style majestueux et solide. D'abord, chez lui, l'écrivain avait paru inégal au penseur, mais il se perfectionna à la tribune. Ses *Mémoires* attestent ce perfectionnement. Le ton en est plus varié, les portraits plus vivants et plus expressifs. Comme homme d'État, Guizot, tenant obstiné des classes moyennes, a pu se tromper; mais la sûreté de sa méthode et sa clairvoyance assurent la durée de son œuvre historique.

Ce n'est pourtant pas à Guizot, c'est à Tocqueville que l'histoire philosophique au XIXe siècle doit son chef-d'œuvre. Avec une

haute conscience, un esprit largement ouvert, une singulière pénétration, il sut observer, se faire des convictions et s'y conformer avec droiture. Une mission qui le chargeait d'étudier le système pénitentiaire aux États-Unis lui avait révélé, dès 1832, une démocratie où se réalisaient l'égalité et la liberté. Des données recueillies au cours de son enquête, il tirait des conclusions applicables à la France. Une grande puissance de déduction, un bon sens souverain décèlent en lui un maître. Il était prophète quand il annonçait que les États-Unis compteraient un siècle plus tard quarante États et cent millions d'habitants. Il avait compris aussi que le mouvement démocratique ne s'arrêterait pas à la prépondérance des classes moyennes. Dès lors il acceptait l'inévitable, sans bouder l'avenir. Il voulait en conséquence instruire la démocratie, lui apprendre à gouverner, la mettre en garde contre le despotisme.

De fortes institutions communales, le suffrage universel à plusieurs degrés, la décentralisation administrative, la responsabilité des fonctionnaires, la liberté d'association, tel était son programme. Si Guizot avait adopté les vues du plus profond des disciples de Montesquieu, peut-être aurait-il épargné la révolution de 1848 à la France. Après une étude patiente des documents et des institutions, Tocqueville conclut que la Révolution française est l'aboutissement naturel de l'Ancien Régime. La démocratie s'est trop déshabituée de lire ses deux œuvres magistrales, dont la forme est grave, nerveuse, sentencieuse, solide.

AUGUSTIN THIERRY. PROSPER DE BARANTE

Augustin Thierry, né à Blois en 1795, fait de brillantes études au collège de sa ville natale. Il entre à l'École normale et en sort professeur au collège de Compiègne, où le surprennent les invasions de 1813 et de 1815. Puis, publiciste libéral, ardent et frondeur, il collabore au Censeur européen *et au* Courrier français *(1817-1820). Il publie en 1825 l'*Histoire de la conquête de l'Angleterre par les Normands; *en 1827, ses* Lettres sur l'histoire de France; *en 1834,* Dix Ans d'études historiques; *en 1840, les* Récits des temps mérovingiens *et les* Considérations sur l'histoire de France; *enfin, en 1853, l'*Essai sur l'histoire de la formation et des progrès du tiers état. *Dès 1826, sa vue s'affaiblit; en 1833, il devient tout à fait aveugle. Le gouvernement avait mis à sa disposition des chartistes et des normaliens qui, avec l'aide d'une centaine de correspondants de province, opéraient pour lui des dépouillements de documents. Il dictait son œuvre à sa femme, « son œil pour lire, sa main pour écrire ». Devenu veuf, il fut recueilli par la princesse Belgiojoso. Il mourut en 1856.* Œuvres complètes, *1859 et 1883 (9 volumes). — Voir : Ernest Renan,* Essais de morale et de critique; *F. Valentin,* A. Thierry, *1895; Ch.-M. Des Granges,* A. Thierry journaliste *(Revue d'histoire littéraire de la France, 1905); Camille Jullian,* A. Thierry et le mouvement historique *(Revue de synthèse historique, 1906); A. Augustin-Thierry,* A. Thierry d'après sa correspondance, *1922; A. Augustin-Thierry, les* Récits

ALEXIS DE TOCQUEVILLE. Dessin de Chassériau (1844).
CL. LAROUSSE.

des temps mérovingiens *(collection des « Grands Événements littéraires »), 1929.*

Guillaume-Prosper de Barante (1782-1866), ami de Mme de Staël, de Royer-Collard et de Guizot, a publié une Histoire des ducs de Bourgogne de la maison de Valois, *13 vol., 1824-1826. Il a donné sur le tard une* Histoire de la Convention, *une* Histoire du Directoire *et laissé d'intéressants* Souvenirs, *publiés en 1901.*

Renan a retracé avec une noble sympathie la vie presque miraculeuse d'Augustin Thierry, la « lutte héroïque d'une âme forte contre la douleur ». Nul n'a mieux dit la simplicité, la droiture, la bonté de celui qui fut avec Guizot le rénovateur des études historiques en notre pays. Comment lire sans émotion les pages enthousiastes et touchantes où il rappelle comment se forma sa vocation ? Le VIe livre des *Martyrs* (« Pharamond! Pharamond! nous avons combattu avec l'épée... »), lu au collège, éveilla son amour pour l'histoire. Mais ce furent les invasions de 1813 et de 1815 qui lui révélèrent les profonds caractères distinctifs des races et leur antagonisme. C'est un libé-

AUGUSTIN THIERRY. Gravure populaire, representant l'historien aveugle reçu par le duc d'Orléans (B. N., Cab. des Estampes). — CL. LAROUSSE.

ralisme ardent qui lui dicta ses premiers articles, où il prend parti pour le Gaulois vaincu contre l'aristocratie franque. Il tient pour Jacques Bonhomme, pour la menue gent des communes, pour la roture. Il cherche dans le passé les fondements des libertés modernes. Ces écrits de circonstance dénotent un certain souci du document, le goût du pittoresque qu'il disait tenir de Fauriel et de Walter Scott. Puis, à mesure qu'il découvre l'histoire dans les chroniques anciennes publiées par les bénédictins, il prend conscience de sa méthode : « Guerre aux écrivains sans érudition qui n'ont pas su voir, et aux écrivains sans imagination qui n'ont pas su peindre! » *(Dix Ans d'études historiques.)* Il se fait le contemporain de nos ancêtres lointains : « Il y a sept cents ans que ces hommes ne sont plus. Qu'importe à l'imagination ? Pour elle, il n'y a point de passé, et l'avenir même est du présent. » *(Histoire de la conquête de l'Angleterre.)* Il a le sens de la couleur locale, de la physionomie propre à chaque époque et à chaque race.

C'est qu'il aspire à saisir dans leur individualité les temps et les hommes; non pas à les ramener à des traits communs et permanents de nature humaine. S'il a une philosophie de l'histoire, c'est la pensée tragique de la lutte des races, de l'asservissement qui fait les unes les ennemies héréditaires des autres. Il éprouve, devant l'histoire d'Angleterre, drame millénaire qui oppose les vaincus et les conquérants normands, devant les temps mérovingiens, où la France se constitue à la suite de l'écrasement du peuple gallo-romain par l'envahisseur germain, le sentiment des inexpiables injustices de l'histoire. Sans doute, les romans historiques de Walter Scott lui ont-ils imposé cette obsession; mais peut-être aussi les souvenirs ineffaçables de 1813 et de 1815.

De là cette émotion toujours présente dans les travaux de l'historien, la vie de son œuvre, ses tableaux profondément humains qui se gravent dans le souvenir : les angoisses maternelles de Frédégonde, le meurtre de Prétextatus, l'histoire si dramatique de Galeswinthe, la bataille d'Has-

tings, vraie page d'épopée. Il rêvait, disait-il, « d'allier au mouvement largement épique des historiens grecs et romains la naïveté de couleur des légendaires et la raison sévère des historiens modernes ». Comment reprocher à cet homme, qui « avait fait amitié avec les ténèbres », de n'avoir pas sondé jusqu'aux sources profondes et écartées ? En dépit des concours qui lui furent assurés, la tâche était surhumaine. Ses *Récits des temps mérovingiens* et surtout son *Essai sur le tiers état*, plus scientifique que sa pathétique *Histoire des Communes*, restent ses chefs-d'œuvre. Malgré un certain excès de confiance en ses hypothèses, il n'était pas dépourvu de « l'intelligence critique des époques reculées » (Renan). Écrivain probe et scrupuleux, il retoucha sans cesse ses livres avec une patience admirable. Comme artiste, il annonce Michelet.

On rapproche souvent du nom de cet « Homère de l'Histoire » — selon l'expression de Chateaubriand — celui de Prosper de Barante, l'auteur de l'*Histoire des ducs de Bourgogne*. Las de l'histoire philosophique comme l'avait pratiquée le XVIIIe siècle, il voulut d'une part montrer les morts tels qu'ils se sont peints eux-mêmes, « évoqués et ramenés vivants sous nos yeux », et d'autre part restituer à cette science « l'attrait que le roman historique lui avait emprunté ». « Ce que je pense de ce qui se faisait il y a quatre cents ans importe peu », disait-il. *Scribitur ad narrandum non ad probandum*, telle est sa devise, celle de l'histoire narrative. Il entreprit de rajeunir et de combiner fidèlement les récits des chroniqueurs : Froissart, Monstrelet, Commynes. Avec sagacité il choisit cette période de 1361 à 1483, qui inspirera si bien Hugo et Michelet. C'est un habile imagier. Mais parfois dans cette œuvre qui ne veut être que celle d'un conteur expressif et d'un artiste se montre le penseur libéral qui trouve dans l'histoire du XVe siècle des raisons de mieux aimer les libertés modernes.

MICHELET

SES DÉBUTS : AVANT L'« HISTOIRE DE FRANCE »

Éditions collectives : Œuvres complètes de Jules Michelet, *chez Marpon et Flammarion, 40 volumes, 1893-1899;* Histoire de France et de la Révolution, *chez Lemerre, 28 volumes in-12, 1885-1888;* Tableau de la France *(édité par L. Refort), 1934;* Jeanne d'Arc *(éditée par G. Rudler), 1925;* le Peuple *(éd. crit. par L. Refort), 1946.*

Ouvrages posthumes, publiés par la veuve de Michelet : les Soldats de la Révolution, *1878;* le Banquet, *1879;* Ma jeunesse (1798-1820); Mon journal (1820-1823), *1888;* Rome, les Césars, *1891;* Sur les chemins de l'Europe, *1893; etc. — En 1899, Gabriel Monod a publié un volume de* Lettres inédites de Michelet à Mlle Mialaret; *P. Sirven,* Lettres inédites de Michelet, *1923.*

Études d'ensemble : F. Corréard, Michelet, *1886;* Émile Faguet, Études littéraires sur le XIXe siècle, *1887;* Jean Brunhes, Michelet, *1898;* Gabriel Monod, Jules

Michelet, *1905;* — la Vie et la pensée de Jules Michelet (1798-1852), *2 volumes, 1923; J.-M. Carré, dans* Michelet et son temps, *1926, tire parti du riche fonds de manuscrits de Michelet que possède le musée Carnavalet; G. Rudler, Michelet, historien de Jeanne d'Arc, 1925-1926; Th. Scharter, les Voyages et séjours de Michelet en Italie, 1934; Jean Guéhenno, l'Évangile éternel.* Étude sur Michelet, *1927.*

Jules Michelet est né à Paris en 1798. C'était le fils d'un imprimeur, petit patron endetté. Son enfance fut misérable : « il poussa comme une herbe sans soleil entre deux pavés de Paris. » Il aide son père comme apprenti, travaillant à « lever la lettre » dans une cave du boulevard Saint-Martin. Son père et sa mère s'imposèrent des privations pour le faire instruire. En 1812, il quitta l'école primaire pour le lycée Charlemagne; il y fut, en rhétorique, l'élève de deux humanistes excellents, Villemain et Joseph-Victor Le Clerc; en 1816, il remporta plusieurs prix au Concours général. A sa sortie du lycée, il s'employa comme répétiteur dans une pension du Marais. Il fut reçu docteur ès lettres en 1819, agrégé des lettres en 1821, et, de 1821 à 1826, professa tour à tour l'histoire au collège Sainte-Barbe, au lycée Charlemagne, au collège Rollin. En 1827, le ministre Frayssinous le nomma maître de conférences d'histoire et de philosophie à l'École préparatoire : c'est ainsi que s'appelait alors l'École normale. On le choisit comme précepteur d'une fille de la duchesse de Berry (comme il le sera plus tard de l'une des filles de Louis-Philippe). Entre 1826, date où parurent ses Tableaux chronologiques et synchroniques de l'histoire moderne, *et 1831, date où il fut nommé chef de la section historique aux Archives, il avait publié de nombreux travaux, qui seront dénombrés ci-après. Sur cette première période de sa vie, voir G. Lanson, la Formation de la méthode historique de Michelet (Revue d'histoire moderne et contemporaine, 1905) et la préface écrite par Albert Sorel pour un recueil d'opuscules de Michelet intitulé* Histoire et philosophie, *1900.*

Poète et artiste, unissant le mysticisme d'un voyant à l'enthousiasme d'un prophète, Michelet s'est cru long-temps un philosophe. Se trompait-il tellement, lui que Taine appelle le « grand éveilleur d'idées de ce siècle » ? Son gendre, Alfred Dumesnil, a écrit de lui : « La plus intuitive imagination du siècle se rencontrant chez le même homme avec l'esprit critique le plus incisif, il en résulta une individualité tout à fait singulière, mais parfaitement inimitable. »

Il avait fait très jeune l'apprentissage de la douleur. Une enfance triste, sérieuse, ardente, avait développé chez lui une sensibilité concentrée, vibrante jusqu'à l'exaspération : ces épreuves avaient éveillé dans son cœur une pitié profonde pour ceux qui souffrent, pour les vaincus, pour les humbles, et quelque âpreté aussi. Jamais au cours de sa vie, toute de labeurs et de luttes, il ne sera un tiède, ni un sceptique, ni un dilettante. Malgré les haines furieuses dont il frémit parfois, « passant par la haine, mais n'y restant pas, » il sera bon, profondément; il souffrira des maux d'autrui plus que des siens. Il incarne la sympathie. Son altruisme sans bornes, sa générosité, sa passion du bien expliquent ses haines. Lui qui avait le don des larmes, il sera dans ses travaux d'historien dur comme un justicier, par devoir.

L'énergie de son âme, trempée par le malheur, a soutenu son corps débile. Il vécut jusqu'à soixante-seize ans, mais toujours luttant contre quelque maladie. Sa volonté triomphait de tous les obstacles. Sa vie a été un combat, son histoire l'évocation prodigieuse, parfois hallucinante, mais combien vivante! des idées et des passions qui s'affrontent à travers les siècles. Il sera stoïque, mais avec générosité, avec tendresse, avec un sourire de mélancolie.

Le travail sera sa raison de vivre, sa planche de salut dans la tempête. Le pli a été pris de bonne heure; de ce qu'il appelle « sa maladie d'écrire », il ne guérira jamais. Il a toujours plusieurs projets en tête, plusieurs livres en chantier. Tout à son étude de Louis XI : « Je ne vis point, j'écris, » disait-il à l'un de ses proches. Ainsi a passé sa vie.

Il resta « peuple », dans le noble sens qu'il donnait à ce mot : instinctif, naturel et simple. Avec cela, d'une politesse exquise, d'un goût raffiné, d'une modestie et d'une indulgence extrêmes. Jules Simon, qui l'eut pour professeur, fait de lui ce portrait : « Sa figure est fine, distinguée, mobile, éclairée par des yeux tour à tour étincelants et d'une douceur infinie; toute sa personne est frêle et délicate; et, en dépit de tout, c'est cependant un homme du peuple...; c'est le poète et le prophète du peuple. » Plusieurs de ses élèves de l'École normale ont témoigné qu'il fut un maître adorable : « L'enseignement, disait-il, c'est une amitié. »

Tant qu'il disposa d'une chaire, Michelet professa ses livres avant de les écrire. C'était, pour ce solitaire, un moyen précieux de sortir de lui-même. Sa vie intime fut d'ailleurs toujours mêlée à sa vie de savant. L'histoire de cette vie intime, il l'a confiée avec une sincérité inouïe à son « âme de papier », à « cette seconde âme qui n'oublie rien de ce qu'on lui confie ». Un jour sans doute nous pourrons lire en leur entier ce journal et cette correspondance dont sa veuve et Gabriel Monod n'ont publié que des fragments. En attendant, on peut bien s'en tenir à ses livres; dans le moindre d'entre eux son âme se révèle, mais surtout dans son *Histoire de France* : « Mon *Histoire* m'a fait et a fait ma vie », a-t-il écrit. En dépit de ses évolutions, de ses conversions, de ses palinodies ardentes, et d'ailleurs désintéressées, il resta toujours le même homme. Qualités et défauts, vertus et faiblesses, grandeurs et petitesses, tout s'explique quand une fois on a noué amitié avec lui.

« Je suis né de Virgile et de Vico, » a-t-il écrit. L'*Énéide* avait été, en effet, avec l'*Imitation*, le livre favori de son enfance. En 1827, il traduisit, en l'abrégeant, la *Scienza nuova* de Vico, sous le titre de *Principes de la philosophie de l'histoire*. Il lui dut le fécond « principe de la force vive de l'humanité qui se crée », ressort de l'histoire et du progrès. Il lui dut aussi l'idée que les grands hommes sont les figures symboliques des collectivités et des siècles. En cette même année 1827, après un voyage d'études en Allemagne, il publiait un *Précis de l'histoire moderne* où l'on trouve, selon la remarque de Camille Jullian, les trois principes de sa future méthode : l'unité dramatique de l'histoire, l'idée présentée sous forme d'image, le fait sous forme de symbole.

Son enseignement le mène vers l'histoire romaine. Après avoir beaucoup lu les textes littéraires et les textes juridiques, après avoir médité Vico, Beaufort, Niebuhr, il veut visiter l'Italie. « Je me pris à l'univers, à l'empire universel de Rome et je partis pour en réveiller l'esprit au fond des tombeaux. » Les deux volumes de son *Histoire romaine* parurent en 1831. Il y tient compte de la race, pour les époques lointaines; mais, disciple de Vico, de Herder, de Cousin et de Thierry, il met surtout en scène « le peuple romain, qui va se créant de son énergie propre, s'engendrant de son âme et de ses gestes incessants ». Avidement curieux de la géographie, de la religion et du droit, expressions du génie de la nation, il prélude à son symbolisme. S'il se défie du « fatalisme des grands hommes », il salue du moins en eux des types représentatifs : Caton est « le type du vieux génie latin »; César, « l'homme de l'humanité ». Sans doute cette histoire, dont l'auteur a dit, en 1841, qu'il la réimprimait « à regret », manque de l'analyse critique des documents, pourtant indispensable : elle est trop « littéraire », trop brillante, trop rapide. Mais quels tableaux pathétiques de la lutte entre patriciens et plébéiens ! Quel art d'emprunter à l'histoire romanesque de Tite-Live des anecdotes, pour en dégager des symboles ! Quels dons de peintre de portraits ! Quand Taine écrit : « Un portrait de six lignes, s'il est vif et vrai, en apprend plus qu'un volume de dissertations », c'est à Michelet qu'il pense.

L'*Histoire romaine* portait en sous-titre : *République* ; c'était l'annonce d'une suite : *Empire*. Pourquoi Michelet ne l'a-t-il pas composée ? C'est que d'autres projets, innombrables, s'agitaient en lui. En 1826, il avait rêvé d'écrire une « Histoire de la Réforme »; en 1828, d'écrire une « biographie de Luther »; il méditait de publier d'énormes recueils de documents, la « Correspondance des papes », « les Monuments du christianisme », une « Encyclopédie des chants populaires ». Entre tant de projets il choisit de composer une *Introduction à l'histoire universelle* : quand il la fit paraître, en 1831, sa santé était si précaire que le programme éloquent qu'il se traçait semblait devoir devenir son testament. Il y définit sa conception des grands courants de l'histoire de la civilisation : « Par la science, par l'examen, par l'industrie, l'homme s'est fait un monde qui relève de la liberté. » L'histoire est le récit dramatique du duel entre la nature et l'esprit, entre la fatalité et la liberté. « Ce qu'il y a de moins simple, de moins naturel, c'est-à-dire de moins fatal, de plus humain et de plus libre dans le monde, c'est l'Europe; de plus européen, c'est ma patrie, la France. » Des évocations saisissantes, des tableaux brillants de poésie ravirent, dès 1831, les lecteurs : Musset s'en inspirera dans *Rolla* et dans *la Coupe et les lèvres*, comme Hugo s'inspirera du *Peuple* et Leconte de Lisle de *l'Oiseau* et de *la Mer*. Dans ce discours, Michelet s'enivre déjà de symboles.

C'est en cette même année 1831 qu'il fut nommé aux Archives. Sa curiosité passionnée, avide de réalité, son imagination magique allaient trouver leur emploi au milieu du trésor dont il devenait le gardien. « Je ne tardai pas, a-t-il écrit, à m'apercevoir, dans le silence apparent de ces galeries, qu'il y avait un mouvement, un murmure qui n'était pas de la mort. Ces papiers, ces parchemins laissés là depuis longtemps, ne demandaient pas mieux que de revenir au jour. Ces papiers ne sont pas des papiers, mais des vies d'hommes, de provinces, de peuples. D'abord les familles et les fiefs blasonnés dans leur poussière réclamaient contre l'oubli. Les provinces se soulevaient, alléguant qu'à tort la centralisation avait cru les anéantir... Si on eût voulu les écouter tous, comme disait ce fossoyeur au champ de bataille, il n'y en avait pas un de mort. Tous vivaient et parlaient, ils entouraient l'auteur d'une armée à cent langues que faisait taire rudement la grande voix de la République et de l'Empire. » (*Histoire de France*, t. II.)

Or la révolution de 1830 venait de s'accomplir. Au lendemain des « trois glorieuses », Michelet avait entendu « ses voix » : il conçut l'œuvre de sa vie.

LES SIX PREMIERS VOLUMES DE L'« HISTOIRE DE FRANCE »

Voir : Ch.-V. *Langlois*, Questions d'histoire et d'enseignement, *1906* ; G. *Rudler*, la Jeanne d'Arc de Michelet, *1924* ; G. *Lanson*, le Tableau de la France de Michelet, notes sur le texte de 1833, *dans les* Mélanges de philologie romane et d'histoire littéraire

MICHELET EN 1843. Lithographie de Toullion. CL. LAROUSSE.

offerts à M. Maurice Wilmotte, *1910*, *et* Études d'histoire littéraire, *1930*.

Bien qu'il supplée Guizot en 1834 dans sa chaire de Sorbonne, bien qu'il publie, en 1835, une traduction des *Mémoires de Luther* et en 1837 ses *Origines du droit français cherchées dans les symboles et formules du droit universel*, bien qu'il enseigne au Collège de France à partir de 1838, la tâche essentielle de Michelet sera, pendant dix ans et plus, de travailler à son *Histoire de France*, dont les six premiers volumes paraissent de 1833 à 1844.

« L'histoire, écrira-t-il dans *le Peuple*, Thierry l'appelle narration et M. Guizot analyse : je l'ai nommée résurrection. » Déjà Hugo, dans la préface de *Cromwell*, avait assigné comme but à l'artiste de « ressusciter, s'il fait de l'histoire », de « créer, s'il fait de la poésie ». Michelet fit l'un et l'autre. A Saint-Denis, il « sentait les morts à travers les marbres ». Et, « comme Ézéchiel, dans la vallée de Josaphat, souffle sur les ossements desséchés pour les revêtir de chair et les animer », il accomplit son miracle. « Résurrection de la vie intégrale, non plus dans ses surfaces, mais dans ses organismes intérieurs et profonds », tel est le « problème compliqué, effrayant », qu'il a juré de résoudre.

Ses maîtres, outre Vico, c'est Herder, qu'Edgar Quinet lui a révélé dès 1825; c'est Jacob Grimm, dont les *Antiquités du droit allemand* l'illuminaient dès 1828; c'est Voltaire aussi; et ce sont les récents historiens, ceux de l'école narrative et de l'école philosophique dont il combine les méthodes. « Ce livre est un récit et un système, écrit-il dans sa préface de 1833. Ce n'est pas moins qu'une formule de la France, considérée d'une part dans sa diversité de races et de provinces, dans son extension géographique, d'autre part dans son développement chronologique, dans l'unité croissante du drame national. »

Le premier volume évoque la France d'avant la fusion des races : l'influence de Thierry s'y fait sentir. Dès le second, Michelet a trouvé son idée maîtresse : « La France est le pays du monde où la personnalité nationale se rapproche le plus de la personnalité individuelle. » La France est une personne, ayant une âme. Mais c'est surtout la préface de 1869 qu'il faut lire : « Le matériel, la race, le peuple qui la continue, me paraissaient avoir besoin qu'on mît dessous une bonne et forte base, la terre, qui les portât et qui les nourrît... Et notez que ce sol n'est pas seulement le théâtre de l'action. Par la nourriture, le climat, etc., il y influe de cent manières. Tel le nid, tel l'oiseau. Telle la patrie, tel l'homme. La race, élément fort et dominant aux temps barbares, avant le grand travail des nations, est moins sensible, et faible, effacée presque, à mesure que chacune s'élabore, se personnifie... Contre ceux qui poursuivent cet élément de race et l'exagèrent aux temps modernes, je dégageai de l'histoire elle-même un fait moral énorme et trop peu remarqué : c'est le puissant *travail de soi sur soi*, où la France, par son progrès propre, va transformant tous ses éléments bruts. De l'élément romain municipal, des tribus allemandes, du clan celtique, annulés, disparus, nous avons tiré à la longue des résultats tout autres, et contraires même, en grande partie, à tout ce qui les précéda... La vie a sur elle-même une action de perpétuel enfantement, qui, de matériaux préexistants, nous crée des choses absolument nouvelles. La France a fait la France, et l'élément fatal de race m'y semble secondaire. Elle est fille de sa liberté. Dans le progrès humain, la part essentielle est à la force vive qu'on appelle l'homme. *L'homme est son propre Prométhée...* » C'est ainsi qu'il concilie le déterminisme et la liberté, et définit, sans la nommer, l' « évolution créatrice ».

Son *Tableau de la France*, du début du tome II, passe à bon droit pour son chef-d'œuvre d'histoire romantique. C'est « un voyage immense, à tire d'ailes, dans l'espace et dans le temps », « une vive silhouette géographique ». Les souvenirs des voyages de Michelet s'y fondent avec le rappel des faits historiques, puisés dans une riche documentation. « Il faut que nous mettions le pied sur tous les bouquins », lui dira un jour son gendre, et il répondra : « C'est bon quand on les a lus. » Dans ce tableau, à vrai dire, l'histoire empiète trop sur la géographie. C'est que Michelet, quand il le composa, n'avait visité que quelques-unes de nos provinces. Plus tard, quand il aura vraiment fait son tour de France, il remplacera les choses lues par des choses vues.

A ce tableau, les critiques n'ont pas été ménagées. Et d'abord, est-il à sa place ? Michelet, impatient d'anticiper sur les événements, obsédé par le temps présent, n'a-t-il pas commencé son ouvrage par la conclusion ? Trop d'idées préconçues, a-t-on dit, trop de généralisations systématiques, trop d'ingéniosité et d'arbitraire dans le choix des exemples et des symboles !

Quelque part que l'on veuille faire à de tels reproches, il restera que cette évocation pittoresque, dramatique, de provinces si différentes de caractères et de tendances, de la Bretagne à la Provence et de la Normandie à l'Alsace, réglée habilement, savamment, avec un *brio* génial, et qui s'achève par un hymne à la France une et libre, est le chef-d'œuvre d'un grand poète en prose. On y trouve tous les éléments du lyrisme romantique. Lui-même écrira un jour : « Combien j'ai voyagé en Jules Michelet plus qu'en Allemagne ! » Il en avait été pareillement de ses pèlerinages à travers nos provinces : il les a toutes pénétrées de sa sensibilité. Aussi librement que dans *les Contemplations* ou dans la *Légende des siècles*, l'anthropomorphisme se joue dans ce *Tableau de la France*, prêtant aux villes, aux fleuves, aux montagnes, à la mer, les passions des êtres vivants : « La mer, autour de la Bretagne, est anglaise d'inclination ; elle n'aime pas la France ; elle brise nos vaisseaux, elle ensable nos ports. » Un symbolisme hardi établit des correspondances et des harmonies entre les provinces et les fils de leur terroir : « Le génie de la pauvre et dure Bretagne... est un génie d'indomptable résistance et d'opposition intrépide, opiniâtre, aveugle. »

Quittant la période des origines, Michelet traite vite de Charlemagne et des Carolingiens. Son triomphe, c'est de retracer la « résurrection » de l'An mille, les Croisades, les splendeurs de l'art gothique. Bientôt naîtra le sentiment de patrie. « Le mot vulgaire, *un bon Français*, date de l'époque des Jacques et de Marcel. La Pucelle ne tardera pas à dire : *Le cœur me saigne quand je vois le sang d'un Français...* Depuis lors nous avons une patrie. » Il fait revivre le Grand Ferré et Jeanne d'Arc, son héroïne de prédilection, dans un portrait que depuis pas un biographe n'a pu faire oublier. Ses facultés de poète et d'érudit, son imagination et sa science s'équilibrent merveilleusement dans ces six premiers volumes de l'*Histoire de France*. Renan (*Souvenirs d'enfance et de jeunesse*) voyait en eux, à bon droit, « les parties admirables de Michelet ».

MICHELET APRÈS 1843

Avec les années orageuses qui suivent, puis son second mariage (1849), la « manière » de Michelet se transforme. Plus pathétique, plus frémissante, elle se crée une langue, une syntaxe à la fois saisissantes et fiévreuses. Sa foi en l'instinct tout-puissant des masses s'exalte jusqu'à une sorte de religion démocratique. — Voir : Charles Maurras, Trois Idées politiques, Chateaubriand, Michelet, Sainte-Beuve, 1924 ; Lucien Refort, l'Art de Michelet dans son œuvre historique (jusqu'en 1867), 1923 ; — Essai d'introduction à une étude lexicologique de Michelet, 1923 ; K. Schnurer, les Jugements littéraires de Michelet dans l' « Histoire de France », 1923 ; A. Aulard, Michelet historien de la Révolution française, dans la revue la Révolution française, 1928.

Brusquement, vers 1843, comme il vient de retracer en son sixième volume le règne de Louis XI, Michelet s'arrête, remet à plus tard, il ne sait à quand, l'achèvement de son entreprise. Les préoccupations politiques de l'heure présente se sont emparées de lui. Il a publié en 1843 son *Étude sur les jésuites* : il lui faudra, aux côtés d'Edgar Quinet et du Polonais Adam Mickiewicz, faire sa « campagne du Collège de France », soutenir contre les ultramontains une âpre lutte. De ses violentes polémiques contre le chanoine Desgarets, contre Louis Veuillot, contre Montalembert, il souffrait tout le premier. Toujours son inspiration reste haute. Dans son pamphlet *Du prêtre, de la femme et de la famille* (1845), il veut raffermir le foyer, qu'il croit ébranlé. *Le Peuple*, qu'il publie en 1846, est autre chose qu'un pamphlet. Revenu à la démocratie, réclamant le droit de parler du peuple et pour le peuple, Michelet a su le comprendre, parce qu'il l'aimait. Vigny avait décrit les servitudes du soldat. Michelet décrit les servitudes de l'ouvrier, du marchand, du fabricant, et même celles du bourgeois, du riche. Il réhabilite le paysan, dont Balzac venait de dessiner un portrait cruel, ce paysan « qui produit tout en jeûnant », attaché à la terre qu'il a faite. « La propriété..., elle est dans la forte échine du vigneron, qui, du bas de la côte, remonte toujours son champ, qui s'écoule toujours... Oui, l'homme fait la terre. » Que de problèmes actuels, ceux de l'association et de l'entraide, ceux de l'éducation, Michelet a traités avec générosité et clairvoyance ! Que de pages pathétiques sur les méfaits du machinisme, sur les enfants qui s'étiolaient alors dans les fabriques ! C'est déjà la *Melancholia* de Victor Hugo.

Cependant Michelet n'avait pas interrompu ses travaux d'historien : il avait seulement passé, d'un bond, de l'étude de Louis XI à celle « du plus grand fait de l'histoire moderne », la Révolution.

Son *Histoire de la Révolution française* a paru de 1847 à 1853 en sept volumes, qui vont de l'ouverture des états généraux au 9-Thermidor. De la Révolution, Michelet a fait sa religion : il l'enseigne « comme dogme, comme principe, comme légende ». « Jamais, depuis ma Pucelle d'Orléans, je n'avais eu un tel rayon d'en haut, une si lumineuse échappée du ciel. » Ce visionnaire bien informé et qui avait fouillé les archives jusqu'au fond évoque les soldats de la République, Hoche, Desaix, comme s'il avait été leur compagnon d'armes ; les Girondins, les Hébertistes, les Dantonistes, comme s'il avait participé de sa personne, tout imprégné d'ailleurs de la foi des Montagnards, aux luttes des assemblées et des clubs.

Tandis qu'il écrivait son *Histoire de la Révolution*, les événements politiques avaient modifié gravement les conditions de son activité laborieuse. Dès le mois de janvier 1848, son cours au Collège de France avait été suspendu ; puis, en mars 1851, Michelet avait été destitué. En 1852, pour avoir refusé de prêter serment à l'Empire, il avait perdu sa place aux Archives. Néanmoins, sitôt l'*Histoire de la Révolution* terminée, il s'était remis à son *Histoire de France*. De 1855 à 1867, il en publiera onze volumes encore (les tomes VII-XVII, qui vont de la Renaissance à 1789). « Ce n'est plus, a justement dit

G. Monod, la lumière continue et limpide de ses six premiers volumes; ce sont des éclairs qui illuminent par secousses. » Michelet abuse désormais des synthèses brillantes et des symboles. Taine lui reprochera de chercher le pathétique et l'intérêt plus que la vérité. Donnant trop d'importance aux petites causes, il emprunte avec joie à Lemontey sa division du règne de Louis XIV en deux périodes : « avant la fistule, après la fistule ». Son *Histoire* tourne parfois au roman tendancieux, presque au roman atroce. Ses haines sont exaspérées : haine du prêtre, du roi, de l'Anglais, de la bourgeoisie. Il est devenu partial, et le sait bien : ses préfaces le disent assez. Voici comment il comprend la critique : « L'histoire ne fera jamais rien si elle ne perd le respect, si, comme dans le vieux poème, elle n'imite Renaud de Montauban, qui prend un tison noir pour faire la barbe à Charlemagne. Le sacrilège, la raillerie des faux dieux est le premier devoir de l'historien, son indispensable instrument pour rétablir la vérité. » Théorie courageuse et juste, mais combien dangereuse avec un tempérament comme le sien!

Et, tout cela dit, qu'on se rappelle son tableau de la Renaissance, ses jugements sur Michel-Ange, sur Rabelais, sur Montaigne, ou ses portraits de Coligny, de Sully. Que de vérité encore, et de beauté, jusque dans les parties les plus caduques de son « monument »! Et que de noblesse dans cette préface de 1869, où, sa tâche faite, le bon ouvrier considère une dernière fois son ouvrage :

« Voilà comment quarante ans ont passé. Je ne m'en doutais guère lorsque je commençai...

« J'ai passé à côté du monde, et j'ai pris l'histoire pour la vie.

« La voici écoulée. Je ne regrette rien. Je ne demande rien. Eh! que demanderais-je, chère France, avec qui j'ai vécu, que je quitte à si grand regret! Dans quelle communauté j'ai passé avec toi quarante années (dix siècles)! Que d'heures passionnées, nobles, austères, nous eûmes ensemble, souvent, l'hiver même, avant l'aube! Que de jours de labeur et d'étude au fond des Archives! Je travaillais pour toi, j'allais, venais, cherchais, écrivais. Je donnais chaque jour de moi-même tout, peut-être encore plus. Le lendemain matin, te trouvant à ma table, je me croyais le même, fort de ta vie puissante et de ta jeunesse éternelle.

« Mais comment, ayant eu ce bonheur singulier d'une telle société, ayant de longues années vécu de ta grande âme, n'ai-je pas profité plus en moi ?

« Ah! c'est que pour te refaire tout cela il m'a fallu reprendre ce long cours de misère, de cruelle aventure, de cent choses morbides et fatales. J'ai bu trop d'amertume. J'ai avalé trop de fléaux, trop de vipères et trop de rois.

« Eh bien! ma grande France, s'il a fallu, pour retrouver ta vie, qu'un homme se donnât, passât et repassât tant de fois le fleuve des morts, il s'en console et te remercie encore. Et son plus grand chagrin, c'est qu'il faut te quitter ici. »

MICHELET DANS SES DERNIÈRES ANNÉES. — CL. GOUPIL.

LES DERNIÈRES ANNÉES DE MICHELET. SES LIVRES POPULAIRES

Voir : Taine, Essais de critique et d'histoire, *1858;* *Ernest Bersot*, Littérature et morale, *1861; Émile Montégut*, les Fantaisies d'histoire naturelle de Michelet (Mélanges critiques, *1887); Jules Lemaitre*, les Contemporains, *7e série, 1899; F. Gilbert*, Michelet écrivain naturaliste, *1900; Robert Van der Elst*, Michelet naturaliste, *1914.*

Michelet avait annoncé dans *le Peuple* qu'il souhaitait d'écrire un jour des « livres populaires ». Il réalisa ce désir. C'est pour initier les lecteurs les moins cultivés aux préoccupations des historiens, des moralistes et des philosophes qu'il compose les *Légendes démocratiques du Nord* (1850), *la Sorcière* (1862), *la Bible de l'humanité* (1864). « L'humanité dépose incessamment son âme en une Bible commune : chaque grand peuple y écrit son verset. »

C'est aussi pour qu'ils deviennent des « livres populaires » qu'il écrit *l'Oiseau* (1856), *l'Insecte* (1857), *la Mer* (1861), *la Montagne* (1867). « Comment l'auteur fut conduit à l'étude de la nature », la préface de *l'Oiseau* l'expose. Mais on peut noter que la curiosité de Michelet datait de loin, ainsi qu'on voit par ces quelques lignes de son *Journal*, écrites le 30 mai 1842, comme il venait d'assister à la maladie et à la mort de l'un de ses proches : « Au milieu de cette mort lente et sans horreur, je m'obstinais à chercher de nouvelles causes de vivre. Je fouillai la source de toute vie, la Nature. Je lus (dans une Encyclopédie) les articles *animal, cétacé*. Le dernier me toucha fort. Il y a un poème à faire sur ces pauvres créatures. »

Pour la composition de sa « galerie d'histoire naturelle », Michelet eut une collaboratrice active. Il avait épousé en 1849 Mlle Athénaïs Mialaret, après une correspondance passionnée qui contenait en germe ses livres de *l'Amour* (1858) et de *la Femme* (1859). Elle l'aida à « se détourner de la sauvage histoire de l'homme pour se rafraîchir dans la contemplation des harmonies naturelles ». Non seulement elle recueillit des matériaux pour ses livres, mais elle en écrivit des chapitres entiers, qu'il reprenait, corrigeait, sur lesquels il jetait, a-t-elle dit, « sa poudre d'or ».

Les deux époux changent souvent d'horizon pendant l'Empire. Des environs de Paris au bois qui avoisine Nantes et l'Erdre, de Genève à La Hève, de Montreux à Fontainebleau, ils poursuivent leurs enquêtes. *La Mer* met en œuvre des impressions recueillies à Hyères et à Nervi près de Gênes, en Hollande, à Granville et à Étretat, mais surtout à Saint-Georges, près de Royan. Ce sont, a dit un critique sévère, des « fantaisies d'histoire naturelle ». C'est plutôt la vulgarisation poétique, lyrique, symbolique, hardiment interprétative, des observations des naturalistes.

Michelet est entré en communication, en sympathie avec toutes les créatures, comme Virgile, comme saint François : « Pourquoi, demande-t-il dans la préface de l'*Oiseau*, les frères supérieurs repousseraient-ils hors des lois ceux que le Père universel harmonise dans la loi du monde ? » Ce magicien « harmonise » ainsi jusqu'aux plus humbles des êtres animés, jusqu'aux informes méduses : « Toutes ces belles à l'envi, flottant sur le vert miroir, dans leurs couleurs gaies et douces, dans les mille attraits d'une coquetterie enfantine et qui s'ignore, ont embarrassé la science, qui, pour leur trouver des noms, a dû appeler à son secours et les reines de l'histoire et les déesses de la mythologie. Celle-ci, c'est l'ondoyante Bérénice, dont la riche chevelure traîne et fait un flot dans les flots. Celle-là, c'est la petite Orithye, épouse d'Éole, qui, au souffle de son époux, promène son urne blanche et pure, incertaine, à peine affermie par l'enchevêtrement délicat de ses cheveux, que souvent elle enlace par-dessous. Là-bas, Dionée, la pleureuse, semble une pleine coupe d'albâtre qui laisse, en filets cristallins, déborder de splendides larmes. »

La guerre de 1870 survint; Michelet en souffrit cruellement. Quels souvenirs n'avait-il pas gardés des deux séjours qu'il avait faits outre-Rhin au temps de sa jeunesse! Il avait aimé toute sa vie l'Allemagne de Herder et des frères Grimm, des poètes et des penseurs. Il avait rêvé la paix universelle. Indigné des exigences de la Prusse, il lança de Florence un manifeste : *la France devant l'opinion* (1871). Puis il se remit à des travaux d'histoire : il ne put mener que jusqu'à Waterloo son *Histoire du XIXᵉ siècle* ; il mourut à Hyères, le 9 février 1874.

Il s'appelait lui-même « une sorte de poète avorté ». Taine a reconnu en lui, plus justement, « un poète de la grande espèce, qui écrit comme Delacroix peint et comme Doré dessine ». Tout est dit de son génie poétique, et de la qualité, surtout musicale, de son style : « Le sens du rythme, a-t-il écrit, est la puissance la plus délicate de l'écrivain. » Quant à l'influence exercée par son œuvre d'historien, ne suffit-il pas de rappeler que Taine, Renan, Fustel de Coulanges se sont réclamés de lui comme d'un admirable initiateur, et que, selon le témoignage de Jean Brunhes, toute une science nouvelle, la géographie humaine, peut se réclamer de l'auteur du *Tableau de la France*?

EDGAR QUINET

Edgar Quinet est né en Bresse en 1803. Il vécut en Allemagne, voyagea en Angleterre, en Grèce, en Espagne, en Italie. Pénétré de littératures étrangères et surtout de pensée allemande (il avait, sur le conseil de Victor Cousin, entrepris l'étude de Herder, en même temps que Michelet entreprenait celle de Vico), il publia en 1833 un poème en prose, Ahasvérus, *qui enferme, en une sorte de Faust français, sa philosophie de l'histoire. Professeur d'histoire des littératures étrangères à Lyon (1838), puis d'histoire des langues et des littératures de l'Europe méridionale au Collège de France (1842), il lutte aux côtés de Michelet, son « frère d'âme », contre les ultramontains. Après le coup d'État il perd sa chaire, se retire en Belgique, puis en Suisse. Il se refuse à profiter de l'amnistie de 1859. En 1865 il publie la* Révolution française. *En 1870 il est élu député à l'Assemblée nationale. Il meurt en 1875.*

Œuvres complètes, *30 vol., 1881 ;* Lettres d'exil, *4 vol.,*

1885. *— Consulter* Mᵐᵉ *Edgar Quinet,* Mémoires d'exil, *1868-1870;* Edgar Quinet avant l'exil, *1887;* Edgar Quinet depuis l'exil, *1889;* Cinquante Ans d'amitié : Michelet et Quinet, *1899. Henri Monin a montré, dans la* Revue d'histoire littéraire de la France *(1907-1908 et 1910), qu'il faut consulter avec précaution l'édition des* Lettres d'exil *publiée par* Mᵐᵉ *Quinet : le texte en a été arbitrairement modifié par elle. — Le livre de P. Gautier :* Un prophète, Edgar Quinet, *1917, réédite des articles d'une grande clairvoyance politique, où Quinet, en dépit de son profond germanisme intellectuel, annonce les prochains dangers du germanisme; voir Henri Tronchon,* Allemagne, France, Angleterre. . *Le jeune Quinet ou l'Aventure d'un enthousiaste, 1937. — Sur d'autres curiosités étrangères dont témoigne son œuvre :* J. Boudout, Edgar Quinet et l'Espagne *(Revue de littérature comparée, janvier-mars 1936);* J.-B. Aquarone, *Edgar Quinet et le Portugal (ibid., janvier-mars 1938).*

Edgar Quinet, que nous étudions parmi les historiens, a été aussi un poète et un philosophe qui s'est dépensé au service de la France et de la démocratie. Son talent, apparenté au génie de Michelet et de Hugo, a-t-il été vraiment méconnu ?

« On nous pilerait tous dans un mortier, disait Lamartine à un correspondant, que nous ne fournirions pas la quantité de poésie qu'il y a dans cet homme. » Henri Heine écrivait dans *Lutèce* qu'il n'y avait pas au monde trois poètes doués d'autant d'imagination, de richesse d'idées et d'originalité qu'Edgar Quinet. Voilà qui invite à relire les poèmes en prose ou en vers intitulés *Ahasvérus* (1833), *Napoléon* (1836), *Prométhée* (1838), *Merlin l'Enchanteur* (1860), où s'épanchent le symbolisme, le panthéisme. Faut-il avouer qu'on sort de ces lectures à demi déçu? Ces œuvres fantastiques et gigantesques, rudes, rocailleuses, d'un admirateur de nos vieilles épopées, d'un disciple de Chateaubriand entiché de Herder, de Gœthe et de Walter Scott, révèlent bien un poète, mais un poète qui n'avait ni le génie du style clair, ni le don du vers.

Historien, il détruisit avant Heine l'image fabuleuse de l'Allemagne tracée par Mᵐᵉ de Staël. Dès 1832, il dénonçait avec une clairvoyance prophétique la « teutomanie » et l'ambition de la Prusse, qui rêvait de réaliser par la force l'unité allemande. Il retraça aussi l'histoire tumultueuse des révolutions d'Italie. Sol et monuments, hommes et dieux, littérature et religion, sa pensée embrasse la complexité de la vie. *Marnix de Sainte-Aldegonde* (1854), l'*Histoire de la campagne de 1815* (1862), l'*Histoire de la Révolution* (1865), études sérieuses, fouillées, enthousiastes, se lisent encore avec intérêt.

Républicain avant 1848, résolument hostile à l'Empire, anticlérical et religieux à la fois, préoccupé comme Michelet de l'enseignement du peuple, défenseur des nationalités opprimées, il mérite tout respect pour sa haute conscience. Sa pensée éveilla, en France et par-delà les frontières, des échos lointains et prolongés. Les lettres qu'il recevait de tous les points de l'Europe, aujourd'hui conservées à la Bibliothèque nationale, témoignent qu'il fut un apôtre écouté. Cosmopolite en littérature, il resta toujours un patriote idéaliste. On pourrait lui

EDGAR QUINET. Portrait gravé par E. Leguay.
CL. LAROUSSE.

appliquer, aussi justement qu'à Mme de Staël, la belle formule d'Émile Faguet : « Il fut un esprit européen dans une âme française. »

THIERS. MIGNET. HENRI MARTIN

Né à Marseille en 1797, Adolphe Thiers publie de 1823 à 1827 une Histoire de la Révolution française depuis 1789 jusqu'au 18-Brumaire, *en 10 volumes. En 1830, il rédige la protestation de la presse contre les* Ordonnances. *Sous la Monarchie de juillet, il est député, ministre de l'Intérieur, président du Conseil, à deux reprises. A partir d'octobre 1840, il figure dans l'opposition et travaille à son* Histoire du Consulat et de l'Empire, *dont les vingt volumes parurent de 1845 à 1855. Chacun sait quel fut son rôle de 1870 à 1873 comme chef du pouvoir exécutif, puis comme président de la République. Il mourut en 1877. — Voir : Sainte-Beuve,* Causeries du lundi, *t. XII;* P. de Rémusat, Thiers, *1889;* Alphonse Aulard, Études et leçons sur la Révolution française, *1893,*

THIERS en 1849. Lithographie d'Alophe. CL. LAROUSSE.

et les Premiers Historiens de la Révolution française, *dans la revue la* Révolution française, *1901;* Maurice Reclus, Monsieur Thiers, *1929;* Georges Lecomte, Thiers, *1933.*

De même que son ami Thiers, François Mignet, né à Aix en 1796, débuta comme avocat et comme journaliste libéral. Rédacteur au Courrier français, *il se fit applaudir à ses cours de l'Athénée. En 1824, paraît son* Histoire de la Révolution française de 1789 à 1814. *En 1830, il fonde le* National *avec Thiers et Armand Carrel; il déploie pendant les Journées de juillet du talent et du courage. Louis-Philippe le nomme directeur des Archives au ministère des Affaires étrangères. Secrétaire perpétuel de l'Académie des sciences morales à partir de 1837, il rédigea des notices et des éloges qui restent des modèles du genre. Il publie les* Négociations relatives à la succession d'Espagne *(1835-1842), puis plusieurs monographies :* Antonio Perez et Philippe II *(1846),* Histoire de Marie Stuart *(1851),* Charles-Quint, son abdication... *(1854), etc. Il mourut en 1884. — Voir Édouard Petit,* François Mignet, *1889.*

Henri Martin (1810-1883) publie d'abord en collaboration son Histoire de France, *15 volumes, 1833-1834. La deuxième édition, 19 volumes, 1838-1854, qu'il rédigea seul, comporte une préface importante. — Voir Gabriel Hanotaux,* Henri Martin, sa vie et ses œuvres, *1885.*

Chateaubriand considérait Thiers et Mignet comme les chefs de ce qu'en ses *Études historiques* (1831) il appelle arbitrairement l' « école fataliste ». Tout ce qu'on peut lui concéder, c'est que Thiers affecte de voir dans les événements le développement logique de causes données et de « rester impassible devant le vice et la vertu comme devant les catastrophes les plus tragiques ». L'histoire, pour lui, n'est que la « glace sans tain » à travers laquelle les événements et les hommes apparaîtraient tels qu'ils furent, sans déformation, sans interprétation. S'il ne justifie pas les excès de la Révolution, il les explique. Narrateur facile et brillant, il contribue à populariser l'histoire traditionnelle de la Révolution, puis celle du Consulat et de

l'Empire. Cet écrivain qui semblait savoir tout, et qui savait beaucoup, avait pour règle de supposer que ses lecteurs ignoraient tout. Aussi veut-il être simple, clair, transparent. Dans ses livres, pas de portraits, pas de tableaux, tout juste des dessins, des esquisses; le ton de la conversation, des titres parlants, un récit coulant, aisé, où l'intérêt sort du fond des choses. La bataille d'Eylau, l'incendie de Moscou sont d'une vérité saisissante. Fermé au romantisme, Thiers s'interdit de se mettre lui-même en scène, de déclarer ses propres sentiments. Sa personnalité se décèle pourtant dans son admiration un peu exclusive pour Napoléon. Il eut le tort de ne voir que lui partout, que lui toujours, et de passer trop vite sur la vie politique, morale et religieuse de la France. Du moins il fut le premier à tenter une grande synthèse, après avoir frappé à bien des portes, interrogé tout le monde, fouillé bien des dépôts d'archives et parcouru l'Europe. Sa façon d'écrire, souvent critiquée ou dédaignée, a été défendue par Sainte-Beuve.

Mignet débuta par cette *Histoire de la Révolution*, œuvre rapide, un peu superficielle, apologétique, où toute politique est jugée d'après ses résultats. Puis, se restreignant à des monographies fouillées, il s'efforce d'observer le précepte de son ami Thiers : « Être simplement vrai, être ce que sont les choses elles-mêmes. » Ses études sont des modèles d'histoire objective, impersonnelle. De rares portraits, tirés des textes du temps, des anecdotes puisées aux meilleures sources, des résumés clairs et méthodiques, quelques tableaux remarquables, voilà ce qui en fait l'intérêt. Son style, naturel, un peu apprêté, parfois, a pu paraître dénué de hautes qualités.

Moins artiste encore que Mignet, Henri Martin voulut populariser notre histoire. Disciple de Thierry et de Michelet, il se disait un « Celte incorrigible ». Pour lui « la France nouvelle, l'ancienne France, la Gaule sont une seule et même personne morale ». Ne prétendait-il pas retrouver le Gaulois de jadis dans le Français de 1830? Il eut du moins le mérite de relier plus étroitement que n'avaient fait ses devanciers notre histoire à l'histoire générale de l'Europe et de faire une très large part aux lettres et aux arts, aux révolutions économiques et philosophiques.

CRITIQUES LITTÉRAIRES

ROMANTISME ET CRITIQUE

Consulter sur les critiques de ce temps : F. Brunetière, *l'Évolution des genres : l'Évolution de la critique, 1890;* Ch.-M. Des Granges, *la Presse littéraire sous la Restauration, 1907;* Marie-Louise Pailleron, *François Buloz et ses amis, 1919, 1923, 1925;* Cent Ans de vie française *(Livre du centenaire de la « Revue des Deux Mondes »), 1929;* A. Pereire, *le Journal des Débats politiques et littéraires, 1814-1914, 1924.*

Le Romantisme, « école d'enthousiasme », ne passe point pour avoir été une école de critique. Et pourtant il est remarquable que les grands poètes romantiques se soient tous complu à traiter des problèmes les plus hauts ou les plus actuels de l'esthétique et de l'histoire des lettres. Ne devons-nous pas à Victor Hugo : *Littérature et philosophie mêlées*, la préface de *Cromwell*, *William Shakespeare?* à Musset les *Lettres de Dupuis et Cotonet?* Faut-il rappeler *les Grotesques* de Théophile Gautier (1833) et les innombrables feuilletons de *la Presse* et du *Moniteur* où, durant tant d'années, habile aux « transpositions d'art », il a exercé sur les œuvres de ses contemporains, dramaturges ou poètes lyriques, peintres ou sculpteurs, la féconde « critique des beautés » souhaitée par Chateaubriand et définie par Victor Hugo dans la préface de *Cromwell?*

VILLEMAIN

Abel-François Villemain (1790-1867) enseigna au lycée Charlemagne, puis à l'École normale, puis, de 1816 à 1830, en Sorbonne. Élu à l'Académie française dès 1821, il en devint le secrétaire perpétuel en 1832 et rédigea en cette qualité la préface de la sixième édition du Dictionnaire *(1835). Peu avant la révolution de 1830, il avait été élu député; nommé pair de France en 1832, il fut deux fois ministre, en 1839-1840 (ministère Soult) et de 1840 à 1845 (ministère Guizot). Son* Cours de littérature française *a paru de 1828 à 1829 (t. I-II,* Tableau de la littérature au moyen âge; *t. III-VI,* Tableau de la littérature au XVIIIᵉ siècle). *Citons en outre ses* Études de littérature ancienne et étrangère, *1857; son* Choix d'études sur la littérature contemporaine, *1857; son* Essai sur le génie de Pindare et la poésie lyrique, *1859. —* Voir G. Vauthier, *Villemain, 1913.*

VILLEMAIN. Portrait par Ary Scheffer (musée du Louvre). — CL. BRAUN.

Les cours de littérature de Villemain ont fortement agi sur le mouvement romantique. Ils représentent une répudiation nette de la critique dogmatique à la façon de La Harpe et un effort pour y substituer, selon l'esprit de Mᵐᵉ de Staël, une critique fondée sur l'idée de relativité : une œuvre de la pensée et de l'art n'est jamais que l'expression des mœurs du pays où elle se produit, à l'heure où elle se produit. Villemain, qui connaissait un peu l'Allemagne et très bien l'Italie et l'Angleterre, s'attache à comparer à la littérature française les autres littératures européennes, à en discerner les affinités et les dissemblances, à marquer les liens qui subordonnent chacune d'elles aux conditions historiques de civilisation du pays où elle se développe. On l'a souvent loué d'avoir de la sorte fondé l'histoire comparée des littératures; mais ne convient-il pas de réserver les titres de priorité à Fauriel? Toujours est-il que, par son éloquence aisée, par la variété et la souple ingéniosité de ses aperçus, Villemain a mérité cette belle louange de Sainte-Beuve : « Comme professeur Villemain a donné à la jeunesse et au public lettré les plus nobles fêtes de l'intelligence qui, en ce genre de critique et d'histoire littéraire, aient jamais honoré une époque et un pays. »

SAINTE-BEUVE AVANT LES « LUNDIS » ET SES AMIS

Charles-Augustin Sainte-Beuve est né le 23 décembre 1804 à Boulogne-sur-Mer. Après de fortes études classiques, commencées dans sa ville natale et (à partir de

1818) continuées à Paris, il entreprit, en 1823, des études de médecine qu'il poussa, semble-t-il, assez avant. L'année suivante, un professeur du collège Bourbon, Paul Dubois, qui venait d'être destitué pour affiliation au carbonarisme, fonda le Globe : *Sainte-Beuve, son ancien élève, fut embauché par lui comme « apprenti rédacteur ». Ayant déjà parlé de Sainte-Beuve comme poète et comme romancier, nous n'avons plus à considérer que son œuvre de critique. Les nombreux articles littéraires qu'il a publiés de ses débuts à 1850 dans le* Globe, *dans la* Revue de Paris *et dans la* Revue des Deux Mondes *ont été pour la plupart recueillis par lui en volumes sous les titres suivants :* Critiques et portraits littéraires, *1 vol., 1832; 5 vol., 1836-1839;* Portraits littéraires, *1844;* Derniers Portraits littéraires, *1852;* Portraits de femmes, *1844;* Portraits contemporains, *3 vol., 1846; et dans les 3 volumes posthumes des* Premiers Lundis *(1874-1875). Son* Histoire de Port-Royal *(cours professé en 1837-1838 à l'Académie de Lausanne) parut d'abord en 3 volumes (1840-1848; 2ᵉ édition, 5 vol., 1860; 3ᵉ édition, 7 vol., 1867; édition documentaire, 1926-1932). M. Jean Pommier a publié, en 1937, d'après le manuscrit de Chantilly,* Port-Royal, *le cours de Lausanne (1837-1838). Posthumes :* les Chroniques parisiennes, *1873. Les* Cahiers de Sainte-Beuve *ont paru en 1876; et Victor Giraud a fait connaître, en 1926, d'autres cahiers intimes qu'il a intitulés* Mes poisons. Cahiers intimes inédits, *1933. Voir aussi* Notes inédites de Sainte-Beuve *(publiées par Charly Guyot, 1931, et* Revue d'histoire littéraire, *1933-1934). La correspondance de Sainte-Beuve, qui a fait l'objet, à plusieurs reprises, de publications partielles, commence à être rassemblée dans la grande collection de sa* Correspondance générale *que M. Jean Bonnerot fait paraître depuis 1935. En 1947, 5 volumes avaient paru. Divers essais d'enfance et de jeunesse ont été retrouvés par Mᵐᵉ Paul de Samie (*Premières Cristallisations d'un esprit critique. *Revue d'histoire littéraire, 1931) et par Pierre Moreau (*Sainte-Beuve latiniste, *ibid., 1937).*

Voir : Jean Bonnerot, Bibliographie de l'œuvre de Sainte-Beuve, *t. I, 1937;* Gustave Michaut, Sainte-Beuve avant les « Lundis », *1903; —* Sainte-Beuve, *1921; André Bellessort,* Sainte-Beuve et le XIXᵉ siècle, *1927; Gabriel Brunet,* Regard sur Sainte-Beuve *(Mercure de France, 1926; recueilli dans* Évocations*); Victor Giraud, la* Vie secrète de Sainte-Beuve, *1935. Sur ses idées scientifiques et politiques :* Dʳ Morin, Sainte-Beuve et la médecine, *1928; Maxime Leroy, la* Pensée de Sainte-Beuve, *1941. Sur* Port-Royal : *Victor Giraud,* Port-Royal de Sainte-Beuve, *1929; René Bray,* Sainte-Beuve à l'Académie de Lausanne, *1937; J. Pommier,* Port-Royal de Sainte-Beuve, *1935. — Parmi les jugements de l'étranger sur Sainte-Beuve critique, on distinguera ceux de Matthew Arnold,* Sainte-Beuve *(dans l'*Encyclopédie britannique*).*

Plusieurs critiques contemporains de Sainte-Beuve ont, à divers degrés et à divers titres, enrichi d'informations sur l'histoire littéraire ou tenu en éveil par des chroniques brillantes les curiosités de l'époque romantique. On doit à Charles Magnin (1793-1862), critique du Globe *et de la* Revue des Deux Mondes, *les* Origines du théâtre en Europe

*(1838), l'*Histoire des marionnettes *(1852), etc.; à Jules Janin (1804-1874), critique dramatique du* Journal des Débats, *l'*Histoire de la littérature dramatique *(6 vol., 1853-1858), etc.*

Parmi les livres très nombreux qui composent l'œuvre de Jean-Jacques Ampère (1800-1864), on citera de préférence son Histoire littéraire de la France avant le XII*e siècle (1839), son livre sur* Ballanche *(1848) et son étude intitulée la* Grèce, Rome et Dante *(1859).* — *Voir Louis de Launay,* Un amoureux de M*me* Récamier, *1929. Voir aussi le* Journal *de J.-J. Ampère, 1927.*

Xavier Marmier (1809-1892), professeur de littératures étrangères à la faculté des lettres de Rennes en 1839, bibliothécaire puis administrateur de la bibliothèque Sainte-Geneviève, a écrit quelques romans qui ont pour cadre sa Franche-Comté natale, et de nombreux articles de critique ou récits de voyages, parus pour la plupart dans la Revue des Deux Mondes. *Deux monographies lui ont été consacrées, par Estignard (1893) et par Camille Aymonier (1928), et son curieux journal inédit a fait l'objet d'une étude de Pierre Moreau,* les Refoulements de Xavier Marmier *(Revue d'histoire de la philosophie, 1944).*

Philarète Chasles (1798-1873), fils d'un conventionnel régicide, passa une partie de sa jeunesse en Angleterre. Collaborateur du Journal des Débats, *de la* Revue des Deux Mondes, *professeur au Collège de France, il fut, parmi les critiques de ce temps, l'un de ceux qui eurent la connaissance la plus authentique et la plus approfondie des lettres anglo-saxonnes. Ame passionnée, tendue et vindicative, il a laissé, en dehors de ses nombreux ouvrages de critique, de pittoresques* Mémoires *(2 vol., 1876-1877).* — *Voir Margaret Phillips,* Philarète Chasles et la littérature anglaise, *1933.*

SAINTE-BEUVE. Gravure de Demarzy (B. N., Cab. des Estampes). - CL. LAROUSSE.

« Je suis, a écrit Sainte-Beuve, l'esprit le plus brisé et le plus rompu aux métamorphoses. J'ai commencé franchement et crûment par le XVIII*e siècle le plus avancé, par Tracy, Daunou, Lamarck et la physiologie : là est mon fond véritable. De là je suis passé par l'école doctrinaire et psychologique du *Globe*, mais en faisant mes réserves et sans y adhérer. De là j'ai passé au romantisme poétique et par le monde de Victor Hugo, et j'ai eu l'air de m'y fondre. J'ai traversé ensuite ou plutôt côtoyé le saint-simonisme et presque aussitôt le monde de Lamennais, encore très catholique. En 1837, à Lausanne, j'ai côtoyé le calvinisme et le méthodisme, et j'ai dû m'efforcer à l'intéresser. Dans toutes ces traversées, je n'ai jamais aliéné ma volonté et mon jugement (hormis un moment dans le monde de Hugo et par l'effet d'un charme), je n'ai jamais engagé ma croyance, mais je comprenais si bien les choses et les gens que je donnais *les plus grandes espérances* aux sincères qui voulaient me convertir et qui me croyaient déjà à eux. Ma curiosité, mon désir de tout voir, de tout regarder de près, mon extrême plaisir à trouver le vrai relatif de chaque chose et de chaque organisation m'entraînaient à cette série d'expériences qui n'ont été pour moi qu'un long cours de physiologie morale. » (*Notes et Pensées* recueillies au tome XI des *Lundis*.)

Ces lignes, que Sainte-Beuve écrivit vers 1839, résument de très complexes aventures spirituelles et morales. Des « expériences » qu'elles énumèrent, la plus mémorable dans l'histoire de nos lettres, la plus féconde, est l'expérience romantique. C'est la période où le jeune doctrinaire du *Globe* noue amitié, en 1827, avec Victor Hugo et le Cénacle, et compose, pour le publier l'année suivante, son admirable *Tableau historique et critique de la poésie française au XVIᵉ siècle*. Il y dénonce l'ingratitude de l'âge classique à l'égard de la Pléiade; il y restaure, ou plutôt il y découvre l'idée de l'ancienneté et de la continuité de notre tradition littéraire; il y montre qu' « en secouant le joug des deux derniers siècles », la nouvelle école française, l'école naissante de Victor Hugo, n'est pas en peine de « chercher dans nos origines quelque chose de national à quoi se rattacher ». Et durant les quatre ou cinq années qui suivirent, Sainte-Beuve ne s'est point lassé de soutenir l'effort de ses amis du Cénacle, de se faire (ces expressions sont de lui) « leur avocat, leur secrétaire, ou encore leur héraut d'armes ». Puis, de 1832 à 1835, s'est déroulée l'étrange crise religieuse et mystique où il a aspiré à « sortir de l'enfer des tièdes » et pris figure de disciple et d'exégète du Père Enfantin et de Lamennais tour à tour. Puis, il a traversé une autre période encore, une autre crise, qui s'est prolongée jusqu'à son départ pour Lausanne en 1837 et par-delà, au cours de laquelle, revenu de ses engouements, lassé de la critique « collaboratrice », comme il l'appelle, de la critique « auxiliaire, explicative, apologétique », il ne veut plus être qu' « un neutre », « un simple *cicerone* », rien qu' « un homme qui sait lire et qui apprend à lire aux autres »... Mais quand une fois, guidé par lui, on a cru discerner en effet ces périodes, lui-même nous avertit du danger de simplifier : « Quant à ce qui m'arriva après juillet 1830 de croisements en tous sens et de conflits intérieurs, je défie personne, excepté moi, de s'en tirer et d'avoir la clef; encore se pourrait-il bien que, si je voulais tout repasser, nuance par nuance, j'en donnasse ma langue aux chiens. » (Lettre à Émile Zola, *Nouvelle Correspondance*, p. 229.)

Toujours est-il qu'il rapporta de Lausanne le plus beau livre de critique littéraire dont s'honore la France, l'*Histoire de Port-Royal*. Bientôt il en écrira la préface, où on lit : « Je suis non pas un rhéteur, se jouant aux surfaces et aux images, mais une espèce de naturaliste des esprits, tâchant de comprendre et de décrire le plus de groupes possible, en vue d'une science plus haute qu'il appartiendra à d'autres d'organiser. J'avoue qu'en mes jours de grand sérieux, c'est là ma prétention et comme ma chimère. » On verra, au chapitre consacré à la littérature du second Empire, comment il sut poursuivre sa « chimère ».

S'ils n'avaient pas à endurer toujours le redoutable voisinage de Sainte-Beuve, on lirait plus volontiers et on apprécierait davantage ses émules : le très érudit et très fin critique du *Globe*, puis du *National*, Charles Magnin; le spirituel et pittoresque critique des *Débats*, Jules Janin, qui fit de son feuilleton une joviale causerie traversée de souvenirs hétéroclites et d'un bric-à-brac de digressions; Jean-Jacques Ampère, prototype de la critique voyageuse, qui va à travers le monde à la recherche des horizons qui furent ceux des poètes d'autrefois; Xavier Marmier, grand voyageur aussi, explorateur des littératures et des âmes du Nord; le truculent Philarète Chasles.

LA RÉSISTANCE AU ROMANTISME

Désiré Nisard (1806-1888) débuta comme journaliste politique : il collabora au Journal des Débats *et au* National. *Il devint ensuite maître de conférences à l'École normale, puis professeur au Collège de France, puis, à partir de 1852, professeur en Sorbonne. Élu à l'Académie en 1850, il fut directeur de l'École normale de 1857 à 1867. Les tomes I-III de son* Histoire de la littérature française *ont paru de 1844 à 1849; le tome IV, en 1861. Parmi ses autres ouvrages, on citera les suivants :* Études sur les poètes latins de la décadence, *1834;* les Quatre Grands Historiens latins, *1872;* Portraits et études d'histoire littéraire.*

Gustave Planche (1808-1857), collaborateur du Journal des Débats *et de la* Revue des Deux Mondes, *a recueilli un certain nombre de ses articles dans ses* Portraits littéraires *(2 vol., 1848) et ses* Nouveaux Portraits littéraires. *Il est de ceux qui ont orienté vers les lettres étrangères, et en particulier vers l'Angleterre, les curiosités de la critique. — Voir Sœur Mary Benvenuta Bas,* Gustave Planche, *1936.*

Saint-Marc Girardin (1801-1873) enseigna à la Sorbonne de 1833 à 1863. Ses principaux ouvrages sont les suivants : Cours de littérature dramatique, *5 vol., 1843;* Essais de littérature et de morale, *1844;* La Fontaine et les fabulistes, *2 vol., 1867;* J.-J. Rousseau, *2 vol., 1875.*

A l'encontre de cette critique sympathique au romantisme et tout imprégnée d'esprit historique, Nisard revendique pour le critique le droit de juger l'œuvre littéraire en vertu d'un certain code, d'un certain idéal de beauté. Son œuvre marque un retour, nous ne disons pas une régression, vers le dogmatisme de La Harpe ou de Voltaire. « Le goût, a écrit Voltaire, peut se gâter chez une nation : ce malheur arrive d'ordinaire après les siècles de perfection. Les artistes, craignant d'être des imitateurs, cherchent des routes écartées; ils s'éloignent de la belle nature, que leurs prédécesseurs ont saisie... Le goût se perd, on est entouré de nouveautés, qui sont rapidement effacées les unes par les autres; le public ne sait plus où il en est, et il regrette en vain le siècle du bon goût, qui ne peut plus revenir. » Ce siècle du bon goût, Nisard aura passé sa vie à le regretter. Dès 1833, dans son *Manifeste contre la littérature facile*, il reproche à ses contemporains d'avoir oublié les leçons des grands classiques. En 1834, ses savantes études sur *les Poètes latins de la décadence* sont farcies de diatribes amères à l'adresse des romantiques. Dans son *Histoire de la littérature française*, où il va sans dire qu'il réduit à la portion congrue le moyen âge et « l'art confus de nos vieux romanciers », il loue le XVIᵉ siècle en tant qu'il prépare le siècle de Louis XIV, le XVIIIᵉ siècle dans la mesure seulement où celui-ci maintient la tradition du siècle de Louis XIV. « S'il est vrai, dit Nisard, que plus on voit les choses de haut, plus on les voit dans leur vérité, le XVIIᵉ siècle étant le point le plus haut d'où l'on peut regarder les choses de l'esprit en France, c'est de cette hauteur, où l'on respire la modération et la sérénité, qu'on jugera le plus équitablement ce que le XVIᵉ siècle a fait pour préparer la perfection des lettres françaises et ce que le XVIIIᵉ siècle a fait pour n'en pas déchoir. »

Ce même fanatisme de beauté classique devint, chez Gustave Planche, acharnement hargneux contre le romantisme quand ce critique malveillant se fut brouillé avec les romantiques. Sous son influence (car il joua auprès de Buloz un rôle de conseiller littéraire), la *Revue des Deux Mondes* s'ouvrit avec plus de circonspection à la jeune littérature. Vers le même temps, les cours de Saint-Marc Girardin mettaient en garde la jeunesse contre les illusions et la confusion morale que répandaient les livres du siècle.

Dans le déclin du romantisme, la critique, qui s'était naguère associée aux succès du Cénacle, se prenait à morigéner l'enfant prodigue, maintenant vieilli.

VI. — PUBLICISTES ET PAMPHLÉTAIRES, PHILOSOPHES, ORATEURS

L'OPPOSITION A LA RESTAURATION

De nombreux écrivains ont combattu le gouvernement des Bourbons : leurs œuvres polémiques, jadis retentissantes, sont aujourd'hui presque oubliées. C'est le cas des odes ardentes de Casimir Delavigne, *les Messéniennes* (1818-1819); ou encore des articles satiriques qu'Étienne de Jouy, sous le pseudonyme de « l'Ermite de la Chaussée-d'Antin », répandit dans les journaux; et c'est aussi le cas de ses libelles, spirituels et caustiques, *les Ermites en prison* (1823), *les Ermites en liberté* (1824). Mais l'œuvre de Benjamin Constant subsiste.

BENJAMIN CONSTANT

Benjamin Constant de Rebecque est né à Lausanne en 1767. Issu d'une famille française qui s'était expatriée après la révocation de l'Édit de Nantes, il revendiqua en 1794 et obtint le titre de citoyen français. Au lendemain du 18-Brumaire, il entra au Corps législatif et le Premier Consul l'appela au Tribunat, mais l'en exclut bientôt, mécontent de son attitude d'opposant. En 1804, il le bannit, en même temps que Mᵐᵉ de Staël. Benjamin Constant se fixa à Weimar, non sans faire de fréquents voyages en Suisse, où l'attirait sa liaison, fertile en orages, avec la dame de Coppet. En 1813, après la bataille de Leipzig, il lança contre l'empereur un violent pamphlet, De l'esprit de conquête et d'usurpation. *Il rentra en France à la suite des Alliés et soutint ardemment, surtout par des articles donnés au* Journal des Débats, *la cause des Bourbons. Trois semaines avant le retour de l'île d'Elbe, il publiait son article célèbre : « Je n'irai pas, misérable transfuge... » Pourtant il se rallia vite à « Gengiskhan », à l'« Attila de nos jours », et Napoléon, qui avait besoin des libéraux, le chargea de rédiger l'Acte additionnel aux constitutions de l'Empire, et le nomma conseiller d'État. Après Waterloo, Constant se réfugia un temps en Angleterre. Rentré à Paris dès 1816, il entreprend dans le* Courrier français, *dans le* Constitutionnel, *dans la* Minerve française *(fondée par lui en 1818) et poursuit à la tribune (il avait été élu député de la Sarthe en 1819) la longue campagne d'articles et de discours qui fit de lui le chef de l'opposition libérale. Dans l'entre-temps il compose son* Cours de politique constitutionnelle *(4 vol., 1818-1820) et son traité* De la religion considérée dans sa source, ses formes et ses développements *(5 vol., 1826-1831; ouvrage auquel il faut joindre le volume posthume intitulé* Du polythéisme romain, *1833). Il fut l'un des deux cent vingt et un députés qui firent de Louis-Philippe le roi des Français. Louis-Philippe le nomma président du Conseil d'État. « Je vous préviens que je vous combattrai tout de même, si je vous trouve mauvais », aurait-il dit au roi. Malgré la méfiance qu'avait fini par inspirer sa versatilité, quand il mourut, aux derniers jours de 1830, la jeunesse libérale des Écoles lui fit de magnifiques funérailles.*

On doit à Gustave Rudler une Bibliographie critique *des œuvres de B. Constant, 1908. Ses principales* Œuvres politiques *ont été recueillies par Ch. Louandre en 1874. Son* Journal intime *a été publié en 1887 par Adrien Constant (avec des « Lettres à sa famille et à ses amis ») et réédité en 1895 par Dora Melegari (édition plus complète par J. Mistler,* Journal intime, *1946).*

Voir : Émile Faguet, Politiques et moralistes, *1re série, 1891; G. Rudler,* la Jeunesse de B. Constant, 1767-1794, *1909; Victor Glachant,* B. Constant sous l'œil du guet, *1906; Jacqueline de La Lombardière,* les Idées politiques de B. Constant, *1928; André Romieu,* B. Constant et l'esprit européen, *1933. (Voir aussi p. 198.)*

Sola inconstantia constans : on ne saurait en quelques lignes montrer la convenance de cette singulière devise, qui fut celle de Benjamin Constant; seule une analyse longue et nuancée pourrait rendre intelligible la carrière tourmentée, régie à la

BENJAMIN CONSTANT. Peinture anonyme.
CL. BIBL. NAT.

PAUL-LOUIS COURIER. Peinture d'Ary Scheffer (musée de Versailles). — CL. LAROUSSE.

fois par l'irrésolution et par l'audace, de ce velléitaire sans cesse engagé dans l'action. Mais sa riche intelligence fut moins souple et moins ondoyante que sa conduite. Tous les courants du cosmopolitisme ont eu beau la traverser : Benjamin Constant est demeuré fermement attaché à un sentiment simple, unique, qui fut un individualisme ombrageux, irréductible, racine et substance de toute son œuvre. « Par liberté, a-t-il écrit, j'entends le triomphe de l'individualité tant sur l'autorité qui voudrait gouverner par le despotisme que sur les masses qui réclament le droit d'asservir la minorité à la majorité. » C'est cette doctrine, immuable, qu'il développe sous les formes les plus variées, selon les besoins de l'heure, car il faut l'approprier à des circonstances politiques incessamment changeantes; c'est à son service qu'il dépense les trésors de son talent, fait de clarté et de causticité; c'est elle qui anime ses *Principes de politique* et ce *Cours de politique constitutionnelle* qui devint pour la bourgeoisie de son temps le bréviaire du libéralisme.

La même doctrine a inspiré le livre auquel il travailla le plus longtemps et avec une prédilection particulière, son traité *De la religion.* Il y réfute l'athéisme et le déisme, et c'est au christianisme qu'il adhère : mais non pas à la façon des théocrates ses contemporains, Chateaubriand, Joseph de Maistre, de Bonald ou Lamennais; bien au contraire, son dessein plus ou moins conscient est de ruiner leurs livres et surtout le *Génie du christianisme.* Protestant d'origine, il se défie de toutes les « corporations sacerdotales », des corporations sacerdotales du protestantisme aussi bien que des autres; et ce qu'il revendique, comme il convenait à un descendant des plus vieux huguenots français et à un disciple de nos philosophes du XVIIIe siècle, c'est surtout la liberté du for intérieur, « une liberté illimitée, infinie, individuelle, qui entourera la religion d'une force invincible et en garantira la perfectibilité ».

PAUL-LOUIS COURIER

Paul-Louis Courier, né à Paris le 4 janvier 1772, fut élevé dans l'amour des bonnes lettres, et particulièrement du grec et du latin, par son père, un Champenois qui avait acheté une terre en Touraine, à Cinq-Mars, et s'y était établi. Paul-Louis, ayant achevé ses études à Paris, fut admis en 1791 à l'école d'artillerie de Châlons et servit dans l'artillerie jusqu'en 1812, date où il quitta l'armée avec le grade de chef d'escadron. Il a trop médit de ce métier, qui fut le sien pendant plus de vingt ans. Sa car-

rière, fertile en incidents provoqués par son humeur atrabilaire et fantasque et par son indiscipline, s'est déroulée tantôt parmi les batailles, tantôt dans des parcs d'artillerie ou dans de paisibles villes de garnison, de préférence en Italie, à proximité des musées et des bibliothèques. Il consacrait les loisirs que lui laissait la servitude militaire à des travaux et à des jeux d'antiquaire et d'humaniste : il composait des lettres ingénieuses, aussi soignées de style que celles de Pline le Jeune; lié avec les hellénistes Boissonade, Coraï, Anse de Villoison, il s'appliquait à traduire et à commenter des ouvrages grecs : l'Ane de Lucius de Patras, les Pastorales de Longus. *Rentré en France en 1812, il s'occupa d'abord, à Paris, d'éditer l'un de ces travaux : le traité de Xénophon* Du commandement de la cavalerie et de l'équitation, *« traduit par un officier d'artillerie à cheval », parut en 1813. L'année suivante, Paul-Louis revint aux lieux où s'était écoulée son enfance, en Touraine, et publia le 10 décembre 1816 une* Pétition aux deux Chambres, *le premier de ses libelles politiques. Son activité de pamphlétaire ne prendra fin qu'à sa mort : le 10 avril 1825, près de sa ferme de la Chavonnière, à Véretz, il périt assassiné dans un bois par ses domestiques. Sa femme, fille de l'helléniste Clavier, fut impliquée dans cette affaire, dont le mystère n'est pas entièrement dissipé.*

Œuvres complètes *de P.-L. Courier, 4 vol., 1834;* Œuvres complètes, *1940 (édition de la Pléiade). Voir, en tête de cette édition, l'*Essai sur la vie et les écrits de P.-L. Courier *composé en 1829 par son ami Armand Carrel. Voir aussi : Sainte-Beuve,* Causeries du lundi, *tome VI, et* Nouveaux Lundis, *tome IV; Robert Gaschet,* la Jeunesse de P.-L. Courier, *1911; — P.-L. Courier et la Restauration, 1913; — les Aventures d'un écrivain : P.-L. Courier, 1928; Louis André,* l'Assassinat de P.-L. Courier, *1913; Victor Perrot,* l'Assassinat de P.-L. Courier, *1913; Jean Giraud,* Préface aux Œuvres choisies de P.-L. Courier, *1913. Sur la mort de Paul-Louis Courier, Ernest Fornairon,* le Mystère de la Chavonnière, *1941.*

Tous les traités de psychologie morbide décrivent un certain caractère, celui du persécuté qui se fait persécuteur. Un premier libelle de Paul-Louis, intitulé *Conseils à un colonel,* qu'il ne fit pas imprimer, manifeste chez lui, dès 1803, ce tempérament. Un autre incident en met en pleine lumière tous les signes. C'était à Florence, en

LA TACHE D'ENCRE sur le manuscrit de Longus.

novembre 1809. Paul-Louis, qui travaillait alors à sa traduction de Longus, avait découvert à la bibliothèque San Lorenzo un manuscrit très important, car seul il nous a conservé un certain passage de *Daphnis et Chloé*. Notre canonnier à cheval avait pris une copie dudit passage et s'appliquait à la réviser quand il fit, précisément sur le feuillet le plus précieux du manuscrit, une tache d'encre, « une horrible tache ». A dessein, à ce que soutint, dans une brochure injurieuse, le bibliothécaire, Francesco del Furia. Il tombait mal : Paul-Louis Courier riposta par sa *Lettre à M. Renouard, libraire* (1810), où, non content de se défendre, il impliquait dans l'obscure querelle, outre « le seigneur Furia » et sa cabale, on ne sait combien d'autres adversaires, pour les accabler de coups haineux, savamment calculés. De ce jour, il dut prendre pleine conscience de sa vraie, de sa redoutable vocation.

Elle se déploiera pendant les dix dernières années de sa vie : le gouvernement des ultras fournit à ses critiques la plus riche matière. Aux premiers jours du règne de Louis XVIII, Paul-Louis, s'il faut l'en croire, avait « donné dans la Charte en plein » : il fut bientôt désabusé. Charles de Rémusat a écrit quelque part : « Nous ne savions même pas la Révolution, c'est la Restauration qui nous l'apprit; avec une rapidité singulière, la première vue de la Restauration fit comprendre, même à ceux qui l'accueillirent sans vive inimitié, pourquoi l'Ancien Régime avait dû périr, pourquoi la Révolution s'était faite. » Outré par la Terreur blanche, Paul-Louis, qui s'était composé une figure de paysan, s'employa, « tout en soignant ses sainfoins, ses bois, ses vignes », à « tirer au noble et au capucin ». De son village, « le vigneron de la Chavonnière » adresse au journal parisien *le Censeur* une douzaine de lettres satiriques. Dans une notice rédigée par un « témoin de sa vie », elles sont appréciées en ces termes : « La petite collection des *Lettres au « Censeur »* commença à populariser le nom de l'auteur... Ces lettres, assez répandues, révélèrent au public ce talent et ce courage nouveau d'un sincère ami

du pays, dont l'esprit, élevé au-dessus de tous les préjugés, voit partout la vérité, la dit sans aucune crainte, et la dit de manière à la rendre accessible à tous, vulgaire, et, si l'on veut même, triviale et villageoise. Ajoutez à cela que, par un prodige tout à fait inouï, cet écrivain qui semble ne chercher que le bon sens s'exprime avec une pureté et une élégance de langage entièrement perdues de nos jours et qui empreint ses écrits d'un caractère inimitable. » Le *Simple Discours de Paul-Louis* contre le projet d'acheter par souscription nationale et d'offrir au duc de Bordeaux le domaine de Chambord (1821), et la *Pétition à la Chambre des députés pour des villageois que l'on empêche de danser* (1822), et les savoureux articles de la *Gazette du village* (1823), où les menées des « cagots » sont si hardiment dénoncées, sont de petites *Provinciales* tourangelles; et *le Pamphlet des pamphlets* caricature les persécuteurs du libéralisme d'un trait mordant où il y a, encore, du Voltaire et, déjà, du Daumier.

Il se disait « un paysan qui sait le grec et le français ». Il avait en effet pratiqué assidûment les meilleurs écrivains de l'Antiquité classique et de la France : il s'enchantait à lire *le Petit Jehan de Saintré*, les *Cent Nouvelles nouvelles* et nos conteurs du XVIe siècle, Rabelais, et Montaigne, et Amyot. Quant au XVIIe siècle, le style de « la moindre femmelette de ce temps-là » lui semblait préférable au style de J.-J. Rousseau et de Diderot : s'il pardonnait au XVIIIe siècle, ce n'était guère qu'en faveur de Voltaire et de Beaumarchais.

Ces maîtres aimés, grecs, latins et français, il les a imités avec bonheur : pour l'atticisme, on l'a égalé à Lysias; pour la naïveté, à Clément Marot. Jamais écrivain n'a plus peiné pour que son style semblât naturel et spontané. Il se compare tantôt à un sculpteur minutieux, tantôt à un peintre qui multiplie ses retouches, tantôt à un menuisier auquel il manquerait des outils pour enlever certains nœuds. Il n'a jamais rien publié que d'achevé. Aussi est-il arrivé à plusieurs de ses pamphlets de paraître trop tard pour agir sur l'opinion. Mais ces menus chefs-d'œuvre, éphémères par destination, on les relit encore après cent ans écoulés, on les admire encore.

BÉRANGER

Pierre-Jean de Béranger est né à Paris le 19 août 1780. Sa « particule féodale » ne doit pas en imposer : « J'ai eu de mon père, écrit-il, pour toute succession, une généalogie armoriée, à laquelle il ne manque que les pièces justificatives, l'exactitude historique, et les vraisemblances morales. » De toute façon, Béranger est du peuple. L'un de ses grands-pères était tailleur dans la rue Montorgueil; l'autre, cabaretier en Picardie; sa mère était ouvrière modiste. Il fut élevé misérablement par une tante, à Péronne. A treize ans, il entre comme apprenti dans une imprimerie; à dix-huit, il suit à Paris son père, fantasque personnage qui essaya des spéculations de banque, fit faillite et fut emprisonné. Il se met à faire des vers; il ose un jour, à tout hasard, adresser deux poèmes dithyrambiques, le Rétablissement du culte et le Déluge, à Lucien Bonaparte, qui le prend sous sa protection et lui abandonne son traitement de membre de l'Institut. En 1809, le poète Arnault obtient pour lui une place de surnuméraire dans les bureaux de l'Université impériale. Mais les théâtres refusent ses comédies, et l'Almanach des Muses refuse ses vers.

Il y avait à Péronne une société d'amis, le Couvent des Sans-Soucis, où l'on se plaisait aux bons dîners égayés de couplets. Béranger composa pour les Sans-Soucis des chansons qu'ils admirèrent. « En 1813, a-t-il écrit, des copies à la main du Sénateur, du Petit Homme gris, des Gueux et surtout du Roi d'Yvetot révélèrent mon nom aux amateurs du genre. » Cette année-là, il est admis au Caveau de Paris, et, sur le conseil de ses confrères parisiens, il publie en 1815 son premier recueil de Chansons. *Le second (1821), tout plein de satires politiques, lui vaut d'être destitué de son emploi, et condamné à trois mois de prison. En 1825 parut un troisième recueil; à l'apparition du quatrième (1828), il fut condamné à un emprisonnement de dix-huit mois, et à une amende de dix mille francs, qui fut payée par une souscription publique.*

Béranger publia en 1833 un cinquième recueil : « Mais la révolution de 1830, a-t-il dit encore, en détrônant Charles X, avait détrôné la chanson. » Il vécut désormais dans une sorte de retraite. Il mourut à Paris le 16 juillet 1857. L'année suivante parurent ses Œuvres posthumes, Dernières Chansons, *1834-1851.*

Œuvres complètes de Béranger, 4 volumes, 1868-1878. — Voir : Sainte-Beuve, Portraits contemporains, *tome I, et* Causeries du lundi, *tomes II et XV;* Renan, Questions contemporaines, *1868 (très dédaigneux à l'égard de Béranger);* A. Boulle, Béranger, *1908;* Stéphane Strowski, Béranger, *1913;* Lucas Dubreton, Béranger : la Chanson, la politique, la société, *1934;* Pierre Moreau, le Mystère Béranger *(Revue d'histoire littéraire, 1933).*

Dès 1729 la société du Caveau, qui se dispersa plusieurs fois pour se reformer bientôt, avait groupé d'aimables chansonniers; au cours du XVIIIe siècle, Panard et Piron, Collé, Gallet, Crébillon le père et Crébillon le fils en firent partie : ils célébraient sur des airs de ponts-neufs Bacchus et les belles. C'est de cette inoffensive tradition que procède, à ses débuts, l'art de Béranger.

S'il était resté l'hôte applaudi du Couvent des Sans-Soucis et du Caveau, s'il n'avait rimé que les couplets épicuriens, gaillards ou égrillards du *Vieux Célibataire* ou des *Cinq Étages*, on ne le considérerait aujourd'hui que comme le rival de son ami Désaugiers (1772-1829); on laisserait aux amateurs du genre le soin de décider si c'est le chantre de Lisette ou le chantre de M. et Mme Denis qui mérite le mieux d'être proclamé « l'Anacréon français ».

Mais il a expressément revendiqué un autre titre : il a voulu être, en outre, « l'Aristophane français ». Il s'est fait avant tout le « champion des intérêts populaires ». (Préface des *Dernières Chansons*.)

Les chansons qui l'ont rendu célèbre sont des pamphlets. On y admire encore aujourd'hui, malgré les défaillances d'une langue pauvre et d'une versification peu raffinée, un art qui tient de celui du dramaturge : Béranger excelle à enfermer dans le cadre étroit de la chanson une action vive; il campe en quelques couplets des personnages, simplifiés sans doute, mais expressifs. Une passion les possède : la haine de la réaction légitimiste, la colère contre la tyrannie des ultras et des « révérends pères » :

Hommes noirs d'où sortez-vous ?
— Nous sortons de dessous terre,
Moitié renards, moitié loups...

Les querelles politiques de ce temps ne nous sont plus pleinement intelligibles, et c'est pourquoi l'éclatant prestige dont Béranger fut enveloppé de son vivant surprend

P.-J. DE BÉRANGER. Dessin de Charlet figurant en tête de « Ma biographie » (1857). - CL. LAROUSSE.

J'ai faim, dit-il, et bien vite
Je sers piquette et pain bis;
Puis il sèche ses habits...

(*Les Souvenirs du peuple.*)

LA LÉGENDE NAPOLÉONIENNE. Dessin de Charlet; lithographie de Lemercier. — CL. LAROUSSE.

quelque peu la postérité. Un Lamartine, un Chateaubriand l'ont admiré ou adulé. En 1831, dans la préface de ses *Études historiques*, Chateaubriand l'a exalté en ces termes : « Sous le simple titre de *chansonnier*, un homme est devenu un des plus grands poètes que la France ait produits; avec un génie qui tient de La Fontaine et d'Horace, il a chanté comme Tacite écrivait. » C'est surtout qu'il avait bien servi certaines des causes de Chateaubriand.

Son coup de génie fut d'inventer, pour faire pièce aux ultras, le thème du regret de l'Autre :

Il vous a parlé, grand'mère !
Il vous a parlé !

Un conquérant, dans sa fortune altière,
Se fit un jeu des sceptres et des lois
Et de ses pieds on peut voir la poussière
Empreinte encor sur le bandeau des rois.

Le Vieux Sergent, le Vieux Drapeau, Honneur aux enfants de la France, Il n'est pas mort, beaucoup d'autres pièces propagèrent dans le peuple la légende napoléonienne :

Des nations chacune a sa souffrance :
Il manque un homme en qui le monde ait foi.
C'est lui qu'on veut! Rends-le vite à la France,
Mon Dieu! Sans lui je ne puis croire en toi.
Mais, loin de nous, sur des rochers funestes,
Dans son manteau si pour toujours il dort,
Ah! que mon sang rachète au moins ses restes!
N'est-il pas vrai, mon Dieu, qu'il n'est pas mort?

Béranger avait composé, pour être publié après sa mort, un petit ouvrage intitulé *Ma biographie* : il s'y juge lui-même en ces termes très justes : « Dès que je me fus rendu compte de la nature de mes facultés et de l'indépendance littéraire que la chanson me procurerait, je pris mon parti résolument : j'épousai la pauvre fille de joie avec l'intention de la rendre digne d'être présentée dans les salons de notre aristocratie, sans la faire renoncer pourtant à ses anciennes connaissances, car il fallait qu'elle restât fille du peuple, de qui elle attendait sa dot. J'en ai été récompensé au-delà du mérite de mes œuvres, qui eurent au moins celui de faire intervenir la poésie dans les débats politiques pendant près de vingt ans. Le parti légitimiste, qui m'a toujours jugé, comme auteur, avec une extrême bienveillance, m'a accusé d'avoir contribué plus que tout autre écrivain au renversement de la dynastie que nous avait imposée l'étranger. Cette accusation, je l'accepte comme une gloire pour la chanson. »

C'est en 1840 qu'il écrivit ces lignes. A cette date, il ne prévoyait pas que bientôt il pourrait revendiquer pour lui-même un autre honneur et pour la chanson une autre gloire. Le peuple continuait à répéter ses couplets napoléoniens :

> Il manque un homme en qui le monde ait foi.
> C'est lui qu'on veut...

Il peut se flatter d'avoir « contribué plus que tout autre écrivain » au succès des entreprises du prince Louis-Napoléon.

LE PARLEMENT, LA PRESSE, LE BARREAU

Voir : Joseph Reinach, le Conciones français,*1894; Maurice Pellisson*, les Orateurs politiques de la France de 1830 à nos jours, *1908. — Les principaux articles d'Armand Carrel ont été réunis par Littré et Paulin :* Œuvres politiques et littéraires d'Armand Carrel, *5 volumes, 1857-1859 (voir R.-G. Nobécourt,* Armand Carrel journaliste, *1934). — Les Œuvres de Saint-Albin Berville (1788-1868) ont paru en 4 volumes, 1868; celles de Pierre-Antoine Berryer (1790-1868), en 9 volumes (1872-1878). — Jean Morienval*, les Créateurs de la grande presse en France, *sans date.*

C'est en 1836 qu'un spirituel pamphlétaire, le vicomte de Cormenin (1788-1868), qui signait « Timon le Misanthrope », publia pour la première fois ses *Études sur les orateurs parlementaires;* il les remania et les enrichit maintes fois par la suite (18e édition, 1869); nous lui devons ainsi de posséder une riche galerie de portraits, parfois sujets à caution, mais toujours vivants, des hommes politiques, libéraux ou doctrinaires, légitimistes ou orléanistes, théocrates ou démocrates, qui furent dans les deux chambres, pendant la Restauration et pendant la monarchie de Juillet, les porte-parole des partis.

Sous la Restauration, il était admis qu'on siégeât dans les chambres en habit de ville, mais on ne pouvait aborder la tribune qu'en uniforme. Ce trait est un symbole des mœurs oratoires du temps; il aide à comprendre la manière solennelle ou compassée du comte de Serre (1776-1824), du général Foy (1775-1825), de Royer-Collard (1763-1845) : on lisait à la tribune, ou on récitait; presque jamais on ne parlait d'abondance. Pourtant on discerne vite chez Villèle (1773-1854) la sobriété d'un bon orateur d'affaires, chez le vicomte de Martignac (1778-1832) la souplesse d'un homme d'État disert; et Manuel (1775-1827) se distingue des autres par sa froide violence. Durant le règne de Louis-Philippe, la tribune fut illustrée par Casimir Périer (1777-1832) et par Odilon Barrot (1791-1873), entre autres, mais plus encore par des orateurs qui n'étaient pas seulement des hommes politiques : Lamartine, Hugo, Guizot, Thiers. Pendant la seconde République, un Michel de Bourges (1798-1881), un Ledru-Rollin (1807-1874), un Louis Blanc (1812-1882) commençaient à donner à l'éloquence parlementaire des allures plus véhémentes, plus démocratiques : mais leur carrière oratoire fut brève.

La presse politique prit en ces temps une importance chaque jour croissante; citons ses deux plus illustres représentants, le fondateur du *National*, Armand Carrel (1800-1836), et le fondateur de *la Presse*, Émile de Girardin (1802-1881).

Au barreau ont brillé surtout Saint-Albin Berville, le défenseur de P.-L. Courier, de Béranger, des sergents de La Rochelle; et Berryer, qui débuta comme assistant de son père au procès du maréchal Ney, défendit Lamennais en 1826, Louis-Napoléon en 1840, et fut pendant tout le règne de Louis-Philippe le vrai chef de l'opposition légitimiste. Mme de Girardin a dit de lui : « La parole lui appartient comme le marbre appartenait à Michel-Ange, la couleur à Rubens. »

LES PHILOSOPHES SPIRITUALISTES

Voir Taine, les Philosophes français du XIXe siècle, *1857. — Sur Maine de Biran (dont les Œuvres philosophiques ont été publiées, en 4 volumes, par Victor Cousin, en 1841, et le* Journal intime, *en 2 volumes, par A. de La Valette-Monbrun, en 1931) : A. de La Valette-Monbrun*, Maine de Biran d'après de nombreux documents inédits, *1914; Victor Delbos*, Maine de Biran et son œuvre philosophique, *1931; Georges Le Roy*, l'Expérience de l'effort et de la grâce chez Maine de Biran, *1937.*

Royer-Collard (1763-1845) professa trois ans en Sorbonne (1811-1814) et devint sous Louis XVIII et Charles X le chef du parti légitimiste libéral. — Voir : André Schimberg, les Fragments philosophiques de Royer-Collard, *1913; Sainte-Beuve*, Nouveaux Lundis, *tome IV; Léon Séché*, les Derniers Jansénistes, *1891; Eugène Spuller*, Royer-Collard, *1895.*

Victor Cousin (1792-1867) enseigna en Sorbonne de 1815 à 1820; son cours fut alors suspendu pour libéralisme. En 1828, avec le ministère Martignac, Cousin le reprit; puis, de 1830 à 1851, il fut directeur de l'École normale. En 1840, il fut pendant huit mois ministre de l'Instruction publique. — Voir : Paul Janet, V. Cousin et son œuvre, *1885; Jules Simon*, V. Cousin, *1887; Barthélemy Saint-Hilaire*, V. Cousin, sa vie et sa correspondance, *1895; V. Alaux*, V. Cousin, sa philosophie, *1921. Citons, parmi ses ouvrages :* Du vrai, du beau et du bien, *1853;* Cours d'histoire de la philosophie *(1826, 1840, 1863);* Fragments philosophiques, *4 volumes, 1826, 1848.*

Théodore Jouffroy (1796-1842) enseigna tour à tour à la Sorbonne, à l'École normale et au Collège de France. Mélanges philosophiques, *1833;* Nouveaux Mélanges philosophiques, *1842;* Cours de droit naturel, *3 volumes, 1835-1842;* Cours d'esthétique, *1843. — Voir : Sainte-Beuve*, Portraits littéraires, tome I; — Causeries du lundi, *tome VIII; Léon Ollé-Laprune*, Th. Jouffroy, *1899; A. Lair*, Correspondance de Th. Jouffroy, *1901; Pierre Poux*, le Cahier vert et Lettres inédites, *1924.*

Les idéologues, et principalement Destutt de Tracy, s'étaient attachés à approfondir la philosophie de Condillac; mais l'un d'eux, Laromiguière, à force de vouloir l'approfondir, l'ébranla, puisqu'en ses *Leçons de philosophie*, professées de 1811 à 1813, il construisit une théorie de l'origine des idées où l'attention venait remplir le rôle attribué par Condillac à la seule sensation. De son côté, Maine de Biran s'était écarté de l'idéologie pour substituer au sensualisme condillacien sa théorie de l'effort, qui fait résider l'âme ou le moi dans la volonté. Dans le même temps Royer-Collard déployait, pour combattre lui aussi le sensualisme du XVIIIe siècle, tout l'appareil de sa dialectique sévère. Appelant à l'aide les philosophes écossais, surtout Thomas Reid, il concentra tous ses efforts sur l'analyse de la connaissance, et distingua parmi les éléments de la pensée ceux qui appartiennent à l'expérience et ceux qui dérivent d'une autre source, la raison, à laquelle seule nous devons, selon lui, les notions absolues et néces-saires.

Victor Cousin procède de Royer-Collard : il l'a toujours reconnu pour le premier de ses maîtres. Chargé après les Cent-Jours de le suppléer dans sa chaire de Sor-bonne, il posa dès les premières années de son enseignement les fondements de la doctrine qu'il passera sa vie à édifier : son livre *Du vrai, du beau et du bien*, qu'il publiera dans sa soixantième année, n'est qu'une refonte de son pre-mier cours de philosophie, professé en 1818 : il n'avait alors que vingt-six ans; mais déjà l'attiraient l'Allemagne, Herder, Schelling, et les ambitieuses philosophies de l'histoire qui expliquent les siècles, les peuples, les guerres, l'infini, le fini et leurs rapports.

On sait quel est le principe de cette doctrine, que lui-même a dénommée l'éclectisme. Comme

VICTOR COUSIN. Lithographie par Maurin.
CL. LAROUSSE.

le peintre, le sculpteur ou le poète ne peut former une œuvre, si arbitraire soit-elle en apparence, que d'éléments qui préexistent dans la nature, de même le philosophe ne peut former un système que d'éléments qui préexistent dans l'esprit humain. Tous les systèmes de tous les temps et de tous les pays doivent donc être considérés comme autant de faits, dont chacun trouve dans les lois de notre intelligence et notre conscience son origine, sa raison d'être et sa justification. Pas un d'eux n'est vrai tout entier, ni faux tout entier : ce que chacun d'eux affirme, c'est sa part de vérité; ce que chacun d'eux nie, c'est sa part d'er-reur. Le nombre n'en est d'ailleurs pas très grand, car ils se laissent tous ramener à quatre types : sensualisme, idéalisme, scepticisme, mysticisme, qui répondent à quatre tendances fondamentales, constitutives de notre esprit, et dont les conflits, les entrelacements ou les mélanges forment toute l'histoire de la spéculation philosophique à travers les siècles. Il convient donc de les étudier tous sans en mépriser aucun, de les accepter tous comme par-tiellement légitimes, et c'est le mérite essentiel de Victor Cousin d'avoir préconisé ce large esprit de sympathie critique, et professé que l'histoire de la philosophie fait partie intégrante de la philosophie, comme la contre-épreuve nécessaire de toute psychologie. Mais le propre de V. Cousin est de prétendre établir pourtant une hiérar-chie entre les systèmes : on peut les juger à la lumière des faits psychologiques que chacun découvre en interrogeant sa propre raison. Or, « la raison, a-t-il écrit (*Fragments philosophiques*, préface), est à la lettre une révélation, une révélation nécessaire et universelle, qui n'a manqué à aucun homme et a éclairé tout homme à sa venue en ce monde; la raison est le médiateur nécessaire entre Dieu et l'homme, ce *logos* de Pythagore et de Platon, ce *Verbe* fait chair qui sert d'interprète à Dieu et de précepteur à l'homme, homme à la fois et Dieu tout ensemble ». En sorte, comme l'a fort bien dit un disciple de V. Cousin, que « l'éclectisme n'est autre chose qu'un spiritualisme démontré à la fois par la raison individuelle et par la raison du genre humain ». Ainsi fut restaurée peu à peu, au détriment de la philosophie du XVIIIe siècle, une foi spiritualiste que V. Cousin, devenu pair de France et puissant fonctionnaire, eut le tort de vouloir imposer à tout l'enseignement national, comme une doctrine d'État, plus ou moins oppressive.

Érudit sagace et heureux, ce philosophe a marqué sa place dans l'histoire littéraire. Taine a pu plaisanter l' « amant posthume de Mme de Longueville », qui « a parlé de Condé comme d'un beau-frère et de La Rochefoucauld comme d'un rival » : cette passion pour les femmes illustres du XVIIe siècle nous a valu toute une galerie de beaux portraits, de Jacqueline Pascal, de Mme de Sablé, de Mme de Chevreuse, de Mme de Hautefort; et une évocation attachante de la société du temps de Louis XIII et de la Fronde.

Le plus indépendant et le plus original des disciples de Victor Cousin, Théodore Jouffroy, sédui-sit surtout par les allures pathéti-ques de son éloquence. Une page de lui est restée entre toutes cé-lèbre : il y décrit cette nuit de décembre où il suivit avec anxiété « sa pensée qui descendait vers le fond de sa conscience » et n'y trouvait que le néant : toutes ses croyances religieuses s'étaient dissipées. Au terme de cette romantique confession : « J'étais incrédule, dit-il, mais je détestais mon incrédulité, ce fut ce qui décida de la direction de ma vie. » Renan, notant ses souve-nirs du séminaire d'Issy, a écrit : « C'était l'année de la mort de M. Jouffroy (1842). Les belles pages de ce déses-péré de la philosophie nous enivraient; je les savais par cœur. »

LES PUBLICISTES ET ORATEURS CHRÉTIENS

LAMENNAIS

Une édition collective des Œuvres de Lamennais a été publiée en 1836-1837, 12 vol.; une autre en 1844, 10 vol. Ses Œuvres posthumes ont été éditées par E.-D. Forgues, 1855-1858, 5 vol., et par A. Blaise, 1866, 2 vol.

Voir aussi, entre autres publications posthumes, l'Essai d'un système de philosophie catholique, publié par Christian Maréchal en 1906, et plusieurs recueils de lettres, dont les Lettres inédites à la baronne Cottu, publiées par le comte d'Haussonville, 1909. Consulter : Christian Maréchal, la Jeunesse de Lamennais, 1913; F. Duine, Lamennais, sa vie, ses idées, 1922; — Essai de biblio-graphie de Lamennais, 1923; Chr. Maréchal, la Dispute de l'Essai sur l'indifférence, 1925; P. Vulliaud, les Paroles d'un croyant, 1928; J. Poisson, le Romantisme social de Lamennais (1833-1854), 1931; V. Giraud, la Vie tragique de Lamennais, 1934; Le Hir, Lamennais écrivain, 1948. — Parmi les témoignages émanant direc-tement du groupe de la Chesnaie : Charles Sainte-Foi, Souvenirs de jeunesse, publiés par C. Latreille, 1911.

La vie de Félicité-Robert de Lamennais n'est qu'un long drame de conscience. Il est né à Saint-Malo, en 1782, d'une famille de marins et d'armateurs. Sa mère meurt quand il a cinq ans; son père est absorbé par les affaires; c'est un de ses oncles qui se charge de son éducation et qui l'élève selon l'esprit de l'*Émile*. Un grand amour à dix-huit ans, un duel à vingt et un ans, une première com-munion fervente à vingt-deux ans : tels sont les événements de sa jeunesse. Un vieux prêtre, l'abbé Carron, et son frère Jean-Marie, qui est entré dans les ordres, le décident à embrasser l'état ecclésiastique; il reçoit la prêtrise en 1816, à trente-quatre ans. « Nous l'avons entraîné, mais sa pauvre âme est encore ébranlée... » Cette pauvre âme ébranlée ne trouvera jamais le repos. Elle est tout à la fois orgueilleuse et timide, violente et tendre, ombrageuse et agressive. Elle passe de l'exaltation au découragement, du doute à la certitude mystique; elle est « angoissée du silence de Dieu », puis elle croit entendre la voix du Très-Haut Elle se replie volontiers sur elle-même, et pourtant elle est avide d'action. Elle aime la tempête, elle la brave.

Bien avant de devenir prêtre, Lamennais a défendu l'Église contre les empiètements du pouvoir temporel (*Réflexions sur l'état de l'Église en France pendant le XVIII*e *siècle et sur sa situation actuelle*, 1809; *la Tradition de l'Église sur l'institution des évêques*, 1814). Une fois ordonné, il entreprend, dans sa ferveur, de ramener les incrédules au catholicisme par un grand ouvrage dont les quatre volumes se succèdent de 1817 à 1823, l'*Essai sur l'indifférence en matière de religion*. Et le nom de Lamennais sort de l'ombre pour briller à l'égal des plus glorieux, car l'*Essai* n'obtient pas un succès moins triomphal que naguère le *Génie du christianisme* : les critiques et les polémiques qu'il suscite ajoutent encore à son éclat. Après le désarroi qui suit les événements de 1814 et de 1815, toute une génération inquiète cherche à se rattacher à une certitude : Lamennais lui en offre le moyen. « Le pire de tous les états de l'âme, dit-il, c'est l'indifférence; il faut croire; l'incroyance est la ruine non seulement des individus, mais des sociétés. » Mais quelle méthode suivre pour arriver à la foi? L'homme ne peut se fier à ses lumières naturelles, comme l'ont pensé les philosophes du XVIIIe siècle; ils ont dit qu'elles étaient maîtresses de vérité, et elles sont maîtresses d'erreur : « Quelle est la vérité que le raisonnement ait laissée intacte? Que ne nie-t-on point à son aide et que n'affirme-t-on point? Il sert et trahit indifféremment toutes les causes; il ôte tour à tour et donne l'empire à toutes les opinions... On les voit, comme de légers météores, briller un instant et se replonger dans une nuit éternelle. Nous nous rions des pensées de nos pères comme ils s'étaient ri des pensées des leurs, et nos enfants se riront de nos opinions. » Pour trouver cette vérité qui échappe à ses faibles prises, l'homme doit se soumettre à l'autorité de Dieu; il en trouve les traits diffus à travers la sagesse des peuples, le « consentement universel », survivance à travers le temps et l'espace de la révélation primitive. Une religion, entre toutes, nous les transmet : la religion catholique, qu'il faut croire pour son caractère d'universalité et de perpétuité.

Tous ceux qui n'admettent pas l'autorité absolue de l'Église en quelque matière que ce soit, Lamennais les attaque avec acharnement. Les libéraux, les partisans du régime parlementaire, les gallicans sont l'objet de sa colère, voire de sa fureur (*De la religion considérée dans ses rapports avec l'ordre politique et civil*, 1825-1826; *Des progrès de la Révolution et de la guerre contre l'Église*, 1829), qui sont d'un disciple ou d'un ami de Joseph de Maistre, de Bonald. Poursuivi en justice par les adversaires qu'il outrage, il affirme : « Je dois à ma conscience et au caractère sacré dont je suis revêtu de déclarer devant le tribunal que je demeure inébranlablement attaché aux principes

LAMENNAIS. Peinture de Paulin Guérin.
CL. BULLOZ.

que j'ai soutenus, c'est-à-dire à l'enseignement invariable du chef de l'Église; que sa foi est ma foi, sa doctrine ma doctrine, et que, jusqu'à mon dernier soupir, je continuerai de la professer et de la défendre. »

Mais son apostolat s'exerce surtout sur un petit troupeau de disciples : au milieu d'eux, son ardeur combative fait place à la tendresse. Quel ascendant exerce M. Féli, comme l'appellent ses fidèles! Dans sa blanche maison patrimoniale, la Chesnaie, à la lisière de la forêt de Coetquen, près de Dinan, des hommes de bonne volonté se réunissent pour prier, pour penser, pour trouver des moyens d'agir : l'abbé Gerbet, tout plein d'un charme mystique, qui publie en 1829 ses *Considérations sur le dogme générateur de la piété catholique;* Hippolyte de La Morvonnais; Rohrbacher, qui écrira une *Histoire universelle de l'Église catholique* (1842-1853); Lacordaire et Montalembert; Maurice de Guérin, qui, dans son *Journal* et dans sa *Correspondance*, nous a rapporté, en même temps que les émois de son âme délicate, les propos de ces jours fervents. Il éprouve une admiration profonde pour Lamennais, « qui a médité sur toutes choses, dit-il, qui a précipité son génie dans des abîmes d'humilité ». Est-ce un cénacle? une association politique? C'est surtout le berceau d'un ordre que le maître veut fonder, où il admettra tous les ouvriers de la vigne du Seigneur, quels qu'ils soient et d'où qu'ils viennent, à condition qu'ils communient avec lui en esprit.

Cependant, une évolution se produit obscurément dans son âme, évolution dont on saisit le mouvement, quand on passe de ses articles du *Conservateur* de Chateaubriand (1817-1820), à ceux du *Défenseur* qui fait suite, puis à ceux du *Mémorial catholique* (12 tomes, 1824-1830). Restaurer la puissance du catholicisme, voilà toujours le but. Mais le moyen doit-il être la soumission à l'autorité? Le catholicisme n'aurait-il pas intérêt, au contraire, à s'allier avec les représentants du principe de liberté? La révolution de 1830, que Lamennais a prévue et qui apparaît précisément comme la défaite du principe d'autorité, hâte cette évolution. Le journal qu'il fonde au mois d'octobre 1830 s'appelle *l'Avenir* (trois cent quatre-vingt-quinze numéros du 17 octobre 1830 au 15 novembre 1831); il a pour devise *Dieu et liberté*, et il n'est point, en effet, de liberté qu'il ne revendique : liberté religieuse, liberté d'enseignement, d'association; liberté pour les nations opprimées.

Mais Rome s'inquiète. Rome, qui l'a d'abord approuvé, a peur maintenant de ce prêtre batailleur, toujours en lutte ouverte avec le gouvernement de son pays, plus ultramontain que le pape. Le journal *l'Avenir* est suspendu (novembre 1831). Lamennais décide d'aller plaider lui-même sa cause au Vatican. Il y est reçu avec froideur; comme il est sur la route du retour, il lit dans l'encyclique *Mirari vos* la condamnation de ses principes (1832). Il se soumet d'abord. Mais un âpre débat s'engage dans son âme; l'apôtre devient un révolté, et ce révolté fait appel à la France et au monde dans les *Paroles d'un croyant* (1833).

On pourrait appliquer à ce livre ce que Lamennais disait du *Livre des pèlerins polonais*, d'Adam Mickiewicz, que venait de traduire Montalembert : « Ce livre est admirable; c'est quelque chose qui tient du style des prophètes et de l'Évangile. Je n'ai jamais vu plus surprenante poésie. » Ce sont, en effet, les épanchements lyriques d'une âme blessée qui s'exhalent en versets d'allure biblique, de sorte que l'auteur a l'air de parler un langage surhumain :

« Tenez-vous prêts, car les temps approchent.

« En ce jour-là, il y aura de grandes terreurs et des cris tels qu'on n'en a point entendus depuis les jours du déluge.

« Les rois hurleront sur leurs trônes; ils chercheront à retenir avec les deux mains leurs couronnes emportées par les vents, et ils seront balayés avec elles.

« Les riches et les puissants sortiront nus de leurs palais, de peur d'être ensevelis sous les ruines.

« On les verra, errant sur les chemins, demander aux passants quelques haillons pour couvrir leur nudité, un peu de pain noir pour apaiser leur faim, et je ne sais s'ils l'obtiendront.

« Et il y aura des hommes qui seront saisis de la soif du sang et qui adoreront la mort, et qui voudront la faire adorer... »

Lamennais maudit les puissants qui asservissent l'humanité, les porte-glaive, les porte-couronne, les porte-tiare; il exalte les opprimés, dont le triomphe est proche, si seulement ils veulent s'unir et mettre leur confiance dans le Christ, qui est avec eux. Il passe de l'invective à la plainte, car il éprouve une immense pitié pour ceux qui souffrent et pour lui-même. Pour faire entrer dans l'esprit de ses lecteurs le double sentiment qui l'obsède, haine de l'injustice sociale, espoir dans la justice à venir, dont le peuple sera l'exécuteur avec l'aide de Dieu, il multiplie les images. Ce ne sont que paraboles, visions, hallucinations même, reflets d'une sensibilité romantique exaspérée.

Maintenant, Lamennais est hors de l'Église; il prend comme emblème un chêne brisé par l'orage avec cette devise : « Je romps et ne plie pas. » C'est contre les ennemis de la démocratie qu'il va se déchaîner. Il s'explique sur son différend avec la papauté (les Affaires de Rome, 1836); puis sa plume infatigable multiplie les œuvres de combat : le Livre du peuple paraît en 1837; la Politique à l'usage du peuple, en 1838; De la lutte entre la cour et le pouvoir parlementaire, en 1839; De l'esclavage moderne, le Pays et le gouvernement, les Questions politiques et philosophiques, en 1840.

Cette même année, il est enfermé à Sainte-Pélagie pour délit d'opinion : c'est l'occasion d'un nouvel ouvrage, Une voix de prison (1841). Il affirme sa foi mystique dans le progrès (Esquisse d'une philosophie, 1841-1846); il montre le combat des bons et des mauvais génies qui se disputent la possession du monde (Amschaspands et Darvands, 1843). Lorsque éclate la révolution de 1848, il fonde un journal, le Peuple constituant, entre comme député de Paris à l'Assemblée nationale. Il faut le coup d'État de 1851 pour le réduire au silence; le triomphe de la force l'accable d'une incurable tristesse. Il meurt le 27 février 1854. « Je veux être enterré au milieu des pauvres et comme le sont les pauvres. On ne mettra rien sur ma tombe, pas même une simple pierre. Mon corps sera porté directement au cimetière, sans être porté à aucune église. »

Il n'est pas un de ses livres — même à choisir ceux qui nous semblent déparés aujourd'hui par une violence excessive dans la polémique ou entachés d'emphase — qui ne porte la marque d'une âme sincère et passionnée. Il n'en est pas un — même à choisir ceux qui semblent tout remplis de discussions théologiques et politiques — où l'on ne rencontre des pages exquises de poésie. Même si nous cessions de le lire, il survivrait encore. Car il y avait en lui je ne sais quelle force contagieuse qui a fortement agi sur ses contemporains. Lamartine, un des premiers, en a subi la puissance; ni Vigny, ni Hugo, ni George Sand ne l'ont ignorée. Il y a du Lamennais dans la pensée de toute la génération romantique.

Le Père Lacordaire. Peinture de Janmot (musée de Versailles). Cl. Braun.

LACORDAIRE. MONTALEMBERT. OZANAM

Une édition collective des Œuvres du P. Lacordaire a paru en 1872-1873, 13 volumes. — Voir : l'abbé Bézy, Lacordaire, 1910; l'abbé Pautlé, Lacordaire, 1912; R. Zeller, Lacordaire, 1929; E. Vaast, Lacordaire et les conférences de Notre-Dame, 1938.

Parmi les autres orateurs catholiques, il faut citer Mgr de Frayssinous (1765-1841), Défense du christianisme (conférences de Saint-Sulpice), 1825; le P. de Ravignan (1795-1858), Conférences faites à Notre-Dame de 1837 à 1846, 1859. — Voir G. Ledos, le P. de Ravignan, 1908.

Les Œuvres du comte Charles de Montalembert (1810-1870) ont paru de 1861 à 1868, 9 volumes. — Voir : le P. Lecanuet, Montalembert d'après son journal et sa correspondance, 1895-1901, 3 volumes; P. de Lallemand, Montalembert et ses amis, 1927; — Ses relations littéraires avec l'étranger, 1928; André Trannoy, le Romantisme politique de Montalembert avant 1843, 1942.

Les Œuvres de Frédéric Ozanam (1813-1853) ont paru de 1862 à 1865, en 11 volumes. — Voir : Charles Huit, la Vie et les œuvres de Frédéric Ozanam, 1888; Henri Girard, Un catholique romantique, Frédéric Ozanam, 1930; Georges Goyau, Ozanam, nouvelle édition, 1931; Eugène Galepin, Essai de bibliographie chronologique sur Antoine-Frédéric Ozanam, 1933.

Ce mouvement de littérature et de pensée religieuses mériterait toute une étude distincte. On y verrait des salons qui ont été de véritables foyers de vie spirituelle comme celui de Mme Swetchine (voir ses Lettres, publiées par Falloux, 3 volumes, 1873), des périodiques dans lesquels s'est exprimée l'alliance entre la jeunesse catholique et les idées modernes (le Correspondant, fondé en 1829, devenu en 1831 Revue européenne, et qui reparaît en 1844 sous le titre de l'Université catholique, 1836-1854). Sur les courants religieux qui traversent la jeunesse de cette époque : G. Weill, Histoire du catholicisme libéral en France (1828-1908), 1912; Rouzic, la Jeunesse catholique au XIXe siècle, 1904.

Parmi les disciples de la première heure, Lamennais n'en eut pas de plus brillants, ni de plus hardis, que Montalembert et Lacordaire. Lacordaire, né en 1802, avait, à vingt-deux ans, passé du barreau parisien au séminaire de Saint-Sulpice, et avait été ordonné prêtre en 1827. Il avait pris part aux combats héroïques de *l'Avenir* et commenté en ces termes, dans ce journal, la décision prise par le maître d'aller protester jusqu'à Rome : « Nous porterons pieds nus cette protestation, s'il le faut, à la ville des apôtres,... et l'on verra qui arrêtera sur la route le pèlerin de Dieu et de la liberté. »

Mais, lorsque survint la condamnation, ce fut le parti de l'obéissance qu'il choisit. Bientôt la prédication allait offrir un emploi à ses ardeurs refrénées. En 1834, il est chargé de faire des conférences aux élèves du collège Stanislas; en 1835, il obtient l'accès de la chaire de Notre-Dame.

Il prononcera plusieurs oraisons funèbres, dont celle du général Drouot reste la plus célèbre (1847). Mais c'est dans la conférence qu'il triomphe. La forme en est plus souple que celle du sermon; elle permet les discussions philosophiques ou scientifiques; elle permet aussi les ornements littéraires; elle n'exclut pas les beaux développements oratoires, les effusions, les improvisations passionnées. Une riche imagination, un cœur tout brûlant de charité, une intelligence souple et large : telles sont les facultés éminentes du P. Lacordaire; il les fait valoir grâce à une voix harmonieuse, à une noble prestance. En 1840, il s'est fait admettre dans l'ordre de Saint-Dominique, car il veut rétablir en France les frères prêcheurs : il reparaît dans sa chaire, vêtu de la robe blanche; et son auditoire admire, en même temps que son éloquence, son ascétique beauté.

L'idée dominante du P. Lacordaire est de réconcilier l'Église avec le siècle. La société est nécessaire; donc la religion chrétienne est divine; car « elle est le seul moyen d'amener la société à se perfectionner, en prenant l'homme avec toutes ses faiblesses et l'ordre social avec toutes ses conditions ». Aussi déploie-t-il « l'éloquence militante appropriée à des générations qui ont eu Chateaubriand pour catéchiste »; il répand, « sur des vérités antiques, immuables, éternelles, une lumière nouvelle en les adaptant aux besoins et aux aptitudes des intelligences modernes ». Si la forme d'un gouvernement moderne doit être la république, le P. Lacordaire sera républicain : et tel il se déclare, en effet, au moment de la révolution de 1848. Les électeurs de Marseille le nomment député à l'Assemblée constituante, et il va siéger à l'extrême gauche. Mais il donne bientôt sa démission : l'éloquence parlementaire n'est pas son fait. Il se démet aussi de sa charge de provincial des dominicains de France. La fatigue, la maladie, l'amertume qu'il éprouve contre ceux qui ne rendent pas justice à ses intentions généreuses assombrissent ses dernières années. Au moins les passe-t-il dans la fonction qui convient le mieux à un manieur d'âmes : il dirige un collège de jeunes gens, à Sorrèze, où il meurt le 22 novembre 1861.

Le comte Charles de Montalembert était parti, lui aussi, du même élan que Lamennais; lui aussi se sépara du maître lorsque Rome l'eut condamné; lui aussi trouva dans l'éloquence l'occasion de continuer son apostolat. D'abord à la Chambre des pairs, où il entra en 1835, puis devant les auditoires tumultueux de nos assemblées parlementaires, de 1849 à 1851, il s'imposa par de brillantes qualités oratoires. Il possédait une abondance et une élégance naturelles, de l'ampleur, de la force. C'était, a dit Sainte-Beuve, un « chevalier intrépide et brillant ».

Il écrivait aussi. Il y a, dans son *Histoire de sainte Élisabeth de Hongrie* (1836), de belles fleurs de poésie : il y en a d'autres dans son *Histoire des moines d'Occident* (1860). Lorsqu'il évoque les antiques saints d'Irlande, les paysages des Hébrides tristes et sauvages, puis les moines de Cîteaux et de Cluny, on croit lire les chants d'une épopée chrétienne. Mais cette épopée est trop oratoire : et c'en est le défaut.

Frédéric Ozanam doit être cité parmi les Français qui ont aimé les grandes œuvres étrangères, qui les ont comprises et fait comprendre. Peu de livres ont contribué à l'intelligence de *la Divine Comédie* autant que son étude sur *Dante et la philosophie catholique au XIIIe siècle* (1839). La culture d'Ozanam était encyclopédique : il avait professé le droit, étudié l'antiquité; il savait l'anglais, l'allemand, l'italien, l'espagnol; il s'était initié à l'hébreu et au sanscrit. Il visita non seulement l'Italie, mais l'Espagne, d'où il rapporta un livre sur le *Romancero* (*Un pèlerinage au pays du Cid*, 1854); avant de parler des *Nibelungen*, il voulut connaître les pays du Rhin. Il remplaça Fauriel dans sa chaire, à la Sorbonne : il n'était pas indigne de succéder à ce maître.

Mais le savant, chez lui, n'était que le serviteur du croyant. Lorsqu'il était venu de Lyon à Paris, en l'année 1831, il s'était lié avec Montalembert et Lacordaire. Animé de leur esprit, il s'était donné pour tâche de « travailler à l'édifice de la science sous l'étendard de la pensée catholique ». Et il avait entrepris un monument dont il ne put construire que des parties, dans ses *Études germaniques* (*la Civilisation au Ve siècle*, et *les Germains avant le christianisme*, 1847-1849). « Ce serait, écrivait-il, l'histoire littéraire des temps barbares, l'histoire des lettres, et par conséquent de la civilisation depuis la décadence latine et les premiers commencements du génie chrétien jusqu'à la fin du XIIIe siècle... Il s'agit de faire connaître cette longue et laborieuse éducation que l'Église donne aux peuples modernes. »

LES PHILOSOPHES HUMANITAIRES

Consulter : Louis Reybaud, Études sur les réformateurs ou socialistes modernes, *2 vol., 1840-1843; Benoît Malon*, Histoire du socialisme, *1882; Émile Faguet*, Politiques et moralistes, *2e série, 1898; Georges et Hubert Bourgin*, le Socialisme français de 1789 à 1848, *1912.*

Sainte-Beuve, étudiant le « mal du siècle » dans *Chateaubriand et son groupe littéraire*, écrit : « Je crois la maladie un peu passée pour le moment; la jeunesse paraît plutôt disposée à se jeter dans le positif de la vie, et dans ses chimères même elle trouve moyen encore d'avoir pour objet ce positif. » Il pensait au saint-simonisme, au fouriérisme et aux autres écoles utopiques qui rêvaient d'établir sur la terre le règne absolu du bien-être matériel et moral. En fait, le mouvement humanitaire et démocratique s'était dessiné dès l'aube du romantisme.

SAINT-SIMON

Claude-Henri de Rouvroy, comte de Saint-Simon, naquit à Paris en 1760. Il était petit-neveu de l'auteur des Mémoires. *Officier en 1777, il passa en 1779 en Amérique où il participa à la guerre de l'Indépendance. Pendant la Révolution, dont il fut un enthousiaste partisan, il courut en divers pays beaucoup d'aventures, s'enrichit en spéculant sur les biens nationaux, fut incarcéré, puis élargi au 9-Thermidor, et finalement se ruina. Il vivait péniblement d'un emploi de copiste quand, en 1803, il adressa à Fourcroy, directeur de l'Instruction publique, ses* Lettres d'un habitant de Genève à ses contemporains, *où il exposait pour la première fois un plan de réorganisation sociale. Il publia en 1808 une* Introduction aux travaux scientifiques du XIXe siècle, *en 1809 un* Mémoire sur l'histoire de l'homme, *et, dans les quinze années qui suivirent, un grand nombre de brochures, d'articles et de livres :* l'Industrie, *1817;* le Système industriel, *1821;* le Catéchisme des industriels, *1823;* le Nouveau Christianisme, *1825; etc. C'est en 1819 qu'il publia, dans la première livraison de son journal l'Organisateur, la « parabole » dont il sera question ci-dessous. Il mourut en 1825. Ses œuvres, réunies à celles de son disciple Barthélemy-Prosper Enfantin, dit le Père Enfantin (1796-1864), ont paru en 46 volumes, 1863-1878.*

Voir : Paul Janet, Saint-Simon *et les saint-simoniens, 1872; Georges Weill,* Un précurseur du socialisme, Saint-Simon, *1894; S. Charléty,* Histoire du saint-simonisme, *1896, 2e édition 1932; C. Bouglé, le* Féminisme saint-simonien *(Revue de Paris, 15 septembre 1918); M*me* Thibert, le* Rôle social de l'art *d'après les saint-simoniens; — le* Féminisme dans le socialisme *français de 1830 à 1850, 1926.*

Parmi les ouvrages de Pierre Leroux (1797-1871), citons De l'égalité, *1838;* De l'humanité, de son principe et de son avenir, *1840. — Voir Félix Thomas,* Pierre Leroux, *1904.*

Nourri des idées des encyclopédistes et de Condorcet, Saint-Simon continue l'œuvre critique du XVIIIe siècle. Il veut nettoyer les sciences des résidus métaphysiques qui les corrompent, les fonder sur la seule observation des faits. Par là, il annonce le positivisme d'Auguste Comte : Auguste Comte fut son secrétaire avant de se brouiller avec lui.

Disciple du Jean-Jacques de l'*Émile,* Saint-Simon édicte ce commandement : « Tu travailleras », et sur le précepte chrétien : « Aimez-vous les uns les autres », il édifie une religion nouvelle, la religion de l'humanité, dont les savants seront les prêtres.

SAINT-SIMON. Lithographie d'Engelmann, exécutée en 1825, quelques instants après la mort du « fondateur de la religion nouvelle » (B. N., Cab. des Estampes). — CL. LAROUSSE.

Pour instaurer l'ère de la fraternité universelle, il faut substituer à la doctrine du « laisser faire, laisser passer » l'organisation; à l'exploitation de l'homme par l'homme, l'exploitation du globe par l'industrie. Le pouvoir doit être enlevé aux « oisifs », pour être remis aux « capacités », aux « producteurs », qui sont les savants et les industriels. C'est ce qu'exprime une parabole célèbre. Que la France perde subitement ses cinquante meilleurs physiciens, ses cinquante meilleurs chimistes, les meilleurs de ses poètes, de ses mathématiciens, etc., en tout trois mille individus : ce serait un désastre. Qu'au contraire elle perde tous ses princes, tous ses ministres, tous ses maréchaux, etc., et dix mille propriétaires vivant sur leurs terres sans les faire valoir eux-mêmes, en tout trente mille individus : il n'en résulterait pour elle aucun dommage, car tous seraient facilement remplacés. « Les antichambres du Château sont pleines de courtisans prêts à occuper les places des grands-officiers de la Couronne; quant aux dix mille propriétaires vivant noblement, leurs héritiers n'auraient besoin d'aucun apprentissage pour faire les honneurs de leurs salons aussi bien qu'eux. »

Comme on le voit, l'auteur de cette parabole ne jette pas l'anathème contre la société capitaliste dans son ensemble, puisqu'il veut confier le pouvoir aux industriels; et par ailleurs, dans ses autres écrits, Saint-Simon n'a jamais ni condamné le salariat ni réclamé la mainmise de l'État sur les organismes de production. Comment donc a-t-il pu être considéré comme l'un des précurseurs du socialisme? C'est qu'il fonde la propriété sur la notion d'intérêt social; c'est qu'il répudie l'héritage, en ces termes :

« Tous les privilèges de la naissance sans exception sont abolis »; et c'est surtout qu'ayant posé cette règle : « A chacun selon sa capacité, à chaque capacité selon ses œuvres », il assigne comme but à la société l'amélioration morale, intellectuelle et physique de la classe la plus nombreuse et la plus pauvre, de celle « qui n'a d'autre moyen d'existence que le travail de ses bras ».

Après sa mort, sous l'impulsion de disciples enthousiastes : Armand Bazard, Prosper Enfantin, les frères Rodrigues, se constitua une véritable église saint-simonienne. Les conférences de la rue Taranne, les missions envoyées en province, la propagande de *l'Organisateur* et du *Globe* lui recrutèrent de nombreux adeptes. Sainte-Beuve se sentit quelque temps attiré vers elle. Alfred de Vigny a évoqué avec admiration, dans *Paris* (1831), cette « famille forte », qui veut bâtir un temple,

> ... un temple immense, universel,
> Où l'homme n'offrira ni l'encens, ni le sel,
> Ni le sang, ni le pain, ni le vin, ni l'hostie,
> Mais son temps et sa vie en œuvre convertie,
> Mais son amour pour tous, son abnégation
> De lui, de l'héritage et de la nation.
> Seul, sans père, sans fils, soumis à la parole,
> L'union est son but et le travail son rôle,
> Et, selon celui-là qui parle après Jésus,
> Tous seront appelés et tous seront élus.

A son tour, tout pénétré de l'enthousiasme mystique d'un apôtre, Pierre Leroux, qui fut le meilleur écrivain de l'école, inspirera George Sand, et, à Jersey, Victor Hugo. On sait comment un autre adepte de Saint-Simon, Armand Bazard (1791-1832), fonda la colonie agricole de Ménilmontant, et comment le Père Enfantin partit pour l'Égypte afin de barrer le cours supérieur du Nil et de rendre au pays son ancienne prospérité. Il convient d'ailleurs d'admirer combien de saint-simoniens, laissant aux fidèles de la rue Monsigny leurs extravagances, féministes et autres, et renonçant à leurs illusions utopiques, sont devenus des artisans aussi pratiques qu'audacieux du progrès. Ils s'appellent Ferdinand de Lesseps, Armand Carrel, Michel Chevalier, Jean Reynaud (auteur de *Terre et ciel,* 1854), les frères Pereire, et c'est par eux principalement que furent organisés ou régénérés, en France, le crédit, l'assurance, la banque, la grande industrie.

FOURIER

Les Œuvres complètes *de Charles Fourier (1772-1837) ont été recueillies en 6 volumes, 1836-1843. — Voir Hubert Bourgin,* Charles Fourier, *1905.*

*Signalons, parmi les œuvres historiques de Louis Blanc (1812-1882), l'*Histoire de dix ans, *1830-1840, 5 vol., 1841-1844; l'*Histoire de la révolution française, *12 vol., 1847-1862; l'*Histoire de la Révolution de 1848, *2 vol., 1870.*

Nous ne saurions songer à décrire ici le Phalanstère ni à exposer le système du penseur qui, ayant essayé, après tant d'autres, d'analyser et de classer les passions humaines, découvrit au terme de son effort les prétendues « lois de l'attraction passionnée » et se déclara en conséquence le Newton du monde moral. Cette idéologie n'eut que peu d'action sur nos écrivains. Il faut se rappeler pourtant qu'elle a séduit un temps George Sand, que Leconte de Lisle a fait paraître ses premiers vers dans une revue fouriériste, *la Phalange,* et que l'utopie de Fourier éclaire de sa morne splendeur les trois derniers romans de Zola, *Fécondité, Travail, Vérité.*

PROUDHON. Fragment d'un tableau de Courbet (collections de la Ville de Paris, au Petit Palais). CL. LAROUSSE.

CHARLES FOURIER. Portrait exposé par Jean Gigoux au Salon de 1836 (musée du Louvre). CL. LAROUSSE.

Pareillement, comme nous avons passé sous silence les écrits de Babeuf (1760-1797), nous abandonnons à l'historien des doctrines économiques et sociales les ouvrages de ses continuateurs, par exemple *l'Organisation du travail* de Louis Blanc (1839), le *Voyage en Icarie* de Cabet (1840), et les journaux de Victor Considérant (1808-1893), *la Phalange, la Démocratie pacifique.*

PROUDHON

Pierre-Joseph Proudhon (1809-1865) était fils d'un garçon brasseur de Besançon. La pauvreté l'ayant forcé à quitter le collège pour l'atelier, il ne fit que des études incomplètes et devint ouvrier typographe. En 1837, il composa un Essai de grammaire générale; *reçu bachelier l'année suivante, et pourvu par l'académie de sa ville natale d'une bourse d'études, il vint à Paris. En 1840, cette même académie couronna son mémoire :* Qu'est-ce que la propriété? *C'est le même problème que Proudhon reprend en 1841 dans sa* Lettre à Blanqui, *en 1842 dans son* Avertissement aux propriétaires. *Son principal ouvrage, le* Système des contradictions économiques, *a paru en 1849; son traité* Du principe fédératif, *en 1863 (voir, dans la* Collection des chefs-d'œuvre méconnus, *une édition par Charles-Brun, 1923). —* Œuvres complètes, *33 vol., 1868-1876 (nouvelle édition procurée depuis 1923 par C. Bouglé et Henry Moysset) ;* Correspondance, *14 vol., 1875-1878. — Voir :* Sainte-Beuve, P.-J. Proudhon *(recueil d'articles parus en 1865), 1872 ;* Hubert Bourgin, Proudhon, *1901 ; Édouard Droz,* Proudhon, *1909 ; Aimé Berthod,* Proudhon et la propriété, *1910 ; C. Bouglé,* la Sociologie de Proudhon, *1911 ; Daniel Halévy,* la Jeunesse de Proudhon; Proudhon *d'après ses carnets inédits, 1843-1847, 1945.*

Proudhon du moins fut un écrivain : un pamphlétaire énergique, concentré, éloquent malgré l'appareil de froide

dialectique qu'il déploie. Son *Mémoire sur la propriété* représente dans sa vie ce que représente le *Discours sur l'origine de l'inégalité* dans la vie de Jean-Jacques. Comme il venait de le composer, il écrivit à un ami : « Prie Dieu que j'aie un libraire : c'est peut-être le salut de la nation. » Du moins la nation s'effara d'y trouver la formule : « La propriété, c'est le vol », que Proudhon lui-même a appréciée en ces termes : « Il ne se dit pas une vérité plus forte en un siècle. » Encore faut-il considérer qu'en regard de cette « vérité », une autre fut promulguée en ce mémoire, celle-ci : « La propriété, c'est la liberté. » Et toutes deux sont défendues avec la même logique passionnée. Thèse, antithèse, puis synthèse : c'est le procédé des antinomies, cher à Hegel et qui devint cher à Proudhon. En l'espèce, il n'avait prétendu condamner que l'un des attributs de la propriété : comme J.-J. Rousseau et comme Saint-Simon, c'est l' « oisif » qu'il tient pour un voleur ; c'est au « droit d'aubaine » qu'il veut, lequel se nomme, selon les cas, rente, fermage, loyer, intérêt de l'argent, car il juge illégitime que le capital procure un revenu à tout autre que celui qui le fait fructifier. Proudhon n'en défend pas moins contre les communistes le principe de la propriété individuelle : « Loin de moi, communistes !... La propriété individuelle est l'élément actif du progrès, la pierre angulaire de la famille, le fondement de la patrie, le rempart de la liberté. » La solution de l'antinomie, il croit la trouver dans la propriété devenue accessible à tous par la vertu des idées de liberté et de justice. Comment travailler à une telle transformation ? En organisant, selon le principe de la réciprocité des services, le crédit mutuel et gratuit. La Banque du peuple (que Proudhon fonda, en effet, mais sans succès, en 1849) permettra aux ouvriers d'acquérir leurs instruments de travail et de devenir des producteurs indépendants. Concilier l'autorité et la liberté, la bourgeoisie et le prolétariat, le capital et le salariat, ce sera l'effort de Proudhon. Il représente un libéralisme frénétique, violemment hostile à l'utopie phalanstérienne, et, plus généralement, opposé à tous les systèmes autoritaristes qui prétendaient en ce temps « organiser », « mécaniser » la société.

Mais, alliés ou adversaires, ces philosophes humanitaires ont travaillé, d'un même effort, à dégager, de ce qui avait été l'esprit de 1830, un nouvel esprit public, qui sera celui de 1848, et qui survivra à 1848. A l'individualisme romantique et au mysticisme passionnel de ceux que Proudhon appelle avec mépris les « femmelins », succède une littérature préoccupée de vie collective et d'action sociale, de rapports avec le peuple, de réalité positive même dans les plus utopiques aventures. Il n'est pas indifférent que l'art du peintre Courbet, si solidement appuyé sur le sol de sa Franche-Comté, se relie expressément à la pensée de son ami Proudhon, cet autre Franc-Comtois. L'avènement du réalisme ne tardera pas.

LA FRANCE ET L'ÉTRANGER
DANS LA PREMIÈRE MOITIÉ DU XIXᵉ SIÈCLE

En dépit du sursaut national qui suit l'invasion, et qui, un moment, dresse la jeunesse française contre les influences étrangères, contre Shakespeare même, « aide de camp du duc de Wellington », voici venir cette littérature universelle, cette Weltliteratur, dont Gœthe parle à Eckermann, en 1827. Les philosophes éclectiques vont faire leur remonte d'idées chez les Écossais et chez les Allemands; Villemain, dans la préface de son Tableau du XVIIIᵉ siècle, parle d' « étude de littérature comparée »; et son cours de 1829 a pour titre : Examen de l'influence exercée par les écrivains français du XVIIIᵉ siècle sur les littératures étrangères et l'esprit européen. Le Globe, de 1824 à 1830, sert d'agent de liaison entre les littératures. Quand la Revue des Deux Mondes se fonde, en 1829, elle se présente comme un organe d'échanges internationaux. Bientôt Philarète Chasles, prononçant à l'Athénée sa leçon d'ouverture, expliquera pourquoi il a choisi cette formule : Littérature étrangère comparée; Jean-Jacques Ampère se donnera pour sujet, dans ses cours de 1830 ou de 1832, « l'histoire comparative de la littérature chez tous les peuples », « cette étude comparative sans laquelle l'histoire littéraire n'est pas complète »; et c'est aussi ce qu'enseignera Xavier Marmier à la faculté des lettres de Rennes.

Des voyageurs, des salons, des agents de diffusion ou d'influences, des traducteurs, des intermédiaires de toutes sortes, accentueront cette évolution internationale. Le XVIIIᵉ siècle avait eu Grimm, Horace Walpole, l'abbé Galiani, le marquis de Caraccioli, Suard, Voltaire; l'époque romantique a eu miss Mary Clarke, lady Burney, le baron d'Eckstein, Henri Heine, Amédée Pichot qui traduit Byron, Defauconpret qui traduit Walter Scott, Loève-Veimars qui traduit Hoffmann, des éditeurs comme Ladvocat qui présente les chefs-d'œuvre des théâtres étrangers, des publications comme la Revue britannique, des troupes anglaises qui viennent jouer à Paris Othello ou Hamlet, le Théâtre italien, pour les dilettanti, des foyers d'action religieuse, comme celui de Montalembert et de ses amis, qui suivent avec attention l'état du catholicisme à travers l'Europe, et donnent au christianisme, selon le mot de Falloux, ses « bottes de sept lieues ». Elle a connu ces expositions de peintres étrangers, Constable ou Goya, ces musiciens, Rossini, Chopin ou Liszt, qui nous ont apporté l'âme même des pays de soleil ou de brume.

Au lendemain de 1815, ces curiosités et ces amitiés s'animent de l'idéal politique que les traités de Vienne ont réveillé, irrité et déçu : le principe des nationalités. Si Victor Hugo, Alexandre Guiraud, Gaspard de Pons chantent la Grèce, si Fauriel traduit les Chants populaires de la Grèce moderne, c'est que le philhellénisme est une forme d'insurrection. Si la Pologne apparaît comme une «nation romantique», c'est que de nombreux émigrés ont ému la sensibilité française de cette exaltation d'indépendance qui vibre dans le salon du prince Czartoryski, ou, au Collège de France, dans les cours de Mickiewicz, l'auteur

des Pèlerins polonais que Montalembert a traduits. Et l'Italie des romantiques sera celle de ces autres réfugiés qui, dans le salon de la princesse Belgiojoso, répandent leur foi au Risorgimento.

REGARDS VERS LE MIDI

Le livre De la littérature avait placé face à face littératures du midi et littératures du nord en un diptyque où les premières étaient sacrifiées aux secondes. Pourtant, les imaginations romantiques n'ont pas oublié le chemin qui va vers Madrid ou Séville, vers les fandangos et l'Alhambra. Pour les fidèles de l'autel et du trône, l'Espagne est le pays que Napoléon n'a pu vaincre et qui conserve jalousement sa religion et ses mœurs : le pays des Aventures du dernier Abencérage, du Trappiste d'Alfred de Vigny. Pour d'autres, comme Stendhal et Mérimée, elle est la terre de l'énergie farouche, des passions et des volontés que rien ne soumet ni ne brise, le pays de Carmen, « le seul peuple, dit Stendhal, qui ait su résister à Napoléon ». Pour Victor Hugo, pour Théophile Gautier, elle évoque le Cid, l'héroïsme du moyen âge, des bandits comme Hernani, des aventuriers comme don César de Bazan, l'austérité monacale de l'Escorial, les farouches visions des Ribera et des Zurbaran.

C'est aussi une terre d'énergie, de violence, de volupté, de « chasse au bonheur » que Stendhal a aimée en Italie. L'Italie des romantiques, celle que déjà Corinne avait devinée et où Lamartine avait rencontré Graziella, sera parfois un décor conventionnel, une Renaissance de splendeurs et de forfaits, telle qu'on peut la rêver à travers les mémoires de Benvenuto Cellini, et que Lucrèce Borgia ou Lorenzaccio font vivre en scènes de meurtres, d'empoisonnements et d'orgies. Mais elle est aussi le souvenir nostalgique de la grandeur romaine, un passé dont l'héritage semble perdu, celui dont Lamartine, dans le Dernier Chant du pèlerinage d'Harold, dit l'agonie sur une terre asservie. Elle est, enfin, la Jeune Italie qui gémit sous les plombs de Venise : « Pellico, Manzoni, nobles âmes », chante un poète, Antony Deschamps; et Auguste Barbier, dans Il Pianto, pleure sur le sort du pays latin. L'ombre de Dante, imaginée surtout à travers l'Enfer — du moins jusqu'au jour où Ozanam nous apporta son Essai sur la philosophie de Dante (1838) —, domine ces visions et ces douleurs.

REGARDS VERS LE NORD

Dès le livre De l'Allemagne, les curiosités françaises étaient allées jusqu'aux pays slaves et scandinaves. Les noms d'Œhlenschläger, de Pouchkine, pénètrent chez les romantiques; Xavier Marmier voyage dans ces terres qui paraissent encore si lointaines; Mérimée traduit des conteurs russes et en dégage le sens d'un nouveau réalisme et d'un nouveau fantastique; bientôt Tourguéniev paraîtra dans le monde parisien.

Mais ce ne sont encore là que pressentiments. Le romantisme français se trouve en plus familière correspondance avec les pays d'où lui

HAMLET, HORATIO ET LE FOSSOYEUR. Lithographie de Delacroix (1843). — CL. LAROUSSE.

viennent le mot même de romantique et les théories de
l'école.

L'Angleterre, contre qui veillent encore les rancunes de
Waterloo, ne conquiert pas sans résistance les imaginations
françaises. On lui fait grief de la servitude de l'Irlande ;
on exploite contre elle la popularité de O' Connell ; et Auguste
Barbier dénonce, dans Lazare, la dureté de son impérialisme.
Mais la Grande-Bretagne est aussi le pays d'où nous viennent
les exemples de la politique libérale, celui qui nous montre,
avec Walter Scott, l'obstination d'une indépendance nationale, maintenue à travers des siècles d'oppression et le conflit
des races. Avec Byron, elle met fin à cette sorte d'alliance
que le romantisme avait conclue, en France, avec le légiti-
misme et la jeunesse chrétienne : le byronisme, ce sera le
romantisme rallié à l'esprit révolutionnaire, la protestation
des réfractaires contre l'ordre social. Shakespeare même
n'exerce de si puissants prestiges que parce qu'il apporte,
comme le pense Stendhal, la poésie d'un peuple libre à un
peuple las de la poésie monarchique de Racine. Et, quand la
muse familière et chlorotique de Sainte-Beuve va chercher
son inspiration chez les lakistes, c'est un romantisme d'intimité, de simplicité, un romantisme de l'âme moderne, que
Joseph Delorme, détaché des affectations aristocratiques du
premier Cénacle, demande au pays de Cowper et de Wordsworth.

L'Allemagne nous est connue moins directement. Mais
nous avons, pour nous introduire à elle, l'intermédiaire ou
l'intercession de la Suisse. L'helvétisme, qui a eu une part si
originale dans la pensée du XVIIIᵉ siècle, a maintenu,
avec Mᵐᵉ de Staël et le groupe de Coppet, son rôle dans les
relations internationales. Voyageurs français des terres
romandes ou alémaniques, visiteurs genevois ou vaudois
comme Sismondi ou Juste Olivier, amis attendris et fidèles
comme Sainte-Beuve, qui n'a pas oublié le temps où il
enseignait à Lausanne, entretiennent cette communication
des esprits, qui unit une élite française à des cantons de
culture cosmopolite et de vie morale, nuancée de protestantisme et de germanisme.

C'est cette vie morale que l'on croit reconnaître
outre-Rhin. Certes, la pénétration sera lente : c'est sans
grand succès que l'on fonde, en 1825, une Revue germanique,
que Michel Berr, puis, quelques années plus tard, un docent de
l'université d'Iéna, Christian Muller, font à Paris des cours
publics de littérature allemande. A l'exception d'Alexandre
de Humboldt, les voyageurs allemands laissent moins de
trace, dans la société française, que ceux qui nous viennent
d'Angleterre. Dans la polémique littéraire, Schiller et
Gœthe ne jouent pas, chez nous, un rôle aussi éclatant que
Shakespeare et Byron. Même l'on simplifie quelque peu leur
physionomie : en Gœthe on ne voit guère qu'un Werther,
puis qu'un Faust. A Faust même, on s'attache avec peu de
discernement, on n'en retient guère que cauchemar fantastique, orgie de moyen âge et diablerie... Pourtant, une Allemagne plus profonde, mystique même, perdue quelquefois
dans des mirages d'Orient, des révélations d'illuminisme,
de grandes théories historiques, une érudition sans limites, un
sens panthéiste de la vie primitive et des littératures populaires, s'impose à ceux que ne satisfait pas l'héritage de notre
XVIIIᵉ siècle. Guigniaut traduit Creuzer ; Quinet traduit
Herder : nous accédons à la fois au symbolisme et au « pri-
mitivisme ». Vers le même moment, de 1826 à 1830, le baron
d'Eckstein publie sa revue, le Catholique, où les philosophes
et les historiens allemands occupent la première place ;
Munich devient, pour certains esprits religieux, une terre
promise, la capitale d'un grand renouveau mystique.

Allemagne, Angleterre, France : les esprits ne sont pas
rares qui ne séparent plus ces trois puissances du génie
européen. Pour eux, Saint-Marc Girardin, dans une préface
de 1835, dit le mot du siècle : « C'est un nouveau monde que
cette communauté de la France, de l'Angleterre et de l'Allemagne, que j'appelle de tous mes vœux, communauté que tout

prépare, l'abolition des haines nationales, la ressemblance
des institutions politiques, le rapprochement des littératures... »

ORIENT ET OUTRE-MER

L'exotisme des romantiques ne se confond pas avec leur
cosmopolitisme : celui-ci établit des relations ; celui-là satisfait surtout des curiosités. Vers l'Orient, depuis trois siècles,
c'est une vague d'exotisme qui nous portait. Le mouvement
d'indépendance grecque a bien pu mêler, à ce goût de pittoresque, des sympathies plus actives et des passions politiques :
l'Orient d'un romantique reste surtout fait de « blanches
mosquées » et de minarets. Plus d'un romantique approuverait
le Mardoche d'Alfred de Musset :

> Il aimait mieux la Porte et le sultan Mahmoud
> Que la chrétienne Smyrne et le bon peuple hellène..

plus d'un, comme Lamartine ou Gérard de Nerval, ne tarirait
pas sur le charme de Constantinople, la tolérance des Turcs,
les « bons derviches ». Quant à l'Égypte, elle a gardé, dans la
sensibilité de 1830 ou de 1840, la place où l'a mise l'expédition
de Bonaparte ; et Méhémet-Ali est, un moment, le grand
homme dont rêvent les héroïnes de Balzac. Orient plus imaginaire que vraiment connu, composé de mirages, des fantômes de Smarra — le conte vampirique de Nodier —, des
djinns de Victor Hugo, et où les chants morlaques de Nodier,
la Guzla de Mérimée, mettent leur rythme de fantaisie.

L'Amérique avait été longtemps aussi le cadre chimérique
d'un exotisme romanesque. Et sans doute il reste toute une
Amérique inconnue, où l'imagination peut encore s'égarer :
cette Amérique du Sud où peu de Français, — Ferdinand
Denis est l'un d'eux, — se sont aventurés ; l'Amérique des
trappeurs et des derniers Indiens où nous font voyager les
traducteurs de Fenimore Cooper. Mais l'américanisme qui
naît sous la Restauration est d'une autre nature. Avec les
États-Unis, un monde moderne vient de naître, que la vieille
Europe observe avec défiance, puis avec curiosité et envie.
Le voyage de La Fayette en Amérique suscite alors un grand
mouvement d'américanisme libéral ; et ses amis font un
moment, en 1826, le projet de fonder une revue américaine.
Bientôt d'autres voyageurs, dont Alexis de Tocqueville,
Michel Chevalier, sont les plus connus, iront étudier la démocratie en Amérique. Longtemps, l'influence littéraire reste
étrangère à ce courant politique. A eux seuls, Cooper et
Washington Irving représentent toute la littérature américaine : « Voir, dit Stendhal, la stérilité littéraire de l'Amérique... Les États-Unis ne nous ont pas envoyé une scène
de tragédie, un tableau ou une vie de Washington. » Mais,
après 1830, d'autres explorateurs d'idées, comme Philarète
Chasles, s'avisent qu'il existe des écrivains outre-Atlan-
tique ; et Chateaubriand leur consacre quelques pages de
ses Mémoires d'outre-tombe.

MISSION DE LA FRANCE

L'esprit romantique ne s'est pas contenté de s'ouvrir à
tous les pays qui lui offraient une idée ou une excitation :
il a eu l'ambition de recréer, entre ces pays bigarrés, l'unité
humaine qui avait été, en d'autres siècles, le monde chrétien
ou le monde français. Il a senti le retentissement universel
de chaque événement qui ébranlait, sur un point quelconque
de la terre, le monde moral, et surtout des événements de
France. Le philosophe allemand Edouard Gans le disait,
en mai 1830, à Saint-Marc Girardin : « La Restauration
n'est pas un événement de l'histoire de France, c'est un événement de l'histoire de l'Europe... Toutes choses maintenant
se tiennent et se lient, tant le monde est un vaste réseau dont
les mailles tremblent et s'agitent à la fois. Ce n'est plus une
terre sourde, immobile ; c'est une terre sonore, élastique, où
tous les mouvements ont des échos et des contrecoups. C'est
un vaste océan dont toutes les masses se soulèvent à la fois,
et le flot qui part des rivages de l'Amérique vient, de tempête

en tempête, se briser sur les rivages de l'Europe. » Et, dès l'année précédente, Alfred de Vigny avait écrit, en tête de sa traduction d'Othello : « *La seule chose dont je ressente quelque orgueil dans cette entreprise, est d'avoir fait entendre sur la scène le nom du grand Shakespeare, et donné ainsi occasion à un public français de montrer hautement qu'il sait bien que les langues ne sont que des instruments, que les idées sont universelles, que le génie appartient à l'humanité entière.*

Pour un romantique, comme pour un classique, comme pour un jacobin de la Révolution, la vocation de la France est précisément de présider à cette unité humaine, d'exprimer les idées du siècle, et peut-être de se sacrifier à ces idées. Ce thème, qui court à travers la poésie de Lamartine et de Hugo, à travers la prose de Michelet et de Quinet, s'accorde à cette idée de mission de l'écrivain, de fonction du poète, qui constitue le mysticisme esthétique de leur temps. Dans un article du National, intitulé *Nationalité française*, un écrivain genevois, Charles Didier, déclarait en *1841* : « *Il serait absurde de dire que tout s'invente, que tout se crée en France : tout se transforme, tout se socialise... C'est la France qui a révélé à l'Europe continentale le nom encore inconnu de Shakespeare... Walter Scott et Byron ne se sont popularisés sur le continent que lorsque la France les a traduits et divulgués. On en pourrait dire autant de Schiller, autant de Gœthe.* »

Les étrangers ont-ils eu conscience de cette mission de la France? Ont-ils connu notre romantisme?

Certes, leur curiosité n'a pas été sans étonnement ni ironie : avec défiance l'Espagne a considéré ces poètes français qui venaient à elle, à la recherche d'une hâtive couleur locale, et qui s'en retournaient chargés d'un pittoresque de fandangos et de jotas. Mais que vienne un observateur moins naïf, mieux préparé, comme l'auteur de Carmen : il sera reçu dans les foyers castillans; que des âmes énergiques, comme celle de Stendhal, s'exaltent au contact de l'énergie ibérique : elles auront droit à leur brevet d' « espagnolisme » de la main d'Azorin.

L'Italie, à laquelle Lamartine était allé dans une sorte d'ivresse enchantée, a accueilli Lamartine, non sans quelques querelles. Elle a considéré avec sympathie les efforts de notre romantisme, et y a comparé ceux de son « romanticisme » : c'est ainsi que Manzoni suit les controverses qui préludent à la naissance de notre drame, adresse aux novateurs de France ses encouragements, ses conseils.

Leur grand aîné d'Allemagne, Gœthe, ne les regarde qu'à distance, condescendant et approbateur. Il les sent animés d'un tempérament tout différent de ce qu'on appelle romantisme en Allemagne. Il s'intéresse à eux, mais en étranger.

Il entretient Eckermann de ce M. Victor Hugo dont on peut attendre beaucoup; il se divertit aux prouesses de cette comédienne espagnole, Clara Gazul, qui peut devenir en un tournemain le poète morlaque de la Guzla, et qui garde, à travers ces métamorphoses, les traits malicieux de Mérimée. La Jeune Allemagne met plus de véritable amitié à s'inspirer de la Jeune France. Non pas, d'ailleurs, que son choix aille au plus profond ou au plus exquis de notre romantisme : ce qu'un Gutzkow, un Zaube empruntent à Hugo, c'est son théâtre; et, à ce théâtre, le drame en prose, l'effet mélodramatique. Il faudra la subtile souplesse de Heine, fixé à Paris depuis *1831*, et qui sert de correspondant aux lettres françaises auprès de la Gazette d'Augsbourg, pour enseigner outre-Rhin le charme de ce Paris de l'époque romantique, dont « la fée bienfaisante est la Grâce ».

Ainsi pénètre, par degrés, à travers le monde notre nouvelle littérature. En Grande-Bretagne, Walter Scott qui suivait le mouvement de la vie française, qui passait la Manche pour préparer son histoire de Napoléon, n'était pas allé bien avant au cœur de ce pays dont le rapprochait son mariage; mais, avec les années, on verra venir aux œuvres françaises une George Eliot, dont le réalisme simple et touchant, le « populisme » moral donne à l'Angleterre ce tableau de vie quotidienne nuancé de tendresse émue, qui avait été dans la manière de « la bonne dame de Nohant »; un Swinburne, dont le lyrisme presque apocalyptique résonnera comme celui de ce Hugo qu'il admirait...

La Russie, elle aussi, a découvert peu à peu les sources profondes de notre romantisme. Longtemps elle en est restée au jugement de Pouchkine. Sans doute celui-ci, dans une lettre en français, disait à l'un de ses correspondants, en *1831* : « Mon ami, je vous parlerai la langue de l'Europe; elle m'est plus familière que la nôtre »; il lisait Mᵐᵉ de Staël, aimait Adolphe; mais il était sévère pour nos poètes, pour Hugo, pour la « monotonie stérile et fade » de Lamartine. Les années passeront : de longs séjours mêleront si étroitement un Tourguéniev à la France littéraire qu'il sera malaisé de l'en distinguer; avec les crises du siècle finissant, un reflet direct de notre romantisme social se posera sur la pitié tolstoïenne, sur l'apostolat de Résurrection. Le grand rêve de George Sand, de Victor Hugo, se trouvera transplanté aux confins des steppes.

On pourrait le suivre jusqu'en Amérique. Plus d'une fois ce que le cosmopolitisme nous apportera des pays étrangers ne sera qu'un retour de ce que l'étranger avait reçu de la France. Celle de *1830* ou de *1848*, comme la France classique, a parlé, pour reprendre le mot de Pouchkine, « la langue de l'Europe » et du monde.

L'Ombre de Marguerite apparait a Faust. Lithographie de Delacroix pour la traduction du « Faust » de Gœthe, par A. Stapfer (1828). — Cl. Arch. phot.

LES GRANDS FAITS POLITIQUES ET SOCIAUX DE 1852 A 1870

Le coup d'État du 2 décembre 1851 mit fin à la République parlementaire qu'avait permis d'instituer la révolution de 1848. Le prince-président devint dictateur et supprima jusqu'aux apparences du régime parlementaire; de dures mesures de répression, une sévère législation de la presse et des pouvoirs très étendus accordés aux préfets rendirent impuissante l'opposition avec laquelle sympathisaient des fractions très étendues de l'opinion. La campagne entreprise aussitôt en vue de la restauration de l'Empire aboutit en peu de temps; le 2 décembre 1852, après un plébiscite, le prince-président devint empereur sous le nom de Napoléon III.

Ce régime de stricte dictature, qui restreignait singulièrement la liberté d'expression des écrivains, ne dura que quelques années. A partir de 1859, il fallut faire des concessions à l'opinion, dont l'hostilité n'avait fait que s'accroître, malgré la prospérité économique qui avait accompagné le nouveau régime, et dont témoigna le succès de l'Exposition universelle de 1855. Plus encore que sous les régimes précédents, Paris, dont de grands travaux d'urbanisme modifièrent alors la physionomie, sut assurer son prestige de capitale intellectuelle de l'Europe. Les peintres de l'école de Barbizon, les paysagistes, Corot, Rousseau, Miller, les réalistes et surtout Courbet, maintinrent la tradition de gloire de la peinture française, cependant que la réputation de l'opéra français était assurée par Berlioz, Meyerbeer, Gounod, Ambroise Thomas. Les noms de Pasteur, de Claude Bernard, de Berthelot attestent le succès des efforts heureux de la science française et disent l'importance de ses découvertes.

A partir de 1860, les difficultés auxquelles se heurtait le nouveau régime apparurent en lumière; elles ne firent qu'augmenter. Les guerres heureuses contre la Russie et contre l'Autriche, que suivirent la libération de l'Italie et l'annexion de la Savoie et du comté de Nice, ne suffirent point à maintenir le prestige de l'Empire. L'échec de l'intervention au Mexique et la victoire de la Prusse sur l'Autriche firent bien vite reconnaître la faiblesse véritable de la France en Europe. A l'intérieur, les catholiques, un moment ralliés au régime, passaient à la résistance; l'opposition parlementaire se reformait; des mouvements révolutionnaires se préparaient. Les élections de 1863 témoignèrent de la puissance des partis d'opposition et l'Empire dut devenir libéral. Quelques années encore, et il était obligé de ranimer la vie parlementaire (1869).

Mais la catastrophe était proche; l'impuissance de la politique étrangère de Napoléon III l'amena à un conflit avec la Prusse, auquel la France n'était point préparée. Ce fut un désastre militaire, auquel le régime impérial, qui n'avait point su pousser des racines dans le pays, ne put survivre. La France redevint, après les troubles sanglants de la Commune, une république parlementaire.

L'Impératrice Eugénie et ses dames d'honneur. Tableau de Winterhalter, 1855 (musée de la Malmaison). — Cl. Arch. phot.

L'ATELIER DU PEINTRE, « allégorie réelle », par Gustave Courbet (1855, musée du Louvre). Dans la partie droite du tableau, on reconnaît Baudelaire, juché sur une table et absorbé dans une lecture; Champfleury, assis; et, dans le fond, au milieu du groupe des personnages debout, Proudhon. — CL. GIRAUDON.

TROISIÈME PARTIE

LE SECOND EMPIRE (1852-1870)

I. — LE POSITIVISME. LA SCIENCE

TENDANCES NOUVELLES

La courte période du second Empire est riche en grandes et belles œuvres; et ce qui frappe, dès l'abord, c'est que les œuvres critiques et historiques l'emportent de toute façon, en nombre, en valeur, par la portée et la durée de leur influence, sur les œuvres artistiques; la plupart de ces dernières sont d'ailleurs pénétrées, elles aussi, d'un nouvel esprit, critique et historique.

Ce mouvement, très fort, dut vaincre et vainquit facilement des résistances qui, en d'autres temps, auraient paru insurmontables. L'Église et l'État, par ailleurs assez peu d'accord, s'unirent contre le monde des gens de lettres, avec la pensée de leur interdire certains domaines de la pensée. De même qu'on voulait arrêter, par peur de l'esprit révolutionnaire, l'évolution politique et sociale de la France, de même, surtout au début du règne et jusque vers 1864, on chercha à gêner les audaces artistiques et intellectuelles, historiques ou philosophiques. Des grands écrivains de l'époque, plusieurs comme Hugo et Quinet, vécurent en exil; d'autres, comme Michelet et Renan, furent destitués de leurs chaires; d'autres, poursuivis devant les tribunaux : Flaubert, les Goncourt, Baudelaire; presque tous furent de l'opposition. La législation de la presse (loi du 16 juillet 1850 et décret du 16 février 1852) reste « un modèle à suivre par ceux qui voudraient annihiler

la presse et les publications »; elle visait le journalisme politique, mais, « par ricochet », elle « ruinait les écrivains qui vivent du journal par la critique littéraire, par la critique d'art, par le roman, par le compte rendu scientifique » : c'étaient là, déjà, les principaux gagne-pain de l'homme de lettres. Les obstacles et les menaces étaient entassés : autorisation préalable; droit de timbre élevé; suspension, puis suppression du journal, après avertissement, par simple mesure administrative; interdiction aux journaux littéraires et scientifiques de s'occuper, même accidentellement, de politique et d' « économie sociale ». La législation du colportage permit d'atteindre, sans qu'il fût besoin de les déférer aux tribunaux, les livres qui déplaisaient; les préfets reçurent l'ordre de surveiller les romans publiés en feuilletons; le substitut impérial Pinard condamna officiellement le « réalisme », et le jugement du tribunal qui acquitta Flaubert s'associa à cette condamnation. On songea, très sérieusement, en haut lieu, à « coordonner... la littérature avec l'ensemble des institutions de l'Empire », ce qui donna occasion à Victor de Laprade de parler avec une violente ironie (1861) du jour où « les Muses d'État... enrégimenteront chez nous l'esprit humain ». L'Église enfin, par l'encyclique *Quanta cura* et le *Syllabus* (1864), condamna en bloc toutes les « erreurs de notre temps », c'est-à-dire toutes les doctrines libérales modernes.

Toutes ces mesures restèrent inefficaces. « Nous saurons maintenir, écrivait Renan dès 1849, annonçant par avance cette victoire, la tradition de l'esprit moderne et contre ceux qui veulent ramener le passé, et contre ceux qui prétendent substituer à notre civilisation vivante et multiple je ne sais quelle société architecturale et pétrifiée, comme celle des siècles où l'on bâtit les Pyramides. » Cette belle audace, au moment où la réaction s'annonçait partout maîtresse, lui venait de ce qu'il sentait derrière lui, autour de lui, et en lui, une force intellectuelle capable de briser tous les obstacles : l'esprit scientifique du siècle et l'esprit de la Révolution, étroitement unis dans ce qu'on appelait, dès alors, le positivisme.

Le positivisme n'est, au fond, que la forme moderne de la philosophie du XVIIIe siècle, de la vieille tradition idéologique, libérée sous la Révolution, comprimée sous le premier Empire et sous la Restauration, et encore entravée sous le règne de Louis-Philippe. Le spiritualisme, sous sa forme religieuse et sous sa forme laïque, celle que lui avait donnée Victor Cousin, était alors la doctrine de l'État, et on la distribuait officiellement par toute la France, du haut en bas de l'enseignement. D'intimes affinités le liaient à la doctrine littéraire triomphante depuis 1830, au romantisme, qui ne s'était pas dégagé, entièrement et partout, de ses origines conservatrices et catholiques. On ne concevait pas que le « vrai » pût se manifester indépendamment du « beau » et du « bien ». « Le rêve et l'abstraction, dira Taine (1857), telles furent les deux passions » de l'époque romantique ; « d'un côté, l'exaltation sentimentale,... le désir vague de bonheur, de beauté, de sublimité, qui imposait aux théories l'obligation d'être consolantes et poétiques,... qui subordonnait la vérité, qui asservissait la science ;... de l'autre, l'amour des nuages philosophiques,... l'oubli de l'analyse,... la haine pour l'exactitude ; d'un côté, la passion de croire sans preuves ; de l'autre, la faculté de croire sans preuves : ces deux penchants composent l'esprit du temps ».

C'est cet esprit que combattait, depuis quelques années, l'esprit positiviste, et c'est de lui qu'il triompha, précisément sous le second Empire, par une victoire dont les conséquences furent durables. Il y eut un grand changement des valeurs. Le prestige suprême, qui allait jusqu'alors, dans le domaine intellectuel, à la philosophie, à la poésie, à l'art, se déplaça au profit de la science ; et la vieille idée de progrès réapparaissant plus forte sous le nom d'évolution, l'âge d'or de l'humanité fut, une fois de plus, dérobé à ce passé lointain et inaccessible où le maintenaient les poètes, et projeté dans un avenir, peut-être assez proche, dont il appartenait à la science et à la nouvelle philosophie de hâter la venue. Toutes les ambitions idéologiques, qui avaient semblé si ingénues au début du siècle, apparaissaient comme très réalisables, grâce aux progrès inouïs des sciences appliquées, grâce aussi aux révolutions successives qui avaient peu à peu diminué les forces de résistance de la vieille société.

Nul livre, mieux que *l'Avenir de la science*, écrit en 1848-1849 par Renan, ne peut faire comprendre quel fut l'état d'esprit de la nouvelle génération d'écrivains. La foi dans la raison et dans la nature humaine, dont il est imprégné, nous révèle admirablement les grands rêves qui, sous les formes diverses, illuminèrent alors la vie intellectuelle. Le culte de la science n'y est autre chose qu'une religion nouvelle, à jamais infrangible, qui se propose de « résoudre l'énigme,... de dire définitivement à l'homme le mot des choses,... de lui donner, au nom de la seule autorité légitime, qui est la nature humaine tout entière, le symbole que les religions lui donnaient tout fait et qu'il ne peut plus accepter ». Pour les hommes de lettres, la Science, la « science rationnelle », s'appelle Philologie. Philosophie, Critique, Histoire, tous ces mots ne signifiant qu'une seule et même chose : l'effort de l'esprit vers la vérité. Le temps est passé des beaux efforts individuels ; seul un grand travail, collectif et admirablement organisé, permettra de récolter la moisson magnifique. Grâce à cette ardeur de

recherche historique et critique, tout sera refait, la société comme la religion. La raison a le droit et le devoir de « réformer la société par la science rationnelle » ; et elle ne le pourra qu'en reprenant la tradition révolutionnaire, puisque aussi bien la Révolution française n'est que l' « avènement de la réflexion dans le gouvernement de l'humanité ». Connaître l'homme, organiser scientifiquement l'humanité, et pour cela élever le peuple, donner enfin le secret du grand mystère, tel paraissait alors à Renan l'idéal de toute activité intellectuelle.

Un nom domine l'époque : celui du fondateur du positivisme, Auguste Comte.

AUGUSTE COMTE

Auguste Comte est né à Montpellier le 19 janvier 1798. Il fut admis en 1814 à l'École polytechnique ; mais l'École fut licenciée en 1816 ; il renonça facilement à la carrière qu'elle lui eût ouverte. En 1817, il entre en relations avec Saint-Simon et publie sous son patronage un Prospectus des travaux scientifiques nécessaires pour réorganiser la société *(1822), première ébauche de sa philosophie. Il le réimprime, en 1824, sous le titre de* Système de politique positive ; *il signe ce travail « Aug. Comte, élève de Henri Saint-Simon » ; mais cette même année, il se brouille avec son maître. Le 2 avril 1826, il ouvre chez lui un « Cours de philosophie positive en soixante-douze séances » ; au bout de trois leçons, ce cours, auquel assistait toute une élite de savants, est interrompu. Une crise d'aliénation mentale, qui dura plusieurs mois, vint accabler le philosophe. Au début de 1827, il se jette dans la Seine ; un garde le repêche. Le 4 janvier 1829, Auguste Comte recommença son cours de 1826, qu'il mena cette fois à terme. Il chercha, sans y réussir, à faire créer pour lui une chaire d'histoire générale des sciences au Collège de France et fut nommé répétiteur (1832), puis examinateur (1837) à l'École polytechnique ; ces deux fonctions lui furent enlevées en 1844 et 1845, à la suite de ses graves dissentiments avec le monde des mathématiciens officiels. De 1830 à 1842, il écrivit son* Cours de philosophie positive, *dont il publia les six volumes de 1839 à 1842.*

Alors sa vie subit un grand changement, qui orienta ses idées vers de nouvelles voies ; il se sépara en 1842 de sa femme, qu'il avait épousée en 1825 : mariage assez bizarre et sans joie. En 1844, il s'éprit d'une jeune femme, Clotilde de Vaux (voir Ch. de Rouvre, l'Amoureuse Histoire d'Aug. Comte et de Clotilde de Vaux, 1917 ; édition abrégée, 1920). Ce grand amour resta tout platonique : Clotilde mourut en 1846. Mais elle lui avait fait « sentir enfin convenablement la prépondérance nécessaire de la vie affective », et rendit « la seconde partie de sa carrière philosophique bien supérieure, pensa-t-il, à la première ». De ce nouvel état d'esprit sortit toute une nouvelle série d'œuvres : le Calendrier positiviste *(1849), le* Catéchisme positiviste *(1852) et surtout le* Système de politique positive *ou* Traité de sociologie *instituant la religion de l'humanité (1851-1854). En 1848, A. Comte avait perdu ses dernières ressources, un poste de professeur dans une institution privée ; il vécut dès lors grâce à une « souscription positiviste » permanente organisée par ses disciples. Il mourut le 5 septembre 1857, à Paris, 10, rue Monsieur-le-Prince ; sa demeure resta comme l'église métropole de la religion positiviste.*

On a publié, après sa mort, son Testament *(1884), des* Lettres à M. Valat *(1870), des* Lettres à Stuart Mill *(1877), des* Lettres à divers *(1902), une* Correspondance inédite *(1903-1904).*

Des résumés de ses deux principales œuvres ont été donnés par J. Rig (Jules Rigolage) : la Philosophie positive *(4 vol., 1881) ; la* Méthode positive en seize leçons, *1917*. — *Voir* : *Chr. Cherfils*, Système de politique positive, *1912* ; *A. Roux*, la Pensée d'Auguste Comte, *1917*, *et sous le titre de* Principes de philosophie positive, *les deux premières leçons du* Cours de philosophie positive, *avec deux préfaces de Littré*.

Voir : *Littré*, Auguste Comte et la philosophie positive *(1863 ; 3ᵉ édition, 1877) ; Lucien Lévy-Brühl*, la Philosophie d'Auguste Comte, *1900 ; H. Gouhier*, la Vie d'A. Comte, *1931, et* la Jeunesse d'A. Comte et la formation du positivisme, *1933*.

LES ORIGINES

La grande œuvre d'Auguste Comte, la Bible du positivisme, c'est-à-dire le *Cours de philosophie positive*, a paru dix ans avant le début du second Empire ; mais c'est seulement sous le second Empire que l'influence du philosophe se manifesta. Ce furent d'ailleurs des disciples : les uns avoués et immédiats, Littré, Laffitte ; les autres lointains, Renan, Taine, qui véritablement propagèrent dans le monde intellectuel une doctrine que son créateur avait laissée sous une forme massive et très abstruse et qui avait d'abord fait peu de bruit. Vers 1855, le maître tirait de ses idées des conséquences si surprenantes qu'elles ne pouvaient plus être reçues telles quelles que par un très petit cénacle.

« Mon ouvrage fondamental, avait annoncé Comte dès 1845, a posé enfin toutes les bases essentielles d'une véritable philosophie, propre à satisfaire aux principales exigences, soit mentales, soit sociales, de la situation actuelle des populations occidentales. » De fait, cette grande construction philosophique avait de quoi contenter, une fois achevée, des tendances contradictoires, mais également fortes au milieu du

AUGUSTE COMTE en 1852. Tableau d'Étex (maison d'Auguste Comte, 10 rue Monsieur-le-Prince). CL. LAROUSSE.

siècle : la passion de la science et le désir d'action sociale ; le mépris des religions traditionnelles et de vifs besoins religieux, mystiques parfois ; le respect de la tradition révolutionnaire et l'aspiration vers un rigoureux ordre politique.

La façon dont Auguste Comte a concilié tous ces désirs, inégalement forts selon les esprits, a pu paraître bizarre ; mais, grâce à cette multiplicité de tendances, tout le siècle pouvait se retrouver en lui. Il a ouvert les principaux chemins qu'a suivis la pensée française dans la seconde moitié du XIXᵉ siècle ; et bien des philosophes originaux, qui se sentaient très différents de lui, ont dû reconnaître souvent qu'ils marchaient dans ses pas.

Aussi bien ne fut-il point d'abord, et essentiellement, un démolisseur. Il se rattache à une grande et vieille tradition de pensée française. Condorcet et Destutt de Tracy l'initièrent ; Saint-Simon, qui est de leur suite, fut son maître. Il appartint, comme élève, puis comme professeur, à cette École polytechnique, mal vue sous la Restauration, qui continuait à garder, en pleine période de réaction intellectuelle, la tradition de l'idéologie : c'étaient des idéologues qui l'avaient fondée. Aucune influence religieuse, philosophique, littéraire, artistique, sentimentale, ne paraît l'avoir profondément remué pendant sa jeunesse ; il appartenait tout à la « raison », dont la science

ne lui semblait que la forme moderne. « Le véritable esprit philosophique — a-t-il écrit, avec des mots qui eussent aussi bien pu venir sous la plume de Voltaire — consiste uniquement en une simple extension méthodique du bon sens vulgaire à tous les sujets accessibles à la raison humaine. » Il a l'hostilité foncière des encyclopédistes contre la métaphysique, contre toute recherche des causes premières ; il soumet tout à l'observation. Comme les « philosophes », et plus qu'eux, il affirme un déterminisme absolu. Comme eux, il enlève à l'homme la place privilégiée que lui donnent dans la nature tous les spiritualismes ; il le fait rentrer dans la grande série zoologique et veut l'expliquer tout entier dans l'ordre des phénomènes physico-chimiques.

LA DOCTRINE POSITIVE

La pièce essentielle du système, la fameuse « loi des trois états », est la systématisation extrême d'une vue générale sur l'histoire, familière au XVIIIᵉ siècle. Turgot et Condorcet, en établissant le bilan des progrès de l'esprit humain, avaient dit l'affranchissement progressif de l'homme, d'abord soumis aux servitudes religieuses et peu à peu libéré par la raison, en une sorte de mouvement continu, qu'ils appelaient le progrès. Auguste Comte transforma cette pente régulière d'ascension en un escalier, qui avait trois degrés massifs, trois, sans plus ; et il fit passer par là tout l'univers intellectuel. « L'esprit humain, déclara-t-il rigoureusement, par sa nature, emploie successivement dans chacune de ses recherches trois méthodes de philosopher, dont le caractère est essentiellement différent et même radicalement opposé : d'abord la méthode théologique, ensuite la méthode métaphysique et enfin la méthode positive... La première est le point de départ nécessaire de l'intelligence humaine ; la troisième, son état fixe et définitif ; la seconde est uniquement destinée à servir de transition. » Rigueur des termes à part, c'était là, évidemment, un des postulats les plus incontestés de l'idéologie ; et Pasteur n'avait point tort, quand il reprocha à Auguste Comte de n'avoir rien « inventé », au sens scientifique du mot, de n'apporter aucune idée neuve. Mais les conséquences que Comte tira de ce postulat, qui avait chance de trouver alors peu de contradicteurs, sont considérables.

Il s'en sert d'abord pour classer les sciences, ce qui, au premier regard, ne paraît pas de grande importance. Suivant qu'elles sont plus ou moins arrivées à l'état positif, ou bien qu'elles sont encore proches de l'état métaphysique et même théologique, suivant l'ordre historique de leur développement et leur degré de complexité, il les ordonne en une rigoureuse hiérarchie : mathématiques, astronomie, physique, chimie, biologie, et, tout au sommet, une science nouvelle, qu'il appelle sociologie. Il laisse les mathématiques au plus bas de l'échelle et donne à la biologie la place la plus haute, en attendant que cette primauté lui soit enlevée par la science la plus complète, celle des sociétés humaines. De toute façon, la connaissance de l'homme et l'organisation de la société deviennent le but de tout l'effort scientifique. « L'évolution fondamentale de la méthode positive demeure... nécessairement incomplète jusqu'à ce qu'elle s'étende suffisamment à la seule étude vraiment finale, l'étude de l'humanité, envers laquelle toutes les autres, même celle de l'homme proprement dit, ne sauraient constituer que d'indispensables préambules. »

De la « loi des trois états », et de la classification des sciences, son corollaire immédiat, est donc sortie une nouvelle définition du grand but de la science. Cette classification indique aussi, de façon impérative, la méthode de la science *positive*. La valeur de l'effort séculaire des psychologues est purement et simplement niée; le raisonnement mathématique ou logique est déclaré insuffisant; seule compte la méthode expérimentale, dont la science biologique, la dernière venue et la plus parfaite, a déjà tiré, au cours du XIXe siècle, de si grands avantages. Ce déplacement de prestige dans l'ordre des sciences, aux dépens des mathématiques et au profit

CLOTILDE DE VAUX. Tableau d'Étex (maison d'Auguste Comte). — CL. LARCOUSSE.

de la biologie, a valu à Auguste Comte, de son vivant, ses plus acharnés adversaires; mais c'est aussi une des idées qui ont le plus agi sur le monde des penseurs, dans la seconde moitié du XIXe siècle. Tout le système de Taine repose sur une analogie, parfois purement verbale, entre le travail du critique, historien ou philosophe, et celui du biologiste.

Comte prédit que cette méthode, rigoureusement appliquée dans tous les domaines, aura pour résultat, au bout de quelques années, un essor scientifique considérable et définitif. Ce sera l'avènement de « l'état pleinement positif », qui modifiera l'ensemble de l'existence humaine. Tous les problèmes recevront une solution positiviste. Du coup, la crise qui tourmente l'humanité depuis la Révolution aura sa fin. Le savant philosophe prendra définitivement ce rôle de chef de l'État, de prêtre de l'humanité que déjà lui avaient offert Saint-Simon et Fourier. La philosophie positive fera triompher la suprématie du bon sens, enfin éclairé et systématisé; les influences religieuses cesseront de s'exercer; il n'y aura plus d'antagonisme entre les besoins intellectuels et les besoins sentimentaux; pareillement, l'esprit révolutionnaire ne sera plus créateur de trouble; il se satisfera dans une activité tout organique. La moralité augmentera partout; l'art lui-même trouvera des sujets nouveaux et inépuisables. « La philosophie positive politiquement appliquée conduira nécessairement l'humanité au système social le plus convenable à sa nature, et qui surpassera beaucoup en homogénéité, en extension et en stabilité tout ce que le passé put jamais offrir. »

MYSTICISME POSITIVISTE

C'étaient déjà là de grands rêves, dont la réalisation prochaine était donnée comme rigoureusement garantie. Sur toutes les parties de ce système reluisait l'étiquette : *scientifique*. C'était la science, et non plus la religion, qui devait donner les secrets de vie et la quiétude d'esprit nécessaire au bonheur de l'homme. Pour cela, il n'était pas utile, dans le premier plan d'Auguste Comte, qu'elle devînt une religion. Or, elle en devint une; elle eut bientôt ses dogmes, son culte, son clergé, ses chapelles. « Dès 1845, a écrit Comte, j'avais pleinement apprécié... l'ensemble de ma carrière, dont la seconde moitié devait transformer la philosophie en religion, comme la première avait trans-

formé la science en philosophie ». L'esprit d'autorité rentra dans un système d'où il avait été chassé; le cœur fut élevé au-dessus de l'esprit; la « méthode subjective » se substitua à la méthode positive. Le Grand Fétiche, le Grand Être, la Vierge Mère, les Saints du calendrier positiviste se virent successivement appelés à l'existence. Bientôt Auguste Comte s'intronisa pontife suprême de la religion positiviste : il eut, non plus des disciples, mais des fidèles très dévots. Il ne manquait plus qu'un schisme : il se produisit.

La plupart des historiens d'Auguste Comte ont tenu à montrer que ce développement dernier de ses idées, fort bizarre et même parfois tout à fait inquiétant, était en germe dès le début de l'œuvre; et ils ont rétabli une cohérence plus ou moins étroite entre les deux parties du système. Au regard du philosophe lui-même, ils ont probablement raison; en tout cas, sa vie intime explique assez bien la transformation de sa doctrine : le grand ébranlement que donna à son cœur, à son cerveau, à tout son être, son amour insatisfait pour Clotilde de Vaux, fit triompher en lui une tendance sentimentale et des besoins superstitieux, que difficilement l'on aurait devinés à travers les soixante leçons du *Cours de philosophie positive*. Mais cette cohérence n'apparut point comme évidente alors à tous ses lecteurs, même et surtout à ceux de ses disciples qui se croyaient le plus près de sa pensée. Il avait trop exalté la science, trop surexcité l'espoir de jeter bas définitivement les anciens jougs, pour que l'on consentît aisément à en supporter de nouveaux. Un catéchisme, même « positiviste », restait un catéchisme; et la « religion de l'humanité » ne parut qu'une régression fâcheuse vers l' « état théologique ».

Ce fut le point de départ d'une scission dans le petit monde positiviste; au nom de la doctrine positiviste, Littré et une partie des disciples condamnèrent ces vues nouvelles, qui leur semblaient une « faute contre la méthode ».

ÉMILE LITTRÉ

Émile Littré est né à Paris le 1er février 1801. Il fut élève du lycée Louis-le-Grand; après quelques hésitations sur sa carrière, il se destina à la profession de médecin, mais sans abandonner ses études littéraires et philologiques; la nécessité où il se trouva de faire vivre les siens l'obligea à renoncer à la médecine, au moment où il allait pouvoir devenir docteur (1827). Il vécut de leçons et de travaux de librairie. Il fit le coup de feu en juillet 1830. En 1831, il devint rédacteur au National. *Il collabora à la* Revue des Deux Mondes, *au* Journal des Savants, *au* Journal des Débats, *etc. Pendant quarante ans (1831-1871), l'histoire de sa vie n'est guère que celle de ses travaux.*

A partir de 1840, il subit l'influence d'Auguste Comte et resta fidèle à la première forme du positivisme, purement scientifique et sans mysticisme; il finit par être désavoué par le maître (1852). Il fonda en 1867 la Revue de philosophie positive. *Membre de l'Académie des inscriptions et belles-lettres dès 1839, il se présente à l'Académie française en 1863; mais la vive opposition de Mgr Dupanloup fait échouer sa candidature; il est élu huit ans après (1871) et reçu le 5 juin 1873. Mgr Dupanloup, qui n'a* *point désarmé, donne sa démission pour n'être pas le confrère d'un homme qui lui paraît incarner l'athéisme, le matérialisme et le socialisme.*

La révolution du 4 septembre 1870 fit de Littré un personnage politique qui exerça une influence morale considérable pendant les premières années de la troisième République. Élu, par la ville de Paris, membre de l'Assemblée nationale (février 1871), il devint sénateur inamovible (1875). Il mourut le 2 juin 1881; des renseignements un peu incertains, et très discutés, permettent de croire que, peut-être pour complaire aux siens, le chef intransigeant du positivisme a fait, à son lit de mort, un geste de retour vers l'Église. — Voir P. Hyacinthe-Loyson, Mémoires inédits de mon père sur la mort de Littré *(Grande-Revue, janvier 1920);* — la Conversion et le baptême de Littré *(Correspondant, 25 septembre 1920).*

Les principaux de ses très nombreux ouvrages sont : la traduction des Œuvres *d'Hippocrate (10 vol., 1839-1861); la traduction de la* Vie de Jésus *de Strauss (1839-1840);* De la philosophie positive *(1845);* Application de la philosophie positive au gouvernement des sociétés et en particulier à la crise actuelle *(1849);* Conservation, révolution et positivisme *(1852);* Auguste Comte et la philosophie positive *(1863); la* Science au point de vue philosophique *(1873);* Histoire de la langue française *(1862);* Dictionnaire de la langue française, *4 vol. (1863-1872), un volume de supplément, 1878.*

Voir : Sainte-Beuve, Nouveaux lundis, *tome V;* Émile Caro, M. Littré et le positivisme, *1883; Discours prononcés à l'Académie, par Pasteur et par Renan, le 27 avril 1882.*

LE SAVANT

Auguste Comte a été et est resté le « philosophe », que peu de lecteurs abordent directement; Littré fut le « savant », au sens populaire du mot. Il a atteint presque tous les publics; pas un domaine de l'activité intellectuelle qu'il n'ait au moins traversé; il fut même journaliste et homme politique. « Je suis, avouait-il, de ces esprits inquiets et charmés, qui voudraient parcourir les champs divers du savoir;... à la fois avare et avide, je n'aimais à rien lâcher... Que n'ai-je pas roulé en mon esprit? » L'universalité de son savoir, l'ardeur et l'obstination de son effort, la sincérité et la robustesse de ses convictions, tout, jusqu'à sa figure de « vieux prêtre », a contribué à faire voir en lui un évangéliste du positivisme, toujours prêt à annoncer la bonne parole, une sorte de « saint laïque », dont ses amis politiques et philosophiques tiraient orgueil, mais dont on ne prononçait qu'avec horreur le nom dans les milieux catholiques.

Et la légende est vraie. Bien qu'aujourd'hui Littré nous paraisse un peu inférieur au cas que ses contemporains firent de lui, il est évident qu'il a été pendant un demi-siècle une force morale considérable. Il a réalisé assez exactement ce type du savant que rêvait Renan, en 1849, plus philologue et historien que philosophe, ayant dressé son intelligence à

ÉMILE LITTRÉ. — Cl. Pierre Petit.

porter dans tous les sujets la même méthode critique, s'attachant de préférence à inventorier le passé et à démolir les chimères monarchistes et religieuses. C'est comme linguiste surtout qu'il conserve une part de sa grande réputation. Son *Dictionnaire de la langue française* est là, dans la bibliothèque des philologues et des grammairiens, pour témoigner comment il savait travailler. Quinze années d'effort acharné où, ne voulant point abandonner tout à fait ses autres travaux, il restait dix-huit heures par jour devant sa table à écrire, quelquefois plus. Lui-même a tenu à calculer publiquement que son manuscrit avait plus de 415 000 feuillets, et que les colonnes des quatre volumes de son dictionnaire, mises bout à bout, s'étendraient sur 37 kilomètres 525 mètres 28 centimètres! Indications purement statistiques, certes; mais quand on a pu apprécier avec quelle science, quelle méthode, quel scrupule a été construit chacun des mètres de cette grande voie, on comprend dans toute sa plénitude le sens de ce mot « savant », dont on faisait volontiers une auréole autour de cette figure ardente et ascétique.

LE DISCIPLE

Il est bien significatif, pour éclairer le prestige d'Auguste Comte, qu'un tel homme se soit déclaré son disciple et se soit fait gloire, jusqu'au bout, de ce titre. « Je me retrouve disciple, écrit-il en 1876, près de quarante ans après l'initiation première. Arrivé à la vieillesse avancée et tout près du terme, je me félicite d'avoir toujours ainsi compris mon rôle et ma fonction. » Son humilité a quelque chose de profondément touchant; il y avait si longtemps que la mort du maître aurait pu le libérer, si longtemps qu'il s'était affranchi de sa tutelle! Sainte-Beuve a parlé, à son propos, de superstition et de crédulité, et ce n'est pas tout à fait sans raison. La « loi des trois états » lui inspirait une sorte d'hymne. « J'ai depuis longtemps cherché un thermomètre que je pusse, lisant les degrés, consulter sur les opinions que j'ai embrassées. A mon sens, je l'ai trouvé en cette double échelle qui montre, dans l'histoire de l'humanité, la décroissance du surnaturel et la croissance du naturel, la décroissance des notions subjectives et la croissance des notions objectives, la décroissance du droit divin et la croissance du droit populaire, la décroissance de la guerre et la croissance de l'industrie. Là est la source de convictions profondes, obligatoires pour la conscience » (1864).

Certes, l'adhésion totale au positivisme ne dura chez Littré qu'un temps; il se refusa à suivre Auguste Comte dans la seconde partie de sa carrière philosophique; mais ce n'est que peu à peu, sous la pression de grands et tristes événements, qu'il renonça à quelques-unes de ses convictions positivistes de la première heure. Toujours d'une sincérité absolue, perpétuellement occupé à un travail critique sur lui-même, il tint au jour le jour le journal de ces changements de pensée. Rien de plus curieux, à ce point de vue, que la réédition, en 1879, du livre *Conservation, révolution et positivisme* (écrit de 1848 à 1852, imprimé en 1852), réédition « augmentée de remarques courantes ». Chaque article est suivi de « remarques en 1878 », où l'auteur confronte ses opinions actuelles avec celles qu'il avait un quart de siècle avant; il s'approuve quelquefois, plus souvent il se contredit, il se taxe de naïveté; il ne craint point les mots durs. Mais les dernières lignes sont encore un hommage au positivisme, un « acte de foi philosophique »; il ne s'est accusé que d'avoir mal appliqué une méthode excellente.

LE PRESTIGE DE LITTRÉ

D'ailleurs ces rétractations, si rétractation il y a, ont été écrites alors que Littré avait soixante-dix-sept ans; elles attestent surtout que l'esprit du siècle avait dépassé le positivisme. Et elles n'empêchent pas que, pendant quarante ans, dans des livres de toute sorte, et jusque dans les journaux quotidiens, Littré ait prôné les réalisations pratiques de la doctrine. Athéisme, matérialisme, socialisme, voilà ce que signifiait son nom pour ses adversaires. Auguste Comte était mort; d'ailleurs son œuvre, peu lisible et peu lue, ne paraissait pas très dangereuse; ses bizarreries dernières et les bruits de folie que l'on faisait courir sur lui permettaient de le traiter en ennemi négligeable. Tout le poids de l'attaque se reporta sur Littré, surtout quand la République, que réclamait le positivisme, et qui se réclamait de lui, triompha. On colportait avec horreur la définition célèbre de son *Dictionnaire de médecine* (1855) : « HOMME. Animal mammifère de l'ordre des primates, famille des bimanes, etc. ». Des caricatures le représentèrent en « singe perfectionné »; sa figure y prêtait. Une école religieuse donna à ses élèves un sujet de rédaction où il fallait raconter comment Littré, venant se retirer parmi ses frères les singes, était mal reçu par eux, car il ne savait pas grimper aux arbres. Bref, toute une légende grossière et naïve, où on ne le traitait ni mieux ni plus mal que Voltaire ou Rousseau. C'est dire son prestige.

Au total, il a incarné le positivisme pur, philosophique-

LITTRÉ EN « SINGE PERFECTIONNÉ » (B. N., Cab. des Estampes).
CL. LAROUSSE.

ment et politiquement; il a noblement soutenu une cause que, sans lui, les fantaisies du maître auraient condamnée à une existence de petite chapelle. Renan, qui était bien revenu de ses ardeurs de jeunesse pour la science, mais qui voulait être juste, l'a admirablement défendu, après sa mort, contre les duretés un peu bien méprisantes de Pasteur, qui, songeant à la sûreté de ses propres méthodes, ne voyait en Littré qu'un faux savant. Littré, a dit Renan, « a vécu et senti avec l'humanité de son temps; il a partagé ses espérances, si l'on veut, ses erreurs; il n'a reculé devant aucune responsabilité... La critique historique a ses bonnes parties. L'esprit humain ne serait pas ce qu'il est sans elle, et j'ose dire que vos sciences, dont j'admire si hautement les résultats, n'existeraient pas, s'il n'y avait à côté d'elles une gardienne vigilante pour empêcher le monde d'être dévoré par la superstition et livré sans défense à toutes les assertions de la crédulité ».

LE MOUVEMENT SCIENTIFIQUE

Voir : la Science française (*Exposition universelle de San Francisco*), *2 vol., 1915, nouv. éd. 1933; G. Laurent,* les Grands Écrivains scientifiques (de Copernic à Berthelot), *extraits, 1905.*

En recevant Pasteur à l'Académie française, Renan, un peu choqué qu'il était par l'assurance de ce savant, avait tenu à dire que la philosophie et la critique étaient les protectrices de la science; il ne l'avait pas toujours pensé, et les savants n'en croyaient rien. Ils estimaient au contraire, pour la plupart, que le succès du positivisme ne tenait pas tant à la qualité de cette doctrine qu'aux manifestations éclatantes de la science moderne, dont le positivisme se réclamait; et la philosophie du temps ne leur paraissait qu'une métaphysique assez incertaine, point trop utile, rédigée en manière d'appendice à leurs propres découvertes. C'est le sens d'une belle et noble controverse qui opposa dans la *Revue des Deux Mondes*, en octobre-novembre 1863, Renan et Berthelot. Renan, dans un article intitulé *les Sciences de la nature et les sciences historiques*, avait esquissé une histoire du monde où il tâchait d'unir la recherche philosophique et la recherche scientifique. Berthelot lui répondit en opposant la *science positive* à la *science idéale*, c'est-à-dire la métaphysique moderne, qu'il appelait ainsi poliment; il ne reconnaissait à celle-ci que le droit de jouer, sans grand danger ni grande conséquence, par pure distraction d'esprit, avec les résultats acquis des vraies sciences. Quarante ans plus tard, le jour où on célébra son cinquantenaire scientifique (24 novembre 1901), il ne conviait même plus la philosophie à cette œuvre de luxe; c'était la science seule qu'il donnait comme la religion des temps nouveaux. De la philosophie, sa prétendue interprète, il n'était plus question. « La science, disait-il, est la bienfaitrice de l'humanité... Elle réclame aujourd'hui à la fois la direction matérielle, la direction intellectuelle et la direction morale des sociétés. Sous son impulsion, la civilisation moderne marche d'un pas de plus en plus rapide »; c'est elle qui donnera « les bases purement humaines de la morale et de la politique de l'avenir ».

Vers 1860, on ne le disait point aussi expressément; mais c'était, au fond, des pensées toutes pareilles qui faisaient la force réelle de tous les positivismes, celui de Littré, celui de Renan, celui de Taine; ils ne furent jamais, auprès de la foule, que les fourriers de la science.

Les découvertes scientifiques se multipliaient dans tous les domaines : chimie, physiologie, médecine, mécanique. Des hypothèses hardies renouvelaient les vues qu'on avait sur l'univers et forçaient d'abandonner pour jamais quelques-unes des vieilles explications scolastiques. Pasteur découvrait le monde des infiniment petits; Berthelot brisait la croyance en la force vitale, faisait rentrer les phénomènes biologiques dans la masse des phénomènes physiques ou mécaniques, et simplifiait prodigieusement la conception de la vie universelle. Parmi ces grandes hypothèses nouvelles, il en était une, la plus facile à vulgariser, qui exerça une influence extraordinaire sur la pensée du temps : c'est l'hypothèse transformiste, le darwinisme, que mit en circulation, en 1859, le traité *De l'origine des espèces.* Les idées de lutte pour l'existence, de sélection naturelle, d'hérédité, d'unité du type originel, etc., firent un chemin rapide dans le grand public. Les positivistes, les libres penseurs, acceptèrent avec joie une doctrine séduisante qui renouvelait les notions de déterminisme et de progrès, qui fournissait d'admirables arguments contre la croyance aux causes finales, qui permettait enfin de donner de l'ordonnance du monde vivant, une explication

LOUIS PASTEUR. — CL. PIERRE PETIT.

indépendante de toute idée de providence. Cette philosophie populaire, née du transformisme et proche parente du positivisme, imprégna plusieurs générations intellectuelles; sans elle, on n'aurait vu apparaître ni la littérature naturaliste, ni la critique littéraire scientifique, ni la théorie de l'évolution des genres littéraires.

Il ne saurait être question, ici, de tracer une esquisse de ce que fut l'activité scientifique sous le second Empire. Il suffit que l'on montre à l'horizon cette grande lumière illuminant la pensée du temps. Parmi les nombreux savants de l'époque, trois ont très directement influé sur la pensée de leurs contemporains, et c'est d'eux seulement qu'il sera fait mention : Claude Bernard, qui fit triompher la renommée de la méthode expérimentale; Pasteur et Berthelot, qui popularisèrent le prestige de la science. Leurs découvertes de laboratoire eurent aussitôt pour résultats des applications où l'on vit de grands avantages immédiats pour l'humanité, et qui ouvrirent la perspective de progrès inouïs, non plus moraux et théoriques, mais monnayables en santé et en bonheur pour tous les hommes. Triompher de la maladie, mettre la main sur toutes les forces de la nature, la concurrencer dans ses productions, faire mieux qu'elle, modifier peu à peu les conditions matérielles de l'existence : cette possibilité d'une « intervention continue de la science dans l'ordre moral et économique » s'imposa alors à l'esprit de tous; c'était, comme l'a très bien dit Berthelot, « un fait sans précédent en histoire ».

LOUIS PASTEUR

Louis Pasteur est né à Dôle le 27 décembre 1822, et mort à Paris le 28 septembre 1895. On a commencé à publier en 1923 une édition collective de ses œuvres. Correspondance, t. I, 1947. — Voir : René Vallery-Radot, la Vie de Pasteur, 1900; L. Descour, Pasteur et ses œuvres, 1921.

Pasteur est le plus populaire des grands savants de France; aujourd'hui encore, il symbolise, dans l'enseignement de l'école primaire, ce qu'est la science moderne, et ce qu'elle peut. Les services qu'il a rendus, a dit Berthelot, « ne cesseront jamais d'être présents à la mémoire des hommes, car ils sont plus particulièrement tangibles et accessibles à l'intelligence de tous. Tout le monde est

touché par des découvertes qui tendent à nous soustraire à la fatalité de la maladie, à augmenter la durée de la vie et le nombre des vivants. » A vrai dire, cette grande gloire, qui balança, puis qui dépassa celle de Victor Hugo, est postérieure à la période du second Empire; mais, dès le second Empire, Pasteur connut la célébrité. Ses études sur la maladie des vers à soie témoignèrent hautement du concours que les savants pouvaient apporter à l'enrichissement de la nation. La valeur de la science se mesura très avantageusement pour elle à la valeur de l'argent qu'elle faisait gagner.

Dès ses premières découvertes, Pasteur rendit à la pensée française l'éminent service de faire triompher devant l'opinion les méthodes et l'esprit de la science moderne. Rien de plus ordonné, de plus lumineux que sa carrière scientifique : les phases successives s'en enchaînent logiquement, comme si un grand plan avait été tracé d'avance et réalisé peu à peu, comme si des étapes régulières et prévues avaient acheminé Pasteur vers un horizon toujours agrandi. Berthelot — et qui pouvait mieux résumer cette vie de savant, et l'apprécier ? — a dit de lui : « Parti d'études étroites et spéciales, il s'est élevé à des vues de plus en plus générales, pour arriver à embrasser les problèmes pratiques les plus vastes qui puissent intéresser la race humaine...; l'étude des corps cristallins le conduisit à la découverte de la dissymétrie moléculaire...; l'existence de celle-ci dans les produits fabriqués par les êtres vivants le mena à l'étude des fermentations, et cette dernière tout d'abord à l'éternel problème de la génération spontanée, c'est-à-dire de l'origine de la vie...; les méthodes rigoureuses et nouvelles qu'il institua pour traiter ce problème furent aussitôt transportées par lui dans l'étude des maladies des vins et de la bière et des décompositions organiques. C'est ainsi que, le champ de ses recherches s'élargissant avec sa pensée, il passa des fermentations aux maladies, d'abord aux maladies des animaux, puis à celles de l'homme, et fut conduit à faire jouer aux êtres microscopiques un rôle qui a révolutionné à la fois la chirurgie, la science et la médecine. » Dans cette grande suite ininterrompue de travaux, on ne sait ce qu'on doit le plus admirer : la puissance du raisonnement, ou celle de l'expérience; l'hypothèse et la vérification restaient toujours étroitement unies.

Aussi quelle assurance Pasteur apportait-il, après des années de prudentes recherches, dans l'affirmation de ses doctrines ! « Jamais, proclamait-il en 1864, la doctrine de la génération spontanée ne se relèvera du coup mortel que cette simple expérience lui porte... Non, il n'y a aucune circonstance aujourd'hui connue dans laquelle on puisse affirmer que des êtres microscopiques sont venus au monde sans germes, sans parents semblables à eux. Ceux qui le prétendent ont été le jouet d'illusions, d'expériences mal faites, entachées d'erreurs qu'ils n'ont pas su éviter. » Chaque fois il pouvait parler sur ce ton. Il triomphait si aisément dans les rendez-vous solennels qu'il donnait à ses adversaires, que ceux-ci prirent vite le parti de s'y dérober. Il parut bientôt à tous qu'il était l'homme qui jamais ne s'était trompé, qui ne pouvait pas se tromper. Un vrai prestige de magicien.

Il ne lia point, comme d'autres, sa science à la

philosophie régnante ; malgré sa foi catholique, il se refusa également, et bien qu'on l'y poussât, à lancer sa doctrine de la non-génération spontanée au secours de la religion. Il ne voulut être qu'un savant ; et si, le jour de sa réception à l'Académie, il se montra dur pour Auguste Comte et Littré ; si, contre eux, il proclama la valeur du spiritualisme qui échappe à la méthode expérimentale ; s'il affirma que l'infini était la plus importante des notions positives, encore qu'elle se dérobe à la science, c'est qu'il tenait à enlever au positivisme le droit de se réclamer de la méthode scientifique. Ce savant s'inclinait devant la religion, mais méprisait la philosophie. Et pourtant, bien malgré lui, le triomphe éclatant de ses recherches aida au triomphe des tendances positives du temps.

MARCELIN BERTHELOT

Marcelin Berthelot (né à Paris le 25 octobre 1827, mort à Paris le 18 mars 1907) a publié de très nombreux livres et mémoires scientifiques qu'on ne saurait énumérer ici. Mais il a composé en outre, en vue d'un public moins spécialisé, des conférences et des articles philosophiques, recueillis par lui dans Science et philosophie, *1886 ;* Science et morale, *1897 ;* Science et éducation, *1901 ;* Science et libre pensée, *1905. Il a publié sa Correspondance avec Renan, 1898. —* Voir *le Cinquantenaire scientifique de Berthelot, 1902 ; Jules Lemaitre, Discours prononcé à l'Académie française pour la réception de M. Berthelot, 2 mars 1901.*

Illustre, mais infiniment moins célèbre que Pasteur, il aurait pu aspirer à partager sa gloire. « Avec Pasteur, lui dit Jules Lemaitre en le recevant à l'Académie française, vous aurez été peut-être l'homme du XIXe siècle le plus utile aux hommes. » On ne le connut d'abord longtemps que comme un savant, rénovateur de la chimie, attaché à une œuvre difficile de synthèse, dont peu à peu les conséquences se révélèrent capitales pour l'industrie ; puis, ce fut pour les services rendus à la défense nationale et à l'administration de l'Université qu'il fallut l'admirer ; enfin il se manifesta comme homme d'État et comme philosophe. Pendant la seconde moitié de sa vie, il devint le symbole de la science unie à la République pour le bien de l'humanité. C'était trop de mérites à reconnaître en un seul homme. Et puis, ses découvertes, pour si importantes qu'elles fussent, ne pouvaient s'imposer à l'imagination populaire comme celles de Pasteur ; elles ne se réalisèrent jamais en une de ces applications dont l'humanité

entière touche aussitôt le profit : que pèse la découverte d'un nouvel explosif auprès de celle d'un sérum qui fait reculer la maladie et la mort ?

Pourtant, c'est lui qui a proclamé le plus haut les bienfaits qu'on devait attendre de la science pour le bonheur des hommes. Il annonçait que ses synthèses n'auraient point de limites. « Nous pouvons prétendre, sans sortir du cercle des espérances légitimes, à concevoir les types généraux de toutes les existences possibles et à les réaliser ;... à former de nouveau toutes les matières qui se sont développées depuis l'origine des choses et à les former dans les mêmes conditions, en vertu des mêmes lois, par les mêmes forces que la nature a fait concourir à leur formation. » Ces promesses inouïes parurent prendre une forme très pratique, le jour où Berthelot annonça que la chimie pourrait résoudre un jour le problème de l'alimentation ; l'imagination populaire s'empara de ces perspectives, et l'on rêva d'une humanité dispensée par le chimiste de la quête quotidienne de la nourriture.

En attendant de pouvoir agir de la sorte sur les conditions de la vie des sociétés, Berthelot multipliait, dans ses articles et ses conférences, l'affirmation que la science possédait une « force morale », capable d'amener « les temps bénis de l'égalité et de la fraternité de tous devant la sainte loi du travail » ; il redorait les grands rêves sociaux du positivisme : il promit trop.

CLAUDE BERNARD

*Claude Bernard est né à Saint-Julien (Rhône) le 12 juillet 1813, et mort à Paris le 10 février 1878. — Voir l'*Œuvre de Claude Bernard *(Notices biographiques ; table des œuvres complètes ; bibliographie des travaux scientifiques), 1881 ;* Pensées, *1938 ;* Cahier rouge ; *1942,* Principes de médecine expérimentale *(inédit), 1948. — A consulter : H. Cotard, la Pensée de Claude Bernard, 1945.*

LA MÉTHODE EXPÉRIMENTALE

Au moment où Berthelot commençait ses recherches, Claude Bernard travaillait déjà depuis plus de vingt ans ; il est aussi l'aîné de Pasteur. Avant eux, et aussi bien qu'eux, il avait pratiqué cette méthode expérimentale à laquelle son nom reste attaché ; en 1866, Pasteur lui rendait hommage comme à un maître. Et dans une histoire qui veut être un tableau des grands courants intellectuels, il faut faire la part plus belle à Claude Bernard qu'à ses successeurs. Il est, en effet, de tous les savants d'alors, celui qui a agi le plus directement sur le grand public ; il a donné la claire formule de cette méthode que les autres se contentaient d'appliquer silencieusement. Il a écrit, en 1865, un volume de belle vulgarisation, l'*Introduction à l'étude de la médecine expérimentale*, qui, a dit Bergson, — reprenant une louange consacrée depuis bientôt un siècle, — « a été pour les sciences concrètes de laboratoire ce que le *Discours de la méthode* avait été pour les sciences abstraites ». L'ouvrage est devenu classique ; il figure aujourd'hui dans les programmes de nos lycées ; c'est sur lui que l'on compte pour initier les jeunes gens à la vraie méthode des sciences.

Ce clair volume, Claude Bernard l'a écrit après un quart de siècle de travaux de laboratoire et d'enseignement scientifique ; il était parvenu enfin à une nouvelle conception de la physiologie générale, assez limpide, assez certaine pour qu'il pût la présenter à d'autres qu'à ses

MARCELIN BERTHELOT dans son laboratoire. — CL. LAROUSSE.

pairs. En 1864, il commença à vulgariser, dans la *Revue des Deux Mondes*, ses découvertes sur les poisons et sur la physiologie du cœur; l'année suivante, il publiait un grand article, *Du progrès dans les sciences physiologiques*, qui n'est que la présentation, sur un autre plan, des principales idées de son *Introduction à l'étude de la médecine expérimentale*, parue la même année. Il développait, en même temps, ses vues dans des conférences du soir à la Sorbonne. L'effet fut considérable. Le rapport sur les progrès de la physiologie générale, dont il fut chargé pour l'Exposition de 1867; un nouvel article, dans la *Revue des Deux Mondes*, sur *le Problème de la physiologie générale* (1867), achevèrent de le

CLAUDE BERNARD ET SES ÉLÈVES. Tableau de Lhermitte, à la Sorbonne. — CL. BLOCH.

consacrer dans ce rôle de grand vulgarisateur des sciences de la vie. Et l'Académie française, un peu plus tôt qu'elle n'a coutume de faire pour les savants, l'élut dès l'année suivante; c'était sa manière de reconnaître, comme s'il se fût agi, pour son *Dictionnaire*, d'un mot nouveau et bien accrédité, l'entrée définitive d'une notion nouvelle dans la pensée française.

Claude Bernard était médecin; mais il fut vite choqué par l'état de la médecine de son temps : un art, au sens propre du mot, puisque l'initiative personnelle, l'intuition, et ce qu'on appelle assez vaguement l'« expérience » permettent d'y réussir. La vérité scientifique n'a que bien peu à y prétendre. Beaucoup de médecins, au nom de conceptions qui n'étaient que métaphysiques, estimaient même qu'on n'arriverait jamais à constituer la médecine en science; ils invoquaient la force vitale. Contre eux, Claude Bernard affirma que la médecine peut devenir une science, à condition qu'elle se fonde solidement sur la physiologie, et à condition que celle-ci se soumette étroitement aux méthodes déjà éprouvées dans les sciences voisines. « La science des phénomènes de la vie, dit-il, ne peut pas avoir d'autres bases que la science des phénomènes des corps bruts;... il n'y a, sous ce rapport, aucune différence entre les principes des sciences biologiques et ceux des sciences physico-chimiques... Le but que se propose la méthode expérimentale est le même partout; il consiste à rattacher par l'expérience les phénomènes naturels à leurs conditions d'existence ou à leurs causes prochaines. » Et Claude Bernard emploie de nombreuses pages à démontrer par les raisonnements et par les faits que « l'organisme animal n'est en réalité qu'une machine vivante qui fonctionne suivant les lois de la mécanique et de la physico-chimie ordinaires, et à l'aide de procédés particuliers qui sont spéciaux aux mécanismes vitaux constitués par la matière organisée ». Ici, comme ailleurs, le déterminisme triomphe en maître absolu; sauf la cause première, la vie, rien n'échappe à l'expérimentateur.

Cette nouvelle méthode, acceptée unanimement dans les sciences physico-chimiques, combattue en médecine par la toute-puissante théorie vitaliste, aura pour résultat de faire passer l'art de guérir de l'état de science d'observation à celui de science expérimentale. Claude Bernard prend grand soin de distinguer l'expérience, simple observation descriptive, recueillie au hasard, de l'expérimentation voulue, provoquée, sans cesse modifiée au gré du savant. Il montre par des exemples nombreux ce que doit être cette investigation expérimentale dans l'étude des phénomènes de la vie, les précautions à prendre, les moyens de contrôle nécessaires, les principaux instruments à utiliser. Surtout, il met bien en lumière le rôle alterné de l'hypothèse et de l'expérience : l'hypothèse donnant la voie de la recherche, et la recherche n'ayant d'autre but que de démolir l'hypothèse, pour en faire naître une autre, jusqu'au jour où elle doit s'avouer vaincue.

Mais jamais l'hypothèse n'est sûre d'une victoire définitive; les résultats de la science sont essentiellement provisoires. « Immanente à l'œuvre de Claude Bernard, a écrit Bergson, est ainsi l'affirmation d'un écart entre la logique de l'homme et celle de la nature. Sur ce point, et sur plusieurs autres, Claude Bernard a devancé les théoriciens *pragmatistes* de la science. »

La science ainsi comprise ne cherche pas à établir le *pourquoi* des phénomènes des corps vivants, — c'est affaire aux métaphysiques et aux religions, — mais leur *comment*; elle doit éclairer parfaitement les conditions déterminantes dans lesquelles ils se produisent. Alors seulement le médecin aura le pouvoir d'agir sur ces conditions, afin de modifier heureusement les manifestations qui en dépendent; il pourra conserver la santé, et guérir la maladie. C'est un idéal assez élevé pour soutenir le savant dans cette « affreuse cuisine » du laboratoire où il faut s'attarder. Plus que personne, Claude Bernard a contribué à vulgariser cette image de l'homme de science, indifférent aux cris des animaux qu'il dissèque vivants, point ému par le sang qui coule, tendu uniquement vers les problèmes qu'il veut résoudre; la science est, pour lui, au-dessus des considérations de morale ou de sentiment; le but justifie les moyens; et ce but, c'est la vérité, qui est bienfaisante, non pas dans son essence, mais par le pouvoir qu'elle nous donne sur la nature; grâce à elle, l'homme devient « un contremaître de la création ».

L'INFLUENCE DE CLAUDE BERNARD

Toutes ces idées, alors nouvelles, Claude Bernard les présentait d'une façon admirablement claire, avec de saisissantes formules. Patin, en le recevant à l'Académie, le félicita de l'« élévation de son style » et de son « art d'exposition ». Il traduisait ainsi l'étonnement où sont restés longtemps les esprits uniquement nourris de lettres, quand il leur arrivait de rencontrer sur leur chemin des idées scientifiques traduites en belle langue française, et ordonnées avec la logique harmonieuse des grandes œuvres d'art. C'est ce prestige que conquit, dès sa publication, l'*Introduction à l'étude de la médecine expérimentale*. Elle vulgarisa, dans un autre monde que celui des savants, l'esprit moderne de la science; elle créa cette conviction sans cesse grandissante : ce qu'on avait réussi pour ce qui était de l'*art* de la médecine, peut-être pourrait-on le tenter sur d'autres *arts* plus éloignés en apparence de tout contact avec la science : la psychologie, la morale, la sociologie... La méthode devenait l'essentiel; pourquoi l'esprit scientifique, convenablement dirigé, n'en arriverait-il pas à régénérer tous les champs de l'intelligence ?

Il existe un exemple topique de cette utilisation des idées de Claude Bernard par des esprits d'hommes de lettres, quelquefois mal préparés à le bien comprendre : c'est la théorie du roman expérimental de Zola. « La formule scientifique de Claude Bernard, déclara-t-il, n'est autre que celle des écrivains naturalistes »; et, dans son *Roman expérimental* (1880), il se borna, de son propre aveu, à recopier les principaux passages de l'*Introduction à l'étude de la médecine expérimentale* : partout où il y avait le mot *médecine*, il écrivit *roman*; les résultats de ce procédé sont étranges. Jusque vers 1865, déclare-t-il, l'imagination a été la qualité maîtresse du romancier; l'on affirme généralement que la science n'a rien à faire avec le roman; eh bien ! le roman deviendra une science, le jour où il sera solidement fondé sur la psychologie scientifique, qui n'est elle-même qu'une des branches de la physiologie. Ainsi on fera passer le roman de l'état de science d'observation à l'état de science expérimentale. Quoi de plus aisé que d'expérimenter dans le roman ? Après une observation, portant sur un fait individuel ou social, on invente une situation pour contrôler cette observation, et on vérifie l'hypothèse qu'on a pu faire. Cet énorme abus de mots, cette grossière analogie n'ont pas embarrassé Zola; il n'a point paru s'aviser que le romancier ne trouvera jamais, dans son *expérimentation*, que ce qu'il y aura préalablement mis lui-même. Il appelle délibérément hypothèse sa fiction; expérience, son récit; résultat et contrôle de l'expérience, son dénouement. Devenu science d'expérimentation, le roman établira non le *pourquoi* de nos actions, mais leur *comment;* il formulera des lois humaines et sociales; il pourra dès lors agir sur la société, conserver la santé de l'humanité, offrir des remèdes pour les maladies du corps social; et peu importe les pages scabreuses, qui auront été nécessaires pour arriver à cet admirable but : c'est l'« affreuse cuisine » du laboratoire.

Le Roman expérimental nous paraît aujourd'hui une lourde caricature des idées de Claude Bernard; mais les naturalistes le prirent très au sérieux en 1880. Ce sont des exagérations doctrinales de ce genre qui permirent bientôt de parler de la « faillite de la science ». Le prestige de la science s'était tellement affermi depuis un quart de siècle, l'esprit de ses méthodes tellement vulgarisé, que le nombre des faux savants et des fausses sciences s'était accru anormalement; de toutes parts, on faisait, au nom de la science, des promesses merveilleuses : elle allait donner une nouvelle religion, une nouvelle morale, une société nouvelle, un art nouveau... Toutes ces promesses firent faillite, bien entendu; mais les gens qui les proclamèrent n'avaient point reçu mandat de la science pour les faire. La science, au vrai sens du mot, n'avait rien promis que ce qu'elle pouvait donner, et qu'elle donna; l'œuvre de Claude Bernard, entre autres, est là pour en témoigner.

II. — LA CRITIQUE ET L'HISTOIRE
SAINTE-BEUVE

Sainte-Beuve a, en 1852, quarante-huit ans; la révolution de 1848 lui a fait perdre sa place de conservateur à la bibliothèque Mazarine; il est appelé à l'université de Liège, où il professe un an (1848-1849), mais ne réussit pas à s'y faire nommer professeur en titre. Il s'engage alors (fin 1849) à donner, toutes les semaines, une chronique des livres au Constitutionnel. *Il se rallie à l'Empire et devient rédacteur au* Moniteur *(6 décembre 1852) : le gouvernement, qui avait songé à le nommer à la Sorbonne, le désigne pour succéder, au Collège de France, à Tissot (13 décembre 1854); il ouvre son cours le 9 mars 1855; des manifestations hostiles l'empêchent d'aller au-delà de la deuxième leçon; il est nommé, en compensation, maître de conférences pour la langue et la littérature françaises à l'École normale supérieure (3 novembre 1857), et y enseigne de 1858 à 1861 (J. Thomas,* Sainte-Beuve et l'École normale, *1936). A cette date il revient au* Constitutionnel *(1861-1867), puis au* Moniteur *(1867-1868); enfin il passe au* Temps *(1869). Il est nommé sénateur le 28 avril 1865, et se signale par ses interventions en faveur de Renan (25 mars 1867), dans l'affaire des bibliothèques populaires (25 juin 1867), dans la discussion de la loi sur la presse (7 mai 1868) et de la loi sur la liberté de l'enseignement (19 mai 1868); son attitude libérale le rend populaire; il est tout à fait passé à l'opposition. Il meurt le 13 octobre 1869.*

Les deux principales œuvres de cette époque sont les Lundis *et les* Nouveaux Lundis.

Les Causeries du lundi *(1re édition, 1851-1857, 13 vol.; t. XIV, 1861; t. XV, 1862) comprennent, dans la 3e édition (1857-1872), 15 volumes qui reproduisent la plupart des articles publiés par Sainte-Beuve de 1849 à 1861. Une* Table générale et analytique, *par Ch. Pierrot, a paru en 1881.*

Les Nouveaux Lundis *(13 vol., 1863-1870) reproduisent les articles publiés dans la période qui va du 16 septembre 1861 à la mort de Sainte-Beuve. Une Table alphabétique et analytique, dressée par Victor Giraud, a paru en 1904.*

Une édition, classée méthodiquement, des articles de Sainte-Beuve a paru en 22 volumes à la librairie Garnier, de 1926 à 1933, sous le titre les Grands Écrivains français *(classés par siècle); de même la* Littérature française des origines à 1870, *10 vol., 1926-1927.*

On a recueilli, dans le tome III des Premiers Lundis *(posthumes, 1874-1875), un certain nombre d'articles, de conférences, de discours parus de 1852 à 1870. Dans les mêmes années, Sainte-Beuve a en outre achevé son* Port-Royal *(1840-1859; 3e édition, 1867-1871) et donné ses* Derniers Portraits littéraires, *1852; une* Étude sur Virgile, *1857 (le cours qu'il devait professer au Collège de France);* Chateaubriand et son groupe littéraire, *1861 (cours professé à Liège, 1849); éd. augm. 1873; éd. critique par M. Allem, 1949. De nombreux inédits ont été publiés après sa mort, sous ces titres :* Proudhon..., *1872;* Cahiers de Sainte-Beuve, *1876;* Mes poisons, *1926;* Cahiers intimes, *1933;* Correspondance, *1877-1878;* Nouvelle Correspondance, *880;* Correspondance générale *(édition J. Bonnerot), 1935 et suiv. (avec une bibliographie de l'œuvre; 5 vol. en 1947).*

Voir : J. Bonnerot, Bibliographie de l'œuvre de Sainte-Beuve, *t. I, 1937; G. Michaut,* Sainte-Beuve, *1921; A. Bellessort,* Sainte-Beuve et le XIXe siècle, *1927.*

LE RALLIEMENT A L'EMPIRE (1852-1857)

C'est dans les vingt dernières années de sa vie que Sainte-Beuve a vraiment conquis son grand renom. Le poète des *Rayons jaunes*, l'auteur de *Volupté*, l'historien de *Port-Royal*, qui, malgré tout, restait dans la pénombre, doit sa célébrité aux *Causeries du lundi* et aux *Nouveaux Lundis*; il a été le grand critique de la période du second Empire; et, en outre, à mesure que les années passent, on se persuade de plus en plus, semble-t-il bien, qu'il a réalisé une forme parfaite de la critique littéraire française.

« Avant les *Lundis* »..., « à l'époque des *Lundis* » : c'est une division traditionnelle, et il y eut alors, en effet, comme une grande coupure dans la destinée de Sainte-Beuve. Il fut, pendant quelques années, sous la poussée des événements, tout autre qu'on aurait pu le prévoir; et il ne retrouva que peu à peu cet admirable équilibre, cette sérénité de jugement, ce don de regarder les œuvres d'un regard clair, qui nous semblent maintenant les caractéristiques essentielles de son esprit. En 1852, il était au seuil de la cinquantaine; et les années immédiatement précédentes avaient été pour lui des années de crise. Aucune grande œuvre ne l'attachait plus : son *Port-Royal* était vraiment fini, il ne lui restait qu'à en publier les dernières pages. Sa « campagne critique » de la *Revue des Deux Mondes*, de 1831 à 1848, « un peu neutre,... conservatrice,... impartiale, surtout analytique, descriptive et curieuse,... avait un défaut : elle ne concluait pas »; il ne lui en restait que le souvenir d'un grand cours de « physiologie morale ». Son scepticisme ancien, sur lequel il avait successivement plaqué diverses espèces d'enthousiasme, avait repris le dessus. Les tristesses, les déceptions et l'âge commençaient à resserrer singulièrement ses ambitions sentimentales. Il avait connu des difficultés d'argent, et parfois l'aisance trop juste, avec ses renoncements. De ces épreuves, il était

SAINTE-BEUVE. Portrait par Demarquay (musée de Boulogne-sur-Mer). — CL. LORMIER.

sorti désabusé : « Je suis arrivé à l'indifférence complète. Que m'importe, pourvu que je fasse *quelque chose* le matin et que je sois *quelque part* le soir ? »

La Révolution de 1848 et les mouvements populaires qui la suivirent le troublèrent profondément. Il sentit la société trembler tout entière, et il eut peur qu'il ne survînt de tels bouleversements que la vie pût devenir impossible à des gens de sa sorte et de son esprit. « Rien de plus prompt à baisser que la civilisation dans des crises comme celle-ci; on perd en trois semaines le résultat de plusieurs siècles. La civilisation, la *vie*, est une chose apprise et inventée... La sauvagerie est toujours là, à deux pas, et, dès qu'on lâche pied, elle recommence. » Veuillot, plus tard, railla sa « peur »; ce fut bien, en effet, une sorte de peur, une « peur permise », comme il le dira à propos de quelques-uns de ses contemporains, et dont l'effet ne dura point. Il se trouva, en outre, que la Révolution le déposséda de sa situation de conservateur à la bibliothèque Mazarine, et remit en question pour lui les conditions matérielles de l'existence. C'était le temps où Renan acceptait avec sérénité l'idée que l'homme de lettres dût avoir un métier manuel, pour vivre.

Aussi, dès qu'on vit poindre un pouvoir fort, qui pouvait lui rendre la seule chose qu'il demandât aux hommes : « ... me laisser beaucoup de temps à moi, beaucoup de solitude, et pourtant se prêter quelquefois à mon observation », Sainte-Beuve se hâta vers ce pouvoir avec un peu plus de précipitation qu'il n'eût été nécessaire pour son prestige. D'autres que lui ont connu cette grande peur d'esprit : Cousin, Thiers... Mais il nous paraît aujourd'hui

que Sainte-Beuve, précisément parce qu'il incarnait l'esprit de libre critique, le sens de l'histoire, n'aurait pas dû se prosterner ainsi. Il serait logique, nous semble-t-il, qu'il eût toujours appartenu à ce parti de l'opposition, auquel il fallut bien, à la fin, qu'il vînt. On est gêné de lire au *Moniteur*, sous sa signature, des flatteries comme celle-ci : « C'était un naufrage... La France entière était sur un radeau; elle avait besoin, après trois années d'expédients et de misères, de se retrouver voguant à pleines voiles sous le plus noble pavillon. L'acclamation unanime par laquelle la France a salué son président en 1852, et l'a sacré empereur, a été, entre autres choses, un acte de haut bon sens. » Il salue en Napoléon Ier et en Napoléon III « deux restaurateurs de la société, à cinquante ans de distance, deux conducteurs de peuple remettant la France sur un grand pied et, sans trop se ressembler, la couronnant également d'honneur » (26 mars 1857).

Il est là, toujours, au tome VI des *Lundis*, ce fameux article des *Regrets* (23 août 1852), où Sainte-Beuve fit les avances définitives au gouvernement de Napoléon III. Il conseille l'acquiescement au nouvel état de choses, il raille sans ménagement la génération tombée du pouvoir, — la sienne! « Il est difficile aux hommes de notre âge, avec nos habitudes et nos goûts, d'être des satisfaits; c'est assez d'éviter le faible des mécontents. N'ayons pas un intérêt d'amour-propre et de métier à ce que la société aille mal, à ce que toutes les fautes se commettent. Malheur à qui vit longtemps en espérant les fautes d'autrui ! » On ne s'y méprit point en haut lieu, et cet article, qui avait paru dans le *Constitutionnel*, fut, trois jours plus tard (26 août), reproduit dans le *Moniteur*, comme une « très remarquable page d'histoire contemporaine ».

Quatre mois après, au lendemain du rétablissement de l'Empire, Sainte-Beuve devenait rédacteur attitré du *Moniteur*, et il saluait, dès son premier article (6 décembre), « les changements merveilleux, une ère de paix et de régularité »; il annonçait l'intention de « coordonner la littérature avec le régime », projet qui lui tenait à cœur et auquel il tâcha même de donner la forme d'un bon et régulier achat des hommes de lettres par des prébendes officielles! Puis ce furent les nominations au Collège de France et à l'École normale, le décret qui le fit sénateur... Sainte-Beuve était bien devenu un « vassal » de l'Empire, ainsi que la princesse Mathilde le lui reprocha plus tard, et c'est ce « vassal » que le Quartier latin empêcha de parler au Collège de France, en 1855.

Il serait oiseux, après ces franches attestations qu'il donna de son ralliement, d'aller recueillir, dans les *Lundis*, les trop nombreux actes d'adhésion qu'il fit à l'Empire, aux dépens des auteurs qu'il étudiait; les passages les plus pittoresques sont certainement ceux où il essaie de faire l'éloge de la religion, en même temps que de l'Empire. Il avait « donné des espérances » autrefois; on put croire, par moments, en ce temps-là, qu'il allait les satisfaire. Mais ce relevé des compromissions passagères de Sainte-Beuve, l'énumération des jugements que troubla, pour un temps, sa bonne volonté officieuse, l'histoire de ses petites et de ses grandes injustices envers un Chateaubriand ou un Lamartine, par exemple, n'ont rien d'édifiant ni d'utile. Il suffit de dire qu'il fit presque toujours amende honorable, plus tard; et il est plus important d'en venir à ce que les *Lundis* ont de solide, de permanent.

LA MÉTHODE CRITIQUE

Le labeur de Sainte-Beuve fut considérable. Plus on a occasion d'étudier ses *Lundis*, plus on s'étonne de l'abondance de ses lectures et du soin qu'il prit de se documenter : imprimés, inédits, témoignages oraux, il semble bien qu'il ait connu tout ce qui pouvait se connaître. Et ce travail de préparation, de difficile enquête, puis de rédaction et de mise au point, il fallut pendant longtemps qu'il le recommençât toutes les semaines, chaque fois sur un nouveau sujet. Sans doute il avait un secrétaire; les conservateurs de la Bibliothèque nationale lui donnaient des facilités toutes particulières; souvent les familles des écrivains morts venaient au-devant de ses désirs, lui apportant des manuscrits, des souvenirs. Mais, en dépit de toutes ces aises, c'est une vie de bénédictin « en cellule » qu'il a menée pendant des années, et dont souvent il s'est plaint : « Ma vie est comme un moulin, un perpétuel engrenage. » C'est cet énorme travail, jamais interrompu, cette volonté de tout savoir, plus encore que la maîtrise de Sainte-Beuve, qui ont donné aux *Lundis* et aux *Nouveaux Lundis* ce privilège de résister au temps, que n'ont presque jamais les ouvrages de critique parus au jour le jour et suivant les hasards de l'actualité.

Son effort était méthodique, encore qu'il se soit longtemps défendu d'avoir une méthode. Il avait annoncé, dans le premier tome de ses *Lundis*, qu'il tâcherait de faire une critique « nette et franche », où il jugerait les œuvres et les hommes au nom de principes moraux; mais ce n'était point son tempérament, et il ne tint pas, heureusement, sa promesse. Il continua, en réalité, cette « promenade » à travers les esprits divers des hommes de son temps et du passé, qu'il avait commencée un quart de siècle auparavant. Au cours de ses articles, il avait quelquefois laissé passer, se souvenant peut-être de ses brèves études médicales, certaines formules vagues qui tendaient à assimiler la critique littéraire à l'histoire naturelle; il avait affirmé qu'il n'étudiait point les œuvres en elles-mêmes seulement, mais à travers l'homme qui les avait écrites, l'époque où elles avaient paru, l'influence qu'elles avaient exercée; il y avait là les linéaments d'une méthode où l'on sentait des préoccupations historiques et même scientifiques. En 1862, il essaya de préciser ces aspirations et de formuler son «code» (*Nouveaux Lundis*, tome III, p. 15 — p. 32). Il ne veut pas qu'on le traite comme « le plus sceptique et le plus indécis des critiques et en simple amuseur ». Évidemment influencé par le succès de la critique positive du temps, il systématise un peu ses idées et tend à transformer sa « pratique » en « méthode » : mais, dans l'ensemble, ce qu'il dit de sa propre tendance est fort exact.

Il veut « être, en histoire littéraire et en critique, un disciple de Bacon », pour ensuite « juger et goûter avec plus de sécurité ». Il subordonne entièrement l'étude littéraire à « l'étude morale »; la critique, c'est la « science des esprits ». En attendant qu'on puisse classer les familles d'esprits, il se borne à faire de « simples monographies », à amasser des «observations de détail». Pour arriver à définir un esprit, il connaît et utilise plusieurs moyens d'enquête : informations sur la famille de l'écrivain, ses origines, sa parenté prochaine et immédiate; études sur « le premier milieu, le premier groupe d'amis et de contemporains dans lequel il s'est trouvé au moment où son talent a éclaté » (visiblement il songe à son livre, *Chateaubriand et son groupe littéraire*); étude particulière des œuvres de jeunesse où se manifeste la manière dudit écrivain, et des œuvres de vieillesse où cette manière s'accuse et se corrompt; informations sur ses opinions religieuses, sur le goût qu'il eut pour les femmes, sur sa situation de fortune, sur sa manière journalière de vivre, sur ses faiblesses,

sur le plus ou moins de sincérité qu'il a apporté dans son œuvre, sur la part du talent et celle du procédé; enfin, il y a à étudier la descendance littéraire du grand homme, les disciples qui imitent et exagèrent le genre du maître, les adversaires dont les protestations servent à marquer la limite de son influence.

Jamais, il va sans dire, Sainte-Beuve n'a suivi, article par article, dans aucun de ses *Lundis*, tout cet ambitieux programme d'investigation; mais il en est peu où on ne le voie se poser quelques-unes de ces questions, et y répondre. Et si, au premier abord, la manière de chaque portrait paraît un peu incertaine et changeante, une promenade prolongée dans cette galerie de portraits témoigne des intentions du peintre, de ses préoccupations essentielles d'esprit et vraiment de sa méthode.

Se fût-il jamais obligé à cet exposé doctrinal, si, précisément vers 1862, il n'avait été piqué d'amour-propre par l'influence grandissante que prenait Taine, par le succès de la nouvelle école de critique historique et positive qui se réclamait du jeune maître? C'est peu probable. En tout cas, Sainte-Beuve continua ses concessions au goût du temps. En 1864, il se ralliait à l'exposé définitif donné par Taine, dans l'*Introduction* à l'*Histoire de la littérature anglaise*, de la théorie du climat et de la race. Il parlait de la critique « naturelle et physiologique » comme de la forme dernière et nécessaire de la critique historique. Sa conversion était sincère et définitive, mais elle n'était point faite dans la joie du cœur; il chantait sa « dernière complainte au passé »; il évoquait délicieusement le charme de l'ancienne critique. « Où est-il le temps où, quand on lisait un livre,... on n'y mettait pas tant de raisonnements et de façons;... le temps où, comme *le Liseur* de Meissonier, dans sa chambre solitaire, une après-midi de dimanche, près de la fenêtre ouverte qu'encadre le chèvrefeuille, on lisait un livre unique et chéri? » Aujourd'hui, il faut « prendre garde à chaque pas, se questionner sans cesse, se demander si c'est le bon texte, s'il n'y a pas altération, si l'auteur que l'on goûte n'a pas pris cela ailleurs, s'il a copié la réalité ou s'il a inventé, s'il est original et comment;... mille autres questions qui vous obligent à monter à votre bibliothèque, à grimper aux plus hauts rayons, à remuer tous vos livres, à consulter, à compulser, à redevenir un travailleur et un ouvrier enfin, au lieu d'un voluptueux et d'un délicat... Épicurisme du goût à jamais perdu, je le crains, interdit désormais du moins à tout critique,... comme je te comprends, comme je te regrette, même en te combattant, même en t'abjurant ! »

On voit que cette abjuration était accompagnée de quelques restrictions mentales et s'enveloppait d'une légère ironie. Sainte-Beuve craignait de se laisser entraîner trop loin; il désirait que, malgré tout, la critique restât un art. Quelque douze ans auparavant, il avait résumé, en une excellente formule, ce qui était vraiment sa manière, ce qu'elle fut toujours, au cours des vingt années pendant lesquelles il écrivit les *Lundis* et les *Nouveaux Lundis* : « Ce que j'ai voulu en critique, ç'a été d'y introduire une sorte de *charme*, et en même temps plus de *réalité* qu'on n'en mettait auparavant, en un mot de la *poésie* à la fois et quelque *physiologie*. » Goûts scientifiques, préoccupations d'art, tout est déjà indiqué dans cette jolie phrase. Seulement, peu à peu, Sainte-Beuve fut amené à changer les doses; la préoccupation de la vérité ne cessa de grandir; et c'est là qu'il se sentait tout à fait d'accord avec Taine, non pas, bien entendu, dans le détail de la doctrine, mais pour ce qui est du but essentiel proposé à l'effort du critique. En 1865, Duruy demanda à Sainte-Beuve de rédiger un rapport sur l'état des lettres en France depuis quinze ans; mais l'auteur des *Lundis* s'avisa bientôt que l'esprit dans lequel on désirait que cette œuvre fût écrite n'était pas le sien; il déclina l'invitation. « Si j'avais une devise, écrivit-il à Duruy, ce serait le *vrai*, le *vrai* seul. Et que le beau et le bien s'en tirent ensuite comme ils pourront! Prétendre étudier la littérature actuelle au point de vue de *la tradition*, c'est l'éliminer presque tout entière. C'est en retrancher l'élément le plus actuel, celui qui lui fera peut-être le plus d'honneur dans l'avenir. » Ironiquement, il priait qu'on s'adressât, pour cette besogne, à Caro ou à Nisard.

RETOUR AU LIBÉRALISME (1857-1869)

1865 : c'est l'année où Sainte-Beuve vient d'être nommé sénateur. On voit, par cette lettre à Duruy, que sa conversion ne s'était pas bornée au domaine de la critique littéraire. Il n'était plus question alors de déférence empressée auprès du pouvoir, ni de sympathies plus ou moins commandées pour l'idée religieuse. Vers 1857, dès le XIIIe volume des *Lundis*, cette nouvelle attitude est sensible ; progressivement, par petites secousses, Sainte-Beuve se détacha des liens qu'il avait

SAINTE-BEUVE en costume d'académicien. Crayon de Heim, 1856 (musée du Louvre). — CL. BULLOZ.

lui-même serrés. Les Goncourt ont dit de lui avec méchanceté, mais non tout à fait faussement : « Sainte-Beuve est, pour ainsi dire, hygrométrique littérairement ; il marque les idées régnantes en littérature à la façon dont le capucin marque le temps dans un baromètre. » Or, un peu avant 1860, le baromètre de l'atmosphère intellectuelle *marquait*, de plus en plus, l'opposition des hommes de lettres à l'Empire : c'était le temps des procès de Flaubert et de Baudelaire.

Peu à peu, Sainte-Beuve se laissa gagner par l'esprit du positivisme ambiant. C'était d'ailleurs un retour aux préférences intellectuelles de sa jeunesse ; il avait « commencé par le XVIIIe siècle le plus avancé » ; il avait eu pour maîtres ces philosophes sensualistes et ces physiologistes que la jeune école vengeait des mépris romantiques. Après quelques expériences intellectuelles de plus, et un effort, probablement sincère, pour goûter le régime napoléonien, il se retrouvait libre penseur comme devant, et passablement sceptique, plus disposé que d'autres à accepter quelques-unes des audaces du jour.

Cette tendance, sensible dans les derniers *Lundis*, grandit très vite dans les *Nouveaux Lundis*. Revenu au *Constitutionnel*, Sainte-Beuve se sentait d'ailleurs plus libre ; il essaya bien d'écrire encore au *Moniteur*, mais cette collaboration ne put durer ; il devenait suspect et n'avait point, malgré tout, ses coudées franches. Peu à peu ses nouvelles allures lui rendaient son vrai public, celui des hommes de lettres et des « jeunes ». Son influence gagna de proche en proche ; il y fut sensible : la déférence de ceux qui se disaient ses disciples l'entraîna à leur donner des marques de sympathie ; il apprécia d'être porté spontanément à la tête d'un mouvement dont quelques tendances le satisfaisaient véritablement ; Flaubert, Renan, les Goncourt, Baudelaire constituèrent son « groupe » ; il loua Littré. Le dîner Magny donna à cette espèce de cénacle, et sous son patronage, une existence comme académique ; ce fut « un des derniers cénacles de la vraie liberté de penser et de parler » ; Sainte-Beuve ne s'y montra pas moins audacieux que les autres. Aussi réoccupa-t-il très vite, dans l'opinion libérale, la place que ses complaisances de 1852

lui avaient fait perdre. Il scandalisa Montalembert, à l'Académie, en affirmant que la pensée était une sécrétion du cerveau, et en parlant du mariage comme d'une institution surannée ; volontiers, il étalait son athéisme ; le fameux dîner du vendredi saint, en 1868, fit un bruit énorme. Sénateur, il se fit honnir par ses collègues en défendant Renan, au lendemain du scandale de la *Vie de Jésus*, et en faisant l'éloge des idéologues et des philosophes du XVIIIe siècle, que l'on voulait proscrire des bibliothèques populaires ; il se prononça pour la liberté de la presse ; il combattit une loi sur l'enseignement où il voyait un privilège en faveur de l'Église.

Cela finit, tout naturellement, par une rupture complète avec l'Empire ; en janvier 1869, Sainte-Beuve quitta très brutalement le *Moniteur* pour passer au *Temps* ; du coup, la princesse Mathilde, qui était pour lui une amie et une protectrice, lui ferma sa porte. Les étudiants allaient maintenant manifester sous ses fenêtres, pour lui témoigner leur admiration ; il causait à l'École normale une véritable révolution de palais, les élèves lui ayant marqué leur sympathie avec une chaleur que l'administration universitaire jugea répréhensible. Il connut la vraie popularité. Enfin, pour terminer l'abjuration de ses erreurs récentes, ce sénateur de l'Empire, qui, pendant quelque temps, avait accepté l'idée de se faire enterrer avec une « messe basse », ordonna que ses obsèques fussent civiles : ce fut un cortège d'amis politiques et philosophiques qui suivit son corps.

Toute cette évolution, lente d'abord, très précipitée vers la fin, s'est inscrite dans les volumes des *Nouveaux Lundis*. Nulle part elle n'apparaît mieux que dans l'attitude de Sainte-Beuve à l'égard des romanciers réalistes. Il n'avait point eu de sympathie pour le réalisme de Balzac, pour les audaces du roman-feuilleton ; il n'avait point apprécié la manière de Stendhal. Il souhaitait, en 1850, « des tableaux plus apaisés, plus consolants, et à ceux qui les peindront une vie plus calmante et des inspirations non pas plus fines, mais adoucies, plus sainement naturelles, et plus sereines ». Ce n'était pas s'acheminer vers la compréhension de la « littérature brutale ». Mais, d'autre part, il n'aimait point le genre d'Octave Feuillet ; il était sensible à ce que les nouvelles œuvres contenaient de réalité, d'observation, d'esprit de liberté. Il comprit qu'une grande lutte était engagée, qui dépassait de beaucoup la question du roman ; l'hostilité du monde officiel contre le réalisme acheva sans doute de l'éclairer. Il s'agissait de défendre l'indépendance intellectuelle des écrivains, leur droit de juger la société contemporaine. En 1857, l'année même de *Madame Bovary*, il avait pris publiquement parti : « Je me déclare pour la vérité à tous risques, fût-elle même la réalité » ; il écrivit des articles très accueillants sur les œuvres de Flaubert et de Feydeau.

Celui qu'il publia sur la *Fanny* de Feydeau, dans le *Moniteur*, lui valut une espèce de blâme du ministère. Les critiques traditionalistes, qui étaient habitués à voir Sainte-Beuve de leur côté, et à combattre dans son ombre, crièrent à la trahison. Il s'engagea de plus en plus. En 1860, il publia, au *Moniteur*, une lettre « sur la morale et sur l'art », à propos d'un nouveau roman de Feydeau et des *Fleurs du mal* de Baudelaire, où il replaçait « la question littéraire et d'art sur son véritable terrain ». « L'article, a-t-il dit lui-même, fit beaucoup de bruit et eut des ricochets sans nombre. » Il y affirmait, très catégoriquement, l'indépendance de l'art à l'égard de la morale : c'était un principe cher au jeune réalisme, un principe essentiel de tout le positivisme contemporain. En 1861, il déclara aux Goncourt que « seules ont de la valeur les œuvres venant de l'étude de la nature », et qu'il avait « un goût très médiocre pour la fantaisie pure ». Il soutint de son amitié, et quelquefois de ses encouragements écrits, Flaubert, les Goncourt, Feydeau et même Champfleury, à qui il tâcha de faire obtenir la croix de la Légion d'honneur; il s'intéressa aux débuts de Zola et ne se montra point trop effaré par les brutalités de *Thérèse Raquin*.

A vrai dire, comme pour la méthode de Taine, son adhésion n'était point sans réserve. Sa sympathie intellectuelle allait tout entière aux jeunes, à la cause philosophique, et bientôt politique, que, sous l'apparence d'œuvres littéraires, ils défendaient au fond; mais son goût, ses habitudes de lettré, ses vieilles sentimentalités romantiques qui se réveillaient parfois, protestaient; il les faisait entendre en des grondements passagers, volontairement très radoucis. « Réalité, déclara-t-il en 1863, à propos de Champfleury, tu es le fond de la vie, et comme telle, même dans tes aspérités, même dans tes rudesses, tu attaches les esprits sérieux, et tu as pour eux un charme. Et pourtant, à la longue et toute seule, tu finirais par rebuter insensiblement, par rassasier; tu es trop souvent plate, vulgaire et lassante... Oui, tu as besoin, à tout instant, d'être renouvelée et rafraîchie, d'être relevée par quelque endroit... Il te faut le *style* en un mot... Il te faut encore, s'il se peut, le *sentiment*, un coin de sympathie, un rayon moral qui te traverse et qui vienne t'éclairer... Il te faut encore, et c'est là ton plus beau triomphe,... je ne sais quoi qui t'accomplisse et t'achève,... ce qu'on appelle l'*idéal* enfin. Que si tout cela te manque, et que tu te bornes strictement à ce que tu es,... eh bien! je t'accepterai encore et, s'il fallait opter, je te préférerais même ainsi, pauvre et médiocre, mais prise sur le fait, mais sincère, à toutes les chimères brillantes. »

SENS ET VALEUR DES « LUNDIS »

Ce n'était pas sans efforts, on le voit, ni sans repentirs, qu'il se ralliait aux jeunes; mais il se ralliait. Et c'est dans cette attitude d'esprit qu'il faut surtout se représenter l'auteur des *Lundis* et des *Nouveaux Lundis*, si l'on veut être équitable. On a fait trop grand état de ses injustices, de ses incompréhensions, de ses jalousies même à l'égard de quelques-uns de ses contemporains, un Lamartine, un Vigny, un Musset; de son silence sur Victor Hugo. Il était choqué de ce que leur gloire avait parfois d'un peu théâtral, leur manière de très factice; moins sensible à l'Art qu'à l'Idée, il voulait réserver son droit de libre examen, même en face des très grandes œuvres; la minutie de son investigation ne lui facilitait pas toujours le respect. Il n'avait pas le don de l'admiration spontanée et entière; et c'est cela surtout que les auteurs de tous temps ont demandé à leurs critiques; ils n'aiment point ceux qui se réservent, qui restent « distants ». On lui a reproché aussi de se plaire surtout à étudier les auteurs de second, quelquefois de troisième ou de quatrième plan. Lui-même, il ne faisait pas de difficulté d'avouer cette préférence. « Je suis surtout propre à me porter sur un point, à m'y concentrer, à l'approfondir, à le percer et le traverser; comme je change souvent et très aisément de points, cela en s'additionnant fait de l'étendue, mais j'embrasse difficilement cette étendue à la fois; je n'ai jamais bien su nager ou voler *au large*, j'ai besoin de me piloter le long

de quelque rivage inégal, et plus le rivage est inégal, mieux je m'en tire. »

Pour un esprit préoccupé, moins de constituer une esthétique littéraire que d' « herboriser », pour un « naturaliste des esprits », cette manière était excellente. Les écrivains de rencontre, auteurs de mémoires ou de lettres, les « petits auteurs », les oubliés sont parfois plus significatifs, plus utiles pour l' « étude morale » du passé que les très grands écrivains; ce sont les meilleurs « documents » de l'histoire littéraire; ils sont généralement plus sincères, plus expressifs, ils traduisent mieux les goûts, les habitudes moyennes du public intellectuel. Et c'est pour cela, surtout, que Sainte-Beuve leur a consacré le plus grand nombre de ses *Lundis*. Il y a bien aussi quelque chose de cette disposition dans le plaisir particulier qu'il éprouve à tracer des portraits de femmes. Rarement elles ont produit des œuvres fortes, et qui restent; mais, autour d'elles, il y avait des « salons », des petits centres de société, des auteurs très influencés par le désir de leur plaire; ellesmêmes, moins façonnées que l'homme par l'instruction commune et les écoles littéraires du jour, étaient un sujet d'étude plus complexe pour un historien psychologue; et si ce psychologue était, comme Sainte-Beuve, un amoureux impénitent des femmes, on s'explique tout à fait sa préférence. Peut-être sommes-nous tous très satisfaits, aujourd'hui, de trouver dans les *Lundis* tant d'esquisses, précisément d'inconnus et d'inconnues, qui nous récréent et nous instruisent de ce que fut le passé; quelques articles de plus sur nos grands écrivains, un Corneille, un Bossuet, un Victor Hugo, n'ajouteraient probablement pas grandchose à la gloire de Sainte-Beuve.

Malgré son désir tardif d'avoir un *code*, il a bien rarement porté des jugements, au sens que ce mot peut avoir en critique. Les *Lundis* restent sans conclusion. Chacun des articles qui les composent n'est, au fond, qu'une lecture un peu rapide de l'œuvre étudiée, où le critique s'attache à quelques points, à quelques citations, et les commente avec son expérience littéraire, son goût averti. Peu à peu, par des touches successives, le portrait de l'homme, le sens de l'œuvre se précisent; et c'est là le seul dessein que se soit proposé Sainte-Beuve. On le lui a vivement reproché, vers 1890, au temps où triomphait, dans la critique littéraire, le goût des théories systématiques à la manière de Taine. Taine, lui-même, qui a si bien senti et exprimé le charme de Sainte-Beuve, a critiqué ce qui ne pouvait lui paraître qu'une insuffisance de méthode. « Sainte-Beuve, écrivait-il à Paul Bourget en 1884, procédait par le dehors; il voyait et caractérisait parfaitement les effets, un à un : il n'avait pas de goût pour chercher les choses internes, les mécanismes innés. »

C'est fort exact. Mais c'est aussi ce qui contribue à grandir l'œuvre de Sainte-Beuve, à mesure que s'atténue le prestige, aujourd'hui à peu près ruiné, de la méthode de Taine. Nous sommes un peu fatigués de ces grandes constructions de « race », de « milieu », de « moment », qui ne nous ont pas donné les explications promises, mais seulement des formules dont nous voyons maintenant le caractère ingénieux, mais aussi artificiel, quelquefois purement verbal. Le *La Fontaine et ses Fables* nous fait certainement bien mieux connaître Taine que La Fontaine. Nous sommes reconnaissants, au contraire, à Sainte-Beuve de n'avoir point eu des desseins si ambitieux, et d'être resté plus prudent, plus méthodique dans sa recherche. Il ne croyait pas beaucoup à la « vérité », au sens philosophique du mot. « Qu'est-ce que la vérité ? Nous sommes de pauvres esquifs qui ramons sur une mer sans fin. Nous montrons quelque reflet de lumière sur la vague brisée, et nous disons : *C'est la vérité*. » Ces reflets, mieux que personne, il a su les saisir et les fixer ; jamais il n'a pensé que les rapides jugements de son esprit fussent de bonnes et valables observations, douées de précision scientifique, et dont on pouvait, en se hâtant un peu, tirer des lois de l'esprit. Point de système dans son œuvre ; or, rien ne vieillit plus vite qu'un système.

En revanche, s'il n'a point cru à la vérité philosophique, il a été passionné, tout le long de sa vie, pour la vérité... tout court, ou, si l'on veut, pour la vérité historique, l'exactitude des faits. Dès 1836, il écrivait : « Le démon de l'exactitude et du détail littéraire est un démon aussi harcelant qu'aucun... J'irais au bout du monde pour une minutie. » Que de fois, dans ces dernières années, on a voulu le saisir sur le fait d'une erreur, d'une inexactitude, d'un oubli ! Presque toujours, après vérification, on s'est trouvé quinaud. Or cette exactitude difficile, que l'on ne peut maintenir que par une très grande probité intellectuelle et au prix d'un effort constant de recherche et de contrôle, c'est peut-être bien la condition essentielle de la méthode historique.

C'est pourquoi les historiens de la littérature, malgré l'insuffisance des conclusions ou l'absence de conclusions dans l'enquête de Sainte-Beuve, se tournent aujourd'hui plus volontiers vers lui que vers Taine. Une grande force sort de cette passion de vérité qui l'a emporté sur ses préjugés, sur ses opinions politiques, sur ses commodités personnelles. C'est ce que Taine a dit en de fort beaux termes, quelques jours après sa mort : « Si un jour l'histoire approfondie et précisée prend sur nos opinions et sur nos affaires l'autorité que la physiologie possède en matière médicale,... on jugera l'écrivain et le penseur d'après son but et la portée de son esprit... Il n'a suivi qu'un maître, l'esprit humain... En France et dans ce siècle, il a été un des cinq ou six serviteurs les plus utiles de l'esprit humain ».

L'ÉCOLE NORMALE SUPÉRIEURE, d'après une gravure du « Magasin pittoresque » (1851). — CL. LAROUSSE.

TAINE

Hippolyte Taine est né à Vouziers (Ardennes), le 21 avril 1828 ; il fit ses premières études dans sa famille, puis dans un pensionnat de Rethel ; à treize ans et demi, il alla à Paris, où il entra à l'institution Mathé, et suivit les cours du collège Bourbon. En 1848, il est reçu à l'École normale ; il est bientôt une des premières victimes de la réaction universitaire qui accompagne la réaction politique ; ses opinions hardies et neuves le font échouer à l'agrégation de philosophie, en 1851. Nommé suppléant de philosophie au collège de Nevers (octobre 1851-mars 1852), il est envoyé comme suppléant de rhétorique au lycée de Poitiers (avril-août 1852), « dans un enseignement moins dangereux pour son avenir », lui disent ses chefs. L'agrégation de philosophie a été supprimée en décembre 1851, comme suspecte ; Taine se prépare au concours de l'agrégation des lettres : le concours est supprimé. Il prépare ses thèses de doctorat, avec des sujets de psychologie ; elles sont refusées ; alors il choisit des sujets littéraires. Pour combler la mesure, on le nomme professeur de sixième au lycée de Besançon. Il demande un congé et vient à Paris, où, d'abord, il vit de leçons. Il achève la préparation de ses thèses et les soutient en mai 1853 (De personis platonicis ; Essai sur les Fables de La Fontaine).

En 1855, il publie un Voyage aux Pyrénées ; en 1856, un Essai sur Tite-Live. Il donne alors à diverses revues et à des journaux de très nombreux articles, bientôt recueillis dans les Philosophes français du XIXe siècle (1857), les Essais de critique et d'histoire (1858) ; il commence son Histoire de la littérature anglaise, qu'il achèvera en 1863. A trente ans, il a conquis une vraie renommée littéraire.

En 1863, il est nommé examinateur d'admission à l'École militaire de Saint-Cyr, situation qu'il abandonne en 1866, et, en 1864, professeur à l'École des beaux-arts ; il s'était préparé à cette tâche nouvelle par des voyages en Angleterre, en Belgique, en Italie et en Hollande. Cet enseignement dura vingt ans, et lui inspira plusieurs volumes sur l'histoire de l'art (1865-1869), réunis plus tard dans la Philosophie de l'art (1882). En 1870, il publie De l'intelligence, livre qui était l'objet de ses pensées depuis sa jeunesse.

Les désastres de 1870 et la Commune le bouleversèrent et l'aiguillèrent vers les questions politiques et sociales. Dès 1871, il commence à préparer ses Origines de la France contemporaine, la grande besogne de ses vingt dernières années, qu'il laissa inachevée. Il est élu le 15 novembre 1878 à l'Académie française, et y prend séance le 15 janvier 1880. A cette époque, il vit la plus grande partie de son temps à Menthon-Saint-Bernard, en Savoie. Il meurt à Paris le 5 mars 1893, après avoir fait acte d'adhésion au protestantisme. De cette dernière période datent les Notes sur l'Angleterre, 1872 ; l'Ancien Régime, 1875 ; la Révolution, 1878-1884 ; le Régime moderne, 1890, qui resta inachevé, mais dont il a paru un volume posthume (1893). Les Derniers Essais de critique et d'histoire ont été publiés en 1894 et on a mis au jour, depuis, son admirable Correspondance (4 vol., 1901-1907), et un roman inédit, Étienne Mayran, 1910 (composé vers 1861).

Voir : Victor Giraud, Essai sur Taine, 1901, 4e édition, 1909 ; A. Chevrillon, Taine ; formation de sa pensée, 1932 ; Saint-René Taillandier, Auprès de M. Taine, 1929 ; Mme Saint-René Taillandier, Mon oncle Taine, 1942 ; D. R. Rosca, l'Influence de Hegel sur Taine, 1928.

Bien plus qu'Auguste Comte, ou que Littré, Taine a représenté, sous le second Empire, le positivisme littéraire, « le panthéisme, le matérialisme », sous la forme la plus robuste. C'est lui qui en assura le triomphe définitif. Aucune influence n'a égalé la sienne ; aucune ne s'est exercée aussi directement sur les œuvres littéraires. « La pensée de ce puissant esprit, écrit Anatole France, au lendemain de sa mort, nous inspira, vers 1870, un ardent enthousiasme, une sorte de religion... Ce qu'il nous apportait, c'était la méthode et l'observation, c'était le fait et l'idée, c'était la philosophie et l'histoire. Et ce dont il nous débarrassait, c'était l'odieux spiritualisme d'école; c'était l'ange universitaire montrant d'un geste académique le ciel de Platon et de Jésus-Christ. »

Le système de critique historique que Taine a édifié vers 1865 est une des plus orgueilleuses tentatives que la France ait produites pour donner une explication totale du passé historique et littéraire, pour réduire cette réalité complexe à quelques grandes lois de l'esprit humain, à des formules, à des problèmes presque numériques, et solubles comme tels. On ne peut bien comprendre ce système que si l'on y voit une combinaison, parfois singulière, des tendances positivistes du temps et de la personnalité de Taine : une intelligence très vive, primesautière, qui se maintenait difficilement entre les barrières de l'analyse et de l'observation, et bondissait, presque d'emblée, vers l'hypothèse, pour présenter ensuite cette hypothèse en forme de loi. C'est pourquoi une courte biographie intellectuelle de Taine est nécessaire à la bonne intelligence de sa doctrine.

Ce qui frappe le plus chez lui, c'est une espèce d'ascétisme intellectuel, qui fut de bonne heure la règle de sa vie; une passion pour le raisonnement abstrait, qui, dans ses jeunes années, eut l'air d'un élan mystique. L'enseignement qu'il avait reçu, soit littéraire, soit philosophique, l'avait mal satisfait; il était surtout reconnaissant à ses maîtres de lui avoir donné, à l'occasion, des « discours français », où il fallait faire parler les grands hommes du passé, ses premières curiosités historiques; quant à l'éclectisme de Cousin, il n'en avait aucunement subi l'influence. La perte de la foi l'avait très tôt rendu hostile à tout spiritualisme. Il poussa « le doute jusqu'aux extrêmes limites »; il nia « tout : patrie, devoir, pensée, bonheur ». Il « triompha dans la destruction ». Mais cet état ne lui convenait pas; et il chercha dans Spinoza le moyen de rendre de l'harmonie à sa vision de l'univers. Dès avant la vingtième année, il était déjà tiraillé par deux tendances contraires : le matérialisme, que son goût de l'observation et ses connaissances scientifiques lui imposaient, et de vieilles attaches spiritualistes, que venait renforcer une vive passion pour le raisonnement tout abstrait et les constructions logiques. Dès ce temps, il avouait « ne comprendre les arts que par la pensée, et le beau que par la philosophie et l'analyse ». Ces tendances contradictoires ne firent que se renforcer pendant le temps de son séjour à l'École normale, où il vécut comme dans une serre chaude.

Si sa carrière n'avait pas été troublée, comme elle le fut, par la crise politique, il eût été agrégé de philosophie, il eût présenté très vite une thèse sur les sensations, plus vraisemblablement sur la doctrine de Hegel; très tôt, il serait venu à Paris, à la Sorbonne, au Collège de France. Exclusivement consacré à la philosophie, il aurait renouvelé la philosophie française par la philosophie allemande et par l'esprit scientifique moderne. La réaction politique, sociale et universitaire (1850-1852) le jeta hors de l'Université, lui interdit de devenir docteur avec les sujets qui lui plaisaient, l'obligea, pour avoir un titre, à ne plus faire que de la littérature, et à s'occuper de La Fontaine. Ce fut une brusque déviation, plus apparente que réelle, car Taine apporta, dans les matières qui lui étaient imposées, toute son ardeur au travail et toutes ses ambitions de philosophe. Sa critique littéraire ou artistique ne fut qu'une première expression de sa doctrine philosophique. Quoi

qu'il en soit, Taine fut d'abord littérateur et critique. Cette considération expliquerait, à elle seule, l'influence profonde et immédiate qu'il exerça sur les littérateurs. On a connu les applications de son système avant qu'on se fût bien rendu compte de ce système lui-même. « J'ignore, écrivait Zola en 1865, quelle peut être la vraie philosophie de M. Taine : je ne connais cette philosophie que dans ses applications. »

Trois influences essentielles ont agi sur Taine aux environs de la vingtième année : celles de Hegel et de Spinoza d'une part, celle des idéologues français d'autre part. Dans l'une et dans l'autre de ces tendances divergentes, Taine retrouvait ce qu'il aimait surtout : l'affirmation d'un déterminisme rigoureux, l'indifférence aux préoccupations ordinaires de morale ou d'esthétique, le goût de la reconstruction logique de la réalité; ainsi Taine se confirmait dans son rationalisme, et en même temps il lui donnait un frein très fort : le goût de l'observation et de l'analyse.

L'influence de Spinoza fut là moins durable; elle termina sa crise de scepticisme; elle lui donna une manière de religion, un panthéisme spiritualiste, où Dieu et l'homme se fondent dans la nature, la vraie réalité étant l'unité totale, la substance dans toute sa plénitude, tantôt essence et tantôt existence; dans ce grand tout, les diverses parties sont étroitement liées les unes aux autres par un lien d'absolue nécessité.

Le système de Hegel avait été produit tout récemment en Allemagne, entre 1810 et 1830; à peine si on commençait en France à traduire son œuvre; Taine la connut dans le texte allemand. « C'est Spinoza, s'écria-t-il, agrandi par Aristote, et debout sur cette pyramide de sciences que l'expérience moderne construit depuis trois cents ans. » Son enthousiasme dura : il avait trouvé dans Hegel une doctrine qui avait de quoi lui plaire, puisqu'elle satisfaisait la dualité de sa nature; c'était essentiellement une justification rationnelle de la réalité, bien plutôt qu'une explication de cette réalité; le rationnel y apparaît comme réel, et le réel comme rationnel; les domaines de l'existence et de la pensée se réduisent à un seul, qui est celui de l'idée. L'intelligence infinie crée l'univers, mais non d'un coup; elle agit par développement progressif; le monde est une « échelle de formes et comme une suite d'états ayant en eux-mêmes la raison de leur succession et de leur être »; la vie, dans tous les domaines, c'est l'idée en marche, la réalisation progressive du rationnel.

Avant d'avoir écrit un seul de ses livres, Taine avait déjà construit, grâce surtout à Hegel, l'axe de son futur système, les deux pôles de cette philosophie dont il allait faire une doctrine de critique littéraire. D'abord, la théorie des « conditionnements » : les sentiments et les pensées sont des produits naturels et nécessaires, « enchaînés entre

LE DÉSINTÉRESSEMENT N'EST PAS UNE VERTU DE MONTAGNE. Illustration de Gustave Doré pour le « Voyage aux Pyrénées » (3ᵉ édition, 1860). — CL. LAROUSSE.

eux ». Ensuite la théorie de la faculté maîtresse : « Un système, notait-il en 1850, est un être organisé dont l'âme est une idée générale, une proposition générale : c'est cette proposition qu'il faut trouver. » Il fallut quinze ans à Taine pour mettre au point sa théorie et l'amener au degré de rigueur qu'il lui donna enfin dans l'*Introduction* à l'*Histoire de la littérature anglaise* ; mais la charpente en était solidement construite dans son esprit, bien avant le premier de ses essais ou la première de ses recherches historiques.

LES PREMIERS ÉCRITS (1853-1862)

La thèse de doctorat de Taine, Essai sur les Fables de La Fontaine *(1853), a été complètement remaniée, sous le titre de* La Fontaine et ses Fables, *dès la troisième édition (1861) ; l'ordonnance générale a été modifiée ; partout l'ancien texte a été refondu.* — Le *Voyage aux eaux des Pyrénées (1855) a été « refondu et récrit presque en entier », dès la deuxième édition (1858), sous le titre de* Voyage aux Pyrénées ; *Taine avait dû aller soigner sa gorge à Saint-Sauveur, en 1854, et un libraire lui avait facilité ce voyage, en le chargeant de rédiger un guide aux eaux des Pyrénées.* — L'Essai sur Tite-Live, *paru en 1856, était écrit dès la fin de 1855 ; le sujet en avait été indiqué pour le concours académique de 1854 : le travail choqua ; le concours fut ajourné ; Taine remania son livre ; il obtint le prix en 1855.* — L'étude sur les Philosophes français du XIX*e siècle, publiée en 1857, a paru dans la* Revue de l'Instruction publique *du 14 juin 1855 au 9 octobre 1856 ; la deuxième édition (1860) fut corrigée et plusieurs passages adoucis ; à la troisième édition (1868), Taine remania son livre, et lui donna pour titre les* Philosophes classiques du XIX*e siècle en France.* — Les Essais de critique et d'histoire *(1858), recueil des principaux articles publiés par Taine de 1853 à 1858, ont été considérablement remaniés en 1866, 1874, 1882 ; la dernière édition (1904) classe les articles dans l'ordre chronologique de leur première apparition ; il a été fait de même pour les récentes éditions des* Nouveaux Essais *(1901) et des* Derniers Essais *(1903).*

Si on lit aujourd'hui *La Fontaine et ses Fables*, on y trouve un exposé complet de la doctrine de Taine avec tous ses corollaires et une application intégrale et rigoureuse de cette doctrine au cas de La Fontaine. Mais cet aspect de l'œuvre n'est pas l'aspect original, et si l'on veut bien préciser le point de départ des idées de Taine, il faut se reporter à la petite brochure intitulée *Essai sur les Fables de La Fontaine, thèse pour le doctorat ès lettres..., par H. Taine, licencié ès lettres, ancien élève de l'École normale* (1853) : l'intention et les conclusions sont tout autres. Le jeune philosophe, préoccupé d'obtenir vite son titre de docteur ès lettres, s'est borné à ouvrir son Hegel, à y relire une théorie générale d'esthétique et l'application de cette théorie à la Fable ; puis à les transposer pour l'usage des lecteurs français et aux dépens de La Fontaine. Or le beau, selon Hegel, était quelque chose

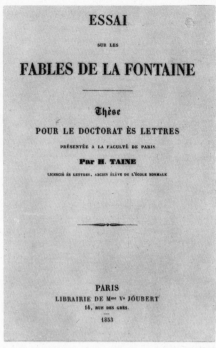
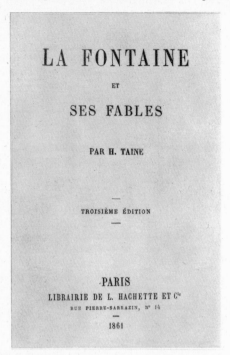

PAGES DE TITRE de la première et de la troisième édition de l'essai de Taine sur les « Fables » de La Fontaine. — CL. LAROUSSE.

de tout rationnel, de très supérieur à la nature, l' « essence réalisée » ; il avait « pour destination de saisir et de représenter le réel comme vrai, c'est-à-dire dans sa conformité avec l'idée, conforme elle-même à sa véritable nature ou parvenue à l'existence réfléchie ». De ce point de vue, l'humble fable, grâce à sa morale obligée, prenait une valeur inattendue : elle n'est intéressante que parce qu'elle donne à un objet réel pris dans la nature un sens plus général que celui qu'il offre immédiatement par lui-même. Le livre de Taine, inspiré de ces idées, présentait essentiellement une « théorie de la fable poétique » et une « étude sur les conditions du beau », dans lesquelles avaient été insérés, de façon assez bizarre, des commentaires sur les caractères et l'action dans les fables de La Fontaine.

Avec le *Voyage aux Pyrénées* et l'*Essai sur Tite-Live*, on voit la doctrine se préciser. Le *Voyage aux Pyrénées* mit Taine en contact avec la réalité ; mais comme il se sentait quelque difficulté à *voir* directement les paysages et les gens, il s'est précipité sur les documents historiques que gardaient les bibliothèques des villes où il passait ; les faits historiques et les impressions personnelles se sont mêlés. Pénétré de l'idée du « devenir » hégélien, de la liaison rigoureuse qui assemble, à travers le temps comme à travers l'espace, les parties d'un même tout, il a retrouvé la race pyrénéenne dans ses vieilles chroniques, le paysage pyrénéen dans les grandes convulsions géologiques originaires ; il a même commencé à noter l'influence du climat, se contentant d'abord d'analogies poétiques. L'*Essai sur Tite-Live* fut pour Taine une excellente occasion d'appliquer sa théorie de la faculté maîtresse et d'opposer la conception moderne, allemande, scientifique, de l'histoire à la conception tout oratoire et artistique de l'Antiquité. De là cette formule de l' « historien orateur », si rigoureusement déduite, pour affirmer, à travers quelques précautions académiques, le déterminisme psychologique et historique. « La faim, la douleur, les différences de religion et de race, le besoin de jouir et d'agir sont partout les ressorts de l'histoire, comme la pesanteur et la chaleur sont partout les moteurs de la nature. »

Tel est le système, à l'origine : essentiellement une théorie de l'interdépendance des facultés de l'homme,

subordonnées à une faculté maîtresse; des formules de
plus en plus larges, à mesure qu'on passe des individus aux
époques, puis aux races; l'histoire donnée comme la
meilleure des méthodes pour comprendre le présent,
puisque le passé se réalise dans le présent; accessoirement,
quelques idées encore mal assemblées sur la prépondérance des causes matérielles. C'est ce système que Taine
appliqua dans les nombreux essais qu'il publia de 1853
à 1858 : on en trouve un type remarquable dans le fameux
article sur Racine (1858); c'est à cet état, très exactement,
que nous voyons sa doctrine dans la préface de la première
édition des *Essais de critique et d'histoire*.

HISTOIRE DE LA LITTÉRATURE ANGLAISE

*A la fin de 1854, Taine proposa à un éditeur parisien
d'écrire un volume sur Shakespeare : on lui demanda de
rédiger une* Histoire de la littérature anglaise, *en un
volume. Il travailla pendant huit ans à son livre, qui fut
publié par fragments dans diverses revues, de janvier 1856
à décembre 1863. L'œuvre parut dans les premiers jours
de 1864, en 3 volumes ; un quatrième volume fut donné en
octobre :* les Contemporains, *où Taine reproduisit deux
plaquettes éditées en janvier-février 1864 :* le Positivisme
anglais, *étude sur Stuart Mill, et l'*Idéalisme anglais,
*étude sur Carlyle. La deuxième édition parut en 1866,
en 4 volumes, complétée, en 1869, par l'actuel tome V
(ancien tome IV) ; depuis, l'œuvre a toujours été rééditée
en 5 tomes. — On joindra à l'*Introduction *la préface de
la deuxième édition des* Essais de critique et d'histoire
(mars 1866).*

L'*Introduction* à l'*Histoire de la littérature anglaise*
codifie en une cinquantaine de pages tout le système de
critique historique de Taine. Les principales propositions
sont les suivantes : les documents historiques ne sont que
des indices au moyen desquels il faut reconstruire l'individu
visible; l'homme visible n'est qu'un indice au moyen
duquel on doit étudier l'homme intérieur; les états et les
opérations de l'homme intérieur ont pour causes certaines
façons générales de penser et de sentir. Les forces principales qui créent ces dispositions, les *facultés maîtresses*,
d'où tout dérive, sont la « race », le « milieu » et le
« moment »; la race, c'est-à-dire les dispositions héréditaires, « jointes à des différences marquées dans le tempérament et dans la structure des corps »; le milieu, c'est-
à-dire le climat, le sol, les circonstances politiques durables,
les conditions sociales permanentes; le moment, c'est-
à-dire une époque plus ou moins longue où se modifient
les forces primordiales : « outre l'impulsion permanente
et le milieu donné, il y a la vitesse acquise. » Dès lors,
l'histoire devient un problème de mécanique physiologique; dans les sciences morales et dans les sciences
physiques, « la matière est la même et se compose également de forces, de directions et de grandeurs; on peut dire
que dans les unes et dans les autres l'effet final se produit
d'après la même règle. Il est grand ou petit, selon que les
forces fondamentales sont grandes ou petites et tirent plus
ou moins exactement dans le même sens, selon que les
effets distincts de la race, du milieu et du moment se
combinent pour s'ajouter l'un à l'autre ou pour s'annuler
l'un par l'autre... Si ces forces pouvaient être mesurées
et chiffrées, on en déduirait comme d'une formule les
propriétés de la civilisation future ».

En attendant, Taine formule des lois : loi de la formation d'un groupe de faits, comme par exemple la religion,
la famille; loi des dépendances mutuelles de ces faits;
loi des influences proportionnelles du milieu, de la race
ou du moment. Ce sont des lois de l'ordre psychologique;
en effet, le but dernier n'est que de retrouver l'état moral
qui permet et conditionne une littérature, une philosophie,
une société. « L'histoire est au fond un *problème de psycho-*

logie... La vraie histoire, dira-t-il un peu plus tard, serait
celle des cinq ou six idées qui règnent dans une tête
d'homme : comment un homme ordinaire, il y a deux
mille ans, considérait-il la mort, la gloire, le bien-être, la
patrie, l'amour et le bonheur.? » Et la littérature, c'est de
l'histoire; pas de documents meilleurs que ceux « qui
nous remettent devant les yeux les sentiments des générations précédentes ». L'étude de l'Angleterre, que Taine
entreprend alors, a pour but essentiel de montrer le passage
d'un état moral : « le Saxon barbare » à un autre état
moral : « l'Anglais d'aujourd'hui ».

Le *climat*, la *race*, le *moment :* la nouveauté de l'*Introduction*, c'est, on le voit, la théorie de la faculté maîtresse,
parvenue, grâce à des distinctions et à des classifications,
à son plein épanouissement. Une grande influence a passé
par là, celle d'Auguste Comte, que Taine lut ou relut
vers 1861. Il trouva chez le philosophe positiviste de
longs développements sur les services que la biologie peut
rendre à la philosophie, toute une théorie du milieu organique et de son influence prépondérante. C'est de quoi il
a enrichi son système; à une construction surtout métaphysique et psychologique, inspirée de Hegel, de Herder,
de Stendhal, il a donné une large base de réalité : il a fait
plonger les racines de l'esprit dans la vie universelle. Sa
doctrine a bénéficié ainsi du prestige de la biologie positive; une perpétuelle analogie est établie entre la psychologie et la biologie; à force de parler d'analogie, Taine a
bien pu penser qu'il y avait identité.

Ces analogies ne nous paraissent plus aujourd'hui que
ce qu'elles sont, de simples rapprochements verbaux,
propres à créer de belles suggestions, à ordonner des
recherches, à indiquer des directions provisoires; sous les
lois de Taine, sous ses formules qui ont l'air de théorèmes,
nous retrouvons souvent de simples impressions littéraires, très ingénieuses, très compréhensives. Et, dès
lors que nous ne reconnaissons plus une valeur scientifique aux postulats, la rigueur de la démonstration basée
sur ces postulats devient inopérante. Nous constatons,
par exemple, avec une surprise inquiète, que les idées
maîtresses de Taine sur l'Angleterre, sa conception de
« l'homme intérieur » de race anglaise sont exposées, très
précisément, dans un article de 1857, sur *M. Troplong et
M. de Montalembert*. La conclusion n'est donc pas, comme
on pourrait le croire, le résultat des recherches, des inductions; c'est une conception *a priori*, affirmée dès le début
de l'enquête, et que l'auteur s'est borné à faire réapparaître,
en manière de conclusion.

L'abondance des faits, elle-même, devient parfois suspecte. « Quand je vois, avouait-il, un fait, une chose
vivante *qui prouvent une idée abstraite*, cela me donne un
coup dans la poitrine. » Les faits ne lui servaient guère
qu'à cela : non pas à construire des idées abstraites, mais
à les *prouver*. Aussi bien était-il porté à ne voir que les
faits qui pouvaient lui servir de preuve. « La vue des
choses n'a point démenti les prévisions du cabinet, écrivait Taine au cours d'un voyage en Angleterre... Les formules générales restent, à mon avis, entièrement vraies.
J'en conclus que les opinions que nous pouvons nous
former sur la Grèce et la Rome antiques, sur l'Italie,
l'Espagne et l'Angleterre de la Renaissance sont exactes,
et qu'*un historien possède dans les livres un instrument très
puissant, une sorte de photographie très fidèle, capable de
suppléer presque toujours à la vue physique des objets*. »

TAINE ET LE RÉALISME

L'outrance de ce système ne choqua que peu de gens;
ce fut même, pour une génération enthousiaste du positivisme, la principale raison qu'on eut de l'admirer. Et
l'*Histoire de la littérature anglaise* fit triompher, surtout à
cause de sa préface, la doctrine de Taine. Évidemment
le livre était, avant tout, une très savante et très belle

histoire de la vie intellectuelle en Angleterre; les Anglais paraissent l'avoir particulièrement appréciée comme telle. En France, les divers chapitres de cette grande œuvre furent surtout regardés, qu'il s'agît de Shakespeare ou de Byron, comme de successives et triomphantes démonstrations des grands théorèmes liminaires.

Cette doctrine impressionna fortement les littérateurs, parce qu'elle élargissait à l'infini le domaine scientifique; elle y incorporait les historiens, les critiques, les romanciers; elle les invitait à collaborer, tous, à la grande enquête du siècle sur l'homme; chacune de leurs œuvres avait sa valeur pour la synthèse future! Taine proclama la souveraineté du document, du *fait*, de quelque manière qu'il fût présenté. « Un roman, affirma-t-il en 1861, n'est qu'un amas d'expériences. » C'est l'idée même qui constitue l'armature de ses deux grands et célèbres articles sur Balzac (1858) et sur Stendhal (1864), considérés, au moment de leur publication, comme de véritables manifestes de propagande réaliste. En 1865, au lendemain de la *Littérature anglaise*, Taine dit plus nettement encore : « Du roman à la critique et de la critique au roman, la distance aujourd'hui n'est pas grande... Si le roman s'emploie à montrer ce que nous sommes, la critique s'emploie à montrer ce que nous avons été. L'un et l'autre sont maintenant une grande enquête sur l'homme, sur toutes les variétés, toutes les situations, toutes les floraisons, toutes les dégénérescences de la nature humaine. Par leur sérieux, par leur méthode, par leur exactitude rigoureuse, par leur avenir et leurs espérances, tous deux se rapprochent de la science. »

Dès lors, la manière du romancier, et non plus seulement son dessein, pouvait être celle du physiologiste; son cabinet devenait un laboratoire, et sa table de travail un marbre à dissections : cela justifiait bien des choses. Il était permis désormais d'affirmer le fait, sans précautions, brutalement; le style pouvait avoir cette raideur et cette énergie qui conviennent à la description des phénomènes et à l'énoncé des lois : aucune préoccupation, bien entendu, de la morale; tous les faits, même les pires, les plus scandaleux, peuvent être objet d'étude. C'est Taine qui avait proclamé, dans l'*Introduction* à l'*Histoire de la littérature anglaise*, le fameux axiome : « Le vice et la vertu sont des produits comme le vitriol et le sucre. » Zola fit tout naturellement de ces mots l'épigraphe de la deuxième édition de *Thérèse Raquin*. Son naturalisme n'a été, en grande partie, à l'origine, qu'une transposition des idées de Taine; et jamais il n'a renié cette influence. Dès 1866, il écrivait un petit travail, *Une définition du roman*, où il appliquait largement la méthode de Taine; vingt ans après, il était encore tout plein de sa pensée. Maupassant et Bourget se sont aussi réclamés de Taine comme d'un maître.

Au dîner Magny, Taine devint l'ami de Flaubert, des Goncourt; il fut adopté par le cénacle des romanciers réalistes. Lui-même eut alors quelque ambition de devenir romancier. Sous l'influence surtout de Stendhal, il entreprit, vers 1861, son *Étienne Mayran*. Ce roman inachevé devait montrer la naissance et la formation d'une âme et d'une intelligence fort semblables à celles de Taine. C'est, comme *le Rouge et le Noir*, comme *la Chartreuse de Parme*, moins un roman qu'une étude de psychologie, où l'auteur apporte un esprit scientifique, des procédés d'exacte

analyse, une précision minutieuse des détails et du style. Étienne Mayran est un Julien Sorel qu'on aurait mis au lycée, en 1845, au lieu de le faire entrer au séminaire vers 1825. Taine étudie en lui, comme Stendhal en Julien ou Fabrice, ses propres tendances et ses aspirations les plus fortes. Ce n'est pas, à proprement parler, son existence qu'il raconte, ni son image qu'il dessine, et pourtant son héros ne ressemble qu'à lui. Très vite le nouveau romancier se découragea; il n'acheva pas son livre. Il s'accusait de « copier Stendhal ». Ce n'est point exact; il faisait seulement, avec des procédés analogues à ceux de Stendhal, mais plus systématiques, plus rigoureusement appliqués, l'étude de son esprit; et, pour le mieux étudier, il le transposait, à la manière de Stendhal, légèrement idéalisé, dans un personnage de fiction.

TAINE VERS 1865, d'après une photographie communiquée par M. André Chevrillon.

L'HISTOIRE DE L'ART

Taine visita l'Italie, de février à mai 1864.

Le Voyage en Italie *fut publié dans la* Revue des Deux Mondes *en 1865-1866, et en deux volumes en 1866. On y joindra, pour connaître Taine voyageur, les* Notes sur l'Angleterre *(voyage de 1861-1862), publiées en décembre 1871, et les* Carnets de voyage, *notes sur la province, 1863-1865, posthumes, publiés en décembre 1896. —* La Philosophie de l'art, *publiée en 1882, a réuni :* De la nature de l'œuvre d'art, *1865;* la Philosophie de l'art en Italie, *1867;* De l'idéal dans l'art, *1867;* Philosophie de l'art dans les Pays-Bas, *1868;* Philosophie de l'art en Grèce, *1869, cinq petits volumes où Taine avait recueilli ses leçons professées à l'École des beaux-arts.*

Ce furent encore les circonstances — cette fois la nomination de Taine à l'École des beaux-arts — qui l'amenèrent, après avoir fait de la critique littéraire, à s'occuper de beaux-arts. Pour bien accomplir sa tâche, il alla voyager aux pays des belles œuvres, en Italie, en Belgique, en Hollande. On pense bien qu'il emporta ses théories en voyage. Lui-même nous en prévient très honnêtement; les premières pages du *Voyage en Italie* décrivent « l'instrument, âme ou esprit », dont l'auteur use pour voir les œuvres d'art. Cet instrument, dit-il, assez sensible devant les beautés de la nature, l'est beaucoup moins devant les tableaux et les statues; seules lui agréent d'abord les œuvres qui ont ce naturel, cette spontanéité, cette puissance qu'il sait apprécier devant les spectacles de la nature. Pour les autres, « l'éducation historique et critique y pourvoit. Avec de la réflexion, des lectures et de l'habitude, on réussit par degrés à reproduire en soi-même des sentiments auxquels on était d'abord étranger ».

Tout naturellement donc, les tableaux des grands artistes italiens ou les spectacles qu'offrait l'Italie moderne sont entrés dans le « système d'observations et d'idées » de Taine; cela s'est passé comme pour les écrivains d'Angleterre, ou pour les classiques français, ou bien pour un Balzac et un Stendhal. Il semble que la méthode de Taine se soit encore exagérée sur les questions d'art, peut-être bien à cause de son métier de professeur et de la nécessité où il était de tirer de ses souvenirs, pour les besoins de la chaire, des déductions démonstratives et de claires définitions. Il était d'ailleurs assez intelligent pour comprendre les imperfections de son instrument; il avait une assez grande honnêteté intellectuelle pour dire que sa manière de voyager n'était pas parfaite. « Voyager en critique, les yeux fixés sur l'histoire, analyser, raisonner, distinguer, au lieu de vivre gaiement et d'inventer de verve, qu'est-ce autre chose qu'une manie de lettré et une habitude d'anatomiste ? »

Son *Voyage en Italie* est aujourd'hui, après plus d'un demi-siècle, périmé. Il reste un document fort intéressant pour connaître l'Italie, telle qu'elle était un peu avant 1870. La passion que Taine avait pour le petit fait significatif, le besoin où il était de remplir les casiers de son armoire à fiches, ont aiguisé sa curiosité et l'ont rendu fort clairvoyant. Même quand il s'agit d'art, on ne peut pas dire que cet esprit de système l'ait rendu aveugle. Certes, il ne voit qu'un aspect des œuvres, certains traits du tableau, ceux qui satisfont ses théories de psychologue ou ses habitudes d'historien; mais ce qu'il voit, il le voit bien, et il le traduit aussitôt dans quelqu'une de ces formules, frappées comme de belles médailles, qui jaillissent de toute part sous sa plume. Il définit, par exemple, après quelques tâtonnements de mots, les églises d'Italie : « un casino à l'usage des cervelles imaginatives »; et il enferme dans cette définition toute sa conception de la race italienne, du milieu et du moment... Nous n'y voyons pas tant de richesses, mais simplement une heureuse formule, dont l'exagération même a quelque chose de sympathique, et où nous pouvons accrocher, suivant les cas, notre désir de savoir ou nos souvenirs.

Les théories que Taine a exposées dans son traité *De la nature de l'œuvre d'art*, et les applications qu'il en a faites à l'Italie, à la Grèce, à la Hollande, n'ont pas besoin d'être résumées : ce sont exactement les idées de l'*Introduction* à l'*Histoire de la littérature anglaise*. La critique d'art, impressionniste ou didactique, est résolument abandonnée; l'histoire de l'art passe au premier plan, et cette histoire est toujours une servante de la psychologie. « Pour comprendre une œuvre d'art, un artiste, un groupe d'artistes, il faut se représenter, avec exactitude, l'état général des esprits et des mœurs du temps auquel ils appartenaient. Là se trouve l'explication dernière; là réside la cause primitive qui détermine le reste. » Taine est amené ici à donner une toute particulière importance aux influences du *milieu*, de l'ambiance historique; il reprend avec bonheur et étend, quelquefois jusqu'à les rendre impossibles, ces analogies que Stendhal avait signalées entre l'art italien et l'énergie italienne, entre l'histoire politique du *quattrocento* et ses manifestations artistiques. Quel est le lecteur qui n'avouera pas, après avoir achevé les pages ardentes que Taine consacre au XVᵉ siècle italien, à ses mœurs, à ses fêtes, à ses crimes, qu'il *comprend* mieux les grandes œuvres d'art du temps ? Et il n'est pas sûr que *comprendre* soit toujours très éloigné de *sentir ;* du moins est-ce une bonne façon de recréer le passé. Peu importe que les lois posées par Taine, au début d'un chapitre, nous apparaissent, ou non, vérifiées à la fin.

Le dernier des traités qui composent la *Philosophie de l'art*, *De l'idéal dans l'art*, nous signale une grande nouveauté dans l'œuvre de Taine. Au moment même où, à force d'en multiplier les applications, il venait de conduire son système au plus haut degré de rigueur, il se mit à l'abandonner non pas en sa lettre, mais en son esprit. Au point de vue de l'histoire, et pour qui étudie les modalités de l'esprit humain, il n'y a point de grandes œuvres et des œuvres médiocres : il n'y a que des documents, de valeur inégale au point de vue de l'information, mais semblables par ailleurs; les questions de morale ne comptent point et les différences esthétiques sont hors de cause. Pour un professeur d'histoire de l'art, c'est tout autre chose; on n'aurait pas compris qu'il terminât ses leçons sans distinguer, classer, juger. En outre, Taine avait passé la quarantaine et, en lui, commençait à se dessiner l'évolution intellectuelle et morale qui devait faire d'un maté-

rialiste, honni vers 1865 par Mᵍʳ Dupanloup, un auteur bien pensant, fort sympathique, vers 1890, aux milieux catholiques et réactionnaires. Tout le traité *De l'idéal dans l'art* est, à ce point de vue, fort curieux à lire; l'auteur s'y donne un grand mal pour justifier son droit de juger, d'admirer et de condamner, tout en restant fidèle à une doctrine élaborée dans un tout autre dessein. Taine distingue dans l'idéal des espèces et des degrés, et ayant établi que le but de l'œuvre d'art est de « rendre dominateur un caractère notable » (c'est toujours la théorie de la faculté maîtresse), il introduit une grande distinction : tous ces « caractères notables » n'ont pas la même importance, le *degré de convergence des effets* n'y est pas le même, d'où le droit de les juger artistiquement; ils n'ont pas non plus le même *degré de bienfaisance*, d'où la nécessité de les classer au point de vue moral. Il y avait là le commencement d'une grande fissure, fort bien dissimulée d'abord, dans un système qui s'était prétendu tout scientifique, conforme à l'intransigeance positive.

LE PHILOSOPHE

Taine se remit en 1867 au travail qu'il avait entrepris à Nevers, en 1852, sous forme de thèse de doctorat, sur les sensations. De là est sorti le livre De l'intelligence *(1870), remanié et réédité en 1878 et en 1883.*

Après son *Voyage en Italie*, après ses premières années d'enseignement à l'École des beaux-arts, Taine vit enfin derrière lui, terminés, ces travaux sur des matières de littérature et d'art qu'il n'avait jamais considérés que comme provisoires; il avait achevé ce long détour que les événements politiques et la brisure de sa carrière universitaire lui avaient imposé, loin de la voie royale de la philosophie. Bientôt de nouveaux événements, les catastrophes de la guerre et de la Commune, devaient le relancer sur les chemins de la critique et de la recherche historiques. Ce philosophe ne put être lui-même et tout à lui que pendant la courte époque où il écrivit et publia *De l'intelligence*, celui de ses livres qui donnait « la racine de toutes ses idées psychologiques et morales », tous ses postulats et toutes ses conclusions.

« J'ai contribué, écrit-il alors, pendant quinze ans à des psychologies particulières; j'aborde aujourd'hui la psychologie générale. » De fait, ce livre ressortit plus à une histoire de la philosophie française qu'à une revue des grandes œuvres littéraires; malgré l'admirable clarté de l'exposition, il reste fort technique. C'est un travail de psychologie expérimentale, où l'auteur aborde de face et traite à fond des questions qu'il n'avait jusqu'alors qu'effleurées dans ses articles de critique et d'histoire. Après tant d'études sur les œuvres et les hommes, il donnait les résultats de sa grande recherche sur l'homme; ce n'était, d'ailleurs, qu'un commencement : après l'intelligence, il devait étudier la volonté. Quels sont les éléments de la connaissance, signes, images, sensations ? Quels sont les changements physiologiques qui les conditionnent, les fonctions des centres nerveux ? Quelles sont les diverses sortes de connaissance ? Quel est le mécanisme général de la connaissance, depuis la perception la plus simple jusqu'à l'élaboration de l'idée générale la plus complexe ?

Les philosophes et quelques-uns des historiens de Taine ont tenu à dire que ce livre, en bien de ses pages, pouvait servir les théories idéalistes. C'est possible. Mais ce n'est pas ce que Taine avait voulu faire. Jamais encore il n'avait usé d'une méthode aussi scrupuleusement scientifique; jamais il n'avait fait autant appel à la physiologie, à l'arithmétique, à l'algèbre; jamais il n'avait paru se défier autant de ses impressions personnelles, de ses conjectures. « La pure spéculation philosophique, dit-il, n'occupe guère ici que cinq ou six pages. » Et, en effet, les expériences, les expérimentations, les cas pathologiques, etc., voilà ce qui emplit les chapitres de *l'Intelligence*. C'est cela surtout que les contemporains ont lu et admiré, bien plus que les rares passages où Taine, qui semblait s'être bridé, satisfaisait son goût de construction logique et lâchait la bride à son imagination. Les formules et les théories qui sont restées les plus célèbres : celle de la perception extérieure considérée comme une « hallucination vraie »; celle de la fabrication par l'esprit des « types mentaux » les plus compliqués, comme « l'utile, le beau et le bien », se rattachent au plus pur positivisme. Et le livre de Taine a paru autoriser, pendant de longues années, toute une nouvelle école de psychologie, celle de Ribot et Janet; or, le succès de la psychologie physiologique, de la psychologie expérimentale devait, selon la pensée d'Auguste Comte, détruire la psychologie traditionnelle, qu'on ne reconnaissait point pour une vraie science, et l'absorber tout entière dans la physiologie.

En 1870, au lendemain de la publication de *l'Intelligence*, avant la guerre, avant *les Origines de la France contemporaine* (1875-1894), Taine incarnait donc les tendances positivistes telles qu'elles triomphaient alors de toutes parts, dans le roman, dans la critique, en histoire, en linguistique, et il semblait même qu'il vînt de s'attaquer au fort central après la chute duquel toute résistance deviendrait impossible, «le mystère de la conscience»; là encore, il s'était attaché à établir sur les débris des vieilles chimères métaphysiques la toute-puissance du fait et du document.

LE PRESTIGE ET L'INFLUENCE DE TAINE

Son influence était, dès lors, énorme et le fléchissement ultérieur de sa doctrine n'impressionna que peu le public de ses plus ardents admirateurs. Pendant longtemps, d'ailleurs, ce fléchissement n'apparut pas comme très sensible : Taine changea d'opinions, surtout en matière politique, plutôt qu'il ne changea de système et de méthode; la façade de la doctrine resta la même. Mais les pages réservées aux jugements et aux condamnations prirent dans l'œuvre une place de plus en plus grande. Au nom de sa théorie de l'esprit humain, Taine condamna comme Renan, mais pour d'autres raisons que lui, toutes les formes de gouvernement postérieures au XVIIᵉ siècle, et spécialement la Révolution française. Il se trouva que ces condamnations étaient en même temps celle du régime sous lequel la France vivait. Ce fut la raison pour Taine d'un surplus de gloire; il eut un nouveau public d'admirateurs; son système, qui avait paru si dangereux quand il assimilait la vertu au sucre et le vice au vitriol, révéla sous la troisième République une efficacité conservatrice qu'on ne lui avait point reconnue sous le second Empire; à ce moment-là, positivisme, socialisme, matérialisme paraissaient trois choses indissolublement liées. Il est vrai de dire que la méthode et le style de la démonstration ne changèrent point; il suffit à Taine de modifier ses postulats et ses conclusions; l'admirable et robuste machine à démontrer qu'il avait construite continua à fonctionner sans être incommodée par ce changement de destination.

Vers 1890, une grande réaction, qui s'esquissait depuis quelques années, se leva contre les tendances positives qui duraient depuis plus d'un demi-siècle et dont le succès, dans tous les domaines, avait fait des mécontents. On se porta surtout à l'attaque du naturalisme, qui, dans sa théorie, procédait de Taine, mais dont les outrances compromettaient la fortune. Il était tout naturel qu'on s'en prît au grand inspirateur, à Taine lui-même. C'est ce que fit Paul Bourget dans *le Disciple* (1889), en montrant où pouvait conduire la passion de la science seule quand la morale traditionnelle et la religion n'étaient point là pour lui servir de frein. Ce livre, dont le retentissement au moment où il parut ne fut d'ailleurs pas très considérable, ne marque pas un terme au prestige et à l'influence

TAINE VERS 1890, d'après une photographie communiquée par M. André Chevrillon.

de Taine; tout au plus indique-t-il une limite dans une certaine direction, une protestation contre les affirmations du positivisme en matière de morale, de religion et de politique.

Taine a continué et il continue aujourd'hui à être très lu, à agir. La fréquente réimpression de tous ses livres est là pour le montrer. Comment, à moins d'être tout à fait insensible au charme du raisonnement, à la beauté des belles lignes droites, ne pas admirer le style de Taine ? La solidité de la pensée, la logique lumineuse du développement s'y reflètent avec une limpidité absolue; il n'est pas jusqu'à l'aspect typographique qui ne témoigne, dès le premier regard, de cette rigoureuse ordonnance : les petits tirets s'ajoutent aux points et aux virgules pour séparer le théorème initial, puis les différentes parties de la démonstration, puis la conclusion; toutes les cases tracées dans le sommaire d'un chapitre se trouvent remplies également, et l'on continue à voir se dessiner ces cases, même pleines. Si l'on ne réfléchit point sur les prémisses, si l'on ne discute pas à ce moment-là, il est difficile de se dérober à la prise que l'auteur se donne sur votre intelligence. A cette logique il s'ajoute un feu intérieur, une sorte d'ardeur contenue, un jaillissement ininterrompu d'analogies, d'images, de métaphores qui ont fait comparer, avec assez de justesse, Taine à un poète de la raison.

RENAN

Ernest Renan est né en Bretagne, à Tréguier, le 28 février 1823; il fit ses premières études à l'école ecclésiastique de sa ville natale ; sa mère voulut qu'il fût prêtre. En septembre 1838, sa sœur Henriette obtint pour lui une bourse au séminaire de Paris. Il alla achever ses humanités à Saint-Nicolas-du-Chardonnet, sous la direction de Mᵍʳ Dupanloup (de septembre 1838 à la fin de 1841); en 1842 et 1843, il fit ses études de théologie à la succursale d'Issy du grand séminaire de Saint-Sulpice; en octobre 1843, il passa au séminaire même, où non seulement il entreprit l'étude de l'hébreu, mais commença à l'enseigner; il y resta jusqu'en octobre 1845. Dès 1843, il avait éprouvé de grands doutes sur sa vocation; il différa de recevoir la tonsure, bien que ce ne fût pas un engagement irrévocable; ces premières hésitations se calmèrent et il accepta d'être tonsuré en janvier 1844; il reçut les ordres mineurs au mois de juin. Mais, un an après, la crise recommença; Renan refusa d'avancer au sous-diaconat et il quitta définitivement le séminaire le 10 octobre 1845. Ses maîtres de Saint-Sulpice le traitèrent, dans ces douloureuses circonstances, avec beaucoup de bienveillance; sa sœur Henriette le soutint matériellement et moralement. Après un séjour de quelques semaines comme répétiteur au collège Stanislas (octobre 1845), qu'il quitta parce qu'on voulait lui faire porter la soutane, il entra comme répétiteur « au pair » à la pension Crouzet (novembre 1845); c'est là qu'il connut Berthelot. Il songea un moment à se présenter à l'École normale; il prit vite ses grades de bachelier, de licencié ès lettres (octobre 1846), de bachelier ès sciences (octobre 1847); il fut reçu à l'agrégation de philosophie (14 septembre 1848). Après une courte suppléance au lycée Louis-le-Grand (1848), il est nommé professeur au lycée de Vendôme, mais il ne rejoint pas son poste; il supplée pendant quelques semaines Bersot au lycée de Versailles (1849). Il fait couronner par l'Académie des inscriptions et belles-lettres, en 1847, un mémoire sur les langues sémitiques, et, en 1848, un mémoire sur l'étude de la langue grecque en Occident au moyen âge. La Révolution de 1848 le remplit d'enthousiasme.

A la fin de 1849, il obtient une mission de l'Institut en Italie (novembre 1849-juin 1850) pour faire des recherches dans la bibliothèque du Vatican, ce qui lui facilita son travail sur Averroès (A. Lefranc, E. Renan en Italie, 1938). En 1851, il est nommé surnuméraire au département des manuscrits de la Bibliothèque nationale (7 avril). En août 1852, il est reçu docteur ès lettres avec une thèse sur Averroès et l'averroïsme. Il commence à collaborer à la Revue des Deux Mondes, *au* Journal des Débats: *Ses premiers travaux de philosophie, de linguistique et d'histoire religieuse lui valent d'être nommé membre de l'Académie des inscriptions et belles-lettres (5 décembre 1856). Il entreprend l'histoire des origines du christianisme; en 1860, il se fait charger d'une mission archéologique en Phénicie, dont il s'acquitte (1860-1861) pendant l'expédition de Syrie; sa sœur Henriette, qui l'avait accompagné, meurt au cours de ce voyage (24 septembre 1861); lui-même a failli mourir. Le 11 janvier 1862, il est nommé professeur de langues hébraïque, chaldaïque et syriaque au Collège de France; il fait, le 21 février 1862, sa première leçon sur « la part des peuples sémitiques dans l'histoire de la civilisation » et y traite Jésus d' « homme incomparable »; son cours est suspendu le 26 février; l'arrêté ministériel lui fait grief d'avoir « exposé des doctrines qui blessent les croyances chrétiennes et qui peuvent entraîner des agitations regrettables ». L'année suivante, il publie la* Vie de Jésus, *qui, en moins de six mois, est tirée à 60 000 exemplaires et a*

LA MAISON NATALE DE RENAN, à Tréguier (Côtes-du-Nord). — CL. DE « L'ILLUSTRATION ».

un retentissement énorme. Deux décrets du 1ᵉʳ juin 1864 suppriment la chaire du Collège de France et nomment Renan sous-directeur adjoint du département des manuscrits de la Bibliothèque impériale; il refuse cette fonction et « prétend conserver son premier emploi »; il est définitivement révoqué (11 juin). Il continue à publier les volumes de son Histoire des origines du christianisme. *Pour écrire* Saint Paul, *il fait un grand voyage en Orient (1864-1865). Il commence à s'intéresser aux questions politiques et sociales, et, même, en mai 1869, il se présente aux élections législatives dans la circonscription de Meaux : il obtient près de 7 000 voix sur environ 26 000 votants.*

Le Gouvernement provisoire lui rend sa chaire d'hébreu (17 novembre 1870); il deviendra plus tard administrateur du Collège de France (19 juin 1883). Il achève son Histoire des origines du christianisme *(1863-1883), qu'il continue par l'*Histoire du peuple d'Israël *(1887-1893). Il prend une grande part à la réforme de l'enseignement supérieur. Il est élu, le 13 juin 1878, à l'Académie française et y prend séance le 3 avril 1879. Il est depuis longtemps entré dans la gloire et connaît même la popularité. Il meurt à Paris, le 2 octobre 1892.*

Œuvres complètes, *éd. établie par H. Psichari, 1947 et suiv. (10 vol. annoncés sur papier Bible).*

Correspondance (1846-1892), *2 vol., 1927-1929.*

Voir : H. Girard et H. Moncel, Bibliographie des œuvres d'E. Renan, *1923; J. Darmesteter,* la Vie d'E. Renan, *1898; J. Pommier,* Renan, *1923; P. Lasserre,* la Jeunesse de Renan, *1925 et s.; J. Pommier,* la Pensée religieuse d'E. Renan, *1926; Henriette Psichari,* Renan d'après lui-même, *1937; H. Tronchon,* Renan et l'étranger, *1929; Ph. Van Tieghem,* Renan, *1948.*

Le nom de Renan s'inscrit tout naturellement à côté de celui de Taine : son influence fut moins profonde, moins durable, mais sa popularité fut plus bruyante, plus étendue; il occupa beaucoup le siècle de sa personne. Renan est, comme Taine, un historien, un philosophe, un professeur. Mais sa destinée n'offre pas aux yeux cette belle ligne droite que tracent la vie et les œuvres de Taine. Il veut se faire prêtre, puis ne veut plus. Il dresse contre le christianisme les certitudes historiques, puis il devient le grand maître du scepticisme moderne. Il s'est vanté, avec raison, d'être un tissu de contradictions, rappelant l'*hircocerf* de la scolastique, qui avait deux natures. « Une de mes moitiés, a-t-il dit, devait être occupée à démolir l'autre. » Son succès même a quelque chose de paradoxal : on n'imaginait pas qu'un savant extrêmement spécialisé, un philologue, un professeur de langues chaldaïque, hébraïque et syriaque pût devenir un des directeurs de la pensée du temps. Mieux encore que Taine, Renan symbolise le prestige inouï qu'eurent, pendant la seconde moitié du siècle, la critique et l'histoire. Taine a dit les certitudes qui paraissent résulter de l'enquête historique sur l'esprit humain, et Renan, les grands doutes qui sont aussi un résultat de cette enquête. Leurs deux œuvres, qui d'abord paraissent

s'opposer, l'une toute de construction, l'autre surtout de démolition,
procèdent exactement, à l'origine,
de la même inspiration.

A distance, Renan nous apparaît
principalement comme l'auteur de
la *Vie de Jésus*. L'année où parut
ce livre, on vit s'affronter, dans un
combat retentissant, et qui, en
France et à l'étranger, sembla décisif à beaucoup de spectateurs, le
positivisme historique et le plus
fort des spiritualismes, la religion
catholique. Le fait même que cette
bataille parut gagnée, au profit de
la libre pensée, par un échappé de
séminaire, frappa les imaginations.
Là où une partie du monde catholique put croire à une manifestation
nouvelle de l'esprit diabolique, les
libéraux de tous les pays virent le
signe d'un grand affranchissement.
Le sens de l'œuvre et la signification de son succès dépassèrent
de beaucoup ce que l'auteur avait
prévu; et lui-même employa une
bonne partie de sa vie à lutter
contre les conclusions, impru-

LA CHAMBRE D'ÉTUDE DE RENAN A TRÉGUIER.
CL. JANVIER.

dentes à son gré, que le grand public avait tirées de
son livre.

LES ANNÉES DE JEUNESSE (1823-1850)

1º les Souvenirs d'enfance et de jeunesse, *1883; les*
Feuilles détachées, *1892;* — 2º les Lettres du séminaire (1838-1846), *1902; les* Lettres intimes (1842-
1845), *1896; les* Nouvelles Lettres intimes (1846-1850),
1923; la Correspondance de Renan et de Berthelot
(1847-1892), *1898;* Ma sœur Henriette, *1895 (écrit
en 1862);* Lettres à son frère, *1926;* Correspondance,
1927-1929; — 3º les Cahiers de jeunesse (1845-1846),
1906 et 1923, et les Nouveaux Cahiers de jeunesse
(1846), *1907;* Travaux de jeunesse, *1931;* — 4º l'Avenir
de la science, pensées de 1848, *1890;* — 5º Patrice
(écrit en 1849-1859), publié en 1908, et recueilli dans
Fragments intimes et romanesques, *1914;* —
6º Voyages, *1927.* — *Voir aussi J.* Pommier, la Jeunesse cléricale d'E. Renan, *1933.*

Au succès de la *Vie de Jésus* avait beaucoup contribué
ce qu'on a très souvent appelé le « charme » de Renan.
Il nous a invités, lui-même, et plus d'une fois, à en chercher la source et l'explication première dans les circonstances de son enfance. Son origine bretonne et la poésie
innée de la race celtique, son éducation toute féminine,
son enfance pieuse, sa vocation de prêtrise, sont des
données bien difficiles à saisir et à formuler nettement.
Pour ce qui est de sa piété, elle ne semble pas avoir été
jamais très ardente ni mystique; ses maîtres de Tréguier
lui reprochaient, quand il avait onze ans, de « se rendre
souvent tard à la messe », et, plus tard, de se montrer
« indifférent » à l'église; au séminaire, il fut compté parmi
les tièdes. Ses lettres de Saint-Nicolas nous le montrent
comme un bon élève, très appliqué, et qui avait du style;
il est vrai que, en les écrivant, il savait qu'elles devaient
être ouvertes par ses directeurs, et peut-être bien prenait-il
quelquefois le ton qu'il savait devoir plaire à la maison.
La crise de sa vocation, puis de sa foi, ne fut pas brutale;
il semble bien que sa sœur Henriette, qui avait un caractère énergique, ait pesé sur ses décisions. De bonne
heure il avait été effrayé par le sacerdoce, mais il espéra
longtemps pouvoir satisfaire, dans l'Église, ses vraies

inclinations. Un examen de
conscience, au début de 1843,
l'amenait à s'avouer un « goût
constant et exclusif pour une vie
retirée et tranquille, pour une vie
d'étude et de réflexion ». Un de
ses maîtres d'Issy, qui était ardent
et mystique, disait de lui, par moquerie : « ...Il étudiera sans cesse;
mais quand le soin des pauvres
âmes le réclamera, il étudiera encore. Bien fourré dans sa houppe-
lande, il dira à ceux qui viendront
le trouver : « Oh! laissez-moi,
« laissez-moi! » Un autre de ses
maîtres, également mystique, lui
disait très brutalement : « Vous
n'êtes pas « chrétien. »

Il eût pu devenir, et il espéra,
quelque temps, devenir, non un
prêtre chargé d'un ministère pastoral, mais un professeur de séminaire, un chanoine érudit, un sul-
picien hébraïsant; ses maîtres, qui
étaient indulgents et libéraux, le
poussaient dans cette direction.
Mais ses travaux d'exégèse, son
étude de l'hébreu, la rigueur crois-
sante de ses conclusions rendirent ce compromis impossible. « Ma foi, aimait-il à proclamer, a été détruite par la
critique historique, non par la scolastique ni par la philosophie. » Tout son travail, de la vingtième à la trentième
année, fut de dresser pour lui-même, avant de la donner
aux autres, la liste des « impossibilités scientifiques du
catholicisme »; mais il se défendait d'être athée. « Je
donnerais tout au monde, écrit-il dans *Patrice* (1849),
pour redevenir catholique; mais, pour être catholique, il
faudrait croire que la femme de Loth a été bien réellement changée en statue de sel, que les premiers chapitres
de la *Genèse* représentent une histoire *réelle*, que le *Penta-
teuque* est bien *réellement* l'œuvre de Moïse, que le livre
qui porte le nom de Daniel est bien réellement de Daniel,
que la légende du Christ est vraie à la lettre. Or, je parierais
vingt fois ma vie et mon salut éternel que la femme de
Loth n'a pas été changée en statue de sel, que les premiers chapitres de la *Genèse* ne sont qu'un mythe, que
le livre dit de Daniel n'est pas de Daniel, que tout
l'édifice du christianisme orthodoxe est inacceptable à
la critique... Est-ce ma faute ? »

Au sortir du séminaire, et dans tout l'enivrement que
lui donna ce premier et grand usage qu'il faisait de la
critique historique, il se précipita vers la science, vers
toutes les sciences, avec une furieuse ardeur de travail.
Il renonça à l'École normale et à l'enseignement, comme
il avait renoncé à la prêtrise, pour se livrer tout entier, au
prix d'une vie plus gênée, à la libre recherche. Ce fut une
période d' « encéphalite aiguë », comme lui-même l'a
appelée, dont les *Cahiers de jeunesse*, les *Nouveaux Cahiers,*
l'Avenir de la science portent admirablement témoignage.
Ce fut aussi l'époque de sa grande amitié avec Berthelot,
qui lui ouvrit le monde des sciences; *l'Avenir de la science*
« représente le premier bouillonnement de leurs deux
jeunes têtes; mélange des vues courantes des philosophes
et des savants de cette époque avec leurs conceptions personnelles, alors ébauchées et confuses »; une grande partie
des idées qui vont inspirer Renan, pendant la première
moitié de sa vie d'érudit et d'homme de lettres, s'y expriment avec une ferveur qui est pleine, à la fois, de noblesse
et d'ingénuité; il en a d'ailleurs utilisé bien des pages dans
ses premiers articles; il « débita en détail » son « vieux
Pourana ».

Il manquait à ce jeune homme merveilleusement intelligent, qui avait toujours vécu dans l'ombre de la cathédrale de Tréguier, derrière les murs d'un séminaire, dans les amphithéâtres de la Sorbonne et du Collège de France, entre les murs d'une petite chambre, vraie cellule de moine travailleur, — il lui manquait le contact avec l'art, le goût de la grâce et l'amour des belles formes. Ce fut un voyage en Italie, accompli de 1849 à 1850, qui commença à lui révéler la beauté plastique et lui donna le sens de l'Antiquité. Il avait alors vingt-six ans. Bien des pages de *Patrice* sont déjà comme une esquisse de la *Prière sur l'Acropole*.

TRAVAUX DE LINGUISTIQUE ET D'EXÉGÈSE
(1850-1863)

Averroès et l'averroïsme, *1852*; Histoire générale et système comparé des langues sémitiques, *1855* (*mémoire couronné en 1847*); Études d'histoire religieuse, *1857* (*recueil d'articles*); De l'origine du langage, *1858* (*travail d'abord publié dans la Liberté de penser, 1848*); Nouvelles Considérations sur le caractère général des peuples sémitiques, *1859*; le Livre de Job, *1858*; le Cantique des Cantiques, *1860*; l'Ecclésiaste, *1882* (*trois traductions, avec introduction historique et commentaire*); Essais de morale et de critique, *1859* (*recueil d'articles publiés de 1851 à 1859*). — *On y joindra les* Nouvelles Études d'histoire religieuse, *1884.*

Les premiers livres de Renan sont tout d'érudition : Averroès, les langues sémitiques, l'origine du langage, tels furent les sujets qui plurent d'abord au jeune philologue, enfin émancipé. Dès ce temps-là aussi, il commença à écrire, dans la *Revue des Deux Mondes* et le *Journal des Débats*, des articles où il exposa les résultats les meilleurs de son effort de savant; il apprit à écrire avec une grâce et un charme qui lui furent vite naturels. On ne saurait ici passer tout à fait sous silence ses travaux de pure érudition, puisqu'on y voit s'y former et s'y assurer la méthode dont usera l'auteur des *Origines du christianisme*. Les grandes lignes de son système philosophique s'y esquissent aussi. Il avait écrit, dans *l'Avenir de la science*, que l'histoire et la critique révéleraient les grands secrets : le premier, et le plus utile de ces secrets, c'était la nature de l'esprit humain. « L'histoire de l'esprit humain, déclare-t-il dans la préface d'*Averroès*, est la plus grande vérité ouverte à nos investigations. » Or, la philologie permettait d'accéder à cette vérité, restée jusqu'alors embrumée, à cause de la façon vicieuse qu'on avait de la chercher. « Le grand progrès de la critique, disait-il encore, a été de substituer la catégorie du *devenir* à la catégorie de l'*être*. » Tout se ramenait à des questions d'origine.

Or, les formes primitives du langage nous donnent le moyen de reconstituer, avec assez d'exactitude, la pensée primitive qui a cherché à s'exprimer par elles. Du moins, c'était la conviction des linguistes d'alors; et Renan s'attacha à la vieille question de l'origine du langage, pour ruiner tout à fait la théorie selon laquelle il serait de création divine, mais aussi pour commencer l' « embryogénie » de l'esprit humain. C'était une matière qui était encore du domaine de la philosophie; avec la langue des Sémites, il se trouva en pleine linguistique et sur son terrain.

Toute son étude sur cette question est dirigée par la préoccupation d'aboutir à des conclusions de psychologie historique. Il s'intéresse passionnément aux Sémites, parce que c'est dans leur histoire qu'il doit trouver l'explication première du grand fait catholique, et qu'il éclairera ainsi un des plus essentiels problèmes de l'histoire de l'humanité. Ce sont les Sémites, dit-il, qui ont inventé le monothéisme, et ils en ont fait cadeau aux civilisations occidentales; de la rencontre de l'esprit sémite et de l'esprit aryen est né le monde moderne. Or, le monothéisme suppose un besoin passionné d'unité; Renan retrouve, très ingénieusement, très artificiellement, pense-t-on aujourd'hui, ce désir d'unité dans la langue, dans la société, dans toute la civilisation sémite. Mais cette étude sur une langue et une société primitives n'est en réalité qu'un travail d'approche; à l'horizon de sa recherche, Renan voit déjà la figure de Jésus; et, remettant à plus tard l'histoire du peuple d'Israël, il court à cette grande histoire du christianisme, dont le peu qu'il sait déjà a suffi à bouleverser sa vie intellectuelle.

L'HISTORIEN DU CHRISTIANISME

L'Histoire des origines du christianisme *comprend 7 volumes* : Vie de Jésus, *1863 (édition populaire, 1864)*; les Apôtres, *1866*; Saint Paul, *1869*; l'Antéchrist, *1873*; les Évangiles, *1877*; l'Église chrétienne, *1879*; Marc-Aurèle, *1881*, et un index paru en *1883*. — *Les* Conférences d'Angleterre (*faites en 1880*) *résument les idées de Renan sur Rome et le christianisme et sur Marc-Aurèle*. — Histoire du peuple d'Israël, *5 vol., 1887-1893.* — Essai psychologique sur Jésus, *1921 (date de 1845; Renan était encore au séminaire).* — *A la* Vie de Jésus, *rattacher la* Mission de Phénicie, *1864-1874.* — *Voir A. Albalat*, la Vie de Jésus, *d'E. Renan, 1934.*

L'*Histoire des origines du christianisme* a occupé Renan pendant vingt-cinq ans environ, et, si l'on joint à cet ouvrage son *Histoire du peuple d'Israël*, qui en est l'introduction toute naturelle, et ses premières recherches sur les langues sémitiques, on constate que cette *Histoire* lui a pris toute sa vie depuis la sortie de Saint-Sulpice jusqu'à sa mort, bien près de cinquante ans. Tous ses autres livres ne furent que de courts repos pendant cette immense tâche.

Le dessein de Renan était si net que, dès 1848, il en avait tracé le programme dans *l'Avenir de la science*. Il y signalait, comme un des meilleurs moyens d'écrire l'histoire de l'esprit humain, « l'étude comparée des religions, établie sur la base de la critique ». Il condamnait l'état d'esprit des encyclopédistes, pour lesquels le fait religieux ne donne, à l'analyse, que superstition, crédulité et fanatisme. Les religions, la catholique surtout, lui apparaissaient comme une des plus belles productions spontanées de l'humanité primitive; leur étude, ainsi que celle du langage, devait permettre d'atteindre le tréfonds de l'âme humaine. « La vraie histoire de la philosophie, écrivait-il, est l'histoire des religions. L'œuvre la plus urgente pour le progrès des sciences de l'humanité serait donc une théorie philosophique des religions... Le livre le plus important du XIXᵉ siècle devrait avoir pour titre : *Histoire critique des origines du christianisme*. Œuvre admirable que j'envie à celui qui la réalisera, et qui sera celle de mon âge mûr, si la mort et tant de fatalités extérieures, qui font souvent dévier si fortement les existences, ne viennent m'en empêcher. » Dès ce moment-là, Renan posait sa grande idée directrice : « le christianisme est un fait juif ». Il faut donc chercher ses origines non pas dans les œuvres des Pères de l'Église, très postérieures, et qui ont subi des influences grecques, mais « dans les livres deutéro-canoniques, dans les apocryphes d'origine juive, dans les œuvres des judéo-chrétiens ». Ensuite, il faudra montrer comment la croyance de la petite secte juive primitive est devenue la religion d'une grande partie de l'humanité. Cette histoire sera fort difficile à écrire, car les documents historiques manquent; « mais la critique peut retrouver l'histoire sous la légende, ou du moins retracer la physionomie caractéristique de l'époque et des œuvres ».

Le but, l'esprit, la méthode du grand livre, tout est

ERNEST RENAN. — Cl. ADAM-SALOMON.

indiqué dans ces pages de *l'Avenir de la science*. L'entreprise était nouvelle en France, où l'Église avait toujours monté bonne garde autour des recherches d'exégèse biblique. On le vit bien, puisqu'il fallut des années à Renan, déjà suspect, pour se faire nommer professeur d'hébreu au Collège de France; et puisqu'il fallut quelques jours seulement, après qu'il eut inauguré son enseignement, pour qu'on l'empêchât de remonter en chaire. Mais, dans les pays protestants, en Allemagne surtout, ce genre de travaux était fréquent; et c'est là que Renan est allé chercher ses premières inspirations. On l'a appelé quelquefois, vers 1865, « le Strauss français »; en effet, il recommençait, à trente ans de distance, la tentative, et même les aventures de Strauss. Professeur de séminaire, David-Frédéric Strauss avait publié dès 1835 une *Vie de Jésus* (traduite en français en 1839) qui avait provoqué un gros scandale, non pas européen comme le livre de Renan, mais allemand. Lui aussi, il avait dû, mais moins vite, devant l'émoi du public allemand et suisse, abandonner son enseignement; il ne rompit d'ailleurs que très tard avec le christianisme. Sa thèse, que Renan produisit avec éloge dans un article sur *les Historiens critiques de Jésus*, mettait le christianisme sur le même pied que les religions antiques, expliquant tout, selon la mode d'alors, par des « mythes » : les récits relatifs à la mort de Jésus ne sont que « le produit des sentiments, des idées, des croyances qui prédominaient au sein de la première communauté chrétienne ». Ce principe d'explication, Renan le retint; mais il l'appliqua avec plus de souplesse et d'intelligence critique; il ne voulut pas renoncer à montrer la personnalité vivante et agissante du fondateur du christianisme.

La valeur scientifique de la *Vie de Jésus* de Renan et des *Origines du christianisme* a été fort âprement contestée, en France et à l'étranger. La question semble tranchée aujourd'hui; un historien moderne du christianisme déclare péremptoirement : « La *Vie de Jésus* de Renan est scientifiquement négligeable. » De pareilles valeurs sont difficiles à peser, car elles sont très relatives au temps; tous les travaux d'histoire vieillissent, et très vite. Renan avait certainement voulu faire œuvre de science : il a dressé un formidable catalogue de toutes les sources juives et chrétiennes; et cette masse de textes, il l'a dépouillée avec la plus scrupuleuse critique; il a cherché à les dater tous, à les éclairer par le plus grand nombre possible de témoignages contemporains. Les corrections et les additions qu'il a apportées à la *Vie de Jésus* témoignent de sa déférence devant la critique, quand elle provenait d'un savant mieux informé que lui sur tel ou tel point, et non d'un polémiste passionné.

Mais surtout — et c'est là qu'il faut tenir compte du temps et de la rapidité avec laquelle évoluent aujourd'hui les formes de la pensée —, il a fait triompher dans les études d'histoire religieuse un principe : la négation du surnaturel. Jamais cette méthode rationnelle n'avait été appliquée aux textes sacrés et à la religion vivante avec cette rigueur. De là les grandes colères, les effrois et les enthousiasmes qu'a suscités la *Vie de Jésus*. On sentit parfaitement que Renan, au fond, et bien que ce ne fût pas tout à fait sa pensée, traitait le christianisme comme l'une quelconque des religions mortes de l'Antiquité; comme un simple fait religieux que l'on peut disséquer, sans tenir compte de ce qu'il vit à l'heure actuelle ni des révoltes que provoque cette vivisection. La religion lui apparaissait si bien sous cet aspect de simple phénomène, objet d'une science indifférente, qu'il rêvait parfois à la possibilité d'y introduire la méthode expérimentale, qui est la consécration dernière de la valeur scientifique d'une recherche. Il s'est amusé à imaginer l'emploi qu'un capitaliste curieux pourrait faire de ses millions pour déterminer artificiellement en Asie, au pays béni des enthou-

siasmes de foi, quelques « grands cyclones religieux ». Si cette expérience était tentée, on aurait, disait-il, répété, au prix de bien des catastrophes individuelles et de quelques bouleversements sociaux, les premiers moments d'une religion naissante; on aurait fait surgir à nouveau ses prophètes, ses voyants, ses croyants; on aurait dirigé la création de la légende, constitué des communautés, inspiré des évangiles.

Les plus grands reproches qu'on ait adressés aux *Origines du christianisme* reviennent, en réalité, à critiquer la valeur même de la méthode de Renan. Cette méthode, il l'a très clairement définie. Comme Taine, il n'est pas essentiellement un historien qui veut recueillir des faits sûrs, rien que ceux-là, et le plus possible; il est un psychologue qui se sert de l'histoire pour mieux comprendre les tendances fondamentales de l'esprit humain. Rassembler les documents n'est qu'un travail préparatoire; c'est avec leur interprétation que commence le véritable effort du savant. Or, cet effort est tout de psychologie; la méthode ne saurait être que psychologique.

Dès 1845, dans son *Essai psychologique sur Jésus*, Renan, cherchant à résoudre le grand problème que vient d'ouvrir pour lui la crise de sa foi, ne se préoccupe que des solutions psychologiques. Trop près encore de son temps de piété et de sa culture théologique, il n'abandonne pas tout à fait l'idée de miracle. Il songe, pour expliquer Jésus, à des « lois psychologiques extraordinaires »; mais c'est uniquement dans des mécanismes spirituels qu'il voit l'explication possible. Plus tard, son information s'étant étendue et ses inquiétudes tout à fait apaisées, il ne trouva plus rien d'extraordinaire dans la destinée de Jésus, entendez rien qui ne pût s'expliquer par les seules ressources de la science et de la critique. Mais le point de vue psychologique resta toujours son point de vue favori; c'était le goût du temps : dans un pareil sujet, Sainte-Beuve et Taine n'en eussent pas usé autrement. D'ailleurs, les documents que ce sujet lui imposait de manier lui auraient sans doute dicté son procédé; ils sont pauvres d'histoire, surtout aux temps les plus anciens du christianisme, et ne valent que par les interprétations plus ou moins subtiles que l'on est tenté d'en donner.

Très nettement, dès la préface de sa *Vie de Jésus*, Renan délimita l'espèce de vérité dont il se contentait, et qui lui plaisait; il a plusieurs fois répété, sans la varier, sa formule directrice. « L'histoire, pense-t-il, n'est pas un simple jeu d'abstractions, les hommes y sont plus que les doctrines. Ce n'est pas une certaine théorie sur la justification et la rédemption qui a fait la Réforme; c'est Luther, c'est Calvin... Le fait fécond, unique, grandiose, qui s'appelle le christianisme... est l'œuvre de Jésus, de saint Paul, de saint Jean. Faire l'histoire de Jésus, de saint Paul, de saint Jean, c'est faire l'histoire des origines du christianisme. » Biographique, cette histoire est forcément psychologique; et la part de l'interprétation est considérable. « Dans un tel effort pour faire revivre les hautes âmes du passé, une part de divination et de conjecture doit être permise... Dans des histoires comme celle-ci, où l'ensemble seul est certain, et où presque tous les détails prêtent plus ou moins au doute, par suite du caractère légendaire des documents, l'hypothèse est indispensable. » L'honnêteté du savant doit être de ne jamais offrir des hypothèses pour des certitudes. « La conscience de l'écrivain doit être tranquille, dès qu'il a présenté comme certain ce qui est certain, comme probable ce qui est probable, comme possible ce qui est possible. » Or, c'est le possible qui tient la plus grande place; le but de l'historien est de reconstituer un système psychologique tel que le lecteur moderne puisse se donner une idée claire et rationnelle des grands phénomènes religieux; les lois de l'esprit étant jugées éternelles, et toujours pareilles dans leurs manifestations, il y a de fortes chances pour que ce qui est vraisemblable aujourd'hui ait été vrai autrefois. Le résultat de cette recherche, dit encore Renan, « ne saurait être que d'entrevoir des possibilités, des nuances fugitives ». La narration « s'interdit de raconter comment une chose s'est passée, mais se borne à dire : voici une ou deux des manières dont on peut concevoir que la chose s'est passée ». Le contrôle est donc purement subjectif; il faut obtenir non pas « la petite certitude des minutes », mais « la justesse du sentiment général, la vérité de la couleur... Le grand signe qu'on tient le vrai est d'avoir réussi à combiner les textes d'une façon qui constitue un récit logique, vraisemblable, où rien ne détonne ».

Nous avons multiplié ces textes, que l'on recueille tout le long de l'œuvre — dans la *Vie de Jésus*, dans *les Apôtres*, dans *Marc-Aurèle* et jusque dans l'*Histoire du peuple d'Israël* —, afin qu'on ne soit point tenté de faire inutilement à Renan le reproche d'une attitude qu'il a parfaitement voulue. On ne saurait plus aimablement renoncer aux « certitudes » de l'histoire; et Taine parle sur un autre ton de la façon dont se sont déroulées les phases

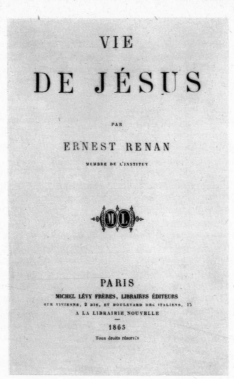

VIE
DE JÉSUS

PAR

ERNEST RENAN

MEMBRE DE L'INSTITUT

PARIS
MICHEL LÉVY FRÈRES, LIBRAIRES ÉDITEURS
RUE VIVIENNE, 2 BIS, ET BOULEVARD DES ITALIENS, 15
A LA LIBRAIRIE NOUVELLE

1863
Tous droits réservés

PAGE DE TITRE de l'édition originale de la « Vie de Jésus » (1863). — CL LAROUSSE.

successives de la Révolution française. Même dans les pages où les constructions de Renan semblent le plus persuasives, il ne faut pas perdre de vue le but qu'il s'est proposé. Il faut se souvenir qu'il aimait à conter le propos de ce bon curé de campagne, qui, voyant ses paroissiens trop émus par le récit qu'il venait de faire de la Passion, ajoutait tout aussitôt : « Il y a bien longtemps que c'est arrivé, et puis ce n'est peut-être pas bien vrai. »

Trois figures se détachent dans cette galerie de portraits symboliques qu'est, avant toute autre chose, l'*Histoire des origines du christianisme* : la figure de Jésus, celle de saint Paul, celle de Marc-Aurèle. Deux d'entre elles, celle de Jésus et celle de Marc-Aurèle, évoquent bien visiblement les attitudes intellectuelles où Renan se complaisait; elles sont une image idéale qu'il s'est faite de lui-même, à deux moments de sa vie. Sa méthode de reconstruction psychologique restait, même au milieu de l'amas des textes qu'il avait rassemblés pour s'aider, bien souvent toute subjective, poétique et confidentielle.

La vie de Jésus est contée comme une « délicieuse pastorale », dont le caractère équivoque peut aussi bien scandaliser les croyants qu'agacer les incrédules; dans un paysage riant, parmi une nature enivrante, Jésus s'avance accompagné d'une « bande de joyeux enfants »; il parcourt la Galilée, au milieu d'une fête perpétuelle. Il parle d'une voix harmonieuse et qui conquiert aussitôt; il a un sentiment exquis de la nature. Point de dogme, point de morale; ses plus vrais disciples peuvent être ceux qui n'ont point la foi, mais qui ont l'âme pure et le goût du divin. Il fait des miracles, il institue des sacrements parce qu'on les lui demande, mais à contrecœur, et parce qu'il ne peut pas laisser insatisfaits les besoins de foi et d'amour de ses compagnons. Il ne sait qu'être aimé, et « pour s'être fait adorer à ce point, il faut qu'il ait été adorable ». C'est un charmant et doux prophète, indifférent à la réalité, qui promet le royaume de Dieu, c'est-à-dire « celui de l'esprit », explique Renan; il n'agit, il ne devient grand que le jour où il perd la foi... juive; ce n'est pas un Dieu, c'est le plus attendrissant des fils des hommes.

Ce Jésus n'a pas trente-cinq ans; il a l'âge qu'avait Renan quand il le conçut. Marc-Aurèle, lui, meurt à soixante ans, et c'est l'âge qu'avait Renan quand il écrivit le volume qui lui est consacré. Tout naturellement, il a vu en lui un « historien philosophe » qui, après une longue vie de méditation, s'est décidé à tout regarder avec un « sentiment doux, mêlé de résignation, de piété et d'espérance »; malgré son peu de santé, et grâce à la sévérité de ses mœurs, il peut mener une vie de travail et de fatigue. Il n'est austère que pour lui-même, et il verse sur toute l'humanité une bienveillance infinie. « Le surnaturel n'était pas la base de sa piété... » C'est un sceptique, un Jésus vieilli, déçu, sans prestige physique, n'ayant d'autre charme que celui de son intelligence et de sa bonté un peu lasse.

Saint Paul ne ressemble point à Renan : c'est un homme d'action, un convaincu, un « missionnaire », un fanatique. Renan ne l'aime point; il y paraît. « L'homme d'action, tout noble qu'il est quand il agit pour un but noble, est moins près de Dieu que celui qui a vécu de l'amour pur du vrai, du bien et du beau. » Aussi saint Paul est-il décrit, par opposition à Renan, un peu borné, point artiste, pas aimable...; il ressemble à Luther! C'est lui qui a mené la théologie chrétienne dans des chemins où n'ont pu se maintenir les vrais amants de l'idéal, ceux pour qui la religion est la plus belle des poésies, et qui seront récompensés, car ils seront assis, plus tard, à la droite de Dieu. Saint Paul, c'est le séminaire, c'est la religion qu'on abandonne.

Ces trois grands portraits portent singulièrement la marque de Renan, et il y a là de quoi faire douter, dès l'abord, de la vraisemblance de pareilles hypothèses psychologiques. Le portrait est, en histoire, un genre périlleux. En revanche, dès que Renan n'est plus aux prises qu'avec les textes, qu'il ne veut seulement donner le récit des faits, tracer des tableaux de l'empire romain et du monde chrétien, sa méthode s'assure; ses reconstructions psychologiques, moins totales, plus prudentes, n'invitent pas tout de suite le lecteur à se défier. La liste des étapes du christianisme, telles que Renan les a marquées, éclaire d'une bonne lumière, intelligente et sympathique, l'histoire de la naissance et des progrès de la religion de Jésus. Le milieu mental où vécurent les apôtres, au lendemain de la mort de Jésus, est imaginé avec une grande délicatesse et beaucoup d'ingéniosité; comment auraient-ils pu ne pas croire à la résurrection? Et, une fois le dogme de la résurrection admis, l'histoire des premières sociétés chrétiennes s'enchaîne, malgré la multiplicité des faits et leur incohérence apparente, avec une logique qui est, au moins, bien utile pour débrouiller tout ce chaos. La tradition chrétienne s'organise, les Évangiles s'écrivent, le dogme se constitue, l'Église se fonde, le monde grec, puis le monde romain sont conquis, le catholicisme apparaît... A mesure qu'elle progresse vers la fin, l'œuvre de Renan, très conjecturale et bien romanesque au début, s'élargit en un immense tableau de très vraisemblable histoire.

Et ce voyage d'érudit à travers le passé s'accompagne d'un voyage d'artiste à travers tout le vieux monde oriental. Renan a mis ses pas dans les chemins qu'a suivis Jésus; il a navigué sur les mers où passa saint Paul. Ce n'était pas simple souci d'exactitude, désir d'éviter de menues erreurs géographiques; c'était une nécessité de la méthode. Pour recréer la vie et la pensée des acteurs évangéliques, la vue même du milieu où ils vécurent était indispensable. Le paysage galiléen fut pour Renan comme un « cinquième évangile »; grâce à lui, « au lieu d'un être abstrait, qu'on dirait n'avoir jamais existé », il vit « une admirable figure humaine se mouvoir ». Ce sont là encore des procédés d'artiste, beaucoup plutôt que d'historien; et c'est ainsi que Flaubert se donnera les émotions visuelles nécessaires à écrire bien des pages de *Salammbô*. Aussi Renan s'est-il attardé aux descriptions avec une complaisance toute particulière. Les paysages de la *Vie de Jésus* sont parmi les pages les plus charmantes du livre : village de Nazareth aux rues grimpantes et pierreuses, le long desquelles se dressent les pauvres maisons basses et blanches, carrefours étroits où jouent les enfants, ce décor familier des petites bourgades d'Orient d'aujourd'hui, Renan l'a projeté dans le passé; et, par un procédé contraire, il rend au paysage du lac de Tibériade, aujourd'hui enlaidi sous « le manteau de sécheresse et de deuil dont l'a couvert le démon de l'Islam », les arbres, les fleurs et les fruits, la fraîcheur même de l'air, qui lui paraissent un cadre nécessaire à la prédication de son Jésus; les paroles d'amour du Nazaréen n'ont pu être prononcées que dans un vrai « paradis terrestre ». Avant tout, il faut du charme, de l'harmonie, de la beauté.

L'*Histoire des origines du christianisme*, conçue de la sorte, était faite, on le voit, autant pour le très grand public des lettrés et des gens de goût que pour le monde des érudits. Évidemment Renan s'employait à détruire le caractère divin de Jésus, l'authenticité des textes sacrés, l'ancienneté des rites et des dogmes, l'origine miraculeuse de l'Église; mais jamais il ne s'en prenait à la religion elle-même; sa large sympathie pour l'idée religieuse, son grand effort pour comprendre et aimer les fondateurs successifs de la religion, ses soucis de poète faisaient certainement oublier à beaucoup de lecteurs l'œuvre de démolition que l'auteur avait entreprise. A condition que le christianisme se tînt pour mort, Renan était prêt à faire son éloge; et il le faisait. Il alla jusqu'à dire que si, un jour, l'Église voulait avouer que la religion n'est que symbole et que songe, et proclamer qu'elle peut satisfaire tous les goûts, toutes les aspirations, le besoin d'amour, le goût de la musique, si elle se contentait d'offrir au monde toute la

riche poésie dont elle est la maîtresse, en ne la donnant que pour telle, ce jour-là, aucun doute ne pourrait s'élever contre elle. Cet esprit de sympathie et d'amour a permis à Renan de réaliser une œuvre paradoxale, où la critique se fait poésie, et la négation hommage.

Aussi l'*Histoire des origines du christianisme* est-elle, très probablement, un des plus beaux efforts qu'ait réussis l'intelligence moderne pour se représenter le passé lointain, et des états d'âme à peu près impossibles à ressusciter; les formules souples, insinuantes, bien souvent fuyantes de Renan réussissent certainement, quelquefois, à nous approcher plus de cette vérité, qui semble chimérique, que les raides formules de Taine ou les exactes nomenclatures d'historiens plus précis. Or, Renan n'a pas voulu autre chose.

LE PHILOSOPHE. LES IDÉES POLITIQUES DE RENAN

Questions contemporaines, 1868; la Part de la famille et de l'État dans l'éducation, 1869; la Monarchie constitutionnelle en France, 1870; ces deux derniers ouvrages ont été reproduits, avec d'autres travaux, dans la Réforme intellectuelle et morale, 1871; Qu'est-ce qu'une nation? 1882, reproduit, avec d'autres travaux, dans Discours et conférences, 1887; Dialogues et fragments philosophiques, 1876 (les Dialogues ont été écrits en 1871).*

Toute une philosophie était, dès longtemps, enfermée dans cette manière de concevoir et d'écrire l'histoire, dans ces théories sur l'esprit humain; il était facile de l'y retrouver. Mais Renan a aimé de bonne heure à exposer lui-même, et sous forme directe, dans des livres et des articles de belle vulgarisation, sa conception de l'univers physique et moral. On la trouvera notamment dans un article sur la *Métaphysique et son avenir* (1860) et dans une *Lettre à M. Berthelot sur les sciences de la nature et les sciences historiques* (1863), recueillis dans les *Fragments philosophiques;* on la trouvera aussi, complétée quelques années plus tard, dans les *Dialogues philosophiques*, qui ont été publiés en tête des *Fragments*. Sous les rubriques : *Certitudes, Probabilités, Rêves*, Renan ordonne l'exposé de sa foi philosophique. Il veut qu'on sache que, s'il a cessé de « croire », il n'a pas renoncé à avoir des croyances.

La question de Dieu domine toute cette philosophie : c'est un sujet sur lequel l'auteur revient avec une toute particulière complaisance. Ses vues sont fort subtiles, souvent contradictoires aux yeux des simples lecteurs; des philosophes ont eu beau jeu à montrer leur illogisme interne. Évidemment, elles enferment une des antinomies essentielles de la pensée de Renan : ce catholique affranchi nia délibérément le « surnaturel », mais il essaya de sauver le « divin », et, avec le divin, le concept même de Dieu. Il range, à vrai dire, parmi les « certitudes » l'assurance qu'on ne peut concevoir un être supérieur agissant par des volontés particulières; il critique et ruine toutes les formes que les religions ont données à Dieu; il déclare que ce concept ne souffre pas de définition. Mais « refuser de déterminer Dieu n'est pas le nier. Laisser l'idée religieuse dans sa plus complète indétermination, tenir à la fois pour ces deux propositions : 1° la religion sera éternelle dans l'humanité; 2° tous les symboles religieux sont attaquables et périssables, telle serait, si le

LA MAISON D'AMSCHIT où Renan et sa sœur séjournèrent lors de leur voyage en Palestine. Aquarelle du temps. — CL. LAROUSSE.

sentiment des sages pouvait être celui du plus grand nombre, la vraie théologie de notre temps ». Voilà la première solution que propose Renan, avant d'avoir écrit sa *Vie de Jésus*. Peu à peu, ses recherches d'historien l'entraînent plus loin; Dieu devient pour lui une pure création de l'esprit de l'homme, mais une création qui vit; c'est la catégorie de l'idéal; il n'existe peut-être pas encore, mais, dans un état meilleur de l'humanité, il finira par exister; ce n'est là, d'ailleurs, pas même une « probabilité », c'est un « rêve ».

Ce besoin, tout personnel, de l'idée de Dieu, même élimée par la science jusqu'à n'être plus qu'une imperceptible silhouette métaphysique, n'est que l'expression, sous sa forme la plus traditionnelle, d'un ardent idéalisme. Tout en devenant positiviste et historien, Renan veut continuer à être spiritualiste. « L'esprit spiritualiste, avait-il écrit dans ses *Nouveaux Cahiers de jeunesse*, est évidemment vrai, seul digne de l'homme. Mais la science matérialiste est vraie aussi. *Tout cela, je le jurerais, sera concilié.* J'ai entrevu tout à l'heure le nœud dans un éclair. Cabanis et Gall seraient maintenus pour les faits, la science; Cousin et Hegel pour la manière de voir. *Tout cela est vrai à la fois dans son ordre.* » C'est pourquoi Renan inscrira parmi les « certitudes » la pensée que le monde a un but et travaille à une œuvre mystérieuse, la persuasion que « l'homme est ici-bas pour une fin idéale supérieure à la jouissance et aux intérêts »; le plus souvent l'homme ne sait pas cela, mais cela est; il est comme l'huître qui sécrète la perle. Toute une haute morale d'ascétisme, de renoncement doit se lier à cette croyance.

L'idéal et Dieu, qui en est le symbole, se réalisent lentement et obscurément; un jour, ils se manifesteront en pleine lumière; ce jour-là, les savants seront les maîtres; en attendant, ils sont les vrais amants de l'idéal, les vrais dévots selon le cœur de Dieu. L'érudition, la philologie sont donc une œuvre de piété. « Les plus importantes révolutions de la pensée moderne ont été amenées directement ou indirectement par des conquêtes philologiques. » Pousser les jeunes gens vers des dissertations historiques et de menues monographies, c'est en réalité les convier à travailler à l'œuvre même de l'humanité. On reconnaît là les grands rêves saint-simoniens et fouriéristes sur les poètes conducteurs de peuples et prêtres de l'humanité; mais le pouvoir, que l'on destinait au poète vers 1830, revient tout naturellement, trente ans après, au philologue et au chimiste.

Cette confiance dans les sciences historiques, cet orgueil philologique inspirent toute la politique de Renan. Sa conception, aux environs de 1870, est tout aristocratique, et fort influencée par les doctrines allemandes. Il a désavoué son court enthousiasme pour la Révolution de 1848; les excès et la réaction qui a suivi l'ont rendu pessimiste à jamais. Il ne croit pas que la démocratie puisse s'organiser, créer l'idéal, réaliser Dieu. En effet, le principe de celle-ci est le matérialisme; elle ne s'occupe point du but supérieur que poursuit l'humanité, du grand dessein auquel, peut-être, l'humanité elle-même est employée; elle ne songe qu'à organiser le bonheur des individus. Renan se découvre alors une âme de légitimiste. Aidé de l'his-

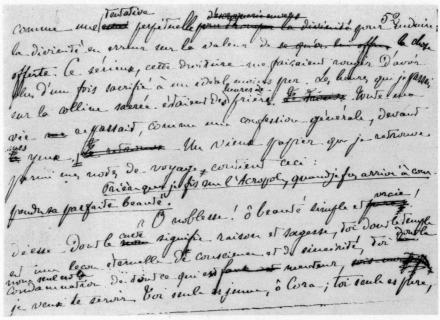

UNE PAGE AUTOGRAPHE DE RENAN, contenant le début de la « Prière sur l'Acropole ». CL. LAROUSSE.

toire, il remonte vers les origines du pouvoir en France; il voit les éléments les plus anciens, la féodalité germanique, l'ancienne aristocratie, peu à peu détruits par un lent travail de l'esprit du peuple, point critique, ni informé, mais grossement égalitaire. Le salut du pays sera de reconstituer l'élite, ou du moins une élite, qui maintiendra la civilisation et la dirigera vers de plus belles formes.

Mais, quand il en vient à définir ce que doit être cette élite, Renan s'aperçoit qu'il est un « faible conservateur », que les « bourgeois » ont bien raison de se méfier de lui. Au fond, il sent qu'il aime la Révolution. Dès qu'il la voit attaquée, il se laisse aller à penser que « c'est peut-être ce que nous avons de mieux ». Les tentatives de réaction qui s'esquissent ne lui disent rien qui vaille. « Les esprits supérieurs, avoue-t-il en 1884, ont souvent à se garder de ces tendances réactionnaires, masquées sous des apparences de philosophie profonde. » Il finit par accepter, de fort bonne humeur, la République, dès qu'elle se montre capable de durer et qu'elle donne toute liberté aux gens de science.

Ses idées sur le patriotisme ont scandalisé. Le *Journal des Goncourt* lui prête des propos, au dîner Magny, en 1870, que ses œuvres et sa correspondance rendent parfaitement vraisemblables. « Je vendrais la France, avait-il déclaré avec une singulière outrance dans ses *Cahiers de jeunesse*, pour une vérité qui fît marcher la philosophie... Que les Cosaques viennent, pourvu qu'ils me laissent les bibliothèques, des penseurs pour commercer, une Académie pour m'entendre, et liberté de penser et de dire. » Il répéta, au moment de la guerre, sa froide dissociation de l'idée de patriotisme, ne pensant pas que les faits pussent, en aucun temps, prévaloir contre l'idée; il continua à estimer qu'il n'y avait dans le patriotisme qu'une forme transitoire du sentiment collectif; il le répétera encore à Berthelot en 1878. Mais la guerre, l'annexion de l'Alsace-Lorraine et la politique germanique de domination étaient un trop cruel démenti à ses admirations pour que, quittant les régions supérieures de la pensée, où, en effet, le temps ne compte pas, il ne se prît point à réfléchir sur la réalité dont souffraient les gens de sa génération. Alors, il comprit l'idée de patrie, il la définit dans ses *Lettres à Strauss* (1870), dans sa *Lettre à un ami d'Allemagne*

ERNEST RENAN dans son cabinet de travail au Collège de France.
CL. LAROUSSE.

(1879), et surtout dans sa conférence *Qu'est-ce qu'une nation?* (1882), qui est sa « profession de foi en ce qui touche les choses humaines ». En face de la dangereuse idée de race, il dresse la conception française de la nation, « âme et principe spirituel », née d'une grande et longue solidarité à travers le temps. Jamais, peut-être, l'idée de la patrie moderne n'a été mieux formulée que par ce pur intellectuel, chez qui elle était non un sentiment instinctif, mais une recréation historique et philosophique.

LA VIEILLESSE. LE DILETTANTISME

Caliban, *1878;* l'Eau de Jouvence, *1881;* le Prêtre de Némi, *1885;* l'Abbesse de Jouarre, *1886 : ces quatre « pièces » ont été réunies dans les* Drames philosophiques, *1888.* — Mélanges d'histoire et de voyages, *1878.* — *Œuvres posthumes : outre les ouvrages signalés ci-dessus,* Études sur la politique religieuse du règne de Philippe le Bel, *1899 (réimpression de trois articles parus dans* l'Histoire littéraire de la France, *publication de l'Académie des inscriptions et belles-lettres);* Mélanges religieux et historiques, *1904.*

A consulter : H. Psichari, Renan et la guerre de 1870, *1947;* L. Dubreuil, Rosmapanon : la Vieillesse de Renan, *1946.*

Les désastres de 1870 et leurs conséquences obligèrent Renan à un nouvel examen de conscience philosophique. Ses idées, telles qu'il les avait formulées jusqu'alors, pouvaient se résumer en quelques propositions assez fermes. Essentiellement, Renan avait cherché, comme Taine, à régénérer la pensée française, dans tous ses domaines, par la philologie et la philosophie allemandes : l'hymne de reconnaissance à l'Allemagne, qui revient souvent dans son œuvre, jaillissait du plus profond de son esprit. Or, il voyait la vraie politique de l'Allemagne, son impérialisme, son mépris des vraies valeurs intellectuelles. Il avait dit que la République, principe mauvais, ne pouvait durer; il la voyait s'organiser en France et se rendre acceptable à des intelligences comme la sienne. Il avait annoncé la décadence prochaine du catholicisme; les signes de cette déchéance tardaient à paraître. La libération même de son esprit hors de la tradition religieuse, si péniblement réalisée par un énorme effort de recherche, il voyait que Gavroche et M. Homais y arrivaient du premier saut. Toutes ses conclusions, tous ses pronostics semblaient démentis par les faits.

L'issue de cette lente révision fut un surcroît de scepticisme. Le germe en était ancien. Dès *Averroès*, en 1852, Renan se demandait si « la finesse d'esprit ne consiste pas à s'abstenir de conclure »; et de ces « abstentions » les premiers volumes de son *Histoire des origines du christianisme* étaient pleins. Cela devenait peu à peu une attitude intellectuelle : croire aux principes, respecter la méthode, mais sourire au moment de passer à la conclusion. Ce sourire se fit de plus en plus fréquent, à mesure que Renan vieillissait, plus désabusé, plus indulgent. Rien n'allait dans le monde comme il semblait que les choses dussent aller; il y avait maldonne; et peut-être bien était-ce que la science, si parfaite quand elle se cantonne dans ses divers domaines, n'est pas d'une facile application aux grands problèmes de l'humanité et de l'esprit. Le savant n'a dès lors qu'à continuer avec scrupule son travail; mais, sorti du laboratoire, qu'il oublie la rigueur de ses méthodes et son besoin de résultats. « Nous ne savons pas », voilà tout ce qu'on peut dire de clair sur ce qui est au-delà du fini. Ne nions rien, n'affirmons rien, espérons... Sachons attendre; il n'y a peut-être rien au bout; ou bien, qui sait si la vérité n'est pas triste ? Ne soyons pas si pressés de la connaître. »

C'est cette attitude d'esprit qu'on a appelée le dilettantisme de Renan; et il paraît bien qu'elle soit un résultat logique de l'esprit critique poussé jusqu'au bout, dans une intelligence qui a connu d'abord des enthousiasmes de foi. C'est dans les *Drames philosophiques*, la dernière des grandes œuvres, que ce dilettantisme se manifeste le plus exactement. La forme même de ce livre, qui, dans des sujets de rêve et de fantaisie, oppose des personnages fort dissemblables, permet de faire entendre tous les sons contradictoires, dont il se peut bien que se compose la voix de la vérité. Le procédé dramatique, en outre, a quelque chose de cette « impression polychrome » que rêva alors Renan, « où chaque région d'une page et même d'une phrase serait imprimée avec des encres diversement teintées, depuis l'encre la plus noire marquant la certitude, jusqu'aux teintes les plus évasives, marquant les divers degrés de probabilité, de plausibilité, de possibilité ». En effet, chacun de ces drames est d'une lecture décevante pour qui aime les solutions nettes et franches. Toujours, et sous des noms divers, Renan s'y représente comme un vieux philosophe, très savant et très bon, que la réalité malmène plus ou moins rudement, mais qui s'en accommode, parce qu'il a décidé d'accepter placidement l'ironie des choses. Il est Prospero, le duc de Milan à qui la magie a donné pouvoir sur l'Univers, mais que détrône en un instant Caliban, la brute populaire, parce que la science et la pensée n'ont point de prise sur le peuple; le bizarre est que cette chute satisfait Prospero : Caliban le protège, le soutient contre l'Église; l'anticléricalisme et la démocratie, si honnis tous deux, se mettent au service de la pensée; Prospero peut accomplir sa destinée et mourir à son heure, splendidement, grâce aux merveilles de l'*euthanasie*. De même Antistius, le prêtre de Némi qui a voulu supprimer les anciens rites et infuser à la vieille religion tout un bel idéal, meurt victime des passions populaires et des intérêts des puissants, et le prophète d'Israël, « qui a tout vu de Babylone », murmure : « Ainsi les nations s'exténuent pour le vide, et les peuples se fatiguent au profit du feu ! »

C'est à ce moment de sa vie que Renan est devenu populaire ; et l'on peut, aujourd'hui, retrouver aisément l'image que se firent alors ses contemporains en lisant le portrait que Jules Lemaitre donna de lui en 1885, et surtout l'amusante plaquette de Barrès : *Huit Jours chez M. Renan* (1888). Très gros, la figure bouffie, volontiers somnolent, le regard vif, plein de propos, interrompant son travail pour satisfaire aux questions les plus saugrenues des journalistes, le Renan à la mode parle sur tous les sujets de l'actualité, les tout petits comme les grands. Volontiers il fait parler à sa place le Démiurge, et il imagine des conversations dans le ciel, où l'Éternel tient des propos fort subversifs. Il aime surtout à parler des femmes et de l'amour.

Mais il ne faudrait pas exagérer, même à cette date, le scepticisme et l'hédonisme de Renan ; son dilettantisme a des limites. Barrès lui-même, qui a caricaturé si joliment cette indécision voulue, ces flottements cherchés de doctrine, disait : « Il est franchement anticlérical dans la conversation, et, sur cinq ou six points les plus importants de la pensée humaine, il est affirmatif et net autant qu'aucun esprit réputé vigoureux et brutal. » Bien qu'il ait parfois traité les sciences historiques de « petites sciences conjecturales », Renan ne songea jamais à abandonner son grand travail sur les origines du christianisme. Son scepticisme ne lui paraissait qu'un moyen d'approcher la vérité dans les domaines qui ne sont pas de science ; et jamais il ne l'employa à détruire ses croyances fondamentales, qu'il s'agît de science ou de règles de vie.

L'œuvre de Renan, qu'on prenne ses livres d'histoire, ou ceux de morale et de philosophie, représente donc, sous sa forme la plus parfaite, la plus complète et peut-être bien la plus solide, l'énorme effort historique et critique de l'esprit français dans les années qui commencèrent avec le second Empire. La faillite de la science, que bien des gens purent être tentés de proclamer après avoir lu Auguste Comte, Littré ou même certaines pages de Taine, est, quand on arrive à Renan, une expression tout à fait dépourvue de sens. Lui-même avait fait, par avance, les sacrifices nécessaires ; grâce à son vieil idéalisme, grâce aussi à sa méthode plus prudente, plus critique, il s'était gardé des promesses trop audacieuses.

Il raya délibérément dans *l'Avenir de la science* les pages où il avait trop cédé aux généreuses conceptions de ses contemporains ; ses repentirs ne le conduisirent d'ailleurs pas aussi loin que ceux de Taine. Grâce à ce sens de la mesure, à ce parfait équilibre intellectuel, à cette défiance de l'esprit de système, il incarne vraiment une forme achevée de l'esprit critique. Or, cet esprit ne fait pas que multiplier les doutes partout. Berthelot a peut-être un peu exagéré les termes quand, après la mort de Renan, il saluait en lui « l'un des grands adversaires de l'oppression théocratique, l'un des grands libérateurs de la pensée humaine » ; mais il y a bien quelque chose de cela. Renan, même au temps de son scepticisme le plus aigu, savait qu'il avait agi et obtenu de grands résultats. Un jour, il rappela plaisamment qu'un de ses ancêtres avait été « taupier ». C'était pour ajouter aussitôt : « Moi aussi j'ai été bon taupier ; j'ai détruit quelques bêtes humaines assez malfaisantes. » Dans le même temps, il dictait l'inscription qu'il voulait qu'on mît sur sa tombe : *Veritatem dilexi* ; et il en commentait le sens profond : « Il y a trois choses : le bien, la beauté, la vérité : la plus grande des trois, c'est la vérité. Et pourquoi ? Parce qu'elle est vraie... La vérité est ce qui est. »

BARBEY D'AUREVILLY. Portrait peint en 1881 par Émile Lévy.
CL. BRAUN.

TROIS CRITIQUES : BARBEY D'AUREVILLY, EDMOND SCHERER, J.-J. WEISS

Barbey d'Aurevilly, né en 1808, mort en 1889, eut une vie sans événements, toute donnée aux lettres. D'abord connu comme poète (Poésies, 1855 ; rééditées sous le titre de Poussières, 1897 et 1918 ; Rythmes oubliés, 1897) et comme romancier (Une vieille maîtresse, 1851 ; l'Ensorcelée, 1854 ; le Chevalier Destouches, 1864 ; Un prêtre marié, 1865 et 1877 ; les Diaboliques, 1874 ; Une histoire sans nom, 1882 ; le Cachet d'onyx [avec Léa], 1919. Voir chapitre IV), il se signala comme critique et comme polémiste, en 1851, avec les Prophètes du passé. Il fut le critique littéraire du Pays et donna de nombreux articles à divers journaux. Ces articles ont été réunis dans les Œuvres et les Hommes : 1re série, 8 vol., 1860-1887 ; 2e série, 8 vol., 1887-1898 ; 3e série, 7 vol., 1899-1906 ; le Théâtre contemporain, 5 vol., 1888-1896 ; recueils pour la plupart posthumes et publiés par les soins de Mlle Louise Read, qui a également donné le Premier Mémorandum, le Deuxième Mémorandum, 1900 et 1906, et quelques autres volumes de critique et de lettres, notamment Lettres intimes, 1921 ; V. Hugo, 1922 ; Disjecta membra, 1922 ; Lettres à Trébutien, 1938 ; Œuvres complètes, édition critique, 17 vol., 1926-1928.

Voir : E. Grelé, Barbey d'Aurevilly, 1902-1904 (avec bibl.) ; F. Clerget, Barbey d'Aurevilly, 1909 ; Ernest Seillière, Barbey d'Aurevilly, 1910 ; J. Canu, Barbey d'Aurevilly, 1946 ; N. Quéru, le Dernier Grand Seigneur : J. Barbey d'Aurevilly, 1946.

Edmond Scherer (1815-1889) a publié : Mélanges de critique religieuse, 1860, l'ouvrage qui le signala ; Études sur la littérature contemporaine, 10 vol., 1863-1895 ; Études critiques de littérature, 1876 ; Diderot, 1880 ; Melchior Grimm, 1887 ; Études sur la littérature du XVIIIe siècle, 1891.

Voir : O. Gérard, E. Scherer, 1890 ; Napoléon Tremblay,

la Critique littéraire d'E. Scherer, *1932* (avec bibl.).

J.-J. Weiss (1827-1891) a publié : Essai sur Hermann et Dorothée, *1865;* Essais sur l'histoire de la littérature française, *1865;* le Théâtre et les mœurs, *1889. Des livres posthumes ont été publiés par le prince Stirbey :* Sur Gœthe, *1892;* Trois Années de théâtre *(1883-1885),* 4 vol., *1892-1896;* Molière, *1900;* Notes et impressions; choix de lettres, *1902.*

Voir : E. Lovinesco, J.-J. Weiss et son œuvre littéraire, *1909;* G.-B. Stirbey, J.-J. Weiss, *1911.*

Armand de Pontmartin (1811-1850) représente la critique conservatrice et catholique : Causeries littéraires, *1854;* Nouvelles Causeries littéraires, *1855;* Dernières Causeries littéraires, *1856;* Causeries du samedi, *1857;* Nouvelles Causeries du samedi, *1859;* Dernières Causeries du samedi, *1860, etc.*

Sainte-Beuve, Taine et Renan ont occupé, de 1850 à 1870, les premiers plans de la critique littéraire; leurs hautes personnes, que le recul grandit encore, nous masquent aujourd'hui presque entièrement ceux de leurs confrères qui étaient alors, à leur côté, les introducteurs des œuvres récentes et, anciens ou nouveaux, se faisaient écouter volontiers. Ils furent nombreux : Barbey d'Aurevilly, Caro, Philarète Chasles, Cuvillier-Fleury, Émile Deschanel, Arsène Houssaye, Alphonse Karr, Jules Janin, Gustave Merlet, Monselet, Émile Montégut, A. de Pontmartin, Prévost-Paradol, H. Rigault, Sarcey, Saint-René Taillandier, Paul de Saint-Victor, Edmond Scherer, Auguste Vacquerie, J.-J. Weiss, etc. Les trois plus notables sont Barbey d'Aurevilly, Edmond Scherer, J.-J. Weiss; ils sont encore lus, invectivés ou loués pour quelques-unes des opinions qu'ils exprimèrent. A côté de Sainte-Beuve, de Taine ou de Renan, qui infléchirent la critique vers les desseins du positivisme, ils se sont conformés tous les trois à la conception traditionnelle : le critique juge au nom de son goût et de ses préférences philosophiques, politiques ou littéraires.

Barbey d'Aurevilly avait été instruit et élevé au temps des fureurs du romantisme; ses premiers vers sont de 1825. Le succès ne lui vint que trente ans après. Il était resté fidèle aux admirations de sa jeunesse : Lamartine, Musset, Napoléon; à ses haines : Voltaire, J.-J. Rousseau, V. Hugo. En 1870, il « datait » évidemment : *Too late !* disait véridiquement le cachet de ses lettres. Catholique et royaliste passionné, à la façon de Joseph de Maistre, il s'est, pendant plus de quarante ans, acharné avec une ardeur forcenée contre son siècle. Le réalisme et le positivisme furent ses bêtes noires; son style, exubérant et violent comme sa pensée, surprend, amuse, puis fatigue. La critique, comme il la comprenait, quand elle n'est pas que polémique, « consiste (ces mots sont de lui) à prendre un livre quelconque et à exécuter sur ce livre autant de variations qu'on peut en avoir dans l'esprit, comme un instrumentiste habile en exécute sur un thème qu'il n'a pas créé ». L'instrument dont jouait Barbey d'Aurevilly était bruyant : il couvre presque toujours la voix des auteurs devant lesquels il sonne. « Critique détestable souvent et contestable toujours », juge Verlaine, qui faisait cas de lui. Par moments, de vives et belles illuminations : c'est que le critique a rencontré un livre qui éveille en lui les harmonies religieuses ou sentimentales que, seules, il aime à entendre; mais ce sont de rares instants. Une petite chapelle entretient pieusement, aujourd'hui, le culte de ce romantique attardé dans un âge d'érudition et de science.

Edmond Scherer fut lancé par Sainte-Beuve. Il avait le buste du maître sur sa table à écrire. Après la mort de celui-ci, il fut le critique tenu pour le plus sérieux et dont les jugements avaient le plus facilement cours. Pourtant, il ne ressemblait pas à Sainte-Beuve. Il était venu tard à

la critique, et par une singulière voie : le protestantisme et la théologie; il ne commença que dans son âge mûr à s'occuper d'œuvres littéraires; entre temps, il avait eu occasion d'apprendre plusieurs langues et d'étudier beaucoup la philosophie. Une telle formation donne un pli qu'il est difficile d'effacer; la perte tardive de la foi laissa à Scherer un scepticisme très attristé, qui jamais ne glissa vers le dilettantisme. Il continua à s'intéresser au jeu des idées abstraites et à préférer les livres qui lui permettaient ce jeu; en revanche, il comprit fort mal les œuvres, celles de Théophile Gautier et de Baudelaire par exemple, qui n'étaient que des œuvres d'art et où la morale n'avait point affaire.

J.-J. Weiss fut camarade de Taine à l'École normale et professeur d'histoire; mais il fut hostile à la méthode de Taine, et, malgré quelques déclarations de préfaces, fort indifférent même à l'histoire. Son plus célèbre article, *la Littérature brutale,* montre non pas son incompréhension à l'égard d'un Flaubert, d'un Taine ou d'un Baudelaire, dont il discerne d'ailleurs admirablement les tendances communes, mais l'hostilité foncière de son goût. Ses préférences étaient bourgeoises, sa culture tout universitaire, suivant l'ancienne mode. Quoiqu'il s'en soit défendu, il n'aima aucune des nouveautés du temps. La littérature ne lui tenait d'ailleurs pas très à cœur; il ne s'en est occupé qu'à de courts intervalles dans une vie toute donnée au journalisme politique. Ses rares articles de critique sont d'un esprit fort ingénieux, brillant et vite paradoxal, pour le plaisir même du paradoxe.

LES HISTORIENS : DURUY, FUSTEL DE COULANGES

Voir : L. Halphen, l'Histoire en France depuis cent ans, *1914; —* Histoire et historiens depuis cinquante ans, *2 vol., 1928.*

Victor Duruy (1811-1894) a écrit un grand nombre d'ouvrages d'histoire, surtout pour les classes ; les plus notables sont l'Histoire des Romains, *1843-1844,* 2 vol.; *1870-1874,* 4 vol.; *1879-1885,* 7 vol.; *l'*Histoire des Grecs, *1851;* l'Histoire de la Grèce ancienne, *1861,* 2 vol.; *1887-1889,* 3 vol. *— On a publié en 1901 des* Notes et Souvenirs, *2 vol., qui sont une biographie très documentée. — Voir Ernest Lavisse,* Un ministre : V. Duruy, *1895.*

On doit à Fustel de Coulanges (1830-1889) : la Cité antique, *1864, 7ᵉ édition, légèrement remaniée, 1879;* Histoire des institutions de l'ancienne France, *publication en partie posthume, 6 vol., 1875-1892; rééditée de 1900 à 1907 par C. Jullian, et complétée d'après le manuscrit et les notes de l'auteur;* Recherches sur quelques problèmes d'histoire, *1885;* Nouvelles Recherches..., *1891;* Questions historiques, *1893, partiellement reproduites dans* Questions contemporaines, *1916;* Leçons à l'Impératrice, *1930. — Voir : P. Guiraud,* Fustel de Coulanges, *1896; J. Tourneur-Aumont,* Fustel de Coulanges, *1931.*

Le mouvement historique continua, sous le second Empire, avec la vigueur que lui avaient donnée la Restauration et la monarchie de Juillet; la France avait maintenant une espèce d'organisation administrative de la science historique où les savants se hiérarchisaient, depuis les associés des plus petites sociétés de province jusqu'aux membres de l'Institut. D'ailleurs, le nouveau gouvernement, hostile à d'autres formes de l'activité intellectuelle, favorisa toujours les études historiques : l'étude du passé est moins dangereuse que celle du présent; et le nouveau souverain était historien à ses heures. Les grands écrivains de la génération précédente achèvent leur œuvre : Guizot, de Barante, Thiers, Michelet, Tocqueville,

Quinet. Taine et Renan commencent ou préparent leurs grandes constructions historiques. Toute une nouvelle génération d'historiens et d'archéologues se produit : Lanfrey, Dareste, Duruy, Fustel de Coulanges, d'Arbois de Jubainville, Chéruel, Mariette, etc.

Les nouvelles tendances, positivistes et critiques, se manifestent en histoire; la chasse aux documents inédits paraît une activité insuffisante. Les synthèses purement philosophiques lassent; on veut des idées appuyées sur des faits; surtout, on commence la critique des documents entassés par l'époque précédente.

La *Revue critique d'histoire et de littérature* (1866) se propose « d'expulser les livres trop nombreux », mal informés et composés sans méthode, « qui encombrent le domaine de la science ». L'École pratique des hautes études est fondée en 1868 pour « mettre en possession des méthodes » et former par des exercices pratiques les historiens, les philologues et les savants. Avec l'École des chartes, elle prépare toute une génération d'historiens scrupuleux qui, après 1870, feront triompher définitivement la méthode de pure critique, l'esprit du positivisme.

Duruy est un des historiens les plus notables de l'époque; ce n'est certes pas un des plus grands. Il s'est surtout attaché à une œuvre de vulgarisation; il a apporté dans cet effort les qualités d'administrateur qui lui ont permis d'être un grand ministre : l'enthousiasme, la foi dans sa tâche, l'esprit de clarté. C'est dans ses manuels, d'esprit très libéral, et d'abord suspects, que les lycéens de France ont appris, jusque vers 1890, l'histoire de leur pays et celle de l'Antiquité. L'influence des idées ambiantes : déterminisme historique, action des causes matérielles, rôle des psychologies nationales, etc., se manifeste discrètement dans ses clairs exposés.

Fustel de Coulanges a été le grand maître de la génération historique qui a suivi; par son enseignement, par ses livres, par ses articles de polémique, il a donné aux jeunes une méthode de travail plus rigoureuse encore que la sienne; il a personnifié l'historien qui jamais ne s'éloigne des documents et qui les interprète avec un scrupule inquiet. Mais son œuvre n'est pas toujours d'accord avec sa méthode. Il a subi les influences du temps; il pense, lui aussi, que l'histoire est essentiellement un problème de psychologie; elle doit étudier l'homme en société; elle est une manière de sociologie.

La *Cité antique*, qui est aujourd'hui un livre classique, bien qu'on en combatte généralement les conclusions, est une thèse : elle veut « marquer le rapport intime qui existait entre les institutions des Anciens et leurs croyances ». Elle explique, à Rome comme en Grèce, la famille par les croyances primitives sur la mort, et la société par la famille; elle rend compte des changements de la société par l'évolution des idées religieuses.

L'*Histoire des institutions politiques* présente une autre thèse : la féodalité n'est point née des invasions barbares, comme on le répétait depuis Boulainvilliers et Montesquieu; ses germes préexistaient dans la civilisation gallo-romaine : elle s'est formée peu à peu par un développement interne, que les invasions barbares ont pu aider, mais qu'elles n'ont pas déterminé. Ces grandes simplifications sont aujourd'hui contestées; elles ont eu pourtant et gardent une belle puissance de suggestion; et, aux yeux du simple amateur d'histoire, elles restent encore debout, tant elles avaient été bâties solidement.

VICTOR DURUY. — CL. PIERRE PETIT.   FUSTEL DE COULANGES. — CL. LAROUSSE.

PUBLICISTES, JOURNALISTES ET ORATEURS : VEUILLOT, ABOUT, PRÉVOST-PARADOL, JULES FAVRE

Ouvrages généraux : Joseph Reinach, le Conciones français, *1894;* Maurice Pellisson, les Orateurs politiques en France, de 1830 à nos jours, *1898.*

Les principaux articles de Louis Veuillot (1813-1883) ont été réunis dans les recueils intitulés : Mélanges religieux, historiques et littéraires, *1857-1875, 18 vol., et* Derniers Mélanges, *1873-1877, 1908-1909, 4 vol.* — *Voir G. Cerceau,* Table analytique et alphabétique des « Mélanges » de Veuillot *(1913). On a publié sa* Correspondance, *1883-1913, 9 vol.;* Œuvres complètes, *en cours de publication depuis 1924.*

Voir : E. Veuillot, Louis Veuillot, *1899-1904, 3 vol.;* M. Vallet, Louis Veuillot, *1919;* abbé Fernessoles, les Origines littéraires de Louis Veuillot *et* Bio-Bibliographie, *1923.*

Les principaux ouvrages de polémique d'Edmond About (1828-1885) sont : la Question romaine, *Bruxelles, 1859, et Paris, 1861;* Lettres d'un bon jeune homme à sa cousine Madeleine, *1861, et* Dernières Lettres..., *1863;* le Progrès, *1864;* Causeries, *1865-1866;* le XIXe siècle, *1892 (recueil d'articles publiés dans le journal le XIXe siècle). Il n'est point fait mention ici de ses romans, dont quelques-uns se lisent encore aujourd'hui.*

Prévost-Paradol a vécu de 1829 à 1870. Principales œuvres polémiques : De la liberté des cultes en France, *1858;* Essais de politique et de littérature *et* Nouveaux Essais..., *1859-1863, 3 vol.;* les Anciens Partis, *1860;* le Gouvernement parlementaire, *1861;* Quelques pages d'histoire contemporaine, *1861-1866, 4 vol.;* la France nouvelle, *1868.* — *Voir :* O. Gréard, Prévost-Paradol, étude suivie d'un choix de lettres, *1864;* A. Aubert, Prévost-Paradol, *1931.*

Les principaux ouvrages de Jules Favre (1809-1880) sont : Discours de bâtonnat; Défense de F. Orsini; Quatre Discours prononcés au Corps législatif *(1866);* Conférences et discours littéraires *(1873);* Conférences et mélanges *(1880);* Discours parlementaires *(1881), 4 vol.;* Plaidoyers politiques, judiciaires et littéraires *(1882), 2 vol.;* Plaidoyers et discours de bâtonnat *(1893), 2 vol.* — *Voir M. Reclus,* J. Favre *(1912).*

L'Empire fut d'abord peu favorable au développement de la presse et à l'éloquence politique. Par une législation draconienne et par des mesures de rigueur, il voulut et il obtint, pendant plusieurs années, le silence dans les journaux, au Corps législatif, dans l'Université, partout. Les journalistes de l'opposition s'habituèrent à un ton léger et persifleur qui permettait par moments de risquer, sous forme d'allusions, de timides audaces. A partir de 1860, sans poser ses armes, l'administration détendit sa rigueur ; elle laissa passer, suivant son expression, des « énormités présentées avec art » ; elle permit la fondation d'un grand journal d'opposition, *le Temps* (1861). En 1867, elle renonça à l'autorisation préalable, ce qui permit l'apparition de journaux comme la célèbre *Lanterne* de Henri Rochefort (1868-1869). L'éloquence politique fut encore plus durement comprimée. Jusqu'en 1867, il n'y eut point de tribune au Corps législatif et au Sénat. Jusqu'en 1860, les séances des assemblées avaient été secrètes ; ce n'est qu'alors que la parole fut rendue aux orateurs pour discuter l'adresse, et qu'on permit au public d'apprendre ce qui s'était dit, par un compte rendu analytique officiel. Alors seulement purent se révéler les orateurs de l'opposition, surtout les républicains : Jules Favre d'abord, puis Thiers, Émile Ollivier, Gambetta (en 1869).

Louis Veuillot est resté le type du journaliste d'opposition ; aujourd'hui encore il est célèbre comme un des « maîtres de la contre-révolution ». Nul n'a plus et mieux attaqué que lui les tendances positivistes. Il s'est précipité sur ses adversaires, toutes les fois qu'il eut liberté de parler, avec une violence de propos, une truculence populaire, un parti pris obstinément buté, qui l'ont fait comparer par ses contemporains à un « saint Michel armé de la trique ». C'est du même style qu'il exalta les idées qu'il aimait et la religion. L'intérêt de son œuvre, qui était surtout polémique, a certes beaucoup diminué aujourd'hui ; et elle n'est plus lue de bout en bout que par des fidèles intransigeants ; mais les simples amateurs de lettres, quand le hasard les amène à la feuilleter, admirent la verve toujours jaillissante de Veuillot, qui est une force ; ils s'amusent de ses mots poissards égrenés tout au long de phrases robustes et saines, qui sont d'une fort bonne langue.

Edmond About et Prévost-Paradol sont deux normaliens que la réaction universitaire jeta dans le journalisme. Ils y

Louis Veuillot. Caricature de Carjat, 1856 (B. N., Cabinet des Estampes). Cl. Larousse.

ont apporté tous deux leur forte culture et une grande solidité dans l'argumentation ; le régime de presse sous lequel ils se manifestèrent les obligea à écrire avec malice ; tous deux, Prévost-Paradol surtout, furent des maîtres dans cet art d'égratigner assez souvent et assez adroitement pour finir par faire de vraies blessures. Tous deux personnifient l'opposition de bon ton, l'esprit voltairien, l'esprit parlementaire.

Ils ont été, dans leurs articles, d'admirables causeurs, About plus gamin, Prévost-Paradol plus incisif. Mieux que leurs confrères, Nestor Roqueplan, Villemessant, Monselet, Aurélien Scholl, P. Véron, Pelletan, Magnard, Vallès, Rochefort, etc., ils peuvent nous servir à restituer l'image aujourd'hui ternie du journalisme impérial, à son heure la plus brillante.

Jules Favre souffre, plus qu'eux, du changement rapide des goûts et des habitudes en matière de style politique. Ses discours, dont on célébra la véhémence, nous paraissent contenir plus d'idées toutes faites et de lieux communs qu'il n'est permis aujourd'hui à un avocat ou à un député d'en produire. Mais il faut ranimer préalablement les graves circonstances qui les déterminèrent et leurs auditoires passionnés, mais plus compassés qu'aujourd'hui ; alors, il devient aisé d'en goûter encore l'audace stylisée et la généreuse doctrine.

III. — LA POÉSIE

Ouvrages généraux : Th. Gautier, Rapport sur les progrès de la poésie française depuis 1830, *1867 (recueilli dans l'*Histoire du romantisme, *1874*) ; C. Mendès, Rapport sur le mouvement poétique français de 1867 à 1900, *1902 ; P. Fort et H. Mandin*, Histoire de la poésie française depuis 1850, *1926 ; Pierre Martino*, Parnasse et symbolisme, *1925 (7ᵉ édition, 1947*) *; M. Souriau*, Histoire du Parnasse, *1929.*

LA TRADITION ROMANTIQUE

Les noms, les œuvres et les dates qui se présentent d'abord aux yeux, quand on entreprend de recenser les poètes du second Empire, c'est Théophile Gautier avec ses *Émaux et Camées* (1852), Leconte de Lisle avec ses *Poèmes antiques* (1852) et ses *Poèmes barbares* (1862) ; c'est *le Parnasse contemporain* (1866), les *Stances et poèmes* de Sully Prudhomme (1865), les *Poèmes saturniens* de Verlaine (1866) ;

Henri Rochefort et sa lanterne. Caricature de Régamey (B. N., Cab. des Estampes). — Cl. Larousse.

et l'on constate que Heredia et Mallarmé ont écrit alors leurs premiers vers. Le second Empire apparaît donc tout d'abord comme l'heure du Parnasse, du moins comme la plus belle des heures qui lui furent dévolues, celle des débuts et des enthousiasmes. Mais cette vue n'est point tout à fait exacte : la tradition romantique selon le code de 1830 était encore fort vivante.

Certes, Lamartine avait renoncé à la poésie, Musset ne faisait plus de vers, Vigny se taisait; ses *Destinées* devaient, après sa mort, le produire devant l'audience d'une nouvelle génération. Seul parmi les maîtres, V. Hugo se dressait avec une ardeur plus jeune que jamais; après une longue période où il avait semblé délaisser la poésie (1840-1852), il donnait une série de recueils qui comptent parmi ses plus belles œuvres. Mais tous ces grands maîtres, même les silencieux, avaient maintenant des disciples, Hugo moins que Lamartine, et Lamartine moins que Musset. C'est l'influence de Musset que Sainte-Beuve reconnaît, en 1852, pour la plus notable du temps; et c'est aussi à Musset que s'en prendront, aux environs de 1865, les premiers tenants du Parnasse, quand ils voudront définir leur conception de l'art en l'opposant à la tradition romantique sentimentale et humanitaire. Une philippique contre le poète des *Nuits*, égoïste, pleurard, insoucieux de la forme, fut alors comme un rite d'initiation indispensable pour qui voulait s'agréger au Parnasse. Les poésies que Zola écrivait vers 1860 sont, pour la plupart, des traductions, en vers à la Musset, d'idées à la George Sand; nombreuses et médiocres, elles sont un excellent témoignage de la force persistante de la tradition romantique : à vingt ans, Zola détestait le réalisme et ne rêvait que d'amours immatérielles.

Th. Gautier se plaignait, en 1867, de l'incuriosité du public : « L'esprit, en proie à d'autres préoccupations et tourné vers les recherches scientifiques et historiques, s'est détourné de la poésie. Les revues n'accueillent plus les vers, les journaux n'en rendent jamais compte..., et l'on ne saurait peindre l'effarement naïf d'un éditeur à qui un jeune homme propose d'imprimer un volume de vers. » Et c'est possible, encore que cette plainte se soit élevée, immuable, pendant tout le xixe siècle, et surtout aux plus belles époques de poésie. Les critiques comprenaient peut-être que la poésie perdait peu à peu sa vieille prééminence parmi les œuvres littéraires, mais cela ne diminuait pas le nombre des poètes. On en dresserait une longue liste : le marquis de Belloy, de Grammont, Arsène Houssaye, Amédée Pommier, Calemard de La Fayette, Blaze de Bury, Auguste Vacquerie, Joseph Autran, Joséphin Soulary, Murger, Maxime Du Camp, Auguste Lacaussade, Louis Ratisbonne, André Lefèvre, Emmanuel Des Essarts, Victor de Laprade, Mme Ackermann, Mme Blanchecotte... Ce sont là les principaux des noms retenus par Th. Gautier, dans son *Rapport* de 1867; et ils représentent déjà un choix; à peine quelques-uns d'entre eux survivent-ils aujourd'hui, grâce à une pièce d'anthologie ou à une mention très brève dans quelque histoire de la littérature.

Presque tous, ces poètes se rattachent à la pure tradition romantique de 1830. La figure de Victor Hugo, grandie par l'exil, domine toute la poésie et une bonne partie de la littérature du temps. Vers lui montent d'incessants hommages :

> Mais le Père est là-bas dans l'île,

dit la ballade de Th. de Banville. Il n'est pas seulement l'Ancêtre, il reste encore le Maître :

> Hugo, dans la tour la plus haute,
> Siège, auguste, puissant, entier;
> Les autres veillent côte à côte
> Près du capitaine Gautier.
>
> (A. Glatigny, dans *les Flèches d'or*, 1864.)

THÉOPHILE GAUTIER. — CL. BERTALL.

LA TRADITION DE L'ART POUR L'ART THÉOPHILE GAUTIER ET THÉODORE DE BANVILLE

Ouvrages généraux : A. Cassagne, la Théorie de l'art pour l'art chez les derniers romantiques et chez les premiers parnassiens, *1906; René Canat*, la Renaissance de la Grèce antique (1820-1850), *1911.*

Théophile Gautier publie en juillet 1852 les Émaux et Camées, *recueil de poésies composées de 1847 à 1852 (éditions critiques de J. Madeleine, 1927, et de J. Pommier, 1945, 1947); la 1re édition comprend 18 pièces; la 2e (1853), 20; la 3e (1858), 27; la 4e (1863), 38; la 5e (1866), 39; la 6e (1872), 47; la 7e (1884), 48. La pièce célèbre l'Art, un des* Credos *parnassiens, a paru dans l'Artiste, le 13 septembre 1857, et a été recueillie dans la 3e édition des* Émaux et Camées *(1858);* Poésies complètes *(édition Jasinski), 1932. Voir R. Jasinski*, les Années romantiques de Th. Gautier, *1929;* — l'« España » de Th. Gautier, *1929.*

Théodore de Banville, né à Moulins en 1823, est mort à Paris en 1891. « Un poète, a-t-il dit, n'a pas d'autre biographie que ses œuvres »; c'est bien le cas pour lui. Ses recueils de poésies sont : les Cariatides *(1842);* les Stalactites *(1846) [édition critique, 1942];* les Odelettes *(1856);* les Odes funambulesques *(1857);* le Sang de la coupe *(1857, réédité en 1874 et en 1890);* Améthystes, Nouvelles Odelettes *(1862);* les Exilés *(1867);* Nouvelles Odes funambulesques *(1869);* Rimes dorées *(1869, rééditées en 1875);* Occidentales *(1869, rééditées en 1874);* Idylles prussiennes *(1871);* Trente-Six Ballades joyeuses *(1873);* les Princesses *(1874);* Nous tous *(1884);* Roses de Noël *(1889);* Sonnailles et clochettes *(1890);* Dans la fournaise *(1892). Les recueils de 1842 à 1875 ont été réunis*

THÉODORE DE BANVILLE. Peinture d'Alfred Dehodencq, 1868 (musée de Versailles). — CL. GIRAUDON.

dans les Poésies complètes, *3 vol., 1879-1880 (édition Charpentier, augmentée plus tard) et dans les* Œuvres complètes, *1872-1891 (édition Lemerre);* Comédies *(1878) et le* Petit Traité de poésie française *(1872).* — Voir : M. Fuchs, Banville, *1912; Italo Siciliano,* Banville, *1927; J. Charpentier,* Th. de Banville, *1924.*

Trop souvent les histoires de la littérature ont opposé le romantisme et le Parnasse, et, au contraire, associé le réalisme et le Parnasse comme deux formes de la protestation de l'esprit scientifique contre l'idéalisme romantique. Or, les poètes parnassiens n'ont cessé de dire qu'ils étaient les continuateurs de la vraie tradition romantique. Et, de fait, si on élimine de la définition du romantisme tout ce qui n'est que caractère transitoire et secondaire, on voit bien qu'il a été, avant tout, une réforme de l'instrument poétique. C'est là qu'est la filiation de l'école de 1866 à celle de 1830. Le recueil de poèmes, romantique par excellence, ce fut, pour toute une partie du siècle, non pas les *Méditations* ou les *Nuits*, mais *les Orientales*, où triomphèrent la virtuosité verbale et la virtuosité rythmique, et où s'affirma, en une préface orgueilleuse, la doctrine de la liberté dans l'art. La formule de l'art pour l'art n'est qu'un corollaire de celle de la liberté dans l'art; elle est née dans les années qui ont suivi immédia-

FRONTISPICE de l'édition originale des « Odes funambulesques » (1857). Eau-forte de Bracquemond, d'après un dessin de Charles Voillemot. — CL. LAROUSSE.

tement *les Orientales*, et dans le groupe de poètes et d'artistes dont ce livre était la bible. Il est d'ailleurs facile de retrouver cette doctrine dès les origines du romantisme : Cousin essaya même de la fonder philosophiquement. Le grand succès des idées saint-simoniennes, aussitôt après 1830, enraya ce développement du romantisme; bientôt Victor Hugo abandonna cette forme de poésie. Mais un petit groupe resta fidèle à « l'école de l'art », dont Gautier fut le chef de file. La préface de *Mademoiselle de Maupin*, et le roman lui-même (1835), ne sont qu'un manifeste de l' « art pour l'art » contre « l'art utile », contre « l'humanitairerie », contre la doctrine du vrai et du bien dans l'art. D'autres influences, évidemment, sont venues s'ajouter : celle des arts plastiques, le développement des études mythologiques, la renaissance du goût pour la Grèce, les progrès de la science, la vulgarisation des connaissances orientalistes... Mais l'essentiel n'est pas là.

Théophile Gautier a déjà paru dans cette histoire comme un des épigones du romantisme de 1830; vingt ans après, il était un maître dont se réclamait une nouvelle génération : Baudelaire, Banville, Bouilhet, Flaubert. Son rôle essentiel est d'avoir dégagé et affirmé avec une parfaite netteté la formule de l'art pour l'art, et d'avoir groupé, dans les bureaux de *l'Artiste* à partir de 1831, puis à la *Revue de Paris* (1851-1858), tous les jeunes poètes restés fidèles à la doctrine. Il avait exalté la beauté, non pas « l'idéal dans l'art », mais la beauté physique, la forme extérieure, telle que la montre une statue grecque dressant un admirable corps de femme; par là, il était venu à préférer l'antique au gothique, le païen au chrétien. Lumière, ligne, couleur, rythme, musique, là était pour lui toute la poésie. Vers 1845, il avait paru renoncer au métier de poète; mais il restait un initiateur. D'ailleurs, il revenait bientôt au vers. Les *Émaux et Camées* parurent la même année que les *Poèmes antiques*. C'est dans ce recueil surtout que Théophile Gautier a réalisé, poétiquement, ses idées. Traitant des sujets menus en une forme qu'il a cherché à rendre aussi étroite et difficile que possible, il a traduit des images pittoresques, des sensations plastiques, des harmonies de lignes, des symphonies de couleurs. Dans l'ode qui a pour titre *l'Art*, il a donné la formule la plus sévère du Credo parnassien.

Théodore de Banville s'est dit son disciple. « Bien que né le 14 mars 1823, a-t-il écrit, et ayant publié les cinq mille vers de mon premier recueil, les *Cariatides*, en 1842, j'ai tout à fait appartenu par mes sympathies et par mes idolâtries à la race de 1830. J'ai été de ceux pour qui l'art est une religion intolérante et jalouse. » Son premier livre — le titre même l'indique — célèbre cette sculpturale beauté antique qu'avait prônée Gautier. La Grèce est pour Banville, dès l'abord, ce qu'elle était devenue pour Gautier, le grand symbole de ce qu'il y a de meilleur au monde : la beauté, la force et l'amour. A vrai dire, cet enthousiasme hellénique reste chez lui bien vague : « La Coupe, le Sein et la Lyre » sont les thèmes qui, de son aveu, suffisent à son délire poétique.

Mais il a poussé à l'extrême la tendance à la virtuosité technique, héritée du romantisme et chère à la doctrine de l'art pour l'art; il a affirmé qu'il « ne s'entendait qu'à la métrique »; il a dit la joie de « faire des vers pour rien, pour le plaisir »; il a tendu à ramener toute la poésie à la rime, « le clou d'or » qui fixe et illustre les rêves des poètes. Son œuvre essentielle, à cet égard, c'est les *Odes funambulesques*, où il a voulu faire du moderne et du « comique rimé ». La rime y est généralement si riche qu'elle devient calembour. Grâce à la rime, l'ode bouffonne est appelée à marcher de pair avec l'ode lyrique; ainsi que les hauts sommets de la poésie, la corde roide du funambule élève le poète au-dessus des « fronts de la foule ». Les tours de force que Banville a tentés et réussis dans ce recueil ont eu d'innombrables imitateurs. C'est là, surtout, qu'on a vu son dessein de « restituer les anciennes formes poétiques » et de « tenter d'en créer de nouvelles ». Ballade, sonnet, rondeau, rondeau redoublé, motet, villanelle, virelai, chant royal, sextine, glose, pantoum : que n'a-t-il pas essayé? Les parnassiens recommenceront ces prouesses rythmiques; ils ne les dépasseront que rarement.

LA POÉSIE ÉRUDITE
LOUIS MÉNARD ET LOUIS BOUILHET

Louis Ménard, né à Paris en 1822, y mourut en 1901. Il fut élève pendant quelques mois de l'École normale (1842). En 1844, il publie, sous le pseudonyme de L. de Senneville, un Prométhée déchaîné, *en vers. Puis il se fait chimiste et découvre le collodion. Il prend une part active aux événements de 1848-1849; condamné à la suite des journées de Juin, il passe trois ans à Londres et à Bruxelles. Revenu à Paris en 1852, il se consacre à l'étude du grec et des religions antiques et publie en 1855, sous le titre de* Poèmes, *quelques vers sur des sujets antiques. En 1860, il se fait recevoir docteur ès lettres avec une thèse sur la* Morale avant les philosophes; *il vulgarise ses idées, en 1863, dans le* Polythéisme hellénique. *Alors il s'adonne tout à la peinture pendant quelques années. Une maladie l'empêche de prendre part à la Commune. Il revient à ses études et publie plusieurs ouvrages d'érudition; en 1895, il est chargé d'un cours d'histoire universelle à l'Hôtel de Ville. Le plus célèbre de ses écrits, et le plus caractéristique peut-être, c'est les* Rêveries d'un païen mystique, *1876 (réimprimé notamment en 1908; édition augmentée, 1911);* Lettres inédites *(édition Peyre, 1932). — Voir H. Peyre,* Louis Ménard, *1932.*

Louis Bouilhet, né à Cany (Seine-Inférieure) en 1829, est mort à Rouen en 1869. Il fit d'abord de la médecine, puis vint à Paris pour tâcher d'y vivre la vie d'homme de lettres. Il réussit peu et revint à Rouen : la place de bibliothécaire de la Ville lui donna le moyen de sortir de la misère. Il a publié Melænis, *conte romain, en vers (1851);* Festons et astragales *(1859), recueil qui contient les* Fossiles, *parus en 1854 dans la* Revue de Paris. *Il a fait jouer plusieurs pièces de théâtre fort romantiques. Ses* Dernières Chansons, *recueil posthume, ont été publiées par Flaubert, son grand ami, en 1872. Toutes ses poésies ont été recueillies en un volume (1880). L. Letellier a publié en 1919, en appendice à une étude biographique, un certain nombre de poésies restées inédites, intéressantes parce qu'elles montrent l'évolution de Bouilhet, sous l'influence de Flaubert, du pur romantisme vers la doctrine de l'art pour l'art. — Voir L. Letellier,* Louis Bouilhet, sa vie et ses œuvres d'après des documents inédits *(1919).*

La biographie de Louis Ménard, avec ses brusques sautes et la diversité des efforts qu'elle énumère, laisse entrevoir le caractère original de cet écrivain qui n'a jamais été bien connu en dehors de quelques cénacles. Mais ni

LOUIS MÉNARD. Portrait peint en 1893 par son neveu Émile René Ménard. — CL. LAROUSSE.

le récit de sa vie, ni la liste complète de ses œuvres ne peuvent faire deviner le rôle considérable qu'il a joué dans l'histoire du mouvement parnassien. Il y a là un cas rare de « diffusion silencieuse » : les idées de Louis Ménard ont eu plus d'influence que ses vers. Il a été le grand éducateur intellectuel de Leconte de Lisle; il lui a appris le grec et lui a donné toute une philosophie de la civilisation antique. Cette philosophie, dont on trouve l'expression à peine modifiée dans les préfaces de Leconte de Lisle, est une combinaison singulièrement curieuse de connaissances mythographiques et d'aspirations républicaines.

Louis Ménard a eu un amour passionné pour la Grèce. L'image qu'il s'en faisait lui présentait la réalisation intégrale des désirs de son intelligence et de sa sensibilité. Pour lui, la marche de l'humanité vers le progrès s'est arrêtée après l'époque de Polyclète, de Phidias et de Sophocle. A la base de cette foi, il y a des doctrines d'histoire religieuse et d'herméneutique. Louis Ménard a contribué, plus que personne, à vulgariser les idées de Creuzer sur la valeur symbolique des anciennes mythologies; il a ainsi restitué aux vieilles légendes grecques un sens profond, une nouvelle valeur de suggestion poétique. Le polythéisme hellénique se ranime à sa voix et redevient une force vivante. Le mot Dieu, pense Ménard, n'a pas d'autre sens que le mot Loi; la multiplicité des dieux hiérarchisés, c'est l'expression de l'ordre, de l'harmonie dans le multiple; c'est l'image d'un concert de grandes volontés créatrices, qui ont fait l'univers et continuent à le diriger. Toute la civilisation grecque dépend du polythéisme ainsi conçu : la sculpture, l'architecture, le drame, l'épopée. La tradition sémite et monothéiste a, au contraire, proscrit les œuvres d'art. Elle a inauguré la décadence intellectuelle. Surtout, il y a une correspondance absolue entre la religion et la forme politique. Si le catholicisme a permis de détestables formes de monarchie absolue, le polythéisme a permis la république, c'est-à-dire l'ordre dans la liberté; grâce à lui, toutes les questions sociales, même les plus modernes, pourraient être résolues. Louis Ménard se laissait aller quelquefois à l'espoir d'une renaissance du polythéisme, qui régénérerait la France; pour sa part, il continuait à honorer d'un vrai culte des dieux qu'il ne considérait pas comme morts.

On connaît surtout Louis Bouilhet parce qu'il a été un ami de Flaubert, qui a parlé magnifiquement de lui. Ils ont eu les mêmes enthousiasmes, les mêmes goûts, les mêmes croyances; si Flaubert avait écrit en vers, ses vers eussent ressemblé sans doute à ceux de Bouilhet.

Melaenis est un conte archéologique, écrit avec le vers de Musset, mais qui, quoi qu'en ait dit Sainte-Beuve, ne ressemble point à du Musset; c'est un poème fort érudit, et qu'on eût pu accompagner de tout un appareil de notes, pour signaler la rigoureuse exactitude des détails. Épris, comme Flaubert, de la Rome de la décadence, Louis Bouilhet a tracé une série de tableaux très pittoresques et des descriptions de la vie romaine à une époque qu'il aimait, parce qu'il

Louis Bouilhet (B. N., Cabinet des Estampes). — Cl. Larousse.

l'imaginait profondément corrompue et pleine de contrastes.

Mais sa vraie originalité, c'est d'avoir essayé de réaliser, dans *les Fossiles*, la poésie scientifique moderne. Il a voulu tracer, en un poème court et concis, toute l'histoire de l'univers et de l'humanité. Le dessein a de la grandeur : aspect de la terre avant la naissance de la vie, premières formes animales, luttes monstrueuses des êtres primitifs, apparition de l'homme, ses conquêtes, son histoire, vision de l'univers futur sans humanité, apparition d'un être nouveau, qui, loin de lutter avec la nature, comme l'homme aujourd'hui, s'harmonisera avec elle. Mieux que Sully Prudhomme, Bouilhet a su tirer des connaissances scientifiques les visions pittoresques et les émotions intellectuelles qu'elles enferment. Sa philosophie ressemble beaucoup à celle de Flaubert ou de Leconte de Lisle : elle est désolée, sans confiance dans la vie ni dans l'amour, elle aspire à l'anéantissement; seul, l'art paraît une consolation acceptable. Sa « probité artistique » qui, a-t-il dit lui-même, lui tenait lieu de génie, a été assez belle pour inspirer le respect autour de son nom. Le culte de la forme l'a poussé vers l'exotisme chinois. Il étudia dix ans la langue chinoise, non pas pour bien connaître la Chine actuelle, ou celle du passé, mais avec l'espérance de trouver dans la poésie chinoise des rythmes nouveaux et des effets surprenants, qu'il pourrait utiliser.

LECONTE DE LISLE

Leconte de Lisle est né à Saint-Paul, dans l'île de la Réunion, le 22 octobre 1818; il appartenait à une famille bretonne, les Leconte, dont une partie était venue s'établir aux îles. Il quitta son pays natal vers l'âge de trois ans, mais y fut ramené à dix ans et y resta jusqu'à dix-huit ans. En 1837, il part pour la France et commence à Rennes l'étude du droit. Il se montre un étudiant fort négligent, mais écrit des vers et collabore à des revues locales. Des lettres et des poésies de cette époque ont été publiées par Guinaudeau : Premières Poésies et lettres intimes *(1902). En 1843, Leconte de Lisle revient à la Réunion. Avocat sans causes, il habite Saint-Denis, mais ne rêve que d'aller à Paris pour y faire une carrière d'écrivain. En 1845, il réalise son rêve, fréquente les milieux fouriéristes et collabore à la* Phalange *et à la* Démocratie pacifique. *Il donne à ces journaux des articles politiques, les premiers de ses « poèmes antiques », et quelques nouvelles. Seules ces nouvelles ont été rééditées*

(Contes en prose; Impressions de jeunesse, 1911, *édition de luxe). La Révolution de 1848 satisfait l'enthousiasme révolutionnaire de Leconte de Lisle; on l'envoie comme délégué pour préparer les élections en Bretagne; il s'emploie à hâter le décret sur l'émancipation des Noirs. Sa famille, que cette mesure ruine, lui retire tout subside. Il donne des leçons de latin et de grec et cherche des travaux de librairie.*

Après le coup d'État de 1851, il se donne tout à la poésie. Il publie les Poèmes antiques *en 1852 (édition considérablement augmentée en 1872); en 1855,* Poèmes et Poésies *(28 pièces, dont 24 ont été reproduites dans les* Poèmes barbares *et dans les éditions ultérieures des* Poèmes antiques; *la préface a été recueillie dans les* Derniers Poèmes; *une 2ᵉ édition, parue en 1857, fut augmentée de la* Passion). *En 1858 paraissent les* Poésies complètes; *en 1862, les* Poésies barbares *(édition considérablement augmentée en 1874 et encore en 1878; nouveau titre,* Poèmes barbares). *Sa maison est dès lors un salon littéraire où se groupent les poètes du futur Parnasse. A partir de 1861, il publie une série de traductions :* Odes anacréontiques *(1861);* l'Iliade *(1866);* l'Odyssée *(1867);* Hésiode *(1869);* Théocrite *(1869);* Eschyle *(1872);* Horace *(1873);* Sophocle *(1877);* Euripide *(1885). En 1864, obligé par la pauvreté, il accepte une pension que lui offre l'empereur; elle lui sera vivement reprochée après la chute de l'Empire.*

Il publie en 1871 une Histoire populaire du christianisme *et une* Histoire populaire de la Révolution française, *puis en 1872 un* Catéchisme populaire républicain, *fort importants pour qui veut connaître ses opinions politiques et religieuses, qui provoquent un incident au Sénat (6 février 1872). En 1872, Leconte de Lisle est nommé bibliothécaire du Sénat. Il fait jouer le 6 janvier 1873 et publie une adaptation de l'Orestie, les* Erinnyes *(pièce recueillie dans* Poèmes tragiques). *Il publie en 1884 ses* Poèmes tragiques *et en 1888 l'*Apollonide. *Le 11 février 1886, il est élu à l'Académie française pour remplacer Victor Hugo; il y prend séance le 31 mars 1887. Il meurt à Louveciennes, près de Versailles, le 18 juillet 1894. On a publié en 1895* Derniers Poèmes *(poésies inédites, préfaces, articles de critique et discours de réception à l'Académie);* Poésies complètes *(avec inédits), 1927 et suivantes.*

Voir : F. Calmettes, Leconte de Lisle et ses amis, *1902; Joseph Vianey,* les Sources de Leconte de Lisle, *1908; Jean Dornis,* Leconte de Lisle, *1909; Edmond Estève,* Leconte de Lisle, *1922; P. Flottes,* le Poète Leconte de Lisle, *1929; J. Vianey,* les Poèmes barbares, *1933.*

LES ANNÉES DE FORMATION

Si l'on ne considère que les dates, Leconte de Lisle est encore un des maîtres du Parnasse, et non pas un parnassien au sens propre du mot; les *Poèmes antiques* et les *Poèmes barbares* ont paru avant *le Parnasse contemporain*. Mais, en réalité, il a été et il reste le poète parnassien par excellence. Alors que la plupart de ses disciples deviennent peu à peu des poètes d'anthologie, son prestige reste intact.

Né à la Réunion, il y séjourna une dizaine d'années et y subit des influences essentielles. Son père, pénétré d'idées encyclopédistes, ne lui donna point d'éducation religieuse, et le vit, sans trop protester, se laisser gagner par la foi républicaine la plus ardente. Le paysage de son île natale se grava dans sa mémoire en traits profondément marqués; il est revenu souvent à le décrire. Toutes les fois qu'il veut évoquer la prodigieuse luxuriance de la nature, pour mieux faire ressortir l'indifférence de l'univers à la destinée de l'homme, ce sont les spectacles familiers à sa jeunesse qui reviennent devant ses yeux. Grâce à ces souvenirs, il saura animer tous les paysages orientaux, ceux d'Asie comme ceux d'Afrique. Le séjour qu'il fit en France, vers sa vingtième année, dans un milieu provincial et réactionnaire, exalta ses idées républicaines. Ses lettres et les quelques articles qu'il écrivit alors nous le montrent fort sensible à l'influence du romantisme humanitaire et social. C'est à George Sand qu'il demande ses thèmes de méditation mystique, sentimentale et utopique. Cette ardeur romantique se calme dès son retour dans son île. Il renonce vite au jargon spiritualiste qu'il avait adopté, par mode; il connaît alors des mois de solitude morale et de méditation métaphysique, au cours desquels il « cherche Dieu », et décide définitivement qu'il ne saurait le trouver; devant la magnifique nature de l'île Bourbon, il se plaît à des rêveries panthéistes, dont peu à peu il fera une manière de philosophie.

Mais s'il se débarrasse alors, comme d'une gourme de jeunesse, du goût régnant pour l'effusion sentimentale, il ne renonce aucunement, il ne renoncera jamais à ses enthousiasmes politiques; au plus, il les taira, lorsqu'il comprendra que la réalisation en est lointaine. Quand il a enfin abandonné son île pour Paris, il connaît six années de vraie ferveur révolutionnaire; avec ses amis, il attend la révolution, qu'il espère prochaine; il se promet d'y participer; il espère être de ceux qui régénéreront la société en substituant au désordre politique, économique et social de l'heure, l'harmonie sociétaire des fouriéristes. S'il vient alors à l'Antiquité, c'est que son ami Louis Ménard le persuade que la civilisation grecque a réalisé autrefois les rêves républicains et socialistes. Ses premiers vers « antiques » sont des actes de foi révolutionnaire, des symboles dans lesquels il célèbre, avec les mythes de Vénus et de Niobé, ou la légende d'Hélène, le triomphe prochain de l'harmonie universelle. Après l'écroulement de ses espoirs politiques, il continue à proposer de ces symboles, mais il en laisse le sens incertain, ou fort caché. Du moins, il continue à penser que l'étude du grec et la composition de « poèmes antiques » peuvent n'être pas sans utilité pour préparer la venue de cette belle république, harmonieuse et divine, dont la vision a enflammé son adolescence.

L'ANTIQUITÉ DANS L'ŒUVRE DE LECONTE DE LISLE

Leconte de Lisle a consacré à l'Antiquité grecque une soixantaine de pièces environ; c'est cette inspiration qui le soutient au début de son œuvre; c'est elle aussi qui l'anime dans sa vieillesse; ses beaux et savants *Hymnes orphiques* sont, paraît-il, un de ses derniers travaux. Cette

préférence passionnée s'explique par des raisons que nous a fait connaître l'œuvre de Louis Ménard. La *Préface* des *Poèmes antiques* affirma, en un style hiératique, que le poète est un instituteur du genre humain, et que sa tâche est de « retrouver les titres de famille de l'intelligence humaine », dispersés depuis l'époque de Périclès. La beauté idéale de l'art grec et la perfection de la pensée grecque sont deux grands thèmes que ne désunissent jamais les vers de Leconte de Lisle. Un très petit nombre de pièces sont des traductions, de pures adaptations, des pastiches; et, quand il se plaît à ce travail, le poète préfère Théocrite et Anacréon. Mais, le plus souvent, il ne demande aux textes que des suggestions; il explique de vieux mythes, il trace de grands tableaux des principales époques de la civilisation grecque. *Niobé* évoque la Grèce préhistorique; *Khirôn*, les origines de la pensée hellénique; *Hélène*, l'Hellade homérique. Pour ces tableaux, Leconte de Lisle s'est fait toute une érudition d'archéologue.

Le paysage grec qu'il dessine de préférence est celui de la Sicile selon Théocrite : le plein soleil de midi, des collines qui surplombent la mer étincelante, un berger assoupi à l'ombre des oliviers, cependant que son troupeau s'éparpille et qu'une grande et joyeuse paix s'épanouit dans cette admirable lumière. Ce n'est pas la Grèce ardente au plaisir de Théodore de Banville ou de Théophile Gautier; c'est une Grèce volontiers chaste, où, souvent, les beaux jeunes hommes et les belles jeunes femmes qui la représentent s'immobilisent en des attitudes sculpturales et harmonieuses. La Vénus de Milo, qui est le parfait symbole de cette Grèce, n'est ni Aphrodite, ni Kythérée, ni la molle Astarté : elle est la déesse de l'Harmonie et de la Sérénité.

A l'origine, on l'a vu, tous ces beaux mythes grecs avaient servi à exalter le rêve fouriériste; Leconte de Lisle remania ses premières pièces, retrancha les épilogues trop explicatifs, et rendit à ses vers une couleur à peu près uniquement grecque. Mais, comme il pensait que les grandes figures antiques « contiennent ce qu'il sera éternellement donné à l'esprit humain de sentir et de rendre », il laissa toujours à ses œuvres une valeur symbolique. *Niobé*, par exemple, c'est la lutte de deux traditions religieuses, mais c'est aussi la lutte de la raison humaine contre la religion; d'abord écrasée, la raison sera, à la fin, triomphante. Presque toujours, ces symboles affirment l'excellence de la solution que la Grèce a apportée autrefois aux grands problèmes qui remuent l'humanité. Leconte de Lisle ne s'arrête point d'ailleurs à la Grèce républicaine de Ménard. Il remonte jusqu'à la Grèce primitive, celle qui a connu les dieux antérieurs à Zeus, plus près de la nature et de l'homme. Mais, dans l'ensemble, il exalte la religion païenne, pour l'opposer à la chrétienne; il enferme symboliquement ses premiers *Poèmes antiques* entre deux pièces sur Hypatie, la belle philosophe martyre; il oppose ainsi la religion de la beauté et de la science à celle de la populace, laide, ignorante, superstitieuse et méchante, — le paganisme au christianisme.

Kallirhoé, tremblante et pâle de terreur,
Veut éviter des dieux l'implacable fureur.
Elle fuit, et sa mère en son sein la protège...

(*Niobé.*)

NIOBÉ et la plus jeune de ses filles. Marbre de l'époque hellénistique (copie du musée des Offices, à Florence).

POÈMES D'HISTOIRE RELIGIEUSE

Cette opposition de deux grandes formes religieuses, le polythéisme et le catholicisme, est restée, dans toute son œuvre, une idée fondamentale. Toujours sous l'influence de Louis Ménard, Leconte de Lisle estima que le devoir d'un penseur et d'un poète républicain était de soumettre tous les mythes de tous les peuples à la même enquête explicative que les mythes grecs, afin de faire ressortir l'excellence du polythéisme. Ces grandes recensions historiques des religions et des civilisations étaient fort selon le goût du temps : Renan montrait magnifiquement le chemin. Les *Poèmes barbares* sont essentiellement la revue des religions barbares, y compris le christianisme ; Leconte de Lisle entend ce mot au sens grec : est barbare tout ce qui n'est point hellène.

Cet élargissement du dessein du poète est dû principalement à la connaissance qu'il se donna de l'Inde, après 1848 ; jusque-là, il n'avait guère connu que la Grèce. A cette époque paraissaient les grands travaux de Burnouf, la traduction du *Bhâghavata Pourana* (1840-1847), l'*Introduction à l'histoire du bouddhisme* (1845). Bientôt après furent données des traductions du *Ramayana*, du *Rig-Véda*, du *Mahâ-Bhârata*... Leconte de Lisle lut le plus qu'il put de ces livres ; et, en des poèmes abstrus, dont la signification risque d'échapper à qui ne s'est pas donné un commencement d'initiation, il présenta les premières conceptions de la religion védique, la religion wisnuite, les dogmes bouddhiques, les croyances brahmaniques. Il continua son enquête : il atteignit les religions scandinave, finnoise, celtique, polynésienne, etc., en montrant toujours l'accord des dogmes et des cosmogonies avec le paysage et le climat, ainsi qu'avec la psychologie des races qui les avaient vu naître.

Les *Poèmes barbares* sont devenus ainsi une sorte de grande revue des dieux morts et des religions disparues, une revue qui ressemble à celle de *la Paix des dieux*, la première pièce des *Derniers Poèmes* : les uns après les autres, le temps balaie tous les dieux, et, un jour, l'homme apprend que c'est lui qui créait ces « spectres d'un jour », dont les fantômes épouvantèrent sa destinée. Ainsi passent tour à tour sous nos yeux les dieux de l'Inde, les ascètes contemplatifs avec leur philosophie de l'éternelle illusion ; puis le dieu de la Bible, tyrannique et cruel, qu'annoncent des prophètes, dont toujours la bouche menace ; puis les croyances de l'Égypte sur la vie de l'au-delà ; puis les superstitions du moyen âge, les cosmogonies compliquées des peuples du Nord ; des religions de sang et de meurtre, faites pour des hommes sauvages, amoureux de grossières idoles ; enfin le christianisme, qui, avec l'Inquisition et les croisades, fait couler un fleuve de sang sur le monde. Le mot *barbare* se trouve, à la fin de cette revue, avoir tout son sens, le sens moderne, comme le sens grec : la vie des hommes, grâce aux préoccupations religieuses, n'a été qu'une immense tuerie. Le corbeau éternel que le poète voit volant au-dessus de la terre, à travers le temps et l'espace, a toujours trouvé de la chair humaine pour se repaître.

Pour composer ses tableaux d'histoire, vigoureux et passionnés, Leconte de Lisle a consulté de nombreux documents, et presque toujours ceux auxquels la critique du temps reconnaissait une vraie valeur historique ; il s'est montré assez sagace et scrupuleux dans l'interprétation qu'il en a donnée. Il n'est tenté de modifier gravement ses « sources » que lorsqu'il se trouve en face de la religion chrétienne. A mesure qu'il prenait de l'âge, sa haine devenait plus violente ; il songeait, au moment de mourir, à une pièce, *les États du diable*, où il eût montré les papes avouant, dans l'enfer, leurs crimes, et s'en glorifiant ; s'il garde à Jésus un certain respect, c'est pour le faire se désoler, du haut de sa croix, sur l'avenir sanglant d'une religion qu'il avait rêvée toute douceur.

LECONTE DE LISLE. — CL. E. PIROU.

IDÉES PHILOSOPHIQUES

Admiration pour tout ce qui est grec, haine pour tout ce qui est chrétien, tels sont les sentiments qui ont soutenu le poète, dans cette grande revue du passé. On voit déjà ce qu'il faut penser de son impassibilité, que bien souvent on lui a reprochée, faute de le comprendre. L'examen des parties proprement philosophiques de son œuvre achève de ruiner cette manière de voir. Un grand nombre de pièces ne sont pas consacrées à des légendes ou à des mythes, et ne sont pas purement descriptives ; elles ont été écrites pour exprimer des idées philosophiques, personnelles au poète ; ce sont des confidences, non plus sentimentales, certes, mais intellectuelles. Le sonnet des *Montreurs*, dont on a tant abusé, veut dire simplement que le poète s'interdit de livrer sa vie intime à la foule ; il se taira sur ses joies ou sur ses douleurs d'amour. Le charlatanisme de la passion romantique lui fait horreur ; mais il dira son jugement sur la vie, le retentissement intérieur de ses aventures intellectuelles, toute l'angoisse profonde de son esprit devant la réalité.

Le pessimisme, qui, de très bonne heure, avait jeté bas ses enthousiasmes, n'a fait que grandir au cours de sa vie et de son œuvre. Il avait cherché Dieu, et il ne l'avait point trouvé ; il avait cru à la réforme politique, sociale et morale : la réaction qui suivit 1848 avait suffi à le convaincre que ses désirs ne pourraient être réalisés avant un long temps. Il avait aimé, jeune, et il continua à aimer, quelque temps, les beaux spectacles de la nature, surtout les paysages luxuriants de son île natale. Ce goût prit fin : comme Vigny, il s'avisa de l'indifférence de cette nature si belle ; et, comme il ne s'arrêtait pas aux demi-idées, il vit dans cette indifférence une hostilité :

> La nature se rit des souffrances humaines,
> Ne contemplant jamais que sa propre grandeur.

Au bout de toutes ces déceptions, il n'y eut plus rien où l'âme de Leconte de Lisle pût se récréer, ni religion ni foi politique, pas même le plaisir de contempler la beauté de l'univers. Il ne sentit plus que « l'horreur d'être un homme », il aspira à « la paix impassible des morts ». Il eut des pensées de suicide ; il secoua avec épouvante l'idée que la mort pourrait ne pas être un vrai néant ; il imagina, en des visions magnifiques, une époque où la terre, sur laquelle la vie aura fini par cesser, ne promènera plus à travers l'infini que la mort, non plus la souffrance. Il vit même, avec un espoir passionné, notre globe éclatant dans une immense catastrophe cosmique, et dispersant dans l'espace « ses restes immondes ».

En attendant, puisqu'il faut vivre, le mieux sera de vivre le moins possible, pour moins souffrir. Il faut « renoncer ». La vie idéale est celle des ascètes, une vie aussi semblable que possible à la « divine mort », qui rend enfin « le repos que la vie a troublé ». Cette aspiration prend quelquefois, dans l'œuvre de Leconte de Lisle, la forme d'une croyance; il se complaît à une théorie de l'illusion universelle, qu'il emprunte, comme Schopenhauer, à ses lectures indiennes. Le sage des sages est l'ascète hindou, qui éteint en soi tout désir, tout sentiment, même celui de sa propre existence, et qui se persuade que le monde est illusoire.

LA FORME

Cette œuvre où se sont exprimés, de façon singulièrement émouvante, les angoisses et les doutes d'une partie de l'élite intellectuelle française, dans la seconde moitié du XIXᵉ siècle, ne représente pas seulement un admirable type de la pensée humaine; elle s'offre sous une forme merveilleusement pure, dont on peut dire vraiment qu'elle est presque sans défaillances. C'est par là surtout que Leconte de Lisle a exercé sur son temps une grande et immédiate influence. Ses conseils, ses préceptes, son exemple permirent de codifier définitivement la doctrine de l'art pour l'art. Bien des parnassiens, qui n'avaient point sa philosophie, ni son goût pour l'exotisme, ni son amour jaloux pour la Grèce, purent se dire ses disciples, parce qu'ils tâchèrent de donner à leurs œuvres une forme impeccable.

Les rares écrits théoriques que Leconte de Lisle a laissés sont, là-dessus, d'une rigueur absolue. « Le poète, a-t-il dit, *le créateur d'idées, c'est-à-dire de formes visibles ou invisibles, d'images vivantes ou conçues,* doit réaliser le Beau, dans la mesure de ses forces et de sa vision interne, par *la combinaison complexe, savante, harmonique des lignes, des couleurs et des sons,* non moins que par toutes les ressources de la passion, de la réflexion, de la science et de la fantaisie; car *toute œuvre de l'esprit dénuée de ces conditions nécessaires de beauté sensible ne peut être une œuvre d'art.* Il y a plus : c'est une mauvaise action. » Aux poètes restés insoucieux de la forme, à Béranger, à Barbier, à Lamartine même, Leconte de Lisle refusa toujours de reconnaître le don de poésie.

Si l'on cherche les secrets de cette facture impeccable, on remarque tout d'abord la qualité du vocabulaire, sa précision et sa propriété. Le souci de peindre exactement les formes mouvantes et pittoresques de l'univers n'a point conduit Leconte de Lisle, comme Th. Gautier, vers la quête des mots rares et nouveaux; son dictionnaire descriptif, même pour les paysages exotiques, n'est pas bien étendu. La composition de ses pièces, des grands poèmes

L'envergure pendante et rouge par endroits,
Le vaste Oiseau, tout plein d'une morne indolence,
Regarde l'Amérique et l'espace en silence...

(*Le Sommeil du Condor.*)

LE CONDOR. Gravure de Lemaitre ornant le livre de César Famin : « Chili, Paraguay, Uruguay... » (1840).
CL. LAROUSSE.

comme des plus courtes poésies, est d'une extrême rigueur; les plans d'un paysage, les attitudes d'un animal, les étapes d'une vie sont marqués et fixés d'une façon qui a fait comparer le procédé du poète à celui d'un statuaire qui taille un haut-relief. Le symbole et l'idée, quand ils doivent être unis, s'entrelacent admirablement : c'est un effort difficile, où Vigny a échoué souvent. La syntaxe même achève d'immobiliser ces belles compositions : le poète ne craint pas les conjonctions, il souligne les transitions; il donne ainsi à sa phrase une sorte de raideur hautaine, que tâchèrent à imiter tous ses disciples, et que, plus tard, railleront les symbolistes, comme la marque même de l'école.

Pour ce qui est du rythme et de la valeur musicale du vers, il ne paraît pas que Leconte de Lisle ait été un novateur; il se contente en général du vers romantique, parfois du vers classique; il rime richement; il n'ignore point les effets qu'on peut tirer des allitérations, des combinaisons de strophes variées; mais il se tient en garde contre la virtuosité; des arabesques musicales ne conviennent point à la haute pensée ni à l'expression sévère de l'idée. Pourtant il a montré, par moments, que, lui aussi, il savait, et mieux que les autres, accomplir ces tours de force requis de tout parnassien, comme un chef d'œuvre de maîtrise. Qui ne se souvient des *Roses d'Ispahan*? Et il est, dans son œuvre, bien d'autres vers aussi harmonieux, aussi subtils, aussi chantants.

LE PARNASSE

Le Parnasse contemporain, recueil de vers nouveaux, *parut en 1866; une seconde série, préparée en 1869, parut en 1871; une troisième, en 1876.*

Voir : P. Martino, Parnasse et symbolisme, *1925 (7ᵉ édition, 1947); M. Souriau,* Histoire du Parnasse, *1929.*

Le Parnasse de 1866 présenta les œuvres de trente-sept poètes : Th. Gautier, Th. de Banville, J.-M. de Heredia, Leconte de Lisle et Louis Ménard, rassemblés en tête du recueil comme les maîtres de la nouvelle école; — puis, un peu en désordre, ceux qui étaient ou pouvaient paraître des disciples; parmi eux : François Coppée, Catulle Mendès, Baudelaire, Dierx, Sully Prudhomme, André Lemoyne que ses contemporains apprécièrent comme un «très fin ouvrier du style»; — Verlaine, dont les premiers recueils (Poèmes saturniens, *1866;* Fêtes galantes, *1869) sont très parnassiens; — Stéphane Mallarmé, qui collaborera encore au deuxième* Parnasse, *mais sera exclu du troisième, comme trop hermétique; — Henri Cazalis (1840-1909), connu sous le pseudonyme de Jean Lahor, qui s'intéressa beaucoup à la littérature et à la philosophie hindoues, un des poètes les plus philosophiques du Parnasse; — Villiers de l'Isle-Adam, etc.*

C'est Leconte de Lisle, décidément devenu le maître, qui est en tête du second Parnasse; cinquante-six poètes y figurent. Presque tous ceux du premier Parnasse *y ont collaboré. Quelques nouveaux noms : Victor de Laprade (1812-1883), A. Glatigny, Anatole France, Frédéric Plessis, etc.*

Au troisième Parnasse *ont collaboré soixante-trois poètes; ils se succèdent suivant l'ordre alphabétique, et pourtant Jean Aicard vient le dernier ! A noter parmi les nouveaux noms : Mme Ackermann, Paul Bourget, Jules Lemaitre.*

Il faut aussi mentionner parmi les nouveaux parnassiens le vicomte de Guerne (1853-1912), que Leconte de Lisle, en 1891, déclara un « vrai grand poète, le plus remarquable sans contredit depuis la génération parnassienne »; ses œuvres, parues de 1890 à 1900, sont des poèmes d'histoire et de religion tout à fait selon la manière des Poèmes barbares.

Jusqu'à 1866, il n'a pas été question de Parnasse, ni de parnassiens. Au sens rigoureux des mots, c'est à cette date qu'il faut commencer l'histoire du Parnasse. Mais les poètes qui débutèrent alors n'apportèrent point de formule nouvelle : ils ne firent que marcher dans les pas de leurs maîtres, dans ceux de Leconte de Lisle surtout. Plus exactement, ils représentent ce qu'on pourrait appeler la troisième génération parnassienne. En 1866, Th. Gautier a près de soixante ans, c'est l'ancêtre; Leconte de Lisle a quarante-cinq ans, il est le chef; les « jeunes », Catulle Mendès, Sully Prudhomme, Heredia, ont de vingt à vingt-cinq ans.

L'histoire de la formation du groupe parnassien, entre 1860 et 1866, se ramène à quelques faits essentiels : l'histoire éphémère de trois journaux (la *Revue fantaisiste,* la *Revue du progrès,* et *l'Art*) et l'histoire des initiatives d'une maison de librairie, la maison Lemerre. Catulle Mendès, la personnalité la plus active du jeune Parnasse, fonde, en février 1861, la *Revue fantaisiste,* qui ne dure que dix mois : c'est une revue de jeunes, sans programme bien net, mais qui rassemble quelques poètes, et publie des vers de Villiers de l'Isle-Adam, de Glatigny, de Louis Bouilhet, de Mendès, bien entendu, en même temps que des poésies de Gautier, de Banville et de Baudelaire. Un autre poète, aujourd'hui tout à fait oublié, Louis-Xavier de Ricard, fonde en 1863 une *Revue du progrès,* qui dure un an et qui est supprimée pour avoir donné place à des articles d' « économie politique et sociale ». Alors X. de Ricard réunit à nouveau ses collaborateurs, qui désormais forment un petit groupe assez cohérent : en novembre 1865, il fonde un journal hebdomadaire, qui s'appelle *l'Art.* Catulle Mendès, Coppée, Léon Dierx, Verlaine y apportent leurs vers; de nombreux articles de doctrine, fort véhéments, vulgarisent les idées de Leconte de Lisle et de Th. Gautier sur l'excellence de la forme et les droits souverains de l'art. Tout un cénacle de jeunes poètes se réunit passage Choiseul, dans l'arrière-magasin de l'éditeur Lemerre, qui sert de bureau de rédaction à la revue. Au bout de deux mois, en janvier 1866, on décide, faute d'argent, de renoncer à une publication périodique, de publier seulement une anthologie de vers nouveaux. On bataille longtemps sur le titre; on songe à l'intituler les *Impassibles;*

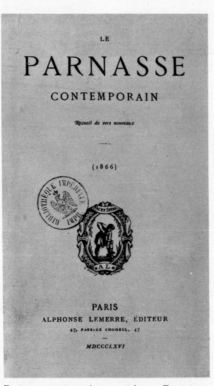

LE

PARNASSE

CONTEMPORAIN

Recueil de vers nouveaux

(1866)

PARIS
ALPHONSE LEMERRE, ÉDITEUR
47, PASSAGE CHOISEUL, 47

MDCCCLXVI

PAGE DE TITRE du premier « Parnasse contemporain » (1866). — CL. LAROUSSE.

finalement on adopte un titre neutre, *le Parnasse,* qui, si souvent autrefois avait désigné des recueils collectifs de poésie. Leconte de Lisle, paraît-il, jugea ce titre absurde.

C'est ainsi que se constitua le Parnasse, après une très courte campagne doctrinale : jamais ce groupement n'eut le caractère d'un cénacle intransigeant et batailleur comme ceux de l'époque romantique. Le nombre des collaborateurs des trois recueils, une centaine, est à lui seul une indication : presque tous les poètes d'alors, connus du public, s'y sont produits. Aussi la doctrine parnassienne est-elle, même aux environs de 1866, fort lâche, et c'est avec assez de raison que, vers 1890, pour répondre aux attaques des symbolistes, les derniers tenants du Parnasse se défendront d'avoir jamais été une école. « Nous n'avions rien de commun, dira Catulle Mendès, sinon la jeunesse et l'espoir, la haine du débraillé poétique et la chimère de la beauté parfaite. Et cette beauté, chacun de nous la conçut selon son personnel idéal. » Hors le culte de la forme, il n'y eut point de doctrine. Tous, au début, acceptèrent d'être dits *stylistes* ou *formistes,* pour se distinguer de la séquelle romantique des *passionistes.* Le journal *l'Art* ne trouva pas, bien qu'il se soit souvent répété dans sa courte vie, de formule plus précise que celle-ci : « La nouvelle génération poétique, convaincue que la rêverie et les négligences de forme sont les signes caractéristiques de l'enfance dans l'art, se distingue surtout par un culte sévère de cette forme tant dédaignée et par la précision mathématique des idées. »

ALBERT GLATIGNY

Albert Glatigny est né à Lillebonne (Seine-Inférieure) en 1839. Fils d'un gendarme, il devint clerc d'huissier, apprenti typographe, puis comédien ambulant. Il s'enthousiasme à la lecture des Odes funambulesques *de Banville, et se révèle soudain poète. Il publie les* Vignes folles *(1857), les* Flèches d'or *(1864),* Gilles et Pasquins *(1871); ces trois recueils ont été réunis en un volume:* Œuvres *(1879), avec une notice d'Anatole France. Glatigny a écrit aussi, en vers, quelques essais dramatiques.*

Il est mort à Sèvres en 1873.

Lettres à Th. de Banville, *1923;* Lettres inédites, *1937. — Voir :* J. Raymond, Albert Glatigny, *1936;* J. Chabanne, Glatigny, *1948.*

Glatigny est, dans l'histoire du Parnasse, comme un héros à demi légendaire. On a fait de ce poète sympathique et amusant, mais sans grande envergure, mort très jeune, à trente-quatre ans, un amant de l'idéal, un poète primitif, un génie spontané, que la passion du vers était allé chercher au village et dans un milieu populaire. Son œuvre est très courte. Son premier recueil, *les Vignes folles,* est dédié à Th. de Banville, et en effet il procède directement des *Odes funambulesques.* Glatigny le déclare gentiment :

Oh! mes vers! On dira que j'imite Banville.
On aura bien raison si l'on ajoute encor
Que je l'ai copié d'une façon servile,
Que j'ai perdu l'haleine à souffler dans son cor.

Bien entendu, ce sont surtout les procédés banvillesques que Glatigny saisit; il répète, sans trop de conviction, les hymnes à la beauté grecque, aux belles statues antiques; et il s'amuse surtout à des exercices de virtuosité; il jongle avec les rimes; il « accouple des mots jaunes, bleus ou roses » où il croit trouver « de jolis effets ». Sa facilité était telle que, vers la fin de sa vie, une de ses ressources fut de donner des séances d'improvisation : on lui jetait des sujets, des rimes; « il les cueillait au vol comme des mouches ». *Les Flèches d'or* sont dédiées à Leconte de Lisle; évidemment Glatigny y fait effort pour se hausser jusqu'à la sérénité philosophique et à l'inspiration antique, qui pouvaient agréer au maître; mais il se plaît surtout à écrire des pièces fantasques et railleuses, qui sont d'un joli réalisme descriptif. Il est un exemple excellent de ce que pouvait donner la doctrine parnassienne chez un poète doué d'une merveilleuse facilité verbale, mais qui, vraiment, n'avait pas grand chose à dire.

LÉON DIERX

Léon Dierx, né à l'île de la Réunion en *1838*, est mort à Paris en *1912*. Il publia, en *1858*, des Aspirations, qu'il n'a pas recueillies dans ses œuvres complètes. Il donne, en *1864*, des Poèmes et poésies (remaniés plus tard) ; en *1867*, les Lèvres closes; en *1871*, les Paroles d'un vaincu; en *1879*, les Amants. Un petit emploi au ministère de l'Instruction publique contenta son ambition. Il fut élu « prince des poètes », en *1898*. Poésies complètes, 2 vol., *1888-1889* (réédités de *1894* à *1896*). Des Poésies posthumes ont été jointes lors d'une réimpression (*1912*).

Voir : E. Noulet, Léon Dierx, *1925*; M.-L. Camus, le Poète L. Dierx, *1942*; Cinq Poèmes de L. Dierx, édition critique, *1942*.

Dierx, comme Glatigny, fait partie de la légende dorée du Parnasse; cette légende le surfait un peu. Mendès l'a proclamé « l'un des saints, non le moins méritoire, de la religion poétique ». « Jamais, dit Mendès, il n'a péché contre le rêve et l'idéal. » Ce pur parnassien a trouvé grâce auprès des symbolistes eux-mêmes. Créole, comme Leconte de Lisle, et son ami intime, il est vraiment son reflet, un reflet extraordinairement ressemblant. Ses poèmes sont de tragiques histoires, lointaines, anciennes et compliquées, qui, toutes, disent les crimes du passé et traduisent le désespoir du poète. Ces aventures sont plus solennelles et mystérieuses que celles qu'a contées le maître; la composition et le style en sont plus hautains, plus hiératiques; la philosophie, souvent plus désespérée : mais un lecteur de Leconte de Lisle éprouve, à lire ces poèmes, la sensation du déjà vu.

Dierx retrouve son originalité quand il veut que son vers devienne pure musique, quand il l'emploie à traduire des sensations, voluptueuses et vagues, non plus des idées au relief arrêté. Il a réussi quelques difficiles tentatives, dont lui ont su gré les poètes de la génération symboliste : le *Soir d'octobre*, par exemple, où chaque vers se prolonge en écho dans le vers qui suit, et où les images, les réflexions, les sensations s'emmêlent suivant une ligne sinueuse et imprévisible, séparées de temps en temps par un tintement de cloche, dont peu à peu la douce tristesse finit par tout envahir; ou bien encore *Croisée ouverte*, où deux sensations de blancheur mobile finissent par se transposer complètement : celle des doigts d'une jeune fille courant sur les touches d'un clavier, celle d'une bande de ramiers voltigeant sur les prés voisins. Ce sont de petits chefs-d'œuvre d'une rare perfection.

ALBERT GLATIGNY. — CL. P. PETIT.

LÉON DIERX. — CL. NADAR.

SULLY PRUDHOMME

Sully Prudhomme, né à Paris en *1839*, est mort à Châtenay en *1907*. Il fut dirigé d'abord vers les sciences et la profession d'ingénieur, mais vint aux lettres. Il publie son premier recueil de vers, Stances et Poèmes, en *1865*; puis les Épreuves (*1866*), les Solitudes (*1869*), Impressions de la guerre, les Destins (*1872*), la France (*1874*), les Vaines Tendresses (*1875*), la Justice (*1878*), le Prisme (*1886*), le Bonheur (*1888*). On a publié, après sa mort, les Épaves (*1909*). Il a traduit le Premier Livre de Lucrèce (*1866*). Il a laissé quelques ouvrages de philosophie, et des livres de critique : l'Expression dans les beaux-arts (*1890*), Réflexions sur l'art des vers (*1892*), Testament poétique (*1900*). Ses Œuvres (*1883-1908*) comprennent 8 vol. (Poésies : 4 vol.; Prose : 4 vol.). On a commencé à publier ses lettres; voir notamment Lettres à une amie (*1865-1880*), *1911*; et son Journal intime, *1922*. — Membre de l'Académie française (*1881*), il reçut, en *1901*, le prix Nobel, qu'il employa à fonder un prix de poésie.

Voir : C. Hémon, la Philosophie de Sully Prudhomme, *1907* (avec préface du poète); E. Estève, Sully Prudhomme, *1925*; P. Flottes, Sully Prudhomme et sa pensée, *1930*.

Il fut le poète officiel, le poète lauréat du Parnasse; et sa bonté envers les jeunes poètes maintint autour de son nom, jusqu'à sa mort, une vraie auréole de popularité et de respect. Ses premiers recueils révélaient une sensibilité inquiète, un poète qui se plaisait à « la peinture des affections obscures et ténues de l'âme ». C'étaient des vers d'amour discrets et chastes, des sentiments comprimés avant d'avoir pu s'épanouir, ou bien la confidence d'émois intellectuels devant la foi perdue, ou la beauté de l'univers, que découvre la science. Cette sensibilité frémissante plut fort aux lettrés, vers *1880*. Sully Prudhomme passa dans les milieux parnassiens; mais il s'y sentit toujours « un intrus, un fourvoyé ». Toutefois, il s'appliqua à corriger sa facilité naturelle; et s'il traduisit Lucrèce, ce fut « un simple exercice pour demander au plus robuste et au plus précis des poètes le secret d'assujettir le vers à l'idée ».

C'est de ce côté qu'il alla. Il se proposa bientôt de « faire entrer dans le domaine de la poésie les merveilleuses conquêtes de la science et les hautes synthèses de

SULLY PRUDHOMME. — CL. LAROUSSE.

la spéculation moderne », non plus par le moyen du symbole, mais sous une forme directe. Avec des poèmes comme *la Justice* et *le Bonheur*, sa poésie devint toute didactique, et les conséquences s'en firent vite sentir. Puisqu'il ne s'agissait plus que de *versifier*, de façon précise et correcte, les formules philosophiques et scientifiques, le vers n'avait plus, de l'aveu même du poète, une valeur de suggestion plastique ou musicale; il n'était qu'un aide-mémoire. Ce sont, dès lors, de continuels tours de force qu'il faut tenter, et Sully Prudhomme ne triomphe pas toujours des difficultés qu'il se propose; aussi bien veut-il décrire en vers rapides le paratonnerre, le baromètre, la quadrature du cercle, la table de Pythagore, ou résumer les principaux systèmes de métaphysique! Souvent il met des notes, sans quoi l'on ne comprendrait point. Par moments brillent de beaux vers et de nobles pensées. Mais la conception même que le poète se fait de la poésie la détruit, tout simplement; la pensée s'anémie dans une forme étriquée; le vers n'est plus qu'une prose inexacte. Sully Prudhomme paraît l'avoir compris; après *le Bonheur* (1888), il renonça vraiment à la poésie, et n'écrivit plus en vers que quelques pièces de circonstance.

Il ne semble pas qu'on le lise beaucoup aujourd'hui, hors quelques pièces d'anthologie, dont la meilleure n'est pas *le Vase brisé*. Mais il garde des fidèles, qui n'aiment pas seulement ses vers d'amour et qui voient dans son œuvre un méritoire effort qu'a fait la poésie française au XIXe siècle pour traduire les émotions intellectuelles et les angoisses philosophiques; ils lui sont reconnaissants d'avoir montré, dans ces hautes spéculations, une âme, non pas inhumaine à force de stoïcisme ou de résignation, mais tendre, douloureuse et délicate.

FRANÇOIS COPPÉE

François Coppée est né à Paris en 1842 et y mourut en 1908; il fut membre de l'Académie française (1884). Il publie le Reliquaire en 1866, puis les Intimités (1868), et les Poèmes modernes (1869). Un acte en vers, le Passant (1869), lui donne la gloire. Il publie les Humbles (1872), le Cahier rouge (1874), Olivier (1875), l'Exilée (1877), les Récits et les élégies (1878), Contes en vers (1882), Arrière-saison (1887), les Paroles sincères (1891). Il a donné au théâtre une quinzaine de pièces, comédies ou drames, dont quelques-unes eurent un grand succès; il a écrit de nombreux ouvrages en prose. Ses œuvres ont été réunies en 10 volumes (1885-1893). Publications posthumes : Sonnets intimes et poèmes inédits (1869-1908), 1911, et Lettres de Fr. Coppée à sa mère et à sa sœur, 1914.

Voir Le Meur, la Vie et l'œuvre de François Coppée, 1932.

Coppée a été le poète populaire du Parnasse : c'est-à-dire qu'il fut très peu parnassien, selon la pure doctrine, qui écartait la foule de la poésie. Pourtant ses débuts avaient été ceux d'un vrai parnassien; ce fut Catulle Mendès qui le patronna. Jusqu'au bout, il tiendra à honneur de se dire fidèle à la tradition de 1865. Son premier recueil, *le Reliquaire*, est dédié à Leconte de Lisle; il s'ouvre par une affirmation d'impassibilité; on y trouve l'hymne obligé à la forme, et la protestation, non moins obligée, contre la poésie de Musset. Coppée se compare alors, comme Glatigny, à un jongleur; il est surtout curieux de rimes et de rythmes; sa phrase poétique, au premier abord un peu déhanchée et molle, est souvent d'une harmonie fort adroitement ménagée. Il commença par quelques préludes philosophiques, dans l'esprit de Leconte de Lisle ou de Dierx; il écrivit, comme eux, quelques contes épiques, plus courts de souffle; surtout, et ce fut d'abord sa note, il traduisit avec gentillesse et habileté les menues sensations délicates d'un Parisien artiste et tendre; il y en a de charmantes dans *Intimités* et dans *Promenades et intérieurs*.

FRANÇOIS COPPÉE. — CL. NADAR.

Mais, très vite, il dériva vers la forme de poésie qui devait assurer sa popularité : l'expression de la bonne et simple sentimentalité populaire, dont *le Petit Épicier de Montrouge* (1872) est resté le type célèbre; si peu qu'on force le ton, cette pièce devient légèrement caricaturale; on en a fait des pastiches qui ressemblent dangereusement au modèle. La gloire de Coppée lui valut les durs mépris de la jeune école de poètes; on le traita de *naturaliste*. « Il n'y a là qu'un cas de mauvaise littérature », écrivit Henri de Régnier. Et, de fait, Coppée abandonna, surtout dans ses dernières années, l'idée même de l'art pour l'art; il se proposa, avant tout, une œuvre d'action sociale; et la qualité de ses vers, la valeur artistique de ses thèmes comptèrent bien peu, à ses propres yeux.

On peut aussi nommer parmi les poètes parnassiens de l'époque du second Empire : Mᵐᵉ Ackermann (1813-1890), auteur de Contes et poésies, 1863; Poésies (Poésies philosophiques), 1874; — Catulle Mendès (1841-1909), qui joua un grand rôle dans le Parnasse naissant; — André Lemoyne (1822-1907); — G. Lafenestre (1837-1919). — Les sonnets de J.-M. de Heredia, qui ne furent recueillis en un volume qu'en 1893, sont en grande partie connus avant 1870. Il en parut dans le premier Parnasse.

LA RENAISSANCE DE LA POÉSIE PROVENÇALE

Les « chansonniers provençaux » avaient autrefois enseigné les secrets de poésie aux trouvères de « France »; et puis, ils s'étaient tus. Au milieu du XIXᵉ siècle, quelques initiatives heureuses parurent devoir rompre ce long enchantement. Le 29 août 1852, « un congrès des troubadours provençaux » commença à grouper les bonnes volontés; deux ans après, le Félibrige était fondé (21 mai 1854) par Roumanille (1818-1891), le précurseur de cette renaissance, qui, dès 1847, avait publié li Margarideto, par Théodore Aubanel (1829-1886), par Mistral et par quatre de leurs amis, poètes eux aussi. En 1876, le Félibrige se donnera son statut définitif.

Frédéric Mistral (1830-1914) a publié Mirèio (Mireille), 1859, couronnée par l'Académie française en 1861, qui révéla la poésie provençale à la France et bientôt à l'Europe; Calendau (Calendal), 1867; lis Isclo d'or (les Iles d'or), 1875; Nerto (Nerte), 1884; la Rèino Jano (la Reine Jeanne), tragédie, 1890; lou Pouèmo dou Rose (le Poème du Rhône), 1897; lis Oulivado (les Olivades), 1912; Moun espelido : memori e raconte (Mes origines : mémoires et récits), 1906; Discours e dicho (Discours et propos), 1906. Mistral est aussi l'auteur de la traduction de la Genèsi, 1910, et du Trésor dou Felibrige, 1878-1886, dictionnaire encyclopédique provençal-français. Il a publié ses œuvres poétiques en les accompagnant d'une traduction française.
Ch.-P. Julian et P. Fontan ont publié une Anthologie du Félibrige provençal, de 1850 à nos jours, 1920 et suiv., 3 vol. — Voir, sur l'ensemble du mouvement : Émile Ripert, la Renaissance provençale, 1800-1860, 1918; É. Ripert, le Félibrige, 1924; — sur Mistral : E. Lefèvre, Bibliographie mistralienne, 1903; Émile Ripert, la Versification de Mistral, 1918; A. Thibaudet, Mistral, 1930.

« Je vais vous annoncer aujourd'hui une bonne nouvelle, s'était écrié Lamartine, dès qu'il eut eu *Mireille* en main, un beau soir de 1859. Un grand poète épique est né. La nature occidentale n'en fait plus, mais la nature méridionale en fait toujours; il y a une vertu dans le soleil... Un poète qui crée une langue d'un idiome. » Toute la France lettrée d'alors crut à cette recréation. Plus tard, l'on dut bien s'aviser qu'il s'agissait du plus intéressant des mouvements régionalistes de France, mais non point de la résurrection d'une littérature, avec

FRÉDÉRIC MISTRAL. — CL. E. PIROU.

sa langue et ses caractéristiques originales, vivante de la vie qu'aurait pu lui donner un public de lecteurs très nombreux et tous parlant la nouvelle langue. Les premiers félibres, à vrai dire, sont des romantiques, tout semblables, par l'inspiration, à beaucoup de leurs contemporains du Nord. Sans la volonté qu'eut la France romantique de faire réapparaître tout le passé littéraire et artistique, condamné comme barbare par la doctrine classique, sans le goût décidé qu'elle eut pour les légendes populaires, pour la poésie spontanée et primitive, il n'y eût pas eu, sans doute, de congrès de troubadours et de félibres sous Napoléon III; la province alors était toujours en retard, littérairement, d'une ou deux générations.

Les poèmes de Mistral sont, avant tout, un riche répertoire du folklore provençal; le bréviaire de toutes les traditions méridionales, religieuses, légendaires ou historiques, des superstitions les plus anciennes; et aussi le livre des paysages de la Provence, de ses us et coutumes d'aujourd'hui, des rites de ses travailleurs, de ses fêtes populaires. La légère intrigue de *Mireille*, les histoires fantastiques de *Calendal* et de *Nerte*, toute la matière du *Poème du Rhône* ne sont que le prétexte évident d'incessantes digressions, tableaux, contes, récits, qui permettent au poète de réaliser son plus cher dessein : il veut, plus que tout, reconstituer le passé moral du peuple de Provence, et le réapprendre aux « pâtres et habitants des mas » :

D'un ancien peuple fier et libre
Nous sommes peut-être la fin;
Et si les félibres tombent,
Notre nation tombera.
D'une race qui regerme
Peut-être sommes-nous les premiers jets;
De la patrie, peut-être, nous sommes les piliers et les chefs.
Verse-nous les espérances
Et les rêves de la jeunesse,
Le souvenir du passé
Et la foi dans l'an qui vient.

(Les Iles d'or.)

UNE RÉVOLUTION POÉTIQUE : BAUDELAIRE

Charles Baudelaire est né à Paris le 9 avril 1821. Son père, qui avait à cette date soixante et un ans, meurt en 1827; sa mère se remarie peu après avec le colonel Aupick (1828); jamais le beau-père et l'enfant ne purent s'entendre. Baudelaire fait ses études au collège de Lyon (1832-1836), puis à Paris, au lycée Louis-le-Grand (1836-1839). En 1841, il a de graves dissentiments avec sa famille; pour tâcher de le détourner de sa vocation d'homme de lettres, on lui fait faire un voyage forcé, qui doit le mener jusqu'aux Indes; il ne va pas plus loin que l'île Maurice et l'île de la Réunion et revient à Paris (mai 1841-février 1842). Dès lors, il vit presque toujours aux prises avec la misère, sauf dans les premières années, où il peut dissiper un petit capital. Il fréquente surtout les milieux de la bohème littéraire. A partir de 1841, il écrit les pièces qui composeront les Fleurs du mal. Il publie le Salon de 1845 et le Salon de 1846, qu'il signe Baudelaire-Dufays (Dufays était le nom de sa mère). La révolution de 1848 l'enthousiasme pour un peu de temps; il se fait journaliste, et le ton de ses articles est violent. Il traduit les œuvres d'Edgar Poe, qu'il avait découvert quelques années auparavant (5 vol., 1858-1865). En 1857, il publie les Fleurs du mal. Poursuivi pour outrage à la morale publique, il est condamné (20 août 1857) à

300 francs d'amende, réduits à 50 francs à la suite d'une démarche de l'Impératrice qu'avait sollicitée le poète. Il publie en 1860 les Paradis artificiels; *en 1861, Richard* Wagner et Tannhauser; *il fait paraître dans plusieurs revues ses* Petits Poèmes en prose. *A la fin de décembre 1861, il pose sa candidature à l'Académie française et, l'effet obtenu, au bout de quelques semaines il se désiste. D'avril 1864 à juillet 1866, il habite Bruxelles, où il tombe gravement malade. On le ramène à Paris paralytique et aphasique. Il y meurt le 31 août 1867.*

Ses Œuvres complètes (1868-1870) *comprennent 7 volumes : I, les* Fleurs du mal; *II,* Curiosités esthétiques; *III,* l'Art romantique; *IV,* Petits Poèmes en prose, *les* Paradis artificiels; *V-VII,* Traduction de Poe. *Édition des* Œuvres complètes *à la* N. R. F., 1918, *à la* Pléiade, *en 2 volumes.*

On a publié de lui des Lettres (1841-1866), 1907, *et des* Lettres inédites à sa mère, 1918; Correspondance générale, 1947 *et suiv. : 4 vol. en 1948; des* Œuvres posthumes, 1908, *un* Carnet, 1911, *et des* Journaux intimes, 1920.

Les Fleurs du mal *ont paru le 11 juillet 1857; l'édition compte 101 pièces; après le jugement, on a retiré 6 pièces condamnées. La 2ᵉ édition (1861) a 127 pièces (32 nouvelles); les pièces supprimées paraissent en 1866 dans les* Épaves. *L'édition posthume de 1868, inexacte et incorrecte, comprend 152 pièces; 25 ont été ajoutées arbitrairement. Édition critique 1942 (J. Crépet et Blin).*

Voir : réédition du Salon de 1845 *(éd. Ferran), 1934; E. et J. Crépet, Ch. Baudelaire, étude biographique, 1907; A. Cassagne, Versification et métrique de Baudelaire, 1906; A. Ferran, l'Esthétique de Baudelaire,* 1934; *Pierre Flottes, Baudelaire, l'homme et le poète, 1922; J. Pommier, la Mystique de Baudelaire, 1932; W. T. Bandy, Baudelaire judged by his contemporaries, 1933; Fr. Porché, Baudelaire, 1945.*

LE « PEINTRE DE LA VIE MODERNE »

Baudelaire s'est dit le disciple de Th. Gautier et de Th. de Banville; il a même dédié à Th. Gautier *les Fleurs du mal*: mais il n'était pas très persuadé de la réalité de cette influence. Il n'a jamais été parnassien; il a même raillé en 1852 « l'école païenne ». Il proclamait évidemment, comme Leconte de Lisle, le culte de la Beauté; mais cette beauté n'avait rien d'antique; elle était toute moderne et personnelle; on ne peut la bien concevoir si on ne se représente pas la vie profonde du poète. « Tout enfant, dit-il, j'ai senti dans mon cœur deux sentiments contradictoires : l'horreur et l'extase de la vie. » L'horreur et le dégoût l'emportaient sur les moments d'extase; et c'est pourquoi, très jeune, Baudelaire fut victime de l'*Ennui*, un ennui qui n'avait rien d'intellectuel, un ennui des sens et des nerfs. Il l'appelle le *Spleen*. Ce spleen, il chercha à le rompre de toutes façons, en multipliant ses curiosités, en tentant des expériences, au besoin dangereuses; ses poèmes révèlent quelques-unes des péripéties de cette lutte secrète.

Le milieu bohème où il vécut l'aida à se former une vision assez spéciale de l'humanité. La bohème avait ses thèmes à elle : la peinture des excentriques, des filles, des bas-fonds parisiens; Baudelaire magnifia ces thèmes et, alors que Champfleury, Murger et Nadar n'en tiraient que des pochades réalistes ou fantaisistes, il en fit une matière poétique. Dès ses premiers vers, il se tenait pour assuré que l'art n'avait d'autre objet que de peindre la « vie moderne », sous une forme exaspérée, la vie telle que la vivait un petit nombre de gens de lettres et d'artistes, enfiévrés par la recherche du nouveau et l'amour du bizarre. Il se réclame de Delacroix et de Balzac; il affirme que le vrai peintre de la vie moderne ce sera celui « qui saura arracher à la vie actuelle son côté épique, et nous faire voir et comprendre... combien nous sommes grands et poétiques dans nos cravates et nos bottes vernies... La vie parisienne est féconde en sujets merveilleux. Son merveilleux nous enveloppe..., mais nous ne le voyons pas ». Et ce sont là les principes qui le guidèrent quand il écrivit ses *Salons*, de 1845 à 1859; il s'y est montré un critique d'art d'une sensibilité tout à fait rare, pas gêné par des préjugés littéraires, tout disposé à comprendre les hardiesses du sujet, de la couleur, du dessin. Il avait fréquenté les ateliers, écouté les artistes, médité; quand il parlait de la couleur, il ne voyait pas qu'une palette; il savait que la couleur crée de l'émotion, de l'harmonie, « la musique du tableau »; il comprend Ingres, Corot, Daumier, Manet, Goya. Mais celui qu'il met au-dessus de tous les autres, c'est Delacroix, « le peintre le plus original des temps anciens et des temps modernes », parce qu'il retrouve dans ses tableaux ce qu'il sent au plus profond de lui-même : « une mélancolie singulière et opiniâtre..., la douleur humaine..., la célébration de quelque mystère douloureux; ... un parfum de mauvais lieu qui nous guide assez vite vers les limbes insondés de la tristesse ». Ces derniers mots, inspirés par la vue des *Femmes d'Alger*, serviraient assez bien à caractériser l'influence des *Fleurs du mal*.

UN ASPECT DE LA « VIE MODERNE ». Dessin de Constantin Guys, qui traduisit une vision de la vie analogue à celle de Baudelaire, et que celui-ci étudia avec sympathie dans « Un peintre de la vie moderne » (Collection de la Ville de Paris, au Petit Palais).
CL. BULLOZ.

LES THÈMES DES « FLEURS DU MAL »

La publication des *Fleurs du mal* étonna; les poursuites judiciaires firent de cet étonnement un scandale, mais en même temps un succès. Victor Hugo, résumant l'impression la plus générale des lettrés, déclara magnifiquement que Baudelaire venait de créer un « frisson nouveau ». Ce frisson, Baudelaire l'avait d'abord senti et il en avait souffert; on imaginerait difficilement un livre plus personnel, plus intime que le sien. Les thèmes des *Fleurs du mal*, c'est en réalité ses soubresauts devant les spectacles de la vie et les angoisses de la pensée. Le plus grand nombre des poèmes sont rassemblés sous le titre *Spleen et Idéal*; c'est-à-dire d'une part l'ennui du poète et, d'autre part, ses victoires, les jouissances qui lui ont permis de s'arracher à lui-même un moment. Bien des choses peuvent créer un Idéal : la religion, le péché, le voyage, l'amour, la débauche, l'attrait des paradis artificiels, la révolte, l'esprit de perversité, le vice et même l'attirance du crime. Ce sont là des fleurs dans le désert de la vie, des fleurs de l'Idéal, mais en même temps des « fleurs du mal » : leur parfum est le meilleur antidote du spleen, encore qu'on risque de s'y empoisonner.

D'autres thèmes ont inspiré les poèmes que Baudelaire a rassemblés sous le titre *Tableaux parisiens*. Il aime Paris, pas le Paris des palais et des grandes places, mais le Paris des hôpitaux et des mendiantes, des filles et des débauchés, le Paris des brouillards et des pluies, le Paris du malheur, de la souffrance, du vice. Les *Petits Poèmes en prose* doivent être posés ici à côté des *Fleurs du mal* comme un cahier d'ébauches, écrites en prose rythmée, dont la plupart étaient prêtes pour la stylisation qui les aurait transformées. Ces spectacles familiers, Baudelaire les recrée comme il les a vus, réels, mais déjà transmutés, avec une exaltation du cerveau « où les sons tintent musicalement, où les couleurs parlent, où les parfums racontent des mondes d'idées ». L'idée est en effet rarement absente; elle arrive portée par la sensation; elle suggère plus qu'elle ne désigne ou n'explique; elle inquiète, elle bouleverse; et c'est ainsi que se crée le « frisson », voluptueux ou douloureux, toujours troublant.

IDÉES ESTHÉTIQUES

Les thèmes de Baudelaire n'ont rien de commun avec ceux de Leconte de Lisle et de ses disciples! Point de stylisation à l'antique ou à l'hindoue, point d'attitude hautaine. Sur quelques points, pourtant, Baudelaire était d'accord avec les parnassiens; il détestait la sensiblerie romantique et tenait les élégiaques pour des « canailles »; il disait l'indépendance absolue de l'art à l'égard de la morale; il croyait au prestige de la forme qui peut revêtir n'importe quelle matière et la transfigurer. Mais il était bien loin de se dire un « pur artiste »; il savait qu'il y avait dans son art une tendance « essentiellement démoniaque ». « J'ai trouvé, note-t-il dans un de ses *Journaux intimes*, la définition du Beau, de mon Beau... C'est quelque chose d'ardent et de triste... Une tête de femme qui fait rêver à la fois, mais d'une manière confuse, de volupté et de tristesse; qui comporte une idée de mélancolie, de lassitude, même de satiété; — soit une idée contraire, c'est-à-dire une ardeur, un désir de vivre, associés avec une amertume refluente... Le mystère et enfin (pour que j'aie le courage d'avouer jusqu'à quel point je me sens moderne en esthétique) le malheur... Je ne conçois guère un type de beauté où il n'y ait du *Malheur*... Le plus parfait type de beauté virile est Satan. »

On ne saurait mieux voir en soi-même, et ces mots signalent bien les complexes nouveaux de sensations et d'idées que Baudelaire a présentés dans *les Fleurs du mal*. C'est tout le tréfonds de l'âme humaine qu'il a coutume

BAUDELAIRE EN 1853. Peinture de Courbet (musée de Montpellier). — CL. CAIROL.

de remuer, non pas l'âme humaine en général, mais l'âme d'un homme d'aujourd'hui, raffiné jusqu'à l'usure, jusqu'à la perversité, et qui a décidé de ne rien cacher de lui-même. Cet homme veut être toujours « ivre... de vin, de poésie, de vertu..., pour ne pas sentir l'horrible fardeau du temps »; il assemble ainsi en lui des compagnies de sentiments et de passions, qui ne lui font pas peur et devant lesquelles il n'a pas de pudeur; de temps en temps il leur donne accès dans ses poèmes; le miracle c'est que cette émeute des sens et de l'esprit devient un spectacle de beauté.

L'ART ET L'INFLUENCE DE BAUDELAIRE

Malgré l'étrangeté de la révélation qu'il apportait, et qui ne lui a pas rendu facile la conquête d'une élite, trop attachée alors à toutes les sentimentalités romantiques, Baudelaire impressionna fort quelques-uns de ses contemporains. Leconte de Lisle, si dur pour les poètes de son temps, le respecta; Verlaine le comprit et l'admira; Sainte-Beuve sentit qu'il allait devenir un chef de file. « Si vous étiez ici, lui écrivait-il en 1866 (Baudelaire était alors en Belgique), vous deviendriez, bon gré, mal gré, une autorité, un oracle, un poète-consultant. » Sourdement, dans des milieux de peintres, de musiciens et d'amateurs, autant et plus que dans les cénacles de poètes, le prestige de Baudelaire grandit; dix ans après sa mort quelques jeunes se tournent vers lui plus que vers Victor Hugo.

Ce qu'on comprit le mieux d'abord, ce fut la perfection de son travail d'art, sa métrique, sa prosodie. « Le vers de Baudelaire, qui accepte, écrit Th. Gautier, les principales améliorations ou réformes romantiques, telles que la rime riche, la mobilité facultative de la césure, le rejet, l'enjambement, l'emploi du mot propre ou technique, le rythme ferme et plein, la coulée d'un seul jet du grand alexandrin, tout le savant mécanisme de prosodie et de coupe dans la stance et la strophe, a cependant son architectonique particulière, ses secrets de métier, son tour de main »; et Th. Gautier note comme caractéristiques essentielles le goût des rimes entrecroisées, la fréquence des sonnets libertins, les stances aux « bruissements monotones » avec des « ritournelles », l'usage fréquent des mots polysyllabiques... Il ne caractérise pas assez ce qu'on a fini par admirer le plus dans le vers de Baudelaire : sa musique profonde. Le poète avait de grandes ambitions. « La poésie, disait-il, touche à la musique par une prosodie... mystérieuse et inconnue... La phrase poétique peut imiter (et par là elle touche à l'art musical)... la ligne horizontale et la ligne droite ascendante, la ligne droite descendante... (Elle peut) exprimer toute sensation de suavité ou d'amertume, de béatitude ou d'horreur, par l'accouplement de tel substantif avec tel adjectif, analogue ou contraire. »

Il est instructif de lire la *Genèse d'un poème* où Baudelaire reproduit l'examen par Edgar Poe (ce Poe qu'il a tant admiré, qui a éclairé son « principe poétique » et qu'il s'est obligé à traduire) du poème *le Corbeau*. Poe n'explique point la poétique par l'exemple du poème, qui en serait une application, mais le poème par la poétique qui a déterminé sa création interne. Toute la pièce, dit Poe, dérive de considérations préliminaires de dimension, de beauté, de rythme, de sonorité; l'idée n'est venue qu'ensuite, elle a procédé directement de la forme. Entraîné à choisir un mot qui servit de refrain, Poe fut « mené inévitablement à l'*o* long, comme étant la voyelle la plus sonore, associé à l'*r*, comme étant la consonne la plus vigoureuse », et donc au mot *nevermore* (jamais plus!); de ces sons, de ce mot est sorti par la suite le poème entier. Une telle série de démarches est assez bien conforme à l'idéal secret de Baudelaire.

Cette musique des mots et l'ingénieux agencement des strophes sont ce qui crée surtout l'harmonie du vers baudelairien et son pouvoir de suggestion, bien au-delà de l'espace que les mots éclairent. Mais il faut aussi, pour comprendre ce pouvoir, laisser venir à soi les images et les comparaisons du poète; elles ne sont pas que plastiques et somptueuses; Baudelaire a réussi à ne les pas figer dans une beauté statuaire. Elles ont une lumière qui émane d'elles, elles ne sont pas immobiles; elles passent la barrière des yeux, créent des « correspondances » inattendues avec d'autres images jusque-là somnolentes, et viennent brusquement troubler la sensibilité. Leur pouvoir est celui d'une « sorcellerie évocatoire » — ces mots sont de Baudelaire —; elles créent « une magie suggestive contenant à la fois l'objet et le sujet, le monde extérieur à l'artiste et l'artiste lui-même ». Tout s'unit : « rythme, parfum, lueur »; le poète perçoit des synesthésies, quelques correspondances entre l'homme et la nature où « les parfums, les couleurs et les sons se répondent ». On quitte un moment la réalité, et l'on avance parmi des « forêts de symboles », qui semblent devenus familiers, et permettent une connaissance neuve du monde. La poésie a maintenant les puissances de la musique : l'esthétique de Baudelaire rejoint celle de Wagner, comme déjà elle s'était unie à celle de Delacroix.

C'est cet aspect de l'œuvre de Baudelaire, d'abord totalement méconnu, que l'on apprit peu à peu à admirer et à aimer. Évidemment Rimbaud l'avait vu : « Baudelaire est le premier voyant, roi des poètes, un *vrai dieu* »; il ne lui

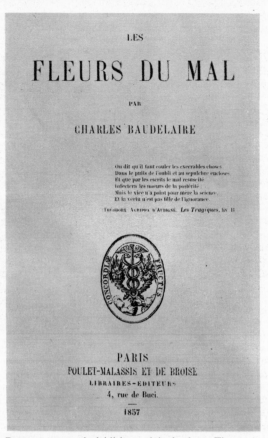

LES
FLEURS DU MAL

PAR

CHARLES BAUDELAIRE

On dit qu'il faut couler les exécrables choses
Dans le puits de l'oubli et au sepulchre encloses
Et que par les escrits le mal ressuscité
Infectera les mœurs de la postérité
Mais le vice n'a point pour mère la science
Et la vertu n'est pas fille de l'ignorance.
THÉODORE AGRIPPA D'AUBIGNÉ. *Les Tragiques*, liv. II

PARIS
POULET-MALASSIS ET DE BROISE
LIBRAIRES-ÉDITEURS
4, rue de Buci.
1857

PAGE DE TITRE de l'édition originale des « Fleurs du mal » (1857). — CL. LAROUSSE.

reprochait que ce qui l'avait fait admirer, d'avoir « vécu dans un temps trop artiste »; mais combien avaient alors ainsi compris? Il fallut attendre quelques années. C'est seulement vers 1884 que prit naissance le culte de Baudelaire. Huysmans parla, dans *A rebours*, d'une « admiration sans bornes »; le poète des *Fleurs du mal* n'avait-il pas fixé « les états morbides les plus fuyants, les plus tremblés, des esprits épuisés, des âmes tristes »? Bourget décela chez lui l'expression la plus parfaite des angoisses métaphysiques contemporaines. *Les Fleurs du mal* apparurent comme le livre de choix des « décadents »; les symbolistes firent de Baudelaire une espèce de dieu de la poésie. Son image n'a cessé de grandir. Très vite le public des admirateurs du Parnasse, celui des admirateurs de Victor Hugo, se sentirent méprisés par les cénacles : ils ignoraient la vraie poésie! Ils étaient des béotiens de l'art! Le temps n'a point détruit ce prestige : aujourd'hui, plus encore qu'il y a cinquante ans, la gloire de Baudelaire tend à effacer celle de tous les autres poètes du XIXe siècle.

IV. — LE ROMAN

Voir : P. Martino, le Roman réaliste sous le second Empire, *1913*; F. Bouvier, la Bataille réaliste, *1913*.

LE RÉALISME

La gloire de Flaubert a bien vite éclipsé les noms de ceux qui furent, avant lui ou en même temps que lui, les vedettes du roman réaliste : Champfleury (1821-1889), auteur des Excentriques, 1852; des Aventures de Mariette, 1853; des Bourgeois de Molinchart, 1855; de M. de Boisdhyver, 1856; de la Succession Le Camus (1857), etc., et d'un manifeste, le Réalisme, 1857; — Duranty (1833-1880), auteur du Malheur d'Henriette Gérard, 1860, un très curieux livre de peinture de la vie provinciale et d'analyse psychologique, que l'on redécouvre et réédite de temps en temps; — E. Feydeau (1821-1873), auteur de Fanny, 1860, dont le scandale succéda à celui de Madame Bovary; de Daniel, 1859, de Catherine d'Overmère, 1860, etc.

F. Fabre (1830-1898) commence à publier ses romans (les Courbezon, 1862); de même Zola (Thérèse Raquin, 1867; Madeleine Férat, 1868).

On s'accorde à constater le développement et le succès, entre 1850 et 1870, de ce qu'on appelle le roman réaliste. Après les grands triomphes de l'époque romantique, le roman avait vu sa faveur diminuer. « Les ouvrages de pure imagination — un contemporain le constatait — ont perdu, de 1842 à 1850, environ moitié du débit qu'ils trouvaient de 1830 à 1842. »

En quelques années, le réalisme changea cette situation; grâce à lui, le roman s'attribua définitivement la première place dans les préférences du public; l'Académie française,

CHARLES BAUDELAIRE. — CL. CARJAT.

qui le tenait en suspicion, dut, en 1862, s'incliner et admettre un romancier qui n'était guère que romancier; encore fit-elle choix d'Octave Feuillet, qui n'était certes point réaliste. Mais, à cette date, le réalisme, bénéficiant des succès éclatants du positivisme dans d'autres domaines, était victorieux. Un critique, Montégut, le constatait dès 1861 : « Ce qui domine dans notre littérature d'imagination, comme dans la critique moderne, comme dans la science et dans l'histoire, c'est l'amour du fait, de la réalité, de l'expérience. »

Toutefois, il n'y a point, dans la succession des œuvres, une brusque coupure entre la série des romans romantiques et celle des romans réalistes; ces deux séries se rejoignent par des formes intermédiaires. Un observateur qui ne tiendrait pas compte du changement de l'atmosphère intellectuelle et qui, s'en tenant aux formes littéraires, ignorerait les progrès de la science et du positivisme après 1850, pourrait estimer, avec des apparences de raison, que le roman réaliste

CHAMPFLEURY. Portrait-charge de Nadar (B. N., Cab. des Estampes). — CL. LAROUSSE.

procède du roman romantique par une évolution très normale. Deux noms, l'un très grand, l'autre qui n'a que peu résisté à l'oubli, résument les principales tendances du roman réaliste à cette époque : Flaubert, Champfleury. Or, tous deux ont été élevés et se sont instruits en plein âge romantique; leurs premières œuvres sont toutes romantiques.

Champfleury, bien plus que Flaubert, qui resta à l'écart et méprisant, mena alors la bataille réaliste. Il était, avec Murger et le peintre Courbet, de ce qu'on appela « la bohème »; le goût romantique du grotesque, de l'étrange l'amena, ainsi que ses compagnons, à peindre des personnages bizarres et des mœurs excentriques. Ils furent, par là, les premiers *réalistes;* mais s'ils avaient choisi ces sujets et ces personnages, c'est qu'ils n'en avaient guère d'autres à leur portée. Ils commencèrent par vouloir les embellir et les dramatiser, mais ils durent vite y renoncer, tant la matière qu'ils mettaient en œuvre était plate et vulgaire.

Les romans de Champfleury, mal venus pour la plupart, ont aujourd'hui un vif intérêt documentaire. On y peut trouver une image, détaillée jusqu'à la minutie, de la vie que menait la petite bourgeoisie provinciale aux environs de 1830. Mais le réalisme que représentent les *Bourgeois de Molinchart* — celui de « la sincérité dans l'art » — a été frappé de stérilité dès l'origine; à supposer que Champfleury eût appris à écrire, il n'eût jamais pu composer la grande œuvre nécessaire au triomphe de sa manière, puisque sa doctrine l'obligeait à peindre strictement ce qu'il avait vu et que la médiocrité de sa vie l'avait condamné à ne presque rien voir.

FLAUBERT

Gustave Flaubert est né à Rouen le 12 décembre 1821. Il fit ses études au lycée de Rouen (1832-1840), où il connut Louis Bouilhet; à douze ans, il rédigeait un journal manuscrit et commençait à écrire des nouvelles et des pièces de théâtre. Il vient faire à Paris ses études de droit (1840-1843), mais ne s'y intéresse pas et finalement les abandonne. Il souffre d'une grave crise nerveuse qui a un long retentissement sur toute sa vie (1843). A partir de cette date, il vit surtout à Croisset, près de Rouen,

qu'il ne quitte que pour de fréquents et courts séjours à Paris et des voyages en France, en Italie, en Orient (octobre 1849-mai 1851), en Tunisie (avril-juin 1858), etc. La vie de son esprit, à cette époque, nous est très bien connue par ses lettres et surtout par celles qu'il adresse à son amie, Mme Louise Colet (Mme X*** de la Correspondance); leur liaison dura neuf ans (1846-1855). Le succès de Madame Bovary (1856), le procès qui lui est intenté et qui se termine par un acquittement (1857) font entrer Flaubert dans la célébrité. Il publie Salammbô en 1862, l'Éducation sentimentale en 1869, la Tentation de saint Antoine en 1874, les Trois Contes (Un cœur simple, la Légende de saint Julien l'Hospitalier, Hérodias) en 1877. Il meurt à Croisset le 8 mai 1880, laissant un roman inachevé, Bouvard et Pécuchet (1881).

On a inauguré en 1906 un musée de Flaubert à Croisset. Un autre musée Flaubert a été ouvert à l'hôtel-Dieu de Rouen.

R. Dumesnil et R. Demorest, Bibliographie de Flaubert, 1939. Ses œuvres, publiées et inédites, ont été réunies en 18 vol. par l'éditeur Conard (1910), « augmentées de variantes, de notes d'après des manuscrits, versions et scénarios de l'auteur », notamment : Œuvres de jeunesse inédites, 3 vol.; Notes de voyage, 2 vol.; Théâtre, 1 vol. (le Candidat, théâtre du Vaudeville, 11 mars 1874; le Château des cœurs et le Sexe faible, non joués); Par les champs et par les grèves, 1 vol. (déjà édité partiellement, d'après une autre rédaction, en 1885); Correspondance, 5 vol., etc. Nouvelle édition de la Correspondance par R. Descharmes (édition du Centenaire), 1922-1925, et nouvelle édition Conard, 1933 (9 vol.). L. G. Miller, Index de la correspondance de Flaubert, 1934.

Voir : R. Descharmes, Flaubert, sa vie, son caractère, ses idées avant 1857, 1909; R. Descharmes et R. Dumesnil, Autour de Flaubert, 2 vol., 1912 (avec biographie et bibliographie); A. Thibaudet, Gustave Flaubert, 1922; Éd. Maynial, Flaubert et son milieu, 1927; R. Dumesnil, Gustave Flaubert, 1932; Éd. Maynial, G. Flaubert, 1943.

LA THÉORIE D'ART

Les Œuvres de jeunesse, publiées en appendice aux Œuvres complètes (édition Conard) et rééditées en 1914 (édition Fasquelle), comprennent une vingtaine d'œuvres composées de 1834 à 1842, notamment : Mémoires d'un fou (1838) et Novembre (1842), récits autobiographiques; Smarh (1839), première ébauche de la Tentation de saint Antoine; la première Éducation sentimentale, écrite en 1843-1845, qui montre l'« éducation » de deux jeunes gens par l'amour et rien que l'amour. — Des récits de voyage aux Pyrénées et en Corse (1841), en Bretagne (1847), ont été publiés dans Par les champs et par les grèves et au tome Ier des Notes de voyage. Voir : Gérard-Gailly, l'Unique Passion de Flaubert, Mme Arnoux, 1932; R. Demorest, l'Expression figurée et symbolique dans l'œuvre de Flaubert, 1931.

Au moment où *Madame Bovary* parut, la critique constata que depuis bien des années aucun romancier n'avait su imposer véritablement son œuvre à l'attention publique. Flaubert, au contraire, devint brusquement illustre grâce à ce livre : ce fut, a dit Baudelaire, un miracle,

« le léger et soudain miracle de cette petite provinciale adultère, dont toute l'histoire, sans imbroglio, se compose de tristesses, de dégoûts, de soupirs et de quelques pâmoisons arrachées à une vie barrée par le suicide ».

Il est douteux, quoi qu'en dise Baudelaire, que, sans le procès, *Madame Bovary* eût « créé le même étonnement et la même agitation ». Le procès eut pour effet surtout de consacrer le *réalisme* du roman. Les juges acquittèrent l'auteur. Ils furent indulgents à l'œuvre, mais condamnèrent le principe dont il leur parut qu'elle se réclamait : le réalisme. Ce mot et la doctrine qu'il commençait à peine à désigner furent comme accrochés à la personne de Flaubert. Une voix unanime le déclara chef d'école, et depuis on a renchéri sur ces affirmations; c'est maintenant un article de foi littéraire que *Madame Bovary* a été le point de départ d'une brusque évolution dans le roman et que son auteur incarne le réalisme et le naturalisme français.

C'est pourtant le biais le moins favorable sous lequel on puisse envisager l'ensemble de l'œuvre de Flaubert, et peut-être la vue la moins exacte à en donner. Baudelaire s'en était avisé, dès le premier moment; il prétendit, inutilement, préserver son ami de « l'injure dégoûtante » de *réalisme* et le révéler comme un vrai poète. Aujourd'hui qu'on peut lire les œuvres, naguère inédites, de la jeunesse de Flaubert, on en a la certitude. L'auteur de *Madame Bovary* n'est point du tout un réaliste au sens ordinaire que ce mot a pris dans le langage de la critique, et si l'on tient à l'employer, il faut y venir par des détours et le prononcer avec des réserves qui sont de conséquence.

GUSTAVE FLAUBERT. — CL. NADAR.

Si Flaubert a eu un maître, c'est Théophile Gautier, et par-delà Théophile Gautier, Victor Hugo; il a reçu d'eux la pure tradition du lyrisme romantique, ambitieux d'images grandioses, de sentiments exaltés et de vocables harmonieux. Sentir « comme un demi-dieu », écrire comme un poète musicien, voir, comprendre et montrer « la Beauté » comme un peintre ou un sculpteur, et pour cela épuiser toutes les ressources de « l'Art » — telles ont été toujours ses aspirations les plus impérieuses. Quant aux qualités d'observation et d'exactitude, à quoi se reconnaissent communément les écrivains réalistes, il n'en faisait point fi, mais elles n'ont jamais été pour lui que des mérites accessoires.

Jusque passé vingt ans, Flaubert fut un exemple admirable de la « maladie romantique », un cas étonnant, car il en rassemble tous les symptômes, et à l'état aigu. La sensibilité et l'imagination se sont développées chez lui à l'extrême; la faconde lyrique a débordé : sujets atroces, visions fantastiques, images apocalyptiques, âcre pessimisme, sentiment de la solitude, exaltation continue, intempérante emphase, voilà ce qu'offrent ses premières œuvres. Il ne se satisfaisait qu'en rêvant, et ces rêves — rêves d'Orient et d'Antiquité surtout — prirent chez lui une forme hallucinatoire, tant la vision de l'esprit se faisait précise, tant il savait voir et montrer les pays où il n'était pas allé, les temps où il n'avait pas vécu, qu'il évoquait seulement à travers les livres. Il exprimait un appétit

de jouissance, un désir de sentir, une ardeur de vivre que rien ne pouvait satisfaire. « Malheur à qui ne comprend pas l'excès ! » écrira-t-il un peu plus tard.

Ces ardeurs comprimées, cette perpétuelle excitation cérébrale, ces visions familières de volupté et de crimes, traversées par des périodes de dépression et de dégoût, aboutirent à une terrible crise; c'étaient là quelques-uns des symptômes d'une maladie nerveuse dont il pensa mourir. Il était nécessaire qu'il renonçât aux visions énervantes et dangereuses dont sa jeunesse s'était repue; « sanitairement parlant », les anciens sujets qui lui agréaient lui étaient interdits.

Il se fit alors une théorie d'art propre à son état, et où il sauva le plus qu'il put de ses vrais goûts. Ses sensations et ses observations, appliquées à des sujets moins personnels, lui permirent de se constituer une seconde vie, riche et aimable, infiniment supérieure à celle qu'il vivait réellement. L'art fut pour Flaubert un moyen d'oublier, un moyen de vivre. « Un livre, écrira-t-il plus tard en une formule saisissante, n'a jamais été pour moi qu'une manière de vivre dans un milieu quelconque. » Tout l'effort de ce poète tendit à se créer incessamment sa « vision intérieure », sa « vision poétique », très proche de l'hallucination proprement dite. Peu importaient les moyens de la produire; tous les sujets devenaient bons, ceux de l'antiquité comme les modernes; « il n'y a pas en littérature de beaux sujets d'art... Yvetot vaut donc Constantinople ». La circonstance déterminante d'un livre, ou plutôt de tout le monde de visions qui correspond à un livre, sera ici une banale histoire d'adultère, là une gravure grotesque ou un vitrail, ailleurs une page de Polybe. Ce qui compte surtout pour Flaubert, c'est le rêve exquis où il vit pendant qu'il compose, l'existence multiple et diverse qu'il se donne, les sensations fortes et complexes qui l'envahissent sans qu'il bouge de son cabinet de travail. Cette vision harmonieuse et belle, il n'espérait l'atteindre que par la toute-puissance du style, « le style étant à lui tout seul une manière de voir les choses ».

LA TENTATION DE SAINT ANTOINE

Il faut dire, en vérité, les Tentation, *car Flaubert en écrivit trois : la version de 1849, la version de 1856, la version de 1872, qui ont été publiées toutes les trois dans un même volume de l'édition Conard. Dès sa jeunesse, Flaubert avait esquissé des compositions mythiques qui ont quelque analogie avec la future* Tentation; *on peut y noter l'influence du second* Faust. *L'idée précise lui en fut donnée, en 1845, par un tableau de Breughel, qu'il vit à Gênes. Il l'écrivit en 1848-1849 et renonça à le publier, sur l'avis de Louis Bouilhet et de Maxime Du Camp. Après avoir publié* Madame Bovary, *il y revint à nouveau (1856); cette seconde rédaction a été publiée à part en 1908, sous ce titre : la Première Tentation de saint Antoine (édition Fasquelle). Flaubert en avait fait paraître quelques fragments dans l'Artiste, en 1856-1857. Après l'Éducation sentimentale, il reprit son*

LA TENTATION DE SAINT ANTOINE. Gravure de Jérôme Cock, d'après une peinture attribuée à Pierre Breughel le Vieux (B. N., Cab. des Estampes). — CL. LAROUSSE.

œuvre et la récrivit complètement (1869-1872). Il la publia en avril 1874. Édition R. Dumesnil, 1940 (excellente introduction et notes).

Ce n'est pas l'œuvre la plus populaire de Flaubert; c'est bien certainement la plus significative : aucun de ses autres livres n'illustre mieux sa conception de l'art. C'est seulement dans *la Tentation de saint Antoine* qu'il a pu se livrer à ces « éperdûments de style », à ces « gueulades lyriques » où il voyait le plus sûr moyen de se donner les voluptés d'esprit qu'il souhaitait. Jamais il n'en a été content; il l'a écrite entièrement trois fois — sans parler des ébauches; il y a songé pendant trente ans; bien avant de la commencer, il s'était déjà préparé, par des essais d'intention fort semblable, à traiter un pareil sujet. Il est donc aisé de retrouver dans les différentes rédactions de *la Tentation* toute la vie intellectuelle de Flaubert de 1849 à 1874, les progrès de sa méthode et l'affermissement de son style. On voit d'abord un auteur exubérant et lyrique — bien semblable au collégien romantique qu'il avait été quelques années auparavant —, peu soucieux de s'informer avec exactitude, entraîné par son goût vers des entassements d'images surprenantes, fantastiques. Puis le flot se calme; les descriptions et les tableaux s'ordonnent; ils sont composés plus artistiquement, avec une sobriété relative des détails; la documentation s'accumule, et elle n'est pas sans valeur.

Mais ce n'est pas un livre d'histoire que Flaubert a voulu écrire. Cette œuvre, la plus chère, a été avant toute chose, pour lui, le moyen de rassembler ses rêves sur le vieil Orient. Revue de toutes les anciennes formes religieuses, cortège de tous les hérésiarques, défilé des idoles les plus étranges, apparition d'Hélène et de la reine de Saba, pullulement d'animaux fantastiques, vision de luxures frénétiques, incarnation de Satan : c'est une perpétuelle évocation du passé, comme pouvait la recréer une imagination exaltée qui s'excitait dans son exaltation et qui était douée d'une merveilleuse puissance de se traduire visiblement. On comprend que Flaubert méprisât son siècle, trop pauvre en émotions, bon seulement, pensait-il, pour « satisfaire l'imagination d'un feuilletoniste de dernier ordre ».

Il a traduit aussi dans ce livre sa philosophie, désespérée depuis sa jeunesse. Cette revue des religions à laquelle s'intéressa Renan, ce récit des tentations de saint Antoine — tentations de la chair et de l'esprit —, c'est le cycle des désillusions de l'humanité. Flaubert a exprimé là, avec une tristesse somptueuse dans l'expression, ce qu'il pensait de la sottise de toutes les religions et de la fragilité de toutes les philosophies. Plus tard, dans *Bouvard et Pécuchet*, il s'en prendra à la science moderne, si orgueilleuse, à ses méthodes et à ses conclusions, et ce sera le même effort critique d'un esprit qui se sent obligé, par une force intérieure, de ruiner toutes les grandes créations de l'esprit humain. Satan emporte Antoine en plein ciel et le saint jouit un moment de sentir son intelligence, qui embrasse l'harmonie du monde et la comprend. Mais le diable, aussitôt, le désole : « Il n'y a pas de but... Il y a l'Infini, et c'est tout... Les choses ne t'arrivent que par l'intermédiaire de ton esprit... Tout moyen te manque pour en vérifier l'exactitude... La Forme est peut-être une erreur de tes sens, la Substance une imagination de ta pensée. A moins que, le monde étant un flux perpétuel des choses, l'apparence, au contraire, ne soit tout ce qu'il y a de plus vrai, l'illusion la seule réalité. » Renan, à la même époque, vers 1875, disait les mêmes choses en souriant; Leconte de Lisle trouvait dans ces pensées un baume à la douleur de vivre; mais ce néant désespère Antoine, comme il désespérait Flaubert. Le saint ne parvient finalement à la joie qu'en se plongeant dans la matière, en s'imaginant vivre de la vie universelle; — c'était un miracle que Flaubert réalisait quotidiennement, grâce à son effort d'art.

LES ROMANS MODERNES : MADAME BOVARY, L'ÉDUCATION SENTIMENTALE, UN CŒUR SIMPLE

L'idée de Madame Bovary *a été donnée à Flaubert, en septembre 1849, par Bouilhet et Maxime Du Camp; ceux-ci lui conseillèrent d'abandonner la* Tentation *et de prendre pour sujet une aventure réelle arrivée près de Rouen, peu de temps auparavant. Au retour du voyage d'Orient, Flaubert entreprit son roman, qu'il écrivit de septembre 1851 à avril 1856 (*Madame Bovary, Ébauches et fragments inédits, *2 vol., 1936; nouvelle version d'après les manuscrits, par J. Pommier et G. Leleu, 1949). Il parut dans la* Revue de Paris *(octobre-décembre 1856), et fut l'objet de poursuites. Le procès eut lieu le 31 janvier 1857, et Flaubert fut acquitté le 7 février; le roman parut en librairie le 7 avril. Voir R. Dumesnil,* la Publication de Madame Bovary, *1928.*

*L'*Éducation sentimentale, *histoire d'un jeune homme, commencée à la fin de 1863, écrite de septembre 1864 à mai 1869, a paru en novembre 1869; elle n'a rien de commun avec le roman de 1845, bien que, comme lui, elle contienne de nombreuses pages autobiographiques; Flaubert y transpose notamment les souvenirs de son grand amour de jeunesse pour Mme Schlésinger. Il y analyse les façons de penser et de sentir de sa* *génération. Édition R. Dumesnil, 1942. Voir : Gérard-Gailly, Flaubert et les fantômes de Trouville, 1930; — l'Unique Passion de Flaubert, 1932; R. Dumesnil, l'Éducation sentimentale, 1936.*

Un cœur simple *a été écrit de février à août 1876, publié dans le* Moniteur *en avril 1877, et, le même mois, dans les* Trois Contes. *Flaubert s'est inspiré, pour l'écrire, des aventures réelles d'une servante de sa grand-tante, M*ᵐᵉ *Allais.*

Sur le réalisme des romans modernes de Flaubert, on peut passer vite, car on s'en avise à la première lecture. Le souci de la réalité est constant. Il n'y a guère de passage dans *Madame Bovary* où un lecteur, même prévenu, puisse signaler un délit d'exagération. Lisons les scénarios successifs où l'auteur écrit son plan, chaque fois amélioré; voyons les esquisses topographiques qu'il dessinait pour bien régler les entrées et les sorties de ses personnages; nous serons vite assurés du scrupule avec lequel la suite des événements et leur vraisemblance ont été ménagées. Aussi bien Flaubert a-t-il toujours retracé dans ses romans modernes des aventures réelles. *Madame Bovary*, notamment, reproduit, dans presque toutes ses péripéties, un authentique fait divers; on a reconstitué l'état civil des deux femmes de Charles Bovary et rappelé les aventures d'une autre femme, qui enrichirent cette destinée; on a nommé le clerc de notaire qui donna le modèle du personnage de Léon, et de même les trois ou quatre personnages que Flaubert a sans doute fondus pour composer le portrait de Rodolphe; on a retrouvé le voiturier de *l'Hirondelle* et la petite bonne de Mᵐᵉ Bovary. Flaubert n'a point inventé la biographie de ses héros; il les a fait vivre et mourir à peu près exactement comme les personnages originaux. *Madame Bovary, l'Éducation, Un cœur simple* sont, en ce sens, des manières de romans à clefs. En outre, les épisodes secondaires ont été « vus » par Flaubert d'après la réalité; il avait ses tiroirs pleins de renseignements; quand il ne trouvait point ce qu'il voulait, il se lançait à la chasse du document et il y associait ses amis. Il consultait un avocat sur les embarras financiers de Mᵐᵉ Bovary, il s'informait sur les pieds bots, sur les effets de l'arsenic, sur le rituel funèbre, etc. La soif de la documentation a été, très vite, chez lui, une sorte de besoin physique. Grâce à ce travail, il arrivait à donner à ceux de ses personnages qu'il imaginait le même caractère de réalité qu'à ceux qu'il avait transportés directement de la vie dans le roman.

Il n'est pas exagéré de dire que Flaubert a conçu l'activité littéraire, dans ses modes sinon dans son principe, comme fort semblable à l'activité scientifique, telle qu'elle se manifestait de son temps dans les sciences de la nature. Pour créer l'illusion d'art, pour lui donner l'objectivité nécessaire, il recourut à l'observation méthodique. Il a constitué préalablement, pour chacun des acteurs de *Madame Bovary*, une sorte de fiche médicale relatant ses antécédents héréditaires et personnels, les manifestations symptomatiques de son tempérament, ses maladies successives et les reliquats de ces maladies. Il procède comme s'il s'agissait d'une étude physiologique. Homais est un exemple remarquable de cette méthode;

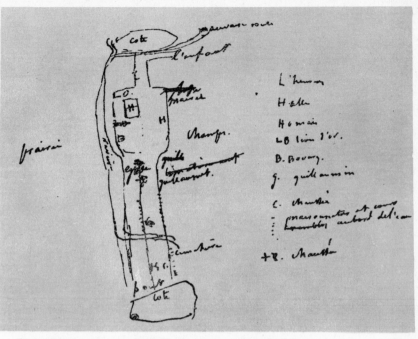

PLAN D'YONVILLE esquissé par Flaubert pour « Madame Bovary ». — CL. LAROUSSE.

Flaubert a fondu en lui les traits qu'il avait recueillis un peu partout sur la demi-instruction du bourgeois de province, sur sa solennité satisfaite; il en a fait un cas type. « Tout ce qu'on invente est vrai, assure-t-il; la poésie est une chose aussi précise que la géométrie... Ma pauvre Bovary sans doute souffre et pleure dans vingt villages de France à cette heure même. » Et il généralise : « Plus l'art ira, plus il sera scientifique. La littérature prendra de plus en plus les allures de la science. »

Cette méthode est commandée par des tendances générales. Flaubert ne met pas en doute la prédominance du physique sur le moral, la toute-puissance des causes extérieures, le rôle des hasards, l'action du vent qui se lève, l'excitation d'une matinée de printemps, l'impulsion d'une rencontre, la pression sur l'individu du milieu social auquel il appartient. La destinée d'Emma Rouault est décidée par ses antécédents, par la lente poussée des événements; le dénouement ne pouvait être autre qu'il n'est, d'autant plus que Flaubert ne l'imaginait pas, et qu'il s'est surtout appliqué à le rendre plus normal, en éliminant toutes les circonstances qui n'expliquent rien, qui ne joignent pas les « résultats » aux « causes ».

Son œuvre tout entière, les romans modernes comme les romans antiques, enferme des conclusions latentes, que l'on ne peut pas ne pas voir. Tout le travail de sa pensée a amené Flaubert à prendre une certaine attitude à l'égard de la vie : il a peur de vivre, la vie le dégoûte, et, en même temps, elle le passionne; toute notre activité, que nous ne dirigeons point vraiment, lui paraît douloureuse et stérile. Il développe avec une particulière passion les scènes qui montrent l'homme livré à ses instincts d'animal, et celles qui amènent à réfléchir du fragilité du mécanisme social : la religion, l'appareil des lois, la constitution de la famille offrent une façade solennelle; mais ces belles constructions ne sont point du tout adaptées aux conditions réelles de l'existence. Cette analyse et ces conclusions se manifestent partout; l'abbé Bournisien n'est pas seulement un portrait de curé, ni Homais seulement un type de pharmacien; les comices d'Yonville ne sont pas qu'un épisode descriptif : c'est de la caricature sociale; et ces personnages ou cette scène tirent surtout leur valeur de ce qu'ils expriment les rancœurs de Flaubert, ses aspirations d'anarchiste intellectuel.

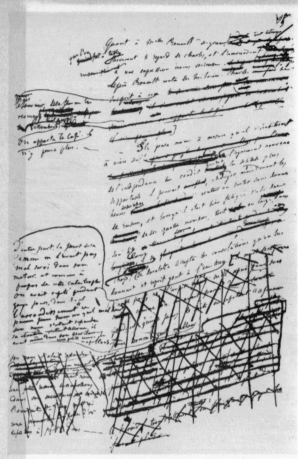

UNE PAGE du manuscrit définitif de « Madame Bovary ».
CL. LAROUSSE.

Tout le temps qu'il composa *Madame Bovary*, il ne cessa de se plaindre; il se comparait à un clown qui essaye un tour de force. La plus vive de ses plaintes n'est pas sur la qualité du sujet, ni sur la vulgarité des aventures. Son vrai grief, c'est qu'il ne peut plus se livrer à ces orgies de style qu'il a tant aimées. Les sujets modernes, il le voit bien, requièrent un style spécial; après avoir longtemps cherché, il trouve ce style. « J'aurai fait du *réel écrit*, dit-il, ce qui est rare. »

Ce n'est pas seulement par des images, par des comparaisons que Flaubert restitue à son livre la dignité d'art; style et pensée sont tout un pour lui. Telle description, tel récit lui paraissent tout d'un coup pleins d'une poésie que ses médiocres héros ne peuvent soupçonner : il dit cette poésie; il rêve, et il dit son rêve. Lorsque Emma vit par l'imagination sa fuite amoureuse toute prochaine, elle la pare du prestige des visions exotiques qui avaient transporté l'adolescence de Flaubert. Au moment où Rodolphe va l'enlever — du moins elle le croit —, la pauvre femme aspire les sensations qui montent de la nuit; cette émotion n'est pas tout à fait un hors-d'œuvre, mais elle traduit une vision de nuit d'automne qui n'appartient qu'à Flaubert. C'est pour de tels passages, et ils sont nombreux, que Flaubert a écrit *Madame Bovary* : grâce à cet effort de style, « artiste », il obtenait cette sensation violente de la réalité, à la fois fort précise et pittoresque, à laquelle tendait tout son travail intellectuel.

LES RÊVES ANTIQUES : SALAMMBO, LA LÉGENDE DE SAINT JULIEN L'HOSPITALIER, HÉRODIAS

Flaubert songea de très bonne heure à chercher un sujet dans l'Orient antique; son voyage d'Orient semble avoir précisé son dessein. En 1857, il commença à écrire

un roman, qui devait s'appeler Carthage; *mal satisfait de ses ébauches, il fit un voyage en Tunisie (avril-juin 1858) et recommença tout son travail, qu'il termina en avril 1862.* Salammbô *parut en novembre 1862. La documentation de Flaubert a été étudiée plusieurs fois, notamment par L.-F. Benedetto,* le Origini di Salammbô, *1921; P. Martino,* Notes sur le voyage de Flaubert en Tunisie (Mélanges Vianey, *1934).*

La Légende de saint Julien l'hospitalier *semble avoir été inspirée par un vitrail de la cathédrale de Rouen, ou de l'église de Caudebec-en-Caux. Flaubert songea à l'écrire en 1847, l'entreprit en 1856, l'acheva en 1875-1876, la publia dans le* Bien public, *en avril 1877, et le même mois dans les* Trois Contes.

Hérodias *semble avoir été inspiré, très anciennement, par une sculpture de la cathédrale de Rouen; il a été écrit en 1876-1877, et publié dans les* Trois Contes.

Salammbô et *Hérodias* sont deux ouvrages étroitement apparentés, comme inspiration et comme procédés, avec *la Tentation de saint Antoine* : c'est toujours son rêve antique que Flaubert a cherché, sous ces diverses formes, à rendre visible. Mais ces œuvres ont été conçues et écrites après *Madame Bovary*. Il y paraît; l'espèce de discipline « réaliste » à laquelle l'auteur s'était soumis, pendant huit ans, a porté ses fruits. Le dessin, certes, est resté exubérant; les descriptions s'entassent toujours; mais ce n'est plus le chaos tumultueux et fulgurant de la première *Tentation*. Il semble bien que le souci grandissant du document ait commandé ces préoccupations nouvelles d'ordre, de clarté et de proportions.

Le labeur de Flaubert, pour écrire *Salammbô*, fut bien ce qu'il a dit : énorme; il inspire le respect aux érudits. Sa volonté de s'informer à fond fut admirable; la vérification minutieuse qu'on a faite de ses lectures montre qu'il a lu à peu près tout ce qu'on pouvait lire, à cette époque, sur Carthage, et aussi qu'il a interprété ses textes, parfois obscurs, de façon fort ingénieuse. Ce travail de contrôle est d'ailleurs nécessaire à qui veut bien comprendre les intentions mythiques et symboliques de Flaubert, et un commentaire de *Salammbô* est souvent utile à ceux qui ne sont pas fort instruits en mythologie antique et orientale. Les progrès récents des études archéologiques n'ont pas détruit la partie essentielle de la reconstruction religieuse que Flaubert a tentée : le prestige, dans les croyances carthaginoises, du couple Tanit-Baal, l'élément femelle et l'élément mâle, dont Salammbô et Mathô ne sont que des incarnations terrestres. Les péripéties de leur vie sont celles mêmes de la lutte entre les deux divinités de Carthage, du combat entre l'esprit de civilisation et l'esprit de barbarie. Tous deux aussi, ils incarnent l'amour comme Flaubert pense que le veulent les pays d'Orient, violent, sensuel, brutal, et cependant raffiné et mystique, fatal jusqu'à faire mourir.

Les descriptions de Flaubert, si somptueuses et si fondues au point de vue artistique, sont de vraies mosaïques de textes, dont la bigarrure a de quoi déconcerter un lecteur qui ne serait préoccupé que de vérité archéologique. Toute la Méditerranée antique et plusieurs siècles d'histoire ont été mis à contribution pour dresser une image pittoresque et vivante de Carthage. Aussi bien Flaubert avait-il voulu peindre, à propos de Carthage, tout l'Orient antique, sans limitation de temps ni de lieux, le « vieil Orient fabuleux » de ses rêves. Un tumulte de dieux, les uns tout spiritualisés, les autres encore semblables aux effroyables idoles primitives; des superstitions grossières à côté de croyances épurées; une civilisation brutale et luxueuse, où s'étalent des contrastes de toute sorte : la cruauté bestiale à côté des élans mystiques, la débauche la plus forcenée voisine des plus ardents ascétismes; des villes qui sentent « l'encens et l'urine »; des femmes à la

L'APPARITION, par Gustave Moreau.

Cette aquarelle fut exposée au Salon de 1876, année où Flaubert commença son « Hérodias ».

Musée du Louvre, Cabinet des Dessins.

chair froide, parées de bijoux, exhalant des parfums violents, impassibles, et pourtant secouées, à de certains moments, par l'amour le plus luxurieux... Ce n'est pas la guerre des Mercenaires qu'il conte, mais la guerre antique tout entière, avec ses divers modes de stratégie, avec sa sauvagerie jamais lassée. Ce n'est point le siège de Carthage qu'il décrit, mais le siège antique, avec toutes ses péripéties, toutes ses machines de guerre, toutes ses surprises. Plus il pouvait incorporer à sa vision de Carthage ce qu'il savait de tout l'Orient et de toute l'antiquité, plus il la sentait *vraie*.

De là, quelquefois, cette sensation de *trop*, que donnent certains chapitres; ce qui est excessif, dans *Salammbô*, c'est l'amoncellement des données historiques et archéologiques que Flaubert n'a pas pu, ou n'a pas voulu muer en poésie; ce sont les passages où il a donné faussement l'impression qu'il voulait atteindre la vérité de l'histoire, et non pas celle de l'art. L'érudition n'a jamais été pour lui, au fond, qu'un excitant, au pire un succédané de l'inspiration; et l'on ne sert nullement sa gloire quand on veut faire de l'auteur de *Salammbô* un historien, et un archéologue, alors qu'il a été bien mieux, un des plus grands artistes qui aient su — en s'aidant de l'archéologie et de l'histoire — nous faire rêver sur le passé.

SALAMMBO. Composition de Poirson, gravée par Mme Louveau-Rouveyre, pour l'édition de « Salammbô » parue en 1887 chez Quantin.
CL. LAROUSSE.

BOUVARD ET PÉCUCHET : FLAUBERT ET LE NATURALISME

Bouvard et Pécuchet, comme la Tentation, a occupé l'esprit de Flaubert pendant de nombreuses années. Cette œuvre a un rapport étroit avec le Dictionnaire des idées reçues, que Flaubert avait commencé avant 1850, et qui devait être un dossier de la bêtise humaine, surtout sous sa forme moderne et bourgeoise; il a été publié en appendice à Bouvard et Pécuchet (édition Conard), et isolément par Ferrère (1913). Le roman des expériences intellectuelles de Bouvard et de Pécuchet occupa Flaubert de 1872 à sa mort; il resta inachevé, fut publié dans la Nouvelle Revue en 1880-1881, et en volume en 1881; édition R. Dumesnil, 1945. Flaubert s'était imposé une documentation formidable; il voulait examiner les catégories successives des connaissances humaines, telles que le XIXe siècle les avait élaborées; il comptait tirer de cet examen une sorte de scepticisme supérieur. Voir : R. Descharmes, Autour de Bouvard et Pécuchet, 1921; R. Demorest, A travers les plans, manuscrits, dossiers de Bouvard et Pécuchet, 1931.

Flaubert a tenu à marquer sa place en dehors de l'école naturaliste, au moment même où celle-ci se réclamait de lui. « J'exècre, écrivait-il, tout ce qu'on est convenu d'appeler le réalisme, bien qu'on m'en fasse un des pontifes. » Il ne s'est jamais dit réaliste; il n'a jamais admis le naturalisme. Sa préoccupation dominante du beau style en prose n'était, il le voyait bien, celle d'aucun des naturalistes, pas même de Maupassant, qui se disait son disciple; du « réel écrit » de Flaubert, ils n'ont gardé que le réel. Certes on trouve dans la correspondance du maître de belles louanges adressées aux Goncourt, à Daudet, à Zola; il était reconnaissant aux jeunes qui le vénéraient, et il avait l'amitié enthousiaste. Mais cette sympathie pour les œuvres et les auteurs ne le rendit jamais tendre à la doctrine. Il se fâchait tout à fait, quand on lui parlait de *son école* : « Les naturalistes, proclamait-il, recherchent tout ce que je méprise et s'inquiètent médiocrement de ce qui me tourmente. Je regarde comme très secondaire le détail technique, le renseignement local, enfin le côté historique et exact des choses. Je recherche par-dessus tout la beauté, dont mes compagnons sont médiocrement en quête. Je les vois insensibles, quand je suis ravagé d'admiration ou d'horreur... Je tâche de bien penser *pour* bien écrire. Mais c'est bien écrire qui est mon but, je ne le cache pas. »

Il jugea la doctrine naturaliste énorme, puérile »; il dénonça à ses amis « l'aplomb » de Zola, son « inconcevable ignorance ». L'identification de la littérature et de la science, qui est le principal article du credo naturaliste, lui parut une absurdité, précisément une de celles qu'il poursuivait dans *Bouvard et Pécuchet*. Il aime à s'informer par des procédés analogues à ceux de l'investigation scientifique, il aime l'esprit de rigueur et de précision que l'on gagne au contact des sciences; mais il ne prend pas ces analogies pour des réalités. Agacé par tout ce qu'il entendait dire dans le milieu de ses jeunes amis, il finit même par prendre en grippe cette *Madame Bovary*, dont le naturalisme faisait sa bible. Il déclara, au grand scandale de Zola, qu'il regrettait son œuvre; il assura qu'il rêvait d'un coup de bourse gigantesque, qui lui eût permis de retirer tous les exemplaires en vente et de les détruire. Zola consterné dut s'avouer que le maître n'avait « pas eu conscience de son œuvre », qu'il n'avait ni prévu, ni désiré le naturalisme.

La vraie conclusion de Flaubert, sur cette question, c'est l'œuvre du romancier qu'il a formé, son fils intellectuel, Maupassant. Or, dès 1879, avant *Boule de Suif*, Maupassant faisait bande à part. Pendant dix ans, Flaubert lui avait appris à bien écrire et à observer minutieusement. Il lui avait communiqué ses jugements désabusés, sa très âpre philosophie; mais le souci du style ne tourna pas chez le disciple à l'obsession, non plus que le besoin de documentation. Or, il est bien possible que Maupassant soit le plus naturaliste des romanciers. A ce compte, Flaubert aurait lui-même reconnu cette paternité, qu'il détestait devant un Zola ou un Huysmans.

Mais son œuvre est plus grande, plus féconde que n'a été son influence sur plusieurs générations de romanciers. Flaubert s'est mis tout entier dans tous ses livres; il y a enfermé tout ce qui l'attachait à l'existence : sa réflexion éveillée jeune et devenue une admirable intelligence, son observation « artiste » et pittoresque de l'univers, son amour de la vie d'autrefois, son sens de la vie moderne, ses méditations sur les promesses et les limites de la science. L'œuvre de Flaubert rassemble, réalisées en une belle vision artistique, toutes les manières essentielles de penser et de sentir du XIXe siècle, toutes ses ardeurs, ses affirmations et ses inquiétudes. Cela explique qu'elle soit, entre autres choses, la plus précieuse expression de son réalisme et sa forme la plus robuste.

LES GONCOURT

Edmond de Goncourt est né à Nancy le 26 mai 1822 et mort à Champrosay le 16 juillet 1896; Jules de Goncourt naquit à Paris le 17 décembre 1830 et y mourut le 20 juin 1870. Mis en 1848 en possession d'une fortune qui leur permit de vivre selon leurs goûts, les deux frères apprirent avec ardeur le métier de peintre; ils firent plusieurs voyages d'études en France, en Algérie, en Belgique, en Italie. Ils songèrent à faire du théâtre et publièrent en 1851, le jour du coup d'État, un roman fantaisiste, En 1851 (réimprimé en 1884). Un article inoffensif, où ils citaient des vers galants du XVIe siècle, les mena devant le tribunal de police correctionnelle, qui les acquitta (19 février 1853). Leur curiosité se tourna vers les études d'histoire (Histoire de la société française pendant la Révolution, 1854; pendant le Directoire, 1855; Sophie Arnould, 1857; Portraits intimes du XVIIIe siècle, 1857-1858; Histoire de Marie-Antoinette, 1858; l'Art du XVIIIe siècle, 1859-1875; les Maîtresses de Louis XV, 1860; la Femme au XVIIIe siècle, 1862, etc.). Ils reviennent au roman avec les Hommes de lettres, 1860, réédités en 1868 sous le titre de Charles Demailly, roman autobiographique et à clefs (pièce de théâtre, 1892). Ils publient ensuite Sœur Philomène, 1861, qui est une histoire d'hôpital; Renée Mauperin, 1864, qui avait dû s'appeler la Jeune Bourgeoisie, étude psychologique sur la jeunesse contemporaine; Germinie Lacerteux, 1865, le plus réaliste de leurs romans (pièce de théâtre, 1888); Manette Salomon, 1867, qui devait d'abord s'appeler l'Atelier Langibout, étude du monde des rapins (pièce de théâtre, 1896); Madame Gervaisais, 1869, étude d'une névrose religieuse. Les deux frères donnèrent au théâtre Henriette Maréchal (5 décembre 1865), qui détermina une véritable émeute, plus politique que littéraire, et écrivirent une pièce, la Patrie en danger (1873), qui ne put être jouée qu'en 1889.

Six ans après la mort de Jules de Goncourt (1870), son frère reprit son activité littéraire; il publia la Fille Élisa (1877), étude sur la prostitution et le milieu des prisons (pièce de théâtre, 1890); les Frères Zemganno (1879), livre en grande partie autobiographique (pièce de théâtre, 1890); la Faustin (1882), étude d'une âme de comédienne; Chérie (1884), « étude psychologique et physiologique de jeune fille », enfin diverses études sur l'art et les actrices du XVIIIe siècle, sur l'art japonais, qu'il a beaucoup contribué à faire connaître.

Les Lettres de Jules de Goncourt ont été publiées en 1885; les Idées et sensations (1866), les Pages retrouvées (1886), les Préfaces et manifestes littéraires (1888), résument les théories littéraires des deux frères. Edmond de Goncourt a publié (1887-1892; rééd. 1935) une partie du Journal qu'il avait commencé à rédiger avec son frère en 1851 et qu'il continua jusqu'à sa mort; une autre partie, confiée à la Bibliothèque nationale pour être publiée en 1916, n'a pu encore voir le jour; elle contient, après la « vérité agréable » des volumes publiés, l' « autre vérité ».

En 1921, l'Académie des Goncourt, fondée par le testament d'Edmond, a commencé à publier une édition définitive des œuvres des Goncourt.

Voir : A. Delzant, les Goncourt, 1889; P. Sabatier, l'Esthétique des Goncourt, 1920; F. Fosca, E. et J. de Goncourt, 1941; P. Sabatier, Germinie Lacerteux, 1948.

Les Goncourt sont venus au roman par l'histoire. Ils ne connurent pas, d'abord, de meilleur emploi de leur activité que d'écrire des monographies sur la société du XVIIIe siècle, ses arts et ses mœurs, ses habitudes de vie, son mobilier, le décor de ses appartements, etc. Il fallait, pour y parvenir, une énorme documentation, une recherche obstinée du détail précis. Ces habitudes d'esprit et de travail, les Goncourt les transportèrent de l'histoire au roman. Ils n'établirent point entre ces deux modes d'activité de différences autres que celles qui étaient commandées par la nature des sujets et les conditions de la documentation. Mais leur goût du document avait surtout pour objet de satisfaire une sorte d'inquiétude nerveuse, d'impressionnisme maladif; il leur fallait trouver du nouveau incessamment, de l'étrange au besoin, des impressions qui pussent ranimer une sensibilité de bonne heure mise en jeu et vite émoussée.

« L'histoire est un roman qui a été, le roman est de l'histoire qui aurait pu être... Le roman est la seule vraie histoire, après tout » : telles sont les formules les plus exactes qui résument leur conception. La seule épithète qui convienne au roman, tel qu'ils l'ont compris, c'est celle de *documentaire*. Chacune de leurs œuvres montre un des compartiments de la société moderne, tantôt des groupements restreints, tantôt toute une classe : le monde des hommes de lettres ou celui des artistes, les habitants d'un hôpital, les milieux catholiques, la jeune bourgeoisie, les classes populaires, etc. Les deux frères ont d'ailleurs préféré, par goût, les cas anormaux : histoires de détraquement intellectuel, névrose religieuse, hystérie. Et c'est ainsi que la conception historique du roman rejoint, chez eux, la conception scientifique, qui a été celle de Flaubert par moments, celle de Taine, et plus tard celle de Zola. Presque tous les romans qu'ils ont publiés de 1860 à 1870 sont des monographies d'une des formes du détraquement humain. « Les premiers, ont-ils dit, nous avons été les historiens des nerfs. »

Pour écrire ces romans documentaires, ils ont, le plus souvent, transporté dans leurs œuvres des faits authentiques et ils nous ont eux-mêmes, très minutieusement, renseignés sur les aventures originales qu'ils ont utilisées. En outre, quand ils avaient un projet de livre en tête, les deux frères devenaient des enquêteurs bien plus ardents encore que Flaubert, moins vite satisfaits, s'en remettant moins aux livres. Ils avaient, d'ailleurs, un trésor toujours à leur portée, leur *Journal*, où ils pouvaient puiser des

EDMOND ET JULES DE GONCOURT. Lithographie de Gavarni (1853). — CL. LAROUSSE.

documents recueillis dès longtemps à tout hasard : visites, conversations, coupures de journaux, faits divers, anecdotes, mots d'esprit, expressions populaires, gestes, attitudes, etc.; c'était « le cahier documentaire de leurs romans futurs ».

Aussi leur œuvre a-t-elle été une réalisation complète des aspirations réalistes avant 1870, si complète qu'il n'a pas été besoin de la réviser quinze ans plus tard, aux plus beaux temps du naturalisme. *Germinie Lacerteux*, en particulier, fut d'un remarquable exemple; c'est le jour où cette œuvre parut que Zola vint à eux. Ils n'eurent pas, sur le moment, grande influence, faute de succès, et aujourd'hui on s'intéresse plus à leur personne qu'à leur œuvre, à leur style qu'à leurs fictions, à leur japonisme qu'à leur réalisme; on lit certainement plus leur *Journal* que *Renée Mauperin* ou que *Germinie Lacerteux*. Leur conception

EUGÈNE FROMENTIN. Crayon par lui-même (1843). — CL. LAROUSSE.

du roman n'a jamais été appréciée, même dans le milieu naturaliste, comme elle avait droit à l'être. Jules de Goncourt avait pourtant assez raison quand, un peu avant sa mort, il disait : « *Germinie Lacerteux* est le livre type qui a servi de modèle à tout ce qui a été fabriqué sous le nom de réalisme, naturalisme. »

LE ROMAN PERSONNEL : EUGÈNE FROMENTIN

Eugène Fromentin est né à La Rochelle le 24 octobre 1820. Il fut élève du lycée de la ville. A dix-sept ans, il éprouve une grande passion pour une amie d'enfance, qui devait mourir en 1844 et qui, plus tard, lui inspirera Dominique. *Il fait ses études de droit à Paris (1839-1843) et s'intéresse fort à la littérature. Sa famille le poussait vers une carrière juridique : il voulait être peintre ; il finit par l'emporter; il expose au Salon à partir de 1847. Il fait trois voyages en Algérie (mars-avril 1846, octobre 1847-mai 1848, novembre 1852-octobre 1853). Il publie dans la Revue de Paris (juin-décembre 1854), puis en volume (février 1857), une partie du journal de son troisième voyage, sous ce titre :* Un été dans le Sahara *(réédité en 1874 avec une préface). Il donne à l'Artiste (juillet-août 1857) de nouveaux fragments de son journal (réédité par P. Martino en 1910) et en publie intégralement la deuxième partie dans la Revue des Deux Mondes (novembre-décembre 1858), et en volume (mars 1859), sous ce titre :* Une année dans le Sahel. *En 1862, il donne à la Revue des Deux Mondes (avril-mai) son unique roman,* Dominique, *publié en volume en janvier 1863. A partir de cette date, il paraît renoncer à la littérature et s'adonne surtout à son métier de peintre. Il fait des voyages en Égypte, en Italie, en Belgique et en Hollande. Ce dernier voyage (juillet 1875) lui inspire les* Maîtres d'autrefois, *parus dans la Revue des Deux Mondes (janvier-mars 1876), puis en volume (mai 1876). Il meurt à Saint-Maurice, près de La Rochelle, le 27 août 1876. On a rassemblé en deux volumes ses* Lettres de Jeunesse *(1909) et sa* Correspondance *(1912), avec commentaire biographique par P. Blanchon;* Voyage en Égypte, *1935.*

Voir : P. Martino, Fromentin, essai de bibliographie critique, 1914; V. Giraud, Eugène Fromentin, 1905; L. Gonse, Eugène Fromentin, peintre et écrivain, 1881; P. Dorbec, Eugène Fromentin, 1926; Mlle C. Reynaud, la Genèse de « Dominique », 1937.

L'œuvre littéraire de Fromentin se compose de deux petits volumes d'impressions de voyage et d'un roman, publiés à de courts intervalles dans un espace de six ans; puis il se tut et il ne donna plus au public qu'un volume de critique d'art, quelques semaines avant sa mort. Ce silence étonne : Fromentin avait manifesté un talent auquel les meilleurs critiques firent un accueil enthousiaste; *Dominique* en donne l'explication. Comme Fromentin, le héros du livre, Dominique de Bray, a publié deux œuvres qui ont eu un vrai succès; il examine ce qu'il y a de « légitime » dans ce succès; il se juge « distingué et médiocre » et il décide de se taire. Cette extraordinaire sévérité dans le jugement de soi-même, où se révèlent toute la noblesse d'un beau caractère et les défiances d'une haute intelligence, explique comment Fromentin a pu s'interdire ainsi ce métier d'écrivain auquel il s'était si passionnément préparé dès sa jeunesse; il jugea médiocre un résultat que d'autres eussent estimé magnifique. La seule chose qui parut lui importer fut d'analyser, à un moment où l'âge mûr le transformait, toute la sensibilité de ses années de jeunesse. Après *Dominique*, il estima n'avoir plus rien à dire.

Dominique ne vieillit point, ou bien peu; il est tout au plus marqué de cette première vieillesse qui signale seulement une distance, une séparation un peu plus accusée entre un homme encore vigoureux et ceux de la génération qui le suit, et qui permet de s'étonner précisément de ce qu'il garde encore de jeunesse, malgré son âge. Il ne vieillira pas beaucoup plus. L'histoire qu'il raconte n'est presque pas datée; les lieux où elle s'est passée sont rarement dessinés; autour de quelques moments d'émotion, le paysage a été sobrement tracé, de façon à s'harmoniser avec l'émotion de ceux et de celles qui le contemplaient en ces minutes plus vives de leur joie ou de leur souffrance. Mais il n'y a point de ces tableaux de mœurs, peinture de la société parisienne ou de la vie provinciale à une certaine date, qui démodent si vite les romans. La sobriété des descriptions, la discrétion dans l'aveu du sentiment, la pudeur de l'émotion, la chasteté du souvenir amoureux, tout tend à rendre cette œuvre classique, si l'on appelle classiques les œuvres qu'une expression générale et abstraite de manières de voir et de sentir éternelles rend faciles à comprendre pour les générations successives.

Dominique, c'est l'histoire d'une vie manquée, d'une vie où il ne se passe rien. Un jeune homme aime une jeune fille sans le lui dire; elle en épouse un autre. Pendant des années, la passion du jeune homme grandit; la jeune femme la devine et elle s'y prend : au moment où le roman commencerait pour d'autres héros et pour un autre écrivain, il s'achève. Après l'aveu, Dominique et Madeleine s'éloignent à jamais; Dominique enterre son existence dans un petit village; il n'est plus question de Madeleine. Mais, dans cette simple histoire d'un jeune homme qui n'épouse pas la jeune fille qu'il aime et qui s'éloigne de la femme mariée dont il est aimé, Fromentin a étudié une âme, qui fut la sienne, à la fois ardente et craintive, voluptueuse et triste. Rien ne compte, pour Dominique, que cette émotion d'amour qui est devenue toute son existence. Elle est sans nuances; elle s'est affirmée, un jour, dominatrice; elle a fait reculer toutes les autres préoccupations; elle se contente de se sentir puissante et inutile, de vivre souterrainement, profondément, parfois avec des remous qui l'amènent tout près d'affleurer la surface; elle ne veut pas

HALTE DE CAVALIERS ARABES. Peinture d'Eugène Fromentin, 1870 (musée du Louvre).
CL. NEURDEIN.

se satisfaire; elle ne cherche même pas à se bien connaître.

Si la mode des titres avait été autre qu'elle n'était vers 1860, on conçoit très bien que *Dominique* aurait pu s'intituler *Celui qui renonça*. L'histoire si attachante de Dominique de Bray n'est que celle de ses renoncements successifs à quelques-unes des grandes joies que peut lui offrir la vie, et de son renoncement total, enfin, à vivre comme peut-être son cœur et son esprit auraient pu le vouloir. Ce goût du renoncement est le fond même de son caractère : il renonce à la politique, il renonce à la carrière littéraire; en amour, c'est aussi le succès qui le décourage. Il aime, plutôt qu'à vivre sa vie, à la juger, à cultiver en lui comme en serre chaude des sentiments impossibles qu'il chérit parce qu'ils sont impossibles, du moins parce qu'il les croit tels. Ce grand sentimental, en réalité, est amoureux de l'émotion plutôt qu'il n'est capable de se sentir fortement et profondément ému. On voit bien qu'il plaît surtout aux lecteurs dont la sensibilité reste très intellectuelle.

LE ROMAN ROMANTIQUE : BARBEY D'AUREVILLY, OCTAVE FEUILLET

Pour Barbey d'Aurevilly, voir page 325.

Octave Feuillet (1821-1890) débuta, en 1845, par des pièces de théâtre, des vaudevilles, selon la manière de Scribe, et des drames historiques et mélodramatiques, puis écrivit des Scènes *et comédies à la manière de Musset. Le* Roman d'un jeune homme pauvre *(1858), dont il tira aussitôt une pièce de théâtre, fut un succès considérable. Vinrent ensuite, presque aussi bien accueillis, l'*Histoire de Sibylle *(1862),* Monsieur de Camors *(1867), puis* Julia de Trécœur *(1872),* Un mariage dans le monde *(1875), les* Amours de Philippe *(1877), le* Journal d'une femme *(1878),* Histoire d'une Parisienne *(1881), la* Veuve *(1883), la* Morte *(1886),* Honneur d'artiste *(1890). Il a fait jouer une trentaine de pièces (*Théâtre complet, *1892-1893, 5 vol.).*

*M*ᵐᵉ *Octave Feuillet a publié :* Quelques Années de ma vie, *1894, et* Souvenirs et correspondance, *1896.
— Voir : L. Deries,* Octave Feuillet, *1902; Henry Bordeaux, la* Jeunesse d'Octave Feuillet, *1922.*

Les œuvres des romanciers réalistes du second Empire l'emportent de beaucoup aujourd'hui, en prestige et en signification, sur les autres œuvres du temps, et, en grande majorité, les romanciers modernes ont suivi le chemin dans lequel Flaubert avait marché, bien plutôt que celui d'Octave Feuillet. Mais si l'on revient à l'époque même, si l'on cherche quels furent les vrais succès de librairie, on s'apercevra tout de suite que le roman romantique, selon les formules anciennes ou les nouvelles, était encore fort vivant. *Graziella* date de 1852; *les Misérables* de 1862 et *l'Homme qui rit* de 1869; Th. Gautier a donné *le Roman de la momie* en 1858; Dumas a fait paraître chaque année, sous l'Empire, de nouveaux romans dans le goût des *Trois Mousquetaires;* et, toujours à la même époque, Sandeau a écrit plusieurs ouvrages pour les lecteurs qui aimaient *Mademoiselle de La Seiglière*. Des débutants sont venus se joindre à ce groupe : Cherbuliez, Barbey d'Aurevilly surtout, le plus somptueux représentant du roman romantique.

« De rares connaisseurs auxquels il s'était révélé disaient qu'il y avait en lui un robuste génie de conteur et de poète, un de ces grands talents *genuine* qui renouvellent d'une source inespérée les littératures défaillantes — mais il ne l'avait pas attesté, du moins au regard de la foule, dans une de ces œuvres qui font taire les doutes menteurs ou les incrédulités de l'envie. » C'est de lui-même, vraiment, que Barbey d'Aurevilly parlait ainsi dans *Un prêtre marié*, comme s'il savait que sa vraie gloire serait, non d'avoir écrit des romans, mais d'avoir été le « connétable », d'avoir *causé*, d'avoir *vécu* splendidement devant des amis enthousiastes. Son heure, en tout cas, au lendemain de *Madame Bovary*, n'était point venue; elle ne lui fut donnée que vingt-cinq ans après, lorsque, contre les romanciers naturalistes, athées et républicains, qui faisaient litière de l'imagination et du style, on choisit, pour l'adorer en manière de protestation, un romancier spiritualiste, catholique, monarchiste, romantique, un visionnaire qui « croyait au diable », un écrivain qui avait lancé dans ses livres tout un galop de grands beaux mots échappés, dont, bien souvent, il n'était pas le maître. C'est Des Esseintes, dans l'*A rebours* d'Huysmans (1884), qui, le premier, annonça cette résurrection de Barbey d'Aurevilly. Alors on aima ses romans, « où les événements, disait-il lui-même, sont aussi étonnants que les personnes » : des aventures inouïes, des histoires « diaboliques », des voluptés « torréfiantes », des passions « électriques », subites comme l'éclair, et plus fortes toujours que la mort; des volontés effroyables, d'extraordinaires prouesses physiques; des conspirations gigantesques, des duels effarants, des funérailles inouïes; — des fous sublimes, des réprouvés formidables, des femmes qui sont des démons sensuels ou des anges de pureté, des prêtres apostats, de sombres athées, des mendiants tragiques, des sorcières..., tout un cortège de visions « frénétiques » et de « gueulades lyriques », dont, dès le lendemain de 1830, une partie du public français s'était lassée. C'est sur ce ton, et avec ce style que Flaubert débuta; ses essais de jeunesse ont bien de la ressemblance avec les œuvres de la maturité de Barbey d'Aurevilly.

Octave Feuillet fut pour le grand public le vrai champion

du roman idéaliste et romanesque. Il a connu de gros succès de librairie : une moyenne de trente mille exemplaires, pour ses meilleurs romans; c'était beaucoup autrefois. La critique, en revanche, a fait moins de cas de lui que le public. La grande cause du succès de Feuillet fut qu'il fit paraître, dans des romans « bien pensants » et moraux, les exaltations romantiques des héroïnes d'*Indiana* ou de *Valentine*. Tous ses personnages reçoivent comme une légère vaccine de désirs, de tentations, qui, après un moment de fièvre, les assure contre les dangers de la passion. Ce romantisme, mièvre et anodin, que Montégut a, bien joliment, qualifié de « conjugal », resta, jusqu'au bout, sa note dominante. Les Goncourt purent l'appeler, par un jeu de mots qui resta célèbre, « le Musset des familles ».

Feuillet a défini lui-même le roman comme étant « l'histoire des *sentiments exceptionnels* »; et cette définition est excellente pour lui. Il ne s'intéresse qu'aux sentiments, et aux cas d'exception. Toutes les formes connues du romanesque — romanesque d'aventure, romanesque galant, romanesque d'exaltation individuelle — ont pris place dans son œuvre. Il y a bien, en général, dans la plupart de ses livres, une vague observation du réel comme point de départ; quelques traits de mœurs véritables de la société impériale; mais à peine le sujet est-il posé, il se vide de sa réalité et les complications romanesques apparaissent. Maxime Odiot, le héros du *Roman d'un jeune homme pauvre*, est ruiné jusqu'à avoir faim; il trouve, au bout de vingt-quatre heures, une situation très bien rémunérée : il devient intendant, mais il ne fait que monter à cheval, jouer de la musique, et se promener, jour et nuit, avec la jeune fille de la maison. Il se casse le bras, mais il guérit aussitôt, car on ne le voit point paraître avec le bras en écharpe, etc. C'est une vraie impossibilité, pour Feuillet, de se tenir longtemps dans une ambiance d'événements ordinaires et vraisemblables. Tous les héros, hommes ou femmes, de ses romans ont comme principales caractéristiques qu'ils sont infiniment « distingués », et on ne peut plus riches; ils sont vertueux, en général; s'ils ont des vices, c'est à la manière des héros de Corneille. Les femmes surtout, toujours exaltées, presque toujours pures, sont des merveilles de grâce, de finesse et d'intelligence. « Son succès, gronda Flaubert, a deux causes : 1° la basse classe croit que la haute classe est comme ça, et 2° la haute classe se voit là-dedans comme elle voudrait être. »

QUELQUES AUTRES ROMANCIERS

Il nous faudrait encore, pour être complet, caractériser beaucoup d'autres romanciers : Henri Murger (1822-1864), par exemple, dont les peintures de mœurs (*Scènes de la vie de Bohème*, 1851; *les Buveurs d'eau*, 1860) ont longtemps amusé; — ou Jules Verne (1828-1905), qui a composé, pour l'enchantement d'un public innombrable d'adolescents, près d'une centaine de beaux romans d'aventures (*Cinq Semaines en ballon*, 1863; *Vingt Mille Lieues sous les mers*, 1870, etc.); — ou Émile Erckmann (1822-1899) et Alexandre Chatrian (1826-1890), qui, sous la signature Erckmann-Chatrian, ont mis en scène dans leurs *Romans nationaux* les compagnons de Kléber et de Rapp (*Mme Thérèse ou les Volontaires de 1792*, 1863; *Histoire*

OCTAVE FEUILLET.

d'un conscrit de 1813, 1864; *Waterloo*, 1866, etc.); ces livres ont grandement servi à maintenir en communion l'Alsace et la France (L. Schoumacker, *Erckmann-Chatrian*, 1933). Voici maintenant un romancier qui fut aussi un philosophe : Gobineau.

GOBINEAU

Le comte de Gobineau (1816-1882), qui fut diplomate et courut le monde d'Allemagne en Perse, de Grèce en Amérique et de Suède en Italie, a laissé de nombreux ouvrages, dont les principaux sont : Ternove, 1848 (rééd. 1922); Essai sur l'inégalité des races humaines, 1853-1855 (rééd. 1884; 1923); Trois Ans en Asie, 1855-1858, 1859 (rééd. 1905; 1922); les Religions et les philosophies dans l'Asie centrale, 1865 (rééd. 1900); Histoire des Perses d'après les auteurs orientaux, 1869; Souvenirs de voyage (nouvelles), 1872 (rééd. 1921); les Pléiades (roman), 1874 (édition critique par J. Mistler, 1947); Nouvelles asiatiques, 1876; la Renaissance, 1877 (y joindre la Fleur d'or, 1923); Correspondance avec A. de Tocqueville, 1909; avec Prokesch, 1933; Lettres à deux Athéniennes, 1936. Ses manuscrits se trouvent à la bibliothèque de l'université de Strasbourg.

Voir : E. Seillière, le Comte de Gobineau et l'aryanisme historique, 1903; R. Dreyfus, la Vie et les prophéties du comte de Gobineau, 1905; M. Lange, le Comte de Gobineau, 1925; A. H. Rowbotham, The litterary works of count de Gobineau, 1929; numéro spécial de la Nouvelle Revue française, 1er février 1934 (bibliographie chronologique).

Gobineau fut très ignoré de ses contemporains; on le découvrit en Allemagne vers 1880. Quelques-unes de ses œuvres enfermaient une « Rassenphilosophie », une philosophie raciale, qui avait de quoi plaire aux théoriciens de l'impérialisme germanique; le « gobinisme » devint une chose allemande : il y eut un « Gobineau-Verein », une « Gobineau-Sammlung »... Pénétré de l'esprit positiviste de son époque, très féru de déterminisme, Gobineau avait envisagé le passé et l'avenir avec un regard aussi simplificateur que celui de Taine; mais ses postulats étaient autres; il s'était fait des fétiches de l'idée et du mot de race; il affirma l'inégalité des races humaines, la supériorité des « Arians », dont il trouvait le type le plus parfait dans l'homme du Nord; il envisagea avec mépris les Méditerranéens. Les différences profondes de race qu'il découvrait à l'intérieur des nations européennes lui permirent aussi de fonder une intransigeante doctrine aristocratique : les classes supérieures, plus pures racialement, ont droit de commander. Pourquoi ce droit n'aurait-il pas été donné aux nations supérieures?

Vers 1900 on commença à s'intéresser, en France, à Gobineau. Ses théories, commodes pour fonder les droits de l'élite, ont été reçues avec faveur dans des milieux de jeunes hommes préoccupés de lutter contre l'esprit démocratique. Les rééditions de Gobineau, qui se succèdent, semblent plutôt pousser l'attention vers son œuvre de romancier, de nouvelliste et de voyageur. Quelques-uns de ses livres sont charmants; tous révèlent une intelligence supérieure, et en même temps aimable et aisée. L'auteur de *Trois Ans en Asie* et des *Pléiades* est un de ces esprits comme il y en avait peu en France autrefois, qui ont vu et compris autre chose que la France ; et c'est ce qu'on veut dire, quand on le compare couramment à Mérimée, qui fut son ami, et à Stendhal, dont il a les goûts, mais point du tout les idées.

V. — LE THÉATRE
ÉMILE AUGIER

Émile Augier (1820-1889) débuta au théâtre avec la Ciguë *(13 mai 1844), et fit jouer quelques pièces en vers :* Un homme de bien *(1845),* l'Aventurière *(23 mars 1848), qui fut un grand succès (remaniée en 1860),* Gabrielle *(1849),* le Joueur de flûte *(1850),* Diane *(1852),* Philiberte *(1853). En 1853, il aborde la comédie en prose avec* la Pierre de touche, *et donne* le Gendre de M. Poirier *(8 avril 1854);* Ceinture dorée *(1855);* le Mariage d'Olympe *(1855);* les Lionnes pauvres *(1858);* Un beau mariage *(1859);* les Effrontés *(18 janvier 1861);* le Fils de Giboyer *(1er décembre 1862), qui déchaîna une petite tempête politique;* Maître Guérin *(1864);* la Contagion *(1866);* Lions et renards *(1869);* Jean de Thommeray *(1873);* Madame Caverlet *(1876);* les Fourchambault *(1878).*

Son théâtre a été réuni en 1875-1877 (6 vol.) et en 1889 (7 vol.). Augier a publié en 1878 des Œuvres diverses, *réimpression d'œuvres de jeunesse, de pamphlets et de discours.*

Voir : P. Morillot, Émile Augier, *1901;* H. Gaillard, Émile Augier et la comédie sociale, *1910.*

COMÉDIES POLITIQUES

La Restauration et la monarchie de Juillet avaient vu le succès du drame romantique, du vaudeville à couplets et de la légère comédie de mœurs. Sous le second Empire, les goûts du public et les préoccupations des auteurs allèrent vers une nouvelle forme théâtrale : « la comédie sérieuse », la comédie sociale, la pièce à thèse, telle que la produisirent Émile Augier et Alexandre Dumas fils. C'est Émile Augier qui vraiment a introduit au théâtre les actualités politiques et sociales ; il a ouvert, avant Dumas, cette grande voie, dont ne devaient plus guère s'écarter,

pendant longtemps, nos auteurs dramatiques ; *le Gendre de M. Poirier* est de 1854 ; *le Fils naturel* n'a été joué que quatre ans après, en 1858.

Émile Augier avait commencé sa vie littéraire en menant, contre le romantisme, avec Ponsard, la vive campagne de l' « école du bon sens », qu'on a bien raillée, mais qui a contribué à freiner l'élan romantique, surtout au théâtre, vers 1850. Ses premières comédies en vers affectent une simplicité, quelquefois un laisser-aller, qui prétendent imiter la manière de Molière. Elles ne présentent que des événements simples, des vies tranquilles, des sentiments ordinaires et délicats. Elles tendent à défendre les bonnes mœurs, le mariage, la vie bourgeoise, pour mieux discréditer les extravagances des héros romantiques. *L'Aventurière* montra, en contraste avec *Marion Delorme*, la courtisane jetée vilainement hors d'une maison où elle était entrée. *Gabrielle*, qu'on dirait avoir été écrite pour faire antithèse à *Antony*, chanta le triomphe du mari sur l'amant.

Les plus grands succès vinrent à Augier de ses comédies politiques. Avec des allusions, parfois assez précises, aux événements contemporains, il a pris comme thèses de ses comédies politiques quelques questions du jour : l'opposition, vers 1860, des différentes classes de la société, la lutte des partis pour la possession du pouvoir, les haines anticléricales. *Le Gendre de M. Poirier* est le premier exemplaire de ce genre de pièces, qui passionnèrent l'opinion. La satire politique et sociale n'y est qu'esquissée ; mais le succès détermina Augier, et d'autres auteurs en même temps que lui, à écrire des comédies plus nettes d'intention. *Le Gendre de M. Poirier* s'est intitulé d'abord *la Revanche de George Dandin* : ce titre met en relief le désir qu'eut Augier d'écrire une réplique à la farce de Molière. Il voulait montrer, sous forme caricaturale, les inconvénients d'un sot mariage pour un noble qui a épousé une bourgeoise ; de là, dans l'exécution, des traits forcés, de gros effets de rire. Mais on y trouve aussi des pensées politiques assez avouées, le désir, par exemple, de montrer l'attitude qu'avaient prise, et celle qu'auraient dû prendre, au gré de l'auteur, dans la France impériale (l'action est censée se dérouler en 1845, mais personne ne s'y trompa), la grande bourgeoisie et la vieille noblesse. Émile Augier blâme visiblement l'abstention politique des « anciens partis » et la ruée inconsidérée vers le pouvoir des hommes d'affaires enrichis. Poirier et son gendre, le marquis de Presle, sont des caricatures d'adversaires politiques ; Verdelet et le duc de Montmeyran représentent, comme en des images d'Épinal, le bourgeois affiné et le noble intelligent.

Avec *les Effrontés*, les nouveaux desseins de la comédie de mœurs se manifestent plus nettement ; les personnages sont plus nombreux, moins caricaturaux, un peu plus proches des types réels. La scène est, là encore, placée à Paris, vers 1845, mais c'est la presse de 1860 qu'Augier a voulu atteindre, la presse à qui l'Empire avait interdit la politique, et qui avait été livrée en proie aux financiers et aux auteurs de nouvelles à la main. Le propriétaire de *la Conscience publique* — Vernouillet, en qui beaucoup de spectateurs voulurent reconnaître Émile de Girardin, le fondateur de *la Presse* — vend la question du libre-échange à un syndicat financier, lance de fausses nouvelles pour réaliser des coups de bourse, satisfait ses rancœurs en publiant des histoires compromettantes, de ces on-dit scandaleux dont sont pleins les journaux d'alors. Giboyer paraît dès *les Effrontés* ; c'est la plus intéressante des créations d'Augier, et elle lui

Vernouillet et Giboyer dans « les Effrontés » (1861). Caricatures de Marcelin pour le « Journal amusant ». — Cl. Larousse.

valut, sur le moment, de très honorables parallèles entre son héros et le Figaro de Beaumarchais. Giboyer est un bohème de lettres, un journaliste équivoque, auquel le besoin d'argent fait tout oser. Mais il a une autre face : il se permet de tout dire, et Augier s'est servi de lui pour exprimer ses opinions, très arrêtées, sur la politique du temps. Il tient pour une certaine tradition révolutionnaire, que lui paraît devoir continuer le gouvernement napoléonien. Giboyer se déclare « socialiste jusqu'aux moelles »; dans le texte primitif, il y avait un long dialogue où il oubliant tout à fait son drame, indiquait substantiellement les grandes réformes qu'il désirait; il n'en reste plus que des traces dans la version définitive.

Le Fils de Giboyer, la meilleure des pièces du théâtre d'Augier, eut un retentissement considérable; elle reste le type de la comédie politique, sous la forme la plus vive où on la connût alors; la rançon de son « actualité » est que l'intérêt s'en est émoussé aujourd'hui. Au lendemain de la première représentation, les chroniqueurs s'accordèrent à protester contre une entrée aussi franche de la politique au théâtre. Jouée à Paris avec un grand succès, la pièce donna lieu, en province, à de véritables émeutes, qu'on réprima non sans mollesse. Visiblement le gouvernement impérial aida au succès du Fils de Giboyer, qui favorisait quelques-uns de ses desseins de l'heure. Cette comédie n'a de sens en effet que si on la rapporte à la « question romaine », qui alors dominait toutes les préoccupations de politique, soit extérieure, soit intérieure; l'empereur, pour résister au parti ultramontain, lâchait un peu les rênes à la vieille passion anticléricale; du même coup, il rendit à la France un commencement de vie parlementaire. Le Fils de Giboyer est tout plein des échos des sessions de 1861 et de 1862; il a été joué six mois avant les élections générales, et fut considéré comme une espèce de manifeste du parti libéral. A vrai dire, il n'est parlé, au cours de la pièce, que d'attaques contre l'Université : cette question n'avait que fort peu occupé le Sénat et le Corps législatif; c'était bien sur la question romaine que s'étaient affrontés, avec les discours retentissants du député Keller et du prince Napoléon, le « parti de l'ordre » et le « parti de la révolution ». Et l'on nommait, plus ou moins exactement, les héros de la pièce : Maréchal, c'était Keller, qui, comme lui, avait passé brusquement à l'opposition; d'Aigremont, c'était Guizot; Déodat, c'était Veuillot; Giboyer ressemblait à Mirecourt; l'Œuvre des Petits Chinois faisait songer à la Société de Saint-Vincent de Paul... Là encore, le texte primitif est singulièrement plus net que le texte actuel.

COMÉDIES SOCIALES

Les autres comédies d'Augier ont fait moins de bruit à l'époque, et le souvenir s'en est moins bien conservé. L'auteur s'y est préoccupé d'un certain nombre de questions qui étaient d'actualité, mais d'une actualité moins bruyante, et qui inspirèrent aussi Théodore Barrière (1823-1877), O. Feuillet, A. Dumas : la prostitution, la question d'argent, le divorce, les enfants naturels. Toujours, Émile Augier s'est placé, pour en parler, à un point de vue très simple : l'intégrité nécessaire de la famille.

Le Mariage d'Olympe, les Lionnes pauvres, la Contagion ont pour thème le rôle de la courtisane, sa puissance grandissante, son enrichissement, son action démoralisatrice sur la société. C'est un des thèmes qui se présentent le plus souvent, alors, à la scène; et il n'y avait pas là une simple mode littéraire; quelques aventures retentissantes avaient fait parvenir des femmes fort suspectes au rang de duchesses et de princesses; Zola ne manquera pas de faire, dans son tableau des mœurs impériales, une belle place à Nana et à ses compagnes. Le Mariage d'Olympe prétendit précisément montrer l'impossibilité pour une fille de

ÉMILE AUGIER. Portrait par Édouard Dubufe, 1877 (musée de Versailles). — CL. BRAUN.

s'adapter à la vie nouvelle que lui fait la naïveté d'un épouseur, et l'obligation où elle est de retomber bientôt dans la crapule. Séraphine Pommeau, des Lionnes pauvres, est une Mᵐᵉ Bovary qui ne se suicide point, et sait se vendre profitablement; la victime, c'est son mari, un pauvre faible honnête homme, que la coquinerie révélée de sa femme fait s'effondrer lamentablement. La Contagion, enfin, souligne le danger que courent les hommes au cœur droit et les honnêtes femmes, quand ils veulent, par entraînement mondain, fréquenter un milieu décidément pourri.

Sur cette question, Émile Augier n'a point parlé autrement que ses confrères, sermonneurs de théâtre. Pour la question d'argent, il est bien le premier à l'avoir franchement portée au théâtre; sa Ceinture dorée est de 1855, et la Question d'argent de Dumas de 1857. C'était là un thème que le développement des affaires industrielles et commerciales, l'importance prise dans la société par la Bourse rendaient d'une actualité très pressante. On voit, dans la pièce d'Augier, un mauvais riche puni dans ses enfants, et repentant; l'auteur en veut à l'argent qui désorganise la famille. La Jeunesse et Un beau mariage furent des plaidoyers contre la dot et les mariages riches, la passion de paraître, la furie d'arriver, qui ruinent le bonheur — avec les seules épithètes qu'Augier veuille lui attribuer, le bonheur familial et conjugal.

Plus de trente ans après ses débuts, il apporta au théâtre de nouvelles thèses : celles du divorce et des enfants naturels. Dans l'intervalle, grâce surtout à Dumas, la comédie sociale avait vu sa faveur grandir; elle ne se contentait plus d'être une satire, ironique ou violente, des mœurs contemporaines; il fallait qu'elle fût un plaidoyer direct en faveur de quelque grande réforme législative. Madame Caverlet date de 1876, c'est-à-dire d'une année où la campagne en faveur du rétablissement du divorce venait de reprendre avec une extrême vigueur; la pièce d'Augier fut une des manifestations destinées à créer un état d'esprit favorable à la réforme. Sa thèse fut que le Code, sous prétexte de garantir l'indissolubilité de la famille, créait des situations telles, au détriment des vrais intérêts de la famille, qu'il était préférable de rendre la liberté aux honnêtes gens fourvoyés dans des impasses de l'existence; mieux valait un divorce, suivi d'un franc mariage, que de lamentables faux ménages.

La question des enfants naturels, qu'Augier aborda dans *les Fourchambault*, n'était certes point nouvelle au théâtre : Dumas avait fait jouer depuis vingt ans déjà son *Fils naturel*. Ni l'un ni l'autre n'ont d'ailleurs proposé des réformes bien précises; tous deux ont imaginé des situations où le fils naturel se révèle plus grand, plus moral que le père qui l'a abandonné. L'idée d'Augier est que la famille *réelle*, celle que constituent le père, la mère et l'enfant, est une condition si fondamentale de la société humaine que, toujours, elle doit se reconstituer, et que les lois doivent tendre à la créer, à la maintenir, à la rétablir. Il a posé, dans *les Fourchambault*, une si vigoureuse antithèse entre ses personnages médiocres, qui sont dans la légalité, et les bons, qui n'y sont point, que la pièce a pu être prise pour une satire de la famille et une apologie de l'union libre : rien de plus éloigné de sa pensée.

On ne songe plus à rejouer, aujourd'hui, aucune de ces dernières pièces, décidément vieillies; mais on a repris quelquefois *les Effrontés* et *le Fils de Giboyer*; hors le plaisir amusé que donnent ces exhumations, grâce surtout à la reconstitution des costumes et du décor d'autrefois, ces reprises n'ont pas eu grand succès, et le temps n'est pas loin où Émile Augier sera tout à fait sorti du répertoire. On est vite irrité par la façon vraiment simple dont il traite des questions politiques et sociales qui ne nous passionnent plus, car elles sont oubliées ou réglées : des raisonneurs qui échelonnent le long de la pièce leurs propos de sages, et qui volontiers font des conférences sur les idées chères à l'auteur; des situations artificielles, souvent romanesques, dont on voit trop bien qu'elles n'ont été imaginées que pour permettre ces commentaires; des gens d'esprit, dont les propos nous paraissent ennuyeux; par moments, une bonne et franche verve comique, qui n'aboutit qu'à de grosses caricatures. Il nous est vraiment difficile, tant les effets de théâtre s'usent, tant les conventions acceptées se renouvellent vite, de rire ou de nous émouvoir naturellement de ce qui troubla ou amusa nos grands-pères, et même nos pères. Alexandre Dumas fut certes un dramaturge plus adroit; et pourtant son œuvre a vieilli presque autant que celle d'Augier.

ALEXANDRE DUMAS FILS

Alexandre Dumas (1824-1895), fils naturel du romancier et d'une couturière, fut reconnu par son père à l'âge de sept ans; l'enfant, au cours de péripéties lamentables, se vit disputé, jusque devant la justice, entre le père et la mère; il a fait de transparentes allusions aux malheurs de son enfance dans une pièce de théâtre, le Fils naturel, et dans un roman, l'Affaire Clemenceau. Il fut livré à lui-même à l'âge de dix-huit ans, et il en profita. Il se souviendra de cette époque de sa vie, *quand il écrira* Un père prodigue. *Il débute par un volume de vers*, Péchés de jeunesse *(1847), puis il écrit toute une série de romans (O. Gheorgiu, les Romans d'A. Dumas fils, 1936) : Aventures de quatre femmes et d'un perroquet (1846-1847), la Dame aux camélias (1848; voir J. Gros, A. Dumas et Marie Duplessis, 1923); Diane de Lys (1851). De ces deux derniers romans, il tire deux pièces qu'il obtient de faire jouer après bien des difficultés : la Dame aux camélias (2 février 1852), le plus grand succès théâtral du XIXe siècle (H. Lyonnet, la Dame aux camélias, 1930) et Diane de Lys (15 novembre 1853). Le succès aiguille Dumas vers le théâtre, sans qu'il abandonne néanmoins tout à fait le roman : il publie notamment le Régent Mustel (1852), Sophie Printemps (1854), l'Affaire Clemenceau, mémoire de l'accusé (1866). Il fait jouer le Demi-Monde (20 mars 1855), la Question d'argent (31 janvier 1857), le Fils naturel (16 janvier 1858), Un père prodigue (30 novembre 1859), l'Ami des femmes (5 mars 1864), les Idées de Mme Aubray (16 mars 1867), Une visite de noces (16 octobre 1871), la Princesse Georges (2 décembre 1871), la Femme de Claude (16 janvier 1873), Monsieur Alphonse (26 novembre 1873), l'Étrangère (14 février 1876), la Princesse de Bagdad (31 janvier 1881), Denise (19 janvier 1885), Francillon (17 janvier 1887).*

Non content d'exposer ses théories sur la scène, Dumas les a soutenues dans quelques brochures, notamment : Une lettre sur les choses du jour (1871), Nouvelle Lettre... (1872), l'Homme-femme (1872), Les femmes qui tuent et les femmes qui votent (1872), la Question du divorce (1880), Lettre à M. Naquet (1880), la Recherche de la paternité (1883).

Son Théâtre complet, *avec des préfaces fort importantes, a été réuni en 7 volumes (1868-1877, puis 1890-1893); un huitième volume (1898) a reproduit les notes inédites publiées dans l'édition dite des Comédiens. Dumas a recueilli dans* Théâtre des autres *(1894, 2 vol.) des pièces qu'il avait remaniées, et dans* Entr'actes *(3 vol., 1877-1879) et* Nouveaux Entr'actes *(1890), plusieurs documents relatifs à ses principales pièces. Voir : P. Lamy, le Théâtre de A. Dumas fils, 1928; O. Gheorgiu, le Théâtre d'A. Dumas fils, 1931.*

Dans le même temps, Théodore Barrière (1823-1877) a fait jouer avec succès quelques pièces d'intention morale et sociale; notamment : les Filles de marbre (1853), les Faux Bonshommes (1856), les Jocrisses de l'amour (1865).

Alexandre Dumas fils symbolise aujourd'hui, dans les histoires de la littérature, le goût qu'eurent, dès les environs de 1860, les auteurs dramatiques français pour des comédies et des drames où le public pût retrouver les principaux débats du jour sur les questions morales et sociales. Ce fut une grande mode, pendant une bonne trentaine d'années : elle a passé, mais non tout à fait. C'est en toute justice d'ailleurs qu'on met ainsi en avant le nom d'Alexandre Dumas; il est, semble-t-il, de tous les auteurs dramatiques de la seconde moitié du siècle, celui qui s'est fait le plus d'illusions sur la puissance du théâtre et sur la possibilité d'y entretenir une utile propagande. La plupart de ses œuvres s'accompagnèrent d'un grand bruit, à

MARIE DUPLESSIS, LA DAME AUX CAMÉLIAS.
Peinture de Viénot. — CL. LAROUSSE.

l'époque. On l'écouta volontiers ; et quelques-uns de ses contemporains allèrent jusqu'à affirmer qu'il était, comme Renan, un des directeurs de la pensée du siècle. Nous avons un peu de peine, aujourd'hui, à retrouver dans cette œuvre, chaleureuse, exubérante et vieillie, des indices qui nous permettent d'imaginer les raisons d'une aussi grosse influence.

Il n'est pas mauvais de se rappeler, pour le bien comprendre, qu'Alexandre Dumas fut d'abord un écrivain très romantique, et qu'il débuta, avant 1848, par des vers et par une série de romans fantaisistes, volontiers extravagants, où il donnait licence à son imagination. Son grand succès lui vint d'avoir conté, puis fait jouer *la Dame aux camélias*, une histoire parfaitement authentique à l'origine, et qui, en son thème essentiel, ne diffère point de *Marion Delorme*. En contant la mort lamentable de Marie Duplessis, devenue, au théâtre, Marguerite Gautier, Alexandre Dumas ne faisait qu'ajouter une pécheresse à la longue liste des courtisanes que, en quelques années, aussi bien dans le roman qu'au théâtre, le romantisme avait réussi à réhabiliter. Il exaltait, tout comme un autre, la passion, le grand amour, qui ne respecte point les conventions sociales. « J'ai Marguerite sur la conscience », reconnut-il souvent, plus tard, à une époque où il s'était déclaré l'ennemi implacable de la prostituée. Il exagérait son scrupule, car, dans *la Dame aux camélias*, il n'avait pas été jusqu'à sacrifier la famille ; il ne disait point à la fille d'entrer, purifiée et la tête haute, dans la société ; il la faisait seulement mourir, repentante, plainte et pardonnée.

Dès ses premiers romans, Dumas avait témoigné que, fidèle à la tradition romantique depuis 1830, il s'intéressait aux questions sociales. Plus que d'autres, et plus directement, il a subi des influences saint-simoniennes, et la forte pression du positivisme. Il croit de bonne heure à la mission du poète, de l'écrivain ; il condamne l'art pur : « Par la comédie, affirme-t-il, par le drame, par la bouffonnerie, dans la forme qui nous conviendra le mieux, inaugurons donc le théâtre *utile*, au risque d'entendre crier les apôtres de *l'art pour l'art*, trois mots absolument vides de sens. Toute littérature qui n'a pas en vue la perfectibilité, la moralisation, l'idéal, l'utile en un mot, est une littérature rachitique et malsaine, née morte. »

La solution des grands problèmes du temps, il ne la voit point, comme avait fait son père, dans une révolte contre la société, ni même, d'abord, dans l'amélioration des lois. C'est une réforme morale qui lui paraît indispensable, un appel à la fraternité humaine, à l'amour, purifié, de l'homme et de la femme. Lui-même il a souffert, très personnellement, du mal qu'il signale dans la société actuelle. Fils naturel, il a souffert de ne point voir, quand il était tout petit, les sourires unis de son père et de sa mère ; collégien, il a souffert des railleries de ses camarades, qui lui en voulaient surtout de ce qu'il était en marge de leur monde ; il a souffert de ce que son père ne l'avait point élevé, et lui avait donné seulement l'exemple de la chasse au plaisir ; il a souffert, non pas sur le moment, mais plus tard, à la réflexion, des années qu'il perdit à connaître ce demi-monde, contre lequel il se montrera si violent. C'est toujours, au fond, sur sa propre destinée que reviennent ses pensées : comment aurait-on pu faire pour que son enfance eût été autre ? Comment mieux lier l'homme à la femme, protéger plus efficacement l'enfant, empêcher la jeune fille d'être séduite, préserver le jeune homme des plaisirs faciles qui le font déchoir ? Comment défendre, dans le mariage, le mari contre la fille, et la femme contre l'amant ? Il n'est guère sorti de ces problèmes.

Tout son théâtre est consacré à plaider un certain nombre de thèses ; de longues préfaces, des notes, quelques brochures complètent son œuvre dramatique, et permettent d'ordonner assez exactement le système de ses idées.

ALEXANDRE DUMAS FILS.
Portrait peint, en 1877, par Ernest Meissonier. — CL. LAROUSSE.

C'est d'ailleurs un système fort simple ; et, vraiment, Dumas finit par oublier quelquefois qu'il est un auteur dramatique, et que son but est d'émouvoir le spectateur, non de lui présenter des projets de loi. Puis il faut se souvenir que ses pièces ont été écrites pour une certaine société, dont plusieurs générations déjà nous séparent. La famille n'est plus, en général, ce qu'elle était vers 1860 ou vers 1875 ; la cause des enfants naturels paraît gagnée ; le code s'est adouci au profit de la fille séduite ; certaines indignations de Dumas nous étonnent ; et nous sommes surpris à la pensée que quelques-unes de ses pièces ont pu être jugées indécentes et immorales.

Ses vues sur la société ne vont guère au-delà de l'horizon, forcément étroit, de la famille bourgeoise ; ainsi qu'Émile Augier, il croit tout sauver s'il sauve cette famille. Comme il est romantique, il appelle cela «reconstituer l'amour ». « Quelles sont, dit-il avec une logique qui désarme, les deux conséquences immédiates de l'amour ? La génération et la famille. De la génération et de la famille doivent résulter ces deux autres conséquences : le travail et la morale. Du travail et de la morale : les sociétés partielles et en définitive la communion de l'humanité tout entière dans les mêmes intérêts, les mêmes sentiments, le même idéal. » La morale de Dumas est brève et impérieuse. C'est un notaire qu'il a chargé de la résumer : « Le but de la nature est que l'homme ait beaucoup d'enfants, qu'il les élève bien pour qu'ils soient utiles, et qu'il les aime bien pour qu'ils soient heureux. Se marier quand on est jeune et sain, choisir, dans n'importe quelle classe, une bonne fille, franche et saine, l'aimer de toute son âme et de toutes ses forces, en faire une compagne sûre et une mère féconde, travailler pour élever ses enfants et leur laisser en mourant l'exemple de sa vie : voilà la vérité. Le reste n'est qu'erreur, crime ou folie. »

La famille a un grand ennemi, c'est « la femme », être incomplet, illogique, subalterne, malfaisant, dès qu'elle n'est point dirigée; ou plutôt, c'est « la Bête », la bête aux sept bouches, aux quatorze yeux, aux dix diadèmes, aux dix cornes, l'incarnation de la femme moderne qui veut s'affranchir; c'est la Prostitution. Toute femme adultère est une prostituée; toute femme qui détourne un homme marié est une prostituée. C'est à l'homme de défendre l'intégrité de la famille; il est le chef, il est le prêtre de ce sacrement; s'il reconnaît en sa femme « la Bête », et si la loi ne lui donne pas le divorce, il n'a pas à pardonner : qu'il tue! S'il est coupable, lui, l'homme..., eh bien! Dumas ne pense pas que ce soit vraiment sa faute; c'est celle de « l'autre ». L'épouse trahie pardonnera donc; tout au plus menacera-t-elle d'appliquer la loi du talion; mais elle ne saurait s'y résoudre, puisqu'elle est pure, et que, par conséquent, elle aime son mari. Quant à la femme coupable, c'est affaire au mari, s'il en a un; il armera ses pistolets, ou bien jettera dehors ce démon; une fois ce démon éloigné, la vie peut reprendre. Deux types de femmes passent à travers les comédies d'Alexandre Dumas : des femmes fatales, qui sont le Péché, qui mangent les fortunes, ruinent les intelligences et broient les existences; et de pures et franches jeunes filles, qui promettent d'être d'admirables épouses; l'auteur les réserve à ceux de ses héros qu'il a chargés de soutenir ses idées; mais ces femmes-là, rarement il nous les a montrées mariées. On les entrevoit; elles ont des enfants, et elles les nourrissent, jusque sur la scène; elles sont candides et se taisent; elles admirent leur mari.

Alexandre Dumas ne reconnaît vraiment la faute de l'homme que lorsque celui-ci séduit une jeune fille ou abandonne un enfant naturel. « Du moment qu'on a dit à une femme, quelle qu'elle soit, qu'on l'aime, on a engagé toute sa vie. » De très bonne heure, il a protesté contre le Code qui interdisait la recherche de la paternité. Mais les solutions qu'il propose au cours de ses pièces sont d'un optimisme qui déconcerte. Une fille séduite n'a qu'à se faire épouser par un jeune homme très vertueux et très sage, élevé par une mère aux idées généreuses. Un fils naturel n'a qu'à être très intelligent, très travailleur, très heureux, à devenir si puissant que son père ait intérêt à lui demander de vouloir bien se laisser reconnaître. Toujours A. Dumas envisage des cas d'exception, des circonstances extraordinaires, des rencontres inattendues. On a bien l'impression que, s'il n'était pas un auteur dramatique très habile et très bienveillant, le bonheur qui échoit à ses héros n'aurait pu se réaliser; son fils naturel et sa fille séduite, si le hasard ne les avait pas aidés, auraient eu de fortes chances de rester des parias dans la société.

Toutes ces thèses, Alexandre Dumas les a exposées avec une conviction qui n'a fait que grandir. Il a été félicité par Mgr Dupanloup; des critiques catholiques ont exalté ses idées morales; lui-même, il a fini par citer l'Évangile, mieux et plus qu'un prédicateur; son mépris de la femme est devenu une véritable fureur apocalyptique. Plus il est allé, plus son pessimisme s'est fait désespéré; il ne voyait point s'annoncer la résurrection de l'amour, ni la restauration du mariage. En 1892, il faisait des prédictions sinistres : « Le mariage se disloque, la famille se démembre, la maternité abdique. L'homme affecte un tel mépris de la femme, la femme affiche une telle horreur de l'homme que, si cela continue ainsi, dans dix ans, non seulement le mariage, mais l'amour n'existera plus, ou qu'il n'y aura plus qu'un sexe. »

Cette grande peur de voir mourir l'amour, qui ne fut longtemps qu'une sourde inquiétude, explique toutes les idées d'Alexandre Dumas et l'on s'étonne, en vérité, qu'il n'ait pas songé, entre autres réformes qu'il a proposées, à inscrire l'amour parmi les obligations que la loi impose aux époux : c'était assez selon ses principes et l'audace de ce projet n'eût pas été pour lui faire peur.

Comment de pareilles thèses, aussi intransigeantes, aussi généreuses, ont-elles pu s'accommoder aux conditions du théâtre? Dumas nous a avertis lui-même que toujours l'idée première d'une pièce s'est présentée à son esprit sous la forme de la théorie morale qu'il devait défendre. On s'en aperçoit bien à la lecture de ses drames. Ce n'est pas que ses pièces soient de froids exposés; elles ont du

SOCIÉTAIRES ET PENSIONNAIRES DE LA COMÉDIE-FRANÇAISE EN 1855. *Assises, de gauche à droite :* Mmes Judith, Augustine Brohan, Madeleine Brohan, Favart. *Debout, de gauche à droite :* Mmes Bonval, Fix, Noblet, Denain, Rachel, Nathalie. Tableau de Faustin Besson (musée de Versailles). — CL. GIRAUDON.

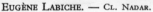

EUGÈNE LABICHE. — CL. NADAR.   LUDOVIC HALÉVY. — CL. BENQUE.   HENRI MEILHAC. — CL. REUTLINGER.

mouvement, quelquefois une action rapide et émouvante, mais ce mouvement est monotone; les procédés de l'auteur, toujours les mêmes, sont trop apparents et lassent. Il n'est guère de drame où toute l'action ne dépende d'un seul personnage qui, on ne tarde pas à s'en apercevoir, est l'auteur lui-même, descendu dans sa fiction. Cet homme est un homme du monde, comme le célèbre de Ryons de *l'Ami des femmes*, ou bien un notaire.

Dumas aime le notaire comme l'image de la loi, comme le gardien du patrimoine familial. Cet homme du monde, ou ce notaire, qui est d'une rare intelligence et d'une bonté parfaite, sait tout, voit tout, prévoit tout; il sauve la femme qui allait pécher, il la rend au mari maladroit, il écarte l'amant, il chasse la mauvaise femme, il prend l'enfant par la main et l'amène à sa mère... Tout lui est bon pour son vertueux dessein : il imagine d'incessantes combinaisons qui, toutes, réussissent; il fait se succéder des coups de théâtre qui n'inquiètent point, car on sait vite qu'on peut avoir confiance en lui : n'a-t-il pas réconcilié un mari et une femme en envoyant au mari une lettre où la femme donnait un rendez-vous suspect ? Comme il est sûr de lui, ce mécanicien de l'intrigue n'hésite pas à faire connaître ses desseins; il découpe en de petits morceaux les théories de l'auteur; il provoque des conversations sur le problème moral de la pièce, et toujours sa logique puissante triomphe. D'ailleurs, ses adversaires sont des sots, des ignorants, des distraits; ceux qui pensent comme lui se contentent d'applaudir. Et toute la pièce se passe ainsi en conversations, quelquefois fort longues; il y a des tirades qui durent « le temps d'aller de Paris à Asnières ». Pour nous achever, tous les personnages font de l'esprit, des mots qui, datant de 1860 ou de 1880, ne portent plus.

Vraiment on pouvait imaginer, et on a réalisé, depuis, une conception moins simple de la comédie sociale, où la pensée de l'auteur et la vérité de cette pensée se manifestent peu à peu dans la suite même des faits, où les hasards et les coups de théâtre sont jugés inutiles et où un cicerone encombrant ne vient pas à chaque instant commenter le spectacle. C'est aussi que le moule des comédies d'Alexandre Dumas a été construit vers 1850 et qu'il n'a point été modifié; depuis lors, il y a eu Henry Becque, et le Théâtre libre, et le naturalisme, et le théâtre d'Ibsen...

Si l'on recule de quarante ans et si l'on considère les répertoires dramatiques, on voit bien que le succès des pièces de Dumas fut considérable; et comme elles ne se proposaient pas que d'amuser les spectateurs d'une saison, qu'elles les mettaient en présence des grandes ques-

tions du jour, il ne se peut pas qu'elles n'aient pas eu une vraie influence. Elles ont été, de plus, très lues. On a l'impression, à tout le moins, que, plus qu'Émile Augier, parce qu'il était plus convaincu, Alexandre Dumas a habitué le public français à l'utilisation directe et constante du théâtre au profit des idées d'avant-garde. Après tout, le théâtre de Dumas ressemble plus à celui de Becque, qui vint après lui, qu'à celui de Scribe, auquel il succéda.

LES AMUSEURS : LABICHE, MEILHAC ET HALÉVY

LABICHE

Eugène Labiche (1815-1888), seul ou avec des collaborateurs, a fait jouer, de 1838 à 1877, une bonne centaine de pièces. Les plus célèbres sont : Embrassons-nous, Folleville *(1850),* la Fille bien gardée *(1850),* Un chapeau de paille d'Italie *(1851),* le Misanthrope et l'Auvergnat *(1852),* Si jamais je te pince *(1856),* l'Affaire de la rue de Lourcine *(1857),* les Deux Timides *(1860),* le Voyage de M. Perrichon *(1860),* Célimare le Bien-Aimé *(1863),* la Cagnotte *(1864),* la Grammaire *(1867),* le Plus Heureux des trois *(1870),* Doit-on le dire? *(1873),* les Trente Millions de Gladiator *(1875). Labiche a réuni son* Théâtre complet *en 1878-1879 (10 volumes).*

On s'est fort engoué de Labiche vers 1880. A force de louer sa franche et mâle gaieté, son bon rire gaulois, on alla quelquefois, alors, jusqu'à le comparer à Molière ! Les hommes de sa génération se souvenaient d'avoir ri follement, en 1851, au *Chapeau de paille d'Italie*, au *Voyage de M. Perrichon* en 1860, à *la Cagnotte* en 1864. Peut-être bien cette grande admiration, prolongée au-delà du temps qui, d'ordinaire, contente les vaudevillistes les mieux aimés, fut-elle une secrète protestation contre l'envahissement de la comédie sérieuse, de la pièce à la Dumas. Il n'est guère question que de maris trompés, chez Labiche comme chez Dumas; mais où l'un se fâche et conseille de tuer, l'autre ne voit que l'occasion de bonnes vieilles plaisanteries que leur âge et leur énormité rendent d'un sûr effet, et qui agrémentent commodément des aventures très risibles.

Labiche a fait rire plusieurs générations de spectateurs : ses pièces amusent encore. On y retrouve aisément le vieux vaudeville à couplets de Scribe, plus mouvementé, mais pareil en sa structure. On y voit paraître ces types falots de bourgeois ridicules, sur lesquels se sont acharnés tous les hommes de lettres, entre 1830 et 1870, et qu'ils ont fait berner à plaisir par les gens du monde, par les rapins, par leurs propres domestiques ; mais ces fantoches drolatiques et agités ont vieilli. Le temps est terrible pour cette sorte de divertissements et ce n'est pas la faute de l'auteur, qui posséda, à un rare degré, le sens des situations comiques et des mots drôles.

MEILHAC ET HALÉVY

Henri Meilhac (1831-1897) et Ludovic Halévy (1834-1908) ont écrit en collaboration, de 1861 à 1881, une cinquantaine de comédies ou d'opérettes, et notamment : 1° Comédies : la Vie parisienne *(1866),* Froufrou *(1869),* Tricoche et Cacolet *(1871),* le Réveillon *(1872),* l'Été de la Saint-Martin *(1873),* la Petite Marquise *(1874),* la Cigale *(1877),* le Mari de la débutante *(1879); —* 2° Opérettes : la Belle Hélène *(1864),* Barbe-Bleue *(1866),* la Grande Duchesse de Gérolstein *(1867),* la Périchole *(1868),* les Brigands *(1869),* Carmen *(1875),* le Petit Duc *(1878).* — *Le Théâtre de Meilhac et Halévy a été publié en 1900-1902 (8 vol.).*

Ludovic Halévy a écrit aussi un roman, l'Abbé Constantin *(1882), et des scènes de mœurs :* Madame et Monsieur Cardinal *(1873),* les Petites Cardinal *(1880),* la Famille Cardinal *(1883), qui eurent un grand succès.*

Sarcey, un fort bon *témoin* du théâtre de cette époque, a toujours parlé avec révérence de Labiche ; mais, chaque fois qu'il eut à rendre compte d'une comédie ou d'une opérette de Meilhac et Halévy, il s'est laissé aller aux expressions de l'admiration la plus vive ; et, si oubliées que puissent paraître aujourd'hui *Froufrou* ou *la Grande Duchesse,* il faut bien constater qu'il eut raison. Aucune autre œuvre ne donne une image aussi exacte de la comédie gaie qui plut à la société parisienne, de 1860 à 1880. Le théâtre de Meilhac et Halévy est plus complexe et plus

ACHILLE SOUS SA TENTE. Dessin extrait de l' « Histoire ancienne » de Daumier. — CL. LAROUSSE.

LA COLÈRE D'AGAMEMNON. Dessin extrait de l' « Histoire ancienne » de Daumier. — CL. LAROUSSE.

fin que celui de Labiche ; il a une saveur originale ; c'est en lui que revit le mieux l'esprit du Paris impérial, du moins le Paris des boulevards.

Avec Offenbach, leur musicien, Meilhac et Halévy ont porté à la perfection le genre de l'opérette. Les bouffonneries spirituelles de l'opérette, le laisser-aller de son intrigue, l'audace ingénue de ses parodies, la fantaisie de sa musique, ses mots « bien parisiens » eurent un succès européen. Le début de *Nana,* où Zola voulut peindre les mœurs de la haute société parisienne vers 1865, retrace la « première » d'une opérette, *la Blonde Vénus,* où l'on reconnaît sans peine cette *Belle Hélène* qu'accueillent encore avec plaisir les spectateurs d'aujourd'hui ; et la description de Zola, quoique romantique et haute en couleurs, redit assez bien les causes diverses de ce grand succès : irrévérence générale, moquerie des choses d'autrefois comme de celles d'aujourd'hui, légère griserie sensuelle, plaisanteries un peu canailles, gestes bouffons, extravagance des situations.

C'est *la Belle Hélène,* très probablement, que l'histoire littéraire, qui simplifie, accolera aux noms de Meilhac et Halévy ; et, pourtant, que vaut cette raillerie un peu lourde auprès de charmantes comédies comme *Froufrou, la Petite Marquise, la Boule ?* Meilhac et Halévy nous y ont montré, dans des intrigues d'une fantaisie gracieuse et qui sait se faire tout à fait plaisante, les mœurs de ce qu'on appelait, vers 1870, « la Haute » : des courtisanes, qui ne sont point les monstres effroyables de Dumas, mais de gentilles et inoffensives « cocottes », des femmes du monde, nerveuses, imprudentes, sympathiques, et de vieux viveurs, corrects, nigauds et exploités : tout un monde fébrile de beaux messieurs et de belles dames, parfaitement vicieux, mais très élégants.

UN CONTINUATEUR DE SCRIBE : SARDOU

Victorien Sardou (1831-1908) a fait jouer une cinquantaine de pièces, comédies, drames, livrets d'opéra, féeries, dont les principales sont : les Pattes de mouche *(1860), son premier succès ;* Nos intimes *(1861),* les Ganaches *(1862),* la Famille Benoîton *(1865),* Nos bons villageois *(1866),* Patrie *(1869),* Rabagas *(1872),* l'Oncle Sam *(1873),* la Haine *(1874),* Daniel Rochat *(1880),* Divorçons *(1880),* Fédora *(1882),* Théodora *(1884),* la Tosca *(1887),* Thermidor *(1891), interdit après deux représentations ;* Madame Sans-Gêne *(1893).*

Il apparaît très nettement que Sardou s'est proposé, dès ses premières pièces, de continuer Scribe, en remettant au goût du jour les intrigues ingénieuses et compliquées du vieux maître. Dans quelques-unes de ses comédies, il a donné des esquisses caricaturales de la société du second Empire *(les Ganaches, la Famille Benoîton)* ; dans d'autres, il s'est attaqué aux nouveaux milieux politiques : dans le personnage principal de *Rabagas*, on a voulu reconnaître Gambetta ; ou bien il a exploité la grande et la petite histoire *(Thermidor, Madame Sans-Gêne)* ; et c'était là de fort beaux sujets ; mais il s'est empressé de les dépouiller de ce qu'ils avaient de substantiel ou d'actuel ; il n'y a vu que des prétextes pour éveiller et satisfaire la curiosité du public.

Il s'est vanté de toujours ramener ses sujets aux conditions du théâtre, et de tout voir du point de vue de la scène, ou plutôt du point de vue de la salle. Aussi ne se soucie-t-il point du tout de la réalité ; ses personnages sont des automates bien réglés, qui font à l'heure dite les gestes, et prononcent au bon moment les mots nécessaires pour que la pièce continue. Tout est subordonné aux événements, à la foule des petits événements imprévus que peut imaginer, pour tenir en haleine une foule assemblée, un vaudevilliste qui sait son métier. *Les Pattes de mouche* sont la pièce qui donne le mieux l'idée de sa manière. C'est la facture du *Verre d'eau* de Scribe, perfectionnée : une lettre secrète passe de mains en mains, risque sans cesse de produire de fâcheuses complications, et finalement est brûlée soigneusement par celui-là même qui aurait le plus d'intérêt à la connaître... A côté de Labiche, qui savait faire rire, de Meilhac et Halévy, qui eurent le secret de distraire des blasés et de flatter délicatement leur sensualité, Sardou a exploité mieux que personne l'art d'amuser les yeux au théâtre.

Il n'est peut-être pas mauvais de terminer une revue des principaux écrivains du second Empire sur les noms de Labiche, de Meilhac et Halévy et de Sardou. L'esprit des petits théâtres et des journalistes, la gaieté des boulevards parurent quelquefois, aux yeux des contemporains, devoir caractériser, mieux que tout autre chose, la tendance de la nouvelle littérature impériale. Mais ces prestiges sont éphémères, et le temps a vite amené sur les premiers plans Taine, Renan, Flaubert, poursuivis ou combattus ; Leconte de Lisle, ignoré ou raillé. Qui se souvient, aujourd'hui, de Monselet, de Villemessant, d'Aurélien Scholl, de Nestor Roqueplan ?

Ils furent pourtant les *lions* d'un monde où l'on ne faisait pas que s'amuser, où l'on prétendait aimer les lettres et les arts et protéger les écrivains en même temps que les actrices. Cette société, fort restreinte, mais la plus en vue, agréable au prince et à ses conseillers, s'interdisait les « grands sujets » et tous les livres qui pouvaient y conduire ; elle prônait ses poètes, « fantaisistes » et galants, ses romanciers, optimistes et mondains, ses dramaturges, gais inlassablement. *Le Figaro* était son journal ; il ne se décida que tard à s'occuper de politique, quand tout le monde en faisait : des personnalités, des anecdotes à la main, des histoires de coulisses ou du foyer de la danse, des allusions scandaleuses, des « mots du jour », des souvenirs curieux du passé, voilà ce qu'on lui demandait, et qu'il donnait. Un feu d'artifice.

Pendant ce temps, le positivisme, que cette littérature mondaine ignorait, faisait la conquête de la plus grande partie de la jeune génération. Vers la fin de l'Empire, sa puissance commença à se manifester en pleine lumière. Après 1870, et pendant vingt ans encore, il allait être la plus grande force visible du temps.

UN ASPECT DU « BOULEVARD » SOUS LE SECOND EMPIRE : LE CAFÉ TORTONI. Lithographie d'Eugène Guérard, 1856 (B. N., Cabinet des Estampes). — CL. LAROUSSE.

LA FRANCE ET L'ÉTRANGER SOUS LE SECOND EMPIRE

Au milieu du siècle les influences étrangères qui agissent en France sont moins fortes qu'elles n'avaient été à l'époque romantique et même au temps de Louis-Philippe; de même les marques de l'action de la France au-dehors sont moins visibles : tout se passe comme s'il se formait, un peu partout, une sorte d'égoïsme nationaliste. Pourtant les écrivains passent plus souvent les frontières et même des hommes de cabinet et de bibliothèques, comme l'étaient Sainte-Beuve, Taine, Renan. Plus que jamais, Paris attire; il apparaît souvent comme un lieu de rendez-vous internationaux.

La Revue des Deux Mondes continue a être assez fidèle à son titre; elle offre à ses lecteurs de nombreux articles sur les littératures modernes d'Europe et d'Amérique; la Revue contemporaine a des soucis pareils; la Revue britannique (depuis 1825) et la Revue germanique (1858, devenue Revue moderne en 1865) continuent la tâche plus précise inscrite sur leur étiquette. Philarète Chasles, É. Montégut, É. Forgues, Taine s'offrent comme des intermédiaires, au moins des informateurs, entre la France et l'Angleterre; Saint-René-Taillandier est un spécialiste de l'Allemagne; il parle quelquefois aussi de la Russie et des pays du Nord; il prend souvent fantaisie à Mérimée d'écrire sur la littérature russe; Ch. de Mazade s'intéresse à l'Espagne et F.-T. Perrens à l'Italie.

Les grandes poussées historiques et philologiques qui avaient tant agi sur la génération précédente continuent à s'exercer. Renan et Taine pratiquent Strauss, Herder, Hegel; la mythologie comparée est plus que jamais en faveur; on le voit bien, ne serait-ce qu'à la lecture des Poésies barbares de Leconte de Lisle (1862). Le travail de critique des historiens allemands sur l'antiquité classique, commencé par Niebuhr et continué par Mommsen, agit fortement; la création de l'École des hautes études (1868), la parution de la Revue critique (1866) signalent particulièrement ces mouvements. L'Université demeure encore respectueuse de ses traditions oratoires, mais commence à se laisser émouvoir par le prestige révélé de la philologie allemande. Les traductions de textes de folklore se multiplient; on continue à ouvrir devant le grand public les coffrets à trésor de la littérature et de la philosophie hindoues.

Quelques nouvelles influences commencent à se manifester, dont on ne verra le plein développement qu'à la génération suivante : le pessimisme de Schopenhauer, qui endort les inquiétudes philosophiques des parnassiens; les théories de Darwin, la philosophie de Spencer, celle de Stuart Mill. Dickens, qu'on avait commencé à traduire dès 1840, devient célèbre vers 1855; Taine fait de lui le plus vif des éloges en 1856; on publie de 1857 à 1874 une traduction de ses œuvres complètes. Dans le même temps, G. Eliot est présentée au public français, et assez bien accueillie.

D'autres influences sont étroitement localisées. Baudelaire traduit les Contes fantastiques d'Edgar Poe; il découvre dans l'esthétique du conteur américain une singulière concordance avec son propre « principe poétique ». Un petit groupe d'écrivains français, dont Baudelaire, applaudit Wagner et l'aime; péniblement ils le défendent contre l'hostilité d'un public exaspéré par les préjugés chauvins. Th. Gautier et L. Bouilhet étendent la curiosité des poètes vers la poésie chinoise. Mérimée, par ses traductions et ses Études de littérature russe, patronne le roman russe contemporain; il fait connaître Pouchkine, Gogol, Lermontof et surtout Tourguéniev.

On va chercher à l'étranger moins un idéal nouveau que la confirmation des tendances présentes de l'esprit français : le roman réaliste, la philosophie positiviste, le goût de la certitude philologique. Ce que la France donne alors à l'étranger ne paraît pas de très haut prix. Le prestige parisien continue à être grand en Europe; l'esprit et les mots du Boulevard y sont colportés avec admiration; la Belle Hélène est souvent applaudie par un parterre international ! Mais, même dans des pays qui, comme la Russie, étaient depuis longtemps ouverts à notre action, il y a des signes de déclin. Ce que l'Europe semble apprécier le plus chez nous, c'est notre théâtre : Scribe, Augier, A. Dumas fils, Sardou, dont l'habileté technique fait illusion; ce sont les romans d'Eugène Sue et d'Alexandre Dumas, de George Sand. On n'ignore point un Flaubert, un Renan. un Taine, ni même tout à fait un Baudelaire, mais ce sont des influences à retardement; comme en France, leur effet sera surtout sensible après 1870.

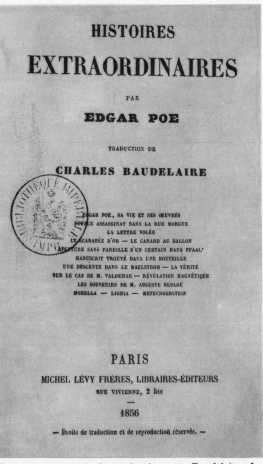

PAGE DE TITRE de la traduction par Baudelaire des « Histoires extraordinaires » d'Edgar Poe (1856).
CL. LAROUSSE.

LE QUATORZE-JUILLET. Peinture d'Alfred Roll (1880). — CL. BRAUN.

QUATRIÈME PARTIE

LA FIN DU XIXᵉ SIÈCLE
ET LES PREMIÈRES ANNÉES DU XXᵉ SIÈCLE

I. — CARACTÈRES GÉNÉRAUX

A consulter : Florian-Parmentier, Histoire des lettres françaises de 1885 à 1914, *1919; R. Lalou*, Histoire de la littérature française contemporaine, *1922, édition augmentée 1928; Eug. Montfort*, Vingt-Cinq Ans de littérature française, *1922 et suiv.; D. Mornet*, Histoire de la littérature et de la pensée françaises contemporaines, *1927; A. Billy*, la Littérature française contemporaine, *1927; Chr. Sénéchal*, les Grands Courants de la littérature française contemporaine, *1933; F. Bouvier*, Introduction à la littérature contemporaine, *1928; L. Raynaud*, la Crise de notre littérature, *1929; F. Baldensperger*, l'Avant-Guerre dans la littérature française contemporaine (1900-1914), *1919; J. Muller et G. Picard*, les Tendances présentes de la littérature française, *1914; A. Lang*, Voyages en zigzags dans la République des lettres, *1922;* — Déplacements et villégiatures littéraires, *1924; P. Varillon et H. Rambaud*, Enquête sur les maîtres de la jeune littérature, *1923; F. Lefèvre*, Une heure avec ..., *1924 et suiv.; M. Raymond*, De Baudelaire au surréalisme, *1933; H. Clouard*, Histoire de la littérature française, *tome I (de 1885 à 1914), 1947.*

La période qui va de 1870 à 1914 a déjà un aspect historique. Proche encore de nous par les dates, elle a sa figure et ses contours limités par les deux guerres. Depuis qu'elle est close, plus de trente années se sont écoulées, trente années remplies par des événements nombreux et importants. La plupart des écrivains qui y ont tenu la première place ont d'ailleurs disparu. Les plus jeunes, ceux qui commençaient d'écrire aux environs de 1914, se trouvent aux approches de la soixantaine ou au-delà : ils appartiennent à la période qui suit la guerre, ils en marquent le développement et la fin. Le demi-siècle qui sépare la défaite de 1870 de la victoire de 1918 a été si actif et si vivant que sa puissance de rayonnement dure encore : c'est une époque, mais une époque qui fait partie du passé.

Il serait bien téméraire cependant de croire qu'il est possible dès aujourd'hui de devancer le travail de la postérité et de discerner avec certitude ce qui est éphémère et ce qui demeure. Les formes de l'art du temps où l'on a vécu doivent être étudiées non pas avec une intrépidité hâtive et péremptoire, mais avec mesure et avec sympathie. Des écoles bruyantes et triomphantes, comme l'école naturaliste, se sont éteintes en laissant un déchet considérable. Au contraire, des mouvements, comme le mouvement symboliste, accueilli d'abord avec scepticisme et même avec ironie, apparaissent comme ayant eu beaucoup plus de profondeur, d'importance et d'influence qu'on ne l'avait supposé. Si beaucoup de noms viennent à l'esprit et paraissent dignes de prendre place dans un répertoire historique, ce n'est pas une raison pour qu'ils survivent tous, et peut-être un certain nombre ne seront-ils dans vingt-cinq ans qu'un souvenir.

Le trait le plus frappant de cette période de 1870 à 1914 est la liberté d'esprit. Le second Empire s'est écroulé. La troisième République s'installe et dure. Le régime parlementaire s'organise et se développe avec ses avantages et ses défauts. De grandes questions politiques, sociales, morales, philosophiques, religieuses sont débattues. Les opinions se heurtent, dominées par le souci de former l'esprit public et de rendre à la France sa place dans le monde, grâce à la restauration de ses forces et à la qualité de son travail. La vie intellectuelle est intense.

Dans le même temps, la civilisation matérielle se transforme par les inventions scientifiques. En moins de cinquante ans, surgissent les machines perfectionnées, s'opère le développement des voies ferrées et de l'électricité, se répand l'usage du téléphone, de la télégraphie sans fil, de l'automobile. On passe de la lanterne magique au cinématographe, et de l'antique bicycle à l'avion. Si le cœur humain change peu, la face de la terre change beaucoup. L'accroissement de l'Empire colonial et la facilité des voyages donnent des curiosités nouvelles et le goût de l'aventure et de l'exotisme.

Les écrivains ne vivent jamais isolés de leur temps. Même quand ils demeurent fermement attachés au problème essentiel, à la vie de l'esprit, et à l'étude de la destinée humaine, ils subissent l'influence des circonstances qui les environnent, et ils jettent sur le vieil univers un regard neuf. C'est cet élan créateur, cet épanouissement libre des intelligences, cette recherche des traditions et des renouvellements qui caractérise la fin du XIXᵉ siècle et le début du XXᵉ.

Cette période de 1870 à 1914 est surtout remarquable par son abondance, par la diversité des courants qui la traversent, par l'ardeur intellectuelle qui s'y manifeste, par le nombre de ceux qui ont l'amour des lettres. Les noms de plusieurs grands écrivains la dominent; aucun ne la résume. Elle a plus de richesse que d'éclat. Elle témoigne de plus de vitalité que de génie. On y saisit le labeur passionné d'un âge qui s'est clos en ramenant dans nos annales le mot de victoire. C'est sa marque, c'est son titre. Elle est nécessairement européenne et cosmopolite en raison des conditions nouvelles de la vie des peuples, des échanges intellectuels, des relations de toute sorte multipliées par-delà les frontières; et en même temps elle est particulariste et nationale, puisque la mission des hommes qui ont alors vécu et pensé a été surtout d'assurer l'avenir de leur pays menacé.

LES PRINCIPAUX COURANTS

La génération littéraire qui disparaissait en 1870 laissait à la suivante un grand héritage : elle lui léguait la méthode scientifique et, comme doctrine artistique, le naturalisme. L'autorité de Taine et celle de Renan restent, après 1870, considérables. Ils sont les maîtres incontestés de la pensée. Les progrès accomplis par les sciences ajoutent encore au prestige de la conception générale qui domine tous les esprits. C'est le naturalisme qui, par son outrance, a mis en relief son insuffisance à tout expliquer. Matériel, raisonneur et sensuel, nullement sentimental, pessimiste, il a tout envahi durant quelques années. Il s'est installé dans le roman avec l'œuvre de Zola; un peu plus tard, dans l'art dramatique. Il a réduit la vie à un jeu mécanique de causes et d'effets, les mouvements de l'âme à des phénomènes physiologiques; il a été résolument déterministe, incroyant, cela va sans dire, contraire même au spiritualisme traditionnel. Bien qu'il eût avec la science infiniment moins de rapports qu'il ne l'imaginait, il a prétendu utiliser les données fournies par les savants, par la chimie de Berthelot et la biologie de Darwin.

Mais, dès le lendemain de 1870, d'autres courants se manifestent. Chez Taine et chez Renan même, on voit paraître des préoccupations qui semblaient bien éloignées d'eux. Taine entreprend des études historiques sur *les Origines de la France contemporaine*, qu'il publiera de 1875 à 1893. Et il ne se contente plus de décrire en observateur impartial et indifférent : il introduit dans la critique et dans l'histoire des considérations morales. Renan publie en 1871 *la Réforme intellectuelle et morale*, et dans tout ce qu'il écrit par la suite on respire, mêlé à un dilettantisme idéaliste et poétique, le parfum d'une vie spiritualiste dont il n'avait jamais perdu le goût. Entre 1880 et 1890, il y eut une sorte de désaffection à l'égard du naturalisme et des certitudes scientifiques. Le sentiment parut avoir des droits que le raisonnement lui refusait; les croyances religieuses même, ou du moins le sens religieux, retrouvèrent une place dans les esprits et dans les cœurs. Eugène-Melchior de Vogüé, Paul Desjardins s'employèrent à fortifier et à propager ces tendances. Lorsque, en 1889, Paul Bourget publia *le Disciple*, où il faisait l'analyse du malaise spirituel qui venait de saisir les âmes, Taine pouvait lui écrire : « Ma génération est finie. »

Or, si l'on considère cette date de 1889, on admire les beaux synchronismes que voici. Le premier livre de Henri Bergson, l'*Essai sur les données immédiates de la conscience*, a paru en 1888. C'est en 1888 que Fustel de Coulanges reprend et développe son *Histoire des institutions de l'ancienne France*. Les *Poésies* de Stéphane Mallarmé, les *Sites* de Henri de Régnier datent de 1887; *Parallèlement*, de Verlaine, date de 1888; *les Premières Armes du symbolisme*, de Jean Moréas, de 1889. C'est en 1889 que Maurice Barrès publie *Un homme libre;* en 1890, le *Mercure de France* groupe les écrivains épris d'un désir de rénovation. Ces noms et ces titres indiquent vers quelles idées, dans les genres les plus divers, s'orientaient alors les esprits. La soumission à l'objet, enseignée par la science et le naturalisme, demeure la loi suprême. Mais, entendue dans sa signification complète, elle invite à l'observation de tout ce qui est, non seulement de ce qui est susceptible d'analyse, mais aussi de ce qui est émotion, aspiration, énergie spirituelle. A dater de cette époque, si le courant naturaliste continue à couler, un autre s'est formé : on tient plus largement compte de la sensibilité. Il y a pendant un certain temps contraste et lutte : bientôt, on s'aperçoit qu'il s'agit moins d'opposer les deux doctrines que de les compléter l'une par l'autre, et toute la littérature est entraînée à la recherche d'une connaissance empirique plus ample, plus vraie que celle dont le naturalisme pur avait été l'expression.

C'est ainsi que la poésie, qui domine toujours le mouvement littéraire, reprend possession des esprits, et par poésie il faut entendre ici non à la lettre l'art d'écrire en vers, mais une certaine manière de sentir et de penser. Dans tous les ordres de l'activité intellectuelle, les recherches aboutissent à la conclusion que l'expérience révèle plus de choses que l'analyse de l'école régnante n'en peut observer et que, finalement, la nature est plus riche que le naturalisme. Des écrivains bien différents, et qui obéissent à des inspirations multiples, participent à ce travail. Il n'y a presque rien de commun entre l'art d'Anatole France, fait de clarté latine, la poésie mélancolique de Pierre Loti, la rigoureuse observation de Paul Bourget, disciple de Taine, l'ardeur et les analyses exaltantes de Maurice Barrès : mais, tous, ils contribuent à donner des facultés de l'homme et de sa destinée une interprétation qui n'était pas chez Zola. Le symbolisme du *Mercure de France*, et plus tard la critique de la *Nouvelle Revue française*, le traditionalisme de Charles Péguy, parti du socialisme des *Cahiers de la Quinzaine*, les disciplines de l'*Action française*, les travaux historiques qui se multiplient sur le XVIIIᵉ siècle et sur le romantisme, les

LE BAL DU « MOULIN DE LA GALETTE ». Peinture de Renoir (1874).
Musée du Louvre.

influences exercées par les littératures étrangères, le goût nouveau de quelques idées américaines, la doctrine de Bergson : tout conspire à faire passer les esprits du naturalisme pessimiste à un lyrisme qui, tantôt stoïque et tantôt optimiste, est en définitive inspirateur d'énergie.

On pourrait donc distinguer, dans le court intervalle de temps qui sépare les deux guerres, trois périodes : la première, plus particulièrement naturaliste, s'étend de 1870 à 1889 ; la seconde se prolonge jusqu'aux environs de l'année 1905, marquée par le symbolisme et par la liberté d'esprit ; la troisième est caractérisée surtout par l'élan qui a secoué les âmes à mesure qu'approchait le danger de la guerre. Mais cette division ne serait que partiellement exacte : dans ce demi-siècle, tout s'enchevêtre et se pénètre. Il y eut dès 1870 des tentatives pour sortir du naturalisme et pourtant des survivances du naturalisme subsistent encore en 1914. Le théâtre, par exemple, malgré l'effort de Dumas fils après la défaite, suit un mouvement de même sens que le roman, mais avec un retard de vingt à trente ans. La poésie, au contraire, devance les autres genres, et Rimbaud eut de l'influence bien avant d'être connu d'un large public. Tout effort pour retracer l'histoire des idées au cours d'une période quelconque implique des simplifications. L'étude des mouvements d'idées et des écoles nous aide certainement à comprendre une époque, à mettre de l'ordre dans la multiplicité des phénomènes littéraires et à construire, selon les besoins de notre esprit, une histoire. Tout en accomplissant ce travail légitime, comment oublier qu'il y a surtout des individus, que chacun suit sa destinée et donne la floraison qu'il devait produire ? Comment oublier que les grandes pensées et les grands sentiments sur lesquels vit la civilisation ont été formulés dès l'Antiquité, repris et enrichis par le christianisme, et que la littérature est proprement l'expression personnelle, et sans cesse renouvelée au cours des âges, de ces pensées et de ces sentiments éternels ?

Quand vinrent les jours de 1914, on peut dire que le mouvement nouveau était complètement dessiné. La période de 1870 à 1914 a donc laissé à la suivante non pas seulement quelque chose qui finissait, mais quelque chose qui commençait. Et, par une rencontre singulière, c'est peut-être dans une phrase écrite par Taine que l'on trouve la définition la plus exacte de ces dispositions d'esprit. « Pour atteindre à la connaissance des causes, est-il dit dans la *Philosophie de l'art*, l'homme a deux voies : la première, qui est la science, par laquelle, dégageant ces causes et ces lois fondamentales, il les explique en formules exactes et en termes abstraits ; la seconde, qui est l'art, par laquelle il manifeste ces causes d'une façon sensible, en s'adressant non seulement à la raison, mais au cœur et aux sens de l'homme le plus ordinaire. »

A la veille de la guerre, c'est cette seconde voie que suivait surtout la littérature. La succession d'événements de toute sorte, le spectacle d'un univers bigarré ont amené les écrivains et les artistes, parmi tant d'incertitudes, à se contenter de quelques idées directrices et à se tenir fermement pour le reste à leur impression, qui était ce qui leur paraissait le plus certain. Et c'est ainsi que la génération scientifique et naturaliste de 1870 a laissé la place à une génération poétique.

L'INFLUENCE DES LITTÉRATURES ÉTRANGÈRES

Les littératures étrangères ont joué entre 1870 et 1914 un rôle important dans la formation des esprits et dans l'évolution des genres littéraires. Il est remarquable que les écrivains de tous les pays de l'Europe, Scandinaves ou Russes, Anglais ou Italiens, ont été accueillis durant cette période avec le même empressement. Si nous avons porté

SIEGFRIED ET LES FILLES DU RHIN. Lithographie de Fantin-Latour, dont maintes compositions sont inspirées de l'œuvre de Wagner (B. N., Cabinet des Estampes). — CL. GIRAUDON.

un égal intérêt à des ouvrages très différents par leur inspiration, c'est que nous y cherchions et que nous y trouvions quelque chose de commun. Ce n'est plus aujourd'hui un problème d'histoire littéraire que de décider si les influences du dehors peuvent dénaturer en France le génie national. L'expérience a toujours prouvé que les littératures étrangères ont ouvert aux écrivains français, à certaines heures d'aridité ou d'incertitude, des sources de renouvellement, sans que l'imitation ait jamais été pour eux un esclavage. Mais, en ce qui concerne la période de 1870 à 1914, le phénomène est d'autant plus frappant que nos écrivains ont pris au-dehors des idées qui répondaient à leurs propres aspirations et dont beaucoup étaient nées chez nous. Toutes les influences étrangères, en effet, ont agi dans le même sens : elles nous ont invités à nous préoccuper des problèmes de la vie intérieure, et, par là, elles ont travaillé contre les excès du naturalisme ; elles nous ont aidés à faire rentrer dans les œuvres la notion du mouvement de l'âme, une pitié philosophique que le réalisme outrancier ne connaissait plus, et, d'un mot, la poésie.

Pour montrer leur rôle dans la décadence du naturalisme, il est intéressant de rapprocher quelques dates. C'est en 1875 que Burdeau entreprend la traduction de Schopenhauer, dont le pessimisme idéaliste renouvelait le pessimisme désenchanté et un peu plat des naturalistes. C'est en la même année 1875 que paraît le livre d'Édouard Schuré, *le Drame musical*, suivi d'études wagnériennes, et, peu à peu, on demande à Wagner des enseignements poétiques dont l'expression la plus complète se trouve dans les belles pages de Maurice Barrès intitulées *Regard sur la prairie*. On se remet à traduire George Eliot (*Adam Bede, Silas Marner, Daniel Deronda*), dont le naturalisme est corrigé par une large philosophie et suppose des préoccupations morales et sociales. En 1882, Eugène-Melchior de Vogüé publie son livre sur *le Roman russe*, qui retentit profondément dans les âmes. Dans les années qui suivent, entre 1884 et 1900, des traductions de Dostoïevski (*Crime et Châtiment, les Possédés*), de

Tolstoï *(la Guerre et la Paix, Anna Karénine, la Puissance des ténèbres, la Sonate à Kreutzer, Résurrection)*, de Maxime Gorki sont successivement offertes au public français. Entre 1889 et 1900, le livre et le théâtre révèlent les Scandinaves : Bjoernson *(Au-delà des forces humaines)*, Ibsen *(les Revenants, Maison de poupée, Rosmersholm, Hedda Gabler, le Canard sauvage)*, puis les dramaturges allemands : Hermann Sudermann *(le Passé)*, Gerhardt Hauptmann *(Ames solitaires, les Tisserands)*. L'œuvre de Nietzsche, étudiée profondément depuis par Daniel Halévy et par Charles Andler, a été traduite par Henri Albert de 1893 à 1900; celle de Gabriele d'Annunzio, par G. Hérelle : toutes deux excellemment. Fogazzaro a été traduit en 1896 et 1897, Rudyard Kipling depuis 1899 : il a eu la fortune de trouver en Louis Fabulet et en Robert d'Humières deux interprètes qui sont eux-mêmes de très habiles écrivains.

Trois romanciers, dans le grand nombre de ceux qui ont été traduits, représentent l'ensemble des influences venues du dehors. Tolstoï a jeté des idées évangéliques sur un monde dominé par les soucis matériels et par un brutal individualisme, et, à l'observation sèche des intérêts courants, il a préféré l'étude des grandes questions qui touchent à la conscience et à la société. D'Annunzio, au contraire, déploie dans toute son œuvre un individualisme sans frein, et ses livres, *le Triomphe de la Mort, l'Enfant de volupté, les Vierges aux rochers, le Feu*, ne mettent en scène que des êtres vigoureux dont les passions débordent et dont l'ardente fantaisie se joue des conventions sociales. Il chante avec tant de splendeur la beauté de la plante humaine, quand elle est robuste, que toute son œuvre est au fond un hymne à l'énergie. Par cet enthousiasme, conforme à la tradition italienne, mais contraire au naturalisme rétréci, minutieux et sec, il conviait les âmes à l'exaltation, à l'orgueil de la vie, par là au lyrisme. Rudyard Kipling enfin, grand poète et grand prosateur, a exercé une action profonde. Rudyard Kipling a été le premier à chanter l'univers moderne. S'il a semblé n'être d'abord que le poète de l'impérialisme anglo-saxon, on reconnut bien vite que son œuvre avait une portée plus générale. Ayant contemplé les formes les plus curieuses de la civilisation orientale et les aspects les plus récents de la civilisation matérielle de l'Europe et des États-Unis, ayant regardé vivre toutes les races sous toutes les latitudes, ayant tout vu, tout compris et tout accepté, il a fait de son œuvre puissante la Somme des temps modernes. C'est lui qui a détourné la dernière venue parmi les générations littéraires de la pure analyse intellectuelle, et qui lui a donné le goût du spectacle des aventures, psychologiques et autres.

II. — LA POÉSIE

A consulter : P. Martino, Parnasse et symbolisme, *1925, 7e édition, 1947;* G. Walch, Anthologie des poètes français contemporains (1866-1906), *1906;* Poètes d'hier et d'aujourd'hui, *1917;* Poètes nouveaux, supplément, *1923;* A. Van Bever et Léautaud, Poètes d'aujourd'hui, morceaux choisis, *1910, nouvelle édition 1929, 3 vol. (excellentes notices biobibliographiques);* R. de La Vaissière, Anthologie poétique du XXe siècle, *1923.*

A. Barre, *le Symbolisme, 1911;* A. Beaunier, la Poésie nouvelle, *1902;* J. Huret, Enquête sur l'évolution littéraire, *1891;* Guy Michaud, Message poétique du symbolisme, *1947, 4 vol.;* M. Raymond, De Baudelaire au surréalisme, *1933.*

Miodrag Ibrovac, J.-M. de Heredia, *1923.*

Verlaine, Œuvres poétiques complètes, *édition de la Pléiade, 1938;* Correspondance, *3 vol., 1922-1929;* C. Cuénot, État présent des études verlainiennes, *1938;* A. Van Bever et M. Monda, Bibliographie et iconographie de Verlaine, *1926;* G.-A. Tournoux, Bibliogra-

phie verlainienne, *1912;* P. Martino, Verlaine, *1924, 3e édition, 1941;* M. Coulon, Verlaine, poète saturnien, *1929;* F. Porché, Verlaine tel qu'il fut, *1933;* ex-Mme P. Verlaine, Mémoires de ma vie, *1935;* L. Morice, Verlaine, le drame religieux, *1947.*

Mallarmé, Œuvres complètes, *édition de la Pléiade, 1945;* Monda et Montel, Bibliographie de S. Mallarmé, *1927;* A. Thibaudet, la Poésie de S. Mallarmé, *1912;* C. Mauclair, Mallarmé chez lui, *1935;* E. Noulet, l'Œuvre poétique de Mallarmé, *1940;* H. Mondor, la Vie de Mallarmé, *1941-1942;* J. Schérer, l'Expression poétique dans l'œuvre de Mallarmé, *1942.*

Rimbaud, Œuvres complètes, *édition de la Pléiade, 1946. Monda et Montel,* Bibliographie des œuvres de Rimbaud, *1928;* J. Ruchon, J.-A. Rimbaud, *1929;* M. Coulon, la Vie de Rimbaud et son œuvre, *1929;* E. Delahaye, les Illuminations et Une saison en enfer, *1927;* R. Clauzel, Une saison en enfer, *1931.*

F. Ruchon, J. Laforgue, *1924;* G. Bonneau, Albert Samain, *1925;* L. de Cours, Vielé-Griffin, *1930; pour F. Jammes, voir au chapitre du roman (page 376).*

E. Raynaud, Jean Moréas et les « Stances », *1929;* R. Niklaus, Jean Moréas, poète lyrique, *1936.*

D. Halévy, Péguy, *1941;* J. et J. Tharaud, Notre cher Péguy, *1926;* — Pour les fidèles de Péguy, *1949.*

P. Valéry, Poésies *(édition augmentée), 1942;* F. Lefèvre, Entretiens avec Paul Valéry, *1925;* G. Cohen, Essai d'explication du « Cimetière marin », *1933;* E. Noulet, Paul Valéry, *1938;* E. Rideau, Introduction à la pensée de P. Valéry, *1945;* Pauline Mascagni, l'Initiation à Paul Valéry, *1946;* H. Mondor, les Premiers Temps d'une amitié, André Gide et P. Valéry, *1945;* J. Duchesne-Guillemin, Essai sur « la Jeune Parque », *1947;* J. Pommier, Paul Valéry et la création littéraire, *1947;* M. Raymond, P. Valéry et la tentation de l'esprit, *1947;* A. Gide, Paul Valéry, *1947.*

La poésie a tenu une très grande place dans la période de 1870 à 1914. Elle n'a pas seulement brillé par les œuvres. Elle a exercé une profonde et durable influence sur les esprits et déterminé un mouvement qui a duré après 1914. Le fait capital est que, dans le temps même où le Parnasse donnait sa fleur avec *les Trophées* de Heredia, surgissait le symbolisme qui, après des débuts difficiles, allait peu à peu s'étendant, laissait paraître ses exigences, et apportait une conception qui n'a cessé depuis 1880 de retenir les esprits. Ce n'était pas seulement une esthétique, une théorie du vers et du rythme. C'était plus encore : c'était une idée nouvelle du monde extérieur et du monde intérieur, des apparences de l'univers sensible et de la vie de l'âme. Le symbolisme a fortement agi sur les écrivains entre 1880 et 1914. On verra dans la suite qu'il n'a pas cessé d'agir après 1914. Il y avait en lui un pouvoir de renouvellement qui s'est exercé sur tous les genres littéraires. La poésie a rempli dans cette période un rôle d'initiatrice.

LE PARNASSE APRÈS 1870

On a vu plus haut l'avènement du Parnasse : l'impulsion que la jeune école a donnée se prolonge après 1870. Victor Hugo meurt dans la gloire (1885); mais c'est Leconte de Lisle qui continue d'exercer la plus grande influence. Une phrase célèbre de la préface des *Poèmes antiques* sert de règle aux poètes : « Les émotions personnelles n'ont laissé que peu de traces dans ce livre; bien que l'art puisse donner dans une certaine mesure un caractère de généralité à tout ce qu'il touche, il y a, dans l'aveu public des angoisses du cœur et de ses voluptés non moins amères, une vanité et une profanation gratuites. » C'en est fini des frénésies et de l'amplification. L'esprit réaliste qui anime les philosophes, les critiques et les romanciers, inspire aussi les poètes. Les belles ordonnances, les rapports exacts entre les mots et les idées, les vigoureuses condensations paraissent les suprêmes vertus.

Albert Mérat (1840-1906), le philosophe de l'école, donne en 1873 *l'Adieu*; en 1880, les *Poèmes de Paris*. C'est en 1892 que Catulle Mendès publie les trois volumes qui forment l'édition collective de ses *Poésies*; c'est en 1894-1896 que paraissent, sous leur forme définitive, les *Poésies complètes* de Léon Dierx. C'est après 1870, pareillement, que François Coppée produit les œuvres qui achèvent de définir et de rendre populaire sa physionomie. Sully Prudhomme continue lui aussi d'écrire après 1870 : *les Vaines Tendresses* sont de 1875, *la Justice* de 1878, *le Bonheur* de 1888. Ces écrivains ont été étudiés dans la précédente partie de cette *Littérature*.

Un autre poète semble désormais dominer tout le groupe. José-Maria de Heredia (1842-1905) n'a publié qu'un seul livre de vers, *les Trophées* (1893) : les sonnets dont il se compose étaient d'ailleurs déjà célèbres avant que d'être réunis en volume. Ce maître de l'art somptueux et précis a retrouvé la tradition de la pensée antique qui aimait à frapper juste et à s'exprimer en peu de mots.

Ses sonnets donnent l'impression de densité propre à ces inscriptions grecques et latines, dont le texte plein d'une ardeur pathétique et resserrée se prolonge loin dans les cœurs. Fils d'un père espagnol et d'une mère française, Heredia possédait le sens de la magnificence et celui de l'exactitude. Chartiste, et grand lettré, il avait à la fois la passion et la maîtrise de son art. Il aimait les rares harmonies et la plénitude du sens : il disait que la rime ne doit pas être seulement le choc de deux mots, mais le choc de deux idées. L'éclat de ses poèmes, savamment ménagé, n'a rien de froid ni de compassé; il n'exclut pas l'émotion. Cette suite de sonnets consacrés à l'Antiquité, aux mythes grecs, à l'Orient, au XVIe siècle, aux héros et aux dieux est comme une série d'intailles, où l'histoire du cœur humain se devine à travers le dessin au pur contour. Chacune de ces pièces suppose une longue préparation, et résume à la fois beaucoup de science et beaucoup de rêve. Les mots, choisis, parfaits, évoquent par leur assemblage l'inexprimable, la grandeur mystérieuse du destin et aussi ce qu'il y a d'humain dans le cœur des héros. Tel sonnet enferme toute la beauté d'un mythe, tout l'esprit d'une époque, tout le pittoresque d'une civilisation. Chez Heredia, une culture profonde est alliée aux facultés lyriques d'une âme fraîche et charmante, illuminée d'insouciance. Il ressemble à l'enfant grec de la légende, qui admira un jour Bellérophon près de la fontaine Pirène, reçut de lui une plume de l'aile de Pégase et devint un grand poète. On admire dans l'auteur des *Trophées* une sérénité qu'il semble tenir des dieux, et une sensibilité tout humaine, enfermées par sortilège dans des vers brillants, joyaux ou émaux, prismes naturels, qui projettent leur lumière irisée sur une époque où le souvenir des magnificences romantiques s'unit aux disciplines précises du réalisme renaissant.

Beaucoup d'écrivains qui ont publié des vers entre 1880 et 1895 ont subi l'influence de Leconte de Lisle et de

JOSÉ-MARIA DE HEREDIA en conquistador.
Émail de Claudius Popelin (1868).

Heredia, s'ils ont été surtout sensibles à la plastique; l'influence de Sully Prudhomme, s'ils ont été plus enclins à la méditation philosophique. Ceux mêmes qui gardaient le plus de dispositions romantiques ont été dociles aux enseignements de la poésie parnassienne. C'est le cas de Jean Richepin (1849-1926), qui a publié *la Chanson des gueux* (1874), *les Caresses* (1877), *les Blasphèmes* (1884), *la Mer* (1886), *Interludes* (1922), *les Glas* (1923), et qui sait allier le tumulte d'une inspiration véhémente à la virtuosité, à la sûreté classique. Les poèmes de Jean Lahor (1840-1909) : *Melancholia* (1860), *l'Illusion* (1888; 2 vol., 1893), *les Quatrains d'Al-Ghazali* (1896), sont d'un pur parnassien, qui a étudié avec profondeur la philosophie bouddhique. C'est aussi un classique que Frédéric Plessis (1851-1941), poète très lettré, savant latiniste, partagé entre l'étude de l'Antiquité et un vif sentiment de la nature, dont les *Poésies complètes* ont été publiées en 1904 : deux de ses recueils, *la Lampe d'argile* (1886) et *Vesper* (1887), ont été comparés par Anatole France à un musée antique plein de figures de héros et de nymphes, et l'on y trouve aussi des élégies qu'anime une flamme amoureuse puissante et douce. Armand Silvestre (1838-1901) a publié *la Chanson des heures* (1878), *les Ailes d'or* (1880), *le Chemin des étoiles* (1885), *les Tendresses* (1895-1898), *les Fleurs d'hiver* (1898-1906), où la facilité et la grâce n'empêchent pas de reconnaître les disciplines du Parnasse. Maurice Rollinat (1853-1902) a surtout chanté la nature (*Dans les brandes*, 1877; *la Nature*, 1892; *le Livre de la Nature*, 1893); en son recueil intitulé *les Névroses* (1883), il se dégage du Parnasse pour s'inspirer plutôt de Baudelaire. Edmond Haraucourt (1856-1941), plus classique et plus philosophe, a écrit : *l'Ame nue* (1885), *l'Espoir du monde* (1899), *le XIXe Siècle* (1901). On retrouve davantage l'influence de Sully Prudhomme dans les vers d'Auguste Dorchain (1857-1930), auteur de *la Jeunesse pensive* (1881) et de *Vers la lumière* (1894); dans ceux d'Auguste Angellier (1848-1911), auteur des poèmes *A l'amie perdue* (1896) et des recueils intitulés : *le Chemin des saisons* (1903), *Dans la lumière antique* (1905-1911). Charles Le Goffic (1863-1932), auteur d'*Amour breton* (1889) et des poèmes intitulés : *le Bois dormant, le Pardon de la reine Anne* (1902), a su allier l'inspiration bretonne à un talent très classique. Charles de Pomairols (1843-1916), auteur des *Poésies idéalistes* (1879), de *Rêves et pensées* (1880), de *la Nature et l'âme* (1887), de *Pour l'enfant* (1904), passionné pour la terre, a chanté avec force l'honneur de posséder un champ.

LE RENOUVELLEMENT DE LA POÉSIE

Après le Parnasse, et après *les Trophées*, on ne pouvait aller plus loin dans la mesure, l'exactitude et le pathétique. Alors parurent Paul Verlaine et Stéphane Mallarmé, qui, par l'originalité de leur art et la force de leur personnalité, devaient renouveler la poésie. Nous leur devons sinon l'origine première, au moins le développement du symbolisme; et l'action puissante du symbolisme s'est manifestée dans tous les genres littéraires, vers 1890. Il a contribué à renouveler le roman et le théâtre, après la période naturaliste, et à changer la direction des esprits — non sans

LITHOGRAPHIE DE BONNARD pour la « Ballade de la mauvaise fréquentation » (« Parallèlement », édition Vollard, 1900). CL. LAROUSSE.

disputes d'écoles souvent bruyantes, non sans excès et sans bizarreries.

A Paul Verlaine (1844-1896) fut réserve le privilège d'un lyrisme original. Il demeure un des plus étonnants poètes de son temps et de tous les temps. Par son existence vagabonde, et même scandaleuse, par la résonance d'une sensibilité extrême à laquelle ne se mêle aucun élément intellectuel, comme par son art à la fois subtil et naturel, il est hors de l'ordre commun : il faut remonter à Villon pour lui trouver un aïeul dans notre littérature. Il a commencé par être disciple du Parnasse, et s'il est vrai que ses premiers recueils (*Poèmes saturniens*, 1866; *Fêtes galantes*, 1869; *la Bonne Chanson*, 1870) font entendre des accents variés et qui troublent, ils ne révélaient pas encore tout ce que son âme contenait d'étrange et de mystique. C'est plus tard que *Romances sans paroles* (1874), *Sagesse* (1881), *Parallèlement* (1888), *Bonheur* (1891), *Liturgies intimes* (1892), *Élégies* (1893) firent connaître les chants désolés et pathétiques du poète qui, tantôt grand pécheur et tantôt grand repenti, disait avec une égale facilité ses fautes et ses remords. Il a été, selon le mot de Jules Tellier, un de ceux que le rêve a

conduits à la folie sensuelle ; et il a raconté avec un lyrisme farouche et câlin, avec une naïveté sauvage et puérile, les alternatives de ses erreurs et de ses expiations. Il a tantôt imaginé des formules luxurieuses et tantôt trouvé les mots les plus doux et les plus parfumés de grâce mystique. Certaines de ses pièces, où la poésie jaillit du cœur, font penser à l'*Imitation* ou rappellent les accents si tendrement séduisants des *Fioretti*. Très sûr de son art, maître de la langue et des rythmes, il se meut avec une habile aisance dans une poésie savamment libérée de toute règle. Victor Hugo avait disloqué l'alexandrin : Verlaine le rend fluide. Il se dispense même parfois de la rime. Et, dans cette forme familière jusqu'à la nonchalance, négligée même avec un art dont la simplicité est un suprême raffinement, il a su faire tenir à la fois des hardiesses de faune et des paroles angéliques.

Stéphane Mallarmé (1842-1898) avait débuté, ainsi que Verlaine, dans les petites revues du Parnasse, où il avait connu Banville, Mendès et Villiers de l'Isle-Adam. Mais, ayant discerné dans *les Fleurs du mal* une poésie d'intellectualité pure, construite selon des lois spéciales, il commença de composer des pièces concises jusqu'à l'obscurité, d'une syntaxe savante, en opposition marquée avec les habitudes analytiques de notre langue. Comme il ne se souciait guère du succès et qu'il n'écrivait que pour satisfaire son rêve intérieur, il arriva à créer une poésie compliquée, peu intelligible, subtile et raffinée. C'est un art d'initié; le profane qui lit *l'Après-Midi d'un faune* (1876) saisit au passage des images charmantes, des lueurs qui le ravissent, mais il n'est jamais sûr de bien comprendre ni de tout voir.

Vers 1886, la gloire entra tout à coup dans le modeste logis qu'habitait le poète, rue de Rome. Victor Hugo était mort, et déjà les jeunes écrivains cherchaient autre chose que la perfection parnassienne, l'éclat des rimes et des images et l'impassibilité. En 1884, Huysmans avait publié *A rebours*, et il avait fait célébrer par le héros du livre, en termes magnifiques, le poète Stéphane Mallarmé. Il louait celui qui, dans un siècle de suffrage universel et

PAUL VERLAINE. — CL. LAROUSSE.

dans un temps de lucre, vivait à l'écart même des lettres, « abrité de la sottise environnante par son dédain, se complaisant, loin du monde, aux surprises de l'intellect, aux visions de sa cervelle, raffinant sur des pensées déjà spécieuses, les greffant de finesses byzantines, les perpétuant en des déductions légèrement indiquées que relie à peine un imperceptible fil ». Les jeunes symbolistes d'alors, qui, intrépidement, rompaient à la fois avec le réalisme et avec les disciplines du Parnasse, se tournèrent vers ce maître. Tous ceux qui ont fréquenté Mallarmé ont gardé un souvenir ébloui de ses entretiens, qui ouvraient un monde inconnu de pensées et de rêves, et que nous connaissons seulement par les brèves notes rédigées par le poète lui-même sous le titre de *Divagations* (1897).

Ce qui caractérise l'œuvre de Stéphane Mallarmé, c'est qu'elle est à la fois considérable par l'intention et la qualité, et qu'elle est en fait très brève, puisqu'elle se compose de quelques centaines de vers, qui ne sont pas tous intelligibles. Il faut reconnaître que l'interprétation de certaines pièces est difficile et laisse perplexe la meilleure volonté du monde. Mais il reste, épars et solitaires, des vers magnifiques par leur plénitude, par leur puissance d'évocation, par le mystère indéfini de leur charme. C'est une aventure assez rare dans l'histoire de la littérature que celle d'un poète ayant si peu écrit, et pourvu d'une si ensorcelante faculté d'exciter l'imagination et la sensibilité.

L'idée essentielle de Mallarmé — et c'est par là qu'il est véritablement le chef du symbolisme — est d'avoir cherché dans les mots, et même dans les mots abstraits, autre chose que leur valeur logique; et dans le langage, autre chose que l'expression intellectuelle de la pensée. Il a dit très subtilement que dans un poème les mots se reflètent les uns les autres jusqu'à paraître ne plus avoir leur couleur propre, et n'être désormais que les transitions d'une gamme. Il ne veut pas que les mots soient séparés par un espace; il souhaite qu'ils se touchent, et non seulement qu'ils se touchent, mais qu'ils ne vivent pas de leur propre vie, « comme les pierreries d'un joyau ». C'est dire que Mallarmé rêvait d'une poésie qui serait de la musique, et de vers qui donneraient la sensation d'une symphonie. Tel fut bien le point de départ de son invention originale et, aussi, de son erreur.

Quand on relit aujourd'hui le volume intitulé *Vers et Prose*, qui a paru en 1893 et qui contient la partie la plus importante de l'œuvre de Mallarmé, on s'aperçoit de l'effort considérable accompli par le poète en vue d'une tentative qui était fatalement vouée à un échec. La langue est un moyen d'expression créé pour ce qui est intelligible; les mots, les rapports grammaticaux, les lois de la syntaxe répondent avant tout au besoin de communiquer ce qui est communicable. Renoncer à ces règles, c'est vouloir faire de la langue une musique sans clef. Mallarmé supprime tous les termes qui ne lui paraissent pas indispensables, toutes les liaisons rationnelles entre les mots et les phrases, tout ce qui est transition, élément de structure. Puis il

STÉPHANE MALLARMÉ. Peinture d'Édouard Manet (musée du Louvre).

cherche aux mots qu'il garde la place qui leur convient pour que les images se succèdent selon l'ordre qui l'émeut. De là, des textes qui sont le résultat d'un long travail et qui demandent un long travail pour être déchiffrés. De là, aussi, des rythmes troublants, des paroles musicales chargées d'émotion, et, dans le nombre, des vers d'une beauté singulière.

Arthur Rimbaud (1851-1891) a eu sur le mouvement symboliste et sur son développement un étrange et un incontestable pouvoir. Enfant exalté, précoce, possédant des dons littéraires surprenants, en révolte contre les idées, les institutions, les littératures, il lit tout ce qui lui tombe sous la main, il aime les aventures, les voyages et même la sauvagerie. Il déteste sa province, tous les usages, toutes les conventions, toutes les traditions. Il est hostile à la religion et à la politique. Il a le dégoût du monde réel. Que cherche-t-il? Il écrit depuis qu'il a quinze ans et fait preuve d'une imagination verbale extraordinaire. Il n'a pas dix-sept ans quand il décide d'être un « voyant », un être qui, au-delà des apparences de l'univers sensible, cherche l'Absolu et l'Unité. A l'aide des mots dont il joue avec une étonnante virtuosité, ce jeune poète se livre avec frénésie à une sorte d'alchimie verbale, formant un abrégé du monde hallucinant, et destiné à disparaître avec lui-même dans le Verbe unique, dans l'origine mystérieuse de tout. Pour apaiser ce mysticisme assez oriental, il aurait fallu la grâce. Peut-être Rimbaud, à certains moments, l'a-t-il senti. Mais il ne croit pas, il souffre, il a une vie infernale, il est proche de la déraison complète. Il finit par comprendre que son erreur a été de mépriser la nature, et d'ignorer cette harmonie humaine de l'âme et du corps, qui a préoccupé les sages antiques. Dès lors, il rompt définitivement avec la littérature. Il a vingt ans, il se consacre à une existence active, il cherche la paix jusqu'en Éthiopie, dans les aventures et dans les exploits. Mais il laissait en France des vers qui commencèrent d'être connus en 1885, et qui n'ont pas cessé de paraître l'œuvre inquiétante, enflammée, originale d'un jeune

L'APRÈS-MIDI D'UN FAUNE. Bois de Manet ornant l'édition originale (Derenne éditeur, 1876). — CL. LAROUSSE.

homme qui avait des dons extraordinaires (*Une saison en enfer*,
1873; *les Illuminations*, 1886;
Poésies complètes, 1895).

Tristan Corbière (1845-1875),
révélé au public par Verlaine
qui le compte parmi les « Poètes
maudits », a dit partout, en
Italie, à Paris, le long des grèves,
son dédain sarcastique de la vie.
Il est désenchanté et d'ailleurs
malade; il est aigre, cinglant,
parfois burlesque; il a des trouvailles douloureuses, de la violence dans le dénigrement et,
par moments, une pitié hautaine.
Son livre (*les Amours jaunes*,
1873) a été surtout lu plus tard :
à ce poète, Laforgue et Verlaine
même ont dû quelque chose de
leur inspiration.

Lautréamont (pseudonyme
d'Isidore Ducasse) [1846-1870],
a laissé *les Chants de Maldoror*,
poème en prose dont la première partie avait paru très
obscurément en 1868. Œuvre
étrange, où l'on trouve de belles
formules concernant les mathé-
matiques et l'océan, où l'on trouve aussi d'énormes
fictions, quelque chose de forcené, de fiévreux, une frénésie hallucinante et peut-être voulue. Par l'impression
qu'elle donne d'une puissance originale, cette œuvre a
intéressé quelque temps les surréalistes à leur début.

VERLAINE ET RIMBAUD. Fragment du « Coin de
table », tableau de Fantin-Latour, 1872 (musée du
Louvre). — CL. MOREAU FRÈRES.

LE SYMBOLISME

Le symbolisme a apporté une poétique nouvelle, et, par
là, il faut entendre à la fois une conception esthétique et
une technique. Il a commencé par se manifester comme un
mouvement d'opposition à la littérature régnante : c'est
là sa part critique et négative. Dans les années qui s'écoulent entre 1880 et 1890, les esprits étaient saisis d'un certain désenchantement, qui se traduisait par les fantaisies
satiriques et irrévérencieuses du *Chat noir*, aussi bien que
par les proclamations hardies de ceux qui s'intitulaient
« décadents », rompaient avec Victor Hugo, et bannis-
saient François Coppée de la République des poètes.

On a vu alors se multiplier les cénacles où s'édifiaient
des théories variées et où se récitaient des vers nouveaux.
On a vu paraître nombre de jeunes revues : *Lutèce, la
Cravache, la Revue indépendante, la Vogue*. En 1889
surgit *la Plume*, en 1890 le *Mercure de France*, en 1891
la Revue blanche, puis *l'Ermitage*. Dans le même temps
et pêle-mêle se font sentir les influences wagnériennes
(Théodore de Wyzewa [1862-1917]), les influences scandinaves, les influences anglaises (Swinburne, Rossetti,
le préraphaélisme). De tous côtés, et par des voies diverses,
les écrivains cherchent un art neuf.

L'étude plus approfondie de Baudelaire, l'influence
d'Arthur Rimbaud, celle d'un fantaisiste comme Tristan
Corbière, celle d'un rare esprit comme Charles Cros
(1842-1888), savant, poète et humoriste, qui inter-
rompait ses recherches sur la photographie des couleurs
pour écrire le mélancolique et gracieux *Coffret de santal*
(1873), la connaissance des littératures étrangères, la
découverte de Wagner contribuèrent à l'élaboration
des idées nouvelles et créèrent un milieu favorable où
l'apparition de la poésie de Verlaine et de Mallarmé fut
comme une révélation non seulement souhaitée, mais
attendue.

Alors se trouvèrent groupés
des écrivains très différents
par le talent, et qui devaient
plus tard se séparer, mais qui
avaient en commun quelques
principes de poétique nouvelle :
Henri de Régnier, en qui le
symbolisme eut dans la suite
son véritable épanouissement;
Jean Moréas, Albert Samain,
F. Vielé-Griffin, dont nous aurons à reparler; Gustave Kahn
(1859-1936), auteur des *Palais
nomades* (1887), de *Chansons
d'amant* (1891), de *Limbes de lumière* (1895) et du *Livre d'images*
(1897); Charles Morice (1861-
1919); Jules Laforgue (1860-
1887), qui a publié *les Complaintes*
(1885), *le Concile féerique* (1886),
les Fleurs de bonne volonté (1890);
Stuart Merrill (1863-1915),
connu et apprécié pour *les
Gammes* (1887), *les Fastes* (1891),
Petits Poèmes d'automne (1895);
Adolphe Retté (1863-1930),
auteur de *la Forêt bruissante*
(1896); Pierre Quillard (1864-
1912); Éphraïm Mikhaël (1866-
1890); Saint-Pol-Roux le Magnifique (1861-1940); René
Ghil (1862-1926), savant disciple de Mallarmé; André-
Ferdinand Hérold (né en 1865), qui a réuni ses principales œuvres dans *Images tendres et merveilleuses* (1897),
et a essayé de porter le symbolisme au théâtre; d'autres
encore, qui ont travaillé avec ardeur à la floraison de la
poésie nouvelle.

Malgré la diversité des tempéraments et des tendances,
les symbolistes ont eu une idée commune : ils se sont sou-
venus que la poésie est avant tout pouvoir d'évocation,
et ils ont voulu faire entrer le rêve dans la littérature. Le
monde, tel que le conçoivent les positivistes, est une
réalité extérieure, qui a des contours et des limites. Le
monde des idéalistes, au contraire, n'existe que par nos
sensations et nos représentations, et il n'est qu'une sorte
de songe. Pour les premiers, il est une collection d'images
et une matière à description; pour les seconds, il n'est que
le symbole de notre vie intérieure. Dans la série des spectacles fournis par la nature, par l'histoire ou par la légende,
la poésie nouvelle a vu le reflet des émotions de celui qui
les contemple, et, au lieu de s'arrêter aux formes définies
et durables des phénomènes extérieurs, elle a eu pour
objet la mobilité incessante des phénomènes de l'âme,
dont l'univers ne fut plus que la figuration. Elle renonçait
complètement à l'impassibilité parnassienne; elle ne prêtait son attention qu'à la vie affective; elle supposait aussi,
consciemment ou non, une psychologie — on est tenté
de dire une philosophie — différente de celle de la génération qui avait précédé.

En même temps, elle réclamait une technique nouvelle.
La poésie du Parnasse, par son goût de l'image et des
formes, se rapprochait des arts plastiques. Le symbolisme
s'apparente à la musique. Pour traduire à la fois la vie de
l'âme et ses mobiles reflets, on eut besoin d'une langue
infiniment souple, exprimant non plus des relations
logiques entre les mots et les phrases, mais des rapports
entre des impressions; on eut besoin d'un rythme se mou-
lant sur le mouvement fluide de la sensibilité. De là, les
tentatives de Stéphane Mallarmé pour rompre les règles
traditionnelles de la syntaxe; de là, les innovations de
Jules Laforgue et de Gustave Kahn, qui inventent le vers
libre; de là, le bouleversement de l'alexandrin accompli

par Verlaine. On écrit des poèmes qui ne sont plus que de la prose rythmée; on combine les vers de tous mètres, sans tenir compte des limitations qu'imposait l'ancienne prosodie; on recherche les assonances lointaines et rares; bref, on emploie tous les moyens d'exprimer ce qui était considéré comme inexprimable. Ces efforts ont abouti en fait à bien des œuvres étranges, souvent peu intelligibles ou, en tout cas, vouées à ne pas être comprises dans un pays qui aime les idées distinctes, et dont toute la littérature brille avant tout par la clarté.

Mais, ces remarques faites, le symbolisme a rendu de remarquables services. Il a achevé l'œuvre d'assouplissement du vers commencée par Victor Hugo, et l'a poussée beaucoup plus avant; il a fait passer dans l'usage des innovations nombreuses, comme la faculté de faire rimer les singuliers et les pluriels, comme le rejet de la règle qui proscrivait tous les hiatus ou de celle qui imposait l'alternance régulière des rimes masculines et des rimes féminines. Il a rendu à la poésie des nuances délicates et la magie de la variété; il a rappelé la puissance mystérieuse du vers; et, si toute notre histoire littéraire, et même la plus récente avant le symbolisme, prouve que ces vertus n'avaient jamais été ignorées des poètes véritables, il a eu le mérite d'inviter les écrivains à retourner aux sources du lyrisme et de tenir compte de tous les pouvoirs de l'esprit.

APRÈS LE SYMBOLISME

La période militante de la nouvelle école a été courte : le XIXᵉ siècle n'était pas terminé qu'elle avait achevé de répandre ses enseignements et qu'elle se transformait. Il était réservé à Henri de Régnier (1864-1936) de représenter la plus belle réussite et la floraison du symbolisme. Dès ses premiers poèmes (*les Lendemains*, 1885; *Apaisement*, 1886; *Sites*, 1887; *Épisodes*, 1888), il avait montré par l'abondance, la splendeur et la puissance de ses écrits toutes les possibilités poétiques enfermées dans l'art des symboles, et il avait réussi à figurer, par l'agencement des mots et des vers, ce déroulement de la vie intérieure qui paraît échapper à nos prises. Bientôt, et déjà dans les *Jeux rustiques et divins* (1897), il a élargi sa manière, il a accordé aux enseignements de Mallarmé ceux de José-Maria de Heredia, et il est revenu aux formes classiques (*les Médailles d'argile*, 1900; *la Cité des eaux*, 1902; *la Sandale ailée*, 1906; *le Miroir des heures*, 1910; *Poésies*, 1918; *Vestigia flammae*, 1921). Mais, s'il a recueilli les magnificences du Parnasse, il n'a pas abandonné la magie mystérieuse et mélancolique du symbolisme. Maître des rythmes et des rimes, connaisseur érudit de la langue, artisan sûr et somptueux, Henri de Régnier a l'ampleur et la richesse. Toutes les formes de poésie, tous les mètres, tous les mots, toutes les images obéissent à sa fantaisie et expriment docilement les nuances les plus fines de ses rêves ou de ses émotions. Humaniste et lettré, il sait les légendes antiques et il a lu les chroniques de la Renaissance et du Grand Siècle; il connaît la France d'autrefois et l'Italie; il a contemplé les beaux parcs, les tapisseries et les jardins d'automne; il n'ignore rien de l'imagerie et de la sculpture décorative où s'est plue la fantaisie de nos pères; il a aimé les reflets des étains, des laques, des orfèvreries, des pierres précieuses. Ainsi, tout le décor du monde habite son imagination. Il le goûte pour sa beauté; il le regarde avec mélancolie, parce qu'il est éphémère et changeant; il le chérit aussi, parce qu'il est le divertissement véritable qui permet à l'homme d'échapper au présent, qui déçoit et qui blesse. Mais, par une transposition où se reconnaît une imagination de poète, ce décor même qui semble dispenser de la vie y ramène. Car il l'exprime; il est, sous la forme apaisée de l'art, la figuration de la destinée et de l'effort humain; il est le miroir éternel qui nous renvoie le souvenir des passions, des aventures, des gloires, et les

LA CITÉ DES EAUX, de Henri de Régnier. Eau-forte de Charles Jouas (édition René Kieffer, 1912). — CL. LAROUSSE.

formes multiples du désir et de la mort. Cette poésie mélancolique et hautaine possède un magnifique pouvoir d'évocation. Une contrée enchantée surgit d'une pièce brève; un paysage immense peut tenir dans un seul vers, et, parfois, un seul mot semble le messager d'un monde inconnu. Ainsi, le prestige des rythmes et des images nous ramène sans cesse à la vie de l'âme : si bien que le poète, qui semble le plus magnifique peintre des grands spectacles de la nature et des œuvres créées par les hommes, est aussi celui qui, par les symboles, exprime dans le plus beau langage les vérités permanentes, les rêves séculaires et la vie altière et secrète de l'esprit.

Albert Samain (1858-1900) a une grâce facile et une mélancolie accessible, qui lui ont assuré un grand nombre d'admirateurs. *Au jardin de l'Infante* (1893), *Aux flancs du vase* (1898) sont des recueils célèbres, qui ont plu par leur langueur, leurs nuances délicates et leur air de noblesse. Après les symboles, qu'il a préférés d'abord, Albert Samain a été en se simplifiant, et en se clarifiant; il a aimé la lumière des mythes grecs; il a mêlé l'expression des idées à celle des sentiments, et son dernier recueil, *le Chariot d'or* (1901), est tout classique par l'inspiration et par la forme.

Francis Vielé-Griffin (1864-1937), poète abondant et mélodieux, a consacré toute une partie de son œuvre à chanter la nature et les paysages de France (*Poèmes et poésies*, *1885-1893*, 1895; *la Clarté de vie*, 1897), et c'est celle qui a le plus d'aisance, de limpidité joyeuse, de sérénité et de charme. Dans une autre partie, plus directement inspirée du symbolisme et plus savante, il a eu la haute ambition d'étudier les mythes anciens et d'en dégager à la fois la signification historique et la signification éternelle. Dans cette entreprise, qui a réclamé de patients

FRANCIS JAMMES. — CL. LAROUSSE.

labeurs et où il a eu d'exquises réussites (*Voix d'Ionie*, 1914), il y a nécessairement quelque chose de plus cherché et de plus tendu. C'est dans les poèmes qui célèbrent la mer et les fleuves, dans ceux où il évoque les chansons populaires, que Francis Vielé-Griffin a été le plus personnel.

Francis Jammes (1868-1938) n'a pas moins d'ingénuité et de fantaisie dans ses vers que dans sa prose. Il a parlé de la nature avec la tendresse familière d'un poète qui vit aux champs, qui connaît les formes et les senteurs des branches, la lumière de toutes les heures du jour et de toutes les saisons, et qui mêle au reflet direct de la création les caprices d'une imagination candide et charmante. Sa poésie toute simple, et dont la simplicité même paraît parfois un peu voulue, a de la jeunesse, de la fraîcheur ; elle est odorante et champêtre et, par là, représente un élément original et précieux dans la littérature contemporaine. Francis Jammes est arrivé à renouveler notre vision de la nature à force d'exactitude, à force d'amitié pour les choses créées. Devenu catholique, le poète s'est trouvé tout de suite à l'aise dans la vie chrétienne, comme si son paganisme naïf, son culte des nymphes et des fontaines n'avaient été que la forme élémentaire de son sentiment du divin, et comme si son âme, à la fois vehémente et aimante, était à l'avance attendrie par la foi. Entre les premières publications (*Vers*, 1892, 1893, 1894 ; *De l'Angélus de l'aube à l'Angélus du soir, 1888-1897*, 1898 ; *le Deuil des primevères, 1898-1900*, 1901) et les autres (*l'Église habillée de feuilles*, 1906 ; *les Géorgiques chrétiennes*, 1911-1912 ; *la Vierge et les sonnets*, 1919), il n'y a pas une grande différence de ton. Francis

Jammes a toujours eu, avec l'humilité, la confiance dans les desseins qui nous mènent, la résignation fière, et dans ses poèmes s'accordent à merveille la vie sensible à laquelle invite la nature et l'intimité de la croyance. Bien moins compliqué que Verlaine, il n'est pas venu aux effusions religieuses par la voie sombre du péché, mais par les sentiers baignés d'une douce lumière du pays béarnais ; il est le représentant sincère et précieux parmi nous d'un christianisme bucolique.

Charles Guérin (1873-1907) est un des meilleurs poètes de sa génération. Influencé d'abord par le symbolisme (*Fleurs de neige*, 1893 ; *l'Agonie du soleil*, 1894-1895), il est revenu complètement aux formes classiques, qui avaient en réalité ses préférences, et il a même fini par écrire des pièces dépouillées, exactes et pleines, où passe comme un souvenir du Parnasse. Très simple et très sensible, profond et mélancolique, il a ce caractère pathétique d'aimer la nature, l'énergie et la vie, et de sentir sa propre faiblesse d'homme qui devait mourir jeune. Son œuvre, plus nonchalante et plus facile au début, plus surveillée et plus serrée dans la suite (*le Cœur solitaire*, 1898 ; *l'Éros funèbre*, 1900 ; *le Semeur de cendres*, 1901 ; *l'Homme intérieur*, 1905), a quelque chose de douloureux et de généreux, car le poète a ce stoïcisme désintéressé et hautain de juger la vie en elle-même meilleure qu'elle n'est pour lui.

Paul Fort (né en 1872) est l'auteur de plus de trente volumes de *Ballades françaises*, dont la publication a commencé en 1897. Du symbolisme, il a retenu certaines libertés de rythme dont il a usé adroitement ; il a composé une série de petits tableaux pleins de couleur et de fantaisie, et il mêle à une familiarité de chansonnier populaire un humour subtil de sage et de lettré sensible.

C'est parmi les poètes qui ont subi l'influence du symbolisme qu'il faut ranger Laurent Tailhade (1854-1919), auteur des *Poèmes aristophanesques* (publiés de 1891 à 1904), si pleins d'ironie et de virulence satirique, et des *Poèmes élégiaques* (1907), qui sont d'un Latin humaniste, fort épris de belles paroles et de savantes épigrammes ; et Robert de Montesquiou (1855-1921), artiste compliqué jusqu'à la préciosité, auteur souvent recherché et artificiel des poèmes intitulés *les Chauves-Souris* (1892), *le Chef des odeurs suaves* (1894), *les Hortensias bleus* (1896), *les Perles rouges* (1899), mais curieux et s'imposant au souvenir par la singularité même de ses hardiesses et par les nuances rares de ses raffinements.

GUILLAUME APOLLINAIRE. Bois de Picasso, figurant en frontispice des « Calligrammes » (édition du « Mercure de France », 1918). CL. LAROUSSE.

Guillaume Apollinaire (1880-1918) est non seulement resté fidèle au symbolisme, mais il en a tiré, avec une subtilité amusée qui semble ingénue et qui est souvent malicieuse, toutes les conséquences. Les mots et les rythmes, savants et compliqués, forment une sorte de magie secrète. Le poète s'en sert, avec une adresse qui paraît acrobatique, pour évoquer les vieilles légendes et en accroître le mystère (*le Bestiaire ou Cortège d'Orphée*, 1911 ; *Alcools*, 1913 ; *Vitam impendere Amori*, 1918 ; *Calligrammes*, 1918 ; *Il y a...*, 1925). L'écriture intervient pour faire surgir autour des objets ordinaires des réalités insoupçonnées. Dans l'échange de propos le plus banal, il discerne des tons, des variations, des passages du fort au faible, tout un chant alterné dont il dégage le contenu mystérieux, et ainsi, au-delà du réel, il découvre et suggère le surréel, dont après lui ses successeurs allaient faire une doctrine poétique.

L'ÉCOLE ROMANE

Jean Moréas (1856-1910), Grec d'origine (il avait nom Papadiamantopoulos), après avoir traversé le symbolisme et compté parmi les chefs de l'école de la décadence, s'en sépare vite pour fonder l'école romane, d'où est sorti le néo-classicisme. Il n'avait peut-être vu dans le mouvement auquel il a participé d'abord qu'une occasion de réforme pour le style poétique. Il a cherché, lors de ses débuts, à exprimer subtilement les variations de sa vie intérieure dans des poèmes qu'il déclara plus tard ne point aimer et dont quelques-uns sont fort beaux (*les Syrtes*, 1884; *les Cantilènes*, 1886). Jean Moréas eut ensuite l'idée de se retremper aux sources de l'ancien idiome roman, se plut aux archaïsmes, goûta les histoires de chevalerie. Avec la Renaissance, il retrouva les dieux de la Grèce sous les formes savantes que leur avaient données Ronsard et la Pléiade (*le Pèlerin passionné*, 1891; *Ériphyle, poème suivi de quatre sylves*, 1894).

Moréas proclama lui-même que le symbolisme avait été un phénomène de transition et qu'il fallait une poésie franche, vigoureuse et neuve, ramenée à la pureté de son ascendance. Cette décision, qui répondait certes au sentiment intime du poète, était prise sous l'influence de Charles Maurras (né en 1868) qui devait plus tard être surtout occupé par l'histoire politique, le journalisme et la campagne en faveur des idées monarchiques, et qui, à cette époque, écrivait avec éclat, non parfois sans sévérité ni sans excès, des articles de critique littéraire très remarqués. A Moréas se joignaient encore : Maurice Du Plessys (1864-1924), auteur de la *Dédicace à Apollodore* (1891), des *Études lyriques* (1896), de *la Pallas occidentale* (1909), où est marquée son admiration pour Malherbe; — Raymond de La Tailhède (1867-1938), auteur de *Triomphe* (1905) et du beau poème *Tombeau de J. Tellier* (1890); — Ernest Raynaud (1864-1936), moins bien doué, mais connaissant avec sûreté la technique (*la Tour d'Ivoire*, 1899; *la Couronne des jours*, 1905); — Lionel Des Rieux (1870-1915), humaniste plein de fantaisie légère et de couleur (*les Amours de Lyristès*, 1894; *le Chœur des Muses*, 1897). Quant à Charles Maurras, d'une activité multiple, il ne publia ses vers que beaucoup plus tard, et ceux-ci affirment son goût de la brièveté, de la plénitude et d'une grâce attique qui unit la pensée à l'enthousiasme.

Les Stances, qui parurent en plusieurs volumes, de 1899 à 1920, ont montré tout ce qu'il y avait en Moréas de puissance poétique, de méditation douloureuse et de stoïcisme. L'art en est classique, gardant la mesure dans l'émotion, dans la grâce et dans la force. « C'est dans Racine, disait-il, que nous devons chercher les règles du vers et le reste. » La forme est aussi des plus classiques : des quatrains de structure traditionnelle. Mais, en outre, Jean Moréas portait en son cœur un souvenir profond : celui des poètes lyriques de l'Hellade. Nul n'a mieux exprimé ce que peut être pour un homme d'aujourd'hui l'ivresse légère et harmonieuse que nous inspire la Grèce telle que nous l'imaginons à l'ombre des temples en ruines. Le charme cristallin des vers de Jean Moréas, la grâce lumineuse et funéraire de l'évocation de la beauté athénienne ont enchanté la plus jeune des générations d'alors.

JEAN MORÉAS. — CL. LAROUSSE.

AUTRES TENDANCES

Lorsque le XIXᵉ siècle a pris fin, les querelles d'école étaient terminées. Le symbolisme avait fait son œuvre. Henri de Régnier était revenu aux formes traditionnelles; Moréas, pareillement. Les écrivains du début du XXᵉ siècle pouvaient bénéficier de toutes les tentatives et de tous les enseignements de leurs prédécesseurs; les uns étaient plus romantiques, d'autres plus parnassiens, selon leur tempérament. Dans son ensemble, la poésie évoluait vers un lyrisme dont chacun devait user selon son génie propre.

L'influence simultanée du symbolisme et du réalisme s'exerçant sur une personnalité vigoureuse, sur une intelligence nourrie de la connaissance du moyen âge, sur une âme toute pénétrée de foi, a donné son caractère original à l'œuvre obscure, mais si haute en certaines de ses parties, de Paul Claudel (né en 1868). Les *Cinq Grandes Odes suivies d'un processionnal pour saluer le siècle nouveau* (1910), la *Cantate à trois voix* (1914), *Trois Poèmes de guerre* (1915), *la Messe là-bas* (1919) offrent le plus singulier mélange de métaphysique difficile, de simplicité cherchée et aussi de trouvailles d'expressions, d'images saisissantes, de fortes pensées et d'admirable poésie.

Charles Péguy (1873-1914) fut un esprit exceptionnel, ardent, soupçonneux et généreux, parfois injuste, volontiers ouvert à la pitié, à la fois averti et candide, qui aimait à retrouver dans son origine paysanne l'explication de sa sensibilité simple et de son attachement aux traditions. Socialiste et patriote, polémiste, dogmatique, toujours original, Charles Péguy s'est consacré à l'œuvre critique des *Cahiers de la quinzaine*, qui ont publié un grand nombre d'ouvrages dus à divers collaborateurs, et un grand nombre d'essais qu'il a écrits lui-même.

Il y a dans Péguy un mélange de grandeur et de simplicité. Il avance lentement, à la manière du flot, « poussant sa pensée par longues vagues, chacune recouvrant la précédente et la dépassant d'une ligne ». Il mûrit ses idées sans hâte, et en silence. Sa vie comporte une part d'activité que tout le monde connaît. Elle comporte aussi une grande part de recueillement secret, d'où sortirent de grandes œuvres. En 1905 éclate l'affaire de Tanger, et se manifeste la menace de guerre. C'est une date capitale dans l'histoire spirituelle de Péguy. Il écrit en quelques jours *Notre patrie*, petit livre d'une grande beauté, très simple, et plein de résonances mystérieuses : il découvre cette voix de mémoire engloutie et comme amoncelée « on ne savait depuis quand ni pourquoi ». Aimant à la fois l'antiquité, surtout Sophocle, et Pascal, Péguy entre dans la méditation qui va le conduire à la religion. Une autre date importante dans l'histoire de Péguy est l'année 1910, où il publie *le Mystère de la charité de Jeanne d'Arc*. C'est un sujet qui avait longtemps habité son esprit, depuis qu'il faisait ses études à Sainte-Barbe, depuis sa première année d'École normale. Livre d'une émotion profonde, où Jeanne prend conscience de sa vocation, connaît son courage et ses armes et son but : l'épée et Orléans. Il écrit ensuite *le Porche du Mystère de la deuxième vertu* (1911) et *le Mystère des saints Innocents* (1912). « Toute la vie de Péguy, a écrit Daniel Halévy, se développe

CHARLES PÉGUY. Portrait exécuté en 1908 par Jean-Pierre Laurens. — CL. A. DUPONT.

sous le signe d'une enfance pure, toujours présente, toujours active, à travers les orages et les cendres de toute vie humaine. » Et toute son âme est le reflet de cette vie. Il y a en lui des contradictions et une constante indépendance. Il est plus chrétien que catholique, beaucoup plus social que socialiste, même dans les années où il est inscrit au parti. Il est partisan de la culture et sévère à l'Université officielle de Lavisse. Il est patriote, officier de réserve et il critique l'armée. Il est républicain et il juge sans indulgence la République. Il est toujours honnêtement lui-même, il a la foi; il combat contre le mal universel dont la pensée l'afflige, et il garde en lui une puissance de charité et d'espérance qui résiste à tous les obstacles et à toutes les déceptions avec une assurance émouvante.

Fernand Gregh (né en 1873), après avoir débuté par des vers libres et qui se ressentent de l'influence symboliste (la Maison de l'enfance, 1896), a suivi sa nature, qui l'incline à la méditation, l'invite à s'intéresser à toutes les formes de la vie, lui inspire de la sympathie pour tous les aspects de la douleur et toutes les manifestations de l'effort, et finalement lui fait aimer l'existence (La beauté de vivre, 1900; Clartés humaines, 1904; l'Or des minutes, 1905; la Chaîne éternelle, 1910, etc.). Ses poèmes, d'une forme souple et aisée, le montrent sensible à la misère des hommes, mais confiant dans leur destin. Il poursuit, en imprégnant de pensée son lyrisme et son éloquence, un chant où la tristesse s'adoucit en devenant matière d'art et où domine l'espoir.

André Rivoire (1872-1930), qui se plaît au jeu des sentiments, semble avoir subi d'abord l'influence de Sully Prudhomme (les Vierges, 1895; le Songe de l'amour, 1900; le Chemin de l'oubli, 1904; Poèmes d'amour, 1909); on goûte dans ses vers un sentiment délicat de l'intimité, l'art de noter les nuances de la vie du cœur; et toute son œuvre est pénétrée de tendresse.

Guy Lavaud (né en 1883), sensible, fantaisiste, limpide,

a écrit, sur la mer, les eaux, les saisons, des vers à la fois fluides et pleins, où le sens de la nature s'accorde à la vie intérieure (la Floraison des eaux, 1907; Du livre de la mort, 1909; Des fleurs, pourquoi?, 1910, etc.).

L'abbé Louis Le Cardonnel (1862-1936) a publié un livre de Poèmes (1904) où se trouvent à la fois des tendances symbolistes et des tendances classiques, puis, en 1912, les Carmina sacra, pleins de foi et de ferveur franciscaine, où se mêlent et s'accordent les sentiments les plus humains et les sentiments les plus divins.

Raoul Ponchon (1848-1937), plein de bonhomie, de finesse, de bon sens, expert dans l'art des rimes et des rythmes, a écrit en vers sur tous sujets, comme s'il causait et plaisantait. Ses chroniques, réunies plus tard dans la Muse au cabaret (1920), montrent tout ce qu'il y avait en lui de savoir, de laisser-aller apparent, d'esprit, et par moments de profondeur. C'est le représentant d'une tradition qu'on appelle parfois gauloise, qui est toute française, et qui est plus précieuse qu'elle n'en a l'air.

Georges Fourest (1867-1941), auteur de la Négresse blonde (1909), a une drôlerie audacieuse, excelle dans les parodies, et, même parmi ses excès acrobatiques, reste poète par sa science du vers.

Ce qui caractérise Franc-Nohain (1873-1934), c'est la limpide aisance, la facilité nonchalante. Ses poèmes (Inattentions et Sollicitudes, 1894; Chansons des trains et des gares, 1899), écrits dans un rythme tout particulier qui les a fait appeler des poèmes amorphes, ses fables ont un charme fait de bonhomie, de malice, de simplicité, de vérité, qui se retrouve aussi dans ses romans (le Pays de l'instar, Jaboune).

Jehan Rictus (1867-1938), auteur des Soliloques du pauvre (1897), s'est imposé pendant quelques années à l'attention, par ses vers écrits en une langue faubourienne assez savoureuse et par un humanitarisme d'émotion facile.

Parmi les nombreux poètes qu'il nous reste à nommer, on trouve des partisans du vers libre, rythmé avec précision, comme Tristan Klingsor (né en 1874); des partisans du vers non rimé, comme André Spire (né en 1868); des partisans du poème en vers réguliers rimés ou assonancés, ou contre-assonancés, comme P.-J. Toulet, Francis Carco, Tristan Derème, et des poètes qui, comme André Salmon (né en 1881), usent avec une égale adresse du vers régulier et du vers libre, selon les jours et selon la convenance du sujet. Il faut noter aussi l'abondance des écoles, qui ont groupé plutôt des amis et des contemporains que les disciples d'une même théorie, telles que l'humanisme, le naturisme, le traditionalisme et le futurisme, ou qui ont associé, comme l'unanimisme de Jules Romains (né en 1885), de Duhamel (né en 1884), des poètes animés d'un même souci de la vie collective. Leur historien, Robert de La Vaissière, a noté, dans son Anthologie poétique du XXe siècle, qu'on peut distinguer parmi eux: les poètes catholiques, Paul Claudel, Max Jacob (1876-1944); les poètes qu'inspire l'exotisme, John-Antoine Nau (1873-1921), Victor Segalen (1878-1919), Pierre Camo (né en 1877), Robert Randau (né en 1873), Edmond Goyon (1886-1935), Guy Lavaud, René Bizet (1887-1947); les poètes juifs, d'une ardeur âpre et concentrée, Edmond Fleg (né en 1874) et André Spire; les classiques disciples de Charles Maurras, tels que Lucien Dubech (1882-1940) et Pierre Benoit (né en 1886); les érudits et les archaïques se rattachant à l'école romane ou au XVIe siècle, comme Francis Éon (1879-1948) et Maurice Du Plessys; les fidèles de la tradition symboliste, d'ailleurs renouvelée, Jean Royère (né en 1871), Roger Allard (né en 1885). Mais cette classification est parfois arbitraire, de l'aveu de son auteur.

Le fait le plus caractéristique est que tous, dans le jeu verbal ou dans le jeu des pensées, ont une tendance à revenir à des formes simples, limpides et classiques. On en trouve la preuve dans l'œuvre de P.-J. Toulet (1867-1920), qui avait une sensibilité poétique charmante et qui garde tant de retenue et de fantaisie jusque dans ses émotions les plus profondes; dans celle de Tristan Derème (1889-1941), qui a la grâce, l'aisance et la malice méridionales; dans celle de Francis Carco (né en 1886), si délicate et si triste; dans celle de Charles Derennes (1882-1930), qui fait un usage si adroit de la langue française. Et de même Paul Géraldy (né en 1885), plus attendri et qui met une note si personnelle, si délicate dans l'expression discrète de ses intimes émois; Maurice Rostand (né en 1891), plus lyrique; Fernand Divoire (né en 1883), plus philosophe; Alexandre Arnoux (né en 1884), plus conscient de la nouveauté de la civilisation moderne; Roger Frêne (né en 1878), Henri Martineau (né en 1882), Valmy-Baisse (né en 1874), Francis Bœuf (né en 1873) suivent une tradition classique élargie. Chez ceux même qui aiment le plus l'humour, Paul Morand (né en 1888), Jean Cocteau (né en 1892), on peut faire une remarque analogue, et Jean Cocteau, d'une habileté suprême toutes les fois qu'il se mêle de fantaisies verbales, est venu, en vers comme en prose, à une forme serrée, simple et solide. La guerre a pris dans leur jeunesse quelques-uns des mieux doués : Paul Drouot (1886-1915), auteur d'*Eurydice deux fois perdue* (1921); Adrien Bertrand (1887-1916), auteur du *Verger de Cypris;* Jean Pellerin (1885-1920), si plein de grâce. Jean-Marc Bernard (1881-1915), figure noble et touchante de poète, a écrit les strophes si grandes et si émouvantes de son *De profundis* (*Œuvres*, 1923).

Ces poètes, si divers de tendances, ont généralement manifesté une faveur particulière à l'un d'eux, Paul Valéry (1871-1945). Celui-ci a débuté à *la Conque* et au *Centaure*, a publié des vers entre 1889 et 1898; puis il a gardé près de vingt ans le silence. Mais, en 1917, il a publié *la Jeune Parque;* en 1922 il publiera, *Charmes*. Formé à l'école de Mallarmé, mathématicien et philosophe, Paul Valéry a composé des poèmes en petit nombre qui rendent un son grave et plein. Artiste subtil et savant, il est familier avec le mystère des nombres, il se joue parmi les abstractions, il exprime en mots choisis, durs et éclatants comme des pierreries, une vie intellectuelle secrète et un peu déconcertante, mais ardente et riche. Il y a dans sa poésie une grâce voluptueuse, et aussi une sorte d'algèbre qui manifeste l'activité d'un esprit aigu. L'accord de ces qualités précieuses donne à ce qu'il écrit une beauté originale, faite d'ordre, d'élégance, de sensualité raffinée, qui paraît à la fois fragile et vigoureuse et qui a des prolongements infinis dans la sensibilité. Cet art, qui participe du symbolisme, est apparenté aussi à la tradition la plus classique : dans certains de ses poèmes, Paul Valéry rejoint la manière de Malherbe.

III. — LE ROMAN

A consulter : P. *Martino*, le Naturalisme français, *1923*, 4e édition *1945;* R. *Dumesnil*, l'Époque réaliste et naturaliste, *1945;* L. *Deffoux*, le Naturalisme (*avec morceaux choisis*), *1939;* J. *Huret*, Enquête sur l'évolution littéraire, *1891;* G. *Sauvebois*, Après le naturalisme, *1908*.

Sur É. Zola : édition critique définitive des œuvres en cours de publication. Lettres de jeunesse, *1907;* les Lettres et les Arts (*correspondance*), *1908*. P. *Alexis*, Notes d'un ami (*vers de jeunesse*), *1882;* Denise *Leblond-Zola*, É. Zola raconté par sa fille, *1931;* H. *Barbusse*, Zola, *1932;* L. *Deffoux*, la Publication de « l'Assommoir », *1931;* M. *Le Blond*, la Publication de « la Terre », *1937;* É. *Zévaès*, Zola, *1946*.

Sur Maupassant : R. *Dumesnil*, la Publication des « Soirées de Médan », *1934;* A. *Lumbroso*, Souvenirs sur

ÉMILE ZOLA. Portrait exécuté par Manet en 1868 (musée du Louvre). — CL. LAROUSSE.

Maupassant, *1905;* E. *Maynial*, la Vie et l'œuvre de Maupassant, *1906;* Souvenirs sur Maupassant, par François, son valet de chambre, *1911;* G. *Normandy*, Maupassant intime, *1927;* R. *Dumesnil*, G. de Maupassant, *1933*.

Sur A. Daudet : Œuvres complètes, *1929 et suiv.*, 20 volumes. L.-A. *Daudet*, A. Daudet, *1898;* L. *Daudet*, Vie d'A. Daudet, *1941;* Y. *Martinet*, la Jeunesse d'A. Daudet, *1931;* Y.-E. *Clogenson*, A. Daudet, peintre de la vie de son temps, *1946*.

Sur J.-K. Huysmans : Œuvres complètes, *1928-1931*. H. *Bachelin*, J.-K. Huysmans, *1926;* L. *Deffoux*, J.-K. Huysmans sous divers aspects, *1927;* H. *Brunner* et *J.-L. de Coninck*, En marge d' « A rebours », *1929;* R. *Dumesnil*, la Publication de « En route », *1931;* Myriam *Harry*, Trois Ombres, *1932;* L. *Descaves*, les Dernières Années de J.-K. Huysmans, *1941;* M. *Cressot*, la Phrase et le vocabulaire de J.-K. Huysmans, *1939*.

Sur P. Bourget : V. *Giraud*, P. Bourget, *1934;* A. *Feuillerat*, P. Bourget, *1937;* A. *Autin*, « le Disciple » de Bourget, *1930*.

Sur A. France : Œuvres complètes (*éditées par* L. *Carias*), *1925 à 1935*, 25 vol.; Dernières Pages, *1925*. L. *Carias*, Carnets intimes d'A. France, *1945;* J. *Lion*, Bibliographie des ouvrages consacrés à A. France, *1935;* P. *Gsell*, Propos d'A. France, *1921;* — les Matinées de la villa Saïd, *1923;* J.-M. *Pouquet*, le Salon de Mme de Caillavet, *1926;* J.-J. *Brousson*, A. France en pantoufles, *1924;* — Itinéraire de Paris à Buenos Aires, *1937;* G. *Girard*, la Jeunesse d'A. France, *1925;* N. *Ségur*, Conversations avec A. France, *1925;* —Dernières Conversations, *1927; Sandor Kémeri*, Promenades d'A. France, *1927;* M. *Corday*, A. France d'après ses confidences, *1928;* N. *Ségur*, A. France anecdotique, *1930;* G. *Michaut*, A. France, *1913;* L. *Carias*, A. France, *1931;* V. *Giraud*, A. France, *1936;* J. *Suffel*, A. France, *1946;* A. *Bédé* et Le *Bail*, A. France vu par la critique d'aujourd'hui, *1926*.

Sur M. Barrès : *A. Thibaudet*, la Vie de M. Barrès, *1923*; *P. Moreau*, M. Barrès, *1946*; *S.-M. King*, M. Barrès : la pensée allemande et le problème du Rhin, *1934*.

Sur M. Proust : Œuvres complètes, *édition de la Nouvelle Revue française. 1929-1932*; Correspondance générale, *1929 et suiv.* P. Raphaël, Répertoire de la correspondance de Proust, *1938*; — Répertoire de « A la recherche du temps perdu », *1928*; *A. Ferré*, Géographie de Proust, *1939*; *R. Celly*, Répertoire des thèmes de Proust, *1935*; *L.-P. Quint*, M. Proust, *1925*, réédition *1935*, *1947*; *P. Abraham*, M. Proust, *1930*; *A. Feuillerat*, Comment M. Proust a composé son roman, *1934*; *R. Dreyfus*, Souvenirs sur M. Proust, *1926*; *A. Maurois*, A la recherche de Marcel Proust, *1949*.

Sur P. Loti : *N. Serban*, P. Loti, *1924*; *R. Lefèvre*, la Vie inquiète de P. Loti, *1934*; *P. Flottes*, le Drame intérieur de P. Loti, *1937*; *R. Lefèvre*, le Mariage de Loti, *1936*; — les Désenchantées, *1939*; *R. de Traz*, P. Loti, *1949*.

Sur F. Jammes : Mémoires : I. De l'âge divin à l'âge ingrat, *1921*; II. l'Amour, les muses et la chasse, *1922*; III. les Caprices du poète, *1923*; *Colette et Jammes*, Une amitié inattendue *(correspondance)*, *1945*.

Sur Villiers de l'Isle-Adam : Œuvres complètes, *1914-1931*, *11 vol.; édition critique de* Trois Contes, *par E. Drougard, 1931.* J. Bollery, Biblio-iconographie de V. de l'Isle-Adam, *1939*; Max Daireaux, V. de l'Isle-Adam, *1936*.

LE NATURALISME ET LE PESSIMISME

L'école naturaliste, qui s'est toujours réclamée de Flaubert, s'est appliquée à copier le réel plutôt qu'à l'interpréter, à le décalquer sans l'embellir. Selon sa doctrine, tout imprégnée de foi en la science, l'œuvre d'art doit être faite d'observations aussi exactes, d'expériences aussi rigoureuses que celles du biologiste dans son laboratoire. Bien des années nous séparent du temps où ces idées furent en vogue : le recul est suffisant pour que nous apercevions de quel mirage scientifique les naturalistes furent les victimes. L'œuvre des plus grands, celle d'Alphonse Daudet, par exemple, ne dure que grâce à la force d'idéalisation qu'elle possède : ils vivent dans la mesure où, malgré eux, ils furent des poètes.

A la veille et au lendemain de la guerre de 1870, le « grenier » des Goncourt fut le lieu de réunion de presque tous les écrivains; dans un livre publié en 1881, *la Maison d'un artiste du XIXe siècle*, Edmond de Goncourt en a donné une description minutieuse. Bien qu'ils appartiennent tous deux au second Empire (Jules est mort en 1870), ils restèrent nominalement du moins, aux yeux des écrivains venus après la guerre, les chefs du mouvement naturaliste. Du fait de leur esprit et de leur autorité, ils ont exercé une influence très grande, et qui persiste, puisque l'Académie de dix membres qui se forma après leur mort sous leur vocable, et qui se composa d'abord de leurs intimes, s'est recrutée depuis parmi des auteurs dont les tendances se rapprochent des leurs, et puisque l'académie Goncourt, couronnant chaque année un roman, confère encore à ses lauréats un prestige.

Edmond et Jules de Goncourt ont introduit dans le naturalisme un goût du rare, un sens de l'exotisme, un esprit de raffinement qui ont agi longtemps sur les écrivains les plus novateurs.

Comme les Goncourt, Émile Zola (1840-1902) a connu de son vivant un succès qui ne s'est pas maintenu en son intégralité. Il est, avec ses amis de Médan, Henry Céard, Paul Alexis, Léon Hennique, Huysmans, Maupassant, le type même de l'écrivain naturaliste. Féru d'observation comme un *reporter*, de foi scientifique comme un bénédictin, hanté des mêmes préoccupations humanitaires qui avaient touché lui un Lamartine, mais qui s'étaient transformées chez lui en un idéalisme élémentaire, son œuvre principale, *les Rougon-Macquart, histoire naturelle et sociale d'une famille sous le second Empire* (20 vol., 1871-1893), rappelle à la fois *les Misérables* de Victor Hugo et le *Juif errant* d'Eugène Sue, et, tout écrasée d'un lyrisme démesuré, prétend à imiter la nature aussi bien que l'avaient fait les classiques. Souvent, ses romans sont réalistes à la façon des images d'Épinal; mais, sans qu'il l'ait voulu, son art représente surtout une curieuse transposition de la vie quotidienne. Quand Zola concevait le sujet d'un roman, il n'entendait d'abord que grouper autour d'une idée des traits de mœurs recueillis dans un certain milieu social et les reproduire tels qu'il les avait observés. En fait, la faculté épique dont il était doué l'a induit à créer des personnages mythiques : le Faubourg dans *l'Assommoir* (1877), la Mine dans *Germinal* (1885), la Locomotive dans *la Bête humaine* (1890), le Grand Magasin dans *Au bonheur des dames* (1883), etc. Chacun d'eux devient le héros presque unique de l'action, en occupe les premiers plans, vit d'une vie intense, toute baignée d'une poésie grossière, mais éclatante. La postérité oubliera sans doute les préoccupations politiques de Zola, ses généralisations hâtives et péremptoires; elle négligera sans doute *les Évangiles*, ces romans sociologiques de la fin de sa vie, *Fécondité* (1899), *Travail* (1901), *Vérité* (1903), où il montre la réalisation sur terre d'une sorte de paradis du faubourg Saint-Antoine; mais les tableaux de *l'Assommoir* et de *Germinal* resteront célèbres. Zola a saisi les aspects pittoresques ou grandioses de la vie du peuple. Quand il a voulu, dans *la Faute de l'abbé Mouret* (1875) ou dans *le Rêve* (1888), s'essayer à la poésie idyllique, il a moins bien réussi : il lui a fallu suppléer à l'inspiration par une recherche de la grâce qui, chez cet

GUY DE MAUPASSANT. — CL. NADAR.

écrivain aussi travailleur que Balzac, mais d'une classe différente, n'atteignit guère son but. Sa langue, inégale, est comme un fleuve qui charrie des épaves dans une eau souvent trouble et qui ne fait impression que par la force de son courant. Émile Zola, quoique volontairement obscène et systématiquement pessimiste, amuse par son imagination luxuriante. C'est en son fond un écrivain populaire, un feuilletoniste lyrique. Il faut convenir pourtant que *l'Assommoir* et *Germinal* sont les chefs-d'œuvre d'un genre.

Autour de Zola se groupèrent un certain nombre de jeunes écrivains qui se firent connaître en publiant, avec la collaboration du maître, *les Soirées de Médan* (1880); elles causèrent du scandale par la brutalité de leur réalisme. De ces nouvelles qui étaient toutes des histoires de guerre, la plus célèbre est *Boule de suif*, de Guy de Maupassant.

Disciple de Flaubert, Guy de Mau-

UNE RÉUNION DE L'ACADÉMIE GONCOURT EN 1903. *De gauche à droite, assis* : Rosny aîné, J.-K. Huysmans, Léon Hennique; *debout* : Élémir Bourges, Rosny jeune, Gustave Geffroy, Lucien Descaves, Léon Daudet.

passant (1850-1893) est un conteur excellent. Il est remarquable par l'exactitude et la vigueur de l'observation. Il est sobre et net; ses romans, et particulièrement les derniers, *Fort comme la mort* (1889) et *Notre cœur* (1890), sont moins originaux que les courtes fictions qu'il a recueillies en une vingtaine de volumes. Son œuvre atteint les limites extrêmes d'une tendance : on ne pouvait aller plus loin que Zola dans la voie du naturalisme, ni plus loin que Maupassant dans la voie du pessimisme. Il écrit dans une langue claire et forte, un peu « ordinaire » et parfois brutale, toujours simple. Maupassant ne veut rien peindre que de quotidien, et c'est à force de se surveiller lui-même qu'il atteint ce style dépouillé. C'est peut-être dans son tempérament physique et mental qu'on doit chercher l'explication de ce parti pris littéraire. Des problèmes métaphysiques le préoccupaient; il fut sans répit tourmenté, comme le sera Loti, par la pensée de la mort et du néant; même par des visions fantastiques. Or, il ne trouvait pas en lui — la préface de *Pierre et Jean* (1888), une nouvelle comme *l'Inutile Beauté* (1890) le prouvent assez — de quoi résoudre ces problèmes et se débarrasser de ces hantises. Aussi choisit-il, comme pour sauvegarder son équilibre nerveux, des sujets qu'il pût traiter avec une sorte d'indifférence : *Boule de suif*, par exemple, ou *Mademoiselle Fifi* (1883), et généralement les histoires qui mettent en scène des paysans normands, des fermiers, des bureaucrates, des petits rentiers, dont il fait des peintures pittoresques. A l'égard de tels sujets, qu'il traite avec un art sûr, il applique le précepte de Flaubert : garder une impersonnalité absolue; et peut-être fut-ce par discipline volontaire qu'il s'astreignit à l'impassibilité. Mais, parfois, ses nerfs prennent le dessus : alors, dans certaines pages d'*Une vie* (1883), dans *Miss Harriet* (1884), dans *Sur l'eau* (1885), une anxiété douloureuse le saisit et le rend sympathique aux souffrances humaines. La pitié, la géné-

rosité interviennent et en font un poète. L'obsession du mal qui le menace ou le possède emplit toute son œuvre, et l'on sait quelle fut sa fin tragique. Ses nouvelles, sans défauts, sont très différentes des nouvelles de Mérimée et de Daudet : il est certainement, à sa manière, un maître du conte. Deux de ses romans, *Une vie* et *Bel-Ami* (1885), sont beaux, mais d'une beauté qui déjà semble vieillir un peu.

Dominant de haut ses contemporains et rangé un peu arbitrairement parmi les écrivains naturalistes, Alphonse Daudet (1840-1897) est avant tout un poète. Tout jeune, en 1858, il débute par un recueil de vers, *les Amoureuses*. Il restera un poète dans ses œuvres en prose : ainsi, dans ces *Lettres de mon moulin* (1869), où tout vient de l'âme, où il chante sa Provence natale avec une grâce que nul après lui n'égalera, pas même Charles Maurras. Comme il subissait pourtant les influences de son temps, il a écrit des romans selon la formule naturaliste, mais que la formule naturaliste n'explique pas tout entiers. C'est ainsi que *le Petit Chose* (1868), *Jack* (1876), *le Nabab* (1877), *Numa Roumestan* (1880) sont assurément des peintures très réalistes de la vie contemporaine; mais de l'observation des individus Daudet sait dégager des types et non moins puissamment que Dickens. Partout le pessimisme s'accorde chez lui à l'émotion humaine. C'est qu'il se penche sur la vie, douce et amère, cruelle et noble, et qu'il raconte ce qu'il a vu et senti. S'il montre la femme comme une créature légère, inconsciente et malfaisante, il sait qu'elle peut aussi être dévouée, compagne et mère sublime. Il peint avec autant de vérité le portrait de Sapho (1884) ou de Mme Risler (*Fromont jeune et Risler aîné*, 1874) que celui de Rose Mamaï ou de la petite Delobelle. Il a vu l'homme égoïste, menteur et faible, mais aussi courageux, capable de vertus et de sacrifices. C'est pourquoi il y a dans l'œuvre d'Alphonse Daudet une variété qui achève de la rendre très humaine. Sa langue est avec celle de Renan et de Loti une des plus aisées et des plus pures du XIXe siècle. Elle a le gracieux privilège d'être naturellement poétique, et, par là, Daudet joint à cette qualité rare d'être un créateur de personnages vrais, « faisant concurrence », selon la formule de Balzac, « à l'état civil », ce don précieux d'être un des maîtres les plus charmants du langage.

Parmi les écrivains qui se libérèrent de l'influence du naturalisme, Joris-Karl Huysmans (1848-1907) est un des plus intéressants par la force de sa personnalité et le pittoresque. Cheminant par une voie étrange où il a rencontré de singulières figures de sorcières et de criminels (*Là-bas*, 1891; *En route*, 1895), il a évolué vers la religion, chanté la beauté des cathédrales, célébré *les Foules de Lourdes* (1906) et les âmes mystiques (*Sainte Lydwine de Schiedam*, 1901). Son œuvre la plus célèbre et la plus significative est *A rebours* (1884), dont le héros, fuyant le réel, s'enferme dans une demeure féerique où il ne vit que de sensations rares, et où il finit par risquer la folie et la mort. J.-K. Huysmans écrit dans une langue très colorée et parfois brutale, où la recherche de l'archaïsme se mêle au souci d'innover.

Octave Mirbeau (1850-1917), polémiste véhément, anarchiste et classique à la fois, féru d'art, attiré par la nouveauté en politique comme en philosophie ou en peinture, bien différent de Huysmans, qui fut au contraire séduit par la tradition conservatrice, a écrit le *Journal d'une femme de chambre* (1900), qui eut un succès de scandale, et *la 628 — E 8* (1907), qui contient des parties lyriques très remarquables.

Joseph-Henri Rosny (1856-1940) et son frère Justin Rosny (1859-1948) ont écrit en collaboration des romans originaux et vigoureux, d'un ton très personnel : *Nell Horn, de l'armée du Salut* (1886), *le Bilatéral* (1887), *le Termite* (1890), *Vamireh* (1892), *les Retours du cœur* (1898), *le Testament volé* (1905). Ils ont ensuite publié leurs œuvres séparément. Rosny aîné a étudié le mouvement révolutionnaire dans un livre qui vaut non seulement par l'intérêt romanesque, mais par la psychologie : *la Vague rouge* (1910). Rosny jeune est l'auteur de *la Toile d'araignée* (1911) et de *Sépulcres blanchis* (1913).

Paul Adam. (1862-1920), puissant, touffu, et parfois même tumultueux, avait débuté par des livres réalistes : *Chair molle* (1885), *l'Année de Clarisse* (1897), où se dessinaient à la fois un goût des idées qui répondait peu aux conditions objectives du roman naturaliste, et une faculté d'évocation qui le destinait à de plus vastes projets. Il a trouvé sa voie véritable quand il a fait du roman un vaste tableau d'histoire et quand il a entrepris de peindre toute une famille et, à travers les générations successives de cette famille, toute une époque. La grande série des ouvrages qui comprend : *la Force* (1899), *l'Enfant d'Austerlitz* (1902), *la Ruse* (1903), *Au soleil de juillet* (1903), et qui aboutit à ses deux derniers livres, *le Lion d'Arras* (1920) et *le Culte d'Icare* (1924), montre le pouvoir qu'avait Paul Adam de faire vivre les foules et, selon son vœu, de faire surgir de l'étude des individus la psychologie collective d'une période de notre histoire, l'Empire, la Restauration, ou la fin du second Empire. Il a suivi

ALPHONSE DAUDET. — CL. BARY.

une inspiration analogue quand, dans *le Trust* (1910), il a étudié les grandes entreprises modernes et la transformation de la vie sociale et de la civilisation par l'avènement des capitaines d'industrie. Son œuvre reflète à la fois les influences du naturalisme, du symbolisme et de l'exotisme : elle est par endroits un peu bigarrée et obscure, mais d'une richesse extrême, pleine de vie, et elle demeurera comme un témoignage significatif des problèmes qui ont agité son temps.

Paul Margueritte (1860-1918) et son frère Victor (1866-1942) ont consacré la plus grande partie de leur œuvre à une série de livres qui forment l'histoire de la guerre de 1870 : *le Désastre* (1898), *les Tronçons du glaive* (1901), *les Braves Gens* (1901), *la Commune* (1904). Ils ont écrit aussi séparément. Paul Margueritte est l'auteur d'un roman de grand mérite, *Ma grande* (1892), et Victor a publié plusieurs romans psychologiques (*Jeunes Filles*, 1908; *les Frontières du cœur*, 1912). —

Gustave Geffroy (1855-1926) a raconté dans *l'Apprentie* (1904) et dans *Cécile Pommier*, qui en est la suite (1924), avec beaucoup de précision et une poésie sobre qui naît de la pureté du récit, l'histoire d'une jeune fille du peuple. — Plusieurs écrivains importants se rattachent encore au naturalisme par leurs tendances ou par leurs confraternités littéraires : Jules Vallès (1833-1885), auteur de *Jacques Vingtras*, *l'Enfant* (1879); *le Bachelier* (1881); *l'Insurgé* (1886); Léon Bloy (1846-1917), auteur du *Mendiant ingrat* (1898), polémiste ardent, écrivain singulier, qui unit la truculence au catholicisme le plus exalté; Lucien Descaves (né en 1861), auteur de *Sous-Offs* (1889), âpre étude de la vie militaire, et probe historien du Paris des faubourgs (*la Colonne*, 1901; *Philémon*, 1913); Jean Ajalbert (1862-1947), qui a écrit *le P'tit* (1888), *les Deux Justices* (1898); Léon Hennique (1851-1935); Henry Céard (1851-1924); Jean Jullien (1854-1919); Léon Frapié (né en 1863), auteur de *Marcelin Gayard* (1902) et d'une étude émouvante sur les écoles, *la Maternelle* (1904).

PSYCHOLOGUES ET ANALYSTES

Le naturalisme a été vite épuisé par les excès de l'école : le gros talent d'Émile Zola n'a pas suffi à le soutenir longtemps. Il y avait une manière de renouveler le réalisme : c'était, conformément à la tradition constante des écrivains français, d'approfondir la réalité même, de la saisir tout entière, et de retrouver la vérité de la vie, que les naturalistes outranciers, sous prétexte de rigueur scientifique, sacrifiaient à une convention à la fois documentaire et romantique. Le réalisme profond a toujours eu pour effet, dans notre pays, de conduire à l'étude de nos passions, des mobiles de nos joies et de nos peines : il a toujours été essentiellement la peinture du cœur humain. Et c'est bien sous cet aspect qu'il s'est manifesté, lorsque a paru la brillante école des psychologues et des analystes, qui rejoignait Benjamin Constant et Stendhal, et qui s'efforçait de retrouver la grande inspiration balzacienne. L'originalité des romanciers qui ont commencé à publier leurs œuvres à partir de 1880 est d'avoir rajeuni le réalisme en faisant rentrer dans l'étude de la réalité l'étude de l'âme.

Paul Bourget (1852-1935) a débuté par des recueils de vers

jeunes et frémissants : *Édel* (1878), *les Aveux* (1882). Ce qui domine en lui, c'est l'énergie de l'esprit, la passion intellectuelle. Il est un disciple de Taine et de Fustel de Coulanges; mais tous les courants de la pensée ont pénétré de bonne heure son âme de rêveur ardent et de curieux. La philosophie et la médecine ne l'intéressent pas moins que la politique et l'histoire, et, durant toute sa carrière, il s'est montré sensible aux manifestations les plus diverses de l'intelligence humaine. Avant d'écrire ses premiers romans, il publia les *Essais de psychologie contemporaine* (1883), qui restent comme des modèles de compréhension et de clarté, et qui forment une pénétrante étude des dispositions générales de toute une génération. Il leur a donné plus tard, dans ses *Pages de critique et de doctrine* (2 vol., 1912), et dans ses *Nouvelles Pages de critique et de doctrine* (1921), une suite qui atteste l'ardeur toujours jeune de ses facultés d'analyse et qui permet de comprendre l'évolution de sa pensée pendant un demi-siècle.

Les premiers romans de Paul Bourget, *Cruelle Énigme* (1885), *Un crime d'amour* (1886), *Mensonges* (1887), ont un grand charme : le psychologue et le poète s'y révèlent à la fois. Lors de leur publication, ils ont valu à leur auteur quelques critiques, parce que l'action se passait dans le monde élégant. Le naturalisme ignorait volontiers ce phénomène social qu'est l'existence mondaine, il le méprisait même, bien que beaucoup d'écrivains de l'école se soient évertués, souvent au préjudice de leur talent, à décrire ces milieux, plus fermés à cette époque que dans la suite. Paul Bourget, qui s'appliquait à peindre la réalité sous ses multiples aspects, n'a pas jugé que l'étude de la « société » fût interdite au romancier. Il trouvait même à ce choix un avantage : les passions ont un déchaînement plus libre et l'analyse peut en être plus aisément poursuivie, lorsque ceux qui les éprouvent sont dispensés d'obligations professionnelles ou de soucis d'argent : ainsi les personnages légendaires, les princesses et les rois de la tragédie racinienne donnent le spectacle d'une activité psychologique qui n'a pas de barrière. Toute une partie de l'œuvre de Paul Bourget sous la forme de romans (*André Cornélis*, 1887; *Un cœur de femme*, 1890; *Cosmopolis*, 1892; *Une idylle tragique*, 1896) ou sous la forme de nouvelles (*Recommencements*, 1897; *Complications sentimentales*, 1898; *les Détours du cœur*, 1908) est consacrée à cette analyse des sentiments, dont l'auteur a traité sans fiction et directement dans son curieux livre, *Physiologie de l'amour moderne* (1890), étude toute baignée de romantisme sentimental, et en même temps d'une impitoyable pénétration, qu'il faut placer plus haut que ses romans, à côté des *Essais* et des *Pages de critique*.

Mais, dès 1889, l'apparition d'un livre qui a fait époque, *le Disciple*, révélait chez Paul Bourget de plus vastes préoccupations. Esprit grave et sérieux, l'auteur se penchait sur le problème essentiel que pose la vie de l'homme parmi ses semblables, et c'était dès lors tout l'ensemble des questions mo-

PAUL BOURGET. — CL. LAROUSSE.

rales, religieuses et sociales qui s'imposait à lui. Au cours d'une existence de travail continuel, Bourget a répondu systématiquement en adaptant à la vie contemporaine les solutions que proposent la religion catholique et les doctrines conservatrices. Il n'est resté indifférent à rien de ce qui touche l'âme, les cas de conscience, les devoirs sociaux ; et sur chaque sujet il a indiqué ses idées. Les héros du *Disciple* expriment ses inquiétudes métaphysiques; ceux de *l'Étape* (1902), ses opinions sur l'évolution de la personnalité à travers les formes sociales; ceux de *l'Émigré* (1907), son souci d'observer les rapports entre les générations et les castes; ceux du *Démon de midi* (1914), sa conception du rôle de l'instinct religieux, ses inquiétudes devant certaines formes modernes du catholicisme; les personnages qu'il fait vivre dans *le Sens de la mort* (1915), et dans *Némésis* (1918), traduisent ses méditations sur la destinée.

Ces nombreux ouvrages, qu'il a fait paraître en suivant le plan de *la Comédie humaine*, sont en même temps des romans et des actes de foi, et par leur ensemble composent une sorte de doctrine et de commentaire philosophique de la vie en général. Constructeur puissant et attentif, Paul Bourget a traité tous les sujets selon une formule toute classique d'exposition et d'analyse. Un des principes qui lui sont chers est que l'élément essentiel du roman est ce qu'il nomme la « crédibilité », une manière de « faire vrai », de persuader le lecteur que les personnages auxquels il s'intéresse vivent ou ont vécu. Cette « crédibilité » est chez Balzac le résultat d'un don où il y a quelque chose d'un inconscient pouvoir poétique. Elle semble plutôt obtenue chez Paul Bourget par l'effort réfléchi d'un travail scrupuleux et adroit : c'est toujours l'âme vigoureuse et sincère, l'esprit clairvoyant et profond de Paul Bourget qui se manifestent à l'aide de personnages fictifs. Par son ardeur intellectuelle, par sa passion des lettres, par sa faculté de sympathie à l'égard des efforts des nouveaux venus, par la solidité et l'ampleur de son œuvre et de ses doctrines, Paul Bourget a exercé de bonne heure une influence sur son temps; il a été l'un des esprits dirigeants de son époque.

Le nom d'Anatole France (1844-1924) a rayonné dans le monde entier; ses livres sont traduits dans toutes les langues; et ses complaisances pour la politique de l'internationalisme ont achevé de lui donner la figure d'un nouveau patriarche de Ferney. Fils spirituel de Voltaire et de Renan, lettré tout pénétré de culture grecque et latine, écrivain plein de charme, il semble avoir hérité de l'auteur de *Candide* l'art du récit, la netteté de la pensée et de la forme, l'esprit philosophique; et de l'auteur des *Souvenirs d'enfance et de jeunesse*, cette grâce poétique qui mêle aux délectations de l'intelligence une sorte de volupté plastique. Anatole France a représenté chez nous ce qu'il y a eu de plus précieux dans le monde antique : le goût pour le jeu des idées, le sens du réel et du relatif, la mesure parfaite, la soumission sereine aux puissances inévitables, qui sont celles du Destin et d'Aphrodite, celles de la Raison et d'Apollon.

Par l'effet d'un paradoxe apparent, qu'il rend naturel, cet écrivain aristocrate et sceptique s'est tourné peu à peu vers l'idéal des partis avancés et révolutionnaires. C'est le sort privilégié de la France d'avoir toujours enfanté des fils également illustres et représentatifs de tendances opposées. Tandis que Paul Bourget, disciple de Rome lui aussi, mais épris de l'ordre, évoluait vers les idées conservatrices, Anatole France, plus sensible à la liberté, s'est rapproché de l'extrême pointe du socialisme. Le doute méthodique de l'un, à base scientifique, était sans doute nécessaire pour faire surgir un jour dans son esprit *le Disciple* et *le Démon de midi*. Le scepticisme de l'autre, qui lui inspirait le modèle d'irrévérence qu'est *le Procurateur de Judée* et qui lui faisait croire d'abord que dans l'incertitude universelle les lois présentes de la cité étaient les plus commodément acceptables, pouvait bien le conduire à la foi révolutionnaire ou à une sorte de nihilisme libertaire. Il n'y a peut-être d'art que dans le parti pris, et un écrivain ne peut rien renier de lui-même.

Depuis *le Crime de Sylvestre Bonnard* (1881), son premier succès, Anatole France n'a cessé d'écrire, bien qu'il se défendît d'aimer publier ses livres. Pendant plus de

ANATOLE FRANCE. Portrait par Van Dongen.
CL. VIZZAVONA.

quarante années s'est épanchée la même source abondante et limpide. En 1890, *Thaïs* évoquait Alexandrie au lendemain de la Passion du Christ et mettait en présence avec une ingéniosité savante l'idéal du monde antique mourant et l'idéal du monde nouveau. En 1894, *le Lys rouge* plaçait dans le décor de Florence, de ses musées, de ses campagnes harmonieuses, un roman d'analyse et l'étude véhémente de la jalousie amoureuse. De 1896 à 1901, les quatre volumes de l'*Histoire contemporaine* (*l'Orme du mail*, 1897; *le Mannequin d'osier*, 1897; *l'Anneau d'améthyste*, 1899, et *M. Bergeret à Paris*, 1901) créaient un type légendaire, M. Bergeret, et faisaient vivre avec une fantaisie subtile, déconcertante parfois, satirique et sereine en même temps, une époque troublée, que l'écrivain considérait avec le regard indulgent d'un lettré qui a vécu par l'esprit toutes les aventures du monde. Des contes malicieux, *Jocaste et le chat maigre* (1879), *Balthasar* (1889), *l'Étui de nacre* (1892), *le Puits de Sainte-Claire* (1895); — un roman philosophique, *la Rôtisserie de la Reine Pédauque* (1893); — un très beau roman historique, *Les dieux ont soif* (1912); — des livres de réflexion et de critique, *les Opinions de Jérôme Coignard* (1893), *le Jardin d'Épicure* (1895); — les quatre délicieux volumes de *la Vie littéraire* (1888-1892); — des romans satiriques et de tendance révolutionnaire, *Sur la pierre blanche* (1905), *l'Ile des pingouins* (1908), *la Révolte des anges* (1914) : cette œuvre est d'une variété et d'une richesse étonnantes. Très érudit, ayant beaucoup vu, beaucoup lu et beaucoup retenu, Anatole France, comme les classiques, fait sien ce qu'il prend ailleurs; il rajeunit tout ce qu'il touche par la manière dont il l'interprète et le transforme. Il a exprimé dans une langue suave tout ce qui peut être, pour un esprit cultivé de notre temps, le sujet des voluptés de l'esprit, la matière de méditations raffinées. Il a su aussi rassembler dans des paroles harmonieuses quelques-uns des enseignements philosophiques que proposent le spectacle de la vie et la connaissance de l'histoire : il a dit ce qu'il y a de comique et de méchant ici-bas; il a dit aussi ce qu'il y a d'auguste dans l'homme, de sacré dans le travail et dans la douleur. Cet écrivain, qui est une fleur d'arrière-saison de la culture classique, a paru ainsi très lié à notre temps et tout rempli d'une sagesse ancienne. Placée sous le double signe de l'ironie et de la pitié, son œuvre de magicien subtil et savant a été la joie des lettrés et, en même temps, par la grâce qui appartient aux poètes, elle est parvenue à toucher des âmes encore obscures et des foules qui ignorent la littérature. Mais, dès la mort de l'écrivain, beaucoup de jeunes se sont détournés d'elle et ont déclaré n'y pas trouver le charme où se plaisaient leurs aînés.

Si Maurice Barrès (1862-1923) était sensible à l'orgueil de la domination, il a eu lieu d'être satisfait de sa destinée. Sacré prince de l'esprit dès ses premiers livres, il a pu longtemps exercer son action sur les générations qui se sont succédé. Par une rencontre rare, chaque évolution de sa

GRAVURE de Froment père, d'après un dessin d'Auguste Leroux, pour « la Rôtisserie de la reine Pédauque » (éditions d'art Pelletan, Helleu et Sergent). — CL. LAROUSSE.

COMPOSITION de Steinlen pour « l'Affaire Crainquebille » (éditions Pelletan, Helleu et Sergent). — CL. LAROUSSE.

pensée a correspondu à une évolution de la pensée contemporaine. Il a eu ce privilège inattendu d'être, lors de ses débuts, le porte-parole d'une jeunesse intellectuelle ardente, éprise d'idées raffinées et d'exaltations délicates, et de devenir, dans son âge mûr, le psychologue du génie national, l'historien-poète de notre civilisation, le peintre des « traits éternels de la France ».

Très jeune, il a commencé d'écrire une prose lyrique dans le temps même où le naturalisme mourant et le symbolisme naissant ramenaient les esprits à la connaissance de soi-même et où se renouvelait le goût de l'analyse et du rêve. Sa première œuvre : *le Culte du moi* (I, *Sous l'œil des Barbares*, 1888; II, *Un homme libre*, 1889; III, *le Jardin de Bérénice*, 1891) laissait apercevoir son goût de l'ironie et de la vie intérieure. Elle était compliquée et paraissait même un peu obscure aux profanes, elle était puissante par l'analyse des états intellectuels et le frémissement de l'âme. Cet « égotisme » élégant et méprisant était d'une amertume troublante, et allait loin dans l'art d'exciter toutes les facultés de sentir. Peu d'années après, *Du sang, de la volupté et de la mort* (1894) et *Amori et dolori sacrum* (1902) révélaient l'art d'un écrivain grave et fier. On y retrouvait quelque chose de l'accent d'un Chateaubriand, avec un charme douloureux et musical, tout pénétré d'intelligence. Beaucoup, parmi les admirateurs de Maurice Barrès, ont gardé une prédilection sincère pour cette partie de son œuvre, et lui-même a montré plus tard, dans *Greco ou le Secret de Tolède* (1912), dans *Un jardin sur l'Oronte* (1922), que l'Espagne et l'Orient exerçaient sur son esprit une magie heureuse et durable. Il était difficile cependant d'imaginer que l'auteur pût aller au-delà dans l'émotion et dans le désenchantement douloureux : comme Jules Tellier, qui est mort à vingt-six ans après avoir écrit des poèmes lyriques et philosophiques, et dont Maurice Barrès lui-même a si bien parlé, il était allé à la limite de ce qu'il est

possible d'atteindre dans la voie du néant. Son goût de la mort et même des agonies, des subtilités amoureuses, son indifférence au monde de l'action s'étaient exprimés d'une manière complète.

C'est alors que, sous l'influence de sa Lorraine natale, et aussi par l'effet de son élan vital, Maurice Barrès a renouvelé et élargi son art et qu'il a écrit la série des livres réunis sous ce titre : *le Roman de l'énergie nationale* (1897-1902). Par la forme comme par la conception, les ouvrages de cette époque se rattachent étroitement à ceux qui ont précédé. La satire politique, où Maurice Barrès excelle, nous montre la caricature élevée jusqu'au lyrisme : *Leurs figures* (1902). Le culte du moi conduit l'individu à découvrir en lui une partie de ce qui l'environne, tout ce qui est fraction et émanation de ses ancêtres, de sa terre et de sa patrie : *les Déracinés* (1897), *l'Appel au soldat* (1900). Dès lors, Maurice Barrès ne s'interdira pas une lyrique méditation sur la Grèce (*le Voyage de Sparte*, 1906); mais il saisira l'occasion d'évoquer les chevaliers français qui occupèrent l'Acropole et de célébrer l'énergie de notre pays. Il écrira de même une méditation romanesque sur un cas curieux de particularisme : *la Colline inspirée* (1913); mais il associera étroitement l'idée de patrie et l'idée de discipline religieuse. Ramené au sentiment de ses origines, il aime à faire sortir la psychologie nationale de la description du sol; il accorde harmonieusement les paysages et les vertus nationales; il célèbre *les Amitiés françaises* (1903). La politique l'entraîne à des œuvres de polémique, où il se montre superbement acerbe (*Dans le cloaque*, 1914). Mais son attention va de préférence aux grands problèmes qui unissent dans les mêmes émotions et les mêmes espérances ses concitoyens. Dans la série intitulée *les Bastions de l'Est*, il étudie la situation des Alsaciens (*Au service de l'Allemagne*, 1905) et des Lorrains (*Colette Baudoche*, 1909). Et, quand la guerre éclate, il en devient naturellement, avec amitié pour nos soldats, avec émotion, avec profondeur, le chroniqueur (*l'Ame française et la guerre*,

MAURICE BARRÈS. — CL. LAROUSSE.

11 vol., 1915-1920). L'analyse intellectuelle, qui avec Anatole France aboutissait au scepticisme, et avec Paul Bourget à un ensemble de doctrines politiques et religieuses, menait Maurice Barrès vers une troisième conclusion : l'étude du moi avait commencé par être pour lui un sujet de délectation intellectuelle, puis elle l'avait conduit à la contemplation du sol et de la race; et elle s'épanouissait enfin, sans perdre son originalité, qui est d'être fortement rattachée à la sensibilité et aux mouvements de l'âme, dans le culte de la tradition nationale et de la patrie. On s'explique dès lors l'ascendant qu'a exercé sur les diverses adolescences intellectuelles Maurice Barrès, servi par un tempérament et par une faculté d'expression si personnels.

Marcel Prévost (1862-1941) a débuté en 1887 par un roman qui eut un vif succès, le Scorpion. Il a mis ensuite son talent de conteur au service de sa curiosité de la psychologie féminine. Dans son œuvre, qui a plu, il a étudié la femme de quarante ans (l'Automne d'une femme, 1893); les jeunes filles trop libres influencées par les mœurs cosmopolites (les Demi-Vierges, 1894), roman qui a fixé un type et introduit dans l'usage le mot qui l'exprime; les jeunes intellectuelles puritaines du socialisme (les Vierges fortes, 1900). Les Lettres de femmes (trois séries, 1892, 1894 et 1897) et les Lettres à Françoise (deux séries, 1902-1912) sont pour beaucoup de lecteurs la partie la plus durable de cette œuvre abondante. Les Lettres à Françoise renferment un système d'éducation féminine, où respirent le bon sens et la santé de la bourgeoisie française, où se manifeste la connaissance la plus éclairée de la vie moderne et des modifications qu'elle apporte. Quant aux Lettres de femmes, légèrement libertines, adroites et piquantes, elles évoquent certains ouvrages de Diderot, de Crébillon, de Restif de La Bretonne. C'est une veine de la littérature française qui, malgré ses défauts, est loin d'être négligeable : sous la grâce et la bonne humeur de ces petites comédies, de ces drames minuscules, se cache souvent une psychologie perspicace.

Paul Hervieu (1857-1915), célèbre surtout par ses pièces de théâtre, a écrit aussi plusieurs romans, notamment Peints par eux-mêmes (1893) et l'Armature (1895). Lucide, pessimiste, généreux, passionné malgré ses allures de réserve et d'indifférence, Hervieu s'est plu à étudier la noblesse et la grande bourgeoisie; avec une tranquillité impitoyable, il les a dépeintes comme gouvernées par la vanité et comme soumises à deux tyrans, le désir et l'argent.

René Boylesve (1867-1926) a écrit suivant son humeur et son caprice et il en a été récompensé par les fées de sa patrie tourangelle. Dans ses premiers romans, les Bains de Bade, le Médecin des dames de Néans, publiés en 1896, il semble n'être qu'un conteur plein de fantaisie : il est déjà un moraliste. Par la suite, il a étudié en semblant se jouer la psychologie de la famille bourgeoise française. Les héroïnes de Mademoiselle Cloque (1899) et de la Becquée (1901) restent des figures charmantes. L'Enfant à la balustrade (1903), évocation d'une jeunesse poétique et vraie qui s'écoule dans une petite ville agitée de passions multiples; le Bel Avenir (1905), souriante et douloureuse peinture de ce que tout effort humain a d'illusoire et de décevant, ont gardé toute leur fraîcheur. Mon amour (1908), le Meilleur Ami (1909) sont d'émouvantes histoires tendres, sans aucun romanesque. La Jeune Fille bien élevée (1909) et Madeleine, jeune femme (1912) opposent avec ironie, mais sans âpreté, l'éducation idéaliste que la bourgeoisie donne à ses enfants et les solutions résolument utilitaires qu'elle leur conseille ou leur impose dans toutes les circonstances importantes de la vie sociale. Le pessimisme qui inspire discrètement ces romans ne procède pas des lointaines doctrines naturalistes, mais de l'émotion d'une âme courageuse et trop sensible en présence des spectacles de la vie. C'est un art délicat, douloureux, équilibré, un art classique entre tous, que celui de René Boylesve. Ses petits tableaux, minutieux, exacts, très travaillés et très libres d'allure, se rattachent à la meilleure tradition réaliste de notre pays.

Édouard Estaunié (1862-1942) a fortement étudié, dans l'Empreinte (1895), des personnages sur lesquels pèsent les influences d'une éducation cléricale; puis, dans le Ferment (1899), des personnages chez qui se développent des tendances anarchistes. Plus tard, la Vie secrète (1908), les Choses voient (1913), l'Ascension de M. Baslèvre (1920), l'Appel de la route (1921) ont montré avec quel bonheur l'idéalisme s'allie chez ce psychologue aux dons d'observation précise et rigoureuse.

Henry Bordeaux (né en 1870) est doué d'une curiosité très large, qui s'attache à toutes les formes de la vie. Mais c'est en parlant de la famille, considérée comme la base de la société, qu'il a trouvé son inspiration la plus profonde. La particularité de Henry Bordeaux, c'est que, catholique, il n'est ni doctrinaire, ni sectaire, ni mystique. Il est catholique comme il est Français : c'est pour lui la meilleure solution des problèmes de la vie, non pas seulement parce qu'il la croit vraie, mais parce qu'il la sait efficace. Il y a chez lui comme un écho du pragmatisme moderne. Robuste et très équilibré, d'une grande culture classique, il se plaît dans saint François de Sales et aussi il aime Lucrèce. On imagine la personnalité qui résulte de ce mélange. Écrivain abondant, sans recherche et qu'on accuse parfois d'un excès de facilité, il a le don du conteur et il est accessible à tous. La santé, le bon sens donnent à son traditionalisme une vie singulière. Il ne triche jamais avec le réel, et, par exemple, n'hésite pas à montrer dans la Neige sur les pas (1912) une épouse infidèle, qui expie, il est vrai, sa faute, mais dont le ménage se reconstitue parce qu'elle est jeune comme son mari, parce qu'ils ont un enfant et des intérêts communs, et qu'ils se plaisent. L'orthodoxie de Henry Bordeaux, la vigoureuse moralité de ses dénouements font que l'on ne voit pas tout de suite la hardiesse de son observation, mais elle devient plus sensible dans la Résurrection de la chair (1920). Ses romans campagnards, les Roquevillard (1906), la Maison (1913), comptent parmi ses meilleurs, et il a en toute occasion su parler de son pays natal, la Savoie, avec amour.

Marcel Proust (1871-1922) n'avait avant 1914 écrit que des pastiches d'auteurs célèbres qui indiquaient une culture, un don d'analyse et de sympathie surprenant; il a commencé l'année même de la guerre à faire paraître un grand roman en douze volumes, A la recherche du temps perdu (1913, et 1917-1927). Cet ouvrage touffu, inégal, auquel l'auteur a longtemps travaillé en dépit de toutes les difficultés qui lui venaient de son état de santé, est la manifestation la plus neuve, la plus riche du roman français depuis bien longtemps. Une langue que l'on a taxée d'incorrection, mais qui, en réalité, se moule si étroitement sur la pensée qu'elle semble ne faire qu'un avec elle, une hardiesse d'analyse sans limites, une poésie amère, résignée, celle d'un être blessé chez qui ne vibrent plus que la fierté, l'intelligence et le lyrisme, voilà ce que l'on trouve, entre autres mérites, dans l'œuvre de Marcel Proust. Le long épisode romanesque intitulé Un amour de Swann (au tome I, Du côté de chez Swann) est une étude de la jalousie et de la passion d'une telle intensité et d'une telle franchise que le sujet est renouvelé. Quelle meilleure preuve de la vitalité du roman d'introspection psychologique que l'apparition de Marcel Proust ! Par sa hardiesse et sa sensibilité frémissante, il a élargi le domaine de l'analyse. Et, en même temps, il a tracé de certains groupes de la société d'avant 1914 un tableau très étudié qui reste un document sur l'histoire des mœurs et les coutumes d'une époque.

Une autre province de ce domaine, et l'une des plus mystérieuses, a été explorée par Louis Artus (né en 1870). En trois romans, qui forment un triptyque (*la Maison du Fou*, 1918; *la Maison du Sage*, 1921; *le Vin de ta vigne*, 1922), il a voulu décrire les misères et les grandeurs de l'âme humaine, selon qu'elle résiste ou qu'elle se plie au dogme catholique. Ces fictions subtiles représentent un effort pour employer le roman aux fins de l'apologétique.

C'est au groupe des psychologues et des analystes que se rattachent un grand nombre d'écrivains qui ne sont pas exclusivement des romanciers et qui ont écrit des essais philosophiques, des ouvrages de critique ou de polémique, et des poèmes. Léon Daudet (1868-1942) est l'auteur de romans nombreux, riches d'idées et de substance, parmi lesquels le saisissant *Voyage de Shakespeare* (1896), *les Morticoles* (1894), *la Lutte* (1907), *l'Hérédo* (1917), et d'éblouissants *Souvenirs des milieux politiques, artistiques et médicaux, de 1880 à 1905* (5 vol., 1914-1920). — Lucien Muhlfeld (1870-1902) a étudié dans *l'Associée* (1902) le cas douloureux d'une femme qui collabore avec son mari, savant éminent, et que celui-ci exploite et dédaigne. — Fernand Vandérem (1864-1939) a analysé les tendances différentes des Parisiens de la rive gauche et des Parisiens de la rive droite (*les Deux Rives*, 1897), et conté avec finesse et émotion la vie d'un enfant dont les parents divorcent (*la Victime*, 1907). — André Lichtenberger (1870-1941) est l'auteur d'études de psychologie enfantine (*Mon petit Trott*, 1898; *Notre Minnie*, 1907; *les Contes de Minnie*, 1913) et de romans de mœurs d'un tour charmant (*le Sang nouveau*, 1914; *Biche*, 1920). — Georges Lecomte (né en 1867), dans *les Valets* (1897), *les Cartons verts* (1901), *le Veau d'or* (1903), *les Hannetons de Paris* (1905), a fait, non sans intention satirique et morale, l'histoire psychologique de quelques groupes de la société contemporaine. — Marcel Boulenger (1873-1932), écrivain puriste et minutieux, est l'auteur de *Couplées* (1903), de *l'Amazone blessée* (1905) et, dans une manière plus dramatique et plus émue, de *Marguerite* (1921). — Binet-Valmer (1875-1940), qui a publié des romans purement psychologiques : *le Gamin tendre* (1901), *le Plaisir* (1912), a composé deux tableaux plus vastes : *les Métèques* (1907), *Lucien* (1910), où sont dépeints avec âpreté des milieux qui subissent les effets de tares pathologiques et sociales. — Édouard Schneider (né en 1880) a décrit avec un lyrisme délicat la beauté des paysages et des âmes.

La plus jeune génération de romanciers a pu sembler, dans les années qui ont précédé la guerre, se complaire surtout aux œuvres de pure imagination. Cependant, on doit à un petit-fils de Renan, Ernest Psichari, né en 1883, mort au champ d'honneur en 1914, deux beaux romans d'analyse, *l'Appel des armes* (1912) et *le Voyage du centurion* (1916), et c'est de ce genre que relève aussi une manière de chef-d'œuvre, *Laure* (1913), que nous a laissé un jeune écrivain mort à la guerre comme Ernest Psichari, Émile Clermont (1878-1915). Lucien-Alphonse Daudet (1880-1946), auteur du *Prince des cravates* (1910), est un subtil et délicat poète en prose.

MARCEL PROUST EN 1895. Portrait par Jacques-Émile Blanche. - Cl. Galerie Charpentier.

LE ROMAN DE MŒURS

Il y a de l'arbitraire dans les classifications : les genres sont des catégories assez mal définies. Le roman de mœurs diffère du roman d'analyse en ce qu'il montre moins « l'homme nommé Critias » que les hommes dans leurs rapports réciproques. Le lien qui unit ces deux genres est d'ailleurs assez fort : pour être peintre des mœurs, il faut être psychologue, et le psychologue ne peut éviter la peinture des mœurs.

A la fin du XIXe siècle a paru une littérature régionale destinée à peindre avec exactitude et avec sympathie la vie de nos provinces où se continuaient d'heureuses et bienfaisantes coutumes morales et familiales. Les naturalistes avaient représenté la province tantôt sous des couleurs sombres, tantôt avec une verve satirique. C'était le cas de Zola et de Maupassant. Seul Mistral (*Mireille*, 1859; *Calendal*, 1867) avait fait revivre la Provence avec une grandeur harmonieuse. Il a déterminé un mouvement nouveau. A peu près à la même époque, Ferdinand Fabre (1830-1898) est en quelque manière un précurseur. La région des hautes Cévennes a occupé exclusivement son âme. Il en a présenté tous les aspects : le côté bucolique et sauvage, dans *Julien Savignac* (1863) et dans *le Chevrier* (1868); le côté religieux, tourmenté, sombre, dans *l'Abbé Tigrane* (1873), dans *Lucifer* (1884), dans *les Courbezon*, un de ses premiers ouvrages (1862). Son chef-d'œuvre est peut-être *Lucifer*, histoire pathétique d'un prêtre mêlé aux luttes religieuses et politiques de son temps, et gallican passionné. L'âme catholique romaine y est étudiée et figurée avec puissance, et, sur l'essence même de cette force qui anime l'esprit séculier et l'esprit régulier, le clergé libre et les couvents, *Lucifer* est l'ouvrage d'imagination qui satisfait le mieux notre curiosité. Si Ferdinand Fabre avait écrit dans une langue mieux appropriée à son talent de romancier et à ses fortes qualités de penseur, ses ouvrages auraient été dignes du plus haut rang.

Aussi grave, mais plus tempérée est l'œuvre de René Bazin (1853-1932). Son horizon s'étend plus loin que celui de Ferdinand Fabre, puisqu'il s'est intéressé tour à tour aux Maraîchins (*La terre qui meurt*, 1899), à l'Alsace (*les Oberlé*, 1901), aux ouvriers (*Le blé qui lève*, 1907). *La terre qui meurt* est un très beau livre, un poème de la terre, qui émeut par la peinture de l'âme paysanne et de la nature. *Les Oberlé* ont amené les Français à mieux se représenter la misérable condition de leurs frères d'Alsace sous le régime allemand de 1870 à 1918, et à méditer sur un des problèmes essentiels de notre histoire. Écrivain catholique (son dernier livre, *Magnificat*, 1931, est un grand roman chrétien), soucieux de la vie morale de l'individu, plus soucieux encore de la vie collective et de l'effort humain, René Bazin a été longtemps le peintre de la province française. Sensible à l'art, à la beauté des paysages et des ruines, il a écrit également des essais sur les peintres (*Notes d'un amateur de couleurs*, 1916), frappants par leur spontanéité simple, franche et naturelle.

Homme de théâtre et qui connut de nombreux succès,

Henri Lavedan (1859-1940) était avant la guerre célèbre surtout comme auteur du *Prince d'Aurec* et du *Marquis de Priola*. Mais, dès avant 1914, certains de ses écrits faisaient prévoir en lui le peintre de cette grande fresque sociale, *le Chemin du salut* (1920-1925), qui a été une véritable histoire de la transformation des mœurs au cours de ces dernières années. Ses romans dialogués et ses contes, *Leur cœur* (1892), *le Nouveau Jeu* (1892), *Leur beau physique* (1893), ont contribué à rendre populaire cet écrivain spirituel et fin. Les personnages qu'il présente sont comiques : ce sont des « fêtards » et des femmes qui recherchent surtout le plaisir, mais il entre dans ses peintures un élément d'émotion railleuse qui a son charme. On trouve dans l'œuvre de Henri Lavedan le tableau de toute une époque de la vie parisienne, celle qu'on appela « fin de siècle ».

Ludovic Halévy (1834-1908) en représente une autre, celle qui va de 1870 à 1880. C'est un des très rares écrivains qui aient été souriants et optimistes au lendemain de nos revers. De là, pour une bonne part, le prestige de son œuvre légère. *Les Petites Cardinal* datent de 1880; *Un mariage d'amour*, de 1881; le célèbre *Abbé Constantin*, de 1882. La vogue de ce conte aimable, qui devait avoir sous la forme dramatique une fortune plus brillante encore, a duré; dans ce genre agréable, un peu conventionnel, d'une philosophie consolante avec grâce, on n'a pas fait mieux.

Si le théâtre, qui a rendu son nom célèbre, ne l'avait retenu, Alfred Capus (1858-1922) aurait été un des meilleurs romanciers de son temps; les quelques romans qu'il a laissés : *Qui perd gagne* (1890), *Faux Départ* (1891), *Années d'aventures* (1894), *Robinson* (1910), *Scènes de la vie difficile* (1922), montrent les qualités exceptionnelles de simplicité et de finesse dont il est doué. Ces romans rappellent la manière de Lesage : cyniques et cependant humains, remarquables par ce qu'ils contiennent de vérité, ils laissent, encore que tout y finisse généralement bien une grande impression de mélancolie.

Pince-sans-rire, auteur de bons mots qui rivalisent avec ceux de Chamfort et de Rivarol, Tristan Bernard (1866-1947) a produit, lui aussi, outre des pièces de théâtre célèbres, des romans et des contes qui ont contribué en leur temps au succès de *la Revue blanche*. Les *Mémoires d'un jeune homme rangé* (1899), *Un mari pacifique* (1901) sont des peintures de mœurs d'une observation si précise et si juste et d'un comique si sobre dans son pessimisme qu'elles atteignent une sorte de perfection. Elles ont eu une influence bienfaisante sur la jeune littérature, qu'elles ont aidée à se détacher du faux lyrisme.

Abel Hermant (né en 1862) a pratiqué l'art dramatique, lui aussi, mais le poids de son œuvre de romancier l'emporte. Écrivain très influencé par le XVIIIe siècle, il écrit dans une langue savante, raffinée et qui se plaît à des tours archaïques. D'une fécondité prodigieuse, il a publié chaque année un ou deux volumes; il a écrit dans les journaux avec tant d'aisance et de sûreté que cet actif ouvrier des lettres a été le chroniqueur par excellence de son temps. *Les Souvenirs du vicomte de Courpière* (1901), *M. de Courpière marié* (1905), la *Chronique du cadet de Coutras* (1909 et suiv.) représentent les moments particulièrement brillants d'une longue carrière. Une curiosité continue a poussé Abel Hermant à étudier les mœurs anglaises (*Eddy et Paddy*, 1894; *le Joyeux Garçon*, 1920); la bourgeoisie de la troisième République (*les Grands Bourgeois*, 1906); le monde diplomatique (*la Carrière*, 1894); les mœurs de certains touristes venus d'outre-Océan (*les Transatlantiques*, 1897); le monde politique (*les Renards*, 1912). Mais ce qui domine son œuvre, c'est la figure de M. de Courpière, grand seigneur vivant d'expédients, personnage à peine caricatural et qui demeure dans la mémoire comme un type désormais fixé par l'art de l'écrivain.

Louis Codet (1876-1914), tué pendant la guerre, n'a pas eu tout le succès que son œuvre charmante et son grand talent méritaient. Il a écrit, d'une plume légère, trois romans qui sont des joyaux de notre langue : *la Petite Chiquette* (1908), *César Capéran* (1918), *la Fortune de Bécot* (1921), dont la fantaisie, la finesse et l'aisance ne peuvent qu'accroître le regret qu'a inspiré la disparition d'un écrivain très doué.

Henri Duvernois (1875-1937), fécond auteur de mille contes, peintre ironique et attendri de personnages de condition moyenne, qui sont souvent comiques et qui souffrent, observateur à la fois narquois et sentimental, a un talent fait de charme et de délicatesse. Un de ses livres de début, *Nane ou le Lit conjugal* (1904), annonçait cette fantaisie, ces récits amusants et touchants. *Crapotte* (1908), *le Veau gras* (1912), *Edgar* (1919) lui ont assuré une des premières places parmi les conteurs de son temps.

Francis Carco (né en 1886), auteur de *Jésus la Caille* (1914) et de *l'Homme traqué* (1921), nous conduit dans un monde assez spécial où l'énergie des égoïsmes et une sorte de chevalerie basse donnent aux individus plus de relief et de saveur; son emploi de l'argot rappelle la manière de Villon. Il a de la grâce et des éléments poétiques dans l'esprit.

Edmond Jaloux (né en 1878) peint les mœurs de ses héros avec une belle ardeur lyrique. Ses romans : *le Jeune Homme au masque* (1906), *le Démon de la vie* (1908), *l'Incertaine* (1918), *les Amours perdues* (1919), nous promènent dans un monde à demi réel, tout en clair-obscur, illuminé de souvenirs de l'époque symboliste.

Roger Martin du Gard, né en 1881, a publié en 1913 *Jean Barois*, grand roman dialogué où il résume avec force toute l'évolution morale et philosophique qui s'est accomplie dans les années qui ont précédé et suivi l'affaire Dreyfus. C'est un des romans les plus importants qui aient paru dans la France d'avant la guerre. Il a entrepris après la paix de donner une suite à cette consultation habile et nuancée (*les Thibault*, 1922 et suiv.).

On doit encore citer, comme peintres des mœurs tant parisiennes que provinciales : André Theuriet (1833-1907), romancier très fécond et non sans charme (*la Maison des deux barbeaux*, 1879; *la Sœur de lait*, 1902); — Jean Aicard (1848-1921), qui a célébré la Provence (*le Roi de Camargue*, 1890; *Maurin des Maures*, 1908); — Jean Lorrain (1855-1906), qui a brillamment décrit la vie de son temps dans ses *Histoires de masques* (1900); — Anatole Le Braz (1859-1926), qui s'est voué à décrire les mœurs de Bretagne : *Au pays des pardons* (1894 et 1901); — Pol Neveux (1865-1939), peintre fervent de la Champagne, et qui écrit, en bon disciple de Flaubert, une langue savante et belle (*Golo*, 1897; *la Douce Enfance de Thierry Seneuse*, 1916); — Pierre Véber (1869-1942), à qui l'on doit, outre ses pièces de théâtre, un spirituel roman, *Amour, Amour...* (1900); — Émile Baumann (1868-1941), auteur sévère de romans d'inspiration catholique (*l'Immolé*, 1908; *Job le Prédestiné*, 1922); — Charles-Henri Hirsch (1870-1948), dont un roman entre autres, *le Tigre et Coquelicot* (1905), est resté célèbre; — Eugène Montfort (1877-1937), fondateur de la revue *les Marges* et auteur de romans ingénieux : *les Cœurs malades* (1904), *Un cœur vierge* (1920); — Alphonse de Chateaubriant (né en 1877) : un de ses ouvrages, *M. des Lourdines*, avait été couronné en 1911 par l'académie Goncourt; un autre, très coloré, *la Brière*, lui a valu en 1923 le « prix du roman » que décerne l'Académie française; — René Béhaine (né en 1880) a écrit une série de romans qui forment une étude approfondie de la vie provinciale et de l'histoire de la société.

LE ROMAN EXOTIQUE, LE ROMAN D'AVENTURES, LE ROMAN HISTORIQUE

Toute l'histoire de notre littérature montre que le peuple de France a eu constamment, avec le goût de la réalité, le goût du merveilleux. Les beaux récits des croisades, des expéditions lointaines, des longs voyages en d'étranges pays témoignent assez de son penchant vers les « au-delà » et les « ailleurs ». Notre imagination, comme elle aime voyager dans l'espace, aime aussi à remonter le cours du temps, afin d'y retrouver l' « autrefois ». A cette prédilection répondent, quelles que soient les différences qui les séparent, le Roman exotique, le Roman d'aventures, le Roman historique.

Pierre Loti (1850-1923), né à Rochefort d'une famille protestante, a été officier de marine à une époque — au lendemain des désastres de 1870 — où ce métier bénéficiait d'une sorte de prestige romanesque. Un jeune homme abordant aux plages de Polynésie, aux terres de l'Inde ou de l'Indochine, au Soudan, même à Constantinople recevait des impressions d'une absolue fraîcheur, pour peu qu'il fût ingénu et sans parti pris. Loti avait par surcroît un don d'expression si original et si simple que seul Renan peut lui être comparé. Il a écrit naturellement comme un grand artiste. Son style est à l'opposé de l'idéal des Goncourt, qui furent exotiques à leur intelligente façon, mais entichés de l'épithète rare. La simplicité de Loti, sans effort, sans procédés, avec une nonchalante aisance, atteint à la plus émouvante poésie.

Personnalité complexe, Loti était attiré par les extrêmes : la grandeur et la force d'une part, la délicatesse d'autre part, et la morbidesse. Devant les spectacles divers du monde, il a été à la fois ravi et effrayé. Qu'il ait chanté les belles filles et les garçons doux et sauvages de la Bretagne (*Mon frère Yves*, 1883; *Pêcheur d'Islande*, 1886), la jeunesse fragile d'*Aziyadé* (1879), la grâce presque fantomatique de *Madame Chrysanthème* (1887), la candeur animale de *Rarahu* (1880), il a mêlé toutes les délices de la passion à toutes les angoisses de la nostalgie. Il a souffert cruellement de ce que le spectacle du monde a de passager, des atteintes du temps sur les choses. Si toute une partie de son œuvre est consacrée à conter des aventures romanesques, une autre, et non la moins considérable, s'applique à peindre, pour les conserver, les tableaux exquis et un peu funèbres des mondes qui se transforment et semblent périr (l'*Inde sans les Anglais*, 1903; *Vers Ispahan*, 1904; *la Turquie agonisante*, 1913), et les grands paysages de la mer Morte, de la Galilée et du désert (*la Galilée*, 1895; *la Mort de Philæ*, 1909). Ame non pas seulement tourmentée, mais remuée de mille courants, il chérissait les êtres bons, un peu frustes ou tout au moins très jeunes. Il a aimé les enfants, les bêtes. Il a cherché dans les rêves une interprétation de la vie. Il a médité profondément sur la tragique destinée des créatures éphémères. De là son goût pour les civilisations qui s'éteignent, son horreur du progrès matériel, sa patience à préserver, à supporter tout ce qui est sur le point de disparaître. Pierre Loti s'est amusé, tout en les respectant, des coutumes millénaires de la Chine, des rites, des beaux costumes ancestraux. Pas un lieu de la planète où quelque chose s'en allait sans retour ne l'a laissé indifférent : chevalier des causes perdues, et en quelque sorte contemporain de Jaufré Rudel, préférant toujours les princesses lointaines, malheureuses et menacées.

Toute l'œuvre de Pierre Loti est comme un grand cri nostalgique où s'exhale le désespoir des tendresses évanouies. L'amour apporte avec lui, en effet, la mélancolie suprême, celle qui ne peut jamais être consolée. Devant toutes les formes de la vie, Pierre Loti a senti tantôt une pitié désolée, tantôt une admiration enivrante. Il les a toutes aimées pour leur beauté; et toutes il les a plaintes d'être périssables. Sa mélancolie n'est pas celle du pessimiste qui s'afflige sur un monde imparfait, mais celle de l'amant qui n'accepte point que ce qui est aimé soit condamné à mourir. Les notions et les sentiments universels dont se nourrit l'esprit humain l'ont tour à tour exalté et épouvanté. Les grandes lois de l'univers l'ont ému par leur puissance et effrayé par leur caractère inexorable. L'espace l'a enchanté comme une figure de l'infini, et l'immensité l'a troublé parce qu'elle évoque la faiblesse de l'homme. Le souvenir lui a paru sacré, mais l'oubli lui a semblé un mystère rempli d'angoisse. Parti avec une confiance courageuse pour la conquête de tout ce que la poésie accorde à ceux qui se vouent à elle, il a goûté jusqu'à la souffrance la splendeur du monde sensible, et il a désespéré quand il a touché les limites du pouvoir humain. Son œuvre est le reflet de cette fierté frémissante, et de cette tragique déception, qui l'a laissé humilié, mais non résigné. Elle demeurera comme le témoignage d'un magnifique artiste aspirant à la joie de tout sentir et tourmenté par le regret de l'insaisissable. Très vite, elle a eu ce prestige de sembler promise à l'immortalité.

Sensible et véhément, doué d'un talent robuste, mais aussi d'une plasticité presque féminine, Louis Bertrand

PIERRE LOTI dans la salle arabe de sa maison de Rochefort. — CL. LAROUSSE.

(1866-1941) a été hanté dès sa jeunesse par ce que lui-même a nommé « le mirage oriental », et il a choisi d'abord de peindre les régions de l'Algérie et de l'Afrique du Nord, qu'il aimait pour y avoir vécu : *le Sang des races* (1899), *la Cina* (1901), *Pépète le Bien-Aimé* (1904). Des tableaux vibrants de lumière ont rendu sa vision de ces rivages méditerranéens où Berbères et Levantins, Maltais, Andalous, Provençaux se mêlent en un grouillement dont l'éclat brutal a ses harmonies. Puis, d'autres aspects du monde latin l'ont séduit tour à tour, et l'Espagne, particulièrement, l'a comme envoûté (*le Rival de don Juan*, 1903). De ses contemplations passionnées, il a dégagé très vite les idées et les sentiments qui dominent son œuvre. Son admiration pour le classicisme, c'est-à-dire pour le génie organisateur de Rome et de la France, son amour pour l'esprit d'autorité, d'ordre, de discipline, son respect pour la tradition catholique, le besoin qui est en lui d'un idéalisme accordé aux conditions de la vie pratique : telles sont les aspirations qu'incarnent les personnages de ses ouvrages historiques, dont les plus célèbres sont *Saint Augustin* (1913) et *Louis XIV* (1923). Ainsi, ce grand descriptif est aussi un créateur de types. Il est servi par un don d'expression qui est chez lui le don essentiel : sa prose est à la fois solide et étincelante comme un métal de grand prix.

Claude Farrère (né en 1876) fut officier de marine : il y paraît à chaque page de ses ouvrages, tant ils sont pleins de pittoresque et d'exotisme. Il a débuté par un recueil de contes, *Fumée d'opium* (1904), qui est peut-être son chef-d'œuvre. Il y révélait, en effet, une vive sensibilité d'artiste, une imagination neuve et originale, des dons de romancier. *Les Civilisés* (1905) lui apportèrent la grande notoriété. Animateur naturel, il amuse, il retient. Ses histoires de marins (*Dix-sept Histoires de marins*, 1914) ont une saveur particulière, faite de fantaisie et du sens profond des grandeurs et des servitudes de son métier. C'est en même temps un maître dans l'art du fantastique. L'invention est chez lui facile, et si elle a parfois de la bizarrerie, elle n'a point de préciosité. Populaire, Claude Farrère a su garder de la tenue; un livre comme *la Bataille* (1909), fait de ses expériences personnelles, de ses souvenirs et des jeux de son imagination, est d'une qualité littéraire incontestable. Passionné pour la vieille Turquie comme son aîné Pierre Loti, mais moins ému que lui par le sentiment de la fuite rapide de toutes choses, il a peint, dans *l'Homme qui assassina* (1907), un brillant tableau de la vie à Constantinople. Il y a dans sa manière de la gaieté, le goût de l'action et comme un perpétuel rebondissement de l'ironie au drame. Adroit et sincère, il garde l'attrait d'une jeunesse d'esprit qui lui permet de se voir lui-même et de voir l'univers avec des yeux toujours disposés à recueillir les impressions dans leur singularité et leur fraîcheur.

Dès la publication de *Dingley, l'illustre écrivain* (1906), étude de l'impérialisme anglais au Transvaal, on eut conscience qu'un rare mérite apparaissait. Les frères Jérôme et Jean Tharaud, nés l'un en 1874, l'autre en 1877, semblent marqués, comme l'était Pierre Loti, du signe qui prédispose à goûter l'exotisme. Mais l'auteur de *Madame Chrysanthème* fut une âme impénétrable à tout ce qui n'était pas sa vérité à lui. Les Tharaud, Limousins sagaces et solides, sans nostalgie, lettrés pourvus d'un fonds de sagesse classique, sont doués, au contraire, d'une curiosité toujours en alerte. Partout où les sollicite quelque événement significatif, ils accourent; ils regardent, écoutent et saisissent. Ils sont naturellement optimistes, et la pitié qu'ils éprouvent devant le malheur naît moins de leur cœur souffrant que de leur faculté de tout comprendre. C'est une mélancolie de grands lettrés qui restent en toutes circonstances des témoins clairvoyants. De là, dans certains de leurs ouvrages, une atmosphère un peu grise et sèche, une perfection trop évidente. Ils sont très équilibrés. Pour que leur âme soit remuée en ses profondeurs,

il faut des spectacles exceptionnels : celui d'un monde qui finit et qui, au terme d'une évolution plusieurs fois séculaire, perd sa grâce (*la Fête arabe*, 1912), ou celui des communautés juives, tragiques dans leur inadaptation absolue au monde moderne (*l'Ombre de la Croix*, 1917; *Un royaume de Dieu*, 1920).

Conteur avant tout et jusque dans ses brefs romans, Pierre Mille (1864-1941) a l'imagination la plus souple, la plus gaie, la plus franche. Barnavaux, son héros de prédilection, type du « rengagé » colonial, est célèbre. Pierre Mille connaît à merveille notre domaine colonial. Il en a décrit les types et les paysages dans la langue la plus adroite, la plus vigoureuse et la plus drue. Ironiste, il est sans sécheresse; il participe de la santé morale de ce Barnavaux qui ne s'étonne de rien à force d'avoir vu. Il a beaucoup lu Rudyard Kipling et s'est inspiré heureusement de certains de ses contes. Et pourtant, comme il est de chez nous ! Son esprit est net, sa raillerie est pleine de bonté. Pierre Mille est, par surcroît, un journaliste, et très bien doué. Il n'est pas un de ses nombreux recueils de contes (*Sur la vaste terre*, 1906 ; *la Biche écrasée*, 1909, etc.) qui ne soit remarquable.

De l'exotisme, Gilbert de Voisins (1877-1939) est le poète. Il a, d'ailleurs, débuté par un volume de poèmes en prose, *les Moments perdus de John Shag* (1906), et a publié, depuis, un volume de poèmes en vers, *Fantasques* (1920). Son roman le plus célèbre, *le Bar de la Fourche* (1909), est le premier en date des romans d'aventures qui se déroulent dans l'Ouest américain, et il communique au lecteur une sorte de frisson, où se mêlent l'horreur du réel et la peur du symbole. Son livre *Écrit en Chine* (1913) est d'une extrême et bizarre séduction. Lorsque Gilbert de Voisins traite des sujets psychologiques, dans *l'Enfant qui prit peur* (1912), *l'Esprit impur* (1919), le goût de l'« ailleurs » le mène sur les confins de la littérature anglo-saxonne et il peint avec une sorte de puritanisme les tourments de la conscience.

Au nom de Gilbert de Voisins, il faut joindre celui de Victor Segalen (1878-1919), qui fut son compagnon de voyage en Asie. Segalen a laissé, outre des poèmes (*Stèles*, recueillis en 1917) d'une langue magnifique et d'une inspiration mystérieuse, deux romans, *les Immémoriaux* (1907) et *René Leys* (1923), un des récits les plus curieux de son époque, où les singularités de l'âme orientale se révèlent dans une aventure symbolique. Comme Gilbert de Voisins, il a dans son talent une pointe d'excentricité poétique, rare en notre pays, qui ajoute à son mérite et le classe à part.

L'exotisme a eu encore de nombreux fidèles, comme Paul Bonnetain (1858-1899), l'auteur d'un remarquable roman, *l'Opium* (1886); — Henry Daguerches (mort à la guerre), qui a laissé deux livres d'un charme et d'une poésie rares : *Consolata, fille du Soleil* (1906); *le Kilomètre 83* (1913); — Marius-Ary Leblond : c'est le pseudonyme de deux créoles de l'île Bourbon, nés l'un en 1877, l'autre en 1880, qui ont écrit en collaboration des livres pleins de mouvement et de vie (*la Sarabande*, 1904; *les Sortilèges*, 1905; *l'Oued*, 1907); — toute l'œuvre de Robert Chauvelot (1880-1937) est pénétrée d'exotisme asiatique (*le Japon souriant*, 1923); — Louis Hémon (1880-1913) est mort trop tôt pour connaître le prodigieux succès de son « récit du Canada français » (*Maria Chapdelaine*, 1916).

L'histoire a inspiré Maurice Maindron (1857-1911), écrivain plein de saveur et de couleur, qui joignait à la science approfondie des temps qu'il décrivait le don du pittoresque. Son célèbre *Saint-Cendre* (1898), *le Tournoi de Vauplassans* (1895), *Blancador l'Avantageux* (1901), *M. de Clérambon* (1904) évoquent avec puissance l'époque des guerres de Religion; — Georges d'Esparbès (1864-1944) a donné dans *la Légende de l'Aigle* (1893), *les Demi-Solde* (1899), *le Tumulte* (1904), *la Grogne* (1904), *la Guerre en sabots* (1914), de vives peintures des guerres de la Révolution et de l'Empire.

LE ROMAN FANTAISISTE ET POÉTIQUE

Du mouvement symboliste devait sortir aussi une forme nouvelle du roman. De même que le culte de la science a eu pour conséquence le naturalisme, de même l'attention donnée aux phénomènes de la vie intérieure, la recherche des résonances subtiles de la sensibilité, la curiosité des rapports qui unissent les formes et les couleurs, le souci des réactions de l'âme en présence de la nature et de la société contribuent à la formation d'un roman imaginatif et lyrique. Les certitudes de l'âge précédent font place à un sens plus humain et très subtil du relatif, peut-être même à un certain scepticisme; mais, parmi les doutes qui ne sont pas sans tourment, demeurent ces appuis solides, l'expérience immédiate, les émotions sincères; et cette ressource exquise, les jeux infinis de l'esprit aux prises avec les données du monde sensible. Rimbaud, Mallarmé, Verlaine ont exercé sur les romanciers qui écrivaient aux environs de 1890 une forte influence. Alors est née une littérature d'imagination neuve, pénétrée de fantaisie, où l'observation se dissimule derrière l'allégorie.

C'est à un poète, Henri de Régnier (1864-1936), qu'en est due la formule. *La Canne de jaspe* (1897), *Couleur du temps* (1909) sont des contes ravissants, où la féerie, l'histoire, la mythologie se mêlent pour divertir le lecteur et l'enchanter. Henri de Régnier se plaît aux décors magnifiques, voluptueux; il nous transporte volontiers au Grand Siècle, ou dans l'Italie du XVIIIe siècle; il aime Versailles et Venise; il goûte les aventures de Casanova et les masques de la *commedia dell'arte*. Tantôt il nous conte une histoire du XVIIe siècle et nous la rend présente par la précision des détails, par la reconstitution des architectures et des costumes, par la psychologie retrouvée des courtisans de Louis XIV, ou des libertins : *la Double Maîtresse* (1900), *le Bon Plaisir* (1902), *les Rencontres de M. de Bréot* (1904), *la Pécheresse* (1920). Tantôt, dans un style légèrement et volontairement archaïque, il peint ses contemporains : *le Mariage de minuit* (1903), *les Vacances d'un jeune homme sage* (1904), *le Passé vivant* (1905), *la Peur de l'amour* (1907). Mais même aux histoires contemporaines, le passé se mêle avec son mystère et sa hantise; et alors que, dans l'autre série des romans, les choses d'autrefois prenaient une sorte de réalité toute présente, les romans dont les sujets sont près de nous ont des tons de tapisserie et des aspects fantastiques. Une sorte de magie les enveloppe tous, faite d'impassibilité apparente, de frémissement, et du sens le plus aigu de la beauté; elle voile ce qu'ils contiennent de connaissance réelle du cœur. Ces livres nous aident ainsi à nous évader de la vie quotidienne et cependant nous y ramènent. Tous ces charmants fantômes qui habitent les palais, les jardins et les gondoles, vêtus de taffetas zinzolin, parés de rubans, de poudre et de mouches, environnés d'une atmosphère où flotte le parfum de la bergamote, manifestent les éternels sentiments humains devant l'amour et devant la mort.

Élémir Bourges (1852-1925) a trop peu écrit pour notre plaisir. En 1884, il a publié *le Crépuscule des dieux*; en 1893,

HENRI DE RÉGNIER. Portrait par Cappiello (1910). — CL. VIZZAVONA.

Les oiseaux s'envolent et les fleurs tombent; de 1904 à 1922, un grand poème en prose, *la Nef*. Son imagination sombre et bizarre nous entraîne hors de la vie réelle. Simple, éloigné des vanités du monde, Élémir Bourges est peu connu du grand public, mais hautement estimé par les lettrés, et par beaucoup de jeunes romanciers qui ont subi son influence. C'est une âme complexe, très vibrante, qui semble parfois ne pas trouver exactement la forme d'expression qu'il faudrait pour donner un corps à ses rêves grandioses. Ses ouvrages curieux, serrés, et qui réclament du lecteur un effort, inspirent le respect et troublent. Avec plus d'ampleur philosophique et de gravité, ils font parfois songer aux romans de Barbey d'Aurevilly.

Pierre Louÿs (1870-1925) séduit par l'harmonie voluptueuse et comme sensuelle de son style : c'est là son mérite et aussi sa limite. *Les Chansons de Bilitis*, qu'il écrivit en 1894, sont d'une grâce si achevée qu'il a pu les présenter comme des œuvres d'une poétesse contemporaine de Sapho, et faire admettre momentanément cette fiction. Pierre Louÿs n'avait encore publié que des vers charmants dans *la Conque* et *le Centaure*, deux revues qui ont peu vécu, mais qui ont révélé au public des noms connus plus tard : entre autres celui de Paul Valéry, qui y publia l'*Introduction à la méthode de Léonard de Vinci* et la *Soirée avec M. Teste*. *Les Chansons de Bilitis*, poèmes en prose assez licencieux, sont aujourd'hui célèbres non moins qu'*Aphrodite*, publiée en 1896. Ce roman alexandrin fut présenté au grand public par François Coppée, qui s'en montra enthousiaste. Il fut assez piquant de voir cet écrivain très sage et très classique patronner un des livres les plus légers et, si l'on peut dire, les plus nus de notre littérature. Ce tableau de la vie d'une courtisane juive et de son amant préféré, le Grec Démétrios, a fait époque. Un autre récit de P. Louÿs, *la Femme et le Pantin* (1898), bénéficie de cet accord heureux entre un tempérament de lettré sensuel et un style merveilleusement plastique. Ce n'est pas le grand art grec, sévère et religieux, de Phidias : c'est un art d'arrière-saison, où le souci de la forme l'emporte sur le culte de la pensée. Le danger d'ouvrages de ce genre, c'est qu'ils sont en apparence trop facilement accessibles à tous, et que leur succès n'est pas dû tout entier au sentiment esthetique. Mais ces réserves faites, *Aphrodite* et *la Femme et le Pantin* contiennent des pages mélodieuses et mesurées, et sont d'une rare qualité esthétique.

Jules Renard (1864-1910) paraît au premier abord un réaliste très âpre. Mais c'est aussi un poète, qui arrive au lyrisme par les moyens les plus simples. Son sujet préféré, c'est la terre, ce sont les paysans. Il extrait de l'émotion et de la beauté d'un coin de champ labouré, d'une route où passent des oies, un âne, un chien, de la vie des Philippe, ce vieux couple de jardiniers campagnards. Il élève par la pureté de son style ces modestes spectacles jusqu'à la poésie. Il rappelle les vieux moralistes grecs, et aussi l'auteur de *les Travaux et les jours*. Dans *Poil de carotte* (1894), où il retrace les misères subies par un enfant au caractère ingrat, il a fait de son petit héros un type inoubliable. *Bucoliques* (1898), *Nos frères farouches, Ragote* (1908) apportent les parfums de la terre, retiennent la grâce d'une branche, le caprice du vol d'une hirondelle. Aussi pur et aussi dépouillé dans sa forme que Pierre Louÿs, il l'est également dans sa pensée. Sa matière est ténue, il se peut; mais par le fini de son travail, il se place à côté des maîtres : ainsi, dans certains meubles du XVIIIe siècle, ouvrage parfaits de simples artisans, on retrouve le génie de toute une race bien douée.

Ce n'est plus à la peinture ni aux arts plastiques que fait penser l'œuvre de Romain Rolland (1868-1944) : son *Jean-Christophe* (10 vol., 1904-1912) semble une grande symphonie où des voix puissantes et désordonnées se mêlent. La personnalité de Romain Rolland est, si l'on peut dire, plus européenne encore que française. Ses écrits philosophiques et ses remarquables biographies de Michel-Ange et de Beethoven l'ont fait connaître autant que ses romans. Enthousiaste de musique et de peinture, grisé d'idées généreuses encore qu'assez vagues, il a mêlé dans son œuvre des éléments complexes, d'où se dégage un idéal humanitaire. *Jean-Christophe*, c'est l'histoire confuse d'un musicien de génie, né en Rhénanie, mais qui, ayant choisi la France comme une seconde patrie, poursuit son rêve en traversant les milieux les plus divers. Quel rêve? Romain Rolland a aimé à la fois Spinoza, Beethoven, Shakespeare, Michelet, Tolstoï. Il est passionné pour l'idée d'une paix universelle, d'une sincérité complète entre les humains, d'un accord accompli par une amitié libre, religieuse et mondiale. Jean-Christophe est le héros qui part à la recherche du meilleur avenir. Il y a place pour tous les tons dans une aussi vaste aventure : la satire, l'ironie, l'emphase, la prédication à la manière de Quinet, l'imagination à la manière de George Sand. Il y a place aussi pour des récits, comme le volume intitulé *Antoinette*, où l'amitié et l'amour inspirent à l'auteur ses meilleures pages. Tel qu'il est, ce *Jean-Christophe*, en dix volumes ardents et confus, a valu à l'auteur un succès international qu'a consacré le prix Nobel en 1916.

Francis Jammes (1868-1938) est un très gracieux conteur. Les petits romans de ce catholique rustique, *Clara d'Ellébeuse ou l'Histoire d'une ancienne jeune fille* (1899), *Almaïde d'Étremont ou l'Histoire d'une jeune fille passionnée* (1901), *le Roman du lièvre* (1903), sont captivants et particuliers comme leurs titres. Il est difficile de décider où finit dans son œuvre la sincérité naïve et où commence l'adresse. Telle qu'elle est, volontairement mignarde, cette œuvre a un accent d'innocence qui est souvent séduisant. Trop artiste pour être aussi simple qu'il le voudrait paraître, Francis Jammes est bien près de dépasser l'extrême limite du naturel et il y a de la préciosité dans sa candeur; mais il a un sens charmant de la vie simple. Dans *Monsieur le curé d'Ozeron* (1918), dans *le Poète rustique* (1920), il a parlé des champs, des bêtes et des fleurs en véritable poète.

Villiers de l'Isle-Adam (1840-1889), auteur des *Contes cruels* (1883), des *Histoires insolites* (1888), des *Histoires souveraines* (1899), et de cet *Axël* (1890), drame cher aux poètes, âme hautaine, écrivain singulier, est plus cité que

ROMAIN ROLLAND. — CL. BOISSONNAS, A GENÈVE.

lu. *L'Ève future* (1886), *Tribulat Bonhomet* (1887) sont des histoires tout intellectuelles, où la conscience du rôle de l'artiste et les préoccupations de la vie moderne se mêlent au point d'étouffer l'œuvre sous l'abondance des significations.

Le délicat et curieux Marcel Schwob (1867-1905) a conté, dans *la Lampe de Psyché* (1903), dans *le Roi au masque d'or* (1893), des anecdotes philosophiques ou mystiques, qui témoignent de sa vaste culture. Ces récits sont écrits avec une science de la langue presque trop visible, car elle surprend parfois le lecteur, au détriment de l'émotion. *Les Vies imaginaires* (1896) sont de subtiles inventions, où se complaisaient cette âme tourmentée, cette intelligence subtile. On y sent une sorte de saturation. Il y a dans les récits (*Cœur double*, 1891; *Le Livre de Monelle*, 1894) à la fois de l'ironie, de la tendresse, de l'hallucination, de la révolte, de la pitié, une inspiration plus alexandrine que classique, mais un langage constamment impeccable dans sa froideur.

Jean de Tinan (1874-1900) est mort très jeune; mais sa réputation n'a fait que s'accroître. Il a montré dans plusieurs fictions charmantes un autre aspect du raffinement excessif dont souffrait la poésie. *Penses-tu réussir?* (1897) est une de ces œuvres qui, si elles n'étaient pas remarquables par leur qualité même, seraient encore des documents sur l'évolution des caractères d'une époque.

Valéry Larbaud (né en 1881), curieux des variétés de la sensibilité internationale, a composé de délicieux romans comme *Fermina Marquez* (1911), où la vie des jeunes hommes et des jeunes filles dans les écoles de l'Amérique du Sud est notée avec une véritable originalité. Le *Journal d'A.-O. Barnabooth*, paru en 1913, est une sorte de roman satirique mêlé de lyrisme, où est étudiée l'âme desséchée du multimillionnaire qui, pouvant tout acheter, tout voir, tout faire, étouffe d'ennui et de scepticisme; le héros n'a plus d'autre ressource que de prendre le contre-pied de tout ce que sembleraient demander les exigences de sa position sociale. Le contraste entre la lassitude de Barnabooth et l'élan du narrateur, l'intelligence et la fantaisie du récit font de cette œuvre une des plus attachantes manifestations de l'art à cette époque.

Alain Fournier (1886-1914) est un des écrivains que l'on est en droit de regretter le plus amèrement parmi ceux qui nous ont été arrachés durant la guerre. Son roman intitulé *le Grand Meaulnes* (1912) est une œuvre séduisante, saisissante entre toutes, qui apparut d'emblée comme exceptionnellement riche de promesses. Ce roman de fantaisie, de poésie au sens le plus complet du mot, a survécu en raison de ce qu'il contient de beauté neuve et de tout ce que l'on entrevoit de mystérieux avenir dans un destin d'écrivain brutalement interrompu.

IV. — LA LITTÉRATURE FÉMININE

A consulter : J. Larnac, Histoire de la littérature féminine, *1929;* — Comtesse de Noailles, *1931;* — Colette, *1931.*

A la fin du XIXe siècle et au début du XXe siècle, la France a pu s'enorgueillir d'une riche floraison de talents féminins. Quelques noms se détachent, particulièrement illustres.

Mᵐᵉ Ackermann (1813-1890), qui avait publié avant 1870 des contes et des vers, a écrit ensuite des *Poésies philosophiques* (1874) et les *Pensées d'une solitaire* (1882), remarquables par l'ampleur et la fermeté avec lesquelles elle expose son pessimisme.

Renée Vivien (1877-1911), après avoir voyagé en Grèce et dans l'Inde, a écrit une série de poèmes frémissants et douloureux (*Études et Préludes*, 1901; *Cendre et Poussières*, 1902; *Évocations*, 1903; *Sillages*, 1919). Ses aspirations et ses désespoirs ne sont pas moins sensibles dans d'autres poèmes (*Poésies*, 1924; *Dans un coin de violettes*, le *Vent des vaisseaux*, *Haillons*, parus en 1910), où se remarquent aussi, à mesure qu'elle approchait de sa fin (qu'elle voulut d'ailleurs chrétienne, — et que son paganisme ne faisait pas prévoir), une note plus apaisée et un désir de repos.

COLETTE ET WILLY. — CL. LAROUSSE.

Sous le pseudonyme de Colette Willy, une femme écrivain a fait paraître, de 1900 à 1903, une suite de récits, composés en collaboration avec Willy : *Claudine à l'école*, *Claudine à Paris*, *Claudine en ménage*, *Claudine s'en va* : c'est la biographie d'une jeune Bourguignonne qui, venue à Paris, traverse les milieux les plus divers et d'ordinaire les plus louches, jusqu'au jour où, devenue veuve, elle se retire à la campagne (*la Retraite sentimentale*, 1907). En 1905 parut un autre ouvrage, *Sept Dialogues de bêtes*, où un chat et un chien illustrent de commentaires humoristiques et lyriques leurs sentiments et ceux de leurs maîtres. Ce livre était signé « Colette » tout court : il mit en pleine lumière l'une des personnalités les plus vigoureuses des lettres contemporaines. *Les Vrilles de la vigne* (1908), *la Vagabonde* (1910), *l'Entrave* (1913) sont autant d'ouvrages bien faits. La série des petits contes qui peignent le monde des théâtres forme un recueil, *l'Envers du music-hall* (1913), aussi charmant en son genre que les *Lettres de mon moulin*. En 1923, dans *la Maison de Claudine*, revenant à l'héroïne qu'elle avait jadis célébrée, l'auteur a retracé, en un style sobre et délicieux, des impressions d'enfance aussi pures qu'émouvantes. Très imprégnée à ses débuts de romantisme, d'un romantisme à vrai dire modernisé, Colette avait surpris d'abord par la hardiesse d'une prose riche en images, à la fois précise et tumultueuse. Peu à peu, et le fait s'observe très rarement dans la littérature féminine, elle a évolué. Sans rien perdre de ses dons, elle est arrivée à simplifier, à purifier son art, au point que beaucoup de jeunes écrivains traditionalistes, qui auraient pu, au nom de leur idéal, rejeter ou dédaigner un aussi libre écrivain, ont au contraire reconnu dans un de ses romans, *Chéri* (1920), un modèle de la littérature néo-classique. Colette a peu d'idées générales, mais ses impressions sont d'une justesse surprenante. Sa sensibilité, ouverte à toutes les influences de la nature, a su retracer la vie instinctive des êtres qui peuplent la terre et la mer avec une force de divination toute féminine. L'amour, non pas l'amour artificiellement idéalisé, mais l'amour total, celui de la femme pour son mari, de la mère pour son enfant, du chien pour son maître, de l'enfant pour le coin de terre où il est né, et aussi l'amour physique et ses tragiques misères, elle l'a chanté avec une aisance souveraine, faite d'intelligence, d'expérience et de choix. Elle sait si bien sa langue qu'on croirait facile à imiter l'inimitable simplicité de son style. Elle semble se tourner de plus en plus vers l'art de nos écrivains du XVIIᵉ et du XVIIIᵉ siècle. Elle est en sympathie à la fois avec les formes les plus modernes de la sensibilité et avec les puissances permanentes de la destinée.

Sans hâte et sans tapage, Mᵐᵉ Gérard d'Houville (née en 1876), fille de José-Maria de Heredia, mariée à H. de Régnier, sûre de son art et confiante dans le destin de ses poèmes, a rassemblé, en 1931, sous le simple titre de *Poésies*, des vers connus depuis longtemps : et ce livre suffit à sa renommée. Elle y a rassemblé les vers qu'elle a écrits dès sa jeunesse et au cours de sa vie. Elle dit avec une grâce harmonieuse son amour de la nature et du rêve. Et avec une sobriété émouvante, elle exprime dans une forme pure et classique tout ce qu'il y a de pathétique dans l'existence humaine. Les rares qualités de ce recueil lui donnent de grandes chances de durer plus que d'autres qui ont fait plus de bruit.

Mᵐᵉ Gérard d'Houville, a publié aussi plusieurs romans, dont *l'Inconstante* (1903), *Esclave* (1905), *le Temps d'aimer* (1908), *le Séducteur* (1914), *Jeune Fille* (1916). Son art est d'une grâce aisée qui voile une connaissance parfaite de la langue. A lire ces pages mélancoliques, amères ou souriantes, on oublierait facilement le grand écrivain, tant le récit est de libre fantaisie et, parfois, de gaminerie poétique. On retrouve chez l'auteur de *l'Inconstante*, non l'influence de Musset, mais la source où le poète des *Nuits* et surtout l'auteur des *Comédies et Proverbes* s'est désaltéré. Personne, depuis *les Caprices de Marianne* ou *Fantasio*, n'a mieux montré ces charmantes et féroces figures de femmes et d'hommes, qui jouent non seulement avec leur cœur, mais encore avec celui des autres, avec la vie et la mort, comme des adolescents tour à tour rêveurs, égoïstes, généreux, implacables. L'héroïne de *l'Inconstante* apprend que l'un des hommes qui se sont épris d'elle s'est tué, sans qu'elle comprenne tout de suite que c'est elle-même qui a armé sa main. Et quand elle s'en rend compte enfin, elle a des remords bien légers, se confesse à une amie, et, bien qu'elle soit sans méchanceté, elle termine sa confession par ces mots qui sont tellement féminins que, peut-être, un homme n'aurait pas osé les inventer : « Vois comme il fait beau! » Le charme de Mᵐᵉ Gérard d'Houville, outre son merveilleux don d'expression, l'aisance pure de sa forme, c'est d'avoir fait entendre, sous l'animalité poétique de ses personnages, un écho douloureux de la sombre destinée humaine. Elle n'est pas dupe. Si elle aime les fleurs, les voyages, la volupté, la jeunesse, si elle a le privilège d'en parler avec un bonheur sans pareil, elle a assez compris la tragédie des êtres toujours complexes pour les plaindre et les excuser. Quand l'héroïne d'*Esclave*, ouvrage délicieux qui se passe à La Nouvelle-Orléans, retombe sous la domination de l'homme infidèle et brutal qui, après l'avoir abandonnée l'a reprise par caprice, et qu'il tue presque d'un coup d'épée le délicieux camarade, sensible et délicat, qui adorait cette femme comme précisément elle souhaitait d'être aimée, on sent chez Gérard d'Houville une sorte de tristesse, mélangée de volupté et d'amertume. On songe aux vers de Lucrèce sur le « durus amor ». Les aveux de Mᵐᵉ Gérard d'Houville, moins directs que ceux de Mᵐᵉ de Noailles, sont cependant d'une hardiesse aussi grande. Elle raconte simplement ce que font les femmes, ses sœurs, elle les plaint en les accablant. Elle leur prête même, parfois, une connaissance de leur destinée qu'elle exprime avec profondeur et une délicieuse émotion. Il y a dans toute l'œuvre de ce romancier-poète une liberté candide et audacieuse, digne des âges mythologiques, une sauvagerie dormante que sauve le charme incomparable d'une langue solide et fluide en même temps.

La comtesse de Noailles (1876-1933), dès qu'elle eut publié ses premiers vers (le Cœur innombrable, 1901; l'Ombre des jours, 1902), a étonné et enchanté, par son frémissement passionné, par l'emportement de sa puissance d'émotion, la virtuosité verbale, l'aisance et l'ampleur du mouvement lyrique. L'essence de sa poésie est une sensibilité toute personnelle devant la nature. Les phénomènes sont pour son cœur retentissant un sujet d'émoi toujours neuf, qu'elle exprime avec une vertigineuse abondance. Ses poèmes sont pleins de l'odeur de l'aube et de la nuit, des fleurs de mai dont chaque brin se pâme, des fruits, du vent, des douze mois. Mais bientôt ce n'est plus seulement le charmant parterre, le verger familier où s'émerveillait son enfance que chante sa voix troublante; c'est tout l'espace et tout le temps, c'est le doux paysage de l'Ile-de-France et c'est l'Orient, c'est Venise, Constantinople et la Perse, c'est le bruissement infini de l'univers et l'immense enchantement du monde (les Éblouissements, 1907; les Vivants et les morts, 1913, etc.). Haletante et effrénée, oppressée comme une prêtresse antique, elle dit avec un ravissement païen la jeunesse, l'amour, la beauté de la création; mais bientôt, par un retour inévitable, elle s'aperçoit que, mêlé à la vie universelle, l'être humain s'en distingue et la perçoit, qu'il n'est qu'un instant éphémère dans la durée. Toute une partie de son œuvre est inspirée par le sentiment de l'inquiétude humaine, par le thème de la douleur et de la mort, par la hantise de l'implacable destinée, à laquelle la dignité des mortels est d'avoir opposé la douceur de la bonté, l'orgueil du courage et l'héroïsme du sacrifice. S'il y a, dans le tumulte de ses poèmes, une éloquence enfiévrée qui entraîne à des combinaisons de mots et d'images parfois étranges, il est en eux une musique et une magie cérébrale qui en font une des œuvres exceptionnelles de son temps.

Au moment même où Mᵐᵉ Gérard d'Houville publiait l'Inconstante et Mᵐᵉ Colette la dernière des Claudine, en 1903, un petit roman de Mᵐᵉ de Noailles, la Nouvelle Espérance, attirait l'attention des lettrés. C'est un curieux mélange d'analyse aiguë et de sincérité lyrique dans sa forme, audacieuse quant au fond; la hardiesse des sujets, la sincérité des aveux ont quelque chose de déconcertant. La faiblesse des femmes apparaît dans ces livres comme une arme sournoisement manœuvrée; leur pudeur, comme une convention dont elles jouent;

leur caprice, comme un mobile tout-puissant de leurs actes. Une héroïne de la comtesse de Noailles dira : « Il me faut votre amour et la possibilité de l'amour de tous les autres. » On ne saurait être plus franche. La puissance du rêve dans la vie des femmes, signalée par Michelet dans son admirable livre la Sorcière, y est non seulement avouée ou commentée, mais exaltée à chaque page. Un second roman de Mᵐᵉ de Noailles, paru en 1904, le Visage émerveillé, curieux poème en prose, d'une forme plus parfaite, est révélateur de cet esprit, séduisant comme une force de la nature. La prose de la comtesse de Noailles, lyrique et mêlée parfois d'un réalisme vigoureux, est un peu compliquée par la virtuosité verbale et d'un ton personnel.

Mᵐᵉ Marcelle Tinayre (1872-1948) est un romancier qui sait son métier. Son œuvre, très impersonnelle, ne laisse pas deviner grand-chose d'elle-même. Elle conte pour le plaisir de conter, et elle s'entend à mêler ses fictions à un récit fait tout entier d'observation objective. Après quelques œuvres de débutante, la Maison du péché (1902) lui apporta la notoriété. Elle s'est préoccupée de problèmes religieux ou sociaux et de la question du féminisme; elle s'est complu aussi au roman historique. La Rebelle (1905), la Vie amoureuse de François Barbazanges (1905) lui ont attiré un public toujours croissant. Son talent est fait de clarté, de force gracieuse. Elle sait poser et résoudre des problèmes de conscience. Une grande autorité se dégage de son œuvre; elle est un des auteurs français de son temps dont le mérite a été le plus apprécié à l'étranger. Agissante, optimiste, telle on la devine à travers ses ouvrages, qui, s'ils ne contiennent aucun aveu sur elle-même, laissent deviner son tempérament moral.

Myriam Harry, née à Jérusalem en 1875, élevée en Allemagne, est venue à la France par libre choix. Sa langue garde quelque chose de cette formation complexe : correcte, mais fantasque, elle est tout frémissement. Ses premiers livres, Passages de Bédouins (1899), Petites Épouses (1902), annonçaient un tempérament original d'écrivain. Depuis, ses romans, qui se passent presque tous loin de la France, et dont le plus charmant, la Divine Chanson (1912), se déroule dans le décor de Gabès et du golfe des Syrtes, ont gardé cette saveur un peu bizarre, faite d'enthousiasme, de mélancolie et de curiosité, qui touche les lecteurs épris d'exotisme.

Mᵐᵉ Lucie Delarue-Mardrus (1880-1945) est née Normande; mais elle a connu, elle aussi, l'Orient, dont elle aime la sauvagerie en opposition avec les mœurs conventionnelles et fausses des grandes villes occidentales. Un de ses plus remarquables romans, la Monnaie de singe (1912), met en scène une jeune Européenne, élevée en Kabylie, qui entre dans la société parisienne, puis s'en retourne volontairement vers la vie primitive. Outre ses recueils de poésie, elle a publié une vingtaine de romans, notamment le Roman des six petites filles (1909), Tout l'amour (1911), l'Inexpérimentée (1912), Douce moitié (1913), l'Ame aux trois visages (1919), tous curieux par ce qu'elle laisse deviner de son âme. Conteuse très douée, elle a le tempérament impersonnel d'une Marcelle Tinayre et quelque chose de l'émotion d'une Colette.

Gyp (1850-1932) a infiniment

GÉRARD D'HOUVILLE. — CL. SABOURIN.

d'esprit, de la vivacité, de la franchise; elle est frondeuse, conservatrice et patriote; elle aime la cocarde, et elle n'a aucune solennité ; elle a une connaissance approfondie de la société mondaine, et elle en fait la caricature en souriant. Ses romans dialogués, *Autour du mariage* (1883), *Autour du divorce* (1886), *Ces bons docteurs* (1892), *le Mariage de Chiffon* (1894), ont connu la vogue immense qu'avait fait prévoir le succès de son premier livre, *Petit Bob* (1882). Elle écrit dans une langue simple, claire et rapide, et sous l'apparence de fantaisies légères et improvisées, c'est en réalité la satire la plus amusante de la société contemporaine qu'elle a composée. Son œuvre, qui n'a pas de prétentions et qui est charmante, a une signification durable; et elle a aussi sa beauté, qui est celle du diable.

Rachilde (née en 1862), bien différente de Gyp par les tendances intellectuelles et politiques, est comme elle spirituelle, et, comme elle, douée d'un talent savoureux. Elle a déconcerté par des livres audacieux, mais pleins de pensées. *La Tour d'amour* (1899) et des romans comme *le Meneur de louves* (1905) ont un accent qui s'impose plus qu'il ne séduit. Mais tant d'intelligente activité, un rayonnement si fort se dégagent de certains de ces récits qu'on ne peut dénier à Rachilde le mérite de s'emparer des esprits grâce à une sorte de brutalité qui rappelle certaines passes de « jiu-jitsu ». C'est un des plus singuliers esprits de l'époque.

Marie Lenéru (1875-1918), auteur d'un journal posthume dont l'intérêt égale celui de Marie Bashkirtseff, a donné entre 1900 et 1914 des drames philosophiques qui ont inspiré de la curiosité et de l'estime : *les Affranchis*, *le Redoutable* sont des études de grands problèmes de l'âme.

Marguerite Audoux (1863-1937), autodidacte auteur de *Marie-Claire* (1910) et de *l'Atelier de Marie-Claire* (1920), récits naïfs et poétiques, mérite toute attention.

Arvède Barine (1840-1908) a publié des études historiques, des portraits littéraires, comme *Princesses et Grandes Dames* (1890), *Poètes et Névrosés* (1898), *la Jeunesse de la Grande Mademoiselle* (1901), d'un extrême agrément. C'est une des rares femmes qui se soient spécialisées dans le genre des essais. En ce genre, Jean Dornis (née en 1874) a contribué à nous faire connaître la poésie, le roman, le théâtre de l'Italie contemporaine. Mme Lucie Félix-Faure-Goyau (1866-1913) s'est consacrée à des études de psychologie religieuse (*Newman, sa vie et ses œuvres*, 1900; *Christianisme et culture féminine*, 1914). Mme Duclaux, née Mary Robinson, qui s'est d'abord illustrée sous ce nom dans la poésie anglaise, a publié en français une biographie de *Froissart* (1894), la *Vie d'Ernest Renan* (1898), des essais intitulés *Grands Écrivains d'outre-Manche* (1901), un livre sur *Robert Browning* (1922) : ce sont de beaux travaux de critique intuitive, originale et forte. Marie-Louise Pailleron, petite-fille de Buloz, a composé, à l'aide de la correspondance de son grand-père, des ouvrages pleins de vie sur l'époque romantique (*François Buloz et ses amis*, 1919).

ANNA DE NOAILLES. — CL. LAROUSSE.

Beaucoup de femmes encore ont écrit : Mme Juliette Adam (1836-1936), ancienne directrice de la *Nouvelle Revue*, dont le rôle politique fut considérable dans les premiers temps de la troisième République, et qui a publié des romans tels que *Païenne* (1883) et *Chrétienne* (1913); — Mme André Corthis, dont la carrière, heureuse dès ses débuts, s'est déroulée avec aisance (*Mademoiselle Arguillis*, 1907; *le Pardon prématuré*, 1914); — la fille de Théophile Gautier, Judith Gautier (1850-1917), qui a chanté en poète la Chine (*le Dragon impérial*, 1869; *la Sœur du soleil*, 1887), et qui a écrit des romans d'aventures de premier ordre (*Iskender*, 1886); — Colette Yver, qui a étudié la femme moderne aux prises avec les professions libérales (*les Cervelines*, 1903; *les Dames du Palais*, 1910); — Mme Alphonse Daudet, poète et observatrice délicate (*Impressions de nature et d'art*, 1879; *Fragments d'un livre inédit*, 1885); — les poétesses Rosemonde Gérard (Mme Edmond Rostand), à qui l'on doit *les Pipeaux* (1889); — Mme Catulle Mendès, digne du nom qu'elle porte, auteur du *Cœur magnifique* (1919) ; — Hélène Picard et Cécile Périn, artistes fines et probes; — Hélène Vacaresco, auteur d'éloquents recueils de vers : *le Jardin passionné* (1908) et *Amor vincit* (1909); — et Séverine (1855-1929), grand journaliste qui a écrit de séduisants souvenirs (*Notes d'une frondeuse*, 1894; *Vers la lumière, impressions vécues*, 1900).

V. — LE THÉATRE

A consulter : Edm. Sée, *le Théâtre français contemporain*, *1928; E.* Charles, *le Théâtre des poètes (1850-1910)*, *1910; G.* Pellissier, Anthologie du théâtre français contemporain, *1910*.

Henry Becque : Œuvres complètes, *1924-1926*, 7 volumes. A. Arnaoutovitch, H. Becque, *1927*; A. Thalasso, *le Théâtre libre*, *1909; Antoine*, Mes souvenirs sur le Théâtre libre, *1921; Antoine*, Mes souvenirs sur l'Odéon et sur le Théâtre-Antoine, *1928*.

L'âge précédent léguait au théâtre deux traditions qui devaient se prolonger : celle de Dumas fils, qui représentait la comédie sociale; celle de Meilhac, qui représentait la comédie de mœurs. Le drame romantique, tel que l'avait conçu Hugo, pouvait encore vivre par la grâce d'écrivains bien doués, et en fait il a vécu, mais sans se renouveler : comme genre, il était épuisé. Quant aux divertissements dont Scribe avait donné la formule, ils répondaient trop au goût du public pour disparaître, et la critique de Francisque Sarcey invitait d'ailleurs les spectateurs à apprécier avant tout la technique, à se réjouir des pièces bien faites où ils retrouvaient l'emploi de tous les artifices accoutumés. Les éclatants succès de Victorien Sardou (1831-1908) ont montré à quel point de brillantes qualités de métier étaient appréciées, et avec quelle fidèle reconnaissance le public accueillait des ouvrages plus remarquables par l'habileté, la virtuosité même, que par l'étude des caractères et la qualité du pathétique (*Rabagas*, 1872 ; *Divorçons*, 1880 ; *Théodora*, 1884 ; *la Tosca*, 1887 ; *Thermidor*, 1891 ; *Madame Sans-Gêne*, 1893 ; *l'Affaire des poisons*, 1907).

On ne s'étonnera pas de la lenteur de l'évolution des ouvrages dramatiques, si l'on songe que cette évolution est soumise à des conditions d'ordre industriel, et que le théâtre, ne pouvant se passer du succès, cherche à satisfaire les goûts déjà reconnus du public plutôt qu'à éveiller des curiosités nouvelles. C'est une loi constante : le théâtre suit avec vingt ou trente ans de retard le mouvement des autres genres. Il y a des recettes presque assurées pour faire un vaudeville, une comédie légère ou un drame selon le goût du jour. Chaque époque adopte une mode, qui, par une conséquence naturelle, suscite des fournisseurs. Le changement dans les goûts s'opère lentement et par l'entremise de théâtres audacieux, parfois éphémères, mais à la longue très influents.

Le Théâtre libre, fondé en 1887, a joué dans la rénovation de l'art dramatique un rôle considérable ; il a été secondé plus tard par le théâtre de l'Œuvre ; de même que plus tard c'est au théâtre du Vieux-Colombier, dirigé par Jacques Copeau, ou au théâtre de l'Atelier, dirigé par Dullin, que se rencontrent les apports de renouvellement les plus intéressants. Sous la direction d'Antoine, le Théâtre libre a favorisé d'abord la transformation de l'art dramatique par le symbolisme.

S'il n'a pas créé à lui seul un mouvement, il l'a cependant singulièrement aidé, puisque c'est grâce à lui qu'ont débuté la plupart des auteurs qui ont compté dans la suite.

Au moment où s'est fondé le Théâtre libre, il y avait quelque témérité à vouloir introduire le naturalisme à la scène. Les pièces du second Empire, dont le public gardait encore le goût, étaient pleines d'un romanesque et d'un optimisme tempérés. Même quand elles prétendaient à la hardiesse, elles étaient loin de l'âpreté vigoureuse et du réalisme que Balzac avait introduits dans le roman. Le public n'était pas préparé. Pendant dix ans, le Théâtre libre a fait son éducation. Il l'a scandalisé ou agacé par des histoires brutales, par une mise en scène minutieuse, par la recherche du naturel ; il l'a dégoûté des faux semblants, et dans cet art nécessairement conventionnel qu'est le théâtre, il lui a appris à goûter la sincérité et, sinon la vérité même, du moins les approches de la vérité.

Puis, quand ce genre est devenu à son tour artificiel, quand la « comédie rosse » a fini par paraître une œuvre de parti pris, le Théâtre libre, sous l'influence du symbolisme et des littératures étrangères, a intéressé le public à un tout autre genre et s'est employé à lui faire penser qu'il était possible de ramener sur la scène la poésie, les idées, et même les discussions sociologiques.

LE THÉÂTRE EN VERS

Le souvenir des grands drames romantiques occupait encore toutes les mémoires lorsque, au lendemain de 1870, les théâtres rouvrirent leurs portes. On s'explique sans

ANDRÉ ANTOINE en 1894. — CL. BENQUE.

peine que ce soit vers le genre favorable à l'éloquence, à la rhétorique et à l'expression des sentiments les plus généreux que les auteurs se soient tout de suite tournés. *La Fille de Roland* (1875) de Henri de Bornier (1825-1901), *la Rome vaincue* (1876) d'Alexandre Parodi (1842-1902), l'*Enguerrande* (1884) d'Émile Bergerat (1845-1923), l'*Hetman* (1877) et le *Du Guesclin* (1895) de Paul Déroulède (1846-1914), *la Reine Fiammette* (1899) de Catulle Mendès (1841-1909) ont été joués dans les vingt-cinq années qui terminent le XIXᵉ siècle, et ce sont comme les dernières floraisons du drame en vers. Mais les grands succès de ce genre ont été ceux de Coppée, de Richepin et de Rostand.

François Coppée avait remporté en 1869 un succès triomphal avec *le Passant*, qu'avait joué Sarah Bernhardt. *Le Luthier de Crémone* (1876), *Severo Torelli* (1883), surtout *Pour la couronne* (1895) marquèrent l'apogée de sa carrière dramatique. Le public goûta dans ses pièces la sécurité des rimes parnassiennes, l'ordre de la composition, le développement logique des sentiments, une générosité, une chaleur, parfois, peut-être, une ingénuité qui touchait, et constamment une rhétorique classique qui n'avait rien d'inattendu, mais qui plaisait en raison même de ce qu'elle avait de traditionnel.

Le cas de Jean Richepin (1849-1926) est plus complexe, parce que la personnalité de cet écrivain robuste et riche est surabondante, tumultueuse et presque contradictoire en ses expressions. Il y a en lui un poète bohème et truculent, ivre de sa jeunesse et de sa force, indépendant, réfractaire et sans hypocrisie, celui qui a écrit *les Caresses* (1877) et *les Blasphèmes* (1884), et qui, avec une étonnante virtuosité, un cliquetis joyeux de rimes et une extrême prodigalité d'images, s'est montré bravement matérialiste, libertin et révolutionnaire. Il y a en lui aussi un poète rêveur et tendre, non point philosophe, mais humain, prompt à l'émotion, idéaliste et fraternel, héroïque, celui qui a chanté *la Mer* (1886), qui a composé *Mes paradis* (1894), et qui au théâtre a donné *le Flibustier* (1888), *Par le glaive* (1892), *le Chemineau* (1897), *Miarka* (1905). Or, le lien entre ces manifestations diverses d'un tempérament puissant, c'est que Jean Richepin est un classique et un traditionnel. Il est hardi comme Villon et Rabelais ; il est libertin comme ses ancêtres du XVIIᵉ siècle, Mathurin Régnier, Théophile ou Saint-Amant ; il est héroïque comme les poètes du temps de Louis XIII et, s'il est sentimental, idyllique, généreux, c'est qu'entre Corneille et lui, Hugo et George Sand ont passé. Très lettré, nourri de l'Antiquité grecque et latine, familier de Lucrèce et de Martial, d'Ovide et de Juvénal, il reste, jusque dans ses excès, simple, fort et sain, d'esprit clair, et tout en étant par sa culture un humaniste, il est par sa sensibilité en communication directe avec la masse. De là vient qu'il a été cher à la fois aux lettrés et à la foule, et qu'ayant l'estime des gens cultivés, il a été, sans le chercher et naturellement, populaire. *Par le glaive* est une tragédie héroïque ; *le Chemineau* est un drame rustique. Dans l'une et dans l'autre de ces pièces il y a certes des conventions; on peut même dire qu'il y a toutes les conventions habituelles au genre; mais on n'y trouve nulle trace de naturalisme. L'œuvre de Jean Richepin est aussi éloignée que possible de celle de Zola. Ce qui sauve cet art un peu artificiel, c'est la puissance et sa sincérité. Jean Richepin a, selon la règle classique, pris son bien où il le trouvait, et par sa dextérité, sa science de la langue et ses prouesses verbales, il a donné à ce qu'il a écrit un ton tout personnel. Il n'a subi l'influence du naturalisme et du lyrisme de son temps que dans la mesure où un écrivain instruit et attentif ne peut demeurer indifférent aux grands mouvements d'idées qui se développent autour de lui. Mais par la solidité de sa culture et la vigueur de son tempérament, il est resté lui-même, il a gardé sa physionomie originale.

Edmond Rostand (1868-1918) représente la renommée dramatique la plus éclatante du dernier demi-siècle. Il a mérité cette réussite moins par l'originalité de son art et la nouveauté de son apport que par des dons séduisants, une connaissance merveilleuse du métier, une adresse peu commune, et la noblesse d'âme de toute son œuvre. Il a été l'extrême fleur du lyrisme romantique, fleur d'arrière-saison, un peu panachée par des souvenirs du temps des Précieux et des Burlesques, compliquée et subtile, mais charmante encore. Son premier recueil de vers, *les Musardises* (1890), et sa première pièce, *les Romanesques* (1894), ont manifesté tout de suite les dons gracieux qui devaient inspirer au public un enthousiasme naïf et généreux, assurer dans les années suivantes le succès de *la Princesse lointaine* (1895) et de *la Samaritaine* (1897), et préparer le triomphe de *Cyrano de Bergerac* (1898) et de *l'Aiglon* (1900). Après une longue période de recueillement, où il vécut dans le beau paysage pyrénéen de Cambo, Edmond Rostand fit représenter *Chantecler* (1910). C'est peut-être l'œuvre où il a mis le plus de lui-même, de ses idées esthétiques et morales : ce n'est pas celle qui lui a valu le plus de suffrages, parce qu'elle ne répondait plus exactement à la définition de son art que lui-même avait comme imposée au public et où le public, en toute bienveillance, voulait l'enfermer. Le succès d'Edmond Rostand s'explique à merveille, en effet, par l'accord qui s'établit entre ses dons poétiques et les goûts les plus répandus parmi ses contemporains. Il avait l'imagition aisée, la grâce, l'esprit; il était volontiers oratoire, étincelant; même il ne craignait pas le clinquant; il se mouvait avec une prestigieuse adresse parmi les mots; il était capable non seulement de la plus pittoresque ingéniosité, mais des plus surprenantes acrobaties verbales; il était clair, logique, abondant, plus séduisant que profond. Et toute cette forme somptueuse, bariolée parfois, souple et chatoyante, a été le vêtement de

JEAN RICHEPIN en 1892. — CL. LAROUSSE.

EDMOND ROSTAND. — CL. OTTO.

thèmes poétiques éternels : l'amour pour une princesse lointaine; l'honneur du chevalier; la passion, non pas déchaînée et violente, mais intellectuelle, bien-disante et héroïque; le sacrifice, non pas affreux, destructeur de la personnalité, mais plein d'une consolante beauté. Rostand a pris ses sujets tout naturellement dans les époques de notre histoire les plus présentes à l'imagination, les plus évocatrices de grandeur, le temps de Richelieu et le temps de Napoléon : et du jour au lendemain Cyrano, aussi bien que l'Aiglon, sont devenus des héros populaires, comme si tout était préparé dans la mémoire du public pour les accueillir et comme s'il ne leur avait manqué jusqu'alors que le poète qui leur donnerait leur nom avec leur vrai visage. Le public, un peu las de la littérature naturaliste, et déconcerté par le symbolisme, troublé par les œuvres étrangères, alla vers ce qu'il connaissait déjà. Edmond Rostand le conquit en lui proposant un théâtre à la fois brillant, conforme au goût traditionnel, et accessible à tous.

LE THÉÂTRE NATURALISTE

Les deux pièces célèbres de Henry Becque (1837-1899), *les Corbeaux* (1882) et *la Parisienne* (1885), marquent une date. Elles représentent le premier essai de comédie naturaliste et elles sont, en outre, des comédies de très haute valeur. Exact, minutieux, sec et au besoin brutal, non par système, mais par souci du réel, Becque était doué d'un pouvoir d'observation qui lui permit de créer du premier coup le théâtre naturaliste moderne, et si le public ne le suivit pas, c'est qu'il n'était pas prêt à goûter des œuvres dépouillées et un peu dures. Même dans Augier et dans Dumas, si

HENRY BECQUE. Pointe sèche d'Auguste Rodin. — CL. LAROUSSE.

puissants l'un et l'autre, il traînait encore du Scribe, selon la remarque de Jules Lemaitre; il y avait dans leur théâtre des habiletés scéniques, des morceaux de bravoure, des « couplets » où se retrouvait la mode des chroniques parées, scintillantes et cinglantes, artificielles, du second Empire; et ils gardaient dans le dialogue la superstition du piquant et de l'esprit des mots. Henry Becque restaura la grande comédie réaliste, où la situation initiale est simple, où tout le développement dépend des caractères, où le style n'a d'autre prétention que d'être naturel, franc et modéré. On ne peut parler de son œuvre sans user de mots qui évoquent ceux-là mêmes qu'on emploie en parlant de Molière. En effet, il y a quelque chose de Molière dans la manière ample dont Becque peint les caractères, dans son parti pris de choisir des sujets tirés de la vie réelle, dans son impartialité à placer à côté des hypocrites et des méchants les braves gens qui sont leurs victimes; car, même pour le dur observateur qu'il est, il existe des braves gens et il ne cache pas sa sympathie pour eux.

Il a fallu le long effort du Théâtre libre pour faire accepter au public ce qu'il y avait de vrai dans l'art de Becque. Le Théâtre libre est allé, d'ailleurs, beaucoup plus loin que Becque dans la voie de la brutalité. La mode s'en est en même temps mêlée, et les pièces de Georges Ancey (1860-1917), par exemple, ont été assez bien accueillies (*M. Lamblin*, 1888; *les Inséparables*, 1889; *l'École des veufs*, 1889; *Grand-mère*, 1890; *Ces messieurs*, 1901). Certes, on se détourna vite du naturalisme excessif, mais on peut dire qu'au moment où cette désaffection devint sensible, les auteurs, comme le public, avaient profité de l'expérience : le théâtre était pour longtemps pénétré de l'idée qu'aucun genre ne pourrait désormais se contenter d'en revenir aux conventions de l'âge précédent et qu'il fallait y faire sa place au réel.

La pure tradition naturaliste, continuée après Henry Becque et les auteurs du Théâtre libre, a provoqué pendant vingt-cinq ou trente ans des pièces nombreuses, souvent très différentes entre elles. Deux auteurs méritent d'être particulièrement cités. Octave Mirbeau (1850-1917), puissant, acerbe et satirique, après avoir donné *les Mauvais Bergers* (1898), *l'Épidémie* (1898), *Vieux Ménages* (1900), a réussi à rassembler dans une forte pièce, *les Affaires sont les affaires* (1903), quelques-uns des traits caractéristiques de son époque et à montrer les aspects contemporains de la question d'argent, avec ses répercussions sur les mœurs. De son côté, en de petites pièces qui

relèvent d'un art sec en apparence, en réalité souvent profond (*le Plaisir de rompre*, 1898; *le Pain de ménage*, 1899; *Poil de carotte*, 1900; *M. Vernet*, 1903; *la Bigote*, 1909), Jules Renard (1864-1910), observateur aigre et ironique, écrivain concis et pittoresque, a saisi si vivement la réalité qu'une poésie miséricordieuse semble en sortir spontanément.

LA COMÉDIE DE MŒURS
LE THÉÂTRE SOCIAL ET LES PIÈCES A THÈSE

Il y a eu entre 1892 et 1914 une riche floraison de talents dramatiques, les uns plus inclinés vers la tradition de Dumas fils, vers les questions sociales et les conceptions d'ensemble, les autres plus curieux des problèmes psychologiques et de la simple observation des caractères, tous fort brillants, habiles dans la technique de l'art dramatique, mais attentifs à la vie spirituelle et soumis à la réalité. Le théâtre français, grâce à eux, a rayonné hors de France et a pu, malgré l'intérêt des œuvres étrangères, continuer à être un des principaux organes de l'expansion de notre art en Europe.

Une idée a inspiré toute l'œuvre de Paul Hervieu (1857-1915). Jugeant que l'ancienne tragédie était morte, mais que le pathétique des sentiments humains était éternel, il a voulu introduire dans le drame moderne, en les transposant, les éléments du tragique traditionnel. Il a pensé que la tension d'un style étudié, une allure un peu hautaine et sévère remplaceraient ce qui avait conféré à la tragédie classique sa grandeur. D'autre part, il a été, par sa préoccupation des questions de morale sociale, le véritable continuateur de Dumas fils. De là, une œuvre concentrée et austère, un peu compliquée à l'époque des débuts, plus simple sans cesser d'être rigoureuse dans la suite, et d'une forme volontairement sobre et âpre. Deux des pièces les plus célèbres d'Hervieu, *les Tenailles* (1895) et *la Loi de l'homme* (1897), sont des drames où il débat des problèmes juridiques. Il suit ici la tradition du *Fils naturel* de Dumas ou de l'*Héloïse Paranquet* d'Armand Durantin. Il s'attaque à l'iniquité des lois, du moins des lois faites par l'homme, en son égoïsme, au détriment de la femme. Rapidement menée, rassemblée et comme schématique, l'action est dans le théâtre d'Hervieu moins intéressante par les caractères qu'elle met aux prises que par la thèse qu'elle pose, et ce sont des déductions d'allure mathématique où il y a plus de puissance que d'émotion.

Dans le plus grand nombre de ses pièces, ce n'est plus à la loi que s'est attaqué Hervieu : c'est à la nature humaine, à l'égoïsme, à l'orgueil, à la médiocrité des dispositions instinctives qui façonnent les caractères. Si la loi de l'homme est souvent inique, il semble bien, cependant, que dans l'ensemble elle traduise l'effort qu'il tente pour mettre un peu de justice et de raison dans les rapports sociaux. La nature, dès que l'auteur l'observe, lui paraît encore plus indifférente au bien, plus ingénument cruelle, plus facilement malfaisante. Les conversations les plus superficielles peuvent causer des catastrophes et devenir meurtrières (*Les paroles restent*, 1892). Les parents se sacrifient aux enfants, et c'est une loi naturelle, non sans grandeur, qui veut que l'avenir l'emporte sur le présent; mais le dévouement des pères n'empêche pas l'ingratitude des fils (*la Course du flambeau*, 1901). Les caractères les mieux trempés et les plus autoritaires prétendent avoir des principes qu'ils appliquent aux autres; mais dès qu'il s'agit d'eux-mêmes, ils se découvrent dans la pratique bien différents de leur théorie, et si cette discordance ne réussit pas à les incliner à l'indulgence, elle leur donne une intolérable dureté (*Connais-toi*, 1909). La légèreté avec laquelle on traite dans la société mondaine les aventures sentimentales semble promettre une vie médiocre et superficielle, mais du moins facile, et il suffit pourtant d'un être plus profond et plus sincère au milieu d'un groupe frivole pour que les habitudes mondaines deviennent des causes de douleur (*Bagatelles*, 1912). Il y a chez Paul Hervieu une peinture âpre de l'humanité; il n'a pas d'illusions; il apporte au théâtre la même conception sévère que laissaient paraître ses romans d'analyse, *Peints par eux-mêmes* (1893) et *l'Armature* (1895). On lui prête ce mot désenchanté : « Je ne me suis jamais trompé par pessimisme. » Mais il n'a aucune complaisance pour cette philosophie; si elle lui est imposée par l'observation de la réalité, elle blesse en lui une sensibilité très vive qui ne se manifeste pas, et elle lui inspire surtout une pitié contenue et une confiance toute stoïcienne dans la seule vertu de la bonté.

Eugène Brieux (1858-1932) a eu cette singularité et ce courage de s'en prendre à de grands problèmes sociaux, de ne pas craindre les lieux communs et de les traiter honnêtement. S'il a subi l'influence de Dumas fils, il rappelle plus encore Sedaine par la bonhomie et la probité sans prétention. Il aime la province; il aime les braves gens; il aime les grandes vérités morales; il a peu d'ironie; il professe une philosophie probe et sans complication; il a des certitudes touchant le bien et le mal, et il réussit, par sa sincérité, sa spontanéité et son naturel, à être intéressant et vivant. Il a une ardeur qui se communique. En sorte qu'ayant écrit des pièces d'allure didactique et qui risquaient d'être froides, il a trouvé le moyen d'être un moraliste chaleureux et qui retient son public. Presque toutes ses pièces sont des démonstrations : une fable généralement bien construite met en

FRANÇOIS DE CUREL. — CL. REUTLINGER.

lumière, sommairement et sans beaucoup de nuances, mais avec rigueur, une vérité utile. *Blanchette* (1892) prouve qu'il ne faut pas donner aux filles une instruction qui les déclasse; *M. de Réboval* (1891), que « le pharisaïsme, même de bonne foi, n'est point la vertu »; *l'Engrenage* (1894), que la politique corrompt aisément les hommes; *les Bienfaiteurs* (1897), que la charité sans la bonté ne suffit à rien; *les Trois Filles de M. Dupont* (1899), que, dans l'état injuste de notre société, le sort des filles sans dot est difficile. Il n'est guère de questions dont Brieux n'ait parlé : il a dit son mot sur les doctrines de l'hérédité (*l'Évasion*, 1897), sur le monde des courses (*Résultat des courses*, 1898), sur le monde judiciaire (*la Robe rouge*, 1900; *l'Avocat*, 1922), sur les liaisons des jeunes gens (*la Petite Amie*, 1902), sur l'allaitement maternel (*les Remplaçantes*, 1901), sur le divorce (*le Berceau*, 1899; *Maternité*, 1904). Et toutes les fois qu'il s'est appliqué à présenter l'étude d'un problème général, il a fait des observations justes, il a rappelé les données essentielles d'une philosophie nette; il a fait preuve de qualités dramatiques robustes et d'un sentiment moral qui ne se réclame d'aucune doctrine particulière, qui est d'origine évangélique et de forme laïque, et qui répond à ce qu'il y a d'honnêteté spontanée chez des êtres à la fois sains et sans inquiétude métaphysique.

François de Curel (1854-1928) est certainement, parmi les auteurs dramatiques de son temps, le plus personnel, le plus inattendu, celui qui demande le plus d'effort au public et qui le plus souvent l'en récompense. On discerne

aisément que Paul Hervieu est un mondain et un Parisien, que Brieux aime la bourgeoisie, les classes moyennes, le peuple et la province. Le vicomte François de Curel est un terrien. Il a vécu à la campagne : il a chassé le sanglier et le cerf; il a étudié la nature et les bêtes. Ses idées générales lui ont été inspirées par une observation qui a eu pour objet non la société policée, mais les conditions essentielles de toute vie terrestre, les relations des hommes entre eux, dépouillées des conventions sociales, les passions contemplées à leur source et dans leur essence. De là, un théâtre qui se passe des règles scéniques commodes et sûres et qui néglige les habiletés de métier, une manière originale et puissante de poser les thèses même difficiles à admettre et de les développer sans tenir compte de la logique moyenne. De là aussi une peinture des sentiments poussés à l'extrême, peinture à la fois fidèle et synthétique, poétiquement vraie, une pensée nourrie de réflexions et de soupirs, exprimée dans une belle langue et empreinte de gravité morale. C'est en général l'histoire de quelques âmes excessives que nous présente l'auteur. Il excelle à montrer des êtres véhéments qui sont orgueilleux, jaloux, ambitieux, qui se dévouent fougueusement à leur croyance, à leurs préjugés nobiliaires, à leur curiosité ou à leur vengeance : *l'Envers d'une sainte* (1892); *les Fossiles* (1892); *l'Invitée* (1893); *la Figurante* (1896); *le Repas du lion* (1897); *la Nouvelle Idole* (1899). Les personnages des *Fossiles* immolent volontairement, et non sans faste, leurs sentiments naturels et même les règles de la morale courante à l'orgueilleuse chimère de leur nom et de leur race. L'héroïne de *l'Invitée*, qui croyait son âme morte, se sent renaître en revoyant vingt ans plus tard ce qui a causé ses souffrances anciennes et se recrée elle-même en faisant de la bonté avec sa mélancolie. Le héros du *Repas du lion* est une âme riche, violente et complexe, qui se modifie au contact de l'existence, qui a une conception de ses devoirs, puis des doutes, qui souffre de la contradiction entre son naturel et sa volonté et qui finit dans le désenchantement, presque dans le désespoir. Tout ce théâtre est de fière allure; si l'auteur ne conclut pas, il fait penser. Il a manifestement une prédilection pour les êtres forts et déchaînés; il croit que dans les conventions sociales le fond permanent de la nature humaine ne change guère, et peut-être n'est-il pas éloigné de penser que les personnalités vigoureuses sont nécessaires pour déterminer ici-bas certains événements dont les conséquences apparaissent, plus tard, bonnes ou mauvaises. Son œuvre a ainsi ce caractère singulier qu'on y sent à la fois le souffle de Lucrèce et une influence nietzschéenne.

Henri Lavedan (1859-1940) a mis son art dans une brillante pièce, *le Prince d'Aurec*. Si l'on ne savait qu'il a écrit plusieurs autres comédies où il a répandu son esprit et son don d'observation, et qui ont eu beaucoup de succès, on serait tenté de dire qu'une seule comédie bien faite et pénétrante a assuré sa célébrité. Ce qui caractérise Henri Lavedan, c'est le mélange de fantaisie et de préoccupations sociales. Par la forme, son théâtre a l'air surtout psychologique, plein d'humour, de verve, avec une pointe de satire (*le Nouveau Jeu*, roman, 1892; pièce, 1907; *le Goût du vice*, 1911). Mais il arrive à faire apercevoir, au-delà des personnages qu'il peint et des mœurs qu'il décrit, le problème plus général, et d'ordre social, qui s'y trouve lié. La formation qu'il a reçue (son père, Léon Lavedan, directeur du *Correspondant*, était un homme très informé des choses de son temps et d'une vive intelligence), le goût des études historiques (*Varennes*, 1904; *Sire*, 1909), un fonds solide d'éducation religieuse et morale ont donné à cet écrivain une facilité naturelle à saisir les rapports entre les caractères et la collectivité, entre les mœurs et l'organisation de la famille et de la vie sociale. Dans *le Marquis de Priola* (1902), on voit au juste quel est le retentissement de la frivolité et de la méchanceté d'un don Juan moderne sur tous ceux qui l'entourent. *Le Duel* (1905) n'oppose pas seulement deux caractères, mais deux conceptions de la vie et deux manières de se conduire. *Viveurs* (1904) est une âpre étude du monde où l'on s'amuse. *Le Prince d'Aurec* (1894) est la satire la plus vive, et par endroits la plus amère, de

GEORGES DE PORTO-RICHE — CL. PIROU.

la noblesse, où l'auteur a le premier montré sur la scène ce grand sujet de comédie sociale, la noblesse tuée par l'argent, ou, plus exactement, les survivants de la noblesse aux prises avec le pouvoir nouveau des hommes d'argent, les deux mondes s'alliant et, selon le mot expressif de Jules Lemaitre, s'achevant l'un l'autre dans cette rencontre. Et, par voie de conséquence, la pièce se trouve être, comme une réplique du *Gendre de M. Poirier*, le procès de la vanité bourgeoise, qui pousse les hommes d'argent vers ce qui subsiste de la noblesse. Par la couleur et la vigueur, par l'allure générale, elle tient déjà une place historique dans le théâtre de cette période.

Parmi les pièces qui sont surtout des peintures sociales, il faut encore citer celles d'Abel Hermant : *la Meute* (1896), *le Faubourg* (1900), *l'Archiduc Paul* (1902), *les Jacobines* (1907), *M. de Courpière* (1908), *le Cadet de Coutras* (1912); — celles d'Émile Fabre (né en 1870), dont deux au moins, *la Vie publique* (1902) et *les Ventres dorés* (1905), ont été très applaudies, comme de vigoureuses satires de la politique et de la finance; — celles d'Albert Guinon (1863-1923) : *le Partage* (1898), *Décadence* (1901), *le Joug* (1902), *Son père* (1908), *le Bonheur* (1911), que le public a aimées pour leur audace et leur puissance.

LA COMÉDIE D'ANALYSE

Édouard Pailleron (1834-1899) avait fait jouer sous le second Empire ses premières pièces : *le Parasite* (1860), *le Mur mitoyen* (1862), *le Second Mouvement* (1865), *les Faux Ménages* (1869). Mais *Hélène* (1872), *l'Age ingrat* (1879), *l'Étincelle* (1879), *le Monde où l'on s'ennuie* (1881), *la Souris* (1887) appartiennent à ces vingt premières années de la République où s'est élaboré le théâtre contemporain. Dans le temps même où Dumas fils donnait une formule de la comédie sociale et où Meilhac, élargissant sa manière, composait ses meilleures comédies de mœurs, Pailleron, lettré excellent qui n'ignorait rien de nos traditions dramatiques, mais qui ne se rattachait à aucune école, a su traiter selon une formule bien à lui la comédie de caractère. Le premier, dans *la Souris*, il a mis à la scène l'homme qui n'est plus jeune, qui aime encore et peut être aimé : bien des auteurs, à son exemple, devaient par la suite peindre cet Arnolphe qui fait au jeune premier une concurrence heureuse. Dans *le Monde où l'on s'ennuie*, il a réussi une comédie sur le pédantisme et la préciosité, qui est aussitôt devenue classique. Dans sa dernière pièce,

Cabotins (1894), il a étudié avec une finesse pénétrante les déformations que font subir aux caractères le besoin de paraître, l'esprit de réclame, les faux semblants.

Georges de Porto-Riche (1849-1930) avait débuté par des pièces en vers (*le Vertige*, 1873; *l'Infidèle*, 1890), où se trouvaient encore bien des souvenirs du romantisme. Mais il est avant tout un observateur et un peintre du cœur humain; c'est ce que son « théâtre d'amour » a montré avec éclat : *la Chance de Françoise*, 1888; *Amoureuse*, 1891; *le Passé*, 1897; *le Vieil Homme*, 1911. Il y a dans ses œuvres beaucoup d'esprit, de remarques fines, de mots qui portent : mais leur vrai mérite est moins dans l'art brillant du dialogue que dans la profondeur de l'analyse. Avec un réalisme audacieux, qui tient compte de tous les mouvements secrets de la nature, il a su dégager les énergies spirituelles qui se manifestent dans la passion. La femme tient la première place dans ce théâtre; elle y est généralement sincère, loyale et véhémente; et si elle connaît toutes les peines, tous les tourments, et les plus cruelles épreuves, c'est qu'elle se heurte à l'égoïsme et à l'infidélité de l'homme, qui ne se donne pas tout entier, qui est menteur par faiblesse ou par commodité et qui fait place dans sa vie à d'autres intérêts que ceux de la passion. Ce qui confère à l'œuvre de Porto-Riche une qualité rare, c'est le sens des fines nuances, c'est l'expression de la douleur, c'est l'évocation violente et poétique du désir; emportés par le déchaînement d'un amour qui les prend tout entiers, les personnages se révèlent à eux-mêmes et à nous : l'auteur libère toutes les puissances qui sont en eux et les force de développer tout leur caractère.

Maurice Donnay (1859-1945) est prince des pièces légères, de la facilité ingénieuse et de la nonchalance heureuse. Quoi qu'il ait écrit, et quelques critiques qu'on ait pu adresser à la composition de certaines de ses pièces, son charme est le plus fort. Il a été, avec aisance et avec une originalité curieusement moderne, le Marivaux de son époque. Spirituel, malicieux, observateur indulgent et qui n'est jamais dupe, moraliste discret, il a su dans toute son œuvre accorder l'ironie et la tendresse.

En mettant en scène des personnages frivoles, égoïstes, qui ne sont pas méchants, mais qui ne sont pas héroïques, et qui sont tout de même aimables, il n'ignore rien de leurs défauts; il laisse deviner, sans insister, qu'il est des conceptions de la vie plus hautes que les leurs. Mais il a un sentiment très vif des difficultés au milieu desquelles se débattent les hommes, quand ils sont aux prises avec leur propre nature ou avec les règles établies : *Amants* (1895), *la Douloureuse* (1897), *Georgette Lemeunier* (1898), *la Bascule* (1901), *la Patronne* (1908). Et lorsqu'il s'est mis à étudier la réaction des individus en présence des phénomènes sociaux les plus récents (*l'Affranchie*, 1898; *le Retour de Jérusalem*, 1903; *Oiseaux de passage*, 1904; *Paraître*, 1906; *les Éclaireuses*, 1913; *la Chasse à l'homme*, 1920), il ne les a trouvés ni plus adroits ni meilleurs; il a raillé, non sans âpreté en dépit de sa fantaisie, l'autocratie du monde de l'argent et du plaisir, et il a gardé sa mansuétude et sa compassion mêlées d'ironie souriante à l'égard de ceux qui sont faibles et qui souffrent.

Il y a aussi bien de l'esprit et de l'ironie dans le théâtre d'Alfred Capus (1858-1922), mais avec plus de scepticisme. On apprécie en lui une manière simple et tranquille de saisir la réalité et de mettre en lumière les traits essentiels des caractères; on goûte en même temps sa faculté naturelle de trouver les mots qui définissent les situations et les personnages. Le mérite de ses pièces est presque tout entier dans le détail, qui n'a rien de cherché et qui est toujours significatif. C'est un véritable réaliste, qui n'a l'air d'avoir aucune prétention, mais qui est lucide, et qui dit clairement ce qu'il a vu.

Alfred Capus se plaît à étudier de préférence des types moyens, qui sont peut-être honnêtes au fond, mais assez mous; il les présente généralement au moment où ils traversent une crise, qui est quelquefois d'ordre sentimental, mais plus souvent d'ordre budgétaire (*Brignol et sa fille*, 1895; *la Bourse ou la vie*, 1900; *la Veine*, 1901; *les Deux Écoles*, 1903; *la Petite Fonctionnaire*, 1904; *Notre jeunesse*, 1904; *M. Piégois*, 1905; *les Deux Hommes*, 1908; *l'Oiseau blessé*, 1909; *les Favorites*, 1912; *Hélène Ardouin*, 1913; *l'Institut de beauté*, 1914). Son dialogue est d'un franc naturel; Alfred Capus fait vivre des personnages souvent médiocres, mais tourmentés, et il peint exactement leur médiocrité comme leurs tourments. Il a passé pour un optimiste, parce qu'il sourit et qu'il raille; il évite de faire figure de raisonneur et de moraliste; il n'a aucune sensiblerie. Mais par son réalisme clairvoyant, son œuvre est certainement l'une des plus révélatrices de son temps et, par l'ensemble de ses qualités, une des plus classiques.

Le théâtre de Romain Coolus (né en 1868) est aussi une œuvre d'observation et d'ironie, plus spirituelle que satirique. Celui de Henry Bataille (1872-1922) est surtout poétique (*l'Enchantement*, 1900; *la Marche nuptiale*, 1905; *la Femme nue*, 1908; *le Scandale*, 1909; *le Phalène*, 1913; *l'Homme à la rose*, 1921); il est tout frémissant de sensibilité, pénétré de tendresse; l'émotion, qui est profonde, y est parfois exprimée avec trop de recherche et d'artifice. Louis Artus a écrit une comédie de caractère, *Cœur de moineau* (1905), où s'accordent les facultés d'observation et de sentiment.

Henry Bernstein (né en 1876) est l'auteur dramatique qui a eu les plus brillants succès au début du XXᵉ siècle. Son œuvre a d'abord surpris par la véhémence souvent brutale, par le choix des sujets (*le Voleur*, 1907) et des personnages (*Après moi*, 1911). Elle a conquis les auditoires par le mouvement, qui est la vie même du théâtre, et par la connaissance du métier dramatique (*le Marché*, 1901; *le Bercail*, 1905; *la Rafale*, 1905; *Samson*, 1907; *l'Assaut*, 1912). A partir du *Secret* (1917), le théâtre de Bernstein est beaucoup plus psychologique, plus attentif aux nuances du sentiment, et plus pénétré d'une certaine tendresse humaine. Francis de Croisset (1877-1937) a composé des comédies légères : *le Bonheur, mesdames* (1906), *le Feu du voisin* (1910), *le Cœur dispose* (1912), qui plaisent par leur fantaisie aisée.

LE THÉATRE COMIQUE

Il est curieux que dans le pays de Molière le théâtre comique n'ait pas de plus nombreux représentants. Le public préfère le pathétique de la tragédie ou de la comédie sociale

GEORGES COURTELINE. Peinture de C. Léandre (1898). — CL. GIRAUDON.

et la philosophie facile des vaudevilles. Le réalisme, l'observation des mœurs, la peinture des caractères supposent une culture qui n'est pas très répandue chez les spectateurs, désireux surtout de divertissements. Robert de Flers (1872-1927) et Georges-Arman de Caillavet (1869-1915) ont réussi à faire applaudir une comédie légère qui procède de Meilhac et Halévy, et qui s'est élevée avec une charmante fantaisie jusqu'à la satire des travers du temps. *Les Travaux d'Hercule* (1901), *le Sire de Vergy* (1903), *le Cœur a ses raisons* (1904), *la Chance du mari* (1906) sont des œuvres pleines d'esprit et de raillerie, où les ridicules de l'époque sont peints avec finesse, sans âpreté, mais non sans gaieté. Dans *le Roi* (1909), écrit en collaboration avec Emmanuel Arène, puis dans *le Bois sacré* (1911), dans *l'Habit vert* (1913), les spirituels écrivains se sont attaqués au monde de la politique ou aux mœurs artistiques et littéraires, avec une bonne humeur où il n'y a pas de méchanceté, mais où il y a beaucoup de malice, et qui leur a valu leurs plus beaux succès.

Tristan Bernard (1866-1947) a montré dans des comédies comme *l'Anglais tel qu'on le parle* (1899), *Daisy* (1902), *Triplepatte* (1905), *M. Codomat* (1907), *le Danseur inconnu* (1910), *la Gloire ambulancière* (1913), *les Petites Curieuses* (1920), des personnages falots et amusants, médiocres et humains, qu'il considère avec une philosophie flegmatique et indulgente.

Pierre Véber (1869-1942) a fait applaudir *Main gauche* (1901), *l'Amourette* (1905), *Loute* (1906), *la Femme et les Pantins* (1911); il a de la verve, et joint à ses inventions comiques beaucoup d'observation. Sacha Guitry (né en 1885) a mis dans ses comédies, qu'il joue lui-même, à la fois beaucoup de grâce et de malice, un réalisme dont la forme ingénue cache la brutalité, une sorte de nonchalance innée qui lui est personnelle (*Nono*, 1909; *le Veilleur de nuit*, 1911; *la Prise de Berg-op-Zoom*, 1913; *l'Amour masqué*, 1923; *l'Illusionniste*, 1924). Alfred Jarry (1873-1907) est l'auteur d'une œuvre cocasse et d'une fantaisie énorme, *Ubu roi* (1890). Et le maître de la farce demeure Georges Courteline (1861-1929). Ses esquisses de la vie militaire (*Lidoire*, 1891; *les Gaietés de l'escadron*, 1905), de la vie judiciaire (*l'Article 330*, 1901), de la vie des petits bourgeois (*Boubouroche*, 1893), sont des caricatures simples et puissantes, qui illustrent la vérité plus encore qu'elles ne la déforment. Enfin Georges Feydeau (1862-1921) a des pièces comiques, véritables vaudevilles, comme *Champignol malgré lui* (1892), *la Dame de chez Maxim* (1899), *Occupe-toi d'Amélie* (1911), qui ont eu un grand succès.

Aucun des genres accoutumés qu'aime le public n'est abandonné, et, par exemple, la tradition du théâtre en vers a été maintenue par de nombreux poètes, comme Miguel Zamacoïs (né en 1866), auteur des *Bouffons* (1907), de *la Fleur merveilleuse* (1910); comme André Rivoire (1872-1930), qui a successivement porté à la scène : *Il était une bergère* (1905), *le Bon Roi Dagobert* (1908), *Roger Bontemps* (1920), *Juliette et Roméo* (1920); comme Maurice Magre (1877-1941), auteur du *Retour* (1896), de *Velléda* (1908), du

Sortilège (1913); comme Jacques Richepin (1880-1946), auteur de *la Reine de Tyr* (1899), de *Cadet Roussel* (1903), du *Minaret* (1914).

TENTATIVES DE RENOUVELLEMENT

Il a paru cependant à quelques auteurs que les formes traditionnelles du théâtre en vers étaient épuisées pour quelque temps. Sous l'impulsion de G. d'Annunzio et de Maeterlinck, on a cherché à unir le poétique et le pathétique.

Le Carnaval des enfants (1910), par Saint-Georges de Bouhélier (1876-1947), représente une tentative originale pour faire surgir la tragédie poétique de la vie contemporaine. Dans tout ce que cet auteur a écrit pour le théâtre, tragédies historiques ou légendaires, fictions symboliques, il y a des innovations qui ont eu une réelle influence sur le théâtre.

On doit à François Porché (1877-1944) un théâtre en vers où s'allient curieusement le souvenir des traditions les plus anciennes et le sens moderne du symbolisme (*les Butors et la Finette*, 1918; *le Chevalier de Colomb*, 1922).

Le renouvellement le plus original a été celui de Paul Claudel (né en 1868), auteur du *Partage de midi* (1906), de *l'Otage* (1911), de *l'Annonce faite à Marie* (1912), du *Pain dur* (1918), du *Père humilié* (1920). Poète souvent obscur, plein de symboles, chargé d'intentions, il a montré par des œuvres d'une incontestable qualité et d'une émotion austère comment on pouvait hors des chemins connus trouver les éléments d'un art difficile, mais aisément supérieur à la production courante des théâtres; et par-delà la grande masse des spectateurs qui demandent les divertissements accoutumés, il a éveillé le vif intérêt des lettrés.

L'apparition de ce théâtre de Paul Claudel a été sans aucun doute l'événement le plus considérable de la littérature dramatique au début du xxe siècle. L'œuvre de Maeterlinck avait été l'expression d'une philosophie personnelle qui cherchait l'absolu au-delà des apparences et qui est dominée par l'idée mystérieuse de la fatalité. Rimbaud et Mallarmé, dans leur recherche pathétique d'une vision dépassant le monde et atteignant l'Absolu, n'avaient trouvé que le néant. Paul Claudel, au-delà des créatures, rencontre le Créateur, et tout son théâtre est inspiré par l'idée religieuse. C'est ce que l'on saisit dans ses premiers poèmes. *Tête d'Or* (1890) est remplie par la notion de la Mort, non la Mort source d'épouvante, mais la Mort considérée comme une libération, où il y a de la sérénité et déjà de l'espérance. Quand paraît *la Ville* (1892), Claudel a passé du mysticisme incroyant des symbolistes à la foi chrétienne. Dès lors apparaissent les douloureuses insuffisances des conceptions matérialistes ou des symboles aboutissant au néant : tout s'harmonise, tout s'éclaire, tout s'enchaîne dès qu'est rendue à Dieu sa place dans les causes, ou même dans la suite des affaires humaines. Et après ces deux poèmes, toute l'œuvre de Paul Claudel se développe avec véhémence et avec splendeur. Admirée avec ferveur par les uns, avec réticence par d'autres qui en pénètrent difficilement la signification, elle s'est peu à peu imposée par la puissance de la poésie qui l'anime.

VI. — LA CRITIQUE

A consulter : F. Baldensperger, la Critique et l'histoire littéraire en France au xixe siècle et au début du xxe, *1945. Sur Brunetière :* J.-L. Bondy, le Classicisme de Ferdinand Brunetière, *1931;* V. Giraud, Brunetière, *1932;* J. Nanteuil, F. Brunetière, *1933. Sur J. Lemaitre :* Myriam Harry, la Vie de J. Lemaitre,

1946; — Trois Ombres, *1933;* G. Durrière, J. Lemaitre et le théâtre, *1934. Sur R. de Gourmont :* G. Rees, R. de Gourmont, *1940. Sur A. Gide :* Œuvres complètes (avec inédits), *1933-1939, 15 volumes;* L.-P. Quint, A. Gide, *1932;* J. Hytier, A. Gide, *1939, nouvelle édition 1946.*

CRITIQUE GÉNÉRALE

La critique, après Taine et Renan, a perdu quelque chose de son caractère scientifique. Si elle tente d'expliquer, c'est sans dogmatisme; elle veut être une histoire des idées et des formes de l'art. Rigoureuse et méthodique, elle s'est efforcée d'être en même temps esthétique.

Le critique qui, par la vigueur de sa personnalité, a exercé le plus d'influence, est Ferdinand Brunetière (1849-1906). Dialecticien passionné, et que réjouissait l'appareil logique de la controverse, il avait dans sa personne et dans son style, et il ne l'ignorait pas, quelque chose du théologien. Mais sa véhémence de polémiste confère à tout ce qu'il a écrit la vie, la couleur, souvent la profondeur. Même quand son point de vue ne semble pas le meilleur, il y a dans ses discussions une telle abondance d'arguments, une telle solidité d'information, et dans ses analyses une telle pénétration que le lire est toujours un profit. On peut dire que pas une œuvre étudiée par lui n'est sortie de cette épreuve sans avoir gagné un prestige nouveau ou perdu quelque chose de sa réputation.

Si la personnalité de Brunetière se manifeste dans son œuvre et s'y étale, ce n'est pas qu'il l'ait voulu : ce positiviste, formé aux plus sûres disciplines du siècle, a toujours eu le souci de la critique objective, ce qui l'a préservé des partis pris et des entraînements de son tempérament. Très consciencieux, très travailleur, grand liseur, à la fois autoritaire et impartial, il a réussi toujours à refréner ses idées préconçues aussi longtemps qu'il poursuivait une recherche, et c'est seulement au terme de cette recherche qu'il retrouvait toute son ardeur pour en défendre et en répandre les résultats.

Ayant appliqué la doctrine de l'évolution aux œuvres littéraires, il a édifié un système qui, par le fait seul que c'était un système, avait quelque chose de périssable, mais qui lui fournissait le cadre commode, encore qu'un peu arbitraire, où il a fait entrer le meilleur de ce qu'il avait à dire. Il a déclaré lui-même qu'on écrit une Histoire de la littérature française à peu près comme on dresse la carte d'un pays pour y donner une juste idée du relief, des relations, et des proportions des parties. C'est cette « juste idée » que l'on trouve exposée avec éclat et avec force dans ses livres (*le Roman naturaliste*, 1883; *Histoire et littérature*, 3 vol., 1884-1886; *Études critiques sur la littérature française*, 8 vol., 1880-1907; *l'Évolution de la critique depuis la Renaissance*, 1890; *les Époques du théâtre français*, 1892; *l'Évolution de la poésie lyrique au XIXe siècle*, 2 vol., 1894; *Manuel de l'histoire de la littérature française*, 1897; *Histoire de la littérature française classique*, 1904-1905).

Il est à peine besoin de remarquer que la doctrine de l'évolution appliquée à l'histoire littéraire ne suffit pas à tout expliquer. Mais elle a servi à mettre en lumière une idée féconde, celle de l'influence des œuvres sur les œuvres. Brunetière a montré qu'un des principes qui déterminent les changements du goût public est le sentiment éprouvé par chaque génération qu'elle a le devoir de faire autre chose que la génération précédente : en sorte que l'histoire d'une littérature se compose d'une série d' « époques littéraires », dont chacune commence à l'apparition d'une œuvre vraiment nouvelle, comme *le Cid* ou le *Génie du christianisme*. Par là, il expliquait non seulement la diversité, mais la continuité des mouvements littéraires et montrait que les œuvres sont enchaînées les unes aux autres par des liens non simplement chronologiques, mais généalogiques. Surtout, mettant en évidence le double fait qu'un même désir d'inventer anime chaque époque et que pourtant certaines d'entre elles — les époques dites de transition — ne produisent que des ébauches, il faisait sa large et juste part au véritable inventeur, l'homme de génie.

Très classique, Ferdinand Brunetière a examiné dans toute son œuvre en quoi consistait la prééminence de la littérature du XVIIᵉ siècle, et il a défini avec plus de précision que personne ne l'avait fait avant lui les éléments du réalisme qui caractérise les œuvres de ce siècle. Assuré de cette règle, il portait des jugements péremptoires et parfois sévères sur tout ce qui s'en écartait. Il s'est montré en particulier peu indulgent aux encyclopédistes et il a mené une campagne fougueuse contre l'école d'Émile Zola. Mais s'il a laissé paraître dans l'une et l'autre de ces entreprises critiques un peu d'excès, il a mis tous ses soins à accorder l'amour de la tradition avec le sens des renouvellements indispensables; il ne s'est pas refusé à reconnaître ce que notre littérature doit au romantisme; et ayant sur le tard étudié plus à fond l'œuvre de Balzac, qu'il avait traitée avec quelque injustice dans sa jeunesse, il a tenu à en montrer l'importance et la grandeur en lui consacrant tout un livre (*Honoré de Balzac*, 1906). Sa critique donne une grande leçon de naturalisme, en ce sens qu'il a toujours considéré l'observation exacte de la nature et le respect de la vérité comme la première condition de l'art.

A mesure qu'il avançait en âge, Brunetière, qui avait toujours été attentif à la portée morale des idées, fut de plus en plus préoccupé de questions sociales et religieuses (*Discours de combat*, 1900, 1903, 1907; *Sur les chemins de la croyance*, 1904; *Questions actuelles*, 1906). Convaincu de la valeur du principe d'autorité et des bienfaits de l'esprit de tradition, il voyait dans l'Église catholique la plus sûre gardienne de ce principe et de cet esprit, et il a consacré les dernières années de sa vie à la défendre avec une émouvante éloquence.

Émile Faguet (1847-1916) ne s'est nullement soucié, comme critique, de construire une doctrine générale : c'est surtout un psychologue et un moraliste. Il s'est même moins préoccupé des formes de l'art que de la vie des esprits et de l'histoire des idées. Curieux, habile et prompt, il a su s'intéresser aux écrivains les plus divers, et il est rare qu'il n'ait pas réussi à en dessiner la physionomie, non seulement avec vigueur, mais avec une ingénieuse subtilité et un sens remarquable des nuances. La seule idée d'ensemble, ou plutôt la seule disposition sentimentale de quelque portée que l'on trouve dans son œuvre, est sa prédilection pour le XVIIᵉ siècle et son hostilité contre le XVIIIᵉ. Plus peut-être que Brunetière, et par d'autres voies, il a contribué à cette révision des idées du XVIIIᵉ siècle qui a été une des caractéristiques de la fin du XIXᵉ siècle, et il a montré, par une analyse souvent profonde, les limites intellectuelles d'une époque qui se croyait affranchie de tout préjugé et qui prétendait instituer le règne de la raison. Les quatre principaux ouvrages consacrés par Émile Faguet à l'histoire de notre littérature (*le XVIᵉ siècle*, 1893; *le XVIIᵉ siècle*, 1889; *le XVIIIᵉ siècle*, 1890; *le XIXᵉ siècle*, 1887) demeurent comme des bilans du passé dressés sans aucun appareil

FERDINAND BRUNETIÈRE. — CL. OGERAU.   ÉMILE FAGUET. — CL. PIROU.

d'érudition par un homme très honnête et très intelligent, sans parti pris, sans arrière-pensée, clairvoyant, et passionné pour toutes les manifestations de l'esprit national.

Mais ces travaux sur les âges révolus ne représentent que la moindre part de son labeur. Successeur de Jules Lemaitre au feuilleton du *Journal des Débats*, il s'est pendant vingt ans employé à suivre le mouvement de l'art dramatique (*Notes sur le théâtre contemporain*, 7 vol., 1889-1895; *Propos de théâtre*, 5 vol., 1903-1907). Puis, obéissant à son goût pour la lecture, et aussi à son besoin de noter par écrit et de répandre ses pensées, il s'est mis à publier des livres très nombreux, composés en quelques mois, mais toujours avec une lucidité parfaite, sur tous sujets. Et d'abord, un livre d'une importance capitale : *Politiques et moralistes du XIXᵉ siècle* (trois séries, 1891, 1898, 1900); puis, *Politique comparée de Montesquieu, de Rousseau et de Voltaire*, 1902; *En lisant Nietzsche*, 1904; *Pour qu'on lise Platon*, 1905; *le Libéralisme*, 1902; *l'Anticléricalisme*, 1906; *le Socialisme*, 1907; *le Féminisme*, 1910; *J.-J. Rousseau*, 5 vol., 1911-1912 : il suffit de parcourir une liste, même incomplète, de ses ouvrages pour admirer comment cet écrivain, d'une incomparable fécondité, s'est tenu pendant des années au carrefour de toutes les idées. Il les a accueillies, scrutées, critiquées de la manière la plus alerte, la plus claire, la plus vivante, cultivant avec une remarquable dextérité l'art de jouer avec elles, de les associer et de les opposer, d'en apprécier la portée. A considérer l'étonnante variété des sujets traités par lui, on se persuadera sans peine que les historiens de l'avenir trouveront dans cette œuvre touffue, et comme surabondante, un recensement critique de toutes les questions qui ont agité son temps.

Peu d'hommes ont eu autant de délicatesse, de goût, de malice et de mesure que Jules Lemaitre (1853-1914) : et l'intelligence comme la sensibilité sont chez lui de qualité toute française. Poète, auteur dramatique, critique, polémiste, conférencier, il a la souplesse, la probité, la richesse d'un esprit qui connut à la fois les grâces légères et les passions profondes de l'honnête homme. Ses livres, surtout *les Contemporains* (8 vol., 1885-1899) et les *Impressions de théâtre* (11 vol., 1888-1920) évoquent la plus charmante image d'une vie passée dans le culte des humanités, telles que notre pays les entend.

Jules Lemaitre est essentiellement un critique. Il avait d'autres dons, mais il demeure surtout, dans le souvenir, l'auteur du feuilleton des *Débats* et des articles de la *Revue bleue*. Lui-même a avoué un jour que la critique lui paraissait le meilleur genre pour exprimer ce qu'il croyait avoir à dire sur les choses et les hommes. Il y a été merveilleusement à l'aise; il y a déployé une grâce, un esprit, parfois une gaminerie, qui sont toujours chez lui les parures du vrai. Un article de Jules Lemaitre a son charme propre, qui est fait tout à la fois de sensibilité et de raison. La délicatesse de cette sensibilité, Jules Lemaitre la doit à l'air léger de son pays natal, la Touraine, aux fins paysages de la Loire, à son enfance religieuse, à sa famille : il est le fils d'une maison que gouvernaient de simples et honnêtes traditions. Et c'est sans doute aux mêmes causes qu'il a dû ce libre bon sens qui n'est dupe de rien, qui prend la mesure exacte des êtres, qui est capable d'admirer, mais qui n'est soumis ni aux préjugés ni aux conventions. Que de Français, dans tous les ordres de l'activité, hommes politiques, artistes, écrivains, doivent une part de ce qu'ils sont à ce qu'il y a en eux de paysan, à la connaissance des choses réelles acquise à la campagne! Quand Jules Lemaitre est face à face avec un grand auteur, ancien ou contemporain, il ne s'en laisse pas imposer : le respect est sa moindre vertu. Il veut savoir à quoi s'en tenir et, quand il le sait, il le dit avec une fantaisie qui sauve sa hardiesse, mais aussi, le plus souvent, sur un ton charmant de sympathie, d'amitié. La vérité telle qu'il la sent, voilà ce qu'on discerne dans tous ses écrits; et c'est cette liberté qui, après avoir fait le succès de son œuvre, en assura la durée.

Il s'est trouvé qu'en lisant, en allant au théâtre, et en notant ses impressions, Jules Lemaitre a fait à peu près toute l'histoire littéraire de son temps. C'est même une singulière aventure pour le moins dogmatique des critiques d'être arrivé, en écrivant au jour le jour, à obtenir le résultat cherché selon d'autres méthodes par les historiens. Telle est la vertu d'une curiosité d'esprit sincère et d'une souple intelligence! Jules Lemaitre, qui passait pour un impressionniste, et qui acceptait volontiers ce nom, a finalement touché à tous les sujets intéressant son époque : il n'a pas composé un vaste tableau, mais il a laissé une série de dessins dont la suite forme l'histoire même. Romantisme, naturalisme, symbolisme, poésie parnassienne, théâtre classique, théâtre libre, mélodrame, il a tout étudié, et toute l'activité intellectuelle de son temps se réfléchit dans ses livres.

Venu après la guerre de 1870, dans une période où tout était consacré au relèvement de la France, Jules Lemaitre a d'abord connu cette tension et cette activité des esprits. Mais bientôt, dans ce pays qui faisait preuve de tant de vitalité et qui reprenait sa place dans le monde, s'est répandue on ne sait quelle force alerte, quel plaisir de revivre : Jules Lemaitre est bien de cette époque où le goût joyeux des choses de l'esprit est allé jusqu'au dilettantisme et où la liberté intellectuelle fut si complète. Puis, aux environs de 1900, les crises politiques, intérieures et extérieures, se font sérieuses : la plupart des écrivains portent plus d'attention aux affaires de la patrie; ils deviennent doctrinaires et polémistes, chacun selon ses convictions et son tempérament. Les raisons qui déterminent en un

JULES LEMAITRE. — CL. HENRI MANUEL.

certain sens un Bourget, un Barrès, un Brunetière, en un autre sens un France, émeuvent aussi Jules Lemaitre, qui délaisse alors un peu la littérature pour l'action (*Opinions à répandre*, 1900; *Théories et Impressions*, 1903; *Discours royalistes*, 1911; *J.-J. Rousseau*, 1907; *Racine* 1908; *Fénelon*, 1910; *Chateaubriand*, 1912); et il mourut le 6 août 1914, au moment même où son pays, qu'il aimait tant, commençait à subir la terrible épreuve d'où devait sortir la victoire. Sa biographie nous mène jusqu'à ce point où une existence particulière se rattache à l'histoire générale : c'est assez dire sa richesse et son ampleur.

Remy de Gourmont (1858-1915) a été pendant vingt-cinq ans le principal rédacteur du *Mercure de France*. Il n'a pas été seulement un des théoriciens, un des animateurs et des défenseurs du mouvement symboliste; il a été un critique presque universel. Les *Réflexions sur la vie* et les *Dialogues sur les choses du passé* qu'il a groupés sous le titre d'*Épilogues* (5 séries, 1903-1910), l'*Esthétique de la langue française* (1899), *la Culture des idées* (1900), *le Chemin de velours, nouvelles dissociations d'idées* (1902), les *Promenades littéraires* (5 séries, 1904-1913), *le Latin mystique* (1892); ses romans *Sixtine, roman de la vie cérébrale* (1890), *Une nuit au Luxembourg* (1906), *Un cœur virginal* (1907) : tous ses livres représentent l'effort multiple d'un esprit vaste, riche d'érudition, libre et vigoureux, qui a touché, non sans quelque goût pour le paradoxe, mais toujours avec sincérité, aux problèmes les plus divers.

Ne se rattachant à aucun parti, indépendant de caractère, perspicace, d'une intelligence non pas sèche, mais sans illusions, Remy de Gourmont est comme isolé dans son temps, parce qu'il a échappé aux diverses influences que subissaient ses contemporains. On discerne très bien cependant comment, en dehors des écoles et des groupes éphémères que forme une époque, il se relie à une lointaine tradition française. Du XVIIIᵉ siècle, il tient le goût de l'analyse, l'horreur des préjugés, une solide sérénité antireligieuse; il est nourri de Voltaire; il a aussi l'esprit ironique et délié d'Anatole France et il est plus impartial. Sensuel et nullement sentimental, ami de l'art, plus respectueux de l'instinct et de la volupté que de la raison, il représente l'homme raffiné qui n'est dupe de rien, et qui au fond est pessimiste, mais qui jouit de la beauté des choses. Comme, d'autre part, il est venu après la Révolution et après le romantisme, et qu'il a vécu dans un pays où la démocratie a triomphé, il s'est libéré de toutes les notions représentées par ces trois séries d'événements, et il a jugé les nouveaux partis d'aussi haut que les anciens. Il fut donc dans des conditions excellentes pour tout constater et pour tout apprécier, et, s'il entre facilement dans son époque, il n'en est à aucun moment le prisonnier.

Avec ces dispositions d'esprit, il renouvelle la plupart des questions par la manière franche et au besoin un peu brutale dont il les considère. Rien ne s'interpose entre la réalité et lui. De là une fraîcheur et une vigueur de jugement singulières, et une manière toute personnelle d'apercevoir les rapports entre les œuvres littéraires et les manifestations diverses par où se marque le caractère d'une époque. Il est attaché à la tradition, parce qu'elle représente le culte de ce que le passé a fait de mieux, et il est impitoyable à la sottise qui la compromet. Mais, en même temps, il s'intéresse à l'avenir ; il ne met *a priori* aucune limite aux possibilités de demain ; il ne repousse de parti pris aucune nouveauté, sachant par l'étude de l'histoire que la vie assimile tout ce qui peut lui être utile. On peut dire qu'avant tout, il croit à la nature et aux forces élémentaires qui animent l'homme et l'univers. Mais, cette constatation faite, il ne refuse pas de considérer avec attention cet effort humain qu'est la civilisation, et, bien qu'il ne s'en laisse pas accroire, il examine avec sympathie toute entreprise intellectuelle, toute forme d'art qui l'émeut et qui ajoute quelque chose à la vie terrestre. L'originalité de Remy de Gourmont a été, dans un

REMY DE GOURMONT.

ANDRÉ GIDE. — CL. LAURE ALBIN-GUILLOT.

demi-siècle traversé de courants divers, d'agir comme un juge désintéressé, très instruit, ayant son franc-parler, qui prononçait des arrêts au nom d'une philosophie en quelque sorte éternelle, aristocratique et tolérante, et inspirée par l'intelligence unie au sens esthétique.

André Gide (né en 1869) représente une influence intellectuelle toute différente. Son œuvre, multiple et inquiète, d'un abord un peu difficile, frappe par la pureté de la forme et, à la fois, par une sévérité distante et puritaine comme par la hardiesse tourmentée (*les Cahiers d'André Walter*, 1891 ; *le Voyage d'Urien*, 1893 ; *Paludes*, 1895 ; *les Nourritures terrestres*, 1897 ; *l'Immoraliste*, 1902 ; *les Caves du Vatican*, 1914 ; *Prétextes*, 1905 ; *Nouveaux Prétextes*, 1911 ; *Saül*, 1900). Nourri de la Bible et des enseignements du protestantisme libéral, André Gide a souffert des discordances de son être moral et a recherché l'harmonie. Il a pensé découvrir dans le symbolisme une esthétique (*le Traité du Narcisse*, 1892), puis une morale invitant l'artiste à effacer sa personnalité en faveur de son œuvre, et faisant de l'œuvre d'art, au détriment de la vie, la suprême réalité. Puis il y a renoncé en s'apercevant que le symbolisme aboutissait non au renoncement, mais à la satisfaction égoïste des créateurs de mots et de rythmes. Il a dès lors trouvé dans le monde sensible une réalité plus vraie que la réalité du poème, et il a fini par ne voir dans l'existence qu'une collection de sensations, parmi lesquelles se dissout la personnalité humaine. *Saül* nous montre l'homme détruit parce qu'il cède aux prestiges des sens alors qu'il cherchait un renoncement sauveur. Alors que Barrès invite à s'attacher aux traditions et à s'imposer des disciplines, André Gide, féru de morale par son éducation, aboutit à ne plus considérer le bien et le mal. Mais il n'en reste pas moins attaché à l'idée d'un renoncement qui permette à l'homme de s'élever au-dessus de l'humain. Cette œuvre originale, admirée par les uns, contestée par les autres, robuste et compliquée, a un mérite artistique qui dure et des qualités poétiques particulièrement sensibles dans le livre consacré à Oscar Wilde (1910).

On doit à André Chevrillon (né en 1864) une œuvre critique de premier ordre qui a pour sujet la littérature anglaise. Ce neveu de Taine a su mener à bien son

œuvre multiple, grandement appréciée d'abord d'une élite avant de toucher le grand public. Ami de la Bretagne, il l'a étudiée d'une manière pénétrante et émouvante (*la Bretagne d'hier*, 1925). Grand voyageur, poète inspiré, il a visité l'Asie et l'Afrique (*Dans l'Inde*, 1891 ; *Terres mortes*, 1897 ; *Sanctuaires et paysages d'Asie*, 1905 ; *Crépuscule d'Islam*, 1907 ; *Marrakech dans les palmes*, 1920), et il a écrit des ouvrages remarquables par l'observation, la sensibilité et le style. Mais ce sont surtout des *Études anglaises* (1901) et de *Nouvelles Études anglaises* (1910), ses *Trois Études de littérature anglaise* (1921), son ouvrage sur *l'Angleterre et la guerre* (1917) et son beau livre sur *Rudyard Kipling* (1903) qui lui ont donné une place éminente dans l'histoire littéraire. Il est l'écrivain qui a fait connaître avec exactitude la signification profonde d'auteurs tels que Meredith, Wells, Galsworthy, l'importance capitale de Kipling dans le mouvement littéraire contemporain. Par ses relations, par son talent et par sa renommée, il a été l'un des hommes qui ont servi de lien entre le monde intellectuel anglo-saxon et la France.

HISTOIRE LITTÉRAIRE ET ESSAIS

Pour les écrivains que nous venons de citer, la critique n'a pas été exclusivement littéraire ; elle a été, selon le tempérament de chacun, philosophique, morale, ou même politique. D'autres, au contraire, ceux dont il nous reste à parler, se sont plus particulièrement astreints aux tâches de l'histoire littéraire proprement dite.

Pierre de Nolhac (1859-1936), humaniste, poète et historien, a appliqué ses dons d'écrivain à faire revivre, avec beaucoup d'érudition et de charme, les figures ou les époques disparues. C'est surtout la Renaissance (*Pétrarque et l'humanisme*, 1892, 2e édition, 1907 ; *Érasme en Italie*, 1888, 2e édition, 1897) qui a retenu son attention. Il a ensuite étudié le XVIIIe siècle (*la Reine Marie-Antoinette*, 1890 ; *Louis XV et Marie Leczinska*, 1902 ; *Mme de Pompadour*, 1904 ; *Nattier*, 1904 ; *Fragonard*, 1907 ; *Fr. Boucher*, 1907 ; *Versailles et Trianon*, 1909), pour revenir à l'étude de sa chère Renaissance (*Ronsard et l'humanisme*, 1921). Mais quoi qu'il ait traité, il a su finement mêler l'étude des monuments de l'art à celle des mœurs, et ainsi il a composé une œuvre qui vaut à la fois par la précision scientifique et par le pouvoir d'évocation.

Ernest Dupuy (1849-1918), écrivain d'une charmante finesse, poète rare des *Parques* (1883), a consacré deux ouvrages à Hugo et à Vigny et a été, en même temps que E.-M. de Vogüé (1850-1910), un des premiers à étudier les grands maîtres de la littérature russe (1885).

Henri Bremond (1865-1933) est l'auteur d'un grand ouvrage, l'*Histoire littéraire du sentiment religieux en France depuis la fin des guerres de religion jusqu'à nos jours* (11 vol., parus de 1916 à 1933). C'est un monument remarquable par la largeur des vues d'ensemble et par l'analyse infiniment nuancée de la psychologie des époques et des individus.

Entré dans la Compagnie de Jésus, Henri Bremond a fait son noviciat à Oxford et ces années de formation ont donné à son esprit les fines et libres allures de l'illustre Université. Il a été très fortement influencé par les idées de l'école de Newman. Ses études sur *Thomas Moore* (1904), sur *Newman* (2 vol., 1905 et 1906), sur *la Provence mystique au XVIIᵉ siècle* (1908), sur *l'Inquiétude religieuse* (1901-1909) ont été lues et appréciées hors du cercle étroit des historiens religieux. La personnalité de la pensée, la qualité nerveuse du style, l'activité fougueuse de l'esprit ont réussi à intéresser le grand public à la littérature de la dévotion et à l'histoire de la spiritualité française. On aime aussi en Henri Bremond un esprit vigoureux et libre, assez puissant pour examiner tout le mouvement de la pensée au temps présent, non seulement les controverses doctrinales qui agitent le monde catholique et les exégètes des Écritures, mais encore les livres profanes contemporains (*Pour le romantisme*, 1923). L'écrivain qui a été l'un des collaborateurs les plus remarqués des *Études*, recueil dirigé par les Pères de la Compagnie de Jésus, est aussi l'auteur d'une forte analyse de l'œuvre de Maurice Barrès (parue dans *Vingt-cinq Années de vie littéraire*, 1908) et d'un petit ouvrage, à la fois plein de grâce et de profondeur, *le Charme d'Athènes* (1905). Adroit et hardi, Henri Bremond a écrit une œuvre qui vaut par l'originalité, le talent varié et souple qui s'y manifeste et une intelligence critique qui semble en dehors du siècle.

André Hallays (1859-1930), grand voyageur et grand ami de la flânerie, sensible et fin lettré, très documenté et sans apparat, a écrit une œuvre considérable en se promenant à travers la France (*le Pèlerinage de Port-Royal*, 1909; *Autour de Paris*, 1910; *A travers l'Alsace*, 1912; *Provence, Touraine, Anjou, Maine*, 1912; *De Bretagne en Saintonge*, 1913). Il a une connaissance approfondie de tout notre passé, le coup d'œil sûr, le goût, l'art de conter. Il a puissamment contribué à intéresser le public à la sauvegarde de nos monuments et de nos paysages, et par ses récits de voyage, comme par ses délicates études littéraires (*Madame de Sévigné*, 1921; *Jean de La Fontaine*, 1922), il a fait pour notre pays une œuvre aussi précieuse et plus abondante que celle qu'avait réussie avec tant de bonheur Émile Gebhart (1839-1908), peintre ingénieux de l'Italie (*les Origines de la Renaissance en Italie*, 1879; *l'Italie mystique*, 1890).

René Doumic (1860-1937) est l'auteur d'une *Histoire de la littérature française* (1900, revisée en 1937), destinée à l'enseignement et très répandue. Ses *Portraits d'écrivains* (2 volumes 1892), ses *Études sur la littérature française* (6 volumes 1896-1908), ses livres sur *George Sand* (1909), *Lamartine* (1912), *Saint-Simon* (1920) attestent la variété de ses travaux. Il a consacré, en outre, à l'histoire du théâtre une série d'ouvrages (*De Scribe à Ibsen*, 1893; *Essai sur le théâtre contemporain*, 1896; *le Théâtre nouveau*, 1908) où il se montre le défenseur passionné du goût classique et l'adversaire vigoureux des nouveautés qui semblent s'opposer à la clarté et à la mesure traditionnelles de notre littérature.

Gustave Lanson (1857-1934) a composé des éditions critiques qui constituent des enquêtes minutieuses et complètes (édition des *Lettres philosophiques*, 1909; des *Méditations*, 1915). On lui doit des livres qui se recommandent par la profondeur et la vigueur de la pensée (*Bossuet*, 1890; *Boileau*, 1892; *Voltaire*, 1906); une *Histoire de la littérature française* (1894) qui offre, en douze cents pages d'un texte serré, des renseignements précis et des jugements personnels; et un très utile *Manuel bibliographique de la littérature française moderne* (1909-1914; 2ᵉ édition, 1921). Il a exercé une influence qui a duré : il a proposé à de nombreux disciples une conception de la critique qui porte sa marque. Suivant Gustave Lanson, il faut prendre devant le fait littéraire une attitude impartiale et modeste, une « attitude scientifique »; il faut se défier de l'impressionnisme, des jugements hâtifs, et qui ne s'appuient pas sur de sérieuses recherches; il faut se défier des « qualificatifs sentimentaux ». Nul d'ailleurs n'a plus fortement que lui dénoncé les périls que peuvent faire courir à un critique littéraire des préoccupations érudites trop exclusives : « La littérature, a-t-il écrit, est exercice, goût, plaisir. On ne la *sait* pas, on ne *l'apprend* pas : on la pratique, on la cultive, on l'aime... Les mathématiciens, comme j'en connais, que les lettres amusent, et qui vont au théâtre ou prennent un livre pour se récréer, sont plus dans le vrai que ces littérateurs, comme j'en connais aussi, qui ne lisent pas, mais dépouillent, et croient faire assez de convertir en fiches tout l'imprimé dont ils s'emparent. La littérature est destinée à nous fournir un plaisir, mais un plaisir intellectuel, attaché au jeu de nos facultés intellectuelles, et dont ces facultés sortent fortifiées, assouplies, enrichies. Et ainsi la littérature est un instrument de culture intérieure : voilà son véritable office. »

André Bellessort (1866-1942) a été dans les dernières années du XIXᵉ siècle un des premiers à faire connaître par des récits vivants et colorés les paysages, la civilisation et la littérature de l'Amérique, du Japon et de la Suède. En ce sens, il a été un précurseur (*la Jeune Amérique*, 1897; *En escale de Ceylan aux Philippines*, 1899; *Voyage au Japon, la Société japonaise*, 1902; *Un Français en Extrême-Orient au début de la guerre*, 1918; *la Roumanie comtemporaine*, 1905; *la Suède*, 1910; *Reflets de la vieille Amérique*, 1923). Historien et critique, plein de fougue et de poésie, épris de traditions classiques, il a écrit un très bel ouvrage sur *Saint François-Xavier* (1917), une biographie de *La Pérouse* (1926), et a publié, à partir de 1920, une série de livres (*Virgile*, 1920; *Balzac*, 1924; *Voltaire*, 1925; *Sainte-Beuve*, 1927; *Victor Hugo*, 1929; *les Intellectuels et l'avènement de la troisième République*, 1931; *la Société française sous le second Empire*, 1932; *Athènes*, 1936) où se manifestent avec éclat sa vaste culture, son goût, son sens de la beauté, et son attachement aux disciplines françaises.

Ernest Seillière (né en 1866) commença dès cette époque l'œuvre abondante de critique philosophique et littéraire qu'il poursuivra pendant de nombreuses années. Il étudie Rousseau, les romantiques, Nietzsche, et de plus récents : il y trouve les éléments du mal intellectuel et social qu'il a appelé l'impérialisme démocratique et romantique.

Victor Giraud (né en 1868) a étudié *Pascal* (1898); *la Philosophie religieuse de Pascal et la pensée contemporaine* (1903); *Chateaubriand* (1904 et 1912); *les Moralistes français* (1923). Il est l'auteur d'un *Essai sur Taine* (1901), remanié par la suite) qui demeure le plus approfondi qu'on ait sur le sujet; il a étudié dans *les Maîtres de l'heure* (2 vol., 1911-1914) les principaux écrivains de son époque en dégageant le contenu de la conscience française telle qu'elle apparaissait à la veille de la première guerre mondiale.

On doit à Fortunat Strowski (né en 1867) des travaux considérables sur le XVIᵉ et le XVIIᵉ siècle (*Montaigne*,

1906; *Pascal et son temps*, 3 vol., 1907-1908); mais son *Tableau de la littérature française au XIXe siècle* (1912) montre que sa critique agile et souple sait comprendre aussi bien les aspects les plus divers de notre histoire.

Pierre Lasserre (1867-1930), vigoureux polémiste, après une campagne retentissante contre *le Romantisme français* (1907), a écrit un livre sur *les Chapelles littéraires* (1920), et s'est consacré à une histoire de Renan : *la Jeunesse d'E. Renan*, 1925 ; *Renan et nous*, 1923.

André Beaunier (1869-1925), à la fois romancier et critique, a fait revivre, dans des livres subtils et spirituels, d'aimables figures de notre histoire littéraire : *Trois Amies de Chateaubriand*, 1910 ; *Joseph Joubert*, 1918-1924 ; *Madame de La Fayette*, 1921-1927. On retrouve dans ces études l'aisance et la pénétration d'esprit dont il a fait preuve dans ses romans : *les Trois Legrand*, 1902 ; *Picrate et Siméon*, 1904 ; *le Roi Tobol*, 1905 ; *l'Homme qui a perdu son moi*, 1911 ; *l'Amour et le Secret*, 1920 ; *Suzanne et le plaisir*, 1921.

André Suarès (1868-1948) a touché à tous les genres : critique, biographie, poèmes, pièces de théâtre. L'essentiel est dans la *Chronique de Caerdal* (1912), dans *le Voyage du condottiere* (1910 et suiv.), dans son *Tolstoï* (1911), dans *Trois hommes : Pascal, Ibsen, Dostoïevsky* (1912). Pessimiste, incroyant, plein de fierté hautaine, il aime la beauté, l'énergie, tout ce qui est puissance et élévation de l'être humain. Il écrit une langue tendre, souvent somptueuse et a excellé dans les portraits des personnages ou des écrivains qu'il apprécie.

Il est bien d'autres critiques encore, dont le nom est plus étroitement lié à telle ou telle période de l'histoire littéraire, qu'ils se sont choisie comme leur fief particulier. C'est le cas, par exemple, des médiévistes formés à l'école de Gaston Paris : Antoine Thomas, Alfred Jeanroy, Léopold Sudre, Ernest Langlois, Joseph Bédier, Ferdinant Lot, et de leurs cadets : Lucien Foulet, Albert Pauphilet, Pierre Champion, Edmond Faral, qui ont résolu avant 1914 tant de problèmes de nos plus lointaines origines littéraires. C'est le cas des critiques qui se sont appliqués surtout à l'étude de la Renaissance des lettres : J. Jusserand, Joseph Vianey, S. Rocheblave, Paul Laumonier, Henri Chamard, Edmond Huguet, H. Guy, Pierre Villey, Jean Plattard, et du savant qui a tant fait pour servir la gloire de Marot et de Marguerite de Navarre, de Calvin et de Rabelais : Abel Lefranc. Frédéric Lachèvre, Émile Magne, Jules Marsan, Gustave Reynier, Gustave Michaut, André Le Breton, se sont voués surtout à enrichir notre connaissance de la période classique. On ne saurait étudier le XVIIIe siècle sans devenir tour à tour l'obligé de Félix Gaiffe, d'Edmond Pilon, de Daniel Mornet, de Georges Ascoli, de Pierre-Maurice Masson, qui est mort pour la France. Le nom de Joachim Merlant, lui aussi mort glorieusement à la guerre, et les noms de Léon Séché, de Gustave Rudler, de Pierre Martino, de Jean Giraud, d'Edmond Estève, de Louis Maigron, sont plus particulièrement attachés à l'histoire du XIXe siècle. Mais ne faudrait-il pas nommer aussi les critiques qui se sont adonnés à l'étude des lettres anglaises, comme Alfred Mézières, Émile Legouis, Louis Cazamian ; des lettres allemandes, comme Charles Andler ; des lettres italiennes, comme Henry Cochin ou Henri Hauvette ; des lettres espagnoles, comme Alfred Morel-Fatio, Ernest Mérimée, Martinenche,

GUSTAVE LANSON. — CL. LAROUSSE.

et encore ceux-là qui ont développé en France l'étude comparative des littératures modernes, comme Joseph Texte, Fernand Baldensperger, Paul Hazard ?

Que d'esprits divers il faudrait caractériser, et aussi que de tendances diverses ! La critique littéraire se saisit des problèmes de l'histoire politique ; elle se confond presque, dans l'œuvre d'Ernest Seillière, avec l'histoire des idées morales ; avec l'histoire de la pensée religieuse dans l'œuvre d'Augustin Gazier et dans celle d'Alfred Rébelliau. La méthode toute psychologique, infiniment nuancée, qu'Ernest Zyromski applique à l'étude des poètes pénètre jusqu'aux régions les plus secrètes de leurs âmes. La monumentale *Histoire de la langue française* de Ferdinand Brunot (1905-1934 ; continuée depuis par Ch. Bruneau) est l'œuvre tout à la fois d'un savant grammairien et d'un critique original.

Reste la critique militante, si l'on peut dire, celle qui se fait dans les revues, dans les journaux : elle a gardé une place importante dans la vie spirituelle de la nation. Elle a paru d'autant plus nécessaire que le lecteur, soumis aux appels fréquents de la publicité et embarrassé par l'abondance des livres, devait être guidé. La plupart des grandes revues ont continué, à cette époque, de compter parmi leurs collaborateurs des critiques littéraires attitrés.

VII. — LES SCIENCES HISTORIQUES

A consulter : L. Halphen, l'Histoire en France depuis cent ans, *1914 ;* — Histoire et historiens depuis cinquante ans, *1928.*

RENAN, TAINE, FUSTEL DE COULANGES

Dans les années qui suivent immédiatement la crise de 1870-1871, trois grands historiens s'imposent surtout à l'attention, comme s'étaient imposés dans une période antérieure Thiers, Mignet, Tocqueville, Michelet. Ce sont Renan, Taine et Fustel de Coulanges.

Renan publie en 1881 le septième et dernier volume de cette *Histoire des origines du christianisme* qu'il avait entreprise quelque vingt ans plus tôt (1863-1881 ; *Index général*, 1883) ; puis il écrit les cinq volumes de son *Histoire du peuple d'Israël* (1887-1893). Il ne fait donc après la guerre que poursuivre l'achèvement de ce grand œuvre dont on a déjà ci-dessus mis en relief les principaux caractères et défini le sens et la portée. Il fut donné à Renan de réaliser pleinement, dans sa vieillesse sereine, le plan de travail que jeune il s'était tracé : les lignes ne s'en étaient pas modifiées.

Au contraire, c'est de la guerre et de la Commune que date l'activité de Taine comme historien. Jusqu'alors, son esprit systématique et déductif n'avait étudié le passé que dans ses aspects littéraires et artistiques : les événements de mai 1871 vinrent élargir le champ de ses réflexions. Ils l'amenèrent à porter sur la santé de la France un diagnostic : la Révolution de 1789 lui apparut comme une maladie dont l'organisme national restait atteint. Et ce fut pour vérifier la justesse de ce diagnostic qu'il entreprit ses études sur *les Origines de la France contemporaine* (6 vol., 1875-1893). Ses généralisations sont souvent téméraires et ses constructions contestables. Pourtant, par l'ampleur de ses vues, par la couleur et la vie de ses tableaux, et jusque par cette illusion scientifique qu'il a su entretenir, il a exercé une grande séduction sur nombre d'esprits. Il a orienté à ses débuts l'École des sciences politiques; il a suscité en partie les remarquables travaux d'Émile Boutmy (1835-1906) : *Essai d'une psychologie politique du peuple anglais au XIX*e *siècle*, 1901; *Éléments d'une psychologie politique du peuple américain*, 1902; *Études politiques*, 1907.

On a considéré plus haut les premiers livres de Fustel de Coulanges, parus sous le second Empire; mais c'est sous la troisième République que, transportant dans l'étude des antiquités nationales les méthodes depuis longtemps éprouvées dans l'étude des civilisations grecque et romaine, il compose son *Histoire des institutions politiques de l'ancienne France* (6 vol., 1875-1892), qui devait donner un si grand élan aux recherches d'un Auguste Longnon et d'un Camille Jullian sur le haut moyen âge. Moins connu du grand public que Renan, mais plus apprécié des érudits, il est resté un modèle non seulement pour la prudence de sa méthode, pour son souci d'appuyer sur des textes chacune de ses assertions, mais encore pour ses procédés d'exposition et pour les qualités de son style : une prose simple, limpide, transparente.

LA RÉORGANISATION DES ÉTUDES HISTORIQUES

Fustel de Coulanges fut environné d'émules très dignes de lui. A partir de 1870, en effet, s'accélère un mouvement, déjà sensible quelques années auparavant, qui transformera les conditions du travail historique.

Certes l'esprit de recherche dans l'ordre des sciences historiques ne s'était pas engourdi pendant le second Empire : des linguistes, des archéologues, des historiens tels que Littré, Jules Quicherat, Barthélemy Hauréau, Joseph-Victor Le Clerc avaient su maintenir les traditions de l'érudition française. Mais l'érudit se confinait alors trop volontiers dans le demi-jour des sociétés savantes, et se contentait d'adresser ses travaux à un cercle étroit d'initiés. Le cas de Renan, qui recherchait et obtenait pour les siens une plus large audience, restait exceptionnel. D'autre part, dans le haut enseignement officiel, la rhétorique s'était implantée; au-dessous, c'était un pullulement de travaux d'amateurs; c'était la misère de la demi-science.

Plusieurs symptômes annoncent, dès avant la guerre, une transformation. C'est, en 1866, la fondation de la *Revue critique*, qui groupe des collaborateurs comme Gaston Paris, Michel Bréal, Gaston Boissier, Gabriel Monod. Il s'agit d' « exécuter » sans pitié les livres composés sans méthode, de « renouveler l'atmosphère de toutes les disciplines historiques et philologiques », de répandre, comme l'a écrit Gaston Paris, « l'idée que la science ne doit pas rester reléguée dans les temples rarement visités, où quelques prêtres seuls célèbrent ses rites, mais animer et inspirer toute l'activité intellectuelle d'un pays ». En 1868, un grand ministre, Victor Duruy, fonde l'École pratique des hautes études, pour « placer, à côté de l'enseignement théorique, les exercices qui peuvent le fortifier et l'étendre ». Après la guerre, à l'exemple de l'Allemagne, on s'efforce de constituer en France des universités actives, comme celles que Quinet et Renan avaient tant admirées outre-Rhin. Grâce à l'action persévérante et tenace d'Albert Dumont, de Louis Liard d'Ernest Lavisse, l'enseignement supérieur est réformé. L'École française d'archéologie d'Athènes est réorganisée en 1873; celle de Rome est fondée en 1874; celle du Caire, en 1880; celle d'Hanoï, en 1901. A Paris et dans les grands centres provinciaux se multiplient les organes de la vie scientifique, instituts et chaires d'universités, bibliothèques, sociétés, revues spéciales. C'est ainsi que la *Romania* paraît à partir de 1876; la *Revue de*

philologie, à partir de 1877. Mieux outillés, les chercheurs se dirigent vers des terrains inexplorés; le travail, jusqu'alors purement individuel, tend à prendre un caractère à la fois collectif et spécialisé. Alors sont entrepris, avec un zèle méthodique, des ouvrages d'ensemble, collections de textes, répertoires bibliographiques : le *Dictionnaire des antiquités grecques et romaines* de Ch. Daremberg et E. Saglio, *les Archives de l'histoire de France* de Ch.-V. Langlois et H. Stein, *les Sources de l'histoire de France* d'Auguste Molinier et de ses collaborateurs, par exemple; et tant de beaux manuels : le *Manuel d'archéologie préhistorique* de J. Déchelette, le *Manuel des institutions romaines* de Bouché-Leclercq, le *Manuel des institutions françaises* de Luchaire, le *Manuel diplomatique* de Giry, etc. De 1892 à 1899 paraît, sous la direction d'Ernest Lavisse et d'Alfred Rambaud, une *Histoire générale du IV*e *siècle à nos jours;* de 1896 à 1900, sous la direction de L. Petit de Julleville, une *Histoire de la langue et de la littérature françaises;* de 1902 à 1921, sous la direction d'Ernest Lavisse, une *Histoire de France :* ces beaux livres sont dus à la collaboration des meilleurs savants.

Ainsi fut perpétuée la tradition de l'érudition française, qui veut que les résultats de ses recherches soient mis à la portée d'un large public. Pendant quelque temps, vers la fin du XIXe siècle, cette tradition a pu sembler parfois compromise. La mode conseilla, dans l'enseignement supérieur et jusque dans l'enseignement des lycées, une spécialisation à outrance, qui demandait plus d'application que d'originalité, plus de patience que de talent. De là des controverses souvent véhémentes, où la Sorbonne fut vivement prise à partie. Il n'est point de notre sujet d'y entrer. Mais, s'il est légitime et même nécessaire que certains travaux d'érudition gardent un caractère hermétique, il va sans dire qu'une histoire des lettres ne saurait tenir compte que des seuls érudits qui sont entrés en communication et restés en contact avec l'ensemble du public cultivé de leur temps. Ils furent nombreux, comme on va voir, dès le lendemain de 1870.

LA GÉNÉRATION DE GASTON PARIS ET DE GASTON BOISSIER

C'est bien à tout le public cultivé que Georges Perrot (1832-1914) a adressé son *Histoire de l'art dans l'Antiquité* (10 vol., 1881-1914). En ce livre, composé d'après un plan clair et symétrique, les considérations techniques tiennent une grande place, et à ce titre c'est un travail d'érudition. Mais Georges Perrot a considéré l'archéologie comme un moyen de mieux connaître l'esprit des Anciens. Les monuments de la sculpture ou de l'architecture ne lui paraissent pas séparés de la poesie par une différence de nature, et ce qu'il a recherché, ce sont les expressions de la beauté par où l'Antiquité a essayé d'orner la vie : l'archéologie ainsi entendue fait partie intégrante de l'histoire même de la civilisation.

Gaston Boissier (1823-1908), que le destin fit naître à Nîmes, dans la cité des Arènes et de la Maison carrée, a été, avec aisance et finesse, l'historien des antiquités romaines. Très informé des travaux d'érudition accomplis en Allemagne comme en France, il a utilisé les plus récentes découvertes épigraphiques et archéologiques, les meilleurs commentaires publiés sur les textes littéraires : il a voyagé, visité les paysages illustres où se sont déroulés les grands événements de l'histoire romaine. En combinant ingénieusement ces éléments divers, il a réussi à faire revivre la Rome ancienne. Très influencé par Renan, et sans doute aussi par Fustel de Coulanges, il a composé une série d'ouvrages : *Cicéron et ses amis* (1865); *la Religion romaine, d'Auguste aux Antonins* (2 vol., 1874); *l'Opposition sous les Césars* (1875); *Promenades archéologiques* (1880; 2e série, 1886); *la Fin du paganisme* (1891); *Tacite* (1903), etc., qui sont des tableaux pleins d'animation, propres à faire comprendre la civilisation des diverses époques. Dans son art, servi par un style d'une parfaite lucidité et d'une constante élégance, il y a une part de savoir qui est le fruit d'un patient labeur, mais aussi une part d'intuition psychologique, qui est un don.

L'œuvre d'Alfred Croiset (1845-1923) et de Maurice Croiset (1846-1935) représente une des floraisons les plus heureuses de notre haut enseignement. La culture hellénique n'a pas eu d'admirateurs plus fervents que ces deux frères; elle n'a pas eu non plus de commentateurs plus attentifs, plus pénétrants, plus capables de la faire comprendre et aimer. Lorsqu'ils se sont mis à la tâche, la reconstitution de la vie grecque, telle qu'on en trouve le reflet poétique dans l'œuvre de Chénier et de Chateaubriand, avait reçu d'abondants secours de la critique érudite en France, en Angleterre, en Allemagne. Penchés sur la lettre, mais n'oubliant pas l'esprit, Alfred et Maurice Croiset ont donné à la France une *Histoire de la littérature grecque* (5 vol., 1887-1899), aujourd'hui classique et universellement admirée, qui est à la fois une œuvre de science et une œuvre d'art, et comme le triomphe de l'esprit de finesse.

Victor Bérard (1864-1931) a renouvelé les études homériques en se lançant sur les traces d'Ulysse (*les Phéniciens et l'Odyssée*, 1902; *les Navigations d'Ulysse*, 1930); il a donné de *l'Odyssée* une nouvelle traduction, singulièrement vivante (1925). Il a aussi publié des études sur la Turquie, le Maroc, l'Allemagne.

Mgr Duchesne (1843-1922), né et élevé en Bretagne, héritier de la foi profonde d'une famille de marins, s'est consacré à l'histoire aussitôt après avoir reçu la prêtrise. Il fut un des premiers membres de l'École française d'archéologie de Rome. Son édition du *Liber pontificalis* (1884-1890), son livre sur *les Origines du culte chrétien* (1889), son *Histoire ancienne de l'Église* (1906-1908), tant d'autres écrits rappellent dignement les travaux de nos grands historiens ecclésiastiques des XVIIe et XVIIIe siècles. Prêtre et historien, Mgr Duchesne a toujours distingué la théologie de l'histoire; mais il n'a pas estimé que l'esprit de foi pût dispenser de l'esprit d'examen. Sa libre intelligence a su être toujours respectueuse du dogme et toujours prête à appliquer aux faits de l'histoire les méthodes des historiens. Cette entreprise était délicate, parce qu'elle risquait de surprendre et qu'elle aboutissait parfois à ruiner des traditions populaires qui avaient pour elles une ancienneté, une vertu poétique attrayante, un charme bienfaisant. Mais, dans son ensemble, l'effort critique de Mgr Duchesne a eu pour résultat de permettre à l'Église d'occuper plus solidement le terrain de l'histoire. Pour accomplir cette œuvre, la grande force de Mgr Duchesne a été sa simplicité et son amour du vrai. Ce prêtre irréprochable, mais spirituel et mordant, s'est exprimé parfois avec une liberté qui lui attira quelques inimitiés, mais il a toujours fini par imposer sa bonne foi et sa franchise. Il a eu des véhémences de sentiment qui ne se forment que dans les cœurs limpides et des audaces de parole qui ne viennent qu'aux lèvres des hommes purs. Il a fait un portrait d'Athanase où il a montré que ce grand défenseur de l'orthodoxie avait reçu de Dieu un esprit clair, un œil bien ouvert sur la

GASTON PARIS. — CL. REUTLINGER.

tradition chrétienne, sur les événements, sur les hommes, et avec cela un caractère indomptable, qui était tempéré par beaucoup de bonne grâce. On pense, en évoquant ces lignes, à celui-là même qui les a écrites.

Gaston Paris (1839-1903), continuant l'œuvre de son père, Paulin Paris, n'avait que vingt-six ans quand il publia, en 1865, sa mémorable *Histoire poétique de Charlemagne*. Il enseigna pendant près de quarante ans dans deux chaires, au Collège de France et à l'École des hautes études, dans sa « grande église », comme il disait, et dans sa « petite chapelle », qu'il aima pareillement. Par son action dans la Société des anciens textes, par les élèves qu'il a formés, surtout par les mémoires et les articles innombrables qu'il a répandus dans la *Revue critique*, le *Journal des savants* et la *Romania*, il fut l'animateur d'un magnifique mouvement de recherches dans le domaine de la philologie, de l'archéologie et de l'histoire médiévales. Nous emprunterons à une étude publiée sur son œuvre par un de ses élèves, Joseph Bédier, ces quelques lignes : « Gaston Paris est un érudit, mais qui a appelé l'érudition la chercheuse avare et aveugle qui ne jouit pas de ses richesses. » Il est un savant appliqué à se dégager de l'illusion personnelle, à maîtriser en lui les puissances trompeuses, et qui pourtant a écrit : « Dans tous les ordres de la pensée et de l'activité humaine, c'est la puissance de l'imagination qui fait les grands hommes; le savant a besoin de l'imagination autant que l'artiste. Il est réfléchi et il est audacieux. Il a le goût du fait, le sens du concret, et aussi des parties d'idéaliste et de poète. Il est libéré de tout dogmatisme héréditaire, et pourtant il a le culte des choses populaires et traditionnelles, l'intelligence passionnée, enfantine et presque mystique de tout ce qui fut la vieille France. Il semble se confiner dans son moyen âge et toute la vie moderne retentit en lui. Ses travaux sont d'un spécialiste, mais de lui, comme d'un Scaliger, qui pourrait dire où commence, où finit la spécialité? Il a la grande, la presque universelle curiosité. » Les recueils d'articles et les livres qu'il a publiés à l'adresse du grand public : *la Poésie au moyen âge* (2 séries, 1885 et 1895), *la Littérature française au moyen âge* (1888), *Poèmes et légendes du moyen âge* (1900), *François Villon* (1901), *Légendes du moyen âge* (1903), *Esquisse d'une histoire de la littérature française au moyen âge* (1907) justifient l'admiration dont l'entourèrent ses disciples de France et de tous les pays étrangers.

Obéissant à une pensée patriotique et méditant sur les causes de nos désastres de 1870, Ernest Lavisse (1842-1922) parcourt l'Allemagne à diverses reprises et en rapporte, outre l'idée de réformer nos universités, les sujets de livres qui valent par la solidité et la pénétration, la concision et la force : *Études sur l'histoire de la Prusse* (1879); *Essais sur l'Allemagne impériale* (1887); *la Jeunesse du Grand Frédéric* (1891); *le Grand Frédéric avant l'avènement* (1893). Puis, revenant à notre histoire nationale, et en considérant par la pensée tout le déroulement, il s'est attaché particulièrement à faire revivre la brillante époque du XVIIe siècle; son *Louis XIV* (1905) est célèbre. Esprit vigoureux et plein de rayonnement, attentif aux enseignements du passé, mais très volontiers ouvert aux nouveautés, Ernest Lavisse a été, en même temps qu'un historien, un éducateur, et son action s'est exercée sur toute une génération d'élèves.

L'époque napoléonienne a retenu l'attention d'un certain nombre d'historiens qui en ont étudié les divers aspects. Albert Vandal (1853-1910), après avoir consacré ses premiers travaux aux *Relations de Louis XV et d'Élisabeth de Russie* (1882) a montré dans son *Napoléon et Alexandre Ier* (1891-1896), les raisons historiques et géographiques qui déterminaient les relations de la France et de la Russie sous le premier Empire. Puis dans son ouvrage principal, *l'Avènement de Bonaparte* (2 vol., 1902-1907), brillamment écrit et plein de larges peintures comme le récit célèbre des journées de Brumaire, il s'est attaché à faire revivre l'époque où Bonaparte fait surgir de l'anarchie un ordre nouveau, qui rend sa force à la nation.

Frédéric Masson (1847-1923) a retracé dans des livres pleins de petits faits et de détails précis l'histoire intime de Napoléon et de sa famille : *Napoléon et les femmes* (1893), *Napoléon chez lui* (1894), *Napoléon inconnu* (1895), *Napoléon et sa famille* (1896-1919), *Napoléon à Sainte-Hélène* (1912), tandis que Henry Houssaye (1848-1911) donnait, dans *1814* et *1815*, une étude complète de l'histoire de la chute du premier Empire et des campagnes de 1814 et de 1815 (1888-1893). A la même époque Arthur Chuquet (1853-1925), après avoir exposé l'histoire des *Guerres de la Révolution* (1886-1895), racontait la *Jeunesse de Napoléon* (1897-1899).

Albert Sorel (1842-1906) a conçu l'histoire à la fois comme une science qui doit s'appuyer sur des faits exacts, et comme un art qui a pour objet d'interpréter les événements et de dégager des idées. Il a exercé une grande influence par ses livres et par son enseignement. Ses ouvrages comme l'*Histoire diplomatique de la Guerre franco-allemande* (2 vol., 1875), la *Question d'Orient au XVIIIe siècle* (2 vol., 1877), *Montesquieu* (1887), *Madame de Staël* (1890) donnent l'impression d'un esprit vaste et très cultivé. Son œuvre principale, qui est restée classique, est *l'Europe et la Révolution française* (8 vol., 1885-1904) où il montre les nécessités constantes qui, dans l'ordre diplomatique et économique, régissent les nations quelles que soient les variations de leur politique intérieure. Entre 1789 et 1815, la France de la Révolution et de Napoléon a été dominée par la même pensée que celle des rois, dont la préoccupation essentielle a été d'assurer à la nation ses frontières naturelles. Par la vigueur de la pensée et l'éclat du style, ce livre s'est imposé à la lecture de toute une génération.

Pierre de La Gorce (1846-1934) a dans une longue vie de travail et de recueillement écrit une œuvre considérable qui a été sans cesse en s'enrichissant. Il a commencé par raconter dans un style plein de fermeté l'*Histoire religieuse de la Révolution française* (4 vol., 1909 et suiv.), qui l'a classé tout de suite parmi les meilleurs historiens de son époque. Puis, sans hâte, avec méthode et sûreté, il a publié les volumes sur *Louis XVIII* (1926), *Charles X* (1928), *Louis-Philippe* (1931) et le *Second Empire* (dont les sept tomes ont paru de 1894 à 1905, avant les études sur la Restauration). L'ensemble forme une vaste histoire très documentée, et est remarquable par la lucidité d'esprit, l'indépendance et la clarté. La monarchie de Juillet a eu un autre historien en Paul Thureau-Dangin (1837-1913), qui a suivi avec gravité et impartialité (*Histoire de la*

ERNEST LAVISSE. — CL. PIROU.

monarchie de Juillet, 7 vol., 1884-1892) le développement du système parlementaire, et aussi le développement des idées sociales qui ébranlaient le régime.

Jacques Bainville (1879-1936), journaliste de grand talent, historien vigilant, pénétré des doctrines de Charles Maurras, a débuté par un livre sur *Louis de Bavière* (1900), puis il a commencé avant 1914 la série des ouvrages qui avertissaient les Français du danger germanique (*Bismarck et la France*, 1907; le *Coup d'Agadir*, 1913; *Histoire de deux peuples*, 1915). Après 1914, il n'a cessé de poursuivre ses campagnes et ses solides études, écrites avec limpidité et fermeté (*Histoire de trois Générations*, 1918; *Histoire de France*, 1924).

Dans le même temps, le duc d'Aumale (1822-1897) publie son *Histoire des princes de Condé* (1869-1895); le duc Albert de Broglie (1821-1901), ses travaux d'histoire diplomatique (*le Secret du roi*, 1878; *Frédéric II et Louis XV*, 2 vol., 1884; *Marie-Thérèse*, 1888); Émile Ollivier (1825-1913), ses Mémoires sur *l'Empire libéral* (1894-1918); le comte d'Haussonville (1843-1924), ses livres sur *le Salon de Mme Necker* (1882), sur *Madame de La Fayette* (1891), sur *la Duchesse de Bourgogne* (1898 et suiv.); Gustave Schlumberger (1844-1928), la suite de ses ouvrages pleins d'érudition et de vie sur Byzance (*Nicéphore Phocas*, 1889; *l'Épopée byzantine à la fin du Xe siècle*, 1896-1900, etc.); Auguste Longnon (1844-1911), ses mémorables travaux de géographie historique (*Atlas historique de la France*, 1884-1889; *la Formation de l'unité de la France*, 1921); Gustave Fagniez (1842-1927), son excellente étude sur *le P. Joseph et Richelieu* (1891).

LES GÉNÉRATIONS PLUS RÉCENTES

A mesure que les travaux se multipliaient, les méthodes de recherche et d'exposition se précisaient, tendant à faire perdre chaque jour davantage à l'histoire son caractère de genre oratoire, descriptif et pittoresque, pour lui mieux assurer son rang au milieu des sciences morales. On ne saurait exagérer l'influence qu'a exercée à cet égard sur les jeunes historiens le livre de Ch.-V. Langlois et Ch. Seignobos, *Introduction aux études historiques* (1897), où se trouve définie d'une façon magistrale, mais avec quelque dogmatisme et beaucoup d'austérité, l'orientation nouvelle qui tend à exclure de l'histoire les ornements, les métaphores, les portraits psychologiques et tout romantisme. Si cette méthode, mal appliquée, a donné parfois des résultats critiquables, il faut reconnaître que ses effets généraux ont été salutaires.

L'étude de nos origines nationales a conduit Camille Jullian (1859-1933) à composer une *Histoire de la Gaule* (8 vol., 1907-1927), qui est une œuvre remarquable à la fois par l'érudition et par l'élégante précision du style. La société au temps des Capétiens a été étudiée par Achille Luchaire (1846-1908) dans une série d'ouvrages excellents (*Histoire des institutions monarchiques en France sous les premiers Capétiens*, 2 vol., 1884; *les Communes à l'époque des Capétiens directs*, 1890; *la Société française au temps de Philippe Auguste*, 1909). Ch.-V. Langlois (1863-1929) a écrit sur *Philippe III le Hardi* (1887), sur *la Société française au XIIIe siècle* (1904), sur *la Vie en France au moyen âge* (1908), sur *la Connaissance de la nature et du monde au moyen âge* (1911), des livres classiques par ce qu'ils ont de solide et d'achevé.

Les recherches sur le XVIe, le XVIIe et le XVIIIe siècle ont inspiré les beaux ouvrages du cardinal Baudrillart (1859-1942) sur *Philippe V et la Cour de France* (5 vol., 1890-1900) et sur *l'Église catholique, la Renaissance et le protestantisme* (1904). Gabriel Hanotaux (1853-1944) a écrit son principal ouvrage, plein de documents et très vivant, sur *l'Histoire du cardinal de Richelieu* (1893 et suiv.). Émile Bourgeois (1851-1934) a étudié *le Grand Siècle* (1895), et dans un ample ouvrage, nouveau et animé, il a révélé ce qu'était la diplomatie secrète au XVIIIe siècle (3 vol., 1909-1910). Le marquis de Ségur (1853-1916) a particulièrement étudié la fin de la monarchie. Le duc de La Force (né en 1876) est l'auteur de livres très appréciés sur le XVIIe et le XVIIIe siècle (*Lauzun*, 1913 ; *le Maréchal de La Force*, 1925), et a continué avec Hanotaux l'histoire de Richelieu.

L'époque révolutionnaire et l'époque napoléonienne ont retenu l'attention d'un grand nombre d'historiens, sollicités par le goût du public, qui ne cessait de s'intéresser à l'évocation de ces temps pathétiques. Aulard (1849-1928) a publié les résultats d'ardentes recherches touchant *les Orateurs de la Constituante* (1882), *les Orateurs de la Législative et de la Convention* (1885), *le Culte de la Raison et de l'Être suprême* (1892), *l'Histoire politique de la Révolution française* (1900). Albert Mathiez (1874-1932) étudia surtout Robespierre et Danton. Léon de Lanzac de Laborie (1862-1935) a étudié *Paris sous Napoléon Ier* (1905 et suiv). Édouard Driault (né en 1864) a exposé la politique extérieure du premier Empire (*Napoléon Ier et l'Italie*, 1905). Les Archives ont fourni à G. Lenotre (1857-1935) le sujet de pittoresques récits qui touchent l'histoire de la Révolution (*le Drame de Varennes*, 1905; *Mémoires et Souvenirs sur la Révolution et l'Empire*, 4 vol., 1907-1908). Frantz Funck-Brentano (1862-1945) a raconté *les Légendes et archives de la Bastille* (1898), *le Drame des poisons* (1900) et *l'Affaire du collier* (1901).

L'époque napoléonienne a trouvé, après les écrivains qui ont précédemment abordé le sujet, un nouvel historien, brillant, plein de mouvement et de vie, en Louis Madelin (né en 1871). Après s'être intéressé à la Révolution, Louis Madelin a publié sur *Fouché* (1901) un livre remarquable qui a tout de suite fondé sa réputation. Il a étudié ensuite *la Rome de Napoléon* (1906). Il s'est enfin consacré à une vaste histoire du Consulat et de l'Empire. C'est un ample tableau des événements qui ont rempli vingt années de l'existence nationale. C'est en même temps un exposé à la fois politique, diplomatique, militaire, financier de tout ce qui a été accompli dans une époque particulièrement riche en péripéties de toutes sortes. L'auteur, qui s'exprime toujours avec chaleur et une passion patriotique qui anime tout, sait garder constamment la mesure et l'impartialité conformes à sa probité d'esprit.

La période contemporaine elle-même a déjà ses histoires. Charles Seignobos (1854-1942) a publié une *Histoire politique de l'Europe contemporaine* (1896-1897). Joseph Reinach (1856-1921) a écrit une *Histoire de l'affaire Dreyfus* (1902 et suiv.) et un recueil d'articles sur la guerre, *les Commentaires de Polybe* (19 vol., 1915-1919). Gabriel Hanotaux (1853-1944) a étudié *l'Histoire de la France contemporaine* (4 vol., 1903 et suiv.); *la Politique de l'équilibre (1907-1911)*, 1912; *la Guerre des Balkans et l'Europe (1912-1913)*, 1914.

L'histoire religieuse, celle du christianisme notamment, se renouvelle sans cesse par de savants travaux : l'exemple de Renan reste fécond. Albert Réville (1826-1906) a écrit une *Histoire des religions* (1883 et suiv.), et James Darmesteter (1849-1894) a étudié *les Prophètes d'Israël* (1892); Alfred Loisy (1857-1940) a porté sa critique auda-

cieuse sur les problèmes que soulève la rédaction des Évangiles; Charles Guignebert (1869-1939) a fait la synthèse de ce que nous savons sur les premiers siècles du christianisme; Pierre Imbart de La Tour (1860-1925) a décrit *les Origines de la Réforme* (3 vol., 1905-1914); Georges Goyau (1869-1939) s'est consacré à l'histoire de *l'Allemagne religieuse* (4 vol., 1905-1908), particulièrement au XIXe siècle (*Bismarck et l'Église*, 2 vol., 1911), et il a étudié avec autant d'exactitude que de hauteur d'esprit les rapports des religions.

Gaston Maspero (1846-1916) et les égyptologues formés par lui ont dignement continué la tradition de Champollion. On doit à Stéphane Gsell (1864-1932) une magnifique *Histoire ancienne de l'Afrique du Nord* (1913 et suiv.) Le Japon, la Chine, l'Inde, l'Asie centrale, dont le passé était jusqu'à nos jours si mal connu, trouvent dans l'histoire des civilisations humaines la place à laquelle ils ont droit, grâce à Édouard Chavannes (1866-1918), à Sylvain Lévi, à Eugène Pelliot, à Henri Maspero et à leurs disciples. Antoine Meillet (1866-1936) a formé une belle école de linguistes.

Enfin, parmi les sciences qui se sont développées depuis cinquante années à côté de l'histoire proprement dite, il faut faire une place à part à l'histoire de l'art. De purement esthétique et littéraire, elle est devenue beaucoup plus rigoureuse; elle s'appuie, elle aussi, sur les documents et sur l'étude de la technique; mais, pour être plus savante et plus préoccupée des problèmes de pure érudition, elle n'a pas cessé de s'adresser au public cultivé, comme le prouvent les beaux ouvrages de René Cagnat, de Max Collignon, d'Edmond Potier, de Gustave Fougères, de Henri Lechat sur l'Antiquité, les grandes études d'Émile Mâle (né en 1862) sur *l'Art religieux du XIIIe siècle en France* (1898), sur *l'Art religieux de la fin du moyen âge en France* (1907), sur *l'Art religieux du XIIe siècle en France* (1923). *L'Histoire de l'Art depuis les premiers temps chrétiens jusqu'à nos jours* (1905-1929), œuvre considérable composée sous la direction d'André Michel (1853-1925), rassemble les connaissances actuellement acquises sur notre patrimoine artistique. Et l'on doit mentionner tout au moins dans cette revue, si rapide soit-elle, les livres d'Émile Michel (1840-1907) sur le XVIIIe siècle, de Charles Diehl (1859-1944) sur l'époque byzantine, d'Émile Bertaux (1869-1917) sur l'Italie méridionale.

Les écrivains qui se sont consacrés à l'histoire de nos artistes ou de nos monuments ont su profiter des travaux savants et retenir en même temps les enseignements esthétiques d'un Fromentin. Les ouvrages d'Édouard Schuré (1841-1929) et de Joséphin Péladan (1859-1918), ceux de Pierre de Nolhac et d'André Hallays, ceux de Jacques-Émile Blanche (1861-1942), de Robert de La Sizeranne (1866-1932), de Gustave Geffroy (1855-1926), de Gabriel Séailles (1852-1922), de René Schneider (né en 1869), de Camille Mauclair (1872-1945), de Gabriel Faure (né en 1877), de Louis Gillet (1876-1943), de Henri Focillon (1881-1943), de Louis Hourticq (1877-1944) et les délicats écrits de Camille Bellaigue (1858-1930) sur la musique, attestent l'heureuse continuité de la tradition qui veut que des ouvrages appuyés sur des études techniques soient composés pour le grand public par des écrivains dignes de ce nom.

VIII. - LA SCIENCE ET LA PHILOSOPHIE
LES SAVANTS

A consulter : la Science française, 1915, nouvelle édition refondue, 1933, 2 volumes.

Le mouvement scientifique, bien qu'il n'appartienne pas à l'histoire de la littérature, est cependant inséparable de l'évolution des idées. C'est lui qui modifie notre conception du monde, c'est lui aussi qui modifie les conditions de notre existence. Si la civilisation matérielle n'a que peu d'influence sur l'essence même de la vie spirituelle, elle exerce une action incontestable sur nos mœurs. Peu d'époques ont subi plus de transformations que la nôtre. En tout ordre, la rapidité l'emporte, peut-être au détriment de la profondeur; mais elle entraîne avec elle la curiosité, une sorte de cosmopolitisme et une multiplicité qui va jusqu'à l'universel. Par voie de conséquence, ce sont les manières de vivre et de sentir qui sont renouvelées, et c'est au fond la matière même qu'observent et que traduisent tous les écrivains.

Malgré le grand développement pris de nos jours par la science, nous n'avons pas une littérature scientifique analogue à celle du XVIIIᵉ siècle. Les sciences sont allées se séparant les unes des autres, se spécialisant : chacune d'elles a été l'objet d'un effort international, mais aucune n'a été le sujet d'un de ces livres généraux qui résument un état de connaissances. Beaucoup de grands savants n'ont rien publié qui soit accessible aux profanes. Ils se sont consacrés à la réorganisation de l'enseignement en France, ce qui a été une des grandes œuvres accomplies après 1870, ou à leurs recherches personnelles. La plupart sont restés des spécialistes. Ni les travaux de nos géomètres comme Darboux, Émile Picard, Paul Appell, Paul Painlevé, Jacques Hadamard, ni les études de Camille Jordan sur l'algèbre, ni les travaux d'un Mascart, d'un Lippmann en physique, d'un Moissan en chimie, d'un Émile Roux en biologie n'ont été exposés dans des ouvrages qu'une histoire de la littérature puisse retenir. On ne peut rien citer de Pasteur, hormis ses lettres. Les découvertes sur la lumière, les hypothèses sur les molécules pondérables ont cependant bien changé nos idées sur le monde. Il semble que le mouvement rationaliste qui avait donné aux sciences une direction purement mathématique depuis Descartes et Newton soit achevé. Physique et biologie, tout a été renouvelé et la méthode expérimentale propre à l'étude de la nature a commencé de montrer son pouvoir. Les hommes de science dont les écrits ont eu le plus de portée après la guerre sont encore ceux de l'époque précédente : Claude Bernard, et ensuite Berthelot. Après eux, on peut citer deux biologistes bien différents : l'un spiritualiste, Joseph Grasset (1849-1910), auteur des *Limites de la biologie* (1906); l'autre matérialiste, Félix Le Dantec (1869-1917), auteur des *Limites du connaissable* (1903) et de *l'Athéisme* (1907), qui ont écrit des ouvrages dont les conclusions ont un caractère philosophique et général. Mais le dernier demi-siècle a compté du moins un savant illustre qui a été un écrivain, Henri Poincaré.

Henri Poincaré a été l'un des plus grands esprits de son temps. Dans une carrière trop courte (1856-1912), il a pu écrire plus de trente livres et près de cinq cents mémoires. D'une prodigieuse activité d'intelligence, d'une rapidité de conception plus prodigieuse encore, il a été la pensée vivante des sciences rationnelles de son époque. Mathématiques, astronomie, physique, cosmogonie, géodésie, il n'est rien, dans l'ordre de ces sciences, qu'il n'ait compris et approfondi. Des problèmes aussi différents que ceux de la télégraphie sans fil, de la radiologie, de la naissance de la terre ont retenu son attention; il a eu ce don incomparable de pouvoir faire tenir dans sa pensée toutes les pensées.

HENRI POINCARÉ. — CL. H. MANUEL.

La plupart de ses livres ne sauraient être compris sans une forte culture spéciale, et certaines de ses théories ne peuvent l'être que d'un nombre infime de savants. S'il est possible de donner une impression de son génie, c'est en disant qu'il a été non pas seulement un grand mathématicien, mais la mathématique elle-même.

Une grande puissance d'invention, une force d'intuition qui lui permettait de saisir la vie de toutes les doctrines, d'apercevoir entre elles des rapports inconnus, d'animer les êtres algébriques sont ses qualités dominantes. Henri Poincaré a lui-même signalé ce qu'il y avait d'esthétique dans sa méthode, et la parenté qui unit la création artistique à la recherche scientifique : « Le savant digne de ce nom, a-t-il écrit, le géomètre surtout, éprouve en face de son œuvre la même impression que l'artiste; sa jouissance est aussi grande et de même nature. Si nous travaillons, c'est moins pour obtenir des résultats positifs auxquels le vulgaire nous croit uniquement attachés, que pour ressentir cette émotion esthétique et la communiquer à ceux qui sont capables de l'éprouver. » Peu curieux de se mettre au courant des travaux qui ont précédé les siens, il se place devant les problèmes eux-mêmes, et s'il lui est arrivé de retrouver des résultats déjà acquis par Jacob, par Laplace ou par lord Kelvin, il est parti de là pour aller plus loin et pour découvrir des solutions nouvelles. Qu'il s'agisse de la physique, de la mécanique céleste, de l'électromagnétique, il a été original et éminent toutes les fois qu'il s'est intéressé à une science assez avancée pour prendre, au moins en certaines de ses parties, la forme mathématique.

Ce sont surtout ses écrits sur la philosophie des sciences qui l'ont rendu célèbre dans le public dont la culture n'est pas principalement scientifique. Non qu'ici encore ses livres soient accessibles aux profanes; mais il s'est attaché à écrire des ouvrages d'une portée générale. Simple, rapide, imagé, à la fois concis et par endroits plein de poésie, Henri Poincaré est un écrivain original et vigoureux. Il a dans le style quelque chose de direct et de concret; il a dans le ton à la fois de la bonhomie et une ironie un peu paradoxale, qui fait impression. Invitant le public aux plus hautes spéculations, il y met tant d'aisance qu'il donne l'illusion d'être parfaitement intelligible à tous.

Le grand prestige de son nom a donné à tout ce qu'il a écrit une autorité particulière. Certaines formules de lui ont fait fortune, comme des maximes universellement acceptées :

« Tout ce qui n'est pas pensée est le pur néant. »

« La pensée n'est qu'un éclair au milieu d'une longue nuit, mais c'est cet éclair qui est tout. »

Depuis Descartes et Pascal, jamais savant n'avait répandu ainsi sa parole.

Il n'y a pas de système construit par Henri Poincaré. Libre de toute attache, il a procédé par des affirmations successives, qui se complètent et parfois se corrigent, et qui sont matière à réflexions fécondes. Les plus connues sont relatives au caractère conventionnel de la géométrie, à l'évolution des lois de la nature, à l'importance de la commodité dans la constitution des sciences. En étudiant les notions d'espace et de temps, en analysant la différence qui existe entre le fait brut et le fait scientifique, en mettant en relief l'intervention du savant dans le choix des phénomènes observés, Henri Poincaré s'est toujours appliqué à montrer que la science traduit les affirmations du sens commun dans une langue conventionnelle. Par là, il a contribué à situer exactement la connaissance scientifique positive à sa vraie place dans l'ensemble des activités humaines; et son livre sur *la Science et l'hypothèse* (1902) est connu du monde entier; il a été traduit dans toutes les langues; il a été adopté du public français avec un empressement où il y avait plus de généreuse curiosité que de compétence.

C'est avant tout une sorte de Discours de la méthode dans lequel un savant montre à la fois l'étendue et la limite de la connaissance scientifique. Les interprétations un peu simples auxquelles a donné lieu cet ouvrage ont amené l'auteur à préciser sa pensée dans deux autres écrits : *la Valeur de la science* (1905); *Science et Méthode* (1918).

L'influence de ces ouvrages n'a peut-être pas été tout à fait conforme à celle que souhaitait l'auteur. Henri Poincaré, intellectualiste, se trouve avoir fourni des arguments au mouvement pragmatiste. L'idée d'une science unique résolvant tous les problèmes a hanté de tous les temps les esprits; c'est l'idée où se plaisait la pensée grecque, encore jeune et aventureuse. Toute la doctrine moderne a abouti à cette conclusion qu'il n'y a pas une science, mais des sciences, ayant chacune son objet et sa méthode; que chacune dans son domaine est souveraine pour analyser; que chacune aussi s'arrête devant un problème qui ne lui appartient plus, et que les philosophes prennent les problèmes là où les sciences les quittent.

LA PHILOSOPHIE

C'est en 1870 que Taine avait fait paraître les deux volumes de son ouvrage *De l'intelligence*. C'est en 1871 que Renan publie *la Réforme intellectuelle et morale*. Dès cet instant se trouvent définies les deux tendances qui vont se manifester jusqu'à nos jours, dont l'une ne cessera d'avoir ses défenseurs, dont l'autre aura des partisans de plus en plus nombreux et, modifiée d'ailleurs par des apports successifs, deviendra prépondérante. De ces deux doctrines, l'une, qui prend son point d'appui dans la science, et qui a subi, par l'intermédiaire de Littré, l'influence d'une partie de l'œuvre de Comte, sera surtout mécaniste, rationaliste et déterministe; l'autre fera sa part à l'inconnaissable et à la liberté humaine; elle sera spiritualiste et aura des préoccupations morales et métaphysiques.

L'Université tient la première place dans le mouvement philosophique : on peut même dire qu'elle tient toute la place et qu'il n'y a presque pas, en ce domaine, d'influence qui compte en dehors du haut enseignement. Au lendemain de 1870, c'est, en même temps que la philosophie scientifique, celle qu'on a appelée le scientisme et la philosophie de Kant qui règnent en maîtresses. Les livres de Charles Renouvier (1815-1903) ont fourni une transcription du kantisme à l'usage des esprits français, qui pendant longtemps a suffi à l'enseignement courant. Alfred Fouillée (1838-1912) essaya d'établir la relation entre le mouvement idéaliste et la science positive. Jean-Marie Guyau (1854-1888) a laissé l'esquisse d'une morale « sans obligation ni sanction ».

Mais trois philosophes surtout ont alors exercé par leur parole, par leurs

ÉMILE BOUTROUX. — CL. H. MANUEL.

écrits, et par la vigueur de leur personnalité, une action considérable sur les esprits. Félix Ravaisson (1813-1900), grand seigneur de la philosophie, a, par trois courts ouvrages profondément pensés, ramené l'attention sur les problèmes métaphysiques. Jules Lachelier (1832-1918), un vigoureux esprit, répandit le goût des hautes spéculations. Théodule Ribot (1839-1916), véritable fondateur de la psychologie expérimentale, fut le chef de l'école formée autour de la *Revue philosophique*, puis développée par Pierre Janet et par Georges Dumas, et il travailla à sa façon, en montrant le rôle de la vie subconsciente, à faire rentrer la notion d'énergie spirituelle dans les études philosophiques. Ce n'est pas que les recherches dans le sens d'une doctrine toute rationaliste et scientifique ne fussent pas continuées par de remarquables travaux. Lucien Lévy-Bruhl (1857-1939) s'est efforcé de constituer la science des mœurs (*la Morale et la science des mœurs*, 1903; *les Fonctions mentales dans les sociétés inférieures*, 1909), et Émile Durkheim (1858-1917), fondateur de l'*Année sociologique* (1896), a édifié une sociologie nouvelle (*les Formes élémentaires de la vie religieuse, le Système totémique en Australie*, 1912), bien différente de la psychologie sociale, surtout analytique et moins systématique, de Gabriel de Tarde (1843-1904; *la Logique sociale*, 1894; *Psychologie économique*, 1902), ou de Gustave Le Bon (1841-1931; *Psychologie des foules*, 1895). Mais on peut dire que la philosophie est de plus en plus emportée dans une autre direction. La fondation de la *Revue de métaphysique et de morale* marque en 1890 une date.

C'est ce qui apparaît avec clarté quand on étudie la philosophie d'Émile Boutroux (1845-1921), puisqu'on y distingue exactement le passage d'une époque à une autre. Professeur respecté dans l'Europe entière, connu pour ce qu'il y avait de vivant dans son enseignement et de charmant dans sa parole, Émile Boutroux a publié en 1874, comme thèse de doctorat, son ouvrage, *De la contingence des lois de la nature*. Il avait d'abord été sous l'influence de Kant et de la philosophie allemande. Elle ne l'avait pas pleinement satisfait. Et déjà sa thèse avait montré quelles étaient ses tendances. Plus tard, les circonstances et ses recherches le mirent en contact avec l'Amérique, dont les universités sont définitivement entrées dans la vie intellectuelle internationale, et il connut dans l'une d'elles un grand esprit, William James. Dès lors, la philosophie d'Émile Boutroux a été sans cesse en progressant de l'idée de liberté, qui lui avait été chère dès le début, à l'idée de spiritualité. En son livre sur *l'Idée de la loi naturelle* (1895), en son livre sur *Pascal* (1900), plus encore en son ouvrage intitulé *Science et religion dans la philosophie contemporaine* (1908), on le voit s'orienter vers la métaphysique, non pour construire un système, mais pour rassembler un certain nombre d'idées auxquelles il donna l'éclat d'une haute expression.

Beau-frère du mathématicien Henri Poincaré, ami du mathématicien Jules Tannery, Émile Boutroux avait toujours vécu dans la familiarité de la pensée scientifique. Mais, élève de Lachelier, il avait toujours été préoccupé, aussi, de l'étude des idées morales. Se trouvant en présence de deux ordres de faits également incontestables et dont la réalité était démontrée par expérience, les faits scientifiques et les faits psychologiques, il a cherché à concilier par des méthodes intellectuelles ces données à la fois nécessaires et en apparence irréductibles. Il a commencé par une analyse approfondie de l'idée de loi naturelle, et il s'est efforcé de montrer qu'il y avait des lois et non pas une seule loi. En distinguant les phénomènes physiques et chimiques des phénomènes biologiques, puis des phénomènes moraux, il dégageait cette conclusion que les lois de la nature ont une certaine indépendance les unes par rapport aux autres. Il s'ensuivait que, contrairement à ce que pensait Taine, l'univers ne dérive pas tout entier d'un fait général semblable aux autres ; qu'il n'y a pas une loi génératrice, d'où toutes les autres se déduisent ; que le supérieur ne s'explique pas par l'inférieur. C'était alors une nouveauté hardie. Le philosophe conduisait à cette pensée que la réalité n'est pas une et que c'est aller contre l'esprit scientifique que vouloir appliquer la même règle à toute la réalité. Dès lors, il n'y avait plus pour Émile Boutroux aucune raison de rejeter au nom des sciences la tradition philosophique et religieuse, laquelle s'exerce dans un domaine qui n'est pas celui des sciences. La philosophie n'est pas faite, elle se fait ; les théories et les systèmes ne représentent que des étapes.

Toute l'œuvre d'Émile Boutroux a été inspirée par ces idées directrices. Pendant longtemps, après 1874, il est retourné à l'étude de l'histoire de la philosophie et il s'est efforcé de montrer qu'aucune œuvre ne s'expliquait complètement par les circonstances, par l'état des connaissances à telle ou telle époque. Il a cherché quelle part il fallait faire à l'invention propre du philosophe, à sa vitalité personnelle, à son génie. L'étude qu'il a consacrée à Pascal, celle qu'il a consacrée plus tard à William James, ont achevé de définir sa position. Il a combattu toute sa vie contre la doctrine qui fait du monde un mécanisme universel, et contre le naturalisme qui réduit tout à des phénomènes physiologiques. Il a été l'un des premiers à critiquer, au nom de la raison, le rationalisme scientifique qui régnait avant lui.

C'est à Henri Bergson (1859-1941) qu'il était réservé de renouveler la philosophie et d'aller, par une méthode toute différente et originale, plus loin encore dans la voie où s'était engagé Émile Boutroux. Son œuvre a exercé une grande influence sur les esprits dès 1889 et surtout après 1900. Adoptée souvent avec plus d'ardeur que de réflexion, parfois mal comprise, et critiquée sans justice à cause des conséquences qu'on prétendait à tort en tirer, elle s'est trouvée, par une rencontre de circonstances, agir contre les excès de l'intellectualisme et dans le même sens que le mouvement symboliste. Elle a amené dans tous les domaines, qu'il s'agisse d'esthétique ou d'éducation, à un examen de tout ce qui concerne les conditions de l'activité et de la création intellectuelles. Henri Bergson ne souscrivait pas à toutes les conclusions que tirait, par exemple, de ses doctrines, Georges Sorel, auteur des *Réflexions sur la violence* (1908). Il reconnaissait au contraire volontiers son influence dans Édouard Le Roy (né en 1870 ; *l'Exigence idéaliste et le fait de l'évolution*, 1927 ; *les Origines humaines et l'évolution de l'intelligence*, 1928 ; *la Pensée intuitive*, 1929-1930). Une œuvre comme la sienne, rigoureuse, fondée sur de longues recherches, ne se laisse pas pénétrer aussi rapidement qu'on l'imagine. Mais c'est le propre des œuvres originales et fécondes que de répandre dans une époque quelques notions qui agissent par leur force attractive, et de déterminer un grand nombre de démarches nouvelles dans tous les ordres de la connaissance.

Depuis le premier livre qu'il a publié, en 1888, l'*Essai sur les données immédiates de la conscience*, dix années environ ont séparé chacun de ses ouvrages. *Matière et Mémoire, essai sur la relation du corps à l'esprit*, date de 1896 ; *l'Évolution créatrice*, de 1907 ; *l'Énergie spirituelle*, de 1920 ; *les Deux Sources de la morale et de la religion*, de 1932.

C'est dire qu'il ne saurait être question de faire en quelques lignes un examen approfondi de travaux qui ont rempli toute la vie de l'illustre philosophe.

On ne peut comprendre les œuvres de Henri Bergson que si on les saisit dans leur enchaînement et que si on observe comment l'expérience les lui a, pour ainsi dire, imposées. Jamais philosophe n'a été moins théoricien, moins constructif, et n'est parti d'une idée moins préconçue. L'étude de la réalité a même conduit Henri Bergson très loin des préférences qu'il avait à ses débuts. Dans sa jeunesse il était spencérien, mécaniste, presque matérialiste. Il avait peu de goût pour la psychologie. Mais, réfléchissant, alors qu'il était professeur à Clermont-Ferrand, dans le pays de Pascal, sur certaines difficultés qu'il trouvait dans la mécanique de Spencer, il s'aperçoit que ce philosophe ne tient pas compte du temps ; il s'aperçoit même que les philosophes ne tiennent jamais compte du temps. Ou plutôt, ce que les philosophes désignent par ce mot est une mesure conventionnelle, qui est de l'espace, de la même manière que nous apprécions le temps par l'espace parcouru par des aiguilles sur un cadran. Mais le temps lui-même, la durée, celle qui ne se mesure pas, que nous sentons cependant être une réalité profonde, que nous apercevons à l'intérieur de nous-mêmes : de celle-là, les philosophes ne se sont pas occupés. Bergson se demande ce que deviendrait la philosophie si on y faisait rentrer la notion de la durée concrète. Tel est son point de départ. Il étudie alors la vie intérieure, il approfondit la psychologie et il rencontre ce phénomène de la liberté qui a soulevé depuis qu'il y a des philosophes tant de difficultés et d'objections. Or la liberté, que le raisonnement a quelque peine à démontrer, lui paraît la réalité même. La vie de l'âme telle que la décrit Bergson est quelque chose de mouvant, quelque chose qui jaillit et qui s'écoule ; elle consiste dans le mouvement même, mouvement difficile à exprimer, puisqu'il s'agit non pas de faits accomplis dans l'espace, mais de faits purement psychologiques. Nos habitudes de penser, notre langage nous gênent même pour traduire notre vie intérieure, parce que nous avons coutume de penser des choses matérielles et que notre langage immobilise ce dont nous parlons. De là, chez Bergson, un style fluide, imagé, qui joint à la rigueur scientifique une qualité toute poétique et un pouvoir d'évocation dignes de l'art platonicien.

Mais un autre problème sollicitait aussitôt le philosophe. Si l'homme est libre, comment cette liberté peut-elle s'exprimer ? Tout, en effet, se manifeste par des actes, c'est-à-dire par des mouvements dans l'espace, mouvements non prévus. Il y a, par conséquent, influence de l'esprit sur la matière, et cette influence est mystérieuse, puisqu'elle fléchit les lois du déterminisme universel. Ainsi l'antique problème des rapports de l'âme et du corps se posait. Bergson étudie la question de la mémoire, qui implique la question de l'action du mental sur le cérébral. Après cinq années de labeur, il arrive aux conclusions qui sont exposées dans *Matière et Mémoire* et d'où il résulte que, si l'esprit a pour instruments de transmission les organes matériels, il peut agir sur eux.

Alors une nouvelle question se pose, infiniment grave. Étant donné qu'il y a relation entre le mental et le cérébral, pourquoi le mental se double-t-il du cérébral ? Ici le problème ne pouvait être résolu si on étudiait l'homme seul : il fallait considérer les différentes espèces, il fallait considérer la vie dans son ensemble. Le champ immense de la biologie s'ouvrait devant Bergson. Il aboutit à une conception du monde que l'on peut résumer ainsi : d'un côté, la matière, où tout est inertie et nécessité ; de l'autre, l'élan vital, l'évolution créatrice, le principe spirituel de la vie, qui est un immense effort tenté par la pensée pour obtenir de la matière quelque chose que la matière ne voudrait pas lui donner. Dans ce grand mouvement des créatures vivantes, l'homme a sa place et Bergson a résumé sa pensée dans cette phrase souvent citée pour sa magnificence : « Comme le petit grain de poussière est solidaire de notre système solaire tout entier, entraîné avec lui dans ce mouvement indivisé de descente qui est la matérialité même, ainsi tous les êtres organisés, du plus humble au plus élevé, depuis les premières origines de la vie jusqu'au temps où nous sommes et dans tous les lieux comme dans tous les temps, ne font que rendre sensible aux yeux une impulsion unique inverse du mouvement de la matière et en elle-même indivisible. Tous les vivants se tiennent et tous cèdent à la même formidable poussée. L'animal prend son point d'appui sur la plante, l'homme chevauche sur l'animalité, et l'humanité entière, dans l'espace et dans le temps, est une immense armée qui galope à côté de chacun de nous, en avant et en arrière de nous, dans une charge entraînante, capable de culbuter bien des obstacles, même peut-être la mort. » C'est sur cette vue d'ensemble, pleine de splendeur, que se terminait le livre célèbre de *l'Évolution créatrice*.

HENRI BERGSON. — CL. H. MANUEL.

L'influence de la philosophie de Henri Bergson s'explique non seulement par sa nouveauté, mais par l'état des doctrines métaphysiques au moment où elle s'est manifestée. Ceux qui défendaient les notions d'âme et de contingence ne pouvaient se dispenser d'accepter la position du problème établie par leurs contradicteurs. L'effort personnel de Bergson a été de montrer que les questions se posaient tout autrement qu'on ne disait, de procéder à une analyse plus approfondie de la réalité psychologique, et de faire rentrer dans la philosophie, par l'expérience même, un spiritualisme nouveau. En tous pays, les idées de Bergson ont été étudiées avec passion; nulle part elles n'ont eu peut-être un plus rapide essor que dans les pays anglo-saxons et dans les pays latins. Bergson, à travers Maine de Biran et les moralistes français, rejoignait Aristote. Il représentait un courant qui a toujours existé dans l'histoire de la philosophie. L'Allemagne a été plus lente à se laisser persuader. C'est qu'il n'y a rien de plus opposé à la philosophie allemande que la philosophie de Bergson. La pensée germanique est relativiste et constructive, la pensée de Bergson au contraire est analytique et expérimentale; elle représente le plus grand effort vers un réalisme complet et elle fait rentrer la métaphysique elle-même dans l'expérience. Telle qu'elle est, qu'on l'approuve ou qu'on la récuse, elle s'est imposée à l'attention universelle.

IX. — ORATEURS ET JOURNALISTES

L'éloquence parée, un peu redondante et romantique, qui avait longtemps séduit, n'a presque pas eu de représentants après la guerre de 1870. Léon Gambetta (1838-1882), célèbre par la chaleur de sa parole, ne parut que quelques années à la tribune. Seul Jean Jaurès (1859-1914), poète et philosophe, très instruit et très travailleur, sorte de Chateaubriand épanoui au soleil méridional, pratiqua avec une maîtrise supérieure un art oratoire où l'argumentation était enveloppée d'ornements. Le goût désormais incitait à plus de sobriété. La nature des débats

obligeait à des développements où les considérations de morale et de politique ne pouvaient plus suffire : une éloquence d'affaires s'est imposée. Les orateurs même qui retenaient encore quelque chose des traditions romantiques, comme Albert de Mun (1841-1914), tendaient moins à émouvoir qu'à prouver. Challemel-Lacour (1827-1896) donne le premier un modèle de cette éloquence précise, serrée, qui tire tous ses effets de la rigueur du raisonnement et de la propriété du langage. Avec les différences inévitables qu'imposent les tempéraments, cet art oratoire a été celui de toute l'époque contemporaine : âpre et vigoureux chez Jules Ferry (1832-1893), plus simple et plus familier chez Léon Say (1826-1896) et Édouard Aynard (1837-1913), plus énergique et plus distant chez Albert de Broglie (1821-1901), plus aisé et plus pourvu d'autorité chez Alexandre Ribot (1842-1923), plus direct et plus froid chez René Waldeck-Rousseau (1846-1904), plus épris de logique chez Raymond Poincaré (1860-1934), d'une chaleur plus continue et plus persuasive chez Aristide Briand (1862-1932). Et la même évolution est sensible dans l'éloquence judiciaire d'un Barboux, d'un Chenu, d'un Manuel Fourcade, d'un Henri-Robert ; dans l'éloquence religieuse du P. Monsabré (1827-1906), du P. Didon (1840-1900), du P. Sertillanges (1863-1948), du P. Sanson (né en 1885).

La presse, qui avait commencé de prendre une place considérable dans la vie publique dès le commencement du XIXe siècle, s'est développée au point qu'il n'est pas d'écrivain ou d'homme politique qui n'ait fait, au moins de temps en temps, œuvre de journalisme. Elle a été alors l'intermédiaire obligé entre le public et ceux qui, à quelque titre que ce soit, s'adressent à l'opinion publique. Georges Clemenceau (1841-1929), plus encore qu'un orateur incisif et qui excellait dans l'improvisation de dix minutes, a été un polémiste plein de verve, d'esprit rapide, abondant en traits mordants et en formules satiriques. Jaurès a été moins journaliste qu'orateur; mais il s'est montré adroit, plus nuancé dans la presse qu'à la tribune, souvent spirituel et dialecticien supérieur. Maurice Barrès a écrit, sous forme d'articles de journal, un de ses chefs-d'œuvre, *Dans le cloaque* (1914). Édouard Drumont, Henri Rochefort ont occupé une grande place dans les controverses de presse après 1870 et jusqu'à la fin du XIXe siècle.

Georges Sorel (1847-1922) a développé une doctrine assez curieusement révolutionnaire, quelque peu marxiste, surtout anti-intellectualiste et antidémocratique (*le Procès de Socrate*, 1889; *les Illusions du progrès*, 1908, etc.). Ses *Réflexions sur la violence* (1908) ont retenti, avec de singuliers ricochets, jusque hors des frontières de France.

Au début du XXe siècle, les traditions du journalisme ont été maintenues, malgré le développement des nouvelles télégraphiques et du « reportage ». Paul Bourget, Jules Lemaitre, Émile Faguet, Henri Lavedan, Alfred Capus, Robert de Flers ont écrit régulièrement dans les journaux.

Chaque grand journal, surtout parmi les journaux de doctrine, a eu son équipe d'écrivains continuant les traditions de John Lemoine et d'Hervé et traitant, avec des préoccupations de clarté et de correction de style, les questions politiques, diplomatiques, économiques et littéraires : *le Temps* avec Francis de Pressensé, André Tardieu, Eug. Lautier ; le *Journal des Débats* avec André Heurteau, Francis Charmes, Jules Dietz, A. Gauvain, André Chaumeix ; *le Gaulois* avec L. Corpechot ; *le Figaro* avec Alfred Capus, succédant à Villemessant et F. Magnard ; *l'Action française* avec Ch. Maurras (né en 1868), polémiste de grand talent, souvent violent, qui a combattu ardemment le romantisme et défendu les disciplines littéraires qu'il jugeait accordées à sa théorie monarchiste, Léon Daudet, J. Bainville ; *l'Œuvre* avec G. Téry et Robert de Jouvenel.

En outre, plusieurs journaux ont gardé la coutume des feuilletons dramatique, littéraire et historique, conçus comme un commentaire, une explication et une appréciation des œuvres nouvelles. L'article de critique littéraire a été rédigé au *Temps* par Gaston Deschamps (1861-1931), puis par Paul Souday (1869-1929) ; celui des *Débats* par H. Chantavoine, par Henry Bidou et André Chaumeix. Le feuilleton dramatique des *Débats* a été illustré par J. Lemaitre, É. Faguet, H. de Régnier, Henry Bidou, André Bellessort. Au *Temps*, après la magistrature célèbre de Francisque Sarcey (1827-1899), se sont succédé Adolphe Brisson et Pierre Brisson. Au *Figaro*, Robert de Flers a été le critique dramatique, spirituel et vivant, et après lui Gérard d'Houville, qui en fit une chronique pleine d'éclat et de fantaisie. A *l'Action française*, Eugène Marsan et Lucien Dubech ont été avec vigueur les défenseurs des idées classiques. Le journalisme a été ainsi, avec le régime parlementaire, l'instrument de la vie politique, et avec les revues, l'instrument de la vie intellectuelle.

X. — A LA VEILLE D'UNE PÉRIODE NOUVELLE

Quand s'achève la période de 1870 à 1914, les écrivains qui l'ont dominée sont pour la plupart en pleine activité et prolongeront plusieurs années encore leur pouvoir sur le public qui lit. Parmi les philosophes Henri Bergson, parmi les poètes Henri de Régnier, parmi les romanciers et les auteurs d'essais Paul Bourget, Maurice Barrès, Anatole France, André Gide vont continuer leur œuvre.

D'autres influences cependant commencent de se faire sentir, selon la loi des changements qui gouverne la suite des générations. Dans les années qui suivent immédiatement 1914, quels sont les écrivains vers qui se tourne volontiers la jeunesse ? C'est d'abord Charles Péguy, qui est tué à la bataille de la Marne et qui laisse une œuvre originale dont l'influence à la fois traditionnelle et indépendante va se prolonger longtemps. C'est Claudel, qui a marqué au théâtre et dans la poésie la renaissance chrétienne. C'est Marcel Proust, dont le premier volume *(Du côté de chez Swann)* paraît en 1913, et qui a donné un élan nouveau au goût de l'analyse.

Les auteurs qui vont, entre 1914 et 1940, publier leurs œuvres ont vingt-cinq ans environ, parfois davantage. Quelques-uns ont déjà écrit un livre, mais par leurs ouvrages ils appartiennent à la période qui va s'ouvrir. Nous ne pouvons que nommer ici ceux qui ont à peine commencé de se faire connaître et qui vont ensuite tenir une grande place : les auteurs dramatiques comme Jean Giraudoux et J. Cocteau, les romanciers comme P. Benoit, Jules Romains, Maurice Genevoix, G. Duhamel, F. Mauriac, A. Maurois, P. Morand, R. Dorgelès, P. Mac Orlan, Alexandre Arnoux, et tant d'autres, les historiens comme Pierre Gaxotte, les critiques comme Charles Du Bos. De même Paul Valéry, qui a publié des vers entre 1889 et 1898 à *la Conque* et au *Centaure*, ne sort de son silence qu'en 1917 avec *la Jeune Parque* et ne donne *Charmes* qu'en 1922.

On ne peut terminer l'étude de cette période sans songer à toute la jeunesse qui a péri héroïquement, aux écrivains de tout âge que la guerre a enlevé aux lettres, comme Péguy, Alain Fournier, Adrien Bertrand, Ernest Psichari, P. Acker, Pierre Gilbert, Pierre-Maurice Masson, et beaucoup d'autres qui ont laissé à la fois le souvenir de leurs talents et de leur sacrifice.

Les épreuves de notre pays étaient loin d'être terminées. Vingt ans seulement séparent la paix de 1919 d'une autre guerre qui devait amener tant de souffrances et tant de grands changements dans la vie des peuples. A la lumière de ce qui l'a suivie, la période de 1870 à 1914, en dépit de ses difficultés et de ses agitations, laisse l'impression d'une époque heureuse de liberté d'esprit et de facilité, achevée par la manifestation de la bravoure, par un témoignage d'admirable vigueur morale et par la victoire. Elle fait connaître les puissances de restauration et de rénovation qu'a eues alors notre pays.

Cette étude de cinquante années de notre littérature ne peut être que l'esquisse d'une histoire qui ne sera écrite que plus tard. Elle permet d'indiquer le mouvement général des idées, les rapports qui unissent les tendances diverses, les proportions entre les écrivains. Au cours de ce demi-siècle l'esprit français a fait preuve d'une remarquable vitalité, et après bien des efforts de rajeunissement, il a su accorder les renouvellements nécessaires avec les disciplines accoutumées. C'est le caractère profond de cette période que toutes les écoles y ont achevé leur œuvre et lui ont légué ce qu'elles avaient de meilleur. Si elles ne sont pour la plupart que des souvenirs, c'est que les écrivains ont gardé l'essentiel et laissé périr l'excès. Rationalisme scientifique et spiritualisme, nationalisme et libéralisme, poésie du Parnasse, romantisme et symbolisme sont arrivés à ce point d'évolution où chaque doctrine retient quelque chose des autres et en porte le reflet. C'est le résultat d'un long travail, accompli avec un égal amour des lettres par des écrivains bien différents. A la veille d'un destin nouveau, nos écrivains ont laissé à leurs fils ce magnifique héritage ; ils ont rassemblé les traits éternels de la sagesse et de l'art de notre pays.

JEAN JAURÈS. L'orateur est saisi en pleine action, tandis qu'il harangue la foule. — CL. BRANGER.

LE PALAIS DE CHAILLOT. Ce monument fut érigé pour l'Exposition internatio[...]

LE XXᴱ SIÈCLE

L'ÉPOQUE CONTEMPORAINE DE 1919

I. — L'ÉPOQUE ET LES INFLUENCES

René Lalou, Histoire de la littérature française contemporaine (1870 à nos jours), *2 vol., édition de 1946; Marcel Braunschvig*, la Littérature française contemporaine étudiée dans les textes (de 1850 à nos jours), *édition de 1946; Daniel Mornet*, Histoire de la littérature et de la pensée françaises contemporaines (1870-1934), *édition de 1946; Christian Sénéchal*, les Grands Courants de la littérature française contemporaine, *1934; René Groos et Gonzague Truc*, les Lettres (*dans* Tableau du xxᵉ siècle, 1900-1933, *tome IV*), *1934; André Billy*, la Littérature française contemporaine. Poésie, romans, idées, *1927; Albert Thibaudet*, Histoire de la littérature française de 1789 à nos jours, *1936 ; Henri Clouard*, Histoire de la littérature française du symbolisme à nos jours, *2 vol., 1947-1949); Benjamin Crémieux*, XXᵉ siècle, *1924; —* Inquiétude et Reconstruction, *1931; Émile Bouvier*, Initiation à la littérature d'aujourd'hui, *1928; Denis Saurat*, Tendances, *1928; —* Modernes, *1935; André Berge*, l'Esprit de la littérature contemporaine, *1929; André Rousseaux*, Ames et visages du xxᵉ siècle, *1932; —* Littérature du xxᵉ siècle, *2 vol., 1939; Henri Peyre*, Hommes et œuvres du xxᵉ siècle, *1938; Maurice Nadeau*, Histoire du surréalisme, *1945 ; Paul Foulquié*, l'Existentialisme, *1946; Marcel Raymond*, De Baudelaire au surréalisme, *édition de 1940 ; Léon-Gabriel Gros*, Poètes contemporains, *1944; Pierre Brisson*, le Théâtre des années folles, *1943; Edmond Sée*, le Théâtre français contemporain, *édition de 1933 ; Georges Pillement*, Anthologie du théâtre français contemporain, *3 vol. 1945-1948; Jean E. Ehrhard*, le Roman français depuis Marcel Proust, *1932; René Lalou*, le Roman français depuis 1900, *1941; sous la direction de Jean Prévost*, Problèmes du roman, *1943; Louis Parrot*, l'Intelligence en guerre, *1945.*

La période littérai[...] en 1919 se rattache [...] la précède que ne le [...] les générations par l[...] des écrivains les plus [...] à appeler l'entre-de[...] importante de leur œ[...] par une société, assez [...] laquelle ils ont partic[...] ment opposés. Ils on[...] courants issus du rom[...] ralisme, au symbolism[...] ont provoquées, aux [...] du xixᵉ siècle; ils ont [...] français ou étrangers, [...] férents. Mais, même l[...] duction est postérieu[...] aisément de leurs pr[...] par goût, restent fidè[...] subissent le prestige [...] les plus révoltés ne f[...] temporains pour se [...] de 1870.

Cependant un chan[...] ment préparé, s'était [...] dèrent 1914. Certain[...] A travers une série d'[...] insolites et qui, d'aill[...] ne laissent pas, par [...] temps, on fait remont[...] bien que celui-ci agis[...] que sa postérité, et, [...] Rimbaud. En fait, le[...] la guerre par des éc[...]

LES FANTÔMES.
Monument érigé en 1935 à la Butte Chalmont, près d'Oulchy-le-Château de la Marne (Paul Landowski, sculpteur

plus tard attestent une bien plus grande diversité d'influences, des tendances beaucoup moins homogènes et, pour quelques-unes d'entre elles, une originalité qui allait être bientôt un ferment de renouvellement.

Parmi les écrivains qui disparurent entre 1914 et 1924, les seuls qui eurent une influence notable sur les esprits furent Péguy, Alain Fournier, Apollinaire, Barrès et Proust. L'autorité morale de Péguy a été grande, mais, ni comme prosateur ni comme poète il n'a eu, ni ne pouvait avoir, de disciples. Apollinaire a ouvert des voies nouvelles à la fantaisie et au mystère; mais son influence, renforcée par celle de poètes morts bien avant lui, comme Laforgue et Jarry, a été assez vite négligée au profit de Lautréamont, dont la résurrection a été un des phénomènes importants de cette période. Barrès, dont la séduction altière durait encore, a surtout offert à de jeunes ambitions une succession à prendre. Le rayonnement discret du *Grand Meaulnes*, d'Alain Fournier, a touché beaucoup de jeunes, mais seulement dans un étroit domaine de la sensibilité. C'est l'œuvre de Proust qui, à la fois par la pénétration de ses analyses et la magie de son style, fut la plus suggestive; son action continue encore à se faire sentir sourdement. Parmi les grands contemporains vivants, celui qui a exercé l'influence la plus considérable et dans des sens très divers, est certainement André Gide. Malraux et, plus récemment, Bernanos et Sartre, semblent destinés à jouer ce rôle d'excitateur, que Montherlant a perdu. Un des traits les plus curieux de ces trente dernières années, et qui les oppose au XIXᵉ siècle, est l'absence de maîtres et la disparition des écoles. Il y a bien eu des groupements, dont un ou deux très actifs : le surréalisme, l'existentialisme, mais sans chefs véritables.

Les influences philosophiques n'ont été ni très nouvelles ni très profondes, du moins du côté français. Le bergsonisme a agi encore quelque peu, surtout sur des auteurs qui avaient atteint leur maturité avant la guerre. Ni l'école sociologique française ni nos psychologues professionnels, pourtant si variés dans leurs recherches, n'ont trouvé beaucoup d'écho chez nos romanciers et nos dramaturges : une cloison étanche semble les séparer. Jacques Maritain et Alain ont plus agi par leur exemple que par leur doctrine. Les grandes influences sont venues de l'étranger. La plus importante a été incontestablement celle de Freud, dont la psychanalyse et le vocabulaire spécialisé se sont inscrits dans la littérature d'imagination et parfois dans la critique; le surréalisme y a puisé des autorisations. A une date plus récente, la phénoménologie et les philosophes allemands, Husserl, Heidegger, Jaspers, Max Scheler ont joué un rôle important dans la genèse de l'existentialisme français qui, d'autre part, s'appuyait sur un vieil écrivain danois, Kierkegaard. Quelques auteurs ont été touchés par la pensée hindoue ou séduits par ce qu'on a appelé un moment « les appels de l'Orient ». Keyserling a été plutôt lu que suivi; il en a été de même d'Unamuno; Benedetto Croce est connu des esthéticiens et Vilfredo Pareto des sociologues.

Les littératures étrangères ont, comme dans la période précédente, trouvé un large accueil, mais les auteurs que les traducteurs ont fait connaître n'ont pas sensiblement modifié l'inspiration et l'art de nos écrivains. Ce sont plutôt quelques-uns des grands noms connus bien auparavant (ni Ibsen, ni Kipling, ni Wells, ni Shaw, ni Whitman, ni d'Annunzio, ni même Tolstoï ne sont plus de ceux-là) qui ont continué à imprégner l'arrière-plan métaphysique : Nietzsche et Dostoïevski. Quand on aura rappelé que Pirandello, dont les romans et les contes sont à peine connus chez nous, a contribué par son théâtre à aiguiller les esprits sur les problèmes de la personnalité et fourni un ou deux modèles de pièces à nos dramaturges, que l'œuvre de Joyce a eu un grand retentissement dans un cercle limité, que le message de D. H. Lawrence a renforcé

celui de Freud et le renouveau du naturisme, favorisé également par Ramuz, que les romancières de langue anglaise (Virginia Woolf, Mary Webb, Katherine Mansfield, Rosamund Lehmann) ont déteint sur quelques romancières françaises, que la vogue d'un certain type brutal de roman américain a encouragé quelques romanciers, dont la technique ou le ton doit quelque chose à Dos Passos, Hemingway et Faulkner, on aura à peu près fait le tour des influences actuellement visibles. Kafka s'est trouvé étrangement accordé à certaines formes de sensibilité angoissée, et son symbolisme, comme celui de Melville, a rencontré des affinités. On s'est intéressé à un bien plus grand nombre d'écrivains étrangers, déjà anciens ou plus récents; on a traduit Emily Brontë, Samuel Butler, Hardy, Meredith, Henry James, Conrad, Chesterton, Huxley, Stephen Hudson, Charles Morgan, plus populaire en France qu'en Angleterre, T. S. Eliot, Rex Warner..., Dreiser et Sinclair Lewis, puis Caldwell, Saroyan, Steinbeck et Henry Miller..., Rilke et Thomas Mann, Stefan Zweig, Spengler, Fritz von Unruh, Remarque, Wassermann, Ernst Jünger...; la littérature nordique a eu ses succès de traduction, dont le plus grand a été celui de Sigrid Undset; la littérature soviétique commence à être connue (Maïakovsky, Pilniak, Alexis Tolstoï, Cholokhov, Ehrenburg...); on a goûté quelques Espagnols (Unamuno, Ramon Gomez de la Serna, Lorca...); cette curiosité sympathique a pu laisser des traces individuelles çà et là, on n'en saurait dégager la marque puissante du génie sur tout un groupe ou sur une génération.

Quant à l'influence des arts sur la littérature, il y a plutôt lieu de noter des communautés de tendances ou de doctrines, et des simultanéités de développement. On a parlé avec quelque abus de cubisme littéraire, alors qu'il y a eu surtout entre certains écrivains amateurs d'art et quelques peintres, notamment Picasso, des relations d'amitié. Au contraire, le surréalisme a bien été un mouvement qui a touché également la littérature, la peinture et, à un moindre degré, la sculpture et le cinéma, sans compter les arts décoratifs. Les historiens établiront probablement des similitudes entre le roman existentialiste et les œuvres de certains peintres. Les musiciens ont souvent collaboré avec les poètes et les dramaturges; mais leur musique n'a pas influencé la littérature, comme avait pu le faire autrefois le wagnérisme. Quelques écrivains se sont particulièrement intéressés au jazz, qui a donné matière à des évocations lyriques ou romanesques. Des essayistes ont remis en vigueur la notion du baroque, et il ne serait pas impossible, avec quelque ingéniosité, de l'appliquer à certains aspects de notre littérature, comme on pourrait y chercher de nouvelles formes de la préciosité. On a abondamment disserté sur toutes les formes d'art et sur leurs rapports, aussi bien dans les romans que dans la critique. On ne voit pas que la technique littéraire en ait été modifiée.

Les formes modernes de la civilisation ont joué un rôle plus certain dans l'activité littéraire. L'industrie et le machinisme ont continué à provoquer des réflexions et presque des philosophies. De grandes inventions ont agi sur l'imagination des écrivains, le cinéma surtout : il leur a suggéré des sujets, a influencé leur technique, et leur a imposé une nouvelle manière de voir. A un degré moindre, la radiodiffusion entretient avec la littérature un intéressant courant d'échanges qui a peut-être de l'avenir. Les moyens de circulation, particulièrement l'avion, ont fait naître un type assez nouveau de fiction. Il n'est pas difficile de trouver, dans le roman et dans l'essai, voire dans la poésie, des traces de la pratique des sports; nous avons connu, à côté de celle du métier, une éthique et un culte de l'athlétisme. La grande presse a étendu son action en même temps que s'amplifiaient les méthodes de la publicité et l'art de la réclame; la littérature en a été touchée de plus d'une façon.

LE XXᴱ SIÈCLE

LES FANTÔMES.

Monument érigé en 1935 à la Butte Chalmont, près d'Oulchy-le-Château (Aisne), en commémoration de la deuxième bataille de la Marne (Paul Landowski, sculpteur). — CL. KEYSTONE.

LE PALAIS DE CHAILLOT. Ce monument fut érigé pour l'Exposition internationale de 1937. — CL. LAROUSSE.

L'ÉPOQUE CONTEMPORAINE DE 1919 A NOS JOURS

I. — L'ÉPOQUE ET LES INFLUENCES

René Lalou, Histoire de la littérature française contemporaine (1870 à nos jours), *2 vol.*, *édition de 1946*; *Marcel Braunschvig*, la Littérature française contemporaine étudiée dans les textes (de 1850 à nos jours), *édition de 1946*; *Daniel Mornet*, Histoire de la littérature et de la pensée françaises contemporaines (1870-1934), *édition de 1946*; *Christian Sénéchal*, les Grands Courants de la littérature française contemporaine, *1934*; *René Groos et Gonzague Truc*, les Lettres (*dans* Tableau du xxᵉ siècle, 1900-1933, *tome IV*), *1934*; *André Billy*, la Littérature française contemporaine. Poésie, romans, idées, *1927*; *Albert Thibaudet*, Histoire de la littérature française de 1789 à nos jours, *1936*; *Henri Clouard*, Histoire de la littérature française du symbolisme à nos jours, *2 vol.*, *1947-1949*); *Benjamin Crémieux*, XXᵉ siècle, *1924*; — Inquiétude et Reconstruction, *1931*; *Émile Bouvier*, Initiation à la littérature d'aujourd'hui, *1928*; *Denis Saurat*, Tendances, *1928*; — Modernes, *1935*; *André Berge*, l'Esprit de la littérature contemporaine, *1929*; *André Rousseaux*, Ames et visages du xxᵉ siècle, *1932*; — Littérature du xxᵉ siècle, *2 vol.*, *1939*; *Henri Peyre*, Hommes et œuvres du xxᵉ siècle, *1938*; *Maurice Nadeau*, Histoire du surréalisme, *1945*; *Paul Foulquié*, l'Existentialisme, *1946*; *Marcel Raymond*, De Baudelaire au surréalisme, *édition de 1940*; *Léon-Gabriel Gros*, Poètes contemporains, *1944*; *Pierre Brisson*, le Théâtre des années folles, *1943*; *Edmond Sée*, le Théâtre français contemporain, *édition de 1933*; *Georges Pillement*, Anthologie du théâtre français contemporain, *3 vol. 1945-1948*; *Jean E. Ehrhard*, le Roman français depuis Marcel Proust, *1932*; *René Lalou*, le Roman français depuis 1900, *1941*; *sous la direction de Jean Prévost*, Problèmes du roman, *1943*; *Louis Parrot*, l'Intelligence en guerre, *1945*.

La période littéraire qu'on fait débuter par convention en 1919 se rattache plus étroitement au demi-siècle qui la précède que ne le laisserait croire le fossé creusé entre les générations par la première guerre mondiale. Bien des écrivains les plus représentatifs de ce qu'on commence à appeler l'entre-deux-guerres ont donné une partie importante de leur œuvre avant 1914 et ont été formés par une société, assez différente de la nôtre, à l'esprit de laquelle ils ont participé, même quand ils s'y sont fortement opposés. Ils ont pu être sensibles, ou se mêler, aux courants issus du romantisme et du positivisme, au naturalisme, au symbolisme, aux réactions que ces mouvements ont provoquées, aux tendances qui s'éveillaient à la fin du xixᵉ siècle; ils ont parfois accepté l'influence de maîtres, français ou étrangers, auxquels leurs cadets resteront indifférents. Mais, même les écrivains plus jeunes, dont la production est postérieure à la guerre, ne se séparent pas aisément de leurs prédécesseurs; sans compter ceux qui, par goût, restent fidèles à certaines traditions, beaucoup subissent le prestige des plus audacieux de leurs aînés, et les plus révoltés ne font que sauter par-dessus leurs contemporains pour se choisir des ancêtres aux alentours de 1870.

Cependant un changement du climat littéraire, longuement préparé, s'était manifesté dans les années qui précédèrent 1914. Certains ont voulu le qualifier de moderne, pour le distinguer à la fois du classique et du romantique, A travers une série d'œuvres longtemps considérées comme insolites et qui, d'ailleurs, dans leur nouveauté saisissante, ne laissent pas, par bien des côtés, d'appartenir à leur temps, on fait remonter ce modernisme jusqu'à Baudelaire, bien que celui-ci agisse moins déjà sur les imaginations que sa postérité, et, au sein de celle-ci, Mallarmé que Rimbaud. En fait, les grandes œuvres publiées peu avant la guerre par des écrivains dont les noms s'imposèrent plus tard attestent une bien plus grande diversité d'influences, des tendances beaucoup moins homogènes et, pour quelques-unes d'entre elles, une originalité qui allait être bientôt un ferment de renouvellement.

Parmi les écrivains qui disparurent entre 1914 et 1924, les seuls qui eurent une influence notable sur les esprits furent Péguy, Alain Fournier, Apollinaire, Barrès et Proust. L'autorité morale de Péguy a été grande, mais, ni comme prosateur ni comme poète il n'a eu, ni ne pouvait avoir, de disciples. Apollinaire a ouvert des voies nouvelles à la fantaisie et au mystère; mais son influence, renforcée par celle de poètes morts bien avant lui, comme Laforgue et Jarry, a été assez vite négligée au profit de Lautréamont, dont la résurrection a été un des phénomènes importants de cette période. Barrès, dont la séduction altière durait encore, a surtout offert à de jeunes ambitions une succession à prendre. Le rayonnement discret du *Grand Meaulnes*, d'Alain Fournier, a touché beaucoup de personnes, mais seulement dans un étroit domaine de la sensibilité. C'est l'œuvre de Proust qui, à la fois par la pénétration de ses analyses et la magie de son style, fut la plus suggestive; son action continue encore à se faire sentir sourdement. Parmi les grands contemporains vivants, celui qui a exercé l'influence la plus considérable et dans des sens très divers, est certainement André Gide. Malraux et, plus récemment, Bernanos et Sartre, semblent destinés à jouer ce rôle d'excitateur, que Montherlant a perdu. Un des traits les plus curieux de ces trente dernières années, et qui les oppose au XIXe siècle, est l'absence de maîtres et la disparition des écoles. Il y a bien eu des groupements, dont un ou deux très actifs : le surréalisme, l'existentialisme, mais sans chefs véritables.

Les influences philosophiques n'ont été ni très nouvelles ni très profondes, du moins du côté français. Le bergsonisme a agi encore quelque peu, surtout sur des auteurs qui avaient atteint leur maturité avant la guerre. Ni l'école sociologique française ni nos psychologues professionnels, pourtant si variés dans leurs recherches, n'ont trouvé beaucoup d'écho chez nos romanciers et nos dramaturges : une cloison étanche semble les séparer. Jacques Maritain et Alain ont plus agi par leur exemple que par leur doctrine. Les grandes influences sont venues de l'étranger. La plus importante a été incontestablement celle de Freud, dont la psychanalyse et le vocabulaire spécialisé se sont inscrits dans la littérature d'imagination et parfois dans la critique; le surréalisme y a puisé des autorisations. A une date plus récente, la phénoménologie et les philosophes allemands, Husserl, Heidegger, Jaspers, Max Scheler ont joué un rôle important dans la genèse de l'existentialisme français qui, d'autre part, s'appuyait sur un vieil écrivain danois, Kierkegaard. Quelques auteurs ont été touchés par la pensée hindoue ou séduits par ce qu'on a appelé un moment « les appels de l'Orient ». Keyserling a été plutôt lu que suivi; il en a été de même d'Unamuno; Benedetto Croce est connu des esthéticiens et Vilfredo Pareto des sociologues.

Les littératures étrangères ont, comme dans la période précédente, trouvé un large accueil, mais les auteurs que les traducteurs ont fait connaître n'ont pas sensiblement modifié l'inspiration et l'art de nos écrivains. Ce sont plutôt quelques-uns des grands noms connus bien auparavant (ni Ibsen, ni Kipling, ni Wells, ni Shaw, ni Whitman, ni d'Annunzio, ni même Tolstoï ne sont plus de ceux-là) qui ont continué à imprégner l'arrière-plan métaphysique : Nietzsche et Dostoïevski. Quand on aura rappelé que Pirandello, dont les romans et les contes sont à peine connus chez nous, a contribué par son théâtre à aiguiller les esprits sur les problèmes de la personnalité et fourni un ou deux modèles de pièces à nos dramaturges, que l'œuvre de Joyce a eu un grand retentissement dans un cercle limité, que le message de D. H. Lawrence a renforcé

celui de Freud et le renouveau du naturisme, favorisé également par Ramuz, que les romancières de langue anglaise (Virginia Woolf, Mary Webb, Katherine Mansfield, Rosamund Lehmann) ont déteint sur quelques romancières françaises, que la vogue d'un certain type brutal de roman américain a encouragé quelques romanciers, dont la technique ou le ton doit quelque chose à Dos Passos, Hemingway et Faulkner, on aura à peu près fait le tour des influences actuellement visibles. Kafka s'est trouvé étrangement accordé à certaines formes de sensibilité angoissée, et son symbolisme, comme celui de Melville, a rencontré des affinités. On s'est intéressé à un bien plus grand nombre d'écrivains étrangers, déjà anciens ou plus récents; on a traduit Emily Brontë, Samuel Butler, Hardy, Meredith, Henry James, Conrad, Chesterton, Huxley, Stephen Hudson, Charles Morgan, plus populaire en France qu'en Angleterre, T. S. Eliot, Rex Warner..., Dreiser et Sinclair Lewis, puis Caldwell, Saroyan, Steinbeck et Henry Miller..., Rilke et Thomas Mann, Stefan Zweig, Spengler, Fritz von Unruh, Remarque, Wassermann, Ernst Jünger...; la littérature nordique a vu ses succès de traduction, dont le plus grand a été celui de Sigrid Undset; la littérature soviétique commence à être connue (Maïakovsky, Pilniak, Alexis Tolstoï, Cholokhov, Ehrenburg...); on a goûté quelques Espagnols (Unamuno, Ramon Gomez de la Serna, Lorca...); cette curiosité sympathique a pu laisser des traces individuelles çà et là, on n'en saurait dégager la marque puissante du génie sur tout un groupe ou sur une génération.

Quant à l'influence des arts sur la littérature, il y a plutôt lieu de noter des communautés de tendances ou de doctrines, et des simultanéités de développement. On a parlé avec quelque abus de cubisme littéraire, alors qu'il y a eu surtout entre certains écrivains amateurs d'art et quelques peintres, notamment Picasso, des relations d'amitié. Au contraire, le surréalisme a bien été un mouvement qui a touché également la littérature, la peinture et, à un moindre degré, la sculpture et le cinéma, sans compter les arts décoratifs. Les historiens établiront probablement des similitudes entre le roman existentialiste et les œuvres de certains peintres. Les musiciens ont souvent collaboré avec les poètes et les dramaturges; mais leur musique n'a pas influencé la littérature, comme avait pu le faire autrefois le wagnérisme. Quelques écrivains se sont particulièrement intéressés au jazz, qui a donné matière à des évocations lyriques ou romanesques. Des essayistes ont remis en vigueur la notion du baroque, et il ne serait pas impossible, avec quelque ingéniosité, de l'appliquer à certains aspects de notre littérature, comme on pourrait y chercher de nouvelles formes de la préciosité. On a abondamment disserté sur toutes les formes d'art et sur leurs rapports, aussi bien dans les romans que dans la critique. On ne voit pas que la technique littéraire en ait été modifiée.

Les formes modernes de la civilisation ont joué un rôle plus certain dans l'activité littéraire. L'industrie et le machinisme ont continué à provoquer des réflexions et presque des philosophies. De grandes inventions ont agi sur l'imagination des écrivains, le cinéma surtout : il leur a suggéré des sujets, a influencé leur technique, et leur a imposé une nouvelle manière de voir. A un degré moindre, la radiodiffusion entretient avec la littérature un intéressant courant d'échanges qui a peut-être de l'avenir. Les moyens de circulation, particulièrement l'avion, ont fait naître un type assez nouveau de fiction. Il n'est pas difficile de trouver, dans le roman et dans l'essai, voire dans la poésie, des traces de la pratique des sports; nous avons connu, à côté de celle du métier, une éthique du stade et de l'athlétisme. La grande presse a étendu son action en même temps que s'amplifiaient les méthodes de la publicité et l'art de la réclame; la littérature en a été touchée de plus d'une façon.

Toutes ces influences s'effacent devant le complexe massif des facteurs politiques, économiques et sociaux. C'est au rythme de l'histoire que leur pression s'est périodiquement affirmée. A la considérer dans son ensemble, la littérature de ces trente dernières années n'apparaît pas, comme en des époques moins troublées, la simple héritière d'un passé riche d'exemples et de promesses. Une terrible actualité a pesé sur elle, et, malgré quelques années de rémission, n'a guère cessé de l'obséder. Tous les grands événements qui ont jalonné l'histoire politique du monde ont retenti sur elle. La nation, par deux fois atteinte dans sa chair, a vu sacrifier plusieurs générations et amputer ses élites. La littérature, durement touchée dans son corps professionnel, l'a été aussi dans son climat moral. La guerre de 1914-1918 n'a pas seulement soulevé d'horreur la conscience humaine; elle a ébranlé la foi dans la civilisation. Mais on peut mesurer aujourd'hui combien le désarroi d'après 1918 était relatif et restait mêlé de confiance et d'espoirs constructifs. La guerre de 1939 et ses suites ont bouleversé profondément les âmes. Malgré la joie de la libération, le pays, affaibli, soucieux de l'avenir, est entré dans une période de pessimisme, qui s'est traduite en littérature par des œuvres beaucoup plus noires que les produits de l'inquiétude de 1919. Les luttes politiques n'ont cessé de s'aigrir au fur et à mesure que l'opposition des idéologies prenait un caractère mondial. Alors qu'aux environs de 1900 on pouvait vivre indifférent à la politique internationale, depuis 1914, chacun en a subi directement les effets et a vécu dans un sentiment généralisé d'insécurité. L'époque a paru de plus en plus absurde, barbare et tyrannique. Il n'est pas étonnant que la littérature la plus récente en ait été marquée.

UN JURY LITTÉRAIRE : le jury Goncourt, réuni chez Drouant pour décerner son prix annuel (1946). *De gauche à droite :* André Billy, Francis Carco, Colette, Léo Larguier, Roland Dorgelès, Lucien Descaves. — CL. KEYSTONE.

II. — LES GRANDS CONTEMPORAINS

Des écrivains célèbres de la fin du XIXe siècle, Loti et Barrès disparurent en 1923, France en 1924. Loti, qui put encore publier *Prime Jeunesse* (1919), *la Mort de notre chère France en Orient* (1920), *Suprêmes Visions d'Orient* (1921), et dont le fils fit paraître le journal intime, fut très négligé par les jeunes, assez injustement si l'on songe que presque toute son œuvre avait été inspirée par le thème qui devait être si à la mode après la guerre : l'évasion. Barrès, son cadet, conserva une influence, due en partie à sa doctrine et à son action dans le journalisme politique, sur les milieux catholiques de droite, mais continua aussi à proposer aux candidats à sa succession morale et esthétique l'exemple d'un individualisme voluptueux et artiste consentant à se mettre au service de traditions nationales et religieuses. Plus que par ses innombrables articles de guerre (*l'Ame française et la guerre*, 11 vol. de 1915 à 1920, rééditée en 14 vol. de 1922 à 1924 sous le titre : *Chronique*

de la Grande Guerre) ou ses essais politiques sur le problème du Rhin et la Rhénanie, il donna la preuve que résonnait toujours en lui certain appel de chevalerie romantique dans son roman *Un jardin sur l'Oronte* (1922), contemporain de son *Enquête au pays du Levant* (1923). *Le Mystère en pleine lumière*, paru après sa mort (en 1926), et surtout la publication de ses *Cahiers* (1929-1938) ont permis à ses fidèles d'approfondir cette sensibilité si particulière. France, qui se retournait vers son enfance bien lointaine (le *Petit Pierre*, 1918; *la Vie en fleur*, 1922), mourut en pleine gloire, après avoir reçu le prix Nobel (1922) et fêté son jubilé (1924); ses obsèques nationales ne parvinrent cependant pas à dissimuler combien les jeunes générations se détournaient de son art savant et mesuré, parfois même étaient hostiles à son esprit de tolérance et à son humanisme. Mais il conservait intacte l'admiration de ceux qui avaient grandi avant la guerre ou avaient été élevés dans le culte de certaines valeurs classiques. On pouvait déjà prévoir que la gloire de France serait désormais vouée à la discussion plutôt qu'au déclin. Bourget vécut jusqu'en 1935. Travailleur infatigable, il continua à produire régulièrement de nombreux romans (*Némésis*, 1918; *Laurence Albani*, 1919; *Un drame dans le monde*, 1921; *Nos actes nous suivent*, 1927), des recueils de nouvelles (*Anomalies*, 1920; *Conflits intimes*, 1925), des volumes d'essais (*Nouvelles Pages de critique et de doctrine*, 1921; *Quelques Témoignages*, 1928; *Au service de l'ordre*, 1929). Bien qu'un tel labeur impose le respect, il faut bien dire que la plupart de ces œuvres ajoutent peu à la renommée de leur auteur, qui n'a cessé de diminuer. Bien avant la guerre, l'art probe, convaincu, mais gauche, mécanique et superficiel de Bourget avait prouvé sa stérilité et ne rencontrait aucun disciple.

Deux maîtres illustres, dont la renommée et l'influence avaient atteint leur apogée dans le premier quart du siècle, ont pu compléter leur message entre les deux guerres. Bergson (1859-1941), prix Nobel en 1928, mourut dans la douleur et l'humiliation d'un Paris opprimé par les nazis. Son œuvre géniale, d'une profonde originalité de pensée et de sentiment, servie par un style d'une sobre et souveraine élégance, dont les images inoubliables étaient moins des ornements que la traduction esthétique de la forme

UNE SCÈNE DU « SOULIER DE SATIN », de Paul Claudel. — CL. LIPNITZKI.

même de ses conceptions, s'était enrichie de deux recueils d'essais (l'*Énergie spirituelle*, 1919; *la Pensée et le mouvant*, 1934), la plupart connus avant 1918, tous très révélateurs, et joyaux parfaits de notre littérature philosophique, d'un court volume confrontant ses vues sur le temps vécu et le temps abstrait avec la théorie nouvellement exposée d'Einstein sur la relativité (*Durée et simultanéité*, 1922), et surtout d'un important ouvrage (*les Deux Sources de la morale et de la religion*, 1932), qui achevait sur le plan métaphysique et religieux la doctrine de l'auteur de *l'Évolution créatrice*. Aucune œuvre philosophique de notre temps n'a été plus étudiée et, en ce sens, ne continue à être plus agissante. Elle a, naturellement, suscité des critiques; surtout, avec le temps, il semble qu'on se déprenne de son charme et de son infinie séduction; toujours admirée et respectée, son influence semble devoir se manifester moins massivement, et plutôt par certaines parties privilégiées que comme théorie générale : enfin, c'est plutôt d'ailleurs que les jeunes philosophes tirent leur impulsion.

Romain Rolland (1868-1944) a pu assister à la libération de la patrie avant de mourir. Témoin capital de notre temps, dont la probité, l'indépendance et le courage se sont imposés en dépit des

PAUL CLAUDEL. — CL. LIPNITZKI.

haines soulevées, il s'efforça, entre les deux guerres, de concilier dans une synthèse spirituelle des tendances peut-être incompatibles : le rationalisme et l'intuition, la pensée orientale et la pensée occidentale, le communisme et l'humanisme, l'individualisme et le marxisme. Il a publié de nombreux essais (*les Précurseurs*, 1919; *Quinze Ans de combat*, 1935), des biographies (*Mahatma Gandhi*, 1924; *Vie de Ramakrishna*, 1929; *Vie de Vivekananda*, 1930), repris en l'amplifiant cette vie de Beethoven qui reste au centre de son inspiration (*Beethoven, les grandes époques créatrices*, 6 vol.); la musique (*Voyage musical au pays du passé*, 1919) fut, toute sa vie, le réservoir d'énergie où il se retrempait. Il a ajouté à son théâtre de la Révolution un *Robespierre* en 1939. Son œuvre romanesque a été très abondante : *Colas Breugnon*, 1919; *Pierre et Luce*, 1920; *Clérambault*, 1920; *les Léonides*, 1928; surtout, avec les quatre parties et les six volumes de *l'Ame enchantée* (1922-1933), il s'efforça à une œuvre de longue haleine, qui ne rencontra pas le succès de *Jean-Christophe*. Cet ancêtre du roman fleuve a lui-même mal résisté au temps, bien qu'il continue à jouir à l'étranger d'une immense renommée.

Paul Claudel (né en 1868) avait écrit, à une exception près, toutes ses grandes œuvres avant 1919. Placé déjà très haut par quelques-uns, il est apparu, après la guerre, comme le plus grand poète lyrique que la France ait eu depuis Hugo. De tous les écrivains contemporains, c'est celui auquel s'applique le mieux la notion romantique du génie. Ce prestige est dû à sa torrentielle éloquence, à sa puissante inspiration religieuse, à son imagination cosmique, à ses images à la fois grandioses et chargées de matière, enfin à la forme originale de sa diction, ce *verset* aussi ferme que le vers régulier et plus large que le vers libre, instrument de ses drames comme de ses poèmes. Cependant, sauf par endroits, on ne peut pas dire que sa *Messe là-bas* (1919), ses *Feuilles de saints* (1925), et encore moins ses poèmes de l'une et l'autre guerre, aient l'autorité des *Cinq Grandes Odes* ou le souffle de la *Cantate à trois voix.* Claudel a donné entre les deux guerres un des rares chefs-d'œuvre du théâtre contemporain : *le Soulier de satin, ou Le pire n'est pas toujours sûr, action espagnole en quatre journées,* drame immense, publié en 1929, mais qui n'a pu être joué, écourté, qu'en 1944, qui mêle tous les tons, a l'univers pour scène, fait songer à Calderon et à Shakespeare, à Corneille et à Gœthe, chef-d'œuvre du romanesque, du romantique et du baroque, animant dans une suite haletante d'épisodes une foule de comparses et quelques héros inoubliables que l'amour humain et l'amour divin exaltent au-dessus d'eux-mêmes. Cette tentative sans exemple à notre époque ne doit pas faire négliger que l'admirable auteur de *l'Annonce,* de *l'Otage,* devenus classiques comme devait l'être plus tard *Partage de midi,* a donné, en style claudélien, une suite à sa traduction de l'*Agamemnon* d'Eschyle : *les Choéphores* et *les Euménides* (1920); deux farces lyriques : *l'Ours et la Lune* et *Protée* (1919 et 1920); des sortes d'oratorios comme *Christophe Colomb* (1933) et *Jeanne au bûcher* (1939).

ANDRÉ GIDE. — CL. LAURE ALBIN-GUILLOT.

Il y a aussi un très riche et très savoureux prosateur chez Claudel, auteur de plusieurs livres d'essais révélateurs sur le Japon (*l'Oiseau noir dans le soleil levant,* 1927), de dialogues familiers (*Conversations dans le Loir-et-Cher,* 1937), de propos critiques et esthétiques vigoureux où se définit sa doctrine (*Positions et Propositions,* 1928 ; *L'œil écoute,* 1946; *Accompagnements,* 1949), de truculents articles de journaux, cependant qu'il consacre pieusement le meilleur de sa verte vieillesse à d'étonnants volumes de commentaires sur la Bible.

En 1919, André Gide avait cinquante ans. Son œuvre, qui n'était appréciée avant la guerre que d'une mince élite, lui valut tout à coup une renommée éclatante. Il fut certainement de tous nos écrivains celui qui exerça sur la jeunesse littéraire, pendant une vingtaine d'années, la plus grande influence. Au début, il la devait surtout à quelques-uns de ses ouvrages déjà anciens comme les ferventes *Nourritures terrestres* ou les ironiques *Caves du Vatican,* à quelques thèmes excitants mis en circulation,

comme la disponibilité de l'être ou la gratuité de l'action, à un personnage d'aventurier comme Lafcadio. Mais, encore plus peut-être que l'œuvre, le personnage gidien, éclairci par de nombreux essais, des écrits confidentiels, des extraits de son journal, devint l'objet d'une intense curiosité; sa complexité, ses oppositions, ses fuites, ses audaces, ses repentirs, ses aveux, la lutte en lui d'un hédonisme exaspéré et d'une rigueur protestante, une sincérité surveillée qui faisait de chaque confession un acte de courage, passionnèrent l'opinion comme aurait pu le faire un nouveau Jean-Jacques.

Plus tard, un apaisement relatif amena Gide à une sagesse et à un humanisme plus voisins de Montaigne, mais où la ferveur première n'avait pas disparu, et l'incita à prendre conscience des problèmes sociaux; on sait qu'après 1930, il donna une espèce d'adhésion morale au régime communiste russe, mais, après un voyage en U. R. S. S., son honnêteté et son indépendance lui imposèrent de faire connaître ses réserves sur le conformisme qu'il y avait décelé. La même loyauté l'amena à retracer fidèlement ses sentiments sous le régime de Vichy. En sorte qu'il est peu de réactions qu'il n'ait provoquées, de l'adulation à la haine, de l'enivrement au dégoût, de l'enthousiasme à la déception : il n'a jamais laissé indifférent. Resté jeune dans sa vieillesse, son universelle curiosité et son esprit critique toujours en éveil lui assurent une sorte de suprématie dont la sérénité fait penser quelque peu à Goethe, mais contribue à l'éloigner des jeunes partisans d'aujourd'hui. Il est bien que le prix Nobel pour 1948 ait été le seul honneur officiel accepté par cet écrivain d'une indépendance exemplaire. Son œuvre, depuis l'armistice de 1918, a été moins artiste que dans la période antérieure, mais elle compte cependant une pure réussite dans l'art du récit, *la Symphonie pastorale* (1919), que n'égale pas la série, encore très remarquable toutefois, de *l'École des femmes* (1929), *Robert* (1930), *Geneviève* (1937), et une des œuvres capitales du roman contemporain, ces extraordinaires *Faux-Monnayeurs* (1926) qui sont un peu la somme esthétique du gidisme (voir aussi le *Journal des Faux-Monnayeurs,* 1926).

A mi-chemin entre la création pure et l'essai, il faut mettre hors de pair son *Œdipe* (1931), qui, sous la forme dramatique, est plutôt une œuvre ironique ou une sotie comme il en écrivait avant 1914, mais chargée de tout le message de sa foi en l'homme et dans le progrès; dans le même sens, son récent *Thésée* (1946), sous l'aspect également ancien de ses petits traités de jeunesse, vient l'achever, le compléter et le corriger. Dans cette production admirablement équilibrée et dont les efforts ont été si bien distribués, il est normal qu'à l'âge du feu inventif ait succédé l'âge de la moisson des idées; le critique des *Prétextes,* le plus lucide de notre temps, a accumulé un trésor de réflexions aiguës dans son *Dostoïevsky* (1923), dans *Incidences* (1924), *Un esprit non prévenu* (1929), *Caractères*

(1924), l'*Essai sur Montaigne* (1929), les *Interviews imaginaires* (1943). L'auteur des *Souvenirs de la cour d'assises* a continué son enquête sociale, non seulement dans *la Séquestrée de Poitiers* et l'*Affaire Redureau* (1930), mais dans le *Voyage au Congo* (1927) et le *Retour du Tchad* (1928), et dans *Retour de l'U. R. S. S.* (1936) suivi de *Retouches à mon retour de l'U. R. S. S.* (1937). La personnalité de Gide, vivement révélée aussi bien par son *Corydon*, en 1920, que par la publication, en 1922, de *Numquid et tu...*, écrit en 1916, s'est détaillée dans l'autobiographie de sa jeunesse *Si le grain ne meurt* (1926), dans les cinquante années du *Journal* (1889-1939) paru en 1939, et complété récemment pour la période 1939-1942. Qu'il s'agisse de l'œuvre critique ou de l'œuvre d'imagination, du conteur, du mémorialiste ou de l'essayiste, on s'accorde à saluer la beauté du style de Gide et à voir en lui le plus classique des prosateurs contemporains.

Avant 1914, Paul Valéry (1871-1945) était connu des lettrés par quelques poèmes datant de sa jeunesse, qui figuraient dans deux anthologies célèbres, et par un court récit, *Une soirée avec M. Teste*, paru en 1896, mais que Paul Fort avait eu la bonne idée de republier dans sa revue *Vers et Prose*, en 1905. Bien peu se souvenaient de l'*Introduction à la méthode de Léonard de Vinci* (1895); son essai *Une conquête méthodique* (1897) fut repris par le *Mercure de France*, en 1915, à cause de sa prophétique actualité. En 1917, Valéry, qui n'avait à peu près rien publié dans les revues depuis vingt ans, donna brusquement, à l'âge de quarante-six ans, un poème de cinq cents vers, *la Jeune Parque*, qui le rendit célèbre. Ce poème fut suivi du *Cimetière marin*, des *Odes* (1920), et de quelques pièces, le tout réuni en 1922 sous le titre de *Charmes*. Il avait consenti, en 1920, à reprendre, après corrections, ses premiers vers dans l'*Album de vers anciens*. Alors qu'on se demandait, après l'armistice, quel pouvait bien être le meilleur poète français, si ce n'était pas Tristan Derème ou Joachim Gasquet, Valéry fit cesser l'hésitation. Chose étrange, chez ce théoricien ennemi de l'inspiration, après cette poussée poétique de quelques années (1913-1921), Valéry n'ajouta rien d'important ou de nouveau au recueil de ses poésies. Tel qu'il est, celui-ci est assuré de l'immortalité comme *les Fleurs du mal*, *les Destinées* ou le volume de poèmes de Mallarmé. Aussi original par les thèmes, qui introduisent dans le domaine poétique le pathétique de l'intellect, que parfait dans la formulation, d'une musicalité achevée, il renoue, à travers Mallarmé, la tradition racinienne. Cet art d'une grâce exquise a eu plutôt des imitateurs que des disciples; il était si personnel qu'il transformait aussitôt l'influence en pastiche. Par une fortune des plus rares, ce grand poète se révéla grand prosateur, aussi doué pour l'ample discours que pour la formule du moraliste, pour l'essai brillant que pour le voluptueux dialogue. Il avait accumulé, pendant ses années de silence, des milliers de notes sur quelques problèmes favoris. Obligé brusquement de vivre de sa plume, ne travaillant guère que sur demande ou sur commande, comme il l'a dit, il trouva dans ses réflexions thésaurisées et dans sa prodigieuse faculté de réaction mentale aux sollicitations du dehors, de quoi

PAUL VALÉRY. — CL. LAURE ALBIN-GUILLOT.

dominer aisément tout sujet proposé. Sans prétendre au rôle de penseur, et en fuyant le système, se référant toujours à l'invariant de son moi, il se joua avec une aisance souveraine des problèmes les plus divers. En politique comme en esthétique, en morale comme en critique, en philosophie comme en histoire, et généralement niant toutes ces disciplines, il a imprimé fortement, parfois en formules inoubliables, la marque de son esprit incomparablement aigu et agile.

Son prestige fut tel que ce profond sceptique reçut comme une délégation de l'esprit français pour le représenter dans le monde. Il en était digne par la magnifique liberté et la hauteur de son intelligence. Comme les multiples écrits pétillants de Voltaire, on consultera ses recueils d'essais lumineux, les cinq volumes de *Variété* (1924-1944), les *Regards sur le monde actuel* (1931 et 1945), les *Pièces sur l'art* (1934), etc., et, comme pour La Bruyère ou La Rochefoucauld, les amateurs du cœur humain feuilletteront les *rhumbs* et les *analecta* réunis dans les deux volumes de *Tel Quel* (1941-1943), aussi bien que *Mélange* (1941), *Mauvaises Pensées et autres ..* (1942). Si l'entretien philosophique peut être en même temps poésie et pensée, joindre, comme il le souhaitait, une analyse à une extase, nul doute que les lecteurs d'*Eupalinos ou l'Architecte*, de *l'Ame et la Danse* (1923) ne voient en Valéry le plus grand maître du dialogue que la France ait connu; Valéry lui a donné, dans le *Dialogue de l'arbre*, une résonance virgilienne, comme, dans *l'Idée fixe* (1932), une alacrité et une vitesse dignes de Voltaire; il a été quelque peu tenté par le théâtre dans ses curieux « mélodrames » (*Amphion*, 1931; *Sémiramis*, 1934; *Cantate du Narcisse*, 1938), et c'est encore comme dialogues que les ébauches de *Mon Faust* (1946) séduisent extrêmement par un humour supérieur.

Avant la guerre, Marcel Proust (1871-1922), dans la faible mesure où il était connu, était considéré comme un mondain quelque peu esthète. Anatole France avait préfacé *les Plaisirs et les jours* publiés en 1896. Sans savoir l'anglais, il avait traduit deux livres de Ruskin. Cependant qu'il se divertissait à des essais et des pastiches qui ne devaient être réunis en volume qu'en 1919 (*Pastiches et Mélanges*), il travaillait en secret à un grand œuvre, se retirant peu à peu du monde, reclus à la fois par la maladie et le sacrifice à son destin. Une première version relativement brève de ce qui devait être plus tard *A la recherche du temps perdu* était terminée avant la guerre. Ce qu'il en publia en 1913, *Du côté de chez Swann*, passa inaperçu. Remaniant, et surtout amplifiant bien au-delà des limites prévues son texte primitif, Proust fit paraître de 1917 à sa mort, en 1922, dix volumes : *Du côté de chez Swann* (1917), *A l'ombre des jeunes filles en fleurs* (1918), qui obtint le prix Goncourt de 1919, *Du côté de Guermantes* et *Sodome et Gomorrhe* (1920 à 1922); après sa mort, et sans qu'il ait pu revoir et probablement allonger son manuscrit, parurent, en six volumes, *la Prisonnière* (1924), *Albertine disparue* (1925), *le Temps retrouvé* (1927). Dans le petit nombre d'années qu'il vécut après l'armistice, ce grand nerveux hypersensible connut du moins dans son martyre la récompense d'une gloire fulgurante. Né en même temps que Valéry, en 1871, surgi comme lui de l'obscurité où restent généralement ensevelis les artistes ignorés qui s'approchent de la cinquantaine, il contracta en moins d'un lustre, devant l'imminence de son trépas, la géniale profusion d'idées que l'auteur de *la Jeune Parque* devait répandre sur plus d'un quart de siècle. *A la recherche du temps perdu* est sans doute l'œuvre la plus considérable parue depuis trente ou quarante ans. Bien que ses attaches visibles la plongent dans la période antérieure à la guerre de 1914, la fassent presque contemporaine du XIXᵉ siècle et de l'impressionnisme, et, par-delà Bergson, France, Taine et Renan, l'apparentent tour à tour à Sainte-Beuve, à Saint-Simon, aux moralistes du XVIIᵉ, à Montaigne, son modernisme frappa si fort les jeunes écrivains de 1920 que beaucoup d'entre eux se livrèrent à sa suite aux démons délicieux et complaisants de l'analyse personnelle. Une mode comme celle de l'*Astrée* sembla se développer péndant quelques années et risqua de faire tort à son initiateur involontaire. Il fut bientôt nécessaire de défendre Proust lui-même, dont la longueur, les digressions et le style aux sinuosités infinies masquaient aux lecteurs impatients la richesse, la composition thématique et l'élégance verbale.

Ce serait mal comprendre la nature de cette symphonie romanesque que de vouloir la confronter avec la philosophie pure ou la psychologie scientifique, s'il en est une, à seule fin de discuter le bien-fondé des observations, des analyses ou même des lois dont Proust a fait le tissu intellectuel de son épopée de la sensibilité. Tourments de la jalousie, intermittences du cœur, sommeil et rêve, mémoire affective et involontaire, anomalies de l'amour... sont sans doute pour lui des expériences vécues sur lesquelles il lui arrive de jeter des lumières profondes, mais il faut y voir surtout des éléments de son univers nerveux et des pièces de sa mélodie psychologique. On en dirait autant de sa façon tendue et chatouilleuse de concevoir les rapports entre les individus, de sa peinture mythologique des mœurs et des classes sociales. A peine moins idiosyncrasiques sont les vues qu'il jette, en une foule de remarques subtiles, de petits essais ou de brillants paradoxes, sur des problèmes de toute nature (philologie, étymologie, tactique et stratégie, etc.), et, si ses opinions en critique et en esthétique semblent moins subjectives, c'est que la frontière dans ce domaine est plus flottante. Au vrai, Proust psychologue ou moraliste est un poète, et il suffit de s'être laissé séduire par son éblouissant commentaire comme enivré d'intuitions, de raisonnements, d'inductions et de déductions pour reconnaître qu'on a été la proie d'une magie mentale plutôt que le spectateur d'une démonstration. Son style enveloppant et imagé, compliqué et sûr comme une souple arabesque, renforce le sortilège.

Il est difficile de caractériser cette immense entreprise : somme d'idées et de sentiments, autobiographie lyrique, elle a des allures de mémoires, et cependant elle est bien un roman et un grand roman, car elle fait admirablement vivre des personnages typifiés, dont quelques-uns prennent des dimensions épiques, au milieu d'une foule de comparses, dont l'importance est parfois curieusement disproportionnée comme dans la vie; elle anime des groupes, restitue des milieux sociaux, promène tout ce monde dans les décors de

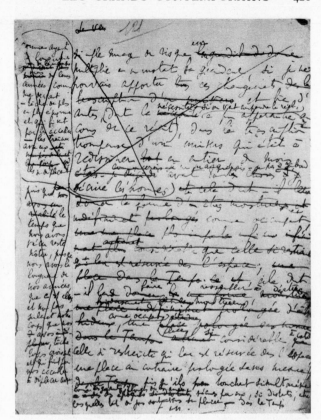

UN AUTOGRAPHE DE PROUST : le dernier feuillet du manuscrit de « A la recherche du temps perdu ». — CL. LAROUSSE.

son activité, fait enfin aux aspects de la nature une place amoureusement choisie. Si douloureux que soit en définitive le ton général de l'œuvre, elle n'en est pas moins traversée souvent par un grand souffle comique. Son plus grand mystère est sans doute le rythme qui la mène, avec ses méandres, ses élongations du temps, ses approfondissements de l'instantané, ses résurgences du passé dans le présent, sa progressive reconquête de la mémoire sur l'oubli.

La célébrité un peu équivoque qui s'attachait, au début du siècle, à l'auteur de l'étincelante série des *Claudine* n'avait pas tardé à s'affirmer d'un meilleur aloi lorsque, publiant sous son seul nom, Colette (née en 1873) s'était révélée comme un interprète sans rival de la vie des animaux et comme un observateur expérimenté de la sensibilité féminine. Depuis 1920, son art n'a cessé de se décanter, et elle a connu, sans aucune de ces variations dans le succès qui sont si fréquentes dans les carrières littéraires, une sorte de gloire égale et incontestée qui a fait d'elle, après la mort de la comtesse de Noailles, le protagoniste de notre littérature féminine. Bien plus, elle s'est distinguée parmi les femmes de lettres par une sûreté de style dont le secret semblait perdu et qui marque son œuvre du cachet de la perfection classique. Des dons éclatants, une solidité paysanne, un labeur régulier ont permis de forger un instrument d'expression aussi riche

COLETTE. — CL. LAURE ALBIN-GUILLOT.

que délicat, mis au service de ce qui lui ressemblait raisonnablement le moins : une inspiration faite presque exclusivement d'impressions physiques et de leurs retentissements sur la sensibilité la plus instinctive. Qu'il s'agisse de souvenirs de son enfance, de ses apprentissages de jeune femme, d'écrivain, d'actrice, ou qu'il s'agisse de romancer des vies fictives où la chair et le cœur se mêlent indissolublement, ou de peindre les rapports d'un être avec ses frères inférieurs ou la grande compagne qu'est pour lui la nature, on sent toujours à la source des réactions un appareil nerveux d'enregistrement qui n'oublie rien et qui colore tout de sa nuance originale. Il y a un univers de Colette, fortement centré, focalisé, sur un certain frémissement sensuel qu'un art paradoxalement viril s'efforce de propager par des images d'une impeccable netteté (*Chéri*, 1920; *la Maison de Claudine*, 1923; *la Femme cachée*, 1926; *la Fin de Chéri*, 1926; *la Naissance du jour*, 1928; *Sido*, 1929; *la Seconde*, 1929; *Duo*, 1934; *Mes apprentissages*, 1935; *Julie de Carneilhan*, 1939; *le Toutounier*, 1939; *Chambre d'hôtel*, 1940; *Gigi*, 1945; *le Fanal bleu*, 1949).

Roger Martin du Gard (né en 1881) est un peu notre Flaubert. Il a, comme Flaubert, une vision pessimiste, cachée sous une volonté d'objectivité, un tempérament généreux, une conception haute et désintéressée de son art, le goût du travail probe, la haine des préfaces et des confidences personnelles, l'indépendance poussée jusqu'à l'isolement et la retraite. Mais la ressemblance ne va pas plus loin. Ce pessimiste aime la vie et voudrait lui faire confiance. Il croit au progrès. La question sociale le passionne. Son inquiétude et son sens de la caricature sont tempérés ou compensés par son scientisme et sa philanthropie. La fermeté, la largeur, l'équilibre de son talent de romancier mèneraient à voir en lui ce grand classique du naturalisme que le naturalisme n'a pas connu. Son *Jean Barois*, paru à la veille de la guerre de 1914, l'avait déjà imposé à l'attention. Si l'on met à part deux farces paysannes (*le Testament du père Leleu*, 1920; *la Gonfle*, 1928) et les croquis de *Vieille France* (1935), où il satisfaisait une certaine verve amère et truculente, une nouvelle (*Confidence africaine*, 1931) et un drame (*Un taciturne*, 1931) où il se penchait avec sérieux sur des anomalies... naturelles, on peut dire qu'entre les deux guerres Roger Martin du Gard s'est consacré à son chef-d'œuvre, les *Thibault* (11 vol., 1922-1940).

Très différente des sommes romanesques auxquelles on a pu la comparer (*Jean-Christophe*, par exemple), cette œuvre mérite peu le qualificatif de roman fleuve. Les huit parties dont elle est composée sont de dimensions très inégales et cependant parfaitement proportionnées à l'importance de leur objet. Monument imposant, ou plutôt suite de fresques dont on admire la franchise et l'égalité d'éclairage, les *Thibault* appartiennent plutôt aux arts statiques qu'aux arts de mouvement. Le temps lui-même y est découpé en tranches arrêtées, l'espace en secteurs bien délimités. Personnages, événements, conversations, analyses, monologues, journaux intimes, tout est parfaitement cerné. Aucune œuvre contemporaine ne donne aussi authentiquement l'impression d'un témoignage irrécusable. Avec une grande économie de moyens, mais sans aucune sécheresse, l'histoire d'une famille catholique et d'une famille protestante reconstitue toute la période axée sur la guerre de 1914. Le parfait effacement de l'auteur donne constamment au lecteur le sentiment de la

ROGER MARTIN DU GARD.
CL. HARLINGUE.

réalité nue et la conviction que les émotions qu'il éprouve ne sont dues à aucun prestige. L'illusion d'impartialité n'a sans doute jamais été créée à meilleur droit.

L'univers de Jean Giraudoux (1882-1944) n'est pas, comme on le dit souvent, un monde de féerie. C'est bien l'univers réel et l'univers d'aujourd'hui, avec une prédilection pour la France, et notamment la France provinciale, qui est présent dans son œuvre; mais, pressé de le restituer à l'innocence originelle et de le purifier de ses souillures, qu'il n'ignore pas, mais qu'il transmute subtilement pour les fondre dans la poétique métamorphose, il en modifie les rapports et les valeurs pour l'harmoniser et le musicaliser selon une exigence secrète qui est le germe de toute l'inspiration de Giraudoux, l'unique formule de son charme et l'explication de tous ses procédés. De là, ce qu'on a appelé la préciosité de Giraudoux, qui n'est que le réseau magique qu'il jette sur les êtres, les événements et les choses pour les élever à la dignité du rêve; fantaisie, si l'on veut, mais dans le sens de sublimation imaginative, qui a besoin, non pas de désaccorder la nature, mais, au contraire, de l'accorder en multipliant aux yeux de l'esprit émerveillé le jeu des ressemblances et des contrastes, des allusions et des surprises, des identifications et des renversements de proportions. Sous l'élégance et la grâce ravissantes de cette prodigalité agile, une allègre autorité, dont la tendresse apparente recouvre, en fait, plus de dureté qu'on ne croirait, procède par affirmations, par décrets de droit divin, qui imposent comme un absolu délicieux ces fantasmes et ces chimères et subjuguent le lecteur ou le spectateur littéralement enchanté. L'enchanteur, c'est le nom que l'on donnait à Chateaubriand, mais, alors que pour celui-ci le cœur de l'homme était un instrument incomplet où la joie même était forcée de s'exprimer sur le ton consacré aux soupirs, Giraudoux, retrouvant le secret musical du XVIIIe siècle, exprime la mélancolie même sur le ton du bonheur. Avec le temps, dans les dernières œuvres, on percevra de plus en plus un fond assez âpre de tristesse et de rancune contre ce monde qui ne se laisse pas totalement sauver. Comme La Fontaine au XVIIe siècle, Marivaux au XVIIIe, Nerval au XIXe, Giraudoux, au XXe, aura du moins échappé à la pesanteur humaine. Cette œuvre, d'une miraculeuse légèreté, ne doit rien à la contrainte. Ce n'est pas que les idées en soient absentes, ni imprécises, ni inactuelles; tout au contraire, et, dans ses essais critiques (*Littérature*, 1938; *les Cinq Tentations de La Fontaine*, 1938) ou politiques (*Pleins Pouvoirs*, 1939), on trouverait les éléments d'une doctrine parfaitement nette; mais, dans la fiction, elles n'apparaissent que de biais, incidemment, se faufilent, ou ne se laissent deviner que par l'allure générale du développement.

D'autre part, Giraudoux est à peu près indifférent à la composition (un peu moins dans son théâtre). Il s'en défie comme d'une mécanique dangereuse. On peut ouvrir ses livres à n'importe quelle page. Ses romans, parfois ses pièces, poussent des prolongements sous forme de plaquettes ou de scènes supplémentaires. Au fond, il considère tout ce qu'il écrit comme une suite ininterrompue où compte seule une certaine vision qui lui est propre et que l'on doit retrouver partout, un certain ton capable d'exprimer toujours la réaction de sa sensibilité. En définitive, il réduit toute son esthétique au seul style. Aucun auteur de ce temps ne donne à ce point, en dépit de ce qu'on appelle ses artifices, le sentiment de la pure spontanéité. Et, de fait, la longue série de ses œuvres non destinées à la scène (on hésite à distinguer ici les impressions, les souvenirs, les confidences, des récits et des romans qui méritent si peu ce nom) nous restituent toujours la même atmosphère édénique et ne nous paraissent pas des œuvres séparées, quels que soient les époques ou les pays qu'ils évoquent : les livres d'avant guerre (*les Provinciales* de 1909 et *l'École des indifférents*, 1911) et les œuvres nées de la guerre ou qui l'ont suivie (*Lectures pour une ombre*, 1917; *Simon le Pathétique*, 1918; *Amica America*, 1919; *Elpénor*, 1919; *Adorable Clio*, 1920; *Suzanne et le Pacifique*, 1920; *Siegfried et le Limousin*, 1922; *Juliette au pays des hommes*, 1924; *Bella*, 1926; *Églantine*, 1927; *Aventures de Jérôme Bardini*, 1930; *Combat avec l'ange*, 1934; *Choix des élues*, 1939).

Comme pour mieux marquer son dédain de la séparation des genres, Giraudoux n'a pas eu à changer sensiblement de manière lorsqu'il aborda accidentellement le théâtre, avec *Siegfried* (1928), tiré d'un de ses récits. Le succès le fit persévérer dans cette voie nouvelle. On joua de lui : *Amphitryon 38*, 1929; *Judith*, 1931; *Intermezzo*, 1933; *La guerre de Troie n'aura pas lieu*, 1935; *Électre*, 1937; *Ondine*, 1939; *Sodome et Gomorrhe*, 1943; sans compter des œuvres moins importantes (une adaptation de *Tessa*, le roman de Margaret Kennedy, 1934; *l'Impromptu de Paris*, 1937; le *Supplément au voyage de Cook*, 1937; *Pour ce onze novembre*, 1938; *la Folle de Chaillot*, 1946). Et il se trouva que ce romancier indolent et poétique était le plus grand dramaturge de l'entre-deux-guerres. Il n'avait pas eu à se forcer, il n'avait eu qu'à élaguer dans sa trop grande richesse; sans qu'il eût à s'imposer vraiment de discipline, les simples obligations techniques du théâtre suffirent à canaliser son invention sans lui faire perdre sa ressource. Le public admira et comprit ce Giraudoux réduit à l'essentiel, qu'il perdait un peu de vue dans les chatoiements et les irisations de ses écrits ondoyants. Sans doute, aussi, une pensée plus mûrie, plus sensible au tragique de notre temps, plus responsable, était-elle venue ajouter un accent plus profond aux jeux aériens de l'ironiste. A certaines de ces pièces, où l'humanisme lettré se retrempait aux grands soucis de l'époque, où la fantaisie ailée se gonflait d'anachronismes pathétiques, le cœur de la France battait à l'unisson du cœur du plus doué et — peut-être — du plus ressemblant de ses enfants.

Georges Duhamel (né en 1884) connut soudain la célébrité vers la fin de la première guerre mondiale grâce à deux livres émouvants consacrés aux souffrances des combattants (*Vie des martyrs*, 1917; *Civilisation*, 1918). On savait qu'il avait participé à l'enthousiaste et décevante entreprise de vie en commun appelée *l'Abbaye*. Il avait abordé la poésie avec des préoccupations à la fois intimistes et sociales, touché au théâtre, et il persévéra quelque temps dans ces deux voies après l'armistice (*Élégies*, 1920, et la comédie caricaturale de *l'Œuvre des athlètes*, 1920). Mais son véritable destin était de devenir un moraliste du roman et de l'essai. Avec une belle régularité et une grande aisance de

LES PROTAGONISTES DE « LA FOLLE DE CHAILLOT » à sa création, en 1946 : Marguerite Moreno et Louis Jouvet. — CL. LIPNITZKI.

JEAN GIRAUDOUX. — CL. LIPNITZKI.

style, qui, dans une tout autre disposition d'âme, faisait un peu de lui un candidat imprévu à la succession d'Anatole France, avec plus de modernité dans la psychologie et un classicisme moins coquet dans la forme, il n'a cessé de proposer directement un idéal de sagesse et de bonté et d'inventer des vies imaginaires toutes frémissantes de préoccupations morales. Ses œuvres se classent facilement en deux séries : les livres de réflexions attentives, comme *la Possession du monde* (1919), qui renferme au moins sa première philosophie, *les Plaisirs et les jeux* (1922), sur la vie des enfants, les *Lettres au Patagon* (1926), les *Scènes de la vie future* (1930), satire un peu étroite des inventions mécaniques du monde moderne, *l'Humaniste et l'Automate* (1933), le *Voyage à Moscou* (1927), la *Géographie cordiale de l'Europe* (1932), *Mon royaume* (1932), *Querelles de famille* (1931), *Discours aux nuages* (1934), *Fables de mon jardin* (1936), la *Défense des lettres* (1937), etc.; et d'autre part de nombreux romans, parmi lesquels, sans négliger *la Pierre d'Horeb* (1926), *la Nuit d'orage* (1928) et les nouvelles des *Hommes abandonnés* (1921), il faut mettre hors de pair deux œuvres cycliques : les cinq volumes (1920-1932) consacrés à la vie et aux aventures de Salavin, personnage qui restera une des créations les plus touchantes de notre temps, et les dix volumes de la *Chronique des Pasquier* (1933-1941), une des meilleures parmi les

JULES ROMAINS. — CL. LIPNITZKI.   GEORGES DUHAMEL. — CL. A.-GUILLOT.

histoires d'une famille que notre époque a affectionnées, et probablement, dans sa modération, la plus proche de la vérité quotidienne.

Il y a toujours en Georges Duhamel un observateur lucide, peintre exact de l'humanité moyenne, dont le talent pourrait à volonté s'orienter vers l'ironie ou vers l'humour, et, d'autre part, un homme sensible, penché avec une tendre pitié sur les misères des créatures. On a souvent rappelé en ce sens sa vocation de médecin. Clinicien des âmes, mais en même temps, si l'on peut dire, frère de charité laïc. Il n'y a pas chez Duhamel de veine proprement religieuse, mais, dans le ton de sa voix, il y a souvent une trace d'onction et même quelque chose d'assez dévot. Ajoutons une tendance à la moralisation, qui, chez cet humaniste attaché aux meilleures traditions et effrayé des erreurs du monde moderne, lui donne un peu figure de confesseur et de directeur de conscience. Il a prêché, on peut hélas! dire dans le désert, le règne du cœur et les vertus de la tolérance au moment où les tyrannies allaient déchirer atrocement notre monde. Son œuvre, imprégnée d'une éthique idéaliste et de la nostalgie d'un individualisme très civilisé, semble exhaler le soupir de tristesse d'un honnête homme déçu, mais non découragé.

Parmi les grands écrivains contemporains, Jules Romains (né en 1885) est sans doute, avec Paul Claudel, celui qui a nourri les ambitions les plus vastes. L'unanimisme, qu'il proposait au temps de sa jeunesse, et qu'il n'a jamais renié, n'était pas sans rapport avec la vision catholique du monde de l'auteur de la Ville. Tout naturellement, Romains avait exprimé sa révélation sur le plan poétique avec une incontestable originalité (la Vie unanime, Un être en marche, Odes et Prières), mais il n'avait pas tardé à en éprouver la vertu dans les genres les plus divers : théâtre (l'Armée dans la ville), conte (le Bourg régénéré, Sur les quais de la Villette), roman (Mort de quelqu'un), essai (Manuel de déification, Puissances de Paris), lui annexant même le comique et la satire par l'ingénieuse utilisation de la mystification collective (les Copains, Donogoo-Tonka). Cet ensemble d'œuvres parues entre 1906 et 1920 attestait un pouvoir créateur et une nouveauté de conception et d'expression qui faisait de Romains un des maîtres de la jeune littérature. A partir de 1920 environ, son œuvre fait une très large part à une conception de l'univers plus éclectique. Dans la même mesure, elle s'est rapprochée du public en heurtant moins ses habitudes.

Romains lui-même s'est beaucoup mêlé à son temps et s'est exprimé librement, dans de nombreux essais et articles, avec des chances inégales, sur les problèmes politiques nationaux ou internationaux (Problèmes d'aujourd'hui, 1931; Problèmes européens, 1933; le Couple France-Allemagne, 1934; Pour l'esprit et la liberté, 1937; Sept Mystères du destin de l'Europe, 1940; Une vue des choses, 1940; Cela dépend de vous, 1943; Retrouver la foi, 1944, etc.). Comme par le passé, son œuvre s'est étendue sur la totalité du champ littéraire, avec cette abondance tranquille qui est le signe de sa vigueur mentale. C'est en poésie qu'il a le moins changé, mais, après avoir réuni divers recueils dans Chants des dix années (1928) dont l'émouvante Europe de 1916, le délicieux Amour couleur de Paris (1921) et l'ample Ode génoise (1925), pris par le théâtre et le roman, il ne donna plus aux vers que de courts moments (l'Homme blanc, 1937). La jeunesse d'aujourd'hui ne semble pas extrêmement touchée par la poésie de Romains, mais la situation d'un poète est sujette à bien des revirements de l'opinion. Il est improbable que l'avenir ne rende pas justice à la nouveauté d'accent de certains poèmes de Romains, dont on ne trouve l'équivalent nulle part.

Au théâtre, Romains a donné en 1920 son chef-d'œuvre poétique, la belle tragédie rustique de Cromedeyre-le-Vieil. Il a fait applaudir en 1923 M. le Trouhadec saisi par la débauche et surtout Knock ou le Triomphe de la médecine, dont le succès de comique géométrique ne s'est pas démenti. La dureté de sa verve s'est manifestée dans quelques autres farces, dont plusieurs pièces en un acte, et dans l'adaptation de Volpone (1928), en collaboration avec Stefan Zweig. Mais il y a dans l'œuvre dramatique de Romains des pièces, moins bien accueillies, qui ont gardé la faveur de certains, qui y retrouvent la secrète atmosphère poétique du mystère unanimiste : Amédée

KNOCK. Odette Talazac et Louis Jouvet dans une scène de la comédie de Jules Romains. — CL. LIPNITZKI.

ou les Messieurs en rang (1926), la première version de *Musse* (1930), *Jean le Maufranc* (1927), *Boën ou la Possession des biens* (1930), peut-être aussi *le Dictateur* (1926)...

Comme romancier, Romains a magnifié la vie du couple dans la trilogie de *Psyché* (1922-1929), mais c'est toute une société et toute une époque qu'il a entrepris de faire revivre dans son œuvre capitale, *les Hommes de bonne volonté*, dont les vingt-sept volumes ont paru de 1932 à 1946. Il faut remonter à Zola pour trouver une tentative d'une telle ampleur. Romains s'est imposé un plan très original. Renonçant à tous les procédés habituels, fiction du narrateur ou du héros privilégié, histoire d'une famille, et même intrigue continue, il a procédé par juxtaposition et par rappel. Tous les milieux sont évoqués, tour à tour, avec leurs personnages représentatifs, des plus humbles aux plus importants,

FRANÇOIS MAURIAC. — CL. PIERRE LIGEY.

dont quelques-uns historiques. La vie des groupes ou de ces êtres mystérieux que sont les villes, les rues, les places, les campagnes, les demeures, s'anime autour des individus ou des couples. Nul désordre dans ce panorama composite ; une maîtrise sans inquiétude, malgré l'inégalité d'intérêt des volumes, assure la clarté de cette synthèse monumentale.

Le catholicisme, la famille, la province, il y avait de quoi faire une œuvre bien pensante des plus fades. Heureusement le démon veillait. La part trouble que François Mauriac (né en 1885) découvre en chacun et en lui-même lui fournit l'aliment de base dont il nourrit ses créatures romanesques. Ses premiers récits étaient un peu trop subjectifs et encombrés, mais à partir du *Baiser au lépreux* (1922) il affirma sa maîtrise dans une série de peintures psychologiques qui sont les chefs-d'œuvre du roman catholique français (*le Fleuve de feu*, 1923 ; *Genitrix*, 1923 ; *le Désert de l'amour*, 1925 ; *Thérèse Desqueyroux*, 1927 ; *Destins*, 1928 ; *Ce qui était perdu*, 1930 ; *le Nœud de vipères*, 1932 ; *le Mystère Frontenac*, 1933 ; *la Fin de la nuit*, 1935 ; *les Anges noirs*, 1936 ; *Plongées*, 1938 ; *les Chemins de la mer*, 1939 ; *la Pharisienne*, 1941). On ne voit guère que Claudel et Bernanos à lui comparer pour l'intensité du pathétique chrétien. Mais l'inspiration de Mauriac tient plus que la leur à la tradition. Sa psychologie, toute classique, est plus proche encore de celle des sermonnaires que de celle des moralistes, bien qu'elle ait été élargie par un courant moderne qui va de Dostoïevski aux explorateurs de l'inconscient. Mauriac excelle surtout dans l'art de faire partager au lecteur les obsessions, les angoisses et les vertiges des passions ; un esprit d'ardente charité rend le romancier complice plus que juge de ses misérables créatures. Sur ses « monstres » chéris, qu'il baigne dans l'envoûtement d'une atmosphère étouffante sur laquelle semblent souffler les soupiraux de l'enfer, il jette d'en haut la lumière de la grâce qui les appelle. Nul n'a mieux rendu le malaise des êtres corrompus par la chair, nul n'a mieux soulevé leurs masques douloureux. Dans cette grinçante symphonie du péché, où court en sourdine le motif du salut, un poète donne à la phrase un frémissement émouvant. La profonde fraternité, religieuse dans sa source, humaine dans son effet, qui donne son sens à l'œuvre de Mauriac a largement

étendu son audience en dehors même des milieux catholiques. Sa voix est aujourd'hui une des plus écoutées, même de ses adversaires politiques. De nombreux essais, psychologiques ou critiques, des biographies consacrées au Christ, à Pascal et sa sœur Jacqueline, à Racine, et même à René Bazin, son *Journal* (1932-1947), enfin ses éditoriaux du *Figaro* lui ont permis de faire entendre dans le siècle ses rappels de témoin de l'éternel. Il s'est hasardé au théâtre, avec d'âcres portraits d'âmes tyranniques qui entretiennent autour d'elles la contagion du malheur (*Asmodée*, 1937 ; *les Mal Aimés*, 1945 ; *Passage du Malin*, 1947).

Il a toujours été difficile pour la critique de juger équitablement Jean Cocteau (né en 1892) et de le situer dans la littérature de notre temps. Il s'est créé autour de lui une légende, dont il a parfois été le premier artisan, et qui, si elle a bénéficié des faveurs du snobisme, s'est à la fin retournée contre lui. Nul doute cependant que ce poète n'ait fini par toucher un assez grand public, dans des œuvres très diverses, surtout par le roman (*Thomas l'Imposteur*, 1923 ; *les Enfants terribles*, 1929) et le théâtre (*la Machine infernale*, 1934 ; *les Parents terribles*, 1938 ; *les Monstres sacrés*, 1940 ; *l'Aigle à deux têtes*, 1946), sans compter le dessin, le disque et le film. Figure très singulière, comme en marge, et cependant mêlée à la plupart des mouvements artistiques les plus avancés, Jean Cocteau,

JEAN COCTEAU. — CL. LIPNITZKI.

lié aux jeunes peintres, aux jeunes musiciens, aux jeunes décorateurs de théâtre, aux jeunes écrivains, ami de Picasso et de Chirico, du groupe des Six, de Stravinsky, de Christian Bérard, de Raymond Radiguet et de Jean Desbordes, converti provisoire à la mondanité, à l'opium et à la religion, sensible aux moindres courants, et dont on dirait aussi bien qu'il impose la mode et qu'il la suit d'avance, simultanément exalté et dénigré, à propos de qui les mots de naturel et de sincérité semblent moins acceptables que ceux d'artifice et de simulation, a cependant témoigné d'une étonnante persévérance et d'une rare constance dans l'illustration pleine de virtuosité de quelques thèmes poétiques où il faut sans doute voir ses secrètes raisons d'être et sa justification. Son art, auquel on ne saurait dénier la netteté de la forme et le mordant de l'accent, a toujours paru « sophistiqué », même lorsqu'il l'imitait, avec beaucoup de brio, la parfaite simplicité. Il lui est arrivé souvent de prendre appui sur des œuvres, des formes ou des rythmes fameux, mais il insinuait dans ces imitations son poison original, et il en sortait un hybride stylisé qui laissait le public moins déconcerté que subjugué, ensorcelé à son corps défendant. Ce talent quelque peu démoniaque a fait admirer Cocteau modernisant aussi bien

HENRY DE MONTHERLANT.
CL. LAURE ALBIN-GUILLOT.

Sophocle que Malherbe, la Chartreuse de Parme ou la pièce du boulevard, la tragédie classique ou le roman de chevalerie, la chanson réaliste ou Jules Verne... Cependant, l'originalité propre de Cocteau a sans doute été, parallèlement au surréalisme et par des moyens différents (car l'entente était loin de régner entre les deux camps), d'inventer un fantastique nouveau (encore que bien des morceaux vinssent de sources assez anciennes), de l'incarner dans une mythologie impressionnante (où le bric-à-brac ne manque pas), et surtout d'y faire passer aux meilleurs moments une certaine terreur panique où l'on peut reconnaître un sentiment du tragique bien manœuvré.

Henry de Montherlant (né en 1896) a été un des écrivains les plus admirés par une partie de la jeunesse après la guerre de 1914 et jusqu'à la veille de celle de 1939. Poète dont la forme libre et l'ampleur faisaient songer à Claudel, prosateur lyrique dont l'aristocratisme le désignait ouvertement comme successeur de Barrès, il s'imposait cependant aux jeunes générations plutôt par son prestige personnel que par un message bien défini. A l'encontre de la plupart, il avait chéri la guerre, pour le dépassement qu'elle exige des meilleurs (et il avait essayé d'en trouver l'équivalent dans les sports), en même temps que pour son esprit de camaraderie exaltante. Ces thèmes entremêlés avaient fait le succès de récits comme la Relève du matin (1920) et le Songe (1922) et d'œuvres lyriques comme le Chant funèbre pour les morts de Verdun (1924) et les Olympiques publiées au moment des jeux de 1924 : le Paradis à l'ombre des épées, les Onze devant la Porte Dorée (1924). Les nombreux essais que publiera Montherlant (recueillis dans Aux fontaines du désir, 1927; Mors et Vita, 1932; Service inutile, 1935; l'Équinoxe de septembre, 1938) perpétueront, à travers bien des variations d'humeur, une fidélité ardente à cet idéal altier. Mais Montherlant n'arrivera jamais, contrairement à Barrès, à se formuler une doctrine ni même un système imaginatif cohérent. C'est un tempérament fait de tendances divergentes, et qui, d'ailleurs, n'ambitionne nullement d'avoir des disciples. Incapable de se fixer, avide de tout dévorer, mais profondément marqué par des préférences instinctives ou des distractions élues, il oscille entre des attirances inconciliables, et il a lui-même préconisé, à défaut de synthèse, le jeu des alternances. Son égotisme a cherché parfois à s'enraciner; après son exaltation du stade, il a eu sa période d'espagnolisme (ou d'accentuation de son espagnolisme) : les Bestiaires (1926), la Petite Infante de Castille (1929); il s'est attaché longtemps à l'Afrique du Nord, et surtout à Alger (Il y a encore des paradis, 1935). Un hédonisme furieux lui a paru la clef de ses aspirations, mais il le contrebalançait par le goût du renoncement et le sentiment du néant. Romancier, il a visé à l'objectivité (les Célibataires, 1934), mais atteint plutôt une forme de satire fortement teintée par ses exigences personnelles (la série des Jeunes Filles, 1936-1939). Même son théâtre (la Reine morte, Fils de personne, 1942; le Maître de Santiago, 1948; Demain il fera jour, 1949) atteste une impossibilité naturelle à sortir de soi. Hauteur ou mépris, grandeur ou orgueil, il a paru appartenir à un autre temps que le sien; on l'a comparé à un seigneur féodal, à un condottiere, à un gentilhomme de la Fronde. C'est par son style, tout instinct, et d'une grande liberté d'allure, qu'il a le plus de chances d'obtenir l'audience de la postérité.

INÈS DE CASTRO ET LE ROI FERRANTE (Mony Dalmès et Jean Yonnel) dans « la Reine morte », d'Henry de Montherlant.
CL. BERNAND.

L'œuvre d'André Malraux (né en 1899) est une des plus significatives de notre temps. Son contenu moral, social et métaphysique a exercé une fascination telle qu'elle a pu servir de pierre de touche pour révéler, parmi les jeunes, les tendances essentielles qui les animaient devant le problème de la destinée humaine. Cette œuvre, composée, pour l'essentiel, d'une demi-douzaine de romans (sans compter quelques essais, dont *la Tentation de l'Occident*, 1926), est sortie presque tout entière d'une expérience vécue et partagée (aventure, guerre civile, activité politique militante), mais elle a ajouté au tragique des événements qu'elle prend pour cadre le tragique d'une spéculation philosophique qui oscille de l'angoisse à l'espérance et cherche une issue dans l'emploi de l'énergie. Sa valeur de document et de témoignage est approfondie par l'intensité d'un tourment qui est encore plus métaphysique que social. La puissance de dramatisation et la tension intellectuelle de ces affabulations passionnées

ANDRÉ MALRAUX. — CL. N. Y. T.

les gardent de n'être qu'un décalque frénétique d'une réalité trépidante. Malraux met en relief un certain type de protagoniste, qui peut d'ailleurs présenter des variétés allant jusqu'à l'opposition : à ce nouveau genre d'aventurier, la lutte révolutionnaire n'offre d'abord qu'un climat favorable pour la volonté de puissance et une chance pour se dépasser (*les Conquérants*, 1928); mais d'autres terrains d'action sont possibles (*la Voie royale*, 1930, premier ouvrage d'une série, *les Puissances du désert*, qui a été abandonnée, sans doute parce que Malraux y décelait trop de complaisance romantique); une étape capitale a été franchie, quand Malraux, qui appréciait le compagnonnage dans le risque, a fait découvrir à ses héros leur justification par la fraternité, dans les plus beaux et les plus larges de ses livres : *la Condition humaine*, 1932; *le Temps du mépris*, 1935; *l'Espoir*, 1937. L'allure terrible de ces récits haletants (sauf quelques rares passages d'un grotesque amusé), pleins de visions fiévreuses, de dialogues véhéments, et l'atmosphère de mort, de sang, de torture, de souffrance et d'humiliation qu'on y respire, depuis la dernière guerre ont paru prophétiques, mais elles ne faisaient que restituer l'atrocité d'une expérience humaine qui ne nous avait pas directement atteints. L'absurdité de la condition humaine y était mise en relief bien avant l'existentialisme, transcendée par l'héroïsme et la solidarité. Il semble qu'actuellement, depuis la guerre, la résistance et la libération auxquelles Malraux prit part, un troisième étage de l'œuvre va se construire, avec une ample symphonie romanesque, *la Lutte avec l'ange*, dont le premier volume, *les Noyers de l'Altenburg*, a été écrit dès 1943. Les « philosophes », qui déjà tenaient une place dans les romans antérieurs, en face des hommes d'action, et qui interrompaient de leurs conversations amères le rythme syncopé du récit, deviendront sans doute plus importants. La nouvelle manière de Malraux semble amorcer une réconciliation avec les forces de la vie. Cette évolution ne paraît pas, sur le plan politique, avoir reçu l'approbation des partis extrémistes. Un certain isolement, qui n'est pas sans grandeur, en est déjà la rançon. Mais il est impossible de prévoir ce que les événements inspireront à ce combattant indépendant, qui n'a jamais séparé la pensée de l'action. Son œuvre restera, en dépit de quelque gaucherie d'exécution. Elle semble souvent côtoyer

le roman d'aventures ou le roman exotique, mais, en réalité, elle a cherché, dans la guerre civile, la Chine ou les prisons nazies, non des prétextes pour l'intrigue ou le pittoresque, mais des foyers authentiques de tribulations humaines, et elle a ennobli celles-ci par l'invention d'un sublime proprement moderne.

III. — LES GROUPES
LA DERNIÈRE BOHÈME

Il n'y a plus, à proprement parler, de bohème littéraire. La dernière bohème a été dispersée par la guerre de 1914. Mais on peut, pour la commodité de l'exposition, grouper sous ce titre un certain nombre d'écrivains qui, au début du siècle, se lièrent d'amitié dans un commun amour de la littérature et de la fantaisie et menèrent à Paris, et plus particulièrement à Montmartre, une vie ardente et anarchique dont la jeunesse, l'impécuniosité et la liberté d'esprit étaient les traits dominants. La plupart d'entre eux connurent et admirèrent Guillaume Apollinaire, qui, mort en 1918, avait ouvert des voies nouvelles au lyrisme et devint un personnage légendaire.

Après lui, Max Jacob (1876-1944) fut le plus pittoresque de son groupe instable et disparate et hérita, dans une certaine mesure, de son rayonnement poétique. Juif converti au catholicisme, il fit retraite, dès 1921, à l'ombre du monastère de Saint-Benoît-sur-Loire et cette retraite ne fut interrompue que par quelques séjours à Paris et quel-

FRONTISPICE de Daragnès pour « la Bohème et mon cœur », de Francis Carco (édition Émile-Paul, 1929). — CL. LAROUSSE.

MAX JACOB. — CL. MARTINIE.   FRANCIS CARCO. — CL. ALBIN-GUILLOT.

ques voyages, jusqu'à son arrestation par les Allemands qui l'internèrent à Drancy, où il mourut avec la sainteté d'un martyr. Sa foi s'est révélée d'une parfaite sincérité, et elle éclate, du reste, en maint endroit de son œuvre, à l'état pur. Mais son mysticisme est, ailleurs, si bizarrement mêlé à son génie comique qu'il a pu sembler longtemps la grimace d'une de ses nombreuses mystifications. On a méconnu de même la qualité de sa poésie, à cause des saillies cocasses de sa verve. La pétulance verbale du pitre anime chez lui un observateur à l'œil neuf. Dans les commérages savoureux de ses romans (*le Terrain Bouchaballe*, 1923; *Filibuth*, 1924; *l'Homme de chair et l'homme reflet*, 1924), dans le mimétisme hallucinant des dialogues ou des correspondances (*le Cabinet noir*, 1922), il fait revivre tout un petit monde bourgeois et populaire. L'auteur du *Cornet à dés* avait renouvelé le poème en prose, et exercé par là sur ses cadets une influence considérable. L'humour de ses poèmes et de ses chansons à calembours (*le Laboratoire central*, 1921; *les Pénitents en maillots roses*, 1926), leur modernité de vision et d'accent ont contribué à créer ce ton fantastique et burlesque qui n'a pas cessé de séduire tant de jeunes poètes.

André Salmon (né en 1881), qui a joué un rôle actif dans la critique d'art (*l'Art vivant*, 1921, etc.) et publié des romans pittoresques (*la Négresse du Sacré-Cœur*, 1920; *l'Entrepreneur d'illuminations*, 1921), aurait été rangé avant 1914, comme Max Jacob, parmi les poètes fantaisistes. Ses poèmes d'après la guerre l'ont révélé comme un poète de l'événement (*Prikaz*, 1919, *l'Age de l'humanité*, 1922 : poèmes réunis dans *Carreaux*, 1929; *Saint-André*, 1936). *Prikaz*, suite de poèmes sur la révolution russe, est son œuvre la plus originale, d'un vigoureux lyrisme épique, d'une éloquence chaleureuse, d'une diction émouvante, qui hausse l'actualité sur le plan du merveilleux.

André Billy (né en 1882) a été le témoin et l'historien de la bohème, comme, du reste, de toute la vie littéraire de notre temps. Critique, auteur d'innombrables chroniques et articles, il a consacré de copieuses biographies à *Diderot* (1932) et à *Balzac* (1944), d'émouvants souvenirs à son compagnon *Apollinaire vivant* (1923). Travailleur infatigable, il a touché à de multiples sujets, avec un bon sens ironique et une curiosité toujours au fait. Observateur sobre et précis, il a composé plusieurs romans sur des cas psychologiques singuliers; citons *l'Approbaniste* (1937) et *Introibo* (1939).

Pierre Mac Orlan (né en 1883) a été au lendemain de la guerre de 1914 le grand maître de l'aventure. Certains de ses récits auraient l'air de pastiches savants de vieux romans de pirates et de boucaniers, s'il ne s'y glissait un frisson tout moderne. D'autres introduisent dans le social, par la voie de l'anticipation, le frémissement du fantastique. Ailleurs, la banalité quotidienne est imprégnée de surnaturel. Un humour cruel et froid jette sa lumière implacable sur ces eaux-fortes inquiétantes. L'art très concerté de Mac Orlan, et dont il a parfois avoué les secrets, se maintient dans les limites d'un jeu avec la peur, et qui ne peut obtenir son plein effet sans la complicité complaisante du lecteur. A de rares moments, Mac Orlan obtient, au contraire, sans peine son adhésion, au moyen d'éclairs poétiques ou de trouvailles psychologiques qui échappent à la préméditation habituelle de ses procédés (*Petit Manuel du parfait aventurier*, 1920; *A bord de l'Étoile matutine*, 1920; *la Cavalière Elsa*, 1921; *la Vénus internationale*, 1923; *Malice*, 1923; *le Quai des brumes*, 1927; *la Tradition de minuit*, 1930; *la Bandera*, 1931; *la Nuit de Zeebruge*, 1934, etc.).

Francis Carco (né en 1886) a connu non seulement la bohème, mais la pègre. Il s'est acquis, comme peintre des milieux interlopes, une célébrité qui ne lui rend pas entièrement justice. D'abord, il a traité d'autres sujets; il y a chez lui autre chose que des souteneurs et des filles; mais surtout, il a porté la vérité de l'observation dans la description de ce qu'on appelait jadis les bas-fonds et qui était jusqu'à lui restée conventionnelle. Nul, si ce n'est Colette, n'a su mieux que lui sympathiser avec les instincts, en exprimer les réactions franches sans les caricaturer ou les idéaliser. Il y avait d'autant plus de mérite que, dans le fond, Carco est un poète sentimental et mélancolique (*la Bohème et mon cœur*, 1912, édition complète 1939). Ce poète ne l'a pas laissé infléchir la rigueur de ses analyses et de ses portraits, mais il lui a laissé la voie libre dans ses évocations des lieux tristes et des heures crépusculaires, comme dans ses souvenirs et ses confidences. Il excelle à créer une certaine atmosphère poignante ou à chuchoter la plainte d'un indéfinissable malaise. Conteur plein de naturel, il unit la sensibilité à l'impartialité avec une sobre aisance : *l'Équipe*, 1919; *l'Homme traqué*, 1921; *Rien qu'une femme*, 1923; *Verotchka*, 1923; *Perversité*, 1925; *le Roman de François Villon*, 1926; *Rue Pigalle*, 1928; *Mémoires d'une autre vie*, 1934; *Ténèbres*, 1935; *la Dernière Chance*, 1935; *Surprenant Procès d'un bourreau*, 1942; *Morsure*, 1949.

Roland Dorgelès (né en 1886) a pâti de l'immense succès de son livre de guerre, *les Croix de bois* (1919), œuvre robuste qui a fait sa popularité, et dont les qualités généreuses comme la solidité de métier se retrouvent dans d'autres volumes, romans, reportages exotiques ou souvenirs de jeunesse (*le Cabaret de la Belle-Femme*, 1919; *Saint-Magloire*, 1922; *le Réveil des morts*, 1923; *Sur la route mandarine*, 1925; *Partir*, 1926; *la Caravane sans chameaux*, 1928; *le Château des brouillards*, 1932; *Quand j'étais Montmartrois*, 1936; *Retour au front*, 1940).

Blaise Cendrars (né en 1887), bohème et grand voyageur, ancien légionnaire qui perdit un bras à la guerre, a connu le *monde entier* et vécu d'une vie multipliée; il a influencé par sa personne autant que par son œuvre les écrivains d'avant-garde férus de modernisme, de cubisme et d'art nègre. Ses poèmes d'un paroxysme frénétique, ses romans violents et chaotiques, ses vies prodigieuses d'aventuriers constitueront les documents les plus véridiques sur la soif

« AU RENDEZ-VOUS DES AMIS ». Tableau de Max Ernst (1923). *Assis, de gauche à droite :* René Crevel, Max Ernst, Dostoïevski, Théodore Fraenkel, Jean Paulhan, Benjamin Péret, Baargeld, Robert Desnos. *Debout, de gauche à droite :* Philippe Soupault, Hans Arp, Max Morise, Rafaele Sanzio, Paul Éluard, Louis Aragon, André Breton, Giorgio di Chirico, Gala Éluard.

d'évasion qui tortura une partie de sa génération (*Dix-neuf Poèmes élastiques*, 1919; *le Film de la fin du monde*, 1919; *Kodak*, 1924; *l'Or*, 1925; *Moravagine*, 1926; *le Plan de l'aiguille*, 1929; *Confessions de Dan Yack*, 1929; *Rhum*, 1931).

LE SURRÉALISME

Le surréalisme est né à la fois du désespoir et de l'enthousiasme. Il fut une explosion de fureur et une recherche passionnée. Il surgit de la guerre, mais il avait été quelque peu préparé par une agitation antérieure. Déjà, le futurisme de Marinetti se caractérisait par un double programme de destructions et d'innovations. De 1917 à 1918, de petites revues comme *Sic* avec P. Albert Birot, et *Nord-Sud* avec Pierre Reverdy, groupaient de jeunes poètes avides de modernisme. On parlait de faire bénéficier la littérature des trouvailles du cubisme. Mais c'est surtout Guillaume Apollinaire qui, par ses poèmes, par son drame *les Mamelles de Tirésias* (1917), à propos duquel il employa pour la première fois l'épithète de surréaliste, par son article sur *l'Esprit nouveau* (1918), où il prônait les expériences même hasardeuses et le grand ressort de la surprise, semblait ouvrir des royaumes inexplorés. Après sa mort, survenue le jour de l'armistice, les écrivains les plus avancés fondèrent une revue, appelée par dérision *Littérature*, qui parut de 1919 à 1921 sous la direction d'Aragon, Breton et Soupault, et faisait place à quelques aînés non encore reniés (Gide, Valéry, etc.). L'esprit de révolte qui animait les plus intransigeants avait été surexcité par l'arrivée à Paris, en 1919, de Tristan Tzara, impatiemment attendu en tant que créateur en Suisse du mouvement Dada. C'est en effet à Zurich, dès 1916, que des émigrés avaient, par

des manifestes vitrioliques, des sortes de poèmes incohérents et des spectacles provocants, entrepris de signifier leur conviction de la nullité de toutes choses. Le mouvement devait son nom au premier mot trouvé en ouvrant au hasard le *Petit Larousse*. Sous les apparences du scandale et de la fumisterie, il y avait dans le dadaïsme une volonté de négation radicale de toutes les valeurs établies. Breton et ses amis devaient se séparer de Dada en 1922, quand ils eurent compris que cette agitation anarchique conduisait à une impasse.

Mais ils ne renoncèrent pas pour autant à la pratique systématique du scandale. La nécessité de ne pas paraître se borner à une révolte inefficace sur le simple plan de l'esprit les amena à se rapprocher du parti communiste. Celui-ci accueillit plusieurs d'entre eux sans enthousiasme, ne les employa qu'avec défiance et finit par exclure les moins souples. Si l'activité du surréalisme fut négligeable sur le plan politique, il connut au contraire un singulier succès dans ce domaine littéraire et artistique qu'il se vantait de mépriser; cette contagion s'est étendue dans un grand nombre de pays. L'étonnante fortune du surréalisme n'est pas due uniquement à la curiosité et au snobisme, mais à la séduction exercée par cette nouvelle recherche du merveilleux. Les surréalistes croyaient à l'abolition des frontières entre l'objectif et le subjectif, à la richesse de l'irrationnel, aux vertus de la contradiction, aux inspirations de la folie, aux trésors de l'inconscient, à la toute-puissance du désir, à la communication du rêve avec la vie, aux hasards miraculeux, aux rencontres bouleversantes. Leurs méthodes oscillaient de l'attitude scientifique à la voyance, ils se livraient à des enquêtes, ils scrutaient leurs songes et leurs rêves éveillés, ils tiraillaient les hasards du langage comme pour lui arracher des secrets, ils se livraient à l'automatisme de la pensée, à l'inspiration sans contrôle, à la dictée de l'inconscient, au délire verbal des associations. Ils recherchaient les objets étranges qui semblaient leur découvrir des failles dans le réel, des êtres en communication avec une autre réalité plus profonde ou supérieure. Ils en vinrent à simuler délibérément, dans de grands poèmes en prose, les formes les plus éloquentes des psychoses.

Le surréalisme se voulait inclassable, et il doit rester quelque chose de ce refus dans sa définition. Un mouvement ? une école ? une doctrine ? Rien de tout cela dans l'esprit de ses pionniers. Ils avaient bien des précurseurs et des auteurs de prédilection (surtout Lautréamont), ils se cherchèrent même parfois des ancêtres (Sade, les auteurs de romans noirs, certains petits romantiques). On peut les inscrire dans une tradition de l'antitradition, mais ils se sont élevés contre toute tentative pour les mettre à la suite dans l'histoire. Ils n'ont jamais accepté de solutions définitives. Ils ont caressé un devenir continu, une recherche, ou plutôt une aventure indéfiniment ouverte. On a parfois caractérisé le surréalisme comme une philosophie ou comme une morale, mais il faudrait alors y faire la place à une dénégation perpétuelle et à une aspiration sans limite. Plutôt même qu'une attitude d'esprit, le surréalisme a été une force vague et violente, une impulsion vers l'inconnu. L'esprit de saccage, qui lui est essentiel, a bien plus frappé le public que son amour du merveilleux, qui tient encore beaucoup du romantisme et qu'il a tenté de renouveler par des appels à la psychanalyse, à la métapsychique ou à l'astrologie. Il est certain aussi et il était fatal que l'exubérance insolente, le parti pris du mauvais goût et du scandale, la frénésie malgré tout joyeuse de cette jeunesse turbulente, le manque de génie dans l'outrance, sans compter la médiocrité foncière ou l'insincérité ou le cabotinage de certains partisans, dussent faire grimacer, jusqu'au ridicule ou à la niaiserie, le sérieux secret de la mascarade. Mais le déferlement de l'influence du surréalisme et surtout l'accent de ses œuvres les plus réussies interdisent de n'y voir qu'une mystification prolongée. Seulement, cette influence, cet accent n'ont pu trouver leur place que par des contradictions flagrantes avec les intentions avouées des novateurs. Pour s'en tenir à la littérature, ils ont dû justement faire œuvre de littérateurs, et, en dépit de leurs soubresauts, devenir lisibles, cohérents, et même avoir du talent, et cela dès le début, avant, comme on dit, de s'être assagis ou d'être devenus des transfuges. Quoique poètes, dans leur sens très particulier, ils ont moins réussi dans la poésie (sauf exception et, dans ce cas, ils n'ont dû faire des concessions à la simplicité et à l'harmonie) que dans le récit, l'essai et surtout le discours (car, chose curieuse, les surréalistes sont volontiers oratoires). Tout doucement, et comme malgré eux, ils ont écrit leurs belles pages, leurs morceaux d'anthologie, leurs chefs-d'œuvre.

André Breton (né en 1896) est le doctrinaire du surréalisme. A ce point de vue, les manifestes, les articles, les messages à mi-chemin entre l'essai et le poème en prose dans lesquels il a exprimé, en polémiste, en analyste et en prophète, une foi qui ne s'est jamais démentie, resteront les témoignages les plus importants de la vie de ce mouvement (les Pas perdus, 1924; Manifeste du surréalisme, 1924; Introduction au discours sur le peu de réalité, 1927; Second Manifeste du surréalisme, 1930; les Vases communicants, 1932; Position politique du surréalisme, 1935; l'Amour fou, 1937; Situation du surréalisme entre les deux guerres : Prolégomènes à un troisième manifeste du surréalisme ou non, 1942; Arcane 17, 1945). Breton s'y montre souvent plus émouvant que dans ses textes proprement poétiques (Poisson soluble, 1924; l'Union libre, 1931; le Revolver à cheveux blancs, 1932; Ode à Charles Fourier, 1947), où il y a cependant des pages éloquentes, des litanies fougueuses

et des images inspirées. Son chef-d'œuvre est l'espèce de récit plein de résonances troublantes intitulé Nadja (1928), qui est devenu l'un des classiques du surréalisme.

Aragon (né en 1897) est le plus doué des écrivains de ce groupe. Sa carrière littéraire se divise assez nettement en trois périodes. Pendant sa période surréaliste, il se révéla comme un prosateur d'une verve éblouissante; son Paysan de Paris (1926), inséparable du Nadja de Breton, est le livre qui donnera le mieux à l'avenir le sentiment de ce qu'a pu être pour une certaine jeunesse la découverte de lieux magiques. A la même époque appartiennent les contes aigus du Libertinage (1924), le violent Traité du style (1928), et des recueils de poèmes, le Mouvement perpétuel (1925), la Grande Gaieté (1929), Persécuté persécuteur (1930), où, à travers mille bouffonneries, se devinait déjà ce don de la mélodie populaire qu'il devait élargir plus tard. Lorsqu'en 1931 Aragon passa au communisme, il écrivit quelques poèmes dans la ligne, Front rouge (1931), Hourra l'Oural (1934), et se fit le défenseur d'un réalisme socialiste. Il écrivit quatre grands romans, les Cloches de Bâle (1934), les Beaux Quartiers (1936), les Voyageurs de l'impériale (1941), Aurélien (1944), dont l'animation, l'émotion et l'exécution sont également remarquables. Après la défaite, Aragon devint le poète le plus populaire de la France : dans ses poèmes patriotiques (le Crève-Cœur, 1940; la Diane française, 1945) et dans ses poèmes d'amour (les Yeux d'Elsa, 1942; Brocéliande, 1943), il renoua avec toute la tradition poétique française, en réussissant ce miracle de réconcilier la poésie moderne avec le chant et avec le public.

En une trentaine de plaquettes et de recueils, qui s'échelonnent de 1917 à 1946 (Mourir de ne pas mourir, 1924; Capitale de la douleur, 1926; l'Amour la poésie, 1929; la Vie immédiate, 1932; Poésie et Vérité, 1942; Poésie ininterrompue, 1946), Paul Éluard (né en 1895) a poursuivi avec une belle continuité le rêve de n'être que poète et purement poète. Il a, peut-on dire, traversé le surréalisme, auquel il a donné son adhésion et conservé sa fidélité, sans en être sensiblement altéré, sauf peut-être dans la qualité de quelques images. Sans doute s'y trouvait-il d'avance secrètement accordé. En tout cas, sa manière a subi peu de changements. Il est resté le poète éternel dont l'ingénuité se retrouve vierge à chaque œuvre. Une extraordinaire fraîcheur fait la grâce de ces poèmes, généralement très courts, dénués d'insistance et d'éloquence (à l'exception de quelques pièces plus appuyées, ces dernières années), d'un charme à la fois évasif et direct, qui vivent d'allusions tantôt transparentes, tantôt mystérieuses, mais conservent toujours, même dans l'obscurité, le privilège d'une simplicité amoureuse.

Un des traits intéressants du surréalisme a été la création d'œuvres en commun. Il faut au moins signaler les Champs magnétiques (1921) de Breton et Soupault, Ralentir, travaux (1930) de Breton, Char et Éluard, l'Immaculée conception (1930) de Breton et Éluard.

Le surréalisme a fait connaître, et souvent révélé à eux-mêmes, de nombreux écrivains. Nommons d'abord ceux qui, sans appartenir au mouvement, en ont été après coup mieux éclairés : le peintre Francis Picabia, précurseur de Dada avec Marcel Duchamp et Arthur Cravan, Georges Ribemont-Dessaignes, Paul Dermée, et surtout Pierre Reverdy (né en 1889), qui fut considéré par les surréalistes comme le plus grand poète vivant; c'est un solitaire, converti au catholicisme, dont les poèmes discrets, allusifs, concentrés, sévères, expriment une sorte de réalisme mystique (les Épaves du ciel, 1924; Flaques de verre, 1929; Ferraille, 1937; Plupart du temps, 1945). Tristan Tzara (né en 1896), théoricien intransigeant du dadaïsme (Sept Manifestes dada, 1924), après avoir mené une rude guerre au langage et à la logique dans ses poèmes incohérents, a évolué vers un lyrisme dont la violence s'est humanisée (*l'Homme approximatif*, 1930; *l'Antitête*, 1935; *Entre-temps*, 1946). Philippe Soupault (né en 1897) prit une part active à l'agitation surréaliste jusqu'en 1926; ses poèmes plaisent par une fantaisie gracieuse assez éloignée du sérieux de la boutique; ses romans incisifs apportent un témoignage intéressant sur l'état d'esprit des jeunes entre 1920 et 1925 (*le Bon Apôtre*, 1923; *En joue !*, 1925). Robert Desnos (1900-1945) a été un étonnant improvisateur et un poète extrêmement doué (*Corps et biens*, 1930). Salvador Dali, plus connu comme peintre, a apporté au surréalisme sa conception de la paranoïa-critique (*la Conquête de l'irrationnel*, 1935). Pierre Naville a surtout joué un rôle dans la politique du mouvement (*la Révolution et les Intellectuels*, 1927). Roger Vitrac et Antonin Artaud ont porté le surréalisme au théâtre; Vitrac a donné des farces féroces (*Victor ou les Enfants au pouvoir*, 1928; *le Coup de Trafalgar*, 1934); Artaud (1896-1948) a tenté de créer un théâtre de la cruauté (*les Cenci*, 1935). Jacques Prévert est un poète satirique. Raymond Queneau a publié depuis 1933 de nombreux romans ironiques d'une grande saveur (*le Chiendent*, 1933; *les Enfants du limon*, 1938; *Pierrot mon ami*, 1943; *Loin de Rueil*, 1945). Il faudrait citer encore Jacques Rigaut (*Papiers posthumes*, 1934) et René Crevel (*le Clavecin de Diderot*, 1932), qui se suicidèrent, le premier en 1929, le second en 1935, et sont considérés comme les martyrs du surréalisme, Benjamin Péret, Hans Arp, Max Ernst, Max Morise, Mathias Lubeck, Francis Gérard, Maxime Alexandre, Pierre Unik, Georges Limbour, Jacques Baron, Michel Leiris, Georges Hugnet, etc. Après les exclusives lancées par Breton, le surréalisme fit vers 1930 de nouveaux disciples, parmi lesquels il faut citer au moins René Char (*le Marteau sans maître*, 1934; *Seuls demeurent*, 1943) dont la poésie très élaborée offre des chances de durée qu'on commence à reconnaître, René Daumal, Gilbert Lely, Gisèle Prassinos, Nicolas Calas, Fernand Marc, Henri Pastoureau, Jehan Mayoux, etc. Enfin, le surréalisme a triomphé dans un genre dont il se défiait par principe avec les deux beaux romans de Julien Gracq (*Au château d'Argol*, 1938, et *Un beau ténébreux*, 1945), auxquels il faut ajouter *le Diapason de l'orage*, de René Roger (1945). Il continue à séduire des poètes comme Aimé Césaire et André Frédérique.

LE POPULISME

Le populisme a été plutôt une tendance qu'une école. Il a cependant eu son manifeste, lancé en 1930 par Léon Lemonnier, professeur d'anglais, l'un de ses chefs de file avec André Thérive et Louis Chaffurin. Mme Antonine Coulet-Tessier ayant fondé, en 1931, le prix du roman populiste, on accepta d'appeler populistes les lauréats. Selon les goûts, on rattacha ou on opposa aux populistes des écrivains appelés prolétariens, c'est-à-dire nés du peuple et écrivant sur et pour le peuple. Ce néo-naturalisme, plus sobre et moins déformant que l'ancien, visait à restituer la vie des milieux populaires.

HÔTEL DU NORD. Un épisode du film tiré en 1939 du célèbre roman d'Eugène Dabit. - CL. SEDIF.

Il n'avait pas de doctrine d'art; il s'en serait plutôt défié. Par sa généralité, il pouvait recruter des adeptes à l'étranger, et, de fait, des écrivains belges d'expression française purent, à certains égards, être considérés comme populistes. Le chef-d'œuvre du genre fut incontestablement *Hôtel du Nord* (1929), d'Eugène Dabit (1898-1936), ouvrier venu aux lettres, et dont le talent discret et pur n'a pu donner toute sa mesure (*Petit-Louis*, 1930; *Villa Oasis*, 1932; *Train de vies*, 1936). L'œuvre abondante d'André Thérive (né en 1891) se ressent de sa formation bourgeoise et universitaire; il a longtemps pratiqué la critique, l'histoire littéraire et l'essai; il a évoqué dans *Noir et Or* la guerre de 1914, écrit des romans pessimistes (*les Souffrances perdues*, 1927), et, dans la même veine, des romans dits populistes d'une forme élégante et savante (*Sans âme*, 1928; *le Charbon ardent*, 1929; *Anna*, 1932; *le Troupeau galeux*, 1934; *Fils du jour*, 1936; *la Fin des haricots*, 1938...). Léon Lemonnier, avec *Cœur imbécile* (1935), Louis Chaffurin avec *Pique-Puce* (1928), Henri Troyat (*Faux Jour*, 1935; *le Vivier*, 1935; *Grandeur nature*, 1936; *Monsieur Citrine*, 1937; *la Clef de voûte*, 1937; *l'Araigne*, 1938), Tristan Rémy (*Porte Clignancourt*, 1928; *Sainte-Marie des Flots*, 1932; *Faubourg Saint-Antoine*, 1936), Henri Pollès (*Sophie de Tréguier*, 1933), Georges David (*Passage à niveau*, 1935) et bien d'autres, Jean Pallu (*Port d'escale*, 1931; *les Novices*, 1936), André Sevry, René Blech, Antonine Coulet-Tessier (*Chambre à louer*, 1932), Huguette Garnier, Laurence Algan..., ont apporté une contribution très variée à ce mouvement dont l'inspiration eût pu paraître assez monotone. D'autres écrivains semblèrent un moment y participer : Jean Prévost (*les Frères Bouquinquant*, 1930), Claire Sainte-Soline (*D'une haleine*, 1935; *les Sentiers détournés*, 1937).

L'EXISTENTIALISME

L'existentialisme a ses origines philosophiques les plus proches dans la phénoménologie de Husserl et l'ontologie de Heidegger, mais il doit beaucoup aussi à la pensée de Kierkegaard, et on peut lui chercher des points d'attache, selon les interprétations qu'on veut lui donner, chez Pascal ou chez Descartes. Avant Sartre, certaines positions métaphysiques de l'existentialisme, comme l'antériorité de l'existence à l'essence, avaient été reprises en France par les philosophes chrétiens Louis Lavelle et Gabriel Marcel. L'existentialisme de Sartre et de ses camarades est, au contraire, résolument athée. C'est sous cette forme que le mouvement littéraire qui porte ce nom s'est manifesté avec éclat depuis une dizaine d'années et a lancé dans le grand public des notions renouvelées par les spécialistes : l'absurdité, l'angoisse, la mauvaise foi, le choix, l'engagement, l'authenticité, et, pour les plus savants, l'en-soi et le pour-soi, la néantisation, la contingence, le projet, la transcendance... Jamais, même au temps du bergsonisme ou de la psychanalyse, la littérature d'imagination n'avait été sous-tendue à ce point de spéculations. L'existentialisme apportait avec lui un matériel d'expressions imagées dont la violence fit fortune : la « nausée », la « viscosité », les « salauds »; des formules saisissantes : « Je suis condamné à être libre », « tout est de trop », « l'enfer, c'est les autres »...

Jean-Paul Sartre (né en 1905) a tenu cette gageure de s'imposer à la fois comme philosophe et comme littérateur. Comme philosophe, il a repensé pour son compte et étendu de façon originale, surtout dans l'analyse de la conscience, toute la pensée existentialiste. Il a commencé par mettre sa marque sur des problèmes psychologiques confus, comme l'image et l'émotion (*l'Imagination*, 1936; *Esquisse d'une théorie des émotions*, 1939; *l'Imaginaire*, 1940),

JEAN-PAUL SARTRE. — CL. LIPNITZKI.

puis, dans une vaste somme, *l'Être et le Néant* (1943), a déployé, avec une vigueur, une abondance, une pénétration, une aisance magistrales, toutes les ressources d'un système d'interprétation qu'on devine susceptible d'une application universelle. Plus étonnante encore a été l'autorité avec laquelle il a fait œuvre de romancier et de dramaturge. Le péril était grand de traduire dans des fictions tout un système. Si Sartre y a échappé, c'est que sa philosophie, bien que nourrie de la méditation de quelques penseurs, était d'abord fortement enracinée dans une expérience personnelle du réel, du concret, du quotidien; ses thèses étaient d'abord des réactions profondes de sa sensibilité. Il n'en était pas moins admirable d'éviter le didactisme et le jargon. Son premier roman, *la Nausée* (1938), tenait encore de l'essai autobiographique, mais révélait une singulière puissance d'analyse et d'évocation troublante. Les nouvelles du *Mur* (1939) attestèrent son pouvoir d'objectivation. Son grand roman, *les Chemins de la liberté* (*l'Age de raison*, *le Sursis*, 1945; *la Mort dans l'âme*, 1949), affirme aussi bien sa maîtrise dans le récit psychologique que dans la technique simultanéiste de la fresque sociale. La peinture implacable de la veulerie des êtres et la description crue des misères physiologiques firent crier au scandale comme aux beaux jours du naturalisme, sans que l'on vît dans cette dure mise au point l'étape d'une dialectique orientée vers une exaltation de la liberté, de la responsabilité et de l'héroïsme. Les pièces de théâtre, symboliques (*les Mouches*,

1943; *Huis clos*, 1945) ou directes (*Morts sans sépulture*, 1946; *la Putain respectueuse*, 1946; *les Mains sales*, 1948), plus schématiques, mais concertées avec une ingéniosité aiguë, marquent peut-être la limite d'un tempérament peu ouvert au pathétique. Enfin, Sartre s'est révélé comme un essayiste, un critique et un polémiste de grande classe, auquel on ne saurait reprocher que ce qui fait sa force : l'appui qu'il prend exclusivement sur son système propre de références. On le sent, d'ailleurs, avec le temps, soucieux de nuancer ses positions. Le pessimisme primitif de la doctrine semble devoir déboucher sur un optimisme courageux (*L'existentialisme est un humanisme*, 1946).

L'existentialisme ne semble pas avoir beaucoup de disciples avoués, mais il a des sympathies actives parmi les jeunes philosophes : Merleau-Ponty, Polin, Hippolyte... Il a sa revue, *les Temps modernes*. Attaqué de divers côtés, notamment par les communistes, il prend ses responsabilités dans les problèmes de l'heure présente. Le seul écrivain qui accepte l'étiquette de l'école est Simone de Beauvoir, qui, comme Sartre, a abordé avec succès l'essai (*Pyrrhus et Cinéas*, 1943), le roman (*l'Invitée*, 1943; *le Sang des autres*, 1945; *Tous les hommes sont mortels*, 1946) et le théâtre (*les Bouches inutiles*, 1945). L'existentialisme n'a pas de poètes, mais Sartre a fait un vif éloge de Francis Ponge, dont *le Parti pris des choses* (1942), recueil de très originaux portraits d'objets, se rapproche quelque peu de l'art sartrien de rendre les états de la matière.

IV. — LES POÈTES

La poésie vieillit vite quand elle n'est pas immortelle. Dans le tableau, nécessairement sommaire, des années 1919-1947, nous devons faire place à des poètes qui eurent leur heure de célébrité ou de notoriété, qu'on admirait ou qu'on attaquait il y a seulement trente ans, et que les jeunes gens d'aujourd'hui ne connaissent pas. C'est le cas pour la plupart des ancêtres qui disparurent entre les deux guerres sans avoir ajouté à leur œuvre antérieure. La naïve violence des débuts poétiques de Jean Richepin (1849-1926) lui vaut encore un souvenir amusé. Gustave Kahn (1859-1936) est plus connu comme théoricien du vers libre que comme auteur des *Palais nomades*. Germain Nouveau (1852-1920; *Poésies d'Humilis et vers inédits*, 1926) se situe dans la légende de Verlaine et de Rimbaud. Robert de Montesquiou (1855-1921) entre dans la biographie de Proust. Laurent Tailhade (1854-1919) aura sans doute une place parmi les poètes satiriques. Les anthologies traditionalistes citent encore Edmond Haraucourt (1856-1941). Mais Jean Aicard (1848-1921) a perdu jusqu'à la renommée de platitude qui faisait de lui le poète le plus moqué depuis François Coppée. L'ombre s'étend de plus en plus sur Émile Blémont (1839-1927), Achille Paysant (1841-1927), François Fabié (1846-1928), Mme Alphonse Daudet (1847-1940), Frédéric Plessis (1851-1941), Maurice Bouchor (1855-1929), Auguste Dorchain (1857-1930), Jean Rameau (1859-1942)...

Avant le romantisme, il n'y avait pas d'opposition foncière entre les familles de poètes — et il n'y avait pas beaucoup de vrais poètes. Depuis le romantisme, les poètes se sont de plus en plus distingués entre novateurs et conservateurs. Tout chapitre réservé à la poésie contemporaine se divise presque de droit entre poésie traditionaliste et poésie moderne. Mais, comme en politique, un glissement à gauche a eu lieu; la tradition s'est déplacée; les novateurs d'hier, les symbolistes, font aujourd'hui figure d'enfants sages, et les extrémistes, les surréalistes, les englobent dans le même mépris que les successeurs du romantisme et du Parnasse; les surréalistes pourraient bien être débordés eux-mêmes par des jeunes dont la violence verbale commence à se dessiner (mouvement dont on pourrait voir le point de départ chez le poète belge Henri Michaux); enfin, des poètes qui, à la veille de la première guerre, étaient à l'avant-garde, comme les unanimistes, se situent maintenant tout juste au centre gauche, bien qu'un abîme les sépare du centre droit, qui a été assez bien figuré par Valéry, flanqué par les néoclassicisants de toutes nuances, dont l'extrême-droite est représentée par les archaïsants, descendants de l'école romane.

Beaucoup de poètes sont restés attachés à l'inspiration et aux formules du XIXe siècle, plus près tantôt du romantisme, tantôt du Parnasse, teintés parfois de symbolisme, rarement touchés par Baudelaire et encore moins par ses héritiers, très fidèles en général au vers régulier, et même en retard sur les hardiesses prosodiques de Hugo. Cette continuité, car il y a encore des poètes nés après 1900 qui suivent ces chemins paisibles, est assez étonnante et instructive. Elle n'a malheureusement pas été jalonnée d'œuvres de premier plan; des talents distingués, quelques vers bien venus, trop de modération, trop de sagesse... Mais enfin elle atteste, sous sa fadeur, un besoin de régularité dans la technique, qui n'est peut-être pas un signe à négliger. Anna de Noailles (1876-1933) reste le plus vivant de ces poètes, grâce à sa fougue, et en dépit de la confusion de son éloquence. Son message, vague et court, avait reçu au début du siècle un accueil délirant. Il a trouvé sa dernière expression dans les Forces éternelles (1920), Poème de l'amour (1924), l'Honneur de souffrir (1927), Poèmes d'enfance (1928), Derniers Vers (1934). Un moment, on fit grande confiance à Joachim Gasquet (1873-1921; les Hymnes, 1919; le Bûcher secret, 1921; les Chants de la forêt, 1921); malgré une noble ferveur, il n'a pas échappé à la banalité. Parmi les très nombreux talents qui peuvent se grouper, malgré leurs différences, sous l'étendard de la tradition, certains avaient acquis au début du siècle la notoriété, et ont continué à publier des volumes de vers : Pierre de Nolhac (1859-1936; Poèmes de France et d'Italie, 1925; le Testament d'un Latin, 1928; le Rameau d'or, 1933), Anatole Le Braz (1859-1926), Sébastien-Charles Leconte (1860-1934; l'Holocauste, 1926; Nuit à Gethsémani, 1932), Fernand Mazade (1861-1939; De sable et d'or, 1922; la Sagesse, 1924; Printemps d'automne, 1930), Louis Le Cardonnel (1862-1936; A Sainte-Thérèse de Jésus, 1921; De l'une à l'autre aurore, 1924), Charles Le Goffic (1863-1932), Hélène Vacaresco (1866-1947; Dans l'or du soir, 1927), André Foulon de Vaulx (né en 1873; le Vent dans la nuit, 1920; le Parc aux agonies, 1923), Fernand Gregh (né en 1873; Couleur de la vie, 1923; la Gloire du cœur, 1932; la Couronne perdue et retrouvée, 1945), André Dumas (1874-1942; Roseaux, 1927), Gérard d'Houville (née en 1876; Poésies, 1931), Maurice Magre (1877-1941; la Porte du mystère, 1923), François Porché (1877-1944; les Commandements du destin, 1921; Sonates, 1923; Vers, 1934), Hélène Picard (1878-1945; Province et Capucine, 1920; Sabbat, 1923; Pour un mauvais garçon, 1927), Alfred Droin (né en 1878; A l'ombre de Sainte-Odile, 1922; la Triple Symphonie, le Songe de la terre, les Flambeaux sur l'autel, 1936), Léo Larguier (né en 1878; les Ombres, 1935), Émile Sicard (1878-1921; le Vieux-Port, 1934), Lucie

Delarue-Mardrus (1880-1945; les Sept Douleurs d'octobre, 1930; Mort et Printemps, 1932), Nicolas Beauduin (né en 1880; l'Homme cosmogonique, 1923; Mare nostrum, 1936; Dans le songe des dieux, 1938). Maurice Chevrier (1875-1935) ne vint à la poésie qu'en 1927 (Stances à la légion étrangère; les Trois Premiers Livres des chants, 1929; Propos, 1929; Poèmes, 1939); Saint-Georges de Bouhélier (1876-1947), qui l'avait quittée en 1917, y revint en 1946 (la Grande Pitié).

Parmi les poètes nés après 1880, certains un peu plus sensibles aux influences modernes, nommons : Charles Derennes (1882-1930; le Livre d'Annie, 1921; Perséphone, 1921; la Princesse, 1924; la Matinée du faune, 1926), Amélie Murat (1883-1941), André Delacour (né en 1883; la Victoire de l'homme, 1922; le Voyage à l'étoile, 1928; les Saisons et les Jours, 1938), Emmanuel Aegerter (1883-1946; les Comédiens d'Elseneur, 1922; les Ames sous l'autel, 1924; Dix Poèmes freudiens, 1927; Poèmes d'Europe, 1929; Feux Saint-Elme, 1931; le Voilier aux diamants, 1935; Disques pour le crépuscule, 1937), Marie Noël (née en 1883; les Chansons et les Heures, 1920; les Chants de la merci, le Rosaire des joies, 1930), Pascal Bonetti (né en 1886), André Payer (né en 1887; les Ferveurs secrètes, 1923; Visage de Paris, 1926; Petits Ciels, 1933; Parabole du jet d'eau, 1934; A la recherche d'Anna Pavlova, 1940), Émile Henriot (né en 1889; Divinités nues et quelques autres, 1920; Aquarelles, 1922; Vignettes et Allégories, 1925; Poésies, 1928; Dans le jardin de mon père, 1935; Tristis exul, 1945), Raoul Boggio (né en 1898; l'Ombre d'un rêve, 1924; Rythme de mon berceau, 1929; la Double Image, 1933; Nuance, 1940; Témoignage, 1944), Yves-Gérard Le Dantec (né en 1898; l'Or des souvenirs, 1922; Ouranos, 1930; l'Aube exaltée, 1932; Sonnets ouraniens, 1940; Ainsi qu'un peuple de colombes, 1945), Robert Honnert (1901-1939; les Désirs, 1930; Lucifer, 1934), Henri-Philippe Livet (1905-1942; Palmes, 1931; Chants du prisme, 1933; Deucalion, 1937; l'Odeur du monde, 1939).

Les vétérans du symbolisme ne pouvaient plus faire école, mais leur voix a encore été entendue : Henri de Régnier (1864-1936), revenu depuis longtemps au vers régulier, et dont la tristesse s'est mélodieusement exprimée dans de nobles décors (Vestigia flammae, 1921; Flamma tenax, 1928); Francis Vielé-Griffin (1864-1937), fidèle au vers libre dont il a tiré encore des effets délicats et fragiles (la Rose au flot, 1922; le Domaine royal, 1923; le Livre des reines, 1929); Saint-Pol-Roux (1861-1940), que les surréalistes ont honoré; Robert de Souza (1865-1946), médiocre poète et théoricien obsédé; Louis Mandin (1872-1944; la Caresse de Jouvence, 1927); André Fontainas (1865-1948), avec qui disparut le dernier survivant de l'école, quelque peu touché par la grâce valéryenne (l'Allée des glaïeuls, 1921; Récifs au soleil, 1922; Lumières sensibles, 1925). En marge du symbolisme, mais non sans liens avec lui, quelques aînés indépendants ont poursuivi leur œuvre : Francis Jammes (1868-1938; la Vierge et les Sonnets, 1919; Quatre Livres de quatrains, 1923-1925; Ma France poétique, 1926; De tout temps à jamais, 1935; Sources, 1936), dont l'inspiration ne s'est pas renouvelée depuis les Géorgiques chrétiennes et n'a pas gagné à se guinder dans la discipline du vers classique où les gaucheries perdent leur charme; André Spire (né en 1868), gourmand de rythmes, violents ou tendres, et pour qui le plaisir musclé du vers est une « danse buccale » (Poèmes juifs, 1919; Tentations, 1920; Fournisseurs, 1923; Poèmes de Loire, 1929); Paul Fort (né en 1872), qui n'a cessé de faire à la nature et à l'histoire sa gracieuse concurrence poétique et, de 1919 à 1937, a ajouté de nombreux tomes à ses Ballades françaises, dont il entreprenait en 1922 une édition définitive; Tristan Klingsor (né en 1874), le magicien du familier (Humoresques, 1921; l'Escarbille d'or, 1922).

Dans le souvenir toujours vivant de Moréas, la tradition

LÉON-PAUL FARGUE. — CL. LAURE ALBIN-GUILLOT.

de l'école romane s'est maintenue, avec une forte odeur d'anachronisme et un goût glacé de la fausse perfection : Maurice Du Plessys (1864-1924; *Odes olympiques*, 1921; *les Tristes*, 1923; *le Feu sacré*, 1926), Ernest Raynaud (1864-1936; *A l'ombre de mes dieux*, 1924), Raymond de La Tailhède (1867-1938; *le Deuxième Livre des odes*, 1922; *le Poème d'Orphée*, 1926), Charles Maurras (né en 1868; *la Musique intérieure*, 1925). Chose curieuse, la tentation de l'archaïsme s'est encore accentuée chez leurs disciples de l'école gallicane, dont les plus savants sont André Mary (né en 1880; *Poèmes*, 1928; *le Livre nocturne*, 1936; *Rimes et Bacchanales*, 1942) et André Berry (né en 1902; *le Trésor des lais*, 1933-1935; *les Esprits de Garonne*, 1942). A tant faire, on leur préfère les francs pastiches, à la manière des satiriques du XVIᵉ siècle, de Fernand Fleuret (1884-1945), le savoureux auteur de *Friperies*.

On sait que la perfection parnassienne avait marqué certains maîtres du symbolisme, et notamment Mallarmé. C'est elle qui caractérise encore les poèmes vigoureux et sensuels de Pierre Louys (1870-1925), publiés après sa mort, et dont l'inspiration, parfois un peu forcée, se fait jour sous une forme éclatante. Elle reste sensible dans les poèmes de Valéry (voir chapitre II), qu'on a pu rattacher tour à tour à des groupes fictifs (l'école païenne, la nouvelle Pléiade, les mallarméens, les néo-classiques), mais que son originalité isole. Dans la tradition mallarméenne, il faut faire figurer Jean Royère (né en 1871), moins remarquable par ses poèmes (*Par la lumière peints*, 1919; *Quiétude*, 1920) que par ses théories esthétiques. Un peu à l'écart, mais intéressante par un curieux mélange de densité et de prolixité, l'œuvre distinguée de F.-P. Alibert (né en 1873; *Odes*, 1922; *Élégies romaines*, 1923; *la Guirlande lyrique*, 1925; *le Chemin sur la mer*, 1925; *la Prairie aux narcisses*, 1926; *la Plainte de Calypso*, 1929; *Épigrammes*, 1934; *Mirages*, 1936) réveille de multiples échos de Moréas à Valéry, sans compter la tradition classique. De ces mélanges instables, que par moments catalyse un souvenir de Mallarmé ou de Valéry, on trouvera encore un exemple chez Henry Charpentier (né en 1889; *Odes et Poèmes*, 1932; *Poésies orphiques*, 1945). L'influence de Valéry est

plus directe sur Lucien Fabre (*Connaissance de la déesse*, 1920) et Pius Servien (*Orient*, 1942).

Tout en tenant encore beaucoup à la tradition la plus classique, il faut mettre à part des poètes dont la veine est cependant teintée d'une sensibilité plus proche de leur temps. Ce sont souvent des élégiaques, mais aussi, à l'occasion, des ironistes sentimentaux. Parmi les élégiaques on nommera : Pierre Camo (né en 1877; *le Livre des regrets*, 1920), Vincent Muselli (né en 1879; *les Masques*, 1919; *Sonnets à Philis*, 1930; *les Strophes de Contre-fortune*, 1931; *les Sonnets moraux*, 1934; *Poèmes*, 1943), Francis Éon (1879-1948; *La vie continue*, 1919; *Suite à Perséphone*, 1933), Guy Lavaud (né en 1883; *Imageries des mers*, 1919; *Poétique du ciel*, 1930), Roger Allard (né en 1885; *l'Appartement de jeunes filles*, 1919; *Poésies légères*, 1929), Léon Vérane (né en 1885; *Images au jardin*, 1921; *le Promenoir des amis*, 1924; *le Livre des passe-temps*, 1930; *les Étoiles noires*, 1932; *La fête s'éloigne*, 1945), René Chalupt (né en 1885), Jean Lebrau (né en 1891; *le Cyprès et la Cabane*, 1922; *la Rumeur des pins*, 1926; *Sous le signe d'octobre*, 1942), Marcel Ormoy (1891-1934; *le Visage inconnu*, 1925), Louis Pize (né en 1892; *la Couronne de myrtes*, 1919; *les Pins et les Cyprès*, 1921; *Chansons du pigeonnier*, 1928; *les Feux de septembre*, 1931), Philippe Chabaneix (né en 1898; *le Bouquet d'Ophélie*, 1929), Georges Gabory (né en 1899; *Poésies pour dames seules*, 1922).

Les fantaisistes feraient assez bien la transition avec les poètes résolument modernes. Mais, avant de les énumérer, il faut accorder un souvenir au bon et joyeux Raoul Ponchon (1848-1937), dont les chroniques rimées ont été en partie réunies dans *la Muse au cabaret* (1920) et *la Muse gaillarde* (1937), rappeler la silhouette sympathique de Fagus (1872-1933), qui unit au culte de Bacchus une solide piété (*la Danse macabre*, 1920; *la Guirlande à l'épousée*, 1921; *Frère Tranquille*, 1932), enfin Maurice Franc-Nohain (1873-1934), dont les *Fables primesautières* (1921 et 1933) connurent une vogue méritée. La véritable tradition fantaisiste comprend deux courants, l'un classicisant, l'autre modernisant. Dans le premier, le père est P.-J. Toulet (1867-1920), dont les petits poèmes, réunis en 1921 dans les *Contre-Rimes* (voir aussi *Vers inédits*, 1923), sont assurés de survivre mieux que les poésies légères du XVIIIᵉ siècle. Ils le doivent à leur élégance de forme, à leur adresse technique, à leur sensibilité délicate et pincée, à leur résonance sourde et mesurée. Jean Pellerin (1885-1920), disparu trop tôt, a laissé un recueil ravissant (*le Bouquet inutile*, 1923, où se détache la *Romance du retour*, 1921), préfacé par Francis Carco qui figure également dans ce groupe par *la Bohème et mon cœur*, paru en 1912, mais plusieurs fois réédité depuis. Tristan Derème (1889-1941) a réuni dans *la Verdure dorée* (1922) ses meilleurs recueils où l'ironie, le sentiment et la pudeur jouent une aimable partie de cache-cache; les poèmes qui suivirent n'avaient plus cette grâce dans l'enjouement. Le courant franchement moderne, aussi bien dans la versification que dans la tournure d'esprit, est représenté par les fantaisistes que nous avons groupés sous le titre : la dernière bohème (voir chapitre III), Apollinaire, Jacob et Salmon; à certains égards, on pourrait y joindre parfois Cocteau, et même quelques surréalistes à leurs débuts (Gérard, Lubeck), à l'occasion même Aragon, et enfin des surréalistes sortis de l'école, comme Prévert et Queneau. La veine de Jacob et Salmon s'est continuée, mais inclinée vers une sorte d'imagerie poétique, tantôt urbaine, tantôt rustique, avec plus de mystère chez Jean Follain (né en 1906; *Chants terrestres*, 1937; *Usage du temps*, 1943), et de goguenardise chez Maurice Fombeure (né en 1906; *Greniers des Saisons*, 1942; *Aux créneaux de la pluie*, 1946).

Au confluent de l'élégie et de la fantaisie, il y eut une île dont le Robinson accueillait toutes sortes de brises et d'effluves. Qui dira de quoi était fait le charme singulier,

tenace et composite de Léon-Paul Fargue (1878-1947)?
Il aurait pu continuer la mélodie sourde et voilée, mais
nerveuse, de ses premières plaquettes (*Tancrède*, *Pour la
musique*) parues avant la guerre ou de poèmes plus douloureux comme le célèbre *Nocturne* de *Sous la lampe* (1929).
Mais le vers, même libéré, ne permettait pas à Fargue de
donner toute sa mesure et étiolait son génie verbal. La
prose libéra son tempérament et lui permit d'accorder des
tendances hétérogènes. Poèmes en prose (*Épaisseurs*, 1924;
Vulturne, 1924; *Déjeuners de soleil*, 1944), notes d'esthétique et de critique (*Suite familière*, 1924), souvenirs, confidences, impressions (*Banalité*, 1925; *le Piéton de Paris*,
1927; *D'après Paris*, 1932; *Haute Solitude*, 1941; *Refuges*,
1942; *la Lanterne magique*, 1944; *Méandres*, 1946), il a
tout marqué de son style inimitable, qui va de la tendresse
à l'invective, manie le trait incisif et l'énumération truce-
lente, forge la maxime ou balance la période, mêle la
cocasserie à l'effusion, puise dans tous les vocabulaires
et invente au besoin des mots, surtout évoque par le
bonheur et l'imprévu des images. Dans ce kaléidoscope
lyrique où l'anarchie de la vision a quelque chose de
cosmique, on retrouve toujours deux points fixes : la nostalgie de l'enfance et la magie de Paris.

On aurait pu croire, au lendemain de la Première Guerre
mondiale, qu'il allait se développer une poésie de caractère
social. Les unanimistes et les anciens amis de l'Abbaye
semblaient destinés à ce rôle. Romains persista dans cette
voie jusqu'en 1924 et n'y revint qu'avec *l'Homme blanc*
(voir chapitre II); Arcos renonça à la poésie dès 1918
(le Sang des autres), Duhamel dès 1920 *(Élégies)*; Durtain, après *le Retour des hommes* (1920), attendit jusqu'en 1935 pour donner ses *Quatre Continents;* Vildrac
continua de faire entendre aux hommes son message
d'amour fraternel (*Chants du désespéré*, 1920; *Prolongements*, 1927), mais se tourna surtout vers le théâtre;
Georges Chennevière (1884-1927) mourut trop tôt pour
que son art à la fois savant et familier, d'une belle tendresse
humaine, très pur de ton (*Poèmes*, 1920; *le Chant du
verger*, 1923; *la Légende du roi d'un jour*, 1927), et qui
atteignait à la grandeur (*Pamir*, 1926), pût gagner l'audience qu'il méritait. En dehors de ce groupe, ni Henry
Jacques (né en 1886), l'auteur de *Nous... de la guerre*
(1918) et de *la Symphonie héroïque* (1922), ni Marcel Martinet (né en 1887), le poète des *Temps maudits* (1918),
n'ont beaucoup marqué dans la poésie de ce temps.
Jacques Portail (né en 1888) publia en 1922 un ample
poème épico-lyrique, *Androlite*, consacré
à la vie d'une cité, et dont la fougue
oratoire, confirmée par *Porte-voix*
(1924), promettait une œuvre abondante,
qu'on attend toujours. Parmi les poètes
plus jeunes, Gabriel Audisio (né en
1900) a, dans une dizaine de recueils
(*Hommes au soleil*, 1923; *Poème de la
joie*, 1924; *Ici-bas*, 1927; *le Hautbois
d'amour*, 1932; *Poèmes du lustre noir*,
1944), exprimé sa foi amicale dans le
bonheur humain et la sagesse de la
nature; son enthousiasme méditerra-
néen, mêlé d'indulgence et de gentillesse, a nourri les paradoxes savoureux
de ses essais (*Jeunesse de la Méditerranée*, 1935; *Sel de la mer*, 1936; *Ulysse*,
1946) et le lyrisme de ses fictions
(*Héliotrope*, 1928; *les Compagnons de
l'Ergador*, 1940). Un autre méditerra-
néen, Louis Brauquier (né en 1900),
a chanté avec une sobre gravité les
beautés de la vie maritime (*Eau douce
pour navires*, 1931; *Liberté des mers*,
1941). Comme la première guerre, la

JULES SUPERVIELLE. — CL. LIPNITZKI.

seconde sembla un moment pouvoir inspirer les poètes;
en fait, c'est uniquement la résistance qui dicta des
accents destinés à toucher un large public (voir notamment le recueil *l'Honneur des poètes*, paru sous l'occupation, le 14 juillet 1943); cette poésie se voulait populaire et accessible; elle donna à Éluard une manière plus
directe et renouvela l'inspiration d'Aragon (voir chapitre III); tout n'en saurait survivre, mais l'histoire
retiendra certainement *le Chant des partisans* (on a appris
que ses auteurs étaient Kessel et Druon), qui fut la *Marseillaise* de la clandestinité.

Quand le lyrisme n'est pas personnel ou social, et quand
il ne se dérobe pas sous les masques de la fantaisie, il se
tourne vers le mystère du monde. Il y a bien des variétés
dans cette poésie qui peut aller de l'inquiétude à la foi,
être mystique, agnostique, panthéiste et s'allier à bien des
dispositions de l'individu. Le grand maître est évidemment
Paul Claudel (voir chapitre II). Rappelons également le
mystique Reverdy (chapitre III). Raymond Schwab (né
en 1884), poète de la solitude humaine et de l'amitié universelle, a entrepris un vaste poème, *Nemrod* (1932),
épique et légendaire dans l'affabulation, métaphysique
dans l'inspiration, d'une grande noblesse de pensée. A
certains égards, la recherche de l'absolu des surréalistes
(chap. III) pourrait être invoquée en témoignage, mais il
faudrait distinguer entre les poètes et tenir compte de
l'énorme déperdition causée par l'incohérence systématique qui rend la plupart d'entre eux illisibles.

Jules Supervielle (né en 1884), qui a présenté un de ses
recueils comme « un essai de surréalisme humain et
confiant », a noté par là ce qui le rapproche et ce qui
le différencie des anciens compagnons de Breton. Il serait
cependant plus qu'injuste de voir en Supervielle une
sorte de Samain du surréalisme, car nul n'a poussé plus
loin le dédain de l'artifice et l'amour de la sincérité. Son
art, ou plutôt son naturel, n'a cessé de s'épurer, depuis les
Poèmes de l'humour triste (1919) et *les Débarcadères* (1922),
jusqu'à préférer l'humilité de la forme au moindre soupçon d'effet. *Gravitations* (1925), *le Forçat innocent* (1930),
les Amis inconnus (1934), *la Fable du monde* (1938), *Poèmes
de la France malheureuse* (1943) sont parmi les œuvres qui
font le mieux croire à la dignité de la poésie. Supervielle
trace avec une merveilleuse pudeur et une délicatesse de
touche très émouvantes les lignes sinueuses qui unissent
les profondeurs de la sensibilité humaine aux grandes
manifestations cosmiques et aux plus simples apparences
de la terre. Supervielle est également
un délicieux conteur de fictions (*l'Homme
de la Pampa*, 1923; *le Voleur d'enfants*,
1926; *le Survivant*, 1928; *l'Enfant de la
haute mer*, 1931; *l'Arche de Noé*, 1938;
le Petit Bois, 1942) ou de souvenirs
(*Boire à la source*, 1933), et un auteur
dramatique (*la Belle au bois*, 1932; *Boli-
var*, 1936; *la Première Famille*, 1936).

Saint-John Perse (né en 1887), après
ses fastueux *Éloges* (1909), n'a donné
qu'en 1924 *Anabase*, dont l'éclat magnifique, l'autorité de la diction, la splendeur
décorative des images n'ont d'équivalent
que chez Claudel ou chez Rimbaud.
En 1942, un mince recueil, d'un charme
plus voilé, *Exil*, a fait de nouveau
regretter que les hautes fonctions tenues
jusqu'à la guerre par Alexis Léger lui
aient fait sacrifier un talent exceptionnel.

P.-J. Jouve (né en 1887), après sa
période unanimiste et ses poèmes paci-
fistes, se convertit au catholicisme et à
la psychanalyse. Il en résulta, outre des
romans fiévreux (*Paulina 1880*, 1925;

PATRICE DE LA TOUR DU PIN.
CL. HARLINGUE.

PIERRE EMMANUEL.
CL. A. P. F.

le *Monde désert*, 1926; *Vagadu*, 1931; *Histoires sanglantes*, 1932; *la Scène capitale*, 1935), une poésie douloureuse et torturée (*les Mystérieuses Noces*, 1925; *Nouvelles Noces*, 1928; *la Symphonie à Dieu*, 1930; *Sueur de sang*, 1935; *Porche à la nuit des saints*, 1941) où l'érotique et la mystique, l'inconscient et la grâce, l'angoisse et l'espérance se mêlent avec une âpre violence; œuvre qui a dérouté la plupart et fasciné quelques-uns. Son influence sur quelques jeunes poètes est incontestable.

Patrice de La Tour du Pin (né en 1911) a été salué comme un talent plein de promesses. Sa *Quête de joie* (1933) et les recueils qui suivirent : *l'Enfer* (1935), *le Lucernaire* (1936), *Psaumes, la Vie recluse en poésie*, 1938)..., prirent place dans sa volumineuse *Somme de poésie* (1947), qui est un des monuments poétiques de l'époque. D'architecture compliquée, de langue inégale, avec bien des bizarreries, la *Somme de poésie* est à la fois une épopée spirituelle et un ouvrage didactique, où le lecteur est surtout sensible à la création d'une atmosphère mystérieuse qui rappelle les romans du moyen âge avec leurs quêtes mystiques et leurs paladins légendaires, à la poésie celtique de ces évocations de pays brumeux où passent des oiseaux sauvages et des anges, à l'étrangeté de la faune et de la flore, à mille détails d'une inactualité séduisante. Sans doute, le bric-à-brac de cette mythologie sera-t-il assez vite insupportable, comme on s'est lassé d'Ossian. Mais ce n'est pas rien que d'avoir apporté dans une époque comme la nôtre un ton qui ne la rappelle en rien.

Pierre Emmanuel (né en 1916) est, parmi les jeunes poètes, celui dont la renommée s'est établie avec le plus de rapidité. Quelque peu influencé par Jouve, impétueux, sombre et violent, il interprète avec passion les mythes antiques et les symboles chrétiens ou renouvelle dans ses poèmes d'actualité la tradition satirique et prophétique d'Agrippa d'Aubigné et de Hugo. Inégale, mais éloquente, sa rhétorique imagée brille souvent d'une beauté barbare (*Élégies*, 1940; *Tombeau d'Orphée*, 1941; *Combats avec tes défenseurs*, 1942; *Jours de colère*, 1942; *le Poète et son Christ*, 1942; *Orphiques*, 1943; *Sodome*, 1944; *La liberté guide nos pas*, 1945), mais fait place parfois à un sobre dépouillement (*Cantos*, 1944). Dans ce renouveau de l'éloquence, il faut faire une place à Audiberti (né en 1900; *Race des hommes*, 1937; *Des tonnes de semences*, 1944), dont l'invention verbale tient du prodige.

On doit se résoudre à ne citer que les noms de poètes qui, dans ces dernières années, ont attiré la sympathie de la critique et dont certains n'ont pas tardé à s'affirmer : Jean Cayrol, Pierre Seghers, René Tavernier, Jean Les-

cure, Jean Tardieu, Guillevic, Lucien Scheler, André Frenaud, Loys Masson, Roger Lannes, Jean Rousselot, Jean Marcenac, Marcel Beallu, René Laporte, Luc Decaunes, Édith Thomas, Claude Sernet, Thérèse Aubray, Yanette Delétang-Tardif, Alain Borne, René Lacote, Guy-René Cadou, Georges Neveux, Gaston Criel, Jean Tortel, Luc Estang, Charles Autrand, Lucien Becker, Claude Roy, G.-E. Clancier, Georges Schéhadé, Michel Manoll, Toursky, Léon-Gabriel Gros, Pichette, Robert Ganzo, Lanza del Vasto, Ilarie Voronca, Malcolm de Chazal.

V. — LES AUTEURS DRAMATIQUES

Parmi les auteurs dramatiques dont la réputation s'était établie bien avant 1919, certains sont morts sans avoir ajouté sensiblement à leur œuvre : Georges de Porto-Riche (1849-1930; *les Vrais Dieux*, 1929), Eugène Brieux (1858-1932), Alfred Capus (1858-1922; *la Traversée*, 1920), Maurice Donnay (1859-1945; *la Chasse à l'homme*, 1920), Henri Lavedan (1859-1940), qui se tourna vers le roman moral (*le Chemin du salut*, 1920-1925), Georges Courteline (1860-1929), Georges Feydeau (1862-1921). D'autres ont produit davantage sans se renouveler profondément : François de Curel (1854-1928), avec ses pièces qui pensent au lieu de vivre (*l'Ame en folie*, 1919; *Terre inhumaine*, 1922; *la Viveuse et le Moribond*, 1926); Henry Bataille (1872-1922), avec son pathétique complaisant (*les Sœurs d'amour*, 1919; *l'Animateur*, 1920; *la Tendresse*, 1921; *l'Homme à la rose*, 1921; *la Possession*, 1922; *la Chair humaine*, 1922), Tristan Bernard (1866-1947), avec son humour nonchalant (*le Prince charmant*, 1921; *les Petites Curieuses*, 1920; *Jules, Juliette et Julien, ou l'École du sentiment*, 1923; *Que le monde est petit !* 1930; *le Sauvage*, 1931). Robert de Flers (1872-1927) n'a pas trouvé en Francis de Croisset (1877-1937) un collaborateur égal à Gaston Arman de Caillavet (*les Vignes du Seigneur*, 1923; *les Nouveaux Messieurs*, 1925). Rappelons les noms des disparus qui eurent leur heure et même parfois des succès prolongés : Albin Valabrègue (1853-1937), Maurice Hennequin (1863-1926), Albert Guinon (1863-1923), Sébastien-Charles Leconte (1860-1934), Pierre Wolff (1865-1930; *le Chemin de Damas*, 1921), Claude Anet (1868-1941; *Mademoiselle Bourrat*, 1924), Pierre Véber (1869-1942), Gabriel Trarieux (1870-1940), Fernand Nozière (1874-1931), André Picard (1874-1926), Gabriel Nigond (1877-1937; *Calixte*, 1922), Régis Gignoux (1878-1931; *le Fruit vert*, 1924; *le Monde renversé*, 1925). Les vétérans chevronnés du théâtre d'avant guerre, comme Miguel Zamacoïs (né en 1866), Paul Gavault (né en 1867), Romain Coolus (né en 1868), ont continué à avoir foi dans leurs formules; Lucien Descaves (né en 1861) était resté peut-être le plus jeune (*l'As de cœur*, 1920; *le Cœur ébloui*, 1926; *les Fruits de l'amour*, 1928). Émile Fabre (né en 1870) donna en 1920 une pièce vigoureuse, *la Maison sous l'orage*. Edmond Sée (né en 1875) est resté fidèle à l'analyse du cœur humain (*la Dépositaire*, 1924; *Derrière la porte*, 1924; *le Bel Amour*, 1925; *Saison d'amour*, 1929; *l'Élastique*, 1932). Henri Duvernois (1875-1937) a tiré de ses nouvelles d'aimables pochades (*Comédies en un acte*, 1927) et écrit quelques pièces, seul (*la Fugue*, 1929; *Jeanne*, 1933) ou en collaboration. Henry Bernstein (né en 1876) essaya de moderniser, de subtiliser et de poétiser la mécanique brutale qui avait fait ses anciens succès (*Judith*, 1922; *la Galerie des glaces*, 1924; *Félix*, 1926; *le Venin*, 1927; *Mélo*, 1929; *le Messager*, 1933; *Espoir*,

1934; *le Voyage*, 1937; *le Cap des tempêtes*, 1937; *la Soif*, 1949).

Les auteurs de la génération suivante n'ont pas toujours été plus neufs : René Fauchois (né en 1882; *l'Enfant de cœur*, 1927; *Prenez garde à la peinture*, 1932; *Rêves d'amour*, 1944; *Quand le diable y serait*, 1944; *Nocturne*, 1946), Charles Méré (né en 1883; *la Captive*, 1920; *la Femme masquée*, 1922; *le Lit nuptial*, 1926; *le Carnaval de l'amour*, 1928; *le Désir*, 1933), Pierre Frondaie (1884-1948; *l'Appassionnata*, 1920; *l'Insoumise*, 1922; *la Gardienne*, 1923; *la Marche au destin*, 1924; *les Amants de Paris*, 1924; *Hollywood*, 1945). Trop inégal et négligé, Alfred Savoir (1883-1934) avait du moins des dons d'invention, du fantasque dans les idées, de la cocasserie dans les situations, du vitriol dans le cynisme; ses vaudevilles à paradoxes sont parmi les plus originales des pièces légères de son temps (*la Huitième Femme de Barbe-Bleue*, 1921; *Banco*, 1922; *la Couturière de Lunéville*, 1923; *la Grande-Duchesse et le garçon d'étage*, 1924; *le Dompteur, ou l'Anglais tel qu'on le mange*, 1925; *la Petite Catherine*, 1930; 1932; *la Voie lactée*, 1933). Paul Géraldy (né en 1885), grand expert en fadeurs psychologiques, a consacré aux débats intimes son goût des nuances sentimentales (*Aimer*, 1921; *Robert et Marianne*, 1925; *Christine*, 1932; *Duo*, 1938; *Si je voulais*, 1946). Les improvisations de Sacha Guitry (né en 1885) ont fait quelque temps illusion; elles n'avaient pour armature qu'un égocentrisme dont on se fatigua; elles plurent au début par leur facilité, leur entrain et leur brio; peu d'œuvres légères se sont évaporées aussi vite (*Mon père avait raison*, 1919; *Je t'aime*, 1920; *Béranger*, 1920; *le Grand-Duc*, 1921; *le Comédien*, 1921; *le Mari, la femme et l'amant*, 1921; *le Blanc et le Noir*, 1922; *Une petite main qui se place*, 1922; *Un sujet de roman*, 1923; *Mozart*, 1925; *Histoires de France*, 1929; *Franz Hals ou l'Admiration*, 1931; *le Nouveau Testament*, 1934; etc.).

Édouard Bourdet (1887-1945), déjà très apprécié avant 1919, a connu de grands succès en appliquant la technique traditionnelle de la comédie de mœurs à des sujets plus modernes (*la Prisonnière*, 1926; *Vient de paraître*, 1927; *le Sexe faible*, 1929; *la Fleur des pois*, 1932; *les Temps difficiles*, 1934; *Fric-Frac*, 1936). Lorsqu'il ne se laisse pas emporter par les péripéties de l'intrigue, il fait preuve d'une grande solidité d'observation, d'un esprit satirique mordant, tantôt plus gai, tantôt

Une mise en scène de Jacques Copeau au Vieux-Colombier : « le Carrosse du Saint-Sacrement », de Mérimée, avec Valentine Tessier et Jacques Copeau (1920).
Cl. Henri Manuel.

Édouard Bourdet surveillant une répétition au Théâtre-Français. — Cl. Lipnitzki.

la Pâtissière du village, plus dur, et d'une grande probité de métier. Parmi les amuseurs du boulevard, il a certainement été, entre les deux guerres, celui qui avait le plus de fonds.

Marcel Pagnol (né en 1895), grâce à une verve comique indéniable, fit une réussite retentissante au théâtre avant de partir à la conquête du cinéma. Après avoir fait la caricature de l'honnêteté universitaire et la satire de l'administration municipale (*Jazz*, 1926; *Topaze*, 1928), Pagnol éleva l'histoire marseillaise et la galéjade à la dignité de la farce sentimentale (*Marius*, 1929; *Fanny*, 1931). Il a su faire rire et pleurer moins par la vérité de son observation que par sa facilité à vibrer au diapason du grand public : c'est ce qu'on a appelé quelquefois son humanité.

Nous regrettons de ne pouvoir que nommer des auteurs dont certains connurent de grands succès : Denys Amiel (né en 1884; *le Couple*, 1925; *M. et Mme Un tel*, 1925; *l'Image*, 1927; *la Femme en fleur*, 1935), René Benjamin (1885-1948; *Il faut que chacun soit à sa place*, 1924), Martial Piéchaud (né en 1887; *Mademoiselle Pascal*, 1920), André Birabeau (né en 1890; *le Chemin des écoliers*, 1927), Léopold Marchand (né en 1891; *Nous ne sommes plus des enfants*, 1927; *Jeunes Filles*, 1945), Jacques Deval (né en 1893; *Une faible femme*, 1920; *Dans sa candeur naïve*, 1926; *Une tant belle fille*, 1928; *Étienne*, 1930; *Mademoiselle*, 1932; *Tovaritch*, 1933; *la Femme de ta jeunesse*,

1947), André Lang (né en 1893; *le Pauvre Homme*, 1924; *Fantaisie amoureuse*, 1925), Roger Ferdinand (né en 1898; *Un homme en or*, 1927; *la Foire aux sentiments*, 1927; *les J3*, 1943; *la Dame de Vittel*, 1946; *les Derniers Seigneurs*, 1946), Paul Vialar (né en 1898; *Nous ne sommes pas si forts*, 1924; *les Hommes*, 1931), Paul Nivoix (né en 1899; *les Marchands de gloire*, avec Pagnol, 1924; *Ève toute nue*, 1927; *l'École des faisans*, 1944; *la Victoire de Paris*, 1944), Marcel Espiau (né en 1899; *Le miroir qui fait rire*, 1927), Henri Jeanson (né en 1900; *Toi que j'ai tant aimée*, 1928; *Amis comme avant*, 1929; *Aveux spontanés*, 1930; *Tout va bien*, 1931), Jacques Natanson (né en 1901; *l'Age heureux*, 1922; *l'Enfant truqué*, 1922; *les Amants saugrenus*, 1923; *le Greluchon délicat*, 1925; *Je t'attendais*, 1928; *Fabienne*, 1931; *Michel*, 1932; *l'Été*, 1934), Michel Duran (né en 1902; *Amitié*, 1931; *Liberté provisoire*, 1934 ; *Trois-six-neuf*,

HENRI-RENÉ LENORMAND. — CL. LOUIS SILVESTRE.

1936; *Barbara*, 1938; *Nous ne sommes pas mariés*, 1939; *Boléro*, 1941). Ajoutons les amuseurs féconds : Armont et Gerbidon, Yves Mirande, Mouézy-Éon, Louis Verneuil, Félix Gandéra, Jean de Létraz...

A côté de ceux qui ont préféré s'appuyer sur des formules dont la solidité leur était garantie par le succès du passé, d'autres ont essayé d'ouvrir des voies nouvelles. Les tentatives originales ont été fréquentes. Il est curieux de constater que les réussites les plus éclatantes ne sont pas venues, sauf une ou deux exceptions, d'auteurs dramatiques professionnels, mais d'écrivains qui pratiquaient d'autres genres. Le théâtre contemporain n'a rien d'aussi vaste et d'aussi haut que *le Soulier de satin*, ni d'aussi libre et poétique que les pièces de Giraudoux (voir chap. II). Des poètes et des romanciers ont montré, souvent avec bonheur, qu'ils pouvaient égaler ou surpasser les techniciens du théâtre. Quelques-uns ont produit une œuvre dramatique abondante et variée (Romains, Cocteau, voir chap. II); d'autres n'ont fait que des incursions dans ce domaine (Paul Fort, Gide, Giono, Supervielle, Mauriac, Montherlant, etc.); de plus jeunes (Sartre, Camus, etc.) s'y sont déjà affirmés et nous réservent peut-être des surprises.

H.-R. Lenormand (né en 1882) a fait un effort méritoire pour créer une forme moderne de tragédie. Il a fait appel à la désintégration de la personnalité (*les Ratés*, 1919; *l'Homme et ses fantômes*, 1924; *le Lâche*, 1925), à l'exotisme, à la fatalité des climats (*le Temps est un songe*, 1919; *le Simoun*, 1920; *la Dent rouge*, 1922; *A l'ombre du mal*, 1924; *la Terre de Satan*, 1943) et, surtout, aux puissances troubles et mystérieuses de l'inconscient (*le Mangeur de rêves*, 1922; *Trois Chambres*, 1931; *la Maison des remparts*, 1943). Il a essayé de manifester la présence du tragique par une atmosphère de malaise ou d'angoisse qui recherche la puissance d'envoûtement. Ce théâtre de l'obsession n'a pas trouvé sa formule définitive, soit parce qu'il rappelait la pièce à thèse, soit parce que le morcellement en tableaux nuisait à la continuité de l'effet, soit par défaut de stylisation et de transposition dans le dialogue. Technicien très consciencieux et soucieux d'atteindre un large public, Lenormand s'est évadé parfois de ses propres formules (*Crépuscule du théâtre*, 1934).

Jean-Jacques Bernard (né en 1888) a apporté une manière de concevoir le dialogue qui réagissait discrètement contre le verbalisme du théâtre d'avant guerre, pouvait nuancer l'expression de certains sentiments et approfondir certaines répliques, à l'occasion donner le ton à quelques scènes, mais ne pouvait suffire à soutenir un nouvel art dramatique. Ce qu'on a appelé avec excès l'école du silence, et qui n'était que l'intention de faire sentir l'inexprimé, a produit quelques œuvres distinguées dont la plus caractéristique, *Martine* (1922), toucha par son pathétique en sourdine. On trouve la même pudeur d'exécution dans des pièces de psychologie intime (*Le feu qui reprend mal*, 1921; *l'Invitation au voyage*, 1924; *Nationale 6*, 1935; *le Jardinier d'Ispahan*, 1939), dont quelques-unes se situent dans un cadre historique (*le Secret d'Arvers*, 1926; *Louise de La Vallière*, 1945).

Après avoir collaboré avec Denys Amiel à deux pièces psychologiques (*la Souriante Mme Beudet*, 1921; *la Carcasse*, 1926), André Obey (né en 1892) qui s'était retrempé dans la compagnie d'élèves de Jacques Copeau (la Compagnie des Quinze), tenta de retrouver le sens de la grandeur antique et la largeur du lyrisme pastoral. Puisant ses sujets dans l'histoire romaine (*le Viol de Lucrèce*, 1931), dans la Bible (*Noé*, 1931), dans un cataclysme (*Loire*, 1933) ou un grand événement contemporain (*la Bataille de la Marne*, 1931), ou dans le drame même de l'invention artistique (*Maria*, 1946), il essayait de renouveler la technique par des procédés anciens ou modernes (chœurs, récitants, personnifications allégoriques, projections sur la scène des créations de l'esprit) qui exigeaient peut-être un peu trop de l'imagination du spectateur et n'étaient pas toujours adaptés à l'optique du théâtre. Sa langue savoureuse, tour à tour lyrique et familière, attestait un poète dont les ambitions étaient dignes d'un meilleur succès.

Paul Raynal (né en 1890) a le goût et même l'instinct des grands sujets (*le Tombeau sous l'Arc de Triomphe*, 1924; *la Francerie*, 1933; *le Matériel humain*, 1948) et une certaine adresse dans la stratégie psychologique (*le Maître de son cœur*, 1920; *le Soleil de l'instinct*, 1932). Il a prouvé surabondamment que l'éloquence n'était pas morte en France et qu'il n'était pas décidé pour sa part à lui tordre le cou. L'opinion et la critique se sont violemment déchirées sur la valeur de son œuvre. Il apparaît avec le temps que la raideur de ses personnages tient moins de Corneille que de Paul Hervieu et que la sublimité de ses duels oratoires recèle plus d'emphase que de puissance. Sans méconnaître l'éclat de quelques scènes, on finit par préférer à tant de prétention une pièce où Raynal revient à plus de simplicité comme *A souffert sous Ponce Pilate* (1939).

On put avoir un moment l'illusion que Jean Sarment (né en 1897) allait créer un théâtre de rêve (*la Couronne de carton*, 1920; *le Pêcheur d'ombres*, 1921; *le Mariage d'Hamlet*, 1922; *Je suis trop grand pour moi*, 1924; *les Plus Beaux Yeux du monde*, 1925; *Léopold le Bien-Aimé*, 1927; *Madame Quinze*, 1935), malgré l'inconsistance et la mollesse de son romantisme attardé. Ses personnages de velléitaires sentimentaux ne manquent pas de charme. Il incline trop souvent vers la comédie du boulevard (*As-tu du cœur?*, 1926; *Bobard*, 1930; *Peau d'Espagne*, 1933; *le Discours des prix*, 1934; *Mamouret*, 1941).

Marcel Achard (né en 1899) avait fait des débuts pleins de fantaisie, d'humour et de gentillesse. Sans être capable de vraiment créer des types, il a su animer des fantoches qui se fixaient dans le souvenir. La drôlerie et la tendresse de son invention avaient une fraîcheur charmante. Sans perdre ses qualités premières, il s'est laissé gagner par l'esprit de la comédie légère et du vaudeville (*Voulez-vous jouer avec moâ?*, 1923; *Malborough s'en va-t-en guerre*, 1924; *La vie est belle*, 1928; *Jean de la Lune*, 1929; *Domino*, 1931; *Pétrus*, 1933; *la Femme en blanc*, 1933; *Noix de coco*, 1935; *le Corsaire*, 1938). Il a essayé de se renouveler par des artifices dramatiques jouant sur la chronologie (*Auprès de ma blonde*, 1946).

Armand Salacrou (né en 1899) est l'auteur dramatique le plus original de sa génération. Son œuvre abondante et variée témoigne d'une richesse d'invention presque excessive et dans laquelle il entre souvent du fantasque et du frénétique. Grand découvreur de sujets, curieux de situations paradoxales, très audacieux dans la technique dramatique où il jongle avec le temps et la mémoire, maître de tous les tons et capable d'allier le vaudeville et la tragédie, il a un dialogue jaillissant et plein de trouvailles. Surtout il est vivant et ne laisse pas un instant le spectateur en repos. Il y a d'ailleurs chez lui un philosophe ardent, un moraliste à éclipses et un observateur avide. L'ensemble, qui n'est pas toujours parfaitement dosé et harmonisé, s'impose par une énergie dramatique évidente et un mouvement irrésistible (*Tour à terre*, 1925; *le Pont de l'Europe*, 1927; *Patchouli*, 1930; *Atlas-Hôtel*, 1931; *l'Inconnue d'Arras*, 1935; *Un homme comme les autres*, 1936; *La terre est ronde*, 1938; *les Fiancés du Havre*, 1944; *les Nuits de la colère*, 1947; *l'Archipel Lenoir*, 1947).

Jean Anouilh (né en 1910) a réparti ses pièces en pièces roses et pièces noires, bien qu'elles ne différent guère entre elles (à l'exception du *Bal des voleurs*, 1932, qui est une farce sarcastique en forme de ballet) que par la nature du dénouement ou par le dosage du pessimisme et de l'ironie. Ses héros et ses héroïnes sont des révoltés romantiques obsédés par le besoin de la pureté, le dégoût de la misère et la haine de la société. L'action prend son point de départ dans une situation romanesque ou dans une légende de l'antiquité, modernisée (*l'Hermine*, 1931; *la Sauvage*, 1934; *Y avait un prisonnier*, 1935; *le Voyageur sans bagage*, 1936; *le Rendez-vous de Senlis*, 1937; *Léocadia*, 1939; *Eurydice*, 1941; *Antigone*, 1943). La plupart de ces pièces sont d'amers réquisitoires qui, sous une affabulation poétique, rappellent la pièce à thèse; seulement, l'affirmation de la thèse est remplacée par l'explosion d'une rancune passionnée.

Il faut rappeler les efforts sympathiques, mais généralement infructueux, pour ressusciter les formules nobles : tragédie, drame historique, légende poétique ou symbolique..., que continuèrent à défendre dans le premier quart du siècle Alfred Poizat et les Belges Albert Du Bois et Paul Demasy. Alfred Mortier (1865-1937), l'auteur de *Marius vaincu* (1909) et de *Sylla* (1914), vit qualifier sa *Penthésilée* (1924) de « tragédie féministe »; on lui doit aussi un *Divin Arétin* (1930). Saint-Georges de Bouhélier (1876-1947) semblait avoir perdu l'humilité du *Carnaval des enfants*, et, après son *Œdipe* (1919), entassait d'ambitieuses machines historiques

UNE SCÈNE DE « L'ARCHIPEL LENOIR », d'Armand Salacrou, avec Marguerite Jamois et Charles Dullin. — CL. BERNAND.

(*le Sang de Danton*, 1931; *Napoléon*, 1933; *Jeanne d'Arc*, 1934; *le Roi Soleil*, 1938). François Porché (1877-1944) a moins réussi dans ses essais de théâtre poétique, honnêtes, mais sans élan (*la Jeune Fille aux joues roses*, 1919; *la Dauphine*, 1921; *le Chevalier de Colomb*, 1922; *la Vierge au grand cœur*, 1925), que dans *Tzar Lénine* (1931) et *la Race errante* (1932). Paul Fort (né en 1872), beaucoup plus primesautier, nous a donné, sous une forme familière et pittoresque, dénuée de prétentions, une série d'aimables et malicieuses « chroniques de France » (*Louis XI curieux homme*, 1921; *Ysabeau*, 1924; *les Compères du roi Louis*, 1926). Maurice Rostand (né en 1891) a accumulé, avec une bonne foi égale à son mauvais goût, tous les défauts de la pire tradition du drame en vers (*la Gloire*, 1921; *le Secret du Sphinx*, 1924; *l'Archange*, 1925; *Napoléon IV*, 1929; *Monsieur de Létorière, le Procès d'Oscar Wilde*, 1935; *Charlotte et Maximilien*, 1945).

De respectables ambitions ont animé des écrivains nourris de métaphysique et de morale, qui voulaient élever le ton du théâtre et rehausser sa dignité. Les synthèses symbolistes d'Édouard Dujardin (né en 1861; *le Retour éternel*, 1932), le mysticisme d'Édouard Schneider (né en 1880; *le Dieu d'argile*, 1921; *l'Exaltation*, 1928), les conflits d'idées d'Henry Marx (né en 1882; *l'Enfant maître*, 1920; *Ariel*, 1926), les crises morales de Philippe Fauré-Frémiet (*le Souffle du désordre*, 1922), les drames éloquents et audacieux de Boussac de Saint-Marc (*le Loup de Gubbio*, 1921; *le Coup de bambou*, 1922; *le Couvre-feu*, 1925; *l'Amour vaincu*, 1925; *Moloch*, 1928), et bien d'autres tentatives (n'oublions pas les quatre pièces de Marie Lenéru parues après sa mort : *la Paix*, 1921; *le Bonheur des autres*, 1925; *la Maison sur le roc*, 1927; *les Lutteurs*, 1928) confirment qu'en marge des grands courants

ARMAND SALACROU. — CL. MARTINIE.

il subsiste, après Curel, un goût marqué pour la dramatisation des idées. La difficulté de les incarner reste visible chez le plus important représentant de cette tendance, Gabriel Marcel (né en 1887), qui, tout en se méfiant de la pièce à thèse, n'a guère réussi qu'à la raffiner, avec une entente plus subtile de la scène, et toutes les ressources d'un esprit rompu à la méditation philosophique et sensible au mystère des êtres (*le Cœur des autres*, 1921; *le Regard neuf*, 1922; *la Chapelle ardente*, 1922; *le Quatuor en fa dièse*, 1925; *Un homme de Dieu*, 1925; *le Mort de demain*, 1932; *le Dard*, 1937; *le Fanal*, 1938).

D'autres dramaturges ont contribué à donner à la scène contemporaine sa physionomie : Charles Vildrac (né en 1882), dont les tableaux de genre et les scènes d'intérieur valent par la finesse et la discrétion émue (*le Paquebot Tenacity*, 1920; *Michel Auclair*, 1922; *Madame Béliard*,

CRÉON ET ANTIGONE, dans l'« Antigone » de Jean Anouilh. — CL. LIPNITZKI.

1925; *le Pèlerin*, 1926; *la Brouille*, 1930); Henri Ghéon (1875-1944), qui a renouvelé le théâtre de patronage (*le Pauvre sous l'escalier*, 1921, etc.); Émile Mazaud (né en 1884), dont le *Dardamelle* (1922) n'a pas la truculence ni le lyrisme du *Cocu magnifique* de Crommelynck, mais constitue un retour savoureux à la farce; Jean-Victor Pellerin (né en 1885), qui a innové dans la technique dramatique en matérialisant les rêveries de ses personnages (*Intimité*, 1922; *Le plus bel homme de France*, 1925; *Têtes de rechange*, 1926; *Cri des cœurs*, 1928); Simon Gantillon (né en 1890), qui a tenté d'élargir le réalisme en symbolisme (*Cyclone*, 1923; *Maya*, 1924; *Bifur*, 1932); Bernard Zimmer (né en 1893), qui, avant de se vouer au cinéma, avait manifesté des dons de caricaturiste corrosif (*le Veau gras*, 1924; *les Zouaves*, 1925; *Bava l'Africain*, 1926; *le Coup du 2-Décembre*, 1928; *Pauvre Napoléon*, 1929; *Beau Danube rouge*, 1932). Stève Passeur (né en 1899) a été considéré comme un successeur de Bernstein plus complexe; comme lui, il confond la brutalité avec la force, mais il le dépasse pour l'artifice des situations; ce qui est bien à lui, c'est une fougue acerbe qui se dépense en incohérences psychologiques et en revirements paradoxaux (*la Traversée de Paris à la nage*, 1926; *Pas encore...*, 1927; *Suzanne*, 1929; *l'Acheteuse*, 1930; *la Chaîne*, 1931; *Je vivrai un grand amour*, 1935; *la Traîtresse*, 1946). Claude-André Puget (né en 1905) poétise et rafraîchit des recettes éprouvées (*la Ligne de cœur*, 1931; *Valentin le Désossé*, 1932; *les Jours heureux*, 1938; *Échec à Don Juan*, 1941; *le Grand Poucet*, 1943; *la Peine capitale*, 1948).

Nommons, enfin : André-Paul Antoine (*l'Ennemie*, 1929; *la Prochaine ?*, 1932), René Bruyez (*le Conditionnel passé*, 1932), Georges Neveux (*Juliette ou la Clef des songes*, 1930; *le Voyage de Thésée*, 1943), André de Richaud (*Village*, 1931; *le Château des papes*, 1932; *Hécube*, 1937; *Carmen*, 1942; *le Mal de la terre*, 1947),

André Josset (*Élisabeth, la femme sans homme*, 1935), Charles de Peyret-Chapuis (*Frénésie*, 1938; *Feu Monsieur Pic*, 1939; *Phèdre*, 1942; *la Sœur*, 1943; *Judith*, 1945; *Rouge et Or*, 1945), Claude Vermorel (*Jeanne avec nous*, 1942), Alfred Adam (*Sylvie et le Fantôme*, 1943; *la Fugue de Caroline*, 1945), Louis Ducreux (*Jean-Baptiste le Mal-Aimé*, 1944; *Un souvenir d'Italie*, 1945; *les Clefs du ciel*, 1945), André Roussin (*Une grande fille toute simple*, 1944; *la Sainte Famille*, 1946), René Laporte (*Fédérigo*, 1945), Henri Troyat (*les Vivants*, 1946), Jacques Audiberti (*Quoat-Quoat*, 1946; *Le mal court*, 1947), Thierry-Maulnier (*la Course des rois*, 1946).

Un des traits importants de l'histoire du théâtre après la Première Guerre a été l'influence exercée par les metteurs en scène. Il n'est que juste de rappeler le haut exemple donné à tous par Jacques Copeau (né en 1879) au Vieux-Colombier jusqu'en 1924, et les brillantes créations de Charles Dullin (né en 1885) à l'Atelier, de Louis Jouvet (né en 1885) à la Comédie des Champs-Élysées et à l'Athénée, de Gaston Baty (né en 1885) à la Chimère, au Studio des Champs-Élysées et au Théâtre Montparnasse, et, parallèlement à cet effort, les spectacles de Georges Pitoëff (1886-1939). Il faut mentionner encore Michel Saint-Denis, René Rocher, Marcel Herrand, André Barsacq, Jean et Marie-Hélène Dasté, Jean-Louis Barrault... Enfin, parmi leurs aînés, quelles que fussent parfois les différences de doctrine et de tendances, il serait ingrat de ne pas saluer la mémoire de Lugné-Poe (1869-1940), grand découvreur de talents, de Firmin Gémier (1865-1933), si dévoué à la cause du théâtre, et de l'ancêtre respecté, le fondateur du Théâtre Libre, André Antoine (1858-1943).

VI. — LES ROMANCIERS

Au lendemain de la Première Guerre mondiale, les romanciers connus qui avaient atteint ou dépassé la soixantaine avaient donné l'essentiel de leur œuvre, et, sauf exceptions, y ajoutèrent peu : Gyp (1850-1932), Henry Céard (1851-1924), Jules Mary (1851-1923), Pierre Decourcelle (1856-1926), Edmond Haraucourt (1856-1941), Jean Rameau (1859-1942), J.-H. Rosny jeune (1859-1948). Élémir Bourges (1852-1925) acheva sa noble épopée de *la Nef* (1922). René Bazin (1853-1932) donna *les Nouveaux Oberlé* (1919), *Baltus le Lorrain* (1926), *Magnificat* (1931), et se fit le biographe de *Charles de Foucauld* (1921). J.-H. Rosny aîné (1856-1940) continua à être robustement fécond (*l'Amoureuse Aventure*, 1920, etc.). Gustave Geffroy (1855-1926) écrivit *Cécile Pommier* (1924). Parmi leurs cadets, Gustave Guiches (1860-1935), Jean Bertheroy (1860-1927), Rachilde (née en 1862),

JEAN ANOUILH. — CL. ALBIN-GUILLOT.

Marguerite Audoux (1863-1937), Jean Ajalbert (1862-1947), Léon Frapié (né en 1863), Pol Neveux (1865-1939), Paul Brulat (1866-1940), René Boylesve (1867-1926), Léon Daudet (1868-1942), Michel Corday (1869-1937), Georges Lecomte (né en 1867), ou n'ont pas produit de romans marquants ou n'ont pas changé leur manière. Lucien Descaves (né en 1861) donna *l'Imagier d'Épinal* (1919), Paul Adam (1862-1920) *le Lion d'Arras* l'année même de sa mort, Victor Margueritte (1866-1942) *la Garçonne* (1922) qui fit scandale, Georges d'Esparbès (1864-1944) *les Victorieux* (1919), Claude Anet (1868-1941) *Ariane, jeune fille russe* (1920). Les grands romans de Louis Bertrand (1866-1941) sont antérieurs à la guerre, mais il donna encore une trilogie, *Une destinée* (1925-1932). Émile Baumann (1868-1941) est toujours aussi dogmatique dans *Job le Prédestiné* (1922). Édouard Estaunié (1862-1942) a confirmé sa réputation de romancier de la souffrance et d'évocateur de la vie secrète dans trois romans suggestifs : *l'Ascension de M. Baslèvre* (1920), *l'Appel de la route* (1921), *Madame Clapin* (1932), et deux recueils de nouvelles : *l'Infirme aux mains de lumière* (1923), *le Silence dans la campagne* (1924). Quelques-uns ont beaucoup écrit, parfois trop, comme Henry Bordeaux (né en 1870) : *Yamilé sous les cèdres* (1923), *la Revenante* (1932), *Cendres chaudes* (1938), *la Sonate au clair de lune* (1942)... Marcel Prévost (1862-1941) a tenté de se renouveler, moins dans ses *Nouvelles Lettres à Françoise* (1924) ou *Sa maîtresse et moi* (1925) que dans *la Retraite ardente* (1927) et *l'Homme vierge* (1929). Pierre Mille (1864-1941) est resté l'intarissable et aimable conteur qu'il était. Abel Hermant (né en 1862), dont les grâces académiques et l'ironie se sont quelque peu fanées, a continué à produire; son *Cycle de lord Chelsea* (4 vol., 1922-1924) ne manque pas d'agrément. Parmi les romans raffinés que Henri de Régnier (1864-1936) a continué d'écrire, on retiendra surtout *la Pécheresse* (1920).

Même chez les romanciers plus jeunes, nés entre 1870 et 1885, beaucoup avaient atteint la notoriété avant 1919; tout en accroissant leur œuvre, ils restent, en général, tributaires du passé et n'apportent pas de contribution franchement nouvelle à l'esprit de l'après-guerre : Gabrielle Reval (1870-1938), Charles-Henri Hirsch (1870-1948), Louis Artus (né en 1870), auteur de romans catholiques (*la Maison du sage*, 1921; *le Vin de ta vigne*, 1922; *la Chercheuse d'amour*, 1926; *les Chiens de Dieu*, 1928), Marcelle Tinayre (1872-1948; *Perséphone*, 1921; *Priscille Séverac*, 1922; *l'Ennemie intime*, 1931), Gaston Chérau (1872-1937) qui perpétuait la tradition de son *Champi-tortu* (1906) dans *Valentine Pacquault* (1921), *le Flambeau des Riffaut* (1925), *la Volupté du mal* (1929), Charles Géniaux (né en 1873), Émile Guillaumin (1873-1940), Robert Randau (né en 1873), vétéran du roman colonial (*le Chef des porte-plume*, 1921; *Cassard le Berbère*, 1926), Colette Yver, Frédéric Boutet (né en 1874; *Gribiche*, 1925; *la Scène tournante*, 1926), Pierre Villetard (né en 1874; *M. Bille dans la tourmente*, 1920; *l'Aventure de Marise*, 1924), Binet-Valmer (1875-1940) qui ajoutait de nombreux volumes à son entreprise ambitieuse, Myriam Harry (née en 1875) qui se tournait plutôt vers le récit de voyage, Claude Farrère (né en 1876) qui s'enlisait dans le mélodrame et la déclamation (citons pourtant *les Hommes nouveaux*, 1922). Henri Barbusse (1874-1935) ne retrouva pas le succès du *Feu* (1916) avec *Clarté* (1919) et *les Enchaînements* (1925). On doit à Gilbert de Voisins (1877-1939), l'original auteur du *Bar de la Fourche*, le curieux roman intitulé *la Conscience dans le mal* (1921) et des poèmes en prose rythmée (*le Jour naissant*, 1924). Le spirituel conteur Henri Duvernois (1875-1937) a écrit quelques-uns de ses récits les mieux venus : *Edgar* (1919), *Morte la bête* (1921), *Servante* (1926), *l'Homme qui s'est retrouvé* (1936). Jean Gaument (1879-1931) et Camille Cé

JEAN-LOUIS BARRAULT et Madeleine Renaud dans une pantomime de Jacques Prévert : « Baptiste ». — CL. LIPNITZKI.

(né en 1878) ont ajouté à leur œuvre d'un réalisme amer *la Grand'Route des hommes* (1923), *Largue l'amarre* (1924), *J'aurais tué* (1927), et Auguste Bailly (né en 1878), à ses drames paysans, *la Carcasse et le Tord-Cou* (1923), *Naples au baiser de feu* (1924), *la Vestale* (1925)... Edmond Jaloux (né en 1878) a continué la longue série de ses récits romanesques aux charmes mélancoliques (*la Fin d'un beau jour*, 1920; *les Profondeurs de la mer*, 1922; *l'Alcyone*, 1925; *O toi que j'eusse aimée*, 1927; *Sur un air de Scarlatti*, 1929...). Léon Werth (né en 1879), après ses violents réquisitoires : *Clavel soldat* (1919) et *Clavel chez les majors* (1919), s'est tourné vers le roman psychologique (*Yvonne et Pijallet*, 1920; *les Amants invisibles*, 1921; *Dix-neuf Ans*, 1922). Henri Bachelin (1879-1945), le sobre auteur du *Serviteur* (1918), a donné d'authentiques romans rustiques (*les Rustres*, 1922; *le Chant du coq*, 1923; *la Cornemuse de Saulieu*, 1925; *l'Été de la Saint-Martin*, 1929). Camille Marbo a enrichi sa galerie de portraits féminins (*les Cahiers de Francine*, 1925; *A bord de la Croix du Sud*, 1931; *la Maison Bartholène*, 1946). René Béhaine (né en 1880) n'a pas vu récompenser son effort méritoire mais confus pour peindre l'*Histoire d'une société* (commencée en 1899, 11 vol. en 1936).

Il ne faut pas oublier l'œuvre de romanciers distingués comme : Gaston Roupnel (né en 1871; *Siloë*, 1927; *Hé! Vivant!...*, 1929), Michel Yell (né en 1875; *le Déserteur*, 1930), Armand Praviel (né en 1875; *Jamais plus...*, 1922), Jean Vignaud (né en 1875; *Sarati le terrible*, 1920; *la Maison du Maltais*, 1927; *Vénus*, 1929; *le Huitième Péché*, 1931), les frères Leblond (Marius, né en 1877, Ary, né en 1880; *l'Ophélia*, 1922), Paul Reboux (né en 1877; *Romulus Coucou*, 1920). Eugène Montfort (1877-1936; *César Casteldor*, 1927; *Cécile, ou l'Amour à dix-huit ans*, 1929), Jean Variot (né en 1881; *l'Arbitre du monde*, 1920; *l'Effigie de César*, 1921; *l'Homme qui avait un remords*,

1924; *Rhapsodie montagnarde*, 1929-1935; *Liberté, liberté chérie*, 1930; *les Coursiers de Sainte-Hélène*, 1933), Raymond Escholier (né en 1882; *Dansons la trompeuse*, 1919; *Cantegril*, 1921; *Quand on conspire*, 1925), Jean-José Frappa (1882-1939; *les Vieux Bergers*, 1919), Jean-Louis Vaudoyer (né en 1883; *la Reine évanouie*, 1923; *Peau d'ange*, 1924), Louis-Frédéric Rouquette (1884-1926; *le Grand Silence blanc*, 1921; *l'Épopée blanche*, 1926; *la Bête bleue*, 1930), Fernand Fleuret (1884-1945; *les Derniers Plaisirs*, 1924; *Histoire de la bienheureuse Raton, fille de joie*, 1926; *Jim Click*, 1930; *Échec au roi*, 1935), François Bonjean (né en 1884; *Mansour*, 1924; *les Confidences d'une fille de la nuit*, 1941), René Jouglet (né en 1884; *le Nouveau Corsaire*, 1924; *le Bal des ardents*, 1926; *Soleil-Levant*, 1935), Th. Harlor (*le Pot de réséda*, 1921; *Arielle, fille des champs*, 1923).

Entre les deux guerres, quelques grandes réputations se sont confirmées, des talents originaux se sont révélés, des noms sont devenus célèbres. Rappelons d'abord les romanciers que nous avons étudiés dans le chapitre II : Romain Rolland, Gide, Proust, Colette, Martin du Gard, Giraudoux, Duhamel, Romains, Mauriac, Cocteau, Montherlant, Malraux, et, dans le chapitre III : Max Jacob, Salmon, Mac Orlan, Carco, Cendrars, Billy, Dorgelès, les populistes, Dabit, les surréalistes, Aragon, Queneau, Julien Gracq..., les existentialistes, Sartre et Simone de Beauvoir, et renvoyons au chapitre VII, pour ceux que nous avons rangés parmi les essayistes : Hamp, Larbaud, Maurois, Jean Prévost, Camus. Sans prétendre à une parfaite objectivité, on peut tirer du sein d'une production extraordinairement abondante une vingtaine d'autres noms que l'époque a mis au premier plan.

JÉROME ET JEAN THARAUD. — CL. LAURE ALBIN-GUILLOT.

Au lendemain de la guerre de 1918, la réputation des frères Tharaud (Jérôme, né en 1874; Jean, né en 1877) était solidement établie; ils la devaient à leurs romans et surtout à leurs récits de voyage dont ils avaient, en quelque sorte, classicisé l'exotisme par la vertu d'un art d'une extrême sobriété. Ils donnaient encore quelques œuvres de la même veine qui alimentait également de nombreux articles de journaux très supérieurs par leur qualité d'évocation aux reportages habituels (*Un royaume de Dieu*, 1920; *Marrakech ou les Seigneurs de l'Atlas*, 1920; *Quand Israël est roi*, 1922; *le Chemin de Damas*, 1923; *la Rose de Sâron*, 1927; *les Bien-aimées*, 1932; *la Jument errante*, 1933).

L'œuvre de Jean Schlumberger (né en 1877), sans obtenir l'audience du grand public, a retenu l'attention des lettrés par une rare distinction de cœur et de pensée. Plus moraliste qu'artiste, mais psychologue sensible et écrivain scrupuleux, ce protestant libéral et pudique s'est penché avec une conscience frémissante sur tous les problèmes susceptibles d'exalter la responsabilité humaine, soit dans ses traités (*l'Enfant qui s'accuse*, *Césaire*, *Dialogues avec le corps endormi*, 1927), soit dans ses romans (*Un homme heureux*, 1920; *le Camarade infidèle*, 1922; *le Lion devenu vieux*, 1924; *Saint Saturnin*, 1931; *Histoire*

de quatre potiers, 1935; *Stéphane le glorieux*, 1940). Schlumberger s'est essayé également au théâtre (*la Mort de Sparte*, 1921). Il a exprimé son idéal moral dans des essais d'une grande noblesse (*Sur les frontières religieuses*, 1934; *Plaisir à Corneille*, 1936; *Jalons*, 1941).

Alphonse de Chateaubriant (né en 1877), dont on n'avait pas oublié *Monsieur des Lourdines*, attendit douze ans pour donner *la Brière* (1923), son chef-d'œuvre, dont la force d'évocation semblait annoncer un maître qui unirait à l'émotion sourde un art à la fois plastique et musical. Il subsiste quelque chose de ces dons dans certaines nouvelles de *la Meute* (1927). Mais ils s'atténuent jusqu'à l'effacement dans *Les pas ont chanté* (1938). Entre temps, le goût de la prédication avait gâché le sujet de *la Réponse du Seigneur* (1933). En dehors du roman, on n'est pas près d'oublier que le talent dévié s'est mis au service de l'illuminisme nazi (*la Gerbe des forces, Nouvelle Allemagne*, 1937).

L'ironique conteur fantaisiste d'*Écrit sur de l'eau* (1908), Francis de Miomandre (né en 1880), a distribué les grâces que les fées lui avaient prodiguées dans une foule d'écrits, de récits, d'essais, de rêveries, de chroniques (*le Pavillon du mandarin*, 1921; *l'Ombre et l'Amour*, 1925; *Bestiaire*, 1928; *la Vie du sage Prospero*, 1930; *Otarie*, 1933; *le Zombie*, 1935; *Cabinet chinois*, 1936; *Direction Étoile*, 1937; *le Jardin de Marguilène*, 1946). Le plus représentatif de ses livres est sans doute son recueil de prose poétique, *Samsara* (1931). Il pratique l'exotisme en chambre, mais accueille avec tendresse toutes les sollicitations de l'univers irisé où se complaît son âme rêveuse et fantasque. On peut regretter, cependant, que la nonchalante élégance de ces charmes se soit un peu trop dispersée, et que, faute de concentration, leur parfum s'évapore trop vite.

Avant 1919, Luc Durtain (né en 1881) était surtout un poète qui s'apparentait aux unanimistes. Devenu grand voyageur, il traduisit ses expériences dans de nombreux récits où il exprimait sa robuste sympathie pour l'humain (*l'Autre Europe*, 1928; *Dieux blancs, hommes jaunes*, 1930; *le Globe sous le bras*, 1936) et dans des romans et nouvelles groupés sous le titre de *Conquêtes du monde*. Les meilleurs sont la série américaine : *Quarantième Étage*, 1927; *Hollywood dépassé*, 1928; *Captain O. K.*, 1931; *Frank et Marjorie*, 1934, remarquables par une faculté de perception déformante et pittoresque, une verve mimétique et un style paroxyste.

Alexandre Arnoux (né en 1884), déjà connu avant 1914 et remarqué en 1918 pour son *Abisag ou l'Église transportée par la foi*, donna en 1919 un recueil de récits et de tableaux militaires : *le Cabaret* et, en 1920, un roman, *Indice 33*, dont la guerre fournissait un cadre au dénouement. Très sensible au changement d'esprit qui se manifestait avec les nouvelles générations, intéressé à la fois par la poésie des vieilles histoires médiévales et par le fantastique de son temps, conteur né, il produisit une œuvre abondante (récits, essais, théâtre) où il alliait avec une grâce aisée le merveilleux et le familier, dans une sorte

Jacques Chardonne. — Cl. H. Manuel.   Francis de Miomandre. — Cl. A. P. F.   Jacques de Lacretelle. — Cl. Harlingue.

de légende qu'il inclinait à volonté vers le présent ou le passé, vers l'enfance ou l'aventure, le réalisme local ou l'exotisme (*la Nuit de Saint-Barnabé*, 1921; *Huon de Bordeaux*, 1922; *Petite Lumière et l'Ourse*, 1923; *Écoute s'il pleut*, 1923; *Suite variée*, 1925; *le Chiffre*, 1926; *les Gentilshommes de ceinture*, 1928; *Merlin, l'enchanteur*, 1931; *Carnet de route du Juif Errant*, 1931; *Poésie du hasard*, 1934; *le Rossignol napolitain*, 1937).

Jean-Richard Bloch (1884-1947) a été hanté d'un double souci esthétique et social, qui s'est marqué aussi bien dans ses essais pour mieux comprendre son temps (*Carnaval est mort*, 1920; *Destin du théâtre*, 1930; *Destin du siècle*, 1931; *Offrande à la politique*, 1933; *Naissance d'une culture*, 1936; *Espagne! Espagne!* 1936) et ses récits de voyage (*Sur un cargo*, 1924; *Première Journée à Rufisque*, 1926; *Cacaouettes et Bananes*, 1929) que dans des œuvres d'imagination. Le conteur de *Lévy* et le romancier d'*Et Cⁱᵉ* étaient à la recherche d'un style neuf et vigoureux, propre à peindre le monde moderne. Bloch sembla ensuite incliner vers un art plus gratuit et plus rêveur dans son roman exotique, *la Nuit kurde* (1925), dans son drame, *le Dernier empereur* (1926), ou dans une fantaisie comme le *Ballet de Dix Filles dans un pré* (1926), mais, bien vite, la part de l'idéologie se fit prédominante et l'emporta sur les valeurs esthétiques. Son roman lyrique, *Sibylla* (1932), est décevant, et sa chronique populaire, *Toulon* (1944), verse délibérément dans le mélodrame.

Jacques Chardonne (né en 1884), venu tard à la littérature, a écrit quelques romans patiemment mûris et d'une grande sûreté de style qui analysent avec une profonde compréhension la vie intérieure du couple marié (*l'Épithalame*, 1921; *le Chant du Bienheureux*, 1927; *les Varais*, 1929; *Éva ou le Journal interrompu*, 1930; *Claire*, 1931; *les Destinées sentimentales*, 1934-1935; *Romanesques*, 1937). Sa conception idéaliste de la vie et de l'amour est équilibrée par un sens aigu de la complexité des âmes, qui l'empêche de tomber dans le romanesque ou lui permet d'atteindre un romanesque plus secret. Il a exprimé plus directement son optimisme nostalgique dans des essais et des confidences (*l'Amour c'est beaucoup plus que l'amour*, 1937; *le Bonheur de Barbezieux*, 1938; *Chronique privée*, 1940).

Henri Pourrat (né en 1884) est un maître incontesté de la littérature régionaliste, qu'il conçoit fort éloignée du faux pittoresque et du clinquant de la couleur locale (voir ses essais : *la Ligne verte*, 1929; *le Bosquet pastoral*, 1931). Il a fait revivre, dans ses récits savoureux, précis et poétiques, pleins d'un humour réaliste, toute son Auvergne natale, ses paysages, ses habitants, ses mœurs, ses coutumes, ses croyances, ses traditions (*les Vaillances, farces et gentillesses de Gaspard des Montagnes*, 4 vol., 1922-1931; *les Jardins sauvages*, 1923; *le Mauvais Garçon*, 1926; *Dans l'herbe des trois vallées*, 1927; *le Meneur de loups*, 1930; *la Grande Cabale : les Sorciers du canton*, 1933; *Monts et Merveilles*, 1934; *le Secret des compagnons*, 1937; *Toucher terre*, 1946).

On a pu croire pendant un moment que Pierre Benoit (né en 1886) allait prendre dans l'histoire du roman d'aventures la place de Dumas père. Après des débuts remarqués (*Kœnigsmark*, 1919), il avait obtenu un immense succès de vente avec son *Atlantide* en 1920. Mais son habileté à rajeunir des procédés d'une efficacité consacrée ne put masquer longtemps son peu de force créatrice et son manque de naïveté et de jaillissement dans l'invention. Il a tenté trop rarement de donner plus de fond à ses intrigues par une curiosité psychologique qui reste malgré tout bien sommaire (*Mademoiselle de La Ferté*, 1923). On songerait moins à lui reprocher son souci insuffisant du style si sa verve était moins conventionnelle.

Romancier très classique de forme, mais plus romantique d'inspiration, Jacques de Lacretelle (né en 1888) s'est d'abord attaché à peindre des âmes anxieuses, solitaires et incomprises (*la Vie inquiète de Jean Hermelin*, 1920; *Silbermann*, 1922; *la Bonifas*, 1925; *Amour nuptial*, 1930). Il a élargi sa manière dans un grand roman en quatre volumes, *les Hauts Ponts* (1932-1935), en situant les conflits intimes de ses personnages dans le cadre d'un domaine familial et dans la durée de trois générations. On lui doit aussi *le Pour et le Contre* (roman en 2 vol., 1946), de sobres nouvelles, des essais et des traductions de romans anglais apparentés à ses préoccupations. Écrivain délicatement mesuré, il s'est révélé comme un maître de l'analyse.

Paul Morand (né en 1888) a connu un succès foudroyant grâce à deux recueils de nouvelles (*Ouvert la nuit*, 1922; *Fermé la nuit*, 1923), qui plurent par l'évocation audacieuse de certains aspects de la vie cosmopolite, par le brio des images, et par un style plein de surprises. Ce modernisme aigu, qui commence à dater, colorait aussi ses poèmes (*Lampes à arc*, 1920; *Feuilles de température*, 1920; *Tendres Stocks*, 1921). Diplomate et voyageur, vite déçu par les limites du monde et de l'exotisme (*Rien que la terre*, 1926), Morand, dans ses contes rapides, ses vivants récits de voyages, ses lyriques monographies de villes énormes, ses romans un peu maigres mais bien construits, a laissé de l'après-guerre et de la planète une image sensuelle, excitante et peu flatteuse, mais qui restera comme un document de première main (*Lewis et Irène*, 1924; *l'Europe galante*, 1926; *Boudha vivant*, 1927; *Magie noire* 1928; *New York*, 1929; *Champions du monde*, 1930; *Air indien*, 1932; *Flèche d'Orient*, 1932; *Londres*, 1933). Il a marqué de sa griffe l'art de la nouvelle (*Milady*, 1937).

Sans être à proprement parler un romancier, Marcel Jouhandeau (né en 1888) a réussi à créer un personnage singulier, M. Godeau, et une étrange petite ville imaginaire, Chaminadour. Un mélange de mysticisme visionnaire et de réalisme psychologique donne à cette œuvre très abondante et un peu bavarde une allure de commérage supérieur et métaphysique d'un charme acide et revêche. Jouhandeau a en propre une manière menue de moraliste théologien qui procéderait par petites touches, aphorismes et échanges inquiétants de répliques. Malgré la sécheresse du trait et la cruauté de l'observation, ses évocations sans pitié baignent dans une atmosphère d'irréalité féerique et ses créatures vivent dans un climat de mystère diabolique et religieux. Jouhandeau n'est d'ailleurs pas un talent d'une exceptionnelle vigueur, mais c'est un des écrivains les plus originaux de notre temps (*les Pincengrain*, 1924; *M. Godeau intime*, 1926; *les Térébinte*, 1926; *Prudence Hautechaume*, 1927; *Astaroth*, 1929; *Chaminadour*, 1934, 1936, 1941; *l'Oncle Henri*, 1943; etc.).

Georges Bernanos (1888-1948) est avec Claudel et Mauriac un des plus importants écrivains catholiques d'aujourd'hui. Il a porté dans le pamphlet et dans le roman une même violence de conviction et une égale puissance verbale. Il est généralement considéré comme l'authentique successeur de Léon Bloy qu'il égale par l'éloquence mais qu'il dépasse par l'imagination créatrice. Ses romans, où il met en scène des créatures en proie au démon et à la grâce, ont une force hallucinante comme un cauchemar (*Sous le soleil de Satan*, 1926; *l'Imposteur*, 1927; *la Joie*, 1929; *Un crime*, 1935; *Journal d'un curé de campagne*, 1936; *Nouvelle Histoire de Mouchette*, 1937; *Monsieur Ouine*, 1946). Bernanos est, d'autre part, le plus vigoureux de nos polémistes (*la Grande Peur des bien-pensants*, 1931; *les Grands Cimetières sous la lune*, 1938; *Lettre aux Anglais*, 1942).

Maurice Genevoix (né en 1890) a été le témoin le plus véridique et le plus objectif de la guerre des tranchées; ses cinq volumes : *Sous Verdun, Nuits de guerre, Au seuil des guitounes, la Boue, les Éparges* (1916-1923), d'une incomparable probité, suffiraient à l'honneur d'une carrière d'écrivain. Genevoix, retiré dans sa Sologne d'adoption, a peint, dans un cadre de nature qu'il évoque avec bonheur (*la Boîte à pêche*, 1927; *Forêt voisine*, 1933), des vies farouches (*Remi des Rauches*, 1922; *Raboliot*, 1925; *l'Assassin*, 1930); il aime les bêtes indépen-

JEAN GIONO. — CL. HARLINGUE.

dantes (*Rroû*, 1931; *la Dernière Harde*, 1938); il retrace vigoureusement les luttes de la vie rustique d'aujourd'hui (*Marcheloup*, 1934).

Pierre Drieu La Rochelle (1893-1945) a été l'exemple de faillite intellectuelle, artistique et morale le plus remarquable de sa génération. Il est douteux qu'il reste autre chose qu'un document sur l'époque de ses tentatives poétiques (*Fond de cantine*, 1920), de ses romans d'âmes à la dérive (*État civil*, 1921; *l'Homme couvert de femmes*, 1925; *Blèche*, 1929; *Gilles*, 1940) ou de ses essais politiques (*Mesure de la France*, 1923; *Genève ou Moscou*, 1928; *Avec Doriot*, 1937), qui reflètent sous une apparente fermeté de ton une profonde inconsistance morale.

Louis-Ferdinand Céline (né en 1894) devint brusquement célèbre par un livre d'une verve copieuse et d'une misanthropie forcenée (*Voyage au bout de la nuit*, 1932) qui, malgré un mépris total de l'art, n'était pas loin d'être un chef-d'œuvre de truculence, de pessimisme et de désespoir. Malheureusement, cette sincérité devait tourner à la manie et cette violence au mécanisme. L'outrance dans l'invective abracadabrante et la grossièreté populacière ôtèrent tout sérieux à des élucubrations comme *Mort à crédit* (1936), *Bagatelles pour un massacre* (1938) et *l'École des cadavres* (1938).

Jean Giono (né en 1895) a redonné une vie nouvelle à de vieilles utopies philosophiques : retour à la nature, idéal primitiviste, abandon de la civilisation moderne. Son œuvre abondante et diffuse, parsemée d'admirables morceaux, est toute parcourue par un grand souffle païen dont le lyrisme terrestre et cosmique touche parfois à l'épopée. Sa langue, riche en trouvailles poétiques, est souvent gâchée par les recherches d'un maniérisme agaçant. Giono a exprimé, surtout dans ses essais, une doctrine confuse, basée sur la joie de vivre, l'amour de la solitude, le naturisme, l'individualisme, le pacifisme et le refus d'obéissance (*Colline*, 1929; *Un de Baumugnes*, 1929; *le Grand Troupeau*, 1931; *Jean le bleu*, 1933; *le Chant du monde*, 1934; *les Vraies Richesses*, 1936; *Batailles dans la montagne*, 1937; *Refus d'obéissance*, 1937; *Triomphe de la vie*, 1942). Son théâtre pastoral sort de la même inspiration (*le Lanceur de graines*, 1932; *le Bout de la route*, 1941; *la Femme du boulanger*, 1944).

Jean Cassou (né en 1897) est plutôt un évocateur qu'un romancier. Dans ses nouvelles recueillies dans *Sarah* (1931), *De l'Étoile au Jardin des Plantes* (1935), dans un récit comme *Légion* (1939), dans une œuvre inclassable comme *Souvenirs de la terre* (1933), dans de vastes fresques comme *les Inconnus dans la cave* (1933) et *les Massacres de Paris* (1936), Jean Cassou procède surtout par allusions et la réalité se dérobe sous un voile mystérieux. La fantaisie et le fantastique sont tempérés par une grâce et un charme d'un romantisme classique, dont le secret évanescent faisait déjà l'attrait de ses premiers essais (*Éloge de la folie*, 1925; *Harmonies viennoises*, 1926; *les Nuits de Musset*, 1930).

Marcel Arland (né en 1899) pourrait être choisi comme le représentant typique et moyen des aspirations de la jeunesse née avec le siècle. Il en a partagé l'inquiétude, le goût de la confession et de l'analyse du « moi »; ses premières œuvres sont influencées par Gide (*Terres étrangères*, 1923; *Étienne*, 1924; *la Route obscure*, essais, 1924). Mais ce qu'il y avait de modérément romantique en lui s'est vite assagi sous l'effet de tendances à la discipline intérieure et au classicisme. Il a dénoncé en 1924 le « nouveau mal du siècle » et s'est efforcé de concilier sa double exigence d'art et de morale dans des romans et des recueils de nouvelles d'une grande distinction (*les Ames en peine*, 1927; *l'Ordre*, 1929; *Antarès*, 1932; *les Vivants*, 1934; *la Vigie*, 1935; *Les plus beaux de nos jours*, 1937; *Terre natale*, 1938). Arland est surtout un conteur moraliste, épris de pureté, pudique, sincère et scrupuleux, qui a le goût des âmes, et dont la délicatesse psychologique reçoit une sourde vibration de son sens religieux du tragique et de la destinée. Ses *Essais critiques* (1931) et ses articles de la *N. R. F.*, attentifs et nuancés, ont ce même caractère d'observation pensive et retenue.

Louis Guilloux (né en 1899), après quelques récits qui apportaient à la littérature prolétarienne une contribution émue et scrupuleuse (*la Maison du peuple*, 1927; *Dossier confidentiel*, 1930; *Compagnons*, 1931; *Hyménée*, 1932), s'affirma dans un vigoureux et sombre roman, *le Sang noir* (1935) qui faisait la satire indignée d'une société provinciale en 1917 et, sous la figure du professeur Merlin, dit Cripure, transposait avec une amère violence le suicide du philosophe Georges Palante.

André Chamson (né en 1900), Cévenol et protestant, a débuté en 1924 par un dialogue, *Attitudes*, influencé par Barrès. Admirateur de Mistral, il a écrit des poèmes en provençal. Essayiste, il a mis en valeur la notion d'*immunité*, dont il a fait l'équivalent du *sacré* dans la civilisation moderne et le garant de la liberté. Il s'est affirmé comme romancier, par des récits vigoureux d'une sobriété classique qui dépassaient déjà le cadre de la littérature régionaliste, tant ses personnages de paysans posaient de problèmes largement humains (*Roux le bandit*, 1925; *les Hommes de la route*, 1927; *le Crime des justes*, 1928; *Histoires de Tabusse*, 1930; *l'Auberge de l'abîme*, 1933), et par une série d'âpres peintures contemporaines qui, depuis la crise du 6 février 1934 jusqu'à l'année 1944, constituent les étapes de la chronique d'un témoin de notre époque tourmentée (*l'Année des vaincus*, 1934; *Rien qu'un témoignage, la Galère*, 1939; *le Puits des miracles*, 1944; *le Dernier Village*, 1946).

Julien Green (né en 1900), romancier d'origine américaine, avec des ascendances irlandaise et écossaise, né à Paris, de formation et de culture françaises, débuta par un *Pamphlet contre les catholiques de France* (1924), puis se révéla comme un conteur puissant et original. Ses romans (*Mont-Cinère*, 1926; *Adrienne Mesurat*, 1927; *Léviathan*, 1929; *l'Autre Sommeil*, 1931; *Épaves*, 1932; *le Visionnaire*, 1934; *Minuit*, 1936; *Varouna*, 1940; *Si j'étais vous*, 1947) et ses nouvelles (*le Voyageur sur la terre*, 1924; *les Clefs de la mort*, 1925; *Christine*, 1928) attestent un tempérament de visionnaire hanté par une angoisse métaphysique dont les racines plongent loin dans un passé séculaire. En dépit de l'aspect parfois mélodramatique ou grimaçant de ses récits, il impose à ses lecteurs son univers de réalité rêvée et de cauchemar vécu. On trouvera la clef de cette inquiétude ardente et douloureuse dans son émouvant *Journal* (1938 et suiv.).

Marcel Aymé (né en 1902) est un conteur né et très heureusement doué, qui a renouvelé sans effort le conte pour enfant, l'histoire grasse et le récit réaliste. Par un dosage aisé de l'absurde et du vraisemblable, il s'est créé un petit univers familier, aimable et goguenard. Sans grandes préoccupations psychologiques ni descriptions ambitieuses, il sait animer les êtres et les choses d'une vie surprenante ou cocasse qui a l'intensité du rêve et l'évidence de la réalité quotidienne (*les Contes du Chat perché*, 1934; *la Table-aux-crevés*, 1929; *la Jument verte*, 1933; *la Rue sans nom*, 1930; *le Puits aux images*, 1932; *le Nain*, 1934; *Maison basse*, 1935; *le Moulin de la Sourdine*, 1936; *Derrière chez Martin*, 1938; *le Bœuf clandestin*, 1939; *le Passe-muraille*, 1943; *la Vouivre*, 1943; *le Chemin des écoliers*, 1946; *le Vin de Paris*, 1947). Au théâtre, il a donné avec succès *Lucienne et le boucher* (1948).

Dans la première décade de l'entre-deux guerres s'épanouit une floraison de romanciers, nouveaux pour la plupart. La place nous est trop mesurée pour qu'il nous soit possible de les caractériser comme il conviendrait : Louis Chadourne (1890-1925; *le Maître du navire*, 1919; *l'Inquiète Adolescence*, 1920; *Terre de Chanaan*, 1921; *le Pot au noir*, 1922) et Raymond Radiguet (1903-1923; *le Diable au corps*, 1923; *le Bal du comte d'Orgel*, 1924), morts prématurément, après avoir donné les plus belles promesses; Maurice Constantin-Weyer (né en 1881), romancier de l'épopée canadienne (*la Bourrasque*, 1925; *Un homme se penche sur son passé*, 1928; *Clairière*, 1929; *Telle qu'elle était en son vivant*, 1936); Émile Zavie (1884-1943), qui a renouvelé l'exotisme en le dépouillant de ses artifices traditionnels (*Sous les murs de Bagdad*, 1923; *Poutnick le proscrit*, 1925; *la Maison des trois fiancées*, 1926; *la Course aux rebelles*, 1928; *Chaabane*, 1932; *le Deuxième Comte d'Ormoise*, 1935); Maurice Bedel (né en 1884), qui promène son humour de la Norvège à la Turquie et le retrempe dans la malice souriante de la province française (*Jérôme, 60° latitude Nord*, 1927; *Molinoff, Indre-et-Loire*, 1928; *Philippine*, 1930; *Zulfu*, 1933; *Géographie de mille hectares*, 1937); Panaït Istrati (1884-1935), d'ascendance grecque et roumaine, qui fit revivre les souvenirs de sa jeunesse vagabonde dans de rudes et émouvantes peintures de mœurs (*Kyra Kyralina*, 1925; *Oncle Anghel*, 1925; *Présentation des Haïdoucs*, 1925; *les Chardons du Baragan*, 1928; *la Maison Thüringer*, 1933); Ernest Pérochon (né en 1885), au réalisme paysan à la fois terne et pathétique (*Nène*, 1920; *la Parcelle 32*, 1922); Maurice Dekobra (né en 1885), amuseur dont les titres ont alléché une facile clientèle (*la Madone des sleepings*, 1925; *Tigres parfumés*, 1930; *la Vénus à roulettes*, 1931; *Satan refuse du monde*, 1947); Henri Béraud (né en 1885), d'une verve un peu grosse (*le Martyre de l'obèse*, 1922), mais capable d'évoquer avec chaleur la vie et les révoltes du peuple de Lyon (*le Bois du Templier pendu*, 1926; *la Gerbe d'or*, 1928; *les Lurons de Sabolas*, 1931); Joseph Jolinon (né en 1887), romancier satirique et narrateur narquois des « histoires corpusculiennes » (*le Meunier contre la ville*, 1926; *les Revenants dans la boutique*, 1930; *Fesse-Mathieu l'anonyme*, 1936; *le Pacifiste sanguinaire*, 1945); René Bizet (1887-1947), conteur tour à tour fantaisiste et dramatique (*la Bouteille de whisky*, 1921; *Avez-vous vu dans Barcelone ?*, 1922; *Jimmy le mystérieux*, 1930); Lucien Fabre (né en 1889), romancier d'une violence affectée mais peu convaincante (*Rabevel*, 1924; *le Terramagnou*, 1925; *le Paradis des amants*, 1931); Émile Henriot (né en 1889),

GEORGES BERNANOS.
CL. LAURE ALBIN-GUILLOT.

analyste délicat et sensible (*le Diable à l'hôtel*, 1919; *les Temps innocents*, 1920; *Aricie Brun ou les Vertus bourgeoises*, 1924; *l'Enfant perdu*, 1926; *les Occasions perdues*, 1931); Charles Silvestre (1889-1948), un des meilleurs évocateurs de la province limousine et de sa vie profonde (*Aimée Villard*, 1925; *la Prairie et la flamme*, 1929; *Monsieur Terral*, 1931; *le Nid d'épervier*, 1934; *le Démon du soir*, 1936; *Manoir*, 1946); Henri Bosco (né en 1889), peintre mystique de la Provence secrète (*Pierre Lampédouse*, 1924; *le Trestoulas*, 1935; *l'Ane Culotte*, 1936; *le Mas Théotime*, 1944; *M. Carré-Benoit*, 1947); Henri Deberly (né en 1892), dont les premières œuvres firent espérer un analyste implacable (*l'Impudente*, 1923; *l'Ennemi des siens*, 1925; *le Supplice de Phèdre*, 1926; *l'Agonisant*, 1932); Joseph Delteil (né en 1894), dont le feu d'artifice n'en dura pas longtemps (*Sur le fleuve amour*, 1923; *Choléra*, 1923; *Jeanne d'Arc*, 1925; *les Poilus*, 1926; *La Fayette*, 1928; *Don Juan el Santo*, 1930), mais qui vient de faire sa rentrée (*Jésus II*, 1947); Marc Chadourne (né en 1895), un des représentants les plus intéressants de la littérature de l'inquiétude et de l'évasion (*Vasco*, 1927; *Cécile de la folie*, 1930; *Absence*, 1933; *la Clef perdue*, 1947); Emmanuel Bove (1898-1946), peintre en grisaille (*Un soir chez Blutel*, 1928; *la Coalition*, 1928; *Départ dans la nuit*, 1945; *Non-Lieu*, 1946); Joseph Kessel (né en 1898), dont les romans d'aventures prennent appui sur une expérience vécue (*la Steppe rouge*, 1923; *l'Équipage*, 1924; *Nuits de princes*, 1927; *Belle de jour*, 1930; *les Enfants de la chance*, 1934; *l'Armée des ombres*, 1944; *Fortune carrée*, 1946); Jeanne Galzy, témoin attentif et pitoyable des douleurs physiques et morales (*les Allongés*, 1923; *la Femme chez les garçons*, 1924; *la Grande Rue*, 1925; *l'Initiatrice aux mains vides*, 1929; *le Démon de la solitude*, 1932; *Pays perdu*, 1943); Pierre Bost (né en 1901), qui s'est affirmé comme observateur et moraliste (*Homicide par imprudence*, 1924; *Hercule et ma demoiselle*, 1924; *Prétextat*, 1925; *Crise de croissance*, 1926; *Faillite*, 1928; *le Scandale* 1931; *Porte-Malheur*, 1932; *Monsieur Ladmiral va bientôt mourir*, 1945). Benjamin Crémieux (1888-1944) n'a écrit qu'un roman, *le Premier de la classe* (1921). Thomas Raucat est surtout connu par *l'Honorable partie de campagne* (1924), Camille Mayran par *Hiver* (1926), Marie Le Franc par *Grand-Louis l'innocent* (1927), Martin Maurice par *Amour, terre inconnue* (1928).

On regrette de ne pouvoir que mentionner : André Lamandé (né en 1886; *les Lions en croix*, 1925; *Ton pays sera le mien*, 1925; *les Enfants du siècle*, 1927); Jean Martet (1886-1940; *Marion des neiges*, 1928; *Gubbiah*, 1929; *Dolorès*, 1929; *Azraël*, 1930; *les Cousines de Vaison*, 1932; *Monseigneur*, 1934); Alfred Machard (né en 1887; suite de *l'Épopée au Faubourg*, 1920...); René Maran (né en 1887; *Batouala*, 1921; *Djouma*, 1927; *le Cœur serré*, 1931); Thierry Sandre (né en 1890; *Mienne*, 1921; *le Chèvrefeuille*, 1924; *Panouille*, 1926; *les Yeux fermés*, 1928); Albert Adès (1893-1921) et Albert Josipovici (*Goha le simple*, 1919); la princesse Bibesco (*le Perroquet vert*, 1925; *Catherine-Paris*, 1927); Yves Gandon (*Julien ou l'Évolution sentimentale*, 1924; *Maldonne*, 1929; *la Belle inutile*, 1935); Armand Lunel (*l'Imagerie du cordier*, 1924; *Nicolo Peccavi*, 1926; *le Balai de sorcière*, 1936); Guy Velleroy (*le Feu gré-*

geois, 1924; *A l'immortelle*, 1931); André Beucler (*la Ville anonyme*, 1925; *Gueule d'amour*, 1926; *le Mauvais sort*, 1928); Lucienne Favre (*Bab-el-Oued*, 1926; *la Noce*, 1929; *Orientale 30*, 1930); Pierre Humbourg (*Escale*, 1927; *Chang*, 1928; *Tous feux éteints*, 1928; *Sylvestre le simple*, 1929); Louis Martin-Chauffier (*la Fissure*, 1923; *Patrice ou l'indifférent*, 1924; *l'Épervier*, 1925; *l'Amant des honnêtes femmes*, 1927); Marcelle Auclair (*Changer d'étoile*, 1926; *Toya*, 1927; *Anne Fauvet*, 1935); Léopold Chauveau (*les Histoires du petit Renaud*, 1926; *Monsieur Lyonnet*, 1930; *Ramponneau*, 1931; *Pauline Grospain*, 1932; *Grelu*, 1934); Maurice Betz (*Rouge et Blanc*, 1923; *l'Incertain*, 1925; *le Démon impur*, 1926; *la Fille qui chante*, 1927); André Berge (*la Jeunesse interdite*, 1930; *le Crépuscule de M. Dargent*, 1924); Jean Fayard (*Oxford et Margaret*, 1924; *Mal d'amour*, 1931; *la Chasse aux rêves*, 1935).

Aux alentours de l'année 1930, de nouveaux romanciers firent des débuts remarqués : René Laporte, observateur désabusé de la jeunesse d'après guerre (*le Dîner chez Olga*, 1927; *Joyce*, 1930; *la Part du feu*, 1935; *les Chasses de novembre*, 1936; *Histoires du mauvais temps*, 1945); Ignace Legrand, possédé par ses personnages, qu'il nous livre dans des romans passionnés et vibrants (*la Patrie intérieure*, 1928; *Renaissance*, 1931-1932; *A sa lumière*, 1934; *Héry*, 1936; *Virginia*, 1937; *la Sortie du port*, 1938; *le Train de l'ambassade*, 1945); Irène Nemirovsky, d'un pessimisme dramatique (*David Golder*, 1929; *l'Affaire Courilof*, 1933; *le Pion sur l'échiquier*, 1934; *Films parlés*, 1935; *le Vin de solitude*, 1935; *Jézabel*, 1937); Germaine Beaumont, dont la sensibilité rappelle les romancières anglaises (*Piège*, 1930; *la Longue Nuit*, 1936; *l'Enfant du lendemain*, 1944); Jean Blanzat, qui sait exprimer la musique secrète des âmes (*Enfance*, 1930; *A moi-même ennemi*, 1933; *Septembre*, 1936; *l'Orage du matin*, 1942); Claude Aveline, au talent varié et délicat (*Mme Maillart, la Fin de Mme Maillart*, 1930; *la Double mort de Frédéric Belot, le Prisonnier*, 1936); Simone, aux récits vigoureux, lucides et poétiques (*Désordre*, 1930; *Jours de colère*, 1935; *le Paradis terrestre*, 1939); Frédéric Lefèvre, qui exalte les vertus paysannes (*Samson*, 1930; *le Sol*, 1931; *l'Amour de vivre*, 1932; *la Difficulté d'être femme*, 1934; *Tentations* [nouvelles], 1937; *Ce vagabond*, 1946); Édouard Peisson, maître habile du roman maritime (*Ballero capitaine*, 1929; *Parti de Liverpool*, 1932; *Mer baltique*, 1936; *le Pilote*, 1937; *le Voyage d'Edgar*, 1938; *les Écumeurs*, 1947); Joseph Peyré, à qui l'on doit des récits objectifs des luttes dont le Sahara ou l'Espagne fournissent les cadres (*l'Escadron blanc*, 1931; *le Chef à l'étoile d'argent*, 1933; *Sous l'étendard vert*, 1934; *Coups durs*, 1935; *Sang et Lumière*, 1935; *l'Homme de choc*, 1936; *Roc-Gibraltar*, 1937); Jacques Spitz, auteur d'ingénieux contes fantastiques (*la Croisière indécise*, 1926; *l'Agonie du globe*, 1935; *Évadés de l'an 2000*, 1936; *la Guerre des mouches*, 1938; *l'Homme élastique*, 1938; *la Forêt des sept pics*, 1945); Guy Mazeline, qui essaie avec abondance et minutie de faire revivre une société (*les Loups*, 1932; *le Capitaine Durban*, 1934; *le Souffle de l'été*, 1946); Paul Nizan, dont les romans à la fois idéologiques et concrets sont d'une amère vigueur (*Antoine Bloyé*, 1933; *le Cheval de Troie*, 1935; *la Conspiration*, 1938); Robert Francis,

JULIEN GREEN. — CL. LAURE ALBIN-GUILLOT.

qui a conté en poète et en humoriste l'histoire d'une famille sous la IIIe République (*la Grange aux trois belles*, 1933; *la Maison de verre*, 1934; *le Bateau refuge*, 1934); Charles Braibant, qui unit à une verve gauloise une solidité d'information historique et sociale qui assure les dessous de ses biographies (*le Roi dort*, 1933; *Resplendine* [nouvelles], 1934; *le Soleil de mars*, 1938; *Irène Soubeyran*, 1946); Gabriel Chevallier, qui a connu avec *Clochemerle* (1934) un des grands succès de rire de l'époque, mais est aussi l'auteur plus nuancé de *la Peur* (1930), *Clarisse Vernon* (1933), *Propre à rien* (1936), *Sainte-Colline* (1937); Roger Vercel, créateur de rudes figures (*Capitaine Conan*, 1934; *Remorques*, 1935; *Léna*, 1936; *Sous le pied de l'archange*, 1937; *Rafales*, 1946); Jean de La Varende, qui restitue la chronique normande du XIXe siècle (*Au pays d'Ouche* [nouvelles], 1936; *Nez de cuir*, 1937; *Manants du roi* [nouvelles], 1938; *le Centaure de Dieu*, 1938; *le Troisième Jour*, 1947). Quelques auteurs ont attaché leur nom à un roman remarquable : Henri Fauconnier à *Malaisie* (1930), Jean Malègue à *Augustin ou le Maître est là* (1933), Paule Régnier à *l'Abbaye d'Evolayne* (1933), Louise Hervieu à *Sangs* (1936).

On a remarqué également pendant cette période : Elian J. Finbert (*le Batelier du Nil*, 1928; *le Fou de Dieu*, 1933); Jean Camp (*Jep le Catalan*, 1928; *Vin nouveau*, 1929; *Sancho*, 1934); René Trintzius (*Deutschland*, 1929; *Septième Jour*, 1931; *Fin et Commencement*, 1932); Marguerite Yourcenar (*Alexis ou le Traité du vain combat*, 1929; *la Nouvelle Eurydice*, 1931; *le Denier du rêve*, 1934); Marie-Anne Comnène (*Rose Colonna*, 1930; *Arabelle*, 1934; *Fin d'Arabelle*, 1946); Robert Bourget-Pailleron (*Champ secret*, 1931; *Pouvoir absolu*, 1932; *l'Homme du Brésil*, 1933; *les Journées de juin*, 1944); Philippe Hériat (*l'Innocent*, 1931; *les Enfants gâtés*, 1939; *Famille Boussardel*, 1946); Jean Feuga (*les Hommes du navire perdu*, 1931; *le Matelot Moravine*, 1937); Pierre Frédérix (*Conquête*, 1931); Denise Fontaine (*Geneviève Savigné*, 1931; *Rivages du néant*, 1933); Victor Serge (*Ville conquise*, 1932); Monique Saint-Hélier (*la Cage aux rêves*, 1932); Simone Ratel (*la Maison des Bories*, 1932); Louis Roubaud (*Christine de Saïgon*, 1932; *J'avais peur*, 1935); Geneviève Fauconnier (*Claude*, 1933; *les Étangs de la Double*, 1935); Roger Couderc (*Justine*, 1933; *Brigitte l'étrangère*, 1935); Clarisse Francillon (*Chronique locale*, 1934; *la Mivoie*, 1935; *Béatrice et les insectes*, 1936; *Coquillage*, 1937); Charles Mauban (*les Feux du matin*, 1933; *le Beau Navire*, 1936; *le Pain des larmes*, 1938); Robert Honnert (*Mademoiselle de Chavières*, 1933; *Madame Étienne Mettraz*, 1936); Louis Francis (*les Nuits sont enceintes*, 1929; *Blanc*, 1934); Marcel Grancher (*Au mal assis*, 1934; *5 de campagne*, 1938; *Au temps des pruneaux*, 1945); Henriette Valet (*Madame 60 bis*, 1934; *le Mauvais Temps*, 1937); Jacques Debû-Bridel (*Jeunes Ménages*, 1935; *Déroute*, 1942); Luc Dietrich (*le Bonheur des tristes*, 1935); François de Roux (*Jours sans gloire*, 1935; *la Belle Endormie*, 1947); Claude Silve (*Bénédiction*, 1935); Isabelle Comtat (*Raisin vert*, 1935); Pierre de Lescure (*la Tête au vent*, 1938; *Pia Malécot*, 1935; *Tendresse inhumaine*, 1936; *Souviens-toi d'une auberge*, 1937); O.-P. Gilbert (*Mollenard*, 1936; *la Piste du Sud*, 1937); Henri Poydenot

ANDRÉ CHAMSON. — CL. PIERRE LIGEY.

(*Prière au bout du wharf*, 1936; *Impasse du progrès*, 1938); Louise Weiss (*Délivrance*, 1936); Madeleine Vivan (*Une maison*, 1936; *Village noir*, 1937). C'est également autour des années 1930 que le roman policier acquit une tenue littéraire assez enviable; en dehors du romancier belge Simenon, qui renouvela le genre par son sens des atmosphères et son intuition psychologique, il faut citer au moins Pierre Véry et Noël Vindry.

Depuis les années qui précédèrent la seconde guerre un grand nombre de romanciers se sont fait connaître. Il y a là beaucoup de promesses : Christian Mégret (*les Anthropophages*, 1937; *les Fausses Compagnies*, 1939; *l'Absent*, 1945-1946); Kléber Haedens (*l'École des parents*, 1937; *Magnolia-Jules*, 1938; Claude Morgan (*Liberté*, 1937); Simone Téry (*le Cœur volé*, 1937); Jean Guirec (*la Maison au bord du monde*, 1937); Vladimir Pozner (*le Mors aux dents*, 1937); Raymonde Vincent (*Campagne*, 1937); Thyde Monnier (*la Rue courte*, 1937; *Travaux*, 1945; *le Vin et le Sang*, 1946); Romain Roussel (*la Vallée sans printemps*, 1937); Jean Rogissart (*Mervale*, 1937); René Lefèvre (*les Musiciens du ciel*, 1938); André Fraigneau (*la Grâce humaine*, 1938); Sophie et Marc Stambat (*Sève*, 1938); Cilette Ofaire (*Sylvie Velsey*, 1938; *Chemins*, 1945); Janine Bouissounouse (*Chemin mort*, 1938); Paul Vaillant-Couturier (*Enfance*, 1938); Félix de Chazournes (*Caroline ou le Départ pour les îles*, 1938); Elsa Triolet (*Bonsoir Thérèse*, 1938; *le Premier Accroc coûte deux cents francs*, 1944); Paul Vialar (*la Rose de la mer*, 1939; *le Bal des sauvages*, *le Clos des trois maisons*, 1946); Édith Thomas (*la Mort de Marie*, 1934; *Sept Sorts*, 1935; *Contes*, 1944; *le Champ libre*, 1946); Jean Malaquais (*les Javanais*, 1939; *Planète sans visa*, 1947); Maurice Blanchot (*Aminadab*, 1942; *Faux Pas*, 1943); Henri Queffélec (*le Journal d'un salaud*, 1944; *Un recteur de l'île de Sein*, 1944); Marius Grout (*Musique d'Avent*, 1941; *Passage de l'Homme*, 1943; *Un homme perdu*, 1945); Vercors (*le Silence de la mer*, 1942; *la Marche à l'étoile*, 1943; *le Sable du temps*, 1946); Jean Orieux (*Fontagre*, 1943; *Menus Plaisirs*, 1946; *les Ciseaux d'argent*, 1947); Roger Peyrefitte (*les Amitiés particulières*, 1944); Georges Adam (*l'Épée dans les reins*, 1944); Mouloudji (*Enrico*, 1944); Louis Parrot (*le Grenier à sel*, 1944); Brice Parrain (*la Mort de Jean Madec*, 1945); Roger Vailland (*Drôle de jeu*, 1945); Jacques Lemarchand (*Parenthèse*, 1944); Pierre Molaine (*De blanc vêtu*, 1945; *Mort d'homme*, 1946; *Hautes Œuvres*, 1946); Jean-Jacques Gautier (*l'Oreille*, 1945; *Histoire d'un fait divers*, 1946); Denis Marion (*Si peu que rien*, 1945); Jean-Louis Bory (*Mon village à l'heure allemande*, 1945); Anne-Marie Monnet (*le Chemin du soleil*, 1945); Emmanuel Roblès (*Travail d'homme*, 1945); C.-J. Odic (*la Rose des temps*, 1945); Raoul Celly (*Un ami pour rien*, 1946); Robert Morel (*Saga*, 1946); Maurice Druon (*la Dernière Brigade*, 1946); Pierre Daninos (*Méridiens*, 1946); Jacques Perry (*Seconde Nuit*, 1946); Jean Rousselot (*la Proie et l'Ombre*, 1946); Pierre Magnan (*Aube insolite*, 1946); Alain Sergent (*Je suivis ce mauvais garçon*, 1946); Louis Pauwels (*Saint Quelqu'un*, 1946); François Vernet (*Nouvelles peu exemplaires*, 1946); Noël Devaulx (*l'Auberge Parpillon*, 1946); Pierre Courtade (*Circonstances*, 1946); Romain Gary (*Éducation européenne*, 1945; *Tulipe*, 1946); Jean Genet (*le Miracle de la rose*,

JULIEN BENDA. — CL. LOUIS SILVESTRE.

1946); Marguerite Combes (le Renard du levant, 1946); Danielle Roland (la Petite Brocante, 1946); Jane Loisy (Camp volant, 1946); Annette Vaillant (les Châteaux de cartes, 1945); Germaine Théron (la Danse des peines, 1946); Pieyre de Mandiargues (le Musée noir, 1946); Luc Decaunes (les Idées noires, 1946); Nicolas Bandy (le Piano d'Arlequin, 1946); Gérard Jarlot (les Armes blanches, 1946); Jules Roy (la Vallée heureuse, 1946); Agnès Chabrier (le Royaume intermédiaire, 1945; la Vie des morts, 1946); Jean-Louis Curtis (les Jeunes Hommes, 1946; les Forêts de la nuit, 1947); Michel Robida (Botemry, 1945; le Temps de la longue patience, 1946; les Trénandour, 1946; Au-delà du visage, 1947); Michel Mohrt (le Répit, 1946); Raymond Picard (les Prestiges, 1947); Armand Hoog (Un accident, 1947).

VII. — LES ESSAYISTES

La plupart de nos écrivains sont, à quelque degré, des essayistes. D'autre part, l'essai est un genre mal défini, aux frontières élastiques, capable de s'étendre à tous les domaines de la pensée. On ne trouvera ici que les auteurs dont une certaine attitude de réflexion a paru centrale dans leur activité et autorise à les classer dans ce chapitre, plutôt qu'ailleurs, et en dépit de l'extrême diversité de leurs tendances : les uns sont surtout des moralistes, les autres des lyriques; il y a des polémistes comme il y a des critiques; certains sont plutôt des observateurs, des témoins, ou des chroniqueurs; d'autres des philosophes, ou des politiques, ou des historiens, d'autres des pamphlétaires, des apologistes et parfois des prophètes... Mais, en général, la liberté de leurs spéculations répugne à s'enfermer dans les limites et dans les méthodes des disciplines scientifiques. Ici, plus qu'ailleurs encore, il est dif-

ANDRÉ SUARÈS. — CL. PIERRE LIGEY.

ficile, et fatalement injuste, de mettre en avant certains noms plutôt que certains autres : l'avenir seul peut mesurer la fécondité des messages.

Rappelons d'abord parmi les disparus dans la première décade de l'après-guerre, ceux dont l'activité s'était surtout exercée avant 1919 : Georges Sorel (1847-1922), dont l'influence des théories politiques fut internationale (Matériaux d'une théorie du prolétariat, 1919; Propos, recueillis par Jean Variot, 1935), Édouard Schuré (1841-1929; les Prophètes de la Renaissance, 1919; l'Ame celtique et le génie de la France, 1921; Légendes d'Orient et d'Occident, 1922; le Rêve d'une vie, Confession d'un poète, 1928).

Julien Benda (né en 1867) a continué à défendre avec courage, obstination et raideur le rationalisme intransigeant de sa jeunesse. Dans son livre le plus représentatif, la Trahison des clercs (1927), il a reproché aux intellectuels de son temps d'avoir failli à leur mission en confondant le temporel et l'éternel au lieu de juger le premier par le second. Il s'est efforcé d'être lui-même ce juste en l'absolu dans ses essais historiques et politiques (Esquisse d'une histoire des Français dans leur volonté d'être une nation, 1932; Discours à la nation européenne, 1933; la Grande épreuve de la démocratie, 1942). Cet esprit abstrait s'est montré curieusement intéressé par les questions d'esthétique; ce fut pour condamner presque sans exception toute la littérature de notre temps (Belphégor, 1919; Du poétique, 1946; la France byzantine, 1946). Il a précisé ce qu'on pourrait appeler sa métaphysique dans son Essai d'un discours cohérent sur les rapports de Dieu et du monde (1931). Enfin, avec la même volonté de lucidité, il a écrit des espèces de mémoires d'une sécheresse savoureuse et qui achèvent d'éclairer la singulière figure de ce rigoriste militant (la Jeunesse d'un clerc, 1936; Un régulier dans le siècle, 1938).

Il faut souhaiter que la postérité, moins suspecte que la critique contemporaine, fasse un tri dans l'œuvre exubérante du hautain André Suarès (1868-1948). Ses poèmes et ses drames ne sont pas indifférents, mais c'est surtout dans ses essais et dans ses portraits, d'hommes ou de villes, qu'il a donné toute sa mesure. Lorsque son lyrisme n'est pas gâté par la rhétorique et son intuition par le paradoxe, il subjugue par l'éclat des formules ou frappe par l'acuité du trait. De belles pages fastueuses et d'ardentes résurrections d'âmes font pardonner aisément trop de lieux communs ornementés et de jugements arbitraires (Portrait de Prospero, 1921; Debussy, 1922; Xénies, 1923; Musique et Poésie, 1928; le Voyage du condottiere [Vers Venise, 1910; Fiorenza, 1932; Sienne, la bien-aimée, 1932]; Gœthe, le grand Européen, 1932; Marsiho, 1933; Valeurs, 1936; Trois Grands Vivants, 1937; Vues sur l'Europe, 1939).

Alain (né en 1868), après avoir fait volontairement l'expérience de la guerre, reprit en 1918 son métier de professeur et la publication des Libres Propos qui avaient rendu son nom célèbre. Il exerça ainsi une grande influence par la parole et par l'écrit. Le tour épigrammatique et allusif de ses petits articles, qui massacraient les lieux communs et la pensée toute faite, réveillait l'esprit de son sommeil. Grâce à la répétition de certains thèmes de prédilection, une doctrine s'y devinait, que Chartier n'a jamais exposée dans son ensemble, mais qu'il se décida, à partir de 1920, à appliquer dans plusieurs domaines : esthétique, psychologie, philosophie, politique, morale, littérature. Ces nombreux ouvrages, riches de coups de sonde, finissaient par constituer un enseignement complet et un tonique appel à la liberté de l'esprit (une quinzaine de recueils de *Propos*, 1908-1935; *Système des Beaux-Arts*, 1920; *Mars ou la Guerre jugée*, 1921; *Éléments d'une doctrine radicale*, 1925; *le Citoyen contre les pouvoirs*, 1925; *les Idées et les Ages*, 1927; *Entretiens au bord de la mer*, 1931; *Idées*, 1932; *Stendhal*, 1935; *Avec Balzac*, 1937; *Histoire de mes pensées*, 1936; *les Saisons de l'esprit*, 1937; *Minerve*, 1939; *Dickens*, 1945).

Charles Maurras (né en 1868) a continué à exercer après la guerre de 1914-1918 une forte influence sur les milieux monarchistes et réactionnaires et même, à l'occasion, sur certains de ses adversaires politiques. Il la devait plus à ses innombrables articles de *l'Action française*, dont l'apparente fermeté logique impressionnait, qu'à ses nouveaux ouvrages de doctrine, d'ailleurs rares. Lorsque le nationalisme intégral aboutit à la collaboration avec l'ennemi, le crédit de Maurras s'écroula et sa prétendue infaillibilité politique cessa de faire illusion (*Dictionnaire politique et critique*, 1932-1934).

Léon Daudet (1868-1942), romancier vulgaire, pamphlétaire jovial, injuste et de mauvais goût, historien paradoxal, critique littéraire pénétrant et capable d'enthousiasme, mémorialiste d'une verve robuste et colorée, a été, en dépit de ses outrances, et par la chaleur du style, un des plus authentiques tempéraments d'écrivain de son temps (*le Monde des images*, 1919; *Au temps de Judas*, 1920; *le Stupide XIXᵉ siècle*, 1922; *l'Hécatombe*, 1926; *Écrivains et Artistes*, 1929; *Courrier des Pays-Bas*, 1928).

Joseph de Pesquidoux (1869-1945) s'est acquis une réputation modérée, mais pleinement méritée, en se faisant le chroniqueur de la vie à la campagne (*Travaux et Jeux rustiques*, 1921-1923; *Sur la glèbe*, 1923; *le Livre de raison*, 1925-1932).

Daniel Halévy (né en 1872), tour à tour philosophe, voyageur, biographe, historien, témoin de son temps, éditeur des *Cahiers verts*, embarrasse les critiques par la variété de ses études; l'unité en est sans doute dans sa vocation d'historien moraliste penché avec le même sérieux un peu triste sur les grandes figures disparues ou sur un monde qui change (*Péguy et les Cahiers de la quinzaine*, 1919; *Vauban*, 1923; *Jules Michelet*, 1929; *Clemenceau*, 1930; *la Fin des notables*, 1930; *Décadence de la liberté*, 1931; *Pays parisiens*, 1932; *Essai sur l'accélération de l'histoire*, 1948).

Élie Faure (1873-1937) s'était fait connaître par une tumultueuse *Histoire de l'art* (4 vol., 1909) et par ses lyriques *Constructeurs* (1914), dont il redonna, après 1918, des versions élargies. Il écrivit sur la guerre un essai et un roman (*la Sainte-Face*, 1918; *la Roue*, 1919). Critique d'art, auteur de nombreuses monographies d'artistes, biographe attiré par des personnalités caractéristiques (*Napoléon*, 1921; *Montaigne et ses trois premiers-nés*, 1926), esthéticien (*l'Esprit des formes*, 1926), animé par une vaste curiosité (il a étudié toutes les civilisations et fait le tour du monde), épris d'universalisme et de synthèse, à la fois individualiste et socialiste, plein de flamme et de fougue, il y avait en lui une foule de tendances énergiques qui trouvaient leur expression dans des théories enthousiastes qui faisaient penser tour à tour à Carlyle, à Nietzsche, à Whitman, à

ALAIN. — CL. A. P. F.

bien d'autres... Il célébrait l'artiste et le conquérant, prônait l'individualisme des forts et la montée des foules, la morale du combat, le lyrisme dramatique de la vie, les féconds déséquilibres de l'histoire et les riches différences des races et des peuples, l'esprit révolutionnaire, le gobinisme retourné en éloge du métissage, l'avènement d'une religion inconnue riche de toutes les forces du passé... Peu objectif, plein de paradoxes, mais excitant, intuitif, il laisse une œuvre confuse où beaucoup trouveront encore longtemps des révélations prophétiques et une riche pâture d'idées. On hésite à appeler philosophie ce message lyrique et cette aventureuse plongée dans les secrets des civilisations (*l'Art et le Peuple*, 1920; *la Danse sur le feu et l'eau*, 1922; *les Trois Gouttes de sang*, 1929; *Mon périple*, *D'autres terres en vue*, *Découverte de l'archipel*, 1932).

Pierre Hamp (né en 1876) a continué sa vaste enquête sur le monde du travail. Sous le beau titre *la Peine des hommes*, il a accumulé des essais vigoureux (*le Travail invincible*, 1918; *les Métiers blessés*, 1919; *la Victoire mécanicienne*, 1920; *Un nouvel honneur*, 1922; *Une nouvelle fortune*, 1926) et des romans documentaires (*les Chercheurs d'or*, 1920; *le Cantique des cantiques*, 1921; *le Lin*, 1924; *la Laine*, trilogie, 1931; *Mineurs et Métiers de fer*, 1932; *la Mort de l'or*, 1933; *Glück auf*, 1934; *Notre pain quotidien*, 1937), qui valent moins par l'affabulation que par une abondante et sûre peinture des métiers, et dont l'originalité consiste souvent à prendre pour principal personnage un des produits élaborés par l'industrie humaine : le parfum, le lin, la laine... L'édition définitive de cette série a repris quelques-uns des livres qui avaient assuré la réputation de Pierre Hamp (*Marée fraîche*, *Vin de Champagne*, *le Rail*, etc.). Il a groupé sous le titre *Gens*, des nouvelles (*S. A. R. Philippe d'Orléans*, 1918; *l'Épidémie Goncourt*, 1923; *Monsieur Curieux*, 1928; *Mademoiselle Moloch*, 1928), et s'est essayé au théâtre (*la Maison avant tout*, 1923; *la Compagnie*, *Monsieur l'Administrateur*, *Madame la Guerre*, 1927). Il a retracé avec verve ses débuts dans la vie et dans la littérature sociale (*Mes métiers*, 1930; *Il faut que vous naissiez de nouveau*, 1935). Quelque peu dépassé par les formes nouvelles prises par la conscience ouvrière, Pierre Hamp se trouve aujourd'hui injustement négligé. Même si l'on fait la part de l'inévitable déchet dans une œuvre dont le style a curieusement cédé parfois aux préciosités désuètes des naturalistes teintés de symbolisme, mais sait souvent s'affirmer avec une éloquence directe, le témoignage de Pierre Hamp, apologiste de la « conscience professionnelle » et du « héros humble », reste indispensable à la connaissance de la vraie figure de son temps.

Jacques Bainville (1879-1936) a joui d'une grande réputation, même au-delà du public de *l'Action française* et de la *Revue universelle*, grâce à la clarté simplificatrice et à la netteté de style de ses chroniques de politique étrangère. Ses ouvrages d'histoire, très éloignés des recherches érudites, s'ils trouvaient réticents les historiens de profession, séduisaient par leur schématisme élégant et leur lumière sans ombres (*les Conséquences politiques de la paix*, 1920; *Histoire de France*, 1924; *le Vieil Utopiste*, 1927; *Napoléon*, 1932; *les Dictateurs*, 1935; *la Troisième République*, 1935; *Histoire de deux peuples* (1915)

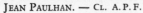

JEAN PAULHAN. — CL. A. P. F.   VALERY LARBAUD. — CL. HARLINGUE.   JACQUES BAINVILLE. — CL. PIERRE LIGEY.

continuée jusqu'à Hitler, 1938; *l'Angleterre et l'Empire britannique*, 1938).

L'original auteur de *Barnabooth* mit à la mode le monologue intérieur et écrivit quelques délicieux récits (*Amants, heureux amants*, 1923; *Jaune, bleu, blanc*, 1927; *Allen*, 1929). Mais le rôle de Valery Larbaud (né en 1881) fut surtout celui d'un intermédiaire raffiné entre les littératures. Un des tout premiers admirateurs de Joyce, introducteur en France et traducteur de Samuel Butler, il a fait connaître chez nous des écrivains anglais, et en Angleterre comme en Amérique latine des écrivains français. Il s'est montré curieux de philologie et d'érudition (mais sans aucun pédantisme), de problèmes d'histoire littéraire, de critique, de technique, et a magnifié l'art de la traduction. Ses voyages, sa connaissance des langues, sa culture, et surtout son goût doublé d'une exquise modestie ont contribué à faire de lui un amateur et un dilettante d'une sensibilité très sûre et d'un grand charme d'expression (*Ce vice impuni, la lecture*, 1925; *Technique*, 1932; *Sous l'invocation de saint Jérôme*, 1946).

Jean Paulhan (né en 1884) avait commenté subtilement des proverbes malgaches (les *Hain-teny merinas*, 1913) et publié en 1917 un des plus curieux récits de guerre, *le Guerrier appliqué*. Il composa quelques brefs écrits (*Jacob Cow le pirate*, 1922; *le Pont traversé*, 1922; *la Guérison sévère*, 1925; *Aytré qui perd l'habitude*, 1926) qui roulaient tous sur les pièges du langage, des *Entretiens sur des faits divers* (1930) qui démasquaient les illusions de la pensée, et un ouvrage plus volumineux, les *Fleurs de Tarbes* (1941), sur le bon usage de la rhétorique. Il combat le mensonge des mots par les paradoxes du bon sens. Il écrit avec une précision énigmatique d'une élégante sécheresse. Le rôle personnel qu'il a joué depuis la mort de Jacques Rivière, dans le milieu de *la Nouvelle Revue française* et dans la vie littéraire de notre temps, tentera certainement un jour les érudits.

André Maurois (né en 1885) était un jeune industriel sensible et cultivé, qui avait eu la chance d'avoir Alain pour professeur de philosophie au lycée de Rouen. L'amour des lettres en fit, à partir de 1918, un auteur qui devait jouir d'un constant succès entre les deux guerres. Cette carrière débuta par des souvenirs d'un humour plaisant, *les Silences du colonel Bramble* (1918), suivis des *Discours du docteur O'Grady* (1922). Une grande faculté d'assimilation, un don d'exposition limpide qui réussissait

à clarifier et à rendre à tous accessibles les êtres, les choses et les problèmes auxquels il touchait, l'amabilité et la modération de sa manière, une extrême facilité de plume, l'engagèrent dans une œuvre abondante qui a le mérite de ne pas sentir l'effort; il aborda les genres les plus variés, parmi ceux, du moins, qui n'exigent pas un véritable esprit de création, et, s'il figure parmi les romanciers de ce temps (*Bernard Quesnay*, 1926; *Climats*, 1928; *le Cercle de famille*, 1932; *l'Instinct du bonheur*, 1934), c'est pour des qualités d'analyste et de moraliste, qu'il devait manifester aussi bien dans ses autres ouvrages. En réalité, Maurois a un talent d'essayiste. Il a le goût des idées qui fournissent un fil conducteur ou permettent d'ordonner un ensemble. Il aurait fait, il a été à l'occasion, le plus agréable des professeurs, et le moins pédant. Ses biographies élégantes, qui lancèrent la vogue des vies romancées (*Ariel ou la Vie de Shelley*, 1923; *Disraëli*, 1927; *Byron*, 1930; *Tourgueniev*, 1931; *Lyautey*, 1931; *Voltaire*, 1935; *Chateaubriand*, 1938), ses portraits critiques (*Quatre Études anglaises*, 1927; *Magiciens et Logiciens*, 1935; *Études littéraires*, 1941-1944), ses rapides synthèses d'histoire (*Édouard VII et son temps*, 1933; *Histoire d'Angleterre*, 1937; *Histoire des États-Unis*, 1943), ses essais (*Dialogues sur le commandement*, 1924; *Aspects de la biographie*, 1928; *Mes songes que voici*, 1933; *Sentiments et Coutumes*, 1934), même ses contes philosophiques ingénieux (*le Voyage au pays des Articoles*, 1928; *le Peseur d'âmes*, 1931; *la Machine à lire les pensées*, 1936), sont d'un amateur exemplaire, pour lequel on risque d'être injuste. S'il n'a pas la forte originalité d'un penseur, il a toute la finesse d'un témoin attentif, informé et bienveillant. Comme tel, avec sa double culture française et anglaise, il a pu étendre son audience dans les pays anglo-saxons, où il fut très favorablement accueilli.

Les ferventes et scrupuleuses études critiques de Jacques Rivière (1886-1925) et son activité à la *Nouvelle Revue française* l'avaient placé au premier plan au lendemain de la Première Guerre mondiale. Malheureusement, une mort prématurée ne lui permit pas de donner toute sa mesure. Cependant, un vigoureux essai (*l'Allemand*, 1918), son carnet de guerre (1929), ce qu'on peut deviner de son âme tourmentée par sa correspondance avec son beau-frère Alain Fournier et avec Paul Claudel, par son essai *A la trace de Dieu* (1925), ont maintenu très vivant son souvenir. Cet admirateur de Gide et de Proust désirait très certainement devenir un romancier d'analyse, et il s'y est essayé dans *Aimée* (1922) et dans *Florence* (inachevé, 1935).

Jean Guéhenno (né en 1890), dans de grands essais émouvants et généreux, qui sont un perpétuel acte de foi dans l'humanité, a exprimé avec chaleur sa fraternité avec le peuple, dont il est issu et dont il entend que sa culture ne le sépare pas. Soucieux de concilier le progrès social avec le culte des grandes valeurs de la civilisation, il a cherché dans des maîtres comme Michelet un exemple et un encouragement. Une certaine tradition de penseurs l'assure qu'il y a dans l'histoire de la France une révolution permanente fondée sur un idéal de justice. Le grand don de Jean Guéhenno est dans le frémissement pathétique de son message (*l'Évangile éternel*, 1927; *Caliban parle*, 1928; *Conversion à l'humain*, 1931; *Journal d'un homme de quarante ans*, 1934; *Journal des années noires*, 1947).

Antoine de Saint-Exupéry (1900-1944) a tiré de l'expérience d'un métier dangereux et exaltant une morale héroïque et une philosophie tonique, fondée sur la responsabilité et la solidarité. Ses récits, qui n'empruntent que le minimum à la technique du roman, sont d'un grand prosateur lyrique dont le sobre éclat et l'élévation de pensée trouvent leur aboutissement normal dans le sublime. Comme peu d'écrivains l'avaient su faire, le pilote d'avion Saint-Exupéry a donné un nouveau visage aux grands spectacles de l'univers : le ciel, l'océan, la montagne, la nuit, le désert... La volonté de l'individu semble ici s'être retrempée dans une solitude grandiose où elle lutte contre les obstacles de la nature et où elle épure la conscience de sa communion essentielle avec les hommes. Disparu au cours d'une mission aérienne, Saint-Exupéry est entré dans la légende ou plutôt dans la tradition authentique de la grandeur, dont son œuvre aura été l'un des jalons. A ses témoignages (*Courrier-Sud*, 1929; *Vol de nuit*, 1931; *Terre des hommes*, 1939; *Pilote de guerre*, 1941), il faut ajouter: *Lettre à un otage* (1943), *le Petit Prince* (1943), et un recueil posthume non trié : *Citadelle* (1948).

Jean Prévost (1901-1944) s'est laissé séduire par les genres les plus divers. On lui doit un roman populiste (*les Frères Bouquinquant*, 1930), des nouvelles et des récits, des analyses psychologiques (*Tentative de solitude*, 1925; *Essai sur l'introspection*; 1926), il s'est intéressé aux sports et à la mystique (*Plaisirs des sports*, 1925; *Brûlures de la prière*, 1926); il a écrit des souvenirs (*Dix-Huitième Année*, 1928), une trop rapide *Vie de Montaigne* (1926), une *Histoire de France depuis la guerre* (1932), un livre sur l'Amérique (*Usonie*, 1939). Il y a dans tout cela un peu de hâte et de dispersion. Il était particulièrement doué pour l'essai critique (*les Épicuriens français*, 1931; *la Création chez Stendhal*, 1942). Sa mort héroïque dans le maquis du Vercors nous a privés des travaux de sa maturité.

Albert Camus (né en 1913), qui avait commencé par des paysages médités (*Noces*, 1938), s'est imposé à la fois comme essayiste (*l'Envers et l'endroit*, 1939; *le Mythe de Sisyphe*, 1942), comme romancier (*l'Étranger*, 1942; *la Peste*, 1947), et comme dramaturge (*le Malentendu*, 1944; *Caligula*, 1945; *l'État de siège*, 1948), sans compter son action de moraliste politique dans

ANTOINE DE SAINT-EXUPÉRY. — CL. KEYSTONE.

ANDRÉ MAUROIS. — CL. N. Y. T.

ses beaux articles de *Combat*. Parti de la révolte contre l'absurdité métaphysique de la condition humaine, il s'est mis à la recherche d'une morale avec une sincérité pathétique. Plutôt une quête qu'un message, sa spéculation aime à s'exprimer par le mythe et le symbole, dans une langue d'une belle tenue qui alterne ou concilie le dépouillement et le lyrisme. Englobé parfois un peu rapidement, et à son corps défendant, parmi les existentialistes, il en diffère profondément par la tonalité spirituelle, comme en témoigne assez l'émouvante parabole moderne de *la Peste*, qui a mis Camus au premier rang des prosateurs contemporains et à la tête des écrivains de sa génération.

Sans prétendre à être complet, il faut au moins nommer parmi les essayistes politiques : Léon Bourgeois, Léon Blum, Anatole de Monzie, André Tardieu, Alphonse Séché, Gaston Riou, Bertrand de Jouvenel, Alfred Fabre-Luce, Jean-Pierre Maxence, Robert Aron..., et rappeler l'œuvre abondante et originale de Lucien Romier (1885-1944). Essayistes aussi, à certains égards, en même temps qu'exégètes ou historiens du christianisme, Alfred Loisy (1857-1940), Albert Houtin (1867-1926), Joseph Turmel, P.-L. Couchoud. Beaucoup d'écrivains font alterner l'essai

ALBERT CAMUS. — CL. HARLINGUE.

moral avec la critique littéraire, comme Daniel-Rops et Thierry-Maulnier. D'autres témoins de notre temps sont des philosophes : Bernard Groethuysen, Emmanuel Mounier, animateur d'*Esprit*, revue du personnalisme, Denis de Rougemont, Jean Grenier, Benjamin Fondane, Georges Friedmann, Armand Petitjean, Brice Parrain, tandis que Roger Caillois imprime à de denses petits volumes d'un style soutenu la marque du sociologue; il est d'ailleurs le fondateur avec Georges Bataille et Michel Le ris du Collège de sociologie. Raymond Aron est plutôt historien (*Introduction à la philosophie de l'histoire*, 1938). Peu de savants ont été tentés de se faire moralistes, comme le biologiste Jean Rostand (*la Loi des riches*, 1919; *les Familiotes*, 1925; *De la vanité*, 1925; *Journal d'un caractère*, 1931), qui est un des rares écrivains à savoir encore pratiquer les genres vénérables de la maxime et du portrait, avec le dosage requis de satire implicite, d'amertume voilée et de pessimisme généreux.

Chez d'autres, c'est le polémiste qui l'emporte sur le moraliste ou le critique : René Benjamin, Henri Massis, René Johannet, Emmanuel Berl. Parmi les satiriques et les humoristes, rappelons Jean Galtier-Boissière et Georges de La Fouchardière. Certains, en même temps que critiques, ont voulu être des chroniqueurs reflétant avec sensibilité les aspects fugaces de leur époque : Eugène Marsan (1884-1936), Gérard Bauer, l'auteur des charmants billets signés Guermantes. Parmi les auteurs d'impressions de voyage, rappelons André Hallays (1859-1930), André Chevrillon (né en 1864; *Marrakech dans les palmes*, 1920; *la Bretagne d'hier*, 1925), qui a écrit, en outre, un livre important sur *Taine, formation de sa pensée* (1932), Maurice Pernot, Maurice Martin du Gard, qui fut aussi un critique littéraire et dramatique qui se voulait « impertinent », Henry de Monfreid, qui a romancé en de nombreux volumes son expérience du monde arabe et de l'Abyssinie. Comme il est naturel, beaucoup de ces promeneurs sont souvent des amateurs d'art passionnés : André Maurel, Jean-Louis Vaudoyer, Gabriel Faure, Léo Larguier... D'autres, comme André Demaison, se sont surtout attachés à la vie des bêtes qu'on appelle sauvages pour les romancer et en tirer des leçons.

Au chapitre de l'essai, tout autant qu'au chapitre de l'histoire, appartiennent les mémorialistes, non seulement hommes d'État comme Clemenceau, Raymond Poincaré, Painlevé, Caillaux, Herriot..., ou chefs militaires, comme Foch, Joffre, Gallieni..., mais aussi des écrivains, des artistes, des acteurs, des journalistes, des gens du monde, des amateurs... : Rosny aîné, Robert de Montesquiou, Antoine Albalat, Louis Bertrand, Willy, Abel Hermant, Jacques-Émile Blanche, Jacques Normand, Paul Ginisty, Alphonse Séché, André Antoine, Georgette Leblanc, Lugné-Poe, Jacques Copeau, Dussane, Jean-Jacques Brousson, Élisabeth de Grammont, Robert Dreyfus, Jeanne Maurice-Pouquet, Lucien Corpechot, Léopold-Lacour, P.-B. Gheusi, Victor Gœdorp, J. Ajalbert, Jean de Pierrefeu, André Billy, René Lefèvre, René Peter, M. Saint-Clair, Ève Lavallière, Paul Poiret, Maurice Sachs... Le *Journal* de Paul Léautaud, dont on n'a vu que des fragments, promet d'être aussi libre, cynique, capiteux et spirituel que les désinvoltes chroniques dramatiques de Maurice Boissard. Comme la guerre de 1914-1918 avait suscité de la part des combattants de nombreux témoignages (voir la remarquable mise au point de Jean Norton Cru : *Témoins*, 1929), la période de 1939 à 1945 commence à provoquer d'émouvants souvenirs de prisonniers (*les Grandes Vacances* [1946] de Francis Ambrière), de déportés (*l'Univers concentrationnaire* [1946] et *les Jours de notre mort* [1947] de David Rousset; *l'Homme et la Bête* [1946] de Louis Martin-Chauffier), de résistants (*les Mémoires d'un agent secret* [1946] de Rémy).

On consacrait, naguère encore, un chapitre aux orateurs et on y ajoutait parfois un paragraphe sur les conférenciers. Mais l'éloquence a cessé depuis longtemps de viser au chef-d'œuvre et tout le monde est devenu conférencier. C'est sans doute chez les orateurs sacrés qu'on trouverait le mieux conservée une certaine tradition de rhétorique, adaptée aux besoins d'un public qui a beaucoup changé. La renommée de certains prédicateurs, comme le P. Sanson et le P. Janvier, s'est étendue quelque peu, assez peu, en dehors des cercles restreints où ils se faisaient entendre. Quant aux orateurs politiques, il faut des circonstances historiques pour que leur voix atteigne véritablement la nation et sorte des enceintes des assemblées parlementaires ou des réunions électorales. Il ne paraît pas utile de reproduire ici la liste des chefs de gouvernement, des ministres, des représentants du peuple, et des délégués de partis qui, à des titres et à des degrés divers, ont exercé une action par la parole. On a parfois publié des recueils de leurs discours politiques; il est exceptionnel qu'on les ait réimprimés. La tradition de l'éloquence judiciaire s'est quelque peu maintenue après Henri-Robert (1863-1936) : Moro-Giaffieri, Henry Torrès, Campinchi, Maurice Garçon (voir son panorama du Palais, *la Justice contemporaine*, 1933). Assez curieusement, c'est peut-être le genre désuet et conventionnel du discours académique qui, à la longue, souffre le moins du temps, peut-être parce qu'il est parfois composé avec plus de soin et une sage lenteur; les *remerciements* de quelques écrivains contemporains à l'*Académie française* (comme celui de Paul Valéry), certaines réponses aux récipiendaires (comme celle de Mauriac à Claudel) peuvent entrer honorablement dans les œuvres complètes de leurs auteurs.

Le journalisme est dévoré, au fur et à mesure, par l'actualité. Et pourtant il y a eu et il y a, sinon de grands journalistes, du moins des journalistes célèbres, pour un temps. On ne sait que trop combien de talents le journalisme a perdus, en les faisant vivre, et qu'il finit par séduire les écrivains les plus connus, au détriment de leur œuvre véritable. Il est vain de déplorer ce gaspillage, dont nous ne saurions plus nous passer. Une histoire du journalisme fera, sans doute, s'ils ne l'ont pas déjà acquise ailleurs, une place à quelques-uns de ces infatigables producteurs de copie, qui sont les véritables, mais éphémères, essayistes de notre temps. On nommera — sans rappeler ceux que nous avons déjà cités plus haut ou que nous citerons parmi les critiques — Mme Adam (1836-1936), Séverine (1855-1929), Gustave Téry (1871-1928), Gustave Hervé (1871-1944), Henry de Jouvenel (1876-1935), Louis Forest, Vladimir d'Ormesson, Stéphane Lauzanne, Jean Piot, Marcel Déat, Émile Buré, André Géraud, Louise Weiss, Geneviève Tabouis, Géo London, Albert Londres, Auguste Gauvain, René Pinon, Chaumier, Léon Bailby, Pierre Lazareff, Bracke-Desrousseaux, Paul Faure, Paul Vaillant-Couturier, Marcel Cachin, Maurice Prax, Henry Moysset, Régis Gignoux, Émile Mireaux, Jacques Chastenet, Pierre Audiat, Ève Curie...

VIII. — LES CRITIQUES

Appartiennent plutôt, par leur activité, à la période antérieure à 1919, René Doumic (1860-1937), directeur de la *Revue des Deux Mondes* et secrétaire perpétuel de l'Académie française, Gaston Deschamps (1861-1931) et Adolphe Brisson (1863-1925), anciens critiques du *Temps*. Fernand Vandérem (1864-1939) s'est rendu célèbre par sa campagne contre les manuels d'histoire littéraire (1922) et a réuni nombre de ses articles dans les huit séries de son *Miroir des lettres* (1919-1929). André Bellessort (1866-1942), professeur, critique, voyageur et conférencier, a

ALBERT THIBAUDET.
CL. MANUEL FRÈRES.

donné de solides essais sur les auteurs du XVIIIe et du XIXe siècle (*Voltaire, Balzac, Hugo, Sainte-Beuve...*). Pierre Lasserre (1867-1930), dont l'apologie pour *Mistral* (1918) et la polémique contre *les Chapelles littéraires* (Claudel, Jammes, Péguy; 1920) maintenaient à peu près les positions critiques d'avant la guerre, s'était progressivement détaché de l'influence de Charles Maurras, et avait entrepris, dans un esprit de sympathie bien éloigné de l'iconoclasie de son fameux *Romantisme français*, une vaste *Jeunesse d'Ernest Renan, Histoire de la crise religieuse au XIXe siècle* (1925-1932), qu'il ne put achever. André Beaunier (1869-1925), délicat portraitiste, compléta ses études sur Joubert et ses amies, et s'intéressa à Mme de La Fayette et à Mlle de Lespinasse. Paul Souday (1869-1929) a tenu au *Temps* le sceptre de la critique avec autorité; combatif, attaqué, à la fois solide et limité, il défendait ses dieux et luttait souvent pour d'excellentes causes; le caractère polémique qui donnait de l'actualité à ses articles est aussi la cause qu'on ne songe plus guère à les relire. Gaston Rageot (né en 1872) a été critique dramatique, esthéticien (*la Beauté*, 1924), observateur (*Prises de vues*, 1928; *le Métier de vivre*, 1933). Henry Bidou (né en 1873) a pratiqué avec aisance et compétence toutes les formes de critique : artistique, musicale, littéraire, dramatique, politique, militaire; il a fait l'histoire de la guerre de 1914-1918 et l'histoire de Paris. André Chaumeix (né en 1874) a donné à la *Revue de Paris* des essais de politique étrangère et à la *Revue des Deux Mondes* des études d'ensemble sur les tendances de la littérature contemporaine.

Albert Thibaudet (1874-1936) a été le critique littéraire le plus important d'entre les deux guerres. Avec une

solide formation littéraire et historique, sans se rattacher à la tradition universitaire, bien qu'il ait été professeur de littérature, fortement influencé par le bergsonisme, très bien informé de la vie politique, très sensible aux courants d'idées, moins curieux du présent que du passé proche, fertile en aperçus, impartial, d'un vigoureux bon sens, son effort s'est réparti dans deux directions : d'une part, d'importants ouvrages qui faisaient le point d'une question (*la Poésie de Stéphane Mallarmé*, 1912, remanié en 1926; *Flaubert*, 1922; *Trente Ans de vie française*, 1920-1923) et d'excellentes monographies (*Paul Valéry*, 1924; *les Princes lorrains*, 1924; *la République des professeurs*, 1924; *Stendhal*, 1931; *Physiologie de la critique*, 1930); d'autre part, une foule d'articles, plus cursifs, mais pleins de sève et riches en formules pittoresques, qu'attendaient avec impatience les lecteurs de la *Nouvelle Revue française* et dont on a fait des recueils précieux après sa mort (*Réflexions sur la Littérature, le Roman, la Politique, la Critique*). Il ne put mettre la dernière main à son *Histoire de la littérature française de 1789 à nos jours* (1936) qui mettait en valeur le classement des écrivains par générations.

Edmond Sée (né en 1875) a fait bénéficier la critique de son expérience d'auteur dramatique; outre plusieurs recueils de feuilletons, il a consacré des ouvrages à Becque, à Porto-Riche, au théâtre français contemporain. Edmond Jaloux (1878-1949) s'est montré le meilleur connaisseur, et le plus informé, de la littérature romanesque, française et étrangère (*l'Esprit des livres*, 1923; *Figures étrangères*, 1926; *Au pays du roman*, 1931). Jacques Boulenger (né en 1879) est à la fois romancier (*Miroir à deux faces*, 1928), voyageur (*Corfou, l'île de Nausicaa*, 1928), adaptateur des *Romans de la Table ronde* (1922-1923), critique (*Mais l'art est difficile*, 1921-1922), grammairien (*les Soirées du grammaire club*, avec André Thérive, 1924), stendhalien (*Candidature au Stendhal Club*, 1926). A John Charpentier (1880-1949) l'on doit de nombreuses biographies d'écrivains français et anglais et de pénétrantes études sur la poésie (*le Symbolisme*, 1927; *l'Évolution de la poésie française, de Joseph Delorme à Paul Claudel*, 1931).

La critique de Charles Du Bos (1882-1939) n'a commencé à avoir quelque retentissement qu'après sa mort, mais elle avait déjà séduit un certain nombre de fidèles par sa gravité extatique, son climat de haute spiritualité, son ton quasi religieux et sa prodigieuse richesse de rapprochements et de citations empruntées aux littératures les plus éloignées. Les immenses lectures de Charles Du Bos, sa prédilection pour certains auteurs au détriment des autres, sa méthode d'exploration par approches successives afin d'aboutir à une intuition qui coïncide avec le cœur de l'œuvre, ou du moins avec son rythme, une absence totale d'humour, tout cela finit par lui composer une légende de prêtre officiant sans arrêt sur l'autel du grand Art. De là, selon le tempérament du lecteur, une admiration pieuse ou un agacement grandissant. Il reste à évaluer équitablement l'apport exact de ce grand fervent des lettres, qu'on ne pourra apprécier pleinement que lorsque son *Journal intime* aura été intégralement publié (*Approximations*, 1922-1937; *Extraits d'un Journal*, 1931; *Dialogue avec André Gide*, 1929; *Byron et le besoin de fatalité*, 1929; *Qu'est-ce que la littérature?* 1940; *Grandeurs et misères de Benjamin Constant*, 1946; *Journal I et II*, 1946-1948).

Lucien Dubech (1882-1940) a été un de nos plus vigoureux

critiques dramatiques. Nous avons déjà dit (voir chap. III) le témoin sagace et informé qu'était André Billy pour la vie littéraire de notre temps. Robert Kemp écrit vif et net; une culture sans défaut et un humanisme discret, mais tenace, assurent les fondations des innombrables feuilletons que sa fraîcheur d'impression et son allégresse mentale lui ont permis de bâtir comme en se jouant depuis une trentaine d'années. Benjamin Crémieux (1888-1944), italianisant (*Panorama de la littérature italienne contemporaine*, 1928) et introducteur en France de Pirandello, a rassemblé en analyste épris de synthèse les éléments d'un bilan de la littérature française contemporaine (*XXᵉ siècle*, 1924; *Inquiétude et Reconstruction*, 1931). Émile Henriot (né en 1889) dans son diligent *Courrier littéraire* a tenu le grand public au courant des recherches et des résultats de l'érudition; on lui doit une vingtaine de recueils d'articles qui sont une mine de savoir élégant. Frédéric Lefèvre (né en 1889), rédacteur en chef des *Nouvelles littéraires* depuis leur fondation (1922), a rassemblé dans six séries d'interviews (*Une heure avec...*, 1923-1933) et dans ses ouvrages de critique ou d'esthétique une masse de précieux témoignages.

René Lalou (né en 1889), impartial et lucide, a, au lendemain de la Première Guerre mondiale, dans son *Histoire de la littérature française contemporaine de 1870 à nos jours* (1922), périodiquement mise à jour et doublée de volume depuis, révisé ou fixé le tableau des valeurs de nos lettres, avec un grand bonheur de formules et de brillants raccourcis d'analyses. Quelque peu tenté par le roman lyrique (*le Chef*, 1924), c'est par l'objectivité militante de sa critique qu'il s'est imposé et par des essais d'un intellectualisme vigilant (*Défense de l'homme*, 1926; *Vers une alchimie lyrique*, 1927; *Prosateurs romantiques*, 1930; *Panorama de la littérature anglaise contemporaine*, 1927).

Denis Saurat (né en 1890), angliciste, auteur de savants travaux sur Milton et sur Blake, curieux d'occultisme et d'histoire des religions (*Littérature et Occultisme*, 1929; *la Religion de Victor Hugo*, 1929), est aussi un critique indépendant et ingénieux; c'est à la minuscule et sympathique revue *Marsyas*, publiée par le bon poète Sully-André Peyre, qu'il envoie fidèlement de Londres ses incisifs et excitants petits articles, recueillis partiellement dans *Tendances* (1928), *Modernes* (1935), *Perspectives* (1938), qui font entendre une note très utile en marge du concert des grands périodiques.

Critique abondant et timoré, grammairien avisé, André Thérive (voir chap. III) a remplacé au *Temps* Paul Souday jusqu'à la dernière guerre. Pierre Abraham (né en 1892) féru d'anthropologie (*Figures*, 1929; *le Physique au théâtre*, 1933), a renouvelé par cette voie l'étude de la création littéraire (*Créatures chez Balzac*, 1931); ses petits volumes sur Proust et Balzac ont une netteté incisive dont le schématisme accuse l'originalité. Ramon Fernandez (1894-1944) a été tenté tour à tour par la psychologie (*De la personnalité*, 1928), par le roman (*le Pari*, 1932; *les Violents*, 1935), par l'essai moral (*Moralisme et Littérature*, 1932; *l'Homme est-il humain?*, 1936), et a finalement sombré dans la pire politique. Sa vraie voie était l'analyse critique, à base de philosophie et d'esthétique, où il a excellé (*Messages*, 1926; *Vie de Molière*, 1929; *André Gide*, 1931; *Barrès*, 1943). Léon Pierre-Quint (né en 1895) a consacré des monographies à Proust, Lautréamont et Gide. Pierre Brisson (né en 1896) a été le critique dramatique le plus libre, le plus étincelant et le plus courageux d'entre les deux guerres; ses recueils d'articles (*Au hasard des soirées*, 1935; *Du meilleur au pire*, 1938), son esquisse verveuse (*le Théâtre des années folles*, 1943), ont une jeunesse et une spontanéité qui les défendront longtemps; son *Molière* (1943) et ses *Deux Visages de Racine* (1944) ont, quoique trop subjectifs, le mérite d'être vivants. André Rous-

seaux poursuit avec une sorte de pathétique et une conviction appliquée sa quête obstinée du spirituel à travers les œuvres et les âmes (*Ames et visages du XXᵉ siècle*, 1932; *Littérature du XXᵉ siècle*, 1938-1939; *le Prophète Péguy*, 1942).

Nommons encore Marcel Thiébaut, critique dramatique, biographe d'Edmond About, auteur d'*Évasions littéraires* (1935) qui vont de Restif à Giraudoux, Henri Clouard, qui a entrepris de résumer son expérience de témoin de la vie littéraire dans son *Histoire de la littérature française du symbolisme à nos jours* (2 vol., 1947-1949), Gabriel Brunet, César Santelli, etc. Rappelons que Henri de Régnier et Fortunat Strowski ont été feuilletonistes, qu'André Fontainas a tenu au *Mercure de France* la chronique de la poésie, que Gabriel Marcel est devenu le plus attentif de nos critiques dramatiques. La jeune critique est représentée par Étiemble (auteur, avec Yassu Gauclère, d'un remarquable *Rimbaud*), le romancier Maurice Blanchot, Robert Kanters, le spécialiste du surréalisme Maurice Nadeau, le philosophe Claude-Edmonde Magny, l'universitaire indépendant Armand Hoog, l'esthéticien Gaëtan Picon (auteur d'un excellent *Malraux*), Max-Pol Fouchet, Henri Hell, Marc Beigbeder (portraitiste de *l'Homme Sartre*)..., et, pour la critique dramatique, Jean-Jacques Gautier et Jacques Lemarchand. Paul Guth a renouvelé l'interview littéraire par sa causticité.

IX. — L'HISTOIRE ET LA PHILOSOPHIE

Il ne saurait être question de donner un tableau des activités de la pensée française depuis trente ans. Ce qu'on appelle parfois la littérature scientifique déborde le cadre de ce chapitre. Au reste, la spécialisation croissante des disciplines a été poussée à un tel point que la seule énumération des branches du savoir remplirait des pages. Pour chaque rubrique, le choix des noms à citer exigerait une compétence particulière et resterait, la plupart du temps, peu significatif aux yeux du lecteur non initié. Celui-ci ne connaît guère, parmi les savants, même les plus éminents, même jouissant d'une réputation internationale dans leur domaine propre, que ceux dont les travaux ont eu une répercussion retentissante sur la vie matérielle ou sur la pensée philosophique, et ceux qui se sont mêlés activement à la vie politique. Des noms comme ceux de Jean Perrin (1870-1940), Paul Langevin (1872-1946), Louis de Broglie, Joliot-Curie, sont devenus familiers au grand public. Les autres ne dépassent guère l'audience d'un public nécessairement limité, bien que cette audience s'élargisse grâce à la bienfaisante et ingrate besogne de vulgarisateurs dévoués (parfois eux-mêmes savants remarquables) qui, dans des collections d'ouvrages et dans des chroniques périodiques, mettent à la portée du profane les résultats d'admirables recherches vouées, par leur nature même, à ne trouver leur austère récompense qu'en elles-mêmes.

Il est de tradition de faire, dans l'histoire de la littérature, une place à l'histoire et à la philosophie. Mais il est de plus en plus évident que les assez nombreuses disciplines qui peuvent, tant bien que mal, se ranger sous ces expressions tendent, pour la plupart, à l'exception peut-être de la métaphysique et de la philosophie générale, à se rapprocher de l'objectivité et de l'impersonnalité de la science. Si elles n'y réussissent pas toujours, ce n'est pas par un dessein délibéré, c'est à cause de la complexité de leur matière et du caractère conjectural de leur méthode. La forme elle-même de l'exposition visée au dépouillement et à la sobriété des sciences exactes, plutôt, sauf exceptions, qu'à l'originalité artistique. Il est de plus en plus rare que, comme Bergson, un philosophe soit considéré comme un grand écrivain. Il ne manque pas d'historiens dont le talent se marque dans le style, mais aucun ne prétend, sauf peut-être quelques historiens de l'art, à l'éloquence animatrice d'un Michelet. Enfin, si la nouveauté des points de vue et la puissance de synthèse continuent à distinguer les plus vigoureux des philosophes ou des historiens, les exigences de l'érudition, l'uniformité des méthodes de recherche, le travail par équipes, les cadres homogènes où les résultats s'inscrivent... contribuent à effacer des œuvres les différences individuelles. L'assimilation de l'histoire et de la philosophie à la science se poursuit régulièrement.

L'HISTOIRE

ALPHONSE AULARD. — CL. H. MANUEL. CHARLES SEIGNOBOS. — CL. GERSCHEL.

Les années qui suivirent la guerre de 1914-1918 virent disparaître Ernest Denis (1849-1921), l'historien de la Bohême, Joseph Reinach (1856-1921), qui s'était fait l'historien de la Grande Guerre, Ernest Lavisse (1842-1922), Frédéric Masson (1847-1923), P. Imbart de La Tour (1860-1925), Arthur Chuquet (1853-1925), Alphonse Aulard (1849-1928; *Études et leçons sur la Révolution française*, 1893-1924).

D'admirables collections ont été l'œuvre de spécialistes éminents. Sous la direction de Henri Berr (né en 1863), directeur du Centre de synthèse historique, a commencé de paraître en 1920 une suite magistrale d'ouvrages d'ensemble, l'*Évolution de l'humanité*, dont plus de la moitié sur la centaine prévue ont déjà paru, sans compter une série complémentaire. D'un cadre plus restreint, mais encore imposant, sont l'*Histoire générale*, dirigée par Gustave Glotz (1862-1935), et *Peuples et Civilisations*, sous la direction de Louis Halphen et Philippe Sagnac. Gabriel Hanotaux (1853-1944) a fait paraître de 1920 à 1929, sous le titre *Histoire de la nation française*, une suite d'histoires spéciales (politique, religieuse, diplomatique, économique, etc.). Ernest Lavisse a publié une *Histoire de France contemporaine depuis la Révolution jusqu'à la paix de 1919* (1920-1922).

Des synthèses partielles ont été le fruit d'un labeur individuel. Camille Jullian (1859-1933) a terminé son *Histoire de la Gaule* (1907-1927), Pierre de La Gorce (1846-1934) son *Histoire religieuse de la Révolution française* (1909-1923); Émile Bourgeois (1851-1934) a complété en 1925 d'un quatrième tome son classique *Manuel historique de politique étrangère*; Charles Seignobos (1854-1942), dont on a maintes fois réédité l'*Histoire politique de l'Europe contemporaine*, a donné en 1933, pour un large public, une *Histoire sincère de la nation française*.

D'importants ouvrages sur l'antiquité ont été publiés, la plupart dans les trois grandes collections d'histoire générale citées plus haut. Gustave Fougères, Georges Contenau, René Grousset, Pierre Jouguet et Jean Lesquier ont exploré les premières civilisations. Gustave Glotz a donné une *Histoire grecque* en collaboration avec Robert Cohen, une *Histoire romaine*, des livres importants sur la civilisation égéenne et la cité grecque. Alexandre Moret a traité de la civilisation égyptienne et écrit une *Histoire de l'Orient*. L. Delaporte a étudié les civilisations babylonienne et assyrienne, Clément Huart la Perse antique, P. Jouguet l'impérialisme macédonien, Pierre Roussel la Grèce et l'Orient, Auguste Jardé la formation du peuple grec, Louis Gernet et Marcel Boulanger le

génie grec dans la religion... L'histoire romaine est représentée par Albert Grenier, M. Holleaux, André Piganiol, Jérôme Carcopino, G. Bloch, Léon Homo, F. Cumont, Eugène Albertini (1880-1941), Gérard Walter. A Stéphane Gsell (1864-1932) on doit une *Histoire ancienne de l'Afrique du Nord* (1913-1923). Le judaïsme et le christianisme naissant ont été étudiés par L. Desnoyers, Adolphe Lods, Charles Guignebert, Maurice Goguel. Henri Hubert a étudié les Celtes.

Le monde oriental, ancien ou moderne, a ses spécialistes. Rappelons les nombreux ouvrages de René Grousset sur l'Asie, les travaux de Sylvain Lévi sur l'Inde, de Paul Pelliot, Marcel Granet, Henri Maspero sur la civilisation de la Chine, dont l'histoire a été écrite par Henri Cordier et G. Soulié de Morant, les ouvrages de Hovelacque sur la Chine et le Japon. Nommons les islamisants Gaudefroy-Demombynes, Louis Massignon (historien du soufisme), E.-F. Gautier, Henri Massé, William et Georges Marçais, Lévi-Provençal... L'histoire de Byzance doit infiniment à Charles Diehl (1859-1944) et à Louis Bréhier.

La transition du monde antique au moyen âge et les débuts de celui-ci ont été l'objet des travaux de Ferdinand Lot. L'étude du moyen âge a été brillamment renouvelée. Nous ne pouvons que nommer Charles-Victor Langlois (1863-1929), Christian Pfister (1857-1933), Arthur Kleinclausz, Charles Petit-Dutaillis (1868-1948), historien de la monarchie féodale en France et en Angleterre et historien des communes, Louis Halphen, historien des barbares, Joseph Calmette, Marc Bloch (1886-1944), qui a renouvelé l'étude de la société féodale, Robert Fawtier, Édouard Jordan, etc. Rappelons les ouvrages de J.-H. Mariéjol, Henri Hauser, Augustin Renaudet, Lucien Febvre sur l'époque de la Renaissance; de Louis Lefebvre, Louis Batiffol, Mgr Grente, A. de Saint-Léger, Louis Madelin, sur le XVIIe siècle; de Dom Leclerc sur la Régence; de Philippe Sagnac, Henri Carré, Gaston Martin sur le XVIIIe siècle.

La Révolution et l'Empire ont suscité un grand nombre de travaux. Albert Mathiez (1874-1932) a renouvelé notre conception de l'époque révolutionnaire, non seulement par ses fameuses études robespierristes, mais par ses ouvrages sur Danton, la Terreur, Thermidor, le Directoire, etc. Philippe Sagnac a étudié la Révolution, à laquelle Georges Lefebvre, son collaborateur, a consacré de nombreux volumes, sans compter ses travaux sur l'Empire. Louis Madelin a entrepris une grande série d'ouvrages sur le Consulat et l'Empire et s'est fait, après Lacour-Gayet, l'historien de Talleyrand. Nommons encore Raymond Guyot, Georges Michon, A. Meynier, P. Caron. Gérard Walter a publié des volumes accessibles au grand public, mais très fortement documentés, sur Robespierre et d'autres figures révolutionnaires.

Sur la Restauration et la monarchie de Juillet, il faut lire les travaux d'ensemble de P. de La Gorce et Sébastien Charléty et les monographies consacrées par Ch.-H. Pouthas à Guizot et par Henri Malo à Thiers; sur la seconde République et le second Empire, Ch.-H. Pouthas, Arnaud, F. Ponteil, J. Bertaut, Guichen, J. Maurain, Marcel Emerit. Georges Weill a analysé l'éveil des nationalités en Europe, le mouvement libéral et social, Henri Hauser le passage du libéralisme à l'impérialisme. La Commune a été étudiée par Laronze et Bourgin. La troisième République a eu ses historiens en Gabriel Hanotaux et Maurice Reclus, A. Zévaès, Maxime Petit, G. Bourgin, Daniel Halévy. A. Charpentier a étudié l'Affaire Dreyfus. Gambetta a été peint par P. Deschanel, Jaurès par Lévy-Bruhl, Clemenceau par Michon, Briand par Georges Suarez. La Grande Guerre et ses origines ont fait l'objet des ouvrages de Pierre Renouvin, de Préclin, Camille Bloch, Jules Isaac, É. Bourgeois, G. Pagès, Michon, etc. L'après-guerre a été étudiée par Cahen, Ronze et Folinais (*Histoire du monde, 1919-1937*), tandis que H. Hauser étudiait la paix économique et Maurice Baumont la faillite de la paix.

Rappelons encore les études d'histoire religieuse et ecclésiastique du cardinal Baudrillart (1859-1942), qui a dirigé la publication du *Dictionnaire d'histoire et de géographie ecclésiastique* (1909-1920), de Mgr Pierre Batiffol (1861-1941), de Georges Goyau (1869-1939), d'Augustin Fliche, Lecannet, Henri Fouqueray, etc., et de G. de Lagarde, l'historien de l'esprit laïque, d'histoire diplomatique de René Pinon et des spécialistes de la question d'Orient, É. Driault, J. Ancel, Guichen, d'histoire économique et financière de G. Pirou, G. Lefranc, Henri Hauser, Germain-Martin, Henri Sée, M. Marion, Ch. Gide et Rist, R. Gonnard, Labrousse, d'Avenel, d'histoire commerciale de Legaret, d'histoire rurale de Marc Bloch et de Georges Lefebvre, d'histoire sociale de Georges Weill, Lucien Febvre, Paul Louis, Georges Renard, Édouard Dolléans, Sébastien Charléty, Alexandre Zévaès, d'histoire coloniale de Georges Hardy, M. Baumont, etc.

L'histoire des pays étrangers, avec une prédilection pour les périodes récentes et les problèmes contemporains, a été assez abondamment exploitée. Citons, pour l'Angleterre, Prentout, L. Cahen, P. Muret, André Philipp..., et Élie Halévy, pour sa belle *Histoire du peuple anglais au XIXᵉ siècle* (1913-1937), sans oublier l'ouvrage du géographe Demangeon sur l'*Empire britannique* (1923), tandis que l'Irlande était étudiée par Rivoallan et Yann M. Goblet; pour l'Europe centrale : J. Aulneau, et Eisenmann, qui, avec Milioukov et Seignobos, a donné une *Histoire de la Russie*, tandis que Grappin en donnait une de la Pologne. La révolution russe a, naturellement, suscité diverses études (J. Grenard, Lescure...). L'Italie du Risorgimento a donné lieu à des travaux de Vidal, P. Matter, G. Bourgin. L'histoire et la civilisation des États-Unis ont, de plus en plus, attiré l'attention; nommons seulement G. Weill, Préclin, D. Pasquet, Charles Cestre, Bernard Fay, Firmin Roz, Gilbert Chinard, André Philipp, R. Marjolin, Jean Canu... et, pour l'Amérique latine, Guilaine.

La frontière n'est pas toujours facile à discerner entre les ouvrages de synthèse historique et les exposés de seconde main destinés au grand public, surtout lorsqu'ils sont l'œuvre d'historiens professionnels. On se montre de plus en plus curieux d'histoire, et cette demande a suscité de très nombreux ouvrages qui ont connu le succès. On rappellera seulement la publication sous la direction

de Frantz Funck-Brentano de l'*Histoire de France racontée à tous* (1909-1933), les volumes faciles à lire d'Octave Aubry (1881-1946) sur le premier et le second Empire, *la Révolution française* (1928) et le *Louis XV* (1933) de Pierre Gaxotte, les monographies de Georges Girard, A. Augustin-Thierry, Marcel Brion, Philippe Erlanger, J. Lucas-Dubreton, Paul Rival, etc. L'histoire anecdotique a perdu son maître G. Lenotre (1857-1935) et son clinicien le Dr Augustin Cabanès (1862-1928), mais continue à fleurir abondamment.

Bien que les géographes réclament, plus fortement encore que les historiens, leur rattachement aux strictes disciplines scientifiques, leur lien traditionnel avec l'histoire nous permet de rappeler ici que la France a une magnifique équipe de chercheurs dans ce domaine, et notamment en géographie humaine. Le maître de l'école, Paul Vidal de La Blache, est mort en 1918, mais ses *Principes de géographie humaine* ont été publiés en 1921. C'est sous son nom et celui de L. Gallois que paraît, depuis 1927, la splendide *Géographie universelle*, avec les meilleurs spécialistes de chez nous. Parmi ces savants de premier rang, se sont illustrés Jean Brunhes (1869-1930), Albert Demangeon (1872-1940), Emmanuel de Martonne (né en 1873) qui ont trouvé de dignes émules en Raoul Blanchard, Pierre Deffontaine, A. Cholley, J. Sion, M. Sorre, F. Maurette, etc.; c'est cinquante noms qu'il faudrait citer.

Aux confins de la géographie et de l'histoire, mentionnons, de Lucien Febvre, *la Terre et l'évolution humaine* (1922), et les ouvrages d'une belle clarté de vues d'André Siegfried sur l'Angleterre, les États-Unis, le Canada, l'Amérique latine, le canal de Suez, sans oublier son tableau des partis politiques en France.

L'HISTOIRE LITTÉRAIRE

On ne s'étonnera pas que nous fassions une place privilégiée à l'histoire littéraire, et plus particulièrement à celle de la France. Quelles que soient les attaques dont cette discipline a été l'objet, quelles que soient les limites où elle s'enferme volontairement, il est indéniable que, grâce à la patience, au scrupule et à l'esprit méthodique de plusieurs générations de chercheurs, nous connaissons l'histoire de notre littérature infiniment mieux qu'il y a soixante ans. Il n'est que juste de rappeler ici, sans méconnaître l'action dans le même sens de certains de ses prédécesseurs ou de collègues ses contemporains, le rôle personnel de Gustave Lanson (1857-1934), bien que l'essentiel de son œuvre ait paru avant la période que nous traitons.

Comme dans les autres branches de l'histoire, le profond renouvellement de la matière, le développement de l'érudition, la division de l'analyse (parfois jusqu'à l'émiettement), ont rendu plus difficiles, mais plus fructueuses, les vues d'ensemble. Il est vite apparu que les synthèses globales, qui tentaient autrefois les talents oratoires, n'étaient pas à la mesure d'un seul homme, ni même concevables dans l'état actuel, et nécessairement lacunaire, de nos connaissances. De plus en plus, les histoires de la littérature revêtent le double caractère d'un travail d'équipe et d'un prudent état des travaux récents. Mais, en même temps, les synthèses partielles et les monographies se sont multipliées et ont acquis un degré de précision qu'elles avaient rarement atteint dans le passé. On en dirait autant des éditions critiques, qui ont été une des plus remarquables contributions à la mise en valeur de notre patrimoine littéraire.

L'ensemble de la littérature française a été présenté à un large public dans des ouvrages collectifs, dont les plus connus sont l'*Histoire de la littérature française illustrée*, sous la direction de Joseph Bédier et Paul Hazard (1923-

1924), refondue et mise à jour sous la direction de Pierre Martino (*Littérature française*, 1948-1949), et l'*Histoire de la littérature française*, sous la direction de J. Calvet (à partir de 1932). Quant aux histoires dues à un seul auteur, si l'on met à part les ouvrages purement scolaires, il semble que la renommée du manuel de Lanson ait découragé les tentatives; il ne reflétait plus depuis longtemps les progrès de la recherche historique, et de fait, sauf pour les époques récentes, devait son intérêt durable à la finesse de ses analyses et de ses jugements. Ce n'est qu'en 1947 que parut l'*Histoire de la littérature française* de René Jasinski, conçue dans un tout autre esprit, et qui offrait un exposé complet, objectif, impartial jusqu'à l'effacement, appuyé sur les plus récents résultats de l'érudition.

C'est peut-être dans les histoires partielles que l'on pourra le mieux juger les tendances de l'école, sa rigueur dans l'exploration, sa prudence dans les conclusions, son abondance dans les exemples et les preuves. C'est sans doute à ces scrupules que nous devons de ne pas avoir encore d'histoire complète de notre poésie (on a publié, de 1923 à 1936, des cours d'Ém. Faguet sous le titre : *Histoire de la poésie française de la Renaissance au Romantisme*), de notre théâtre (signalons de Gustave Lanson, *Esquisse d'une histoire de la tragédie française*, plan détaillé d'un cours, 1920, et de Félix Gaiffe, *le Rire et la scène française*, 1932), de notre roman..., tâches évidemment immenses, mais qu'il serait urgent d'entreprendre. On aura quelque idée de cette activité de synthèse par la liste, incomplète mais suggestive, des principaux travaux d'ensemble depuis trente ans : Edmond Faral, *la Légende arthurienne* (1929); Pierre Champion, *Histoire poétique du XV⁵ siècle* (1923);

JOSEPH BÉDIER. — CL. H. MANUEL.

Henri Chamard, *les Origines de la poésie française de la Renaissance* (1920), *Histoire de la Pléiade* (4 vol., 1939-1940); Jean Plattard, *la Renaissance des lettres en France* (1925); Raymond Lebègue, *la Tragédie religieuse en France, les débuts, 1514-1573* (1929); Albert-Marie Schmidt, *la Poésie scientifique en France au XVI⁵ siècle* (1939); l'abbé Henri Bremond (1865-1933), *Histoire littéraire du sentiment religieux en France depuis la fin des guerres de religion jusqu'à nos jours* (11 vol., 1916-1933), malheureusement interrompue avant d'avoir abordé le XVIII⁵ siècle); Henri Busson, *les Sources et le développement du rationalisme dans la littérature française de la Renaissance, 1533-1610* (1922), *la Pensée religieuse française de Charron à Pascal* (1933), *la Religion des classiques* (1948); A. Feugère, *le Mouvement religieux dans la littérature du XVII⁵ siècle* (1938); René Pintard, *le Libertinage érudit dans la première moitié du XVII⁵ siècle* (1943); A. Gazier (1844-1922), *Histoire générale du mouvement janséniste depuis ses origines jusqu'à nos jours* (2 vol., 1922); Jean Laporte, *la Doctrine de Port-Royal* (2 vol., 1923); A. Adam, *Histoire de la littérature française au XVII⁵ siècle. L'époque d'Henri IV et de Louis XIII* (1948); René Bray, *la Formation de la doctrine classique en France* (1927); Daniel Mornet, *Histoire de la clarté française* (1929), *Histoire de la littérature française classique, 1660-1700* (1940); Maurice Magendie, *la Politesse mondaine et les théories de l'honnêteté en France, de 1600 à 1660* (2 vol., 1925), *le Roman français au*

XVII⁵ siècle de « l'Astrée » au « Grand Cyrus » (1932); Pierre Mélèse, *le Théâtre et le public à Paris sous Louis XIV, 1659-1715* (1934); Daniel Mornet, *la Pensée française au XVIII⁵ siècle* (1926), *les Origines intellectuelles de la Révolution française* (1933); Pierre Trahard, *les Maîtres de la sensibilité française au XVIII⁵ siècle* (4 vol., 1931-1933), *la Sensibilité révolutionnaire, 1789-1794* (1936); A. Monglond, *Histoire intérieure du préromantisme français* (2 vol., 1930); Henri Jacoubet, *le Genre troubadour et les origines françaises du romantisme* (1929); M. Fuchs, *la Vie théâtrale en province au XVIII⁵ siècle* (tome I, 1933); Pierre Jourda, *l'Exotisme dans la littérature française depuis Chateaubriand* (tome I, 1938); Jean Fourcassié, *le Romantisme et les Pyrénées* (1941); Charles Tailliart, *l'Algérie dans la littérature française* (1926); René Bray, *Chronologie du romantisme* (1932); Pierre Moreau, *le Classicisme des romantiques* (1932), *le Romantisme* (1932); Maurice Souriau, *Histoire du romantisme en France* (3 vol., 1927-1928), *Histoire du Parnasse* (1929); Edmond Eggli et Pierre Martino, *le Débat romantique en France* (tome I, 1933); André Le Breton, *le Théâtre romantique* (1923); Auguste Viatte, *les Sources occultes du romantisme, illuminisme et théosophie* (2 vol., 1928); Louis Allard, *la Comédie de mœurs en France au XIX⁵ siècle, 1795-1830* (2 vol., 1924 et 1933); Pierre Martino, *l'Époque romantique en France, 1815-1830* (1944), *le Naturalisme français, 1870-1895* (1923), *Parnasse et Symbolisme* (1925); René Dumesnil, *le Réalisme* (1936); Guy Michaud, *Message poétique du symbolisme* (4 vol., 1947).

Des érudits, sans préjudice de leurs autres travaux, ont mérité d'attacher leur nom à celui d'un de nos auteurs, qu'on ne saurait étudier sans les consulter : pour Marguerite d'Angoulême, Pierre Jourda; pour d'Urfé, Maurice Magendie; pour Théophile de Viau, Antoine Adam; pour Molière, Gustave Michaut; pour Quinault, Étienne Gros; pour André Chénier, Paul Dimoff; pour Delécluze, Robert Baschet; pour Latouche, Frédéric Ségu; pour Émile Deschamps, Henri Girard; pour Mérimée, Pierre Trahard; pour Nerval, Aristide Marie; pour Musset, Pierre Gastinel; pour Gautier, René Jasinski; pour Louis Ménard, Henri Peyre; pour Vallès, Gaston Gille, etc.

Les périodes, les époques, les mouvements, les écoles... ont été l'objet d'excellents travaux, qu'il est impossible d'énumérer, et dont la plupart, mais non tous, ont pour auteurs des universitaires. Comme il est naturel, les grandes figures ont suscité, la plupart du temps, de nombreux ouvrages; pour certaines, il y a eu un véritable renouveau des études; parfois aussi, l'intérêt s'est porté avec intensité sur des auteurs restés quelque peu dans l'ombre. Sous peine de transformer ce paragraphe en bibliographie, nous devrons nous borner à des rappels sommaires. On sait ce que les études sur le moyen âge ont dû à Joseph Bédier (1864-1938); sa délicieuse restauration de *Tristan et Iseult*, en 1900, avait redonné le branle à la mode des adaptations en français moderne de nos vieux récits, qui s'est continuée grâce à P. Tuffrau, Jacques Boulenger, Albert Pauphilet, Claudius La Roussarie, André Mary...; il a publié une nouvelle traduction (1922) et un commentaire (1927) de la *Chanson de Roland*, laquelle n'a cessé de susciter l'intérêt de philologues et d'historiens comme P. Boissonnade,

Robert Fawtier, Albert Pauphilet, Edmond Faral, Charles Samaran, Émile Mireaux. Il faut rappeler les travaux d'Alfred Jeanroy (né en 1859) sur la poésie lyrique des troubadours et sur le théâtre religieux, de Joseph Anglade (1869-1931) sur les origines du gai savoir et sur les troubadours, d'A. Terracher sur *la Chevalerie Vivien*, de Gustave Cohen sur Chrétien de Troyes et sur le théâtre, d'Albert Pauphilet (1885-1948) sur la *Queste del Saint-Graal*, d'Edmond Faral sur le *Roman de Troie* en prose, les arts poétiques des XIIe et XIIIe siècles, Villehardouin, la vie quotidienne au temps de Saint Louis, etc., de L.-F. Flutre sur *li Faits des Romains*, de Jean Frappier sur *la Mort le Roi Artu*, d'Ernest Hœpffner, Henri Longnon, Henri Chamard, Lucien Foulet, L. Thuasne, Mario Roques, Pierre Champion, Louis Cons, J. Calmette, Louis Halphen, E. Langlois, Robert Bossuat...

Pour le XVIe siècle, nous avons déjà nommé Chamard, Lebègue, Jourda et Schmidt. Jean Plattard (1873-1939) s'est consacré à Marot, Rabelais, Montaigne, Scévole de Sainte-Marthe, d'Aubigné... Les auteurs les plus étudiés ont été Rabelais (Abel Lefranc, Lazare Sainéan, Georges Lote, Jacques Boulenger, Lucien Febvre), Ronsard (Paul Laumonier, Hugues Vaganay, Gustave Cohen, Pierre Champion, Joseph Vianey, Pierre de Nolhac), Montaigne (Pierre Villey, Fortunat Strowski, Gustave Lanson, Paul Porteau, Marc Citoleux, Pierre Moreau), mais on s'est beaucoup intéressé aussi à Marguerite de Navarre (P. Jourda, Lucien Febvre), à Marot (Henri Guy, Pierre Villey, Joseph Vianey), à Maurice Scève (Bertrand Guégan, Verdun-L. Saulnier), à Monluc (Joseph Le Gras), à Calvin (Schmidt, J. Pannier), à Du Bellay (Vianey, Francis Ambrière), à Robert Garnier (Lucien Pinvert), à Desportes (Jacques Lavaud), à d'Aubigné et au parti protestant (A. Garnier).

La littérature du grand siècle a été reconsidérée avec soin, comme en témoignent, outre les grands ouvrages cités plus haut, les excellents volumes et articles de spécialistes comme Gustave Reynier (1859-1937; *la Femme au XVIIe siècle*, 1929), Frédéric Lachèvre (sur le libertinage, Cyrano, Scarron, etc.), Émile Magne (sur la vie quotidienne au temps de Louis XIII, Tallemant des Réaux, Ninon de Lanclos, Scarron, La Rochefoucauld, Madame de La Fayette, l'abbé de Pure, Boileau...), Georges Mongrédien (sur la vie littéraire au XVIIe siècle, les grands comédiens, les libertins et les précieuses, Retz, Tallemant des Réaux), J. Calvet (sur la littérature religieuse de François de Sales à Fénelon, sur Bossuet), Antoine Adam (sur la libre pensée, l'école de 1650...), Adrien Cart (sur la poésie au XVIIe siècle)..., et de nombreux travaux sur Malherbe (Jean de Celles), saint François de Sales (abbé Francis Vincent, Paul Archambault, Antoine Dufournet), d'Urfé (Hugues Vaganay), saint Vincent de Paul (Pierre Coste), Gassendi (Louis Andrieux, René Pintard, Bernard Rochot), Descartes (Ch. Adam, Milhaud, Gilson, Chevalier, Blanchet, Gouhier, Sirven, Maxime Leroy, Maritain, Brunschvicg, Laporte), Guez de Balzac (Gaston Guillaumie), Charles Sorel (E. Roy), Georges de Scudéry (Charles Clerc), d'Aubignac (Pierre Martino), Corneille (Louis Rivaille, Octave Nadal, René Bray, Henry Lyonnet, Roger Cretin, Léon Lemonnier), Madeleine de Scudéry (Claude Aragonnès), Méré (H.-Ch. Boudhors), Retz (Louis Batiffol), La Rochefoucauld (Jean Marchand, Gabriel de La Rochefoucauld), La Fontaine (F. Gohin, H. Busson, René Bray, P. Clarac, Jean Demeure, Félix Boillot), Molière (F. Baumal, P. Émard, J. Arnavon, H. Lyonnet, Léopold-Lacour, Mornet), Pascal (Strowski, Chevalier, Massis, Z. Tourneur, P. Lafuma, éditeurs des *Pensées*, V. Giraud, Lanson, Albert Maire, Léon Brunschvicg, Ernest Jovy, Jean Lhermet, Albert Bayet, P.-J. Couchoud, Chinard), Mme de Sévigné (André Hallays, Henriette Célarié,

Jean Lemoine, Gérard-Gailly), Bossuet (Urbain et Levesque, Gazier, Letellier, Bertault, Gonzague Truc, J. Calvet), Fléchier (Mgr Grente), Mme de La Fayette (André Beaunier, Cazes), Mme de Maintenon (Marcel Langlois), Boileau (Hervier, Cahen, Boudhors, Bray), Racine (Gonzague Truc, Lyonnet, Dubech, Jovy, J. Segond, Mornet, Thierry-Maulnier, Pierre Moreau), Donneau de Visé (Pierre Mélèse), La Bruyère (Gustave Michaut, François Tavera), Pierre Bayle (E. Lacoste), Fontenelle (J.-R. Carré), Massillon (Jean Champonnier), Saint-Simon (J. de Boislile et L. Levestre, Pierre Adam, duc de Lévis-Mirepoix), Regnard et Dufresny (Georges Jamati).

De même, on a apporté des vues nouvelles sur les écrivains du XVIIIe siècle : travaux sur Lesage (Aug. Dupouy), Marivaux (P. Bonnefon, E. Meyer, M.-J. Durry), Montesquieu (É. Carcassonne, F. Gébelin, J. Dedieu), Voltaire (Raymond Naves, J.-R. Carré, F. Vésinet,...), l'abbé Prévost (Claire-Éliane Engel, P. Hazard, André de Maricourt), Crébillon fils (Pierre Lièvre), Buffon (J.-A. Mairu, Louis Roule), La Mettrie (R. Boissier), le président de Brosses (Yvonne Bézard), Rousseau (Mornet, Th. Dufour et P.-P. Plan, François et Pierre Richard, C.-A. Fusil, L. Proal, F. Vidal, A. François...), Diderot (Jean Pommier, J. Le Gras, Paul Ledieu, Jean Thomas, Jean Destreicher, Hubert Gillot, André Babelon, Gilbert Chinard, Daniel Mornet), l'abbé Raynal (A. Feugère), Vauvenargues (Lanson, Rocheblave, F. Vial, P. Varillon, Paul Souchon), l'abbé Barthélemy (M. Bavolle), d'Alembert (Maurice Muller), d'Holbach (René Aubert, Pierre Naville), Grimm et les encyclopédistes (André Cazes), Casanova (Charles Samaran, Dubois La Chartre...), Thomas (Étienne Micard), Beaumarchais (Gaiffe, Louis Latzarus...), Restif de La Bretonne (Léonce Grasillier, Funck-Brentano, Adolphe Tabarant), le prince de Ligne (F. Leuridant, M. Oulié), Bernardin de Saint-Pierre (Dr Roule, Maurice Souriau), Chamfort (Émile Dousset), Condorcet (Hélène Delsax), Fontanes (Remy Tessonneau), Rivarol (L. Latzarus, René Groos, Marcel Hervier, Th. Suran), Joubert (André Beaunier, Remy Tessonneau), Henri de Saint-Simon (C. Bouglé et E. Halévy, Henri Gouhier, Maxime Leroy)...

La littérature des XIXe et XXe siècles a été abondamment examinée par les historiens et par les critiques, avec, naturellement, une prédominance de ceux-ci sur ceux-là pour les périodes les plus récentes. Aux ouvrages de synthèse et aux grandes monographies déjà cités, ajoutons les études d'Edmond Estève (1868-1928) sur le préromantisme, Vigny, Leconte de Lisle, Sully Prudhomme..., d'A. Monglond sur les préromantiques et Senancour, de Jules Marsan (1873-1939), Pierre Trahard, Fernand Baldensperger, L. Maigron, Henri Girard, Marcel Bouteron, Auguste Viatte, Marie-Louise Pailleron, Jean Giraud..., sur le romantisme. Rappelons ici l'œuvre extraordinairement abondante du baron Ernest Seillière, centrée sur sa conception de l'impérialisme romantique, dont il a étendu les applications de La Calprenède à Marcel Proust. On doit d'importants travaux à Victor Giraud sur Chateaubriand, Lamennais, Sainte-Beuve, Eugénie de Guérin, Taine, France..., à Paul Berret sur Hugo, à Joseph Vianey sur Hugo et Leconte de Lisle, à Gustave Rudler sur Constant et Michelet, à Pierre Martino sur Stendhal, Mérimée et Verlaine, à Maurice Levaillant sur Chateaubriand, Mme Récamier, Lamartine, Hugo, Mérimée..., à Jean Pommier sur Renan, Baudelaire, Sainte-Beuve et Musset, à Henri Guillemin sur Lamartine et Flaubert, à Maurice Bardèche sur Balzac et Stendhal. Aux études sur le réalisme et le naturalisme ont contribué Édouard Maynial, Léon Deffoux, Émile Zavie, Charles Beuchat; à celles sur le Parnasse et le symbolisme, F. Desonay, Francis Vincent, André Thérive, Ernest Raynaud, Aristide Marie, Pierre Dufay, John Charpentier, Georges Bonneau... Ajoutons les ouvrages, souvent considérables, sur maints auteurs : Xavier de Maistre (A. Berthier, Maurice de La Fuye), Mme de Staël (Ctesse Jean de Pange, comte d'Haussonville, Marie-Louise Pailleron), Benjamin Constant (Jacques Bompart), Chateaubriand (Pierre Moreau, Marie-Jeanne Durry, Hubert Gillot, Marcel Duchemin, Alice Poirier, E. Beau de Loménie, Gilbert Chinard, D^r Le Savoureux...), Paul-Louis Courier (Robert Gaschet), Joseph de Maistre (Georges Goyau, René Johannet, Francis Vermale, Émile Dermenghem, Paul Vulliaud), Lamennais (F. Duine, Georges Goyau, Robert Vallery-Radot, René Bréhat, Claude Carcopino), Stendhal (Henri Martineau, Paul Arbelet, Pierre Jourda, Henry Debraye, Jules Masson, Paul Hazard, Henri Jacoubet, René Dollot, Louis Royer, Jean Prévost), Charles Nodier (L. Pingaud, Jean Larat), Ulric Guttinguer (abbé Bremond), Marceline Desbordes-Valmore (Lucien Descaves, Boyer d'Agen, E. Vial...), Lamartine (Camille Latreille, Paul Hazard, l'abbé Claude Grillet, Henriette Lasbordes...), Vigny (Baldensperger, Marc Citoleux, Pierre Flottes, Georges Bonnefoy, Verdun-L. Saulnier), Auguste Comte (Henri Gouhier, Pierre Ducassé), Michelet (G. Monod, Lucien Refort, Jean-Marie Carré, Daniel Halévy), Balzac (Marcel Bouteron, André Le Breton, Baldensperger, Maurice Serval, P. Barrière, Philippe Bertault, Marc Blanchard, Pierre Abraham, A. Prioult, Paul Césari, René Bouvier, Édouard Maynial, Étienne Aubrée, Maurice Allem, Gilbert Mayer, Bernard Guyon), Lacordaire (Mme Renée Zeller), Hugo (Gustave Simon, Louis Guimbaud, André

PAUL HAZARD. — CL. HARLINGUE.

Le Breton, Denis Saurat, Paul Souchon, E. Louis-Martin, René Glotz, etc.), Dumas père (Gustave Simon), Mérimée (Maurice Parturier, G. Dulong, Jean Mallion, Ferdinand Bac), Sainte-Beuve (Jean Bonnerot, Gustave Michaut, Maxime Leroy, Pierre Poux, Jean Thomas, Maurice Allem), George Sand (Louise Vincent, Aurore Sand, Marie-Louise Pailleron), Nerval (Pierre Audiat), Louise Colet (Gérard-Gailly), Proudhon (C. Bouglé et H. Moysset, Bourgeat, Daniel Halévy), Maurice de Guérin (E. Zyromski, F. Decahors, Bernard d'Harcourt), Eugénie de Guérin (abbé Émile Barthès), Musset (A. Feugère, Paul Dimoff, Antoine Adam, Philippe Van Tieghem), Gautier (A. Boschot), Louis Blanc (E. Renard), Victor de Laprade (Pierre Séchaud), Leconte de Lisle (Émile Revel), Fromentin (Camille Reynaud), Baudelaire (Jacques Crépet, Y.-G. Le Dantec, Georges Blin, André Ferran), Bouilhet (L. Letellier), Flaubert (R. Descharmes, R. Dumesnil, É. Maynial, Gérard-Gailly, Gabrielle Leleu, Claude Digeon), les Goncourt (Pierre Sabatier, François Fosca), Renan (Henri Tronchon, Abel Lefranc), Émile Montégut (A. Laborde-Milaa, P.-A. Muenier), Paul de Saint-Victor (Charles Beuchat), Taine (A. Chevrillon), Jules Verne (A. de La Fuye), Villiers de l'Isle-Adam (E. Drougard, Max Daireaux), Sully Prudhomme (Pierre Flottes), Glatigny (Jean Reymond), Daudet (Lucien Daudet, Yvonne Martinet), Zola (Maurice Leblond, A. Baillot), Mallarmé (Camille Soula, Henri Mondor, Charles Mauron, Jacques Schérer), Édouard Schuré (Jean Dornis), Ferdinand Buisson (C. Bouglé), Coppée (abbé Le Meur), Verlaine (Marcel Coulon),

France (Léon Carias, Charles Braibant, Maurice Gaffiot), Corbière (René Martineau), Lautréamont (Gaston Bachelard), Rollinat (E. Vinchon, Hugues Lapaire, A. Zévaès), Bloy (Joseph Bollery), Huysmans (Marcel Cressot, Henri Bachelin, Léon Deffoux, Lucien Descaves), Angellier (Floris Delattre), de Voguë (abbé Le Meur), Loti (René Dumesnil), Bourget (Albert Feuillerat), Rimbaud (Jean-Marie Carré, Marcel Coulon, François Ruchon, André Fontaine, Étiemble, H. Bouillane de Lacoste), Samain (Georges Bonneau), Laforgue (F. Ruchon), Jules Renard (L. Guichard), Vielé-Griffin (Jean de Cours), Schwob (Pierre Champion), Claudel (Jacques Madaule), Gide (Paul Archambault), Proust (Émeric Fiser, Albert Feuillerat, Robert Vigneron)...

Les études de littérature comparée ont reçu une vigoureuse impulsion et produit d'importants ouvrages, dont beaucoup ont atteint une audience mondiale. On citera, au premier rang de ces historiens, Fernand Baldensperger (né en 1871; Études d'histoire littéraire, 4 vol., 1907-1939; le Mouvement des idées dans l'émigration française, 2 vol., 1924; Orientations étrangères dans l'œuvre de Balzac, 1927, etc.), Paul Van Tieghem (1871-1948; le Préromantisme, 3 vol., 1924-1947; la Littérature comparée, 1931; Répertoire chronologique des littératures modernes, 1935-1937; Histoire littéraire de l'Europe et de l'Amérique de la Renaissance à nos jours, 1941; la Littérature latine de la Renaissance, 1944; le Romantisme dans la littérature européenne, 1948), Paul Hazard (1878-1944; la Crise de la conscience européenne, 3 vol., 1935; la Pensée européenne au XVIIIe siècle, de Montesquieu à Lessing, 3 vol., 1946), Edmond Eggli (Schiller et le romantisme français, 1927), Jean-Marie Carré (Gœthe en Angleterre, 1920; Voyageurs et écrivains français en Égypte, 2 vol., 1932), Henri Hauvette (1865-1935; la « Morte vivante », étude de littérature comparée, 1933), Marcel Bataillon (Érasme et l'Espagne, 1937), Geneviève Bianquis (Faust à travers quatre siècles, 1935; Nietzsche en France, 1929), ainsi que les érudits qui ont enrichi notre connaissance des rapports intellectuels entre la France et l'Angleterre : Georges Ascoli (1882-1944; la Grande-Bretagne devant l'opinion française au XVIIe siècle, 2 vol., 1930), Gabriel Bonno (la Constitution britannique devant l'opinion française de Montesquieu à Bonaparte, 1931), Floris Delattre (Charles Dickens et la France, 1927), E. Audra (l'Influence française dans l'œuvre de Pope, 1931), Henri Peyre (Shelley en France, 1936), Charles Dédéyan (Montaigne chez ses amis anglo-saxons, 2 vol., 1946); entre la France et l'Amérique : Gilbert Chinard (Volney et l'Amérique, 1923; Jefferson et les idéologues..., 1925), Léon Lemonnier (Edgar Poe et la critique française de 1845 à 1875, 1928), R. Taupin (l'Influence du symbolisme français sur la poésie américaine de 1910 à 1920, 1929); entre la France et l'Allemagne : Henri Tronchon (la Fortune intellectuelle de Herder en France, 1920; Gœthe, Herder et Diderot, 1932, etc.), Louis Reynaud (l'Influence allemande en France au XVIIIe et au XIXe siècle, 1922; le Romantisme, ses origines anglo-germaniques, 1926), comtesse Jean de Pange (Mme de Staël et la découverte de l'Allemagne, 1929; A.-G. Schlegel et Mme de Staël, 1938), Hippolyte Loiseau (Gœthe et la France, 1930), E. Duméril (le Lied allemand et les traductions poétiques en France,

ANTOINE MEILLET. — CL. LAROUSSE.

FERDINAND BRUNOT. — CL. H. MANUEL.

1933); entre la France et l'Italie : Gabriel Maugain (*Ronsard en Italie*, 1926), Maurice Mignon (*les Affinités intellectuelles de l'Italie et de la France*, 1923), Henri Bédarida (*Parme et la France de 1748 à 1789*, 1927), Henri Bédarida et Paul Hazard (*l'Influence française en Italie au XVIIIᵉ siècle*, 1934), Albert Chérel (*la Pensée de Machiavel en France*, 1935); entre la France et l'Espagne : E. Martinenche (*l'Espagne et le romantisme français*, 1932), M. Bardon (*Don Quichotte en France*, 2 vol., 1931), J. Sarrailh (*Enquêtes romantiques : France-Espagne*, 1933); entre la France et la Hollande : Gustave Cohen (*Écrivains français en Hollande dans la première moitié du XVIIᵉ siècle*, 1920).

Les littératures étrangères, étudiées pour elles-mêmes, ont été également l'objet de travaux solides ou brillants. Deux remarquables anglicistes : Émile Legouis (1861-1937) et Louis Cazamian (né en 1877; *l'Évolution psychologique et la littérature en Angleterre*, 1920), ont écrit une *Histoire de la littérature anglaise* (1924), qui, à l'égal du *Lanson*, fait autorité, même dans les pays de langue anglaise, dont les littératures ont été approfondies par une pléiade de savants, comme Jules Derocquigny, le seiziémiste Abel Lefranc, Alfred Barbeau, Abel Chevalley, Jules Douady, M. Castelain, A. Koszul, Lucien Wolff, Floris Delattre, Édouard Guyot, Léonie Villard, René Lalou, Georges Connes, Denis Saurat, Aurélien Digeon, Paul Dottin, René Pruvost, Émile Pons, Léon Lemonnier, H. Genouy, Georges Lafourcade, Pierre Legouis, Raymond Las Vergnas, Jean Loiseau, Henri-Léon Hovelacque, Louis Landré, Madeleine Cazamian, Henri Fluchère, Fernande Tardivel, G. Jean-Aubry, etc. Sur la littérature irlandaise contemporaine, voir A. Rivoallan. Sur la littérature des États-Unis, on consultera les ouvrages de Charles Cestre, Léon Bazalgette, Régis Michaud, Léonie Villard, Maurice-Edgar Coindreau, Marcel Clavel, etc. Parmi les germanistes, nous rappellerons les noms de Charles Andler (1866-1933; *Nietzsche, sa vie et sa pensée*, 6 vol., 1920-1931), Henri Lichtenberger, Hippolyte Loiseau, Victor Basch, Joseph Dresch, E. Spenlé, I. Rouge, Edmond Vermeil, Ernest Tonnelat, Geneviève Bianquis, Robert d'Harcourt, Maurice Boucher, René Guignard, J. Pinatel, Pierre Bertaux, Joseph Angelloz... On nommera également les italianisants Henri Hauvette (1865-1935), Gabriel Maugain, Henri Bédarida, Paul Arrighi, Benjamin Crémieux..., et les hispanisants Ernest Mérimée (1846-1924), Henri Mérimée, E. Marti-

nenche, Marcel Bataillon, Jean Camp, Jean Cassou..., sans oublier que Paul Hazard s'est intéressé à l'Italie et à l'Espagne. On citera, enfin, pour la littérature portugaise Georges Le Gentil et le poète Philéas Lebesgue, pour la littérature russe Émile Haumant, Jules Legras, André Lirondelle, André Mazon, pour les lettres scandinaves J. de Coussanges, P.-G. La Chesnais, Alfred Jolivet, Lucien Maury, M. Gravier, pour la littérature grecque moderne Hubert Pernot...

La France, qui se passionne toujours pour les questions de langue, possède une remarquable équipe en linguistique, philologie, histoire de la langue, géographie linguistique, lexicologie, étymologie, sémantique, grammaire, stylistique, métrique, phonétique... Elle a perdu en Antoine Meillet (1866-1936) un linguiste éminent, en Ferdinand Brunot (1860-1938; *la Pensée et la Langue*, 1922) le savant auteur de cette monumentale *Histoire de la langue française* (continuée par Ch. Bruneau), dont dix-neuf volumes ont paru depuis 1905, en Maurice Grammont (1866-1946) un phonéticien de grande classe et le meilleur spécialiste de l'esthétique du vers. Cette tradition de recherche exacte a été représentée encore par Léon Clédat (1851-1930), Édouard Bourciez (1856-1947), Edmond Huguet, J. Vendryès, A. Ernout, J. Marouzeau, Lucien Foulet, Oscar Bloch, Charles Beaulieux, Charles Turot, H. Pernot, A. Terracher, Albert Dauzat, Charles Bruneau, A. Séchehaye, H. Van Daële, G. Cayrou, G. Lote, P. Fouché, Paul Verrier, J. Damourette et E. Pichon, Émile Benveniste, G. Gougenheim, H. Yvon, G. et R. Le Bidois, E.-L. Martin, E. Legrand, Cl. Estève, Maurice Cressot.

L'antiquité classique a continué à être en honneur; nos modernes humanistes ont, avec le secours de l'érudition accrue et le progrès de l'archéologie, renouvelé la connaissance de notre patrimoine gréco-romain. Nous avons cité déjà quelques-uns d'entre eux parmi les historiens. On rappellera, parmi les hellénistes : les frères Alfred Croiset (1845-1923) et Maurice Croiset (1846-1935), Victor Bérard (1864-1931), qui a renouvelé les études sur *l'Odyssée* (mais déjà une théorie différente vient d'être proposée par l'historien Émile Mireaux), Aimé Puech, Paul Masqueray, Hilaire Van Daële, Octave Navarre, Philippe-Ernest Legrand, Médéric Dufour, Émile Bourguet, Georges Dalmeyda, Paul Mazon, Louis Méridier, Mario Meunier, Victor Magnien, Paul Cloché, Victor Coulon, Louis Gernet, Louis Séchan, Pierre Chantraine, Jean Dumortier, Robert Pignarre, Pierre Courcelle; et parmi les latinistes : Louis Havet (1849-1924), Augustin Cartault (1847-1922), René Cagnat (1852-1937), Henri Goelzer (1853-1929), Philippe Fabia, l'abbé Paul Lejay, Jules Humbert, Émile Chambry, Edmond Courbaud, Henri Bornecque, Pierre de Labriolle, Louis Laurand, Jules Marouzeau, René Waltz, René Durand, Alfred Ernout, Raymond Cahen, Jérôme Carcopino, Louis Pichard, A. Bourgery, L.-A. Constans, Jean Bayet, Anne-Marie Guillemin, Marcel Durry, Henri-Irénée Marrou, Pierre Boyancé, Jean Cousin, Jacques Heurgon, André Cordier, Henry Bardon. Tous, hellénistes et latinistes, et passant parfois d'un domaine à l'autre, ont procuré des éditions critiques, accompagnées de traductions, des écrivains anciens, dans des collections dont la plus fameuse, placée sous l'invocation de Guillaume Budé, a été l'une des contributions les plus utiles à la culture de ces trente dernières années.

L'HISTOIRE DE L'ART

On ne s'étonnera pas que nous fassions, dans une histoire de la littérature, une place à l'histoire de l'art. Notre seul regret est de la lui faire trop mesurée. Là aussi, on doit enregistrer une œuvre féconde de la part des historiens et des critiques (que nous ne séparerons pas ici les uns des autres, car il est rare, beaucoup plus que dans le domaine des arts littéraires, que les seconds ne pratiquent pas, plus ou moins, l'activité des premiers). L'architecture, les arts plastiques, les arts décoratifs, d'une part, la musique et la danse d'autre part, ont bénéficié, comme tant d'autres disciplines, des recherches historiques les plus variées (archéologie, paléographie, ethnographie, linguistique, etc.). Parmi les travaux de synthèse, dont nous avons déjà cité quelques-uns à propos des études historiques, il faut faire une place à part aux grands ouvrages collectifs comme l'*Histoire de l'art depuis les premiers temps chrétiens jusqu'à nos jours*, dirigée par André Michel (1853-1925) et menée à bonne fin après sa mort par Paul Vitry (18 vol., 1905-1929), l'*Histoire universelle des arts des temps primitifs jusqu'à nos jours* (4 vol., 1930-1939), dirigée par Louis Réau, à qui l'on doit, en outre, de nombreux volumes sur l'expansion de l'art français, l'art russe, la peinture française au XVIIIᵉ siècle, et des monographies sur divers artistes, la *Nouvelle Histoire universelle de l'art* (2 vol., 1932) parue sous la direction de Marcel Aubert, maître de l'histoire de l'architecture française, plus spécialement des cathédrales et des églises de France, et qui a continué l'œuvre de Robert de Lasteyrie du Saillant (1849-1921). Ajoutons les six volumes de René Schneider sur *l'Art français* (1923-1929), qui forment une histoire suivie, et ses deux volumes sur *la Peinture italienne des origines au XIXᵉ siècle* (1929-1930), et les nombreux ouvrages sur la peinture et la sculpture de Louis Hourticq. Parmi les vues d'ensemble prises par un même auteur, nous nommerons la récente *Histoire de l'art* (1 vol., 1946) par Pierre Du Colombier. Faute de pouvoir signaler en détail l'œuvre des spécialistes les plus éminents, on se bornera à noter qu'Émile Mâle (né en 1862) a continué son œuvre prestigieuse par de magnifiques ouvrages (*l'Art religieux du moyen âge en France*, 3 vol., 1922; *l'Art religieux après le concile de Trente*, 1932), et que le regretté Henri Focillon (1881-1943) avait conquis une juste célébrité par une rare alliance du goût, de l'aptitude à l'histoire et du don de la spéculation esthétique; on ne citera ici que sa brève, mais illuminante *Vie des formes* (1934), mais son œuvre avait couvert un vaste champ (sculpture romane, peinture des XIXᵉ et XXᵉ siècles, art d'Occident, art bouddhique, etc.).

L'art ancien a été étudié par Georges Contenau, E. Pottier, G. Jequier, Fernand Chapouthier, Jean Charbonneaux, Marthe Oulié, Gustave Fougères, Charles Picard, Henri Lechat, Alfred Merlin, Georges Nicole, Louis Séchan, Ch. Dugas, Adrien Blanchet, S. Reinach, Ernest Babelon, Paul Perdrizet, René

ÉMILE MÂLE. — CL. HARLINGUE.

Cagnat et Victor Chapot, Émile Espérandieu; l'art préhistorique et l'art primitif, par J. Déchelette et A. Grenier, G. Luquet, R. de Saint-Périer, A. Basler et Brummer, Raoul d'Harcourt, H. Clouzot, A. Level, A. Portier, Fr. Poncetton, etc.; l'art byzantin, par Charles Diehl, Louis Bréhier, J. Ebersolt, Gabriel Millet, le P. Guillaume de Jerphanion, Paul Henry; l'art du moyen âge, par Camille Enlart, Georges Gromart, Jean Vallery-Radot, H. Stein, R. Rey, Paul Vitry, Germain Bazin, Lucien Bégule, G. Fontaine, Delahache, Denise Jalabert, Paul Deschamps, J. Baltrusaitis, Mᵐᵉ Lefrançois-Pillon, C. Oursel, Paul Muratoff, Élisa Maillard, P.-A. Lemoine, Paul Jamot, Fernand Mercier, l'abbé Delaporte, Étienne Houvet, Georges Ritter, Jean Lafond, Demotte, Ph. Lauer, H. Martin, l'abbé V. Leroquais, Courboin, André Blum, Élie Lambert, Henri Terrasse, Ed. Michel, Paul Deschamps, A. Gabriel, G. Soulier, Louis Hautecœur, Gabriel Rouchès; la Renaissance, par Gébelin, Maurice Roy, P. Lesueur, Jean Babelon, E. Moreau-Nélaton, Gilles de La Tourette, Jean Alazard, François Fosca, G. Loukomski, J. Lieure; la période suivante, par G. Rougès, André de Hevesy, Paul Jamot, P. Courthion, Pierre Paris, J. Lieure, A. Blum, E. Bouvy, Pierre Francastel, Roger de Felice, Seymour de Ricci, Guillaume Janneau; le XVIIIᵉ siècle par Paul Courteault, Alfred Leroy, Robert Rey, G. Wildenstein, Camille Mauclair, A. Blum, S. Rocheblave, Georges Grappe, Jeanne Bouchot-Saupique, Geneviève Levallet-Haug, E. Maillard, P. Lespinasse. Pour le XIXᵉ siècle et le XXᵉ, on doit une *Histoire générale de l'art français de la Révolution à nos jours* à André Fontainas, Louis Vauxcelles, Georges Gromart et Gabriel Mourey; des monographies sur les peintres à Jean Guiffrey, Edmond Pilon, R. Régamey, R. Escholier, Léonce Bénédite, André Dezarrois, E. Moreau-Nélaton, Gustave Geffroy, Élie Faure, J.-E. Blanche, Georges Lecomte, Léon Rosenthal, A. Foureau, Gustave Coquiot, Ambroise Vollard, Tristan Klingsor, Charles Kunstler, René Huyghe, G. Rivière, Pierre Du Colombier, François Fosca, Arsène Alexandre, Ch. Duret, Paul Jamot, Waldemar Georges, Florent Fels, Claude Roger-Marx, René Jean, Maurice Raynal, Louis Aubert, G. Jeanneau, Jacques Guenne, Christian Zervos, Bernard Dorival..., et sur les sculpteurs à Luc-Benoist, A. Mabille de Poncheville, Sarradin, Henriette Caillaux, Léonce Bénédite, Judith Cladel, André Salmon, Adolphe Basler, Julia, Cantinelli, Léon Deshairs... Les arts musulmans ont été étudiés par Gaston Migeon, Georges Marçais, A. Gabriel, Louis Hautecœur, Gaston Wiet, Eustache de Lorey, R. Kœchlin, M. Pézart, H. Terrasse, J. Hackin, A. Godard; ceux de l'Inde, par A. Foucher, E. Mackay, Barthoux, Ph. Stern, G. Groslier, H. Parmentier, L. Finot; ceux de la Chine, par Paul Pelliot, Georges Salles, S. Elisséev, d'Ardenne de Tizac, D. Goldschmidt, Ballot, M. Dupont; ceux du Japon, par S. Elisséev, A. Maybon; ceux de l'Annam, par H. Bernanose, Georges Maspero...

Pour les études sur la musique, on rappellera d'abord l'achèvement de l'*Histoire de la musique* (3 vol., 1900-1919) de Jules Combarieu et de l'*Encyclopédie de la musique* (11 vol., 1913-1931) d'A. Lavignac, puis de L. de La Laurencie. Henry Prunières (1886-1942), en dehors de remarquables travaux (*Monteverdi*, 1926), a donné, en 1934 et 1936, les deux premiers volumes d'une *Nouvelle Histoire de la musique* (jusqu'à Mozart). Citons enfin le bel ouvrage, dû aux meilleurs spécialistes, publié sous la direction de Norbert Dufourcq : *la Musique, des origines à nos jours* (1946). La musique médiévale doit beaucoup à A. Gastoué, Th. Gérold, Dom Mocquereau, A. Machabey, Michel Brenet... Parmi les musicographes, nommons au moins Lionel Dauriac (1847-1923), Julien Tiersot (1857-1936), Camille Bellaigue (1858-1930), H. de Curzon, Paul Landormy, Maurice Emmanuel, A. Schaeffner, A. Pirro, Adolphe Boschot, J.-G. Prod'homme, Louis Laloy, Jean Chantavoine, René Dumesnil, Lionel de La Laurencie, Gustave Samazeuilh, Marc Pincherle, Albert Schweizer, Léon Vallas, Paul-Marie Masson, G. de Saint-Foix, Émile Vuillermoz, Pierre d'Alheim, Robert Pitrou, René Peter, Boris de Schloezer, Guy Ferchault, A. Teissier, Paul Locard, José Bruyr, P. Brunold, Hugues Panassié..., sans oublier l'écrivain Romain Rolland et l'homme d'État Édouard Herriot.

Certains écrivains n'ont pas voulu se limiter à la critique d'art. La production abondante de Camille Mauclair (1872-1945) s'étend, non seulement de la peinture à la musique, mais de la littérature aux impressions de voyage, de l'essai sur les villes d'art à l'essai psychologique. La sensibilité de Louis Gillet (1876-1943) l'a fait s'intéresser tour à tour avec bonheur à l'*Histoire artistique des ordres mendiants* (1912), à saint François d'Assise, à l'histoire de la peinture, en France et hors de France, à Watteau, à Monet, aux cathédrales, à des écrivains aussi différents que Dante, Shakespeare, Edith Wharton et James Joyce... Louis Dimier s'est surtout consacré à l'histoire de la peinture, mais il s'est occupé aussi de Descartes et de Racine. Parmi les écrivains d'imagination, les essayistes et les critiques littéraires, plus d'un, à l'occasion, s'est occupé de peinture ou de musique. Il faudrait ajouter les artistes qui ont écrit sur leur art ou pratiqué la critique artistique : architectes comme Le Corbusier, peintres comme Maurice Denis (à qui on doit, outre des ouvrages théoriques, une *Histoire de l'art religieux*, 1939) et André Lhote, musiciens comme Widor, acteurs et metteurs en scène comme Dussane, Jacques Copeau, Gaston Baty, danseurs comme Serge Lifar, pianistes comme Alfred Cortot et la claveciniste Wanda Landowska.

De plus en plus, les rapports de la littérature avec les beaux-arts suscitent l'intérêt, non seulement à cause de la valeur iconographique de ceux-ci (dont le rôle pédagogique a été utilement défendu par Paul Crouzet), mais pour des raisons d'explication historique ou esthétique; on rappellera seulement les études de Louis Séchan (*Études sur la tragédie grecque dans ses rapports avec la céramique*, 1926), d'André Cœuroy (*Musique et Littérature*, 1923; *Appels d'Orphée*, 1928), de Fernand Baldensperger (*Sensibilité musicale et romantisme*, 1925), de Prosper Dorbec (*les Lettres françaises dans leurs contacts avec l'atelier de l'artiste*, 1929), de Louis Hautecœur (*Littérature et peinture en France du XVIIᵉ au XIXᵉ siècle*, 1942), les réflexions de Paul Maury (*Arts et littérature comparés*, 1935), le curieux essai de Lucien Refort sur *la Caricature littéraire* (1932).

LA PHILOSOPHIE

Au lendemain de la Première Guerre mondiale disparaissaient des penseurs influents : Alfred Espinas (1844-1922), Émile Boutroux (1845-1921), Gabriel Séailles (1852-1922). Nous avons indiqué (voir chap. II) comment le plus grand philosophe de notre temps avait achevé son œuvre. L'influence de Bergson s'est exercée, directement ou indirectement, sur plusieurs générations de philosophes. On peut lui rattacher comme disciple immédiat Édouard

Le Roy (né en 1870; *l'Exigence idéaliste et le fait de l'évolution*, 1927; *les Origines humaines et l'évolution de l'intelligence*, 1928; *le Problème de Dieu*, 1929; *la Pensée intuitive*, 1929-1930). Joseph Segond (né en 1872), d'abord disciple indépendant de Bergson (*Intuition et Amitié*, 1919), a développé une philosophie qu'on pourrait appeler symboliste, fondée sur l'analogie et le primat du sentiment (*l'Imagination*, 1922; *l'Esthétique du sentiment*, 1927; *le Problème du Génie*, 1930; *Traité de psychologie*, 1930; *Hasard et Contingence, Logique du pari*, 1938; *Traité d'esthétique*, 1946).

La philosophie catholique a été brillamment représentée. Maurice Blondel (1861-1949), après une période de demi-silence, s'est consacré à de grands ouvrages (*la Pensée, l'Être et les êtres*, 1935) et a donné une édition remaniée de sa fameuse thèse de 1893, *l'Action*. Jacques Maritain (né en 1882) a joué un rôle capital dans la renaissance du thomisme (*Distinguer pour unir ou les Degrés du savoir*, 1932) et s'est exprimé dans de nombreux ouvrages touchant les problèmes les plus divers (*Art et Scolastique*, 1920; *Antimoderne*, 1922; *Trois Réformateurs : Luther, Descartes et Calvin*, 1925; *Primauté du spirituel*, 1927; *Situation de la poésie*, en collaboration avec Rhaïssa Maritain, 1928; *Humanisme intégral*, 1936; *A travers le désastre*, 1941). Louis Lavelle, métaphysicien et moraliste, a illustré avec force sa philosophie de la participation (*la Dialectique du monde sensible*, 1921; *De l'être*, 1928; *De l'acte*, 1937; *la Conscience de soi*, 1933; *la Présence totale*, 1934; *le Moi et son destin*, 1936; *l'Erreur de Narcisse*, 1939; *Socrate*, 1939; *le Mal et la Souffrance*, 1940; *la Parole et l'Écriture*, 1942). Son existentialisme chrétien, comme celui de Gabriel Marcel (voir chap. V), s'oppose à l'existentialisme athée de Sartre (voir chap. III).

Léon Brunschvicg (1869-1944) a continué d'approfondir une philosophie idéaliste appuyée sur l'épistémologie et l'histoire de la pensée (*l'Expérience humaine et la causalité physique*, 1922; *les Progrès de la conscience dans la philosophie occidentale*, 1927; *De la connaissance de soi*, 1931; *les Ages de l'intelligence*, 1934; *la Raison et la Religion*, 1939).

La spéculation métaphysique, tantôt appuyée sur la

JACQUES MARITAIN. — CL. N. Y. T.

psychologie, tantôt orientée vers la morale, n'a pas cessé de solliciter les esprits. Bornons-nous à quelques œuvres : *l'Expérience intérieure de la liberté* (1924) de Jean Nabert, *l'Allure du transcendental* (1936) de G. Bénézé, *Conscience et Amour, essai sur le nous* (1939) de Gabriel Madinier.

La philosophie des sciences a reflété des conceptions variées. Émile Meyerson (1859-1933) a continué de montrer la lutte de l'esprit pour ramener à l'identité la diversité radicale du réel (*De l'explication dans les sciences*, 1921; *la Déduction relativiste*, 1925; *Du cheminement de la pensée*, 1931). Plus spécialement logicien, Edmond Goblot (1858-1935), dont le *Traité de logique* (1918) est devenu un manuel classique de l'enseignement supérieur, a analysé *le Système des sciences* (1922), cherché les fondements d'une *Logique des jugements de valeur* (1927) et poussé une pointe vers la sociologie (*la Barrière et le Niveau*, 1925). André Lalande (né en 1867) a repris, en 1930, dans *les Illusions évolutionnistes*, sa thèse sur la dissolution, ou l'involution, opposée à l'évolution spencérienne; il a étudié *les Théories de l'induction et de l'expérimentation* (1929); on lui doit un admirable instrument de travail, ce *Vocabulaire technique et critique de la philosophie* (1926), fruit d'une longue et assidue collaboration avec la plupart des philosophes français de son temps. Parmi les logiciens, citons encore Charles Serrus, René Poirier, Jean Cavaillès. Il faut faire une place à part à Gaston Bachelard, qui, après avoir montré l'importance de facteurs psychiques, autrefois négligés, dans l'histoire réelle de la pensée scientifique, a étudié, avec un flair de poète autant que de psychologue, les formes de l'imagination en présence des quatre éléments mythiques de la matière (*Essai sur la connaissance approchée*, 1927; *la Valeur inductive de la relativité*, 1929; *la Psychanalyse du feu*, 1938; *l'Eau et les rêves*, 1942; *l'Air et les songes*, 1943; *les Rêveries de la terre*, 1948).

Les recherches en psychologie ont été abondantes et variées. Georges Dumas (1866-1946) a mis sur pied, avec la collaboration de nombreux spécialistes, un important *Traité de psychologie* (2 vol., 1924), bientôt largement étendu (*Nouveau Traité de psychologie*, en 9 vol., dont 7 parus) et auquel il a apporté une abondante contribution personnelle; cet ouvrage, qui représente bien les conceptions de plusieurs générations de psychologues, se trouve très légitimement dédié à Théodule Ribot, qui en avait écrit la préface avant sa mort (1916). En marge de l'université, mais dans un esprit voisin, un psychologue d'une grande finesse, Frédéric Paulhan (1866-1931), a achevé une œuvre abondante et suggestive (*les Transformations sociales des sentiments*, 1920; *le Mensonge du monde*, 1921; *la Double Fonction du langage*, 1928; *les Puissances de l'abstraction*, 1928). Pierre Janet (1859-1947) a été le plus grand psychiâtre français de son temps. Aussi doué pour la systématisation que pour l'analyse, il était arrivé à traduire en termes d'activité à peu près tout l'ensemble des fonctions mentales. Dans la dernière période de sa vie, il s'était tourné vers les origines collectives de la pensée (*les Médications psychologiques*, 1919; *De l'angoisse à l'extase*, 1926; *l'Évolution de la mémoire et la notion du temps*, 1928; *les Débuts de l'intelligence*, 1935). Henri Delacroix (1873-1937) a montré l'esprit tout entier au travail dans chacune de ses tâches (*la Religion et la Foi*, 1922; *le Langage et la pensée*, 1924; *Psychologie de l'art*, 1927; *les Grandes Formes de la vie mentale*, 1934). Charles Blondel (1876-1939) est venu de la psychologie pathologique à la

LÉON BRUNSCHVICG. — CL. LAROUSSE.

psychologie collective; il s'est surtout consacré à l'étude de la volonté et de la personnalité; il a combattu railleusement les théories de Freud et s'est intéressé à ce qu'il a appelé la *psychographie* de Marcel Proust. Henri Wallon (né en 1879) a apporté une importante contribution à la psychologie de l'enfant, à la biopsychologie, aux études sur l'orientation professionnelle. Henri Piéron (né en 1881) a maintenu la tradition stricte de la psychophysiologie avec des travaux sur *le Cerveau et la Pensée* (1927), *les Sensibilités cutanées* (1928), *la Sensation, guide de l'homme* (1947). On doit à Paul Guillaume des ouvrages d'une parfaite netteté d'exposition sur la psychologie de l'enfant, la psychologie animale, la psychologie de la forme. André Spaier a écrit un ouvrage pénétrant sur la *Pensée concrète* (1927). Jean Baruzi, en étudiant saint Jean de La Croix, s'est fait le psychologue du mysticisme. Il faudrait citer encore des biologistes et des physiologues comme Louis Lapicque, Étienne Rabaud, Cuénot, Tournay, etc., des médecins comme Maurice de Fleury, Chaslin, Revault d'Allonnes, D. Lagache, J. Delay, des psychologues de laboratoire comme Bourdon, Foucault, Poyer, des analystes comme Ludovic Dugas..., et rappeler les travaux d'A. Burloud, I. Meyerson, Renée Dejean, Cellérier, Vialle, Lacroze, Lévêque, etc.

Cependant, la psychologie, telle qu'elle s'est développée sous l'influence des sciences naturelles, semble traverser une crise. Citons-en pour signe la *Critique des fondements de la psychologie* (1928) de Georges Politzer (1903-1942), fondateur de l'éphémère *Revue de psychologie concrète*. Déjà battue en brèche par la psychanalyse, qui, bien que d'abord assez mal accueillie en France, y a cependant trouvé des adeptes marquants (Hesnard, Allendy, Laforgue, Pichon, Lacan...; voir la remarquable mise au point de Roland Dalbiez, *la Méthode psychanalytique et la doctrine freudienne*, 1936), la psychologie aurait pu absorber cette influence sans renoncer à ses principes; elle y était préparée par les travaux de psychiâtres comme Charcot et Janet. Il lui était plus difficile de se plier aux conceptions venues d'Allemagne avec la phénoménologie (déjà connue par les études de Levinas), qui a séduit beaucoup de jeunes philosophes (Merleau-Ponty, *Phénoménologie de la perception*, 1945), sans oublier Sartre, phénoménologiste de l'imagination et de l'émotion. D'autre part, le renouveau de la spéculation métaphysique a été marqué par des tentatives de reprise sur un domaine qui avait pu sembler lui échapper. Il y a loin de la psychologie du *Traité* de Dumas à *la Dialectique du monde sensible* de Lavelle, ou même, bien qu'il garde les attaches les plus étroites avec la psychologie expérimentale, à la *Philosophie de la sensation* (3 vol., parus de 1928 à 1934) de Maurice Pradines. On ferait des remarques analogues en songeant aux ouvrages de Salzi sur la sensation, de Blanché sur la notion de fait psychique, de Jean Nogué sur la signification du sensible, de R. Ruyer sur la conscience et le corps.

La sociologie, après la mort de Durkheim (1917), quoique vivement attaquée, notamment par Paul Bureau (1865-1921) et Jean Izoulet (1854-1929), a continué de prouver sa fécondité avec l'enseignement de Marcel Mauss, Paul Fauconnet (*la Responsabilité*, 1920), Georges Davy (*la Foi jurée*, 1922), Maurice Halbwachs (1877-1945; *les Cadres sociaux de la mémoire*, 1925; *les Causes du suicide*, 1930), Célestin Bouglé (1870-1940; *Leçons de socio-*

logie sur *l'évolution des valeurs*, 1922), en influençant les conceptions d'économistes comme François Simiand (1872-1935; *le Salaire, l'évolution sociale et la monnaie*, 1932), d'un helléniste comme Louis Gernet, d'un sinologue comme Marcel Granet, d'un ethnographe comme Georges Dumézil. Lucien Lévy-Bruhl (1857-1939) a continué à nourrir de faits et d'analyses la série d'ouvrages qu'il a consacrés à la mentalité primitive. Albert Bayet a étudié le suicide et la morale, la morale des Gaulois et la morale païenne à l'époque gallo-romaine. Daniel Essertier a tenté de réconcilier psychologie et sociologie dans un livre original sur *les Formes inférieures de l'explication* (1927). Cependant, des orientations nouvelles se sont dessinées, tant dans l'étude des sociétés que dans celle des mœurs, en partie sous l'influence de la phénoménologie (voir les ouvrages de Georges Gurvitch).

Les études de morale ont été pratiquées par Gustave Belot (1859-1930), Dominique Parodi, Paul Lapie (1869-1927), Paul Gaultier... Le Senne, auteur d'un beau livre sur *le Devoir* (1930), d'*Obstacle et Valeur* (1934), d'un *Traité de morale générale* (1942), a apporté la même préoccupation dans le traitement de son ouvrage de psychologie, *le Mensonge et le Caractère* (1930), dont il a développé les implications dans son *Traité de caractérologie* (1945), œuvre de moraliste au double sens du mot. On passe facilement de la morale à la pédagogie, avec Ferdinand Buisson (1841-1932), Jules Payot (1859-1940), R. Thamin (1857-1933), René Hubert, qui est aussi sociologue, et qui se souvient de la dialectique de Hamelin dans son *Esquisse d'une doctrine de la moralité* (1938). Les philosophes plus jeunes, et plus tourmentés, n'ont pas manqué de rencontrer les problèmes moraux, dans un esprit bien différent de celui de leurs aînés. Rappelons seulement Benjamin Fondane (*la Conscience malheureuse*, 1936), G. Bénézé (*Valeur, essai d'une théorie générale*, 1936), G. Bastide (*De la condition humaine*, 1939; *le Moment historique de Socrate*, 1939), Jean Grenier (*le Choix*, 1941)... et il faudrait renvoyer ici aux existentialistes, aux romanciers de l'absurde, de Malraux à Camus, même à des historiens de la philosophie comme Jean Wahl ou Vladimir Jankélévitch.

L'esthétique, à laquelle avaient contribué en leur temps Paul Souriau (1852-1926) et Victor Basch (1864-1943), a surtout été représentée par Charles Lalo (né en 1877), qui, dans une œuvre abondante, d'esprit relativiste, a fait participer les ressources de toutes les disciplines à l'explication des phénomènes artistiques, avant d'entreprendre une grande série d'ouvrages sur les relations de l'art et de la vie, où il établit les bases d'une sorte de caractérologie de la création, par Étienne Souriau, qui conçoit la philosophie de l'art comme une spéculation sur les formes (*l'Avenir de l'esthétique*, 1929), et par Raymond Bayer, dont la monumentale *Esthétique de la grâce* (1934) touche à la plupart des problèmes et comprend les éléments d'une esthétique complète. Nous avons cité plus haut, parmi les philosophes, les historiens, les essayistes et les critiques, nombre d'écrivains qui ont participé à ce genre de recherches.

L'histoire de la philosophie est une de nos disciplines les plus riches. De Victor Delbos on a publié *la Philosophie française* (1919), d'O. Hamelin *le Système d'Aristote* (1920). Émile Bréhier, outre ses ouvrages sur la philosophie allemande, sur la philosophie du moyen âge, sur Plotin, etc., est l'auteur d'une *Histoire de la philosophie* (1927-1932), devenue classique. Sur l'antiquité, on doit d'importants ouvrages à Léon Robin (*la Pensée grecque et les origines de l'esprit scientifique*, 1928; *Platon*, 1935; *la Morale antique*, 1938), Albert Rivaud (*les Grands Courants de la pensée antique*, 1929), Pierre-Maxime Schuhl (*Essai sur la formation de la pensée grecque*, 1934). Abel Rey (1873-1940) a étudié la science orientale avant les Grecs et la science hellénique. Étienne Gilson est notre meilleur historien de la philosophie du moyen âge et en particulier du thomisme (voir aussi les travaux du P. Sertillanges et du P. de Tonquedec). Henri Gouhier a étudié la pensée religieuse de Descartes et de Malebranche, entrepris une vaste étude du positivisme (*la Jeunesse d'Auguste Comte et la formation du positivisme*, 3 vol., 1933-1941). Jean Wahl a fait connaître le pluralisme anglo-saxon, montré certains aspects de Platon, Descartes, Hegel et Kierkegaard. Xavier Léon (1868-1935), animateur de la *Revue de métaphysique et de morale*, s'est consacré à *Fichte et son temps* (1922-1927). Citons encore les travaux de Jean Guitton sur Plotin, saint Augustin, Newman, de Kœyré sur Bœhme, Galilée et Descartes, de Pierre Mesnard sur l'essor de la philosophie politique au XVIe siècle et sur Kierkegaard, de Jacques Chevalier sur Descartes, Pascal et Bergson, de J. Laporte sur le jansénisme, de J. Segond sur Descartes et Spinoza, de M. Guéroult sur Leibniz et Fichte, de Georges Friedmann sur Spinoza et Leibniz, de René Hubert sur les encyclopédistes, de Lachièze-Rey sur Kant, de V. Jankélévitch sur Schelling et sur Bergson, de J. Hippolyte sur Hegel, de Lacombe sur Bergson et Durkheim, les nombreuses monographies de philosophes. d'A. Cresson et de Félicien Challaye, les travaux de Georges Gurvitch sur la philosophie allemande contemporaine, de Gaston Berger sur Husserl, de Maurice Le Breton sur William James, de J.-R. Duron sur Santayana, de P. Masson-Oursel sur la philosophie comparée et sur la philosophie orientale, de René Grousset sur les philosophies indiennes (voir aussi René Guénon). Dominique Parodi a donné un exposé très précis de *la Philosophie contemporaine en France* (1919 et 1925), qui demanderait une suite.

Ce tableau de l'activité littéraire pendant une trentaine d'années, tel qu'il est possible de le tracer aujourd'hui, en se tenant à mi-chemin de l'opinion moyenne, qui évolue rapidement, et de préférences personnelles, qui risquent d'être trop subjectives, est nécessairement incomplet et surchargé. Il compte à la fois trop et trop peu de noms. Il atteste, du moins, que la période de 1919 à 1948 a été l'une des plus riches de notre histoire des lettres. Encore avons-nous dû laisser hors de notre cadre bien des manifestations intéressantes; sauf de rares exceptions, qui s'expliquent d'elles-mêmes, nous n'avons pas traité des écrivains étrangers d'expression française, auxquels un autre chapitre a été réservé, ni des essayistes, critiques, historiens ou philosophes, qui, dans d'autres langues que la nôtre, ont apporté et continuent d'apporter une contribution remarquable, et parfois éclatante, à l'étude de notre littérature, de nos arts et de notre civilisation, signe émouvant, dans notre époque douloureusement troublée, de la pérennité des liens qui attachent la France à l'universalité de l'esprit.

DE

L'UNIVERSALITÉ

DE LA

LANGUE FRANÇAISE;

DISCOURS

QUI A REMPORTÉ LE PRIX

A L'ACADÉMIE DE BERLIN.

Tu regere *Eloquio* Populos, *ó Galle*, memento.

Prix, 2 liv. 8 f.

A BERLIN,

Et se trouve à PARIS,

Chez {
BAILLY, vis-à-vis la Barriere des Sergens,
rue Saint Honoré.
DESSENNE, au Palais Royal.

Et chez les Marchands de Nouveautés

1784.

LE CANADA tel qu'on se le représentait peu après sa découverte par Jacques Cartier (mappemonde de Desceliers, 1553).
CL. LAROUSSE.

ÉPISODE DE LA RÉVOLUTION BELGE DE 1830. Tableau de Gustave Wappers (musée de Bruxelles). — Cl. G. H.

LES LETTRES DANS LES PAYS ÉTRANGERS DE LANGUE FRANÇAISE

I. — LA BELGIQUE

LES PRÉCURSEURS

M. *Gauchez*, Histoire des lettres françaises de Belgique, *Bruxelles, 1922; H. Liebrecht et G. Rency,* Histoire illustrée de la littérature belge de langue française, *Bruxelles, 1926; G. Charlier,* les Lettres françaises de Belgique, esquisse historique, *Bruxelles, 1938; G. Doutrepont,* Histoire illustrée de la littérature française de Belgique, *Paris, 1939. Voir aussi : Maurice Wilmotte,* la Culture française en Belgique, *Paris, 1912; L. Dumont-Wilden,* Anthologie des écrivains belges, *Paris, 1917.*

Mi-romans et mi-germaniques, les territoires qui constituent la Belgique actuelle ont, à travers les siècles, apporté aux lettres françaises une contribution qui n'est pas négligeable. Toutefois, depuis l'époque des ducs de Bourgogne, les événements politiques sont venus sans cesse contrarier leur développement littéraire, et c'est à peine si l'on y rencontre en plusieurs siècles quelques écrivains de grand talent. Tel, à la fin du XVIe siècle, le rabelaisien Philippe de Marnix de Sainte-Aldegonde (1540-1598), le pamphlétaire truculent et haut en couleur du *Tableau des différends de la religion.* Tel aussi, cent cinquante ans plus tard, l'aimable et spirituel prince de Ligne (1735-1814), à qui son *Coup d'œil sur Belœil* et ses *Lettres à la marquise de Coigny* ont valu de prendre rang, aux côtés de l'Écossais Hamilton et de l'Italien Galiani, parmi les meilleurs de ces auteurs français dont l'Europe a fait don à la France.

Au XIXe siècle, après une période assez terne de pseudo-classicisme à la Delille, les provinces wallonnes et flamandes semblent s'éveiller à la vie littéraire en même temps qu'à la liberté politique. Il y a, aux environs de 1830, un mouvement romantique assez intense, mais encore mal étudié. Tandis que les Moke et les Saint-Genois s'essaient, sans grand succès, dans le roman historique à la manière de Walter Scott, la poésie lyrique est cultivée avec plus d'éclat par quelques écrivains d'un réel mérite.

Le meilleur est André Van Hasselt (1806-1874), qui fait paraître en 1834 ses *Primevères,* le premier volume de vers qui ait vu le jour dans le jeune royaume belge. C'est l'œuvre d'un romantique germanisant, qui demande volontiers à l'Allemagne des modèles, des sujets et des thèmes d'inspiration. Par la suite, il accumule les odes grandiloquentes, traite sous forme de ballades des traditions nationales, s'efforce, dans de curieuses *Études rythmiques* (1867), d'adapter à la poésie française le système prosodique propre aux langues germaniques. Son véritable chef-d'œuvre est toutefois le vaste poème de sa maturité qui s'intitule *les Quatre Incarnations du Christ* (1867) et qui rappelle tour à tour *la Légende des siècles* et *la Divine Épopée* de Soumet. La conception ne manque pas de grandeur et un souffle puissant anime certains passages bien venus. Mais l'ensemble est déparé par des négligences et, surtout, par une rhétorique redondante. Il en va toujours ainsi chez Van Hasselt, poète inspiré, mais inégal, qui a trop écrit et s'est trop souvent contenté d'une forme facile et banale.

Il a eu pour principal rival Théodore Weustenraad (1805-1849), qui avait commencé par être un lamartinien, et dont les vers ont plus tard reflété des préoccupations saint-simoniennes. Ce poète humanitaire a exalté les merveilles de l'industrie et chanté *le Remorqueur* et *le Haut Fourneau*. Ce lyrisme grave est aussi un lyrisme lourd. Nulle grâce, nulle fluidité dans ces vers compacts, laborieusement chevillés, d'une langue maladroite et parfois impropre. Mais ils respirent une conviction profonde, dont la sincérité commande l'estime. Puis, n'est-ce rien que d'avoir eu le pressentiment de la tragique beauté de l'effort industriel, d'avoir deviné la sombre poésie des usines et des machines ? C'est en tout cas ce qui permet de voir en Weustenraad le précurseur de Verhaeren et, en un sens, de Constantin Meunier.

Les trente années qui suivent le milieu du siècle sont, dans l'histoire intellectuelle de la Belgique, une période assez stérile. Le jeune royaume passe alors par son âge ingrat. La prédominance des intérêts matériels y restreint singulièrement la vie de l'esprit, et il y a une part de vérité dans les invectives dont Baudelaire accable alors le pays qui lui avait donné asile. Une élite demeure cependant fidèle au culte des lettres : c'est celle qui, à Bruxelles et dans les autres grandes villes, applaudit les nombreuses conférences que font des réfugiés du Deux-Décembre, et surtout Émile Deschanel, dont les causeries littéraires ont contribué à éclairer et à raffiner la bourgeoisie.

Cette époque crut avoir un poète dans la personne de Charles Potvin (1818-1902). En quoi elle se trompait. Non que Potvin soit une figure littéraire sans importance ni relief. Il avait de vastes connaissances et d'excellentes intentions. Son tort est d'avoir trop souvent confondu le beau avec l'utile et le lyrisme avec l'éloquence. Son *Art flamand* (1867), ses *Marbres antiques et crayons modernes* (1857) sentent souvent l'essoufflement et l'effort. Il supplée à l'inspiration défaillante en recourant à une rhétorique déjà bien usée, et s'il renonce à l'emphase, c'est pour tomber dans le prosaïsme ou la banalité.

La prose apparaît, au contraire, en progrès marqué. D'honnêtes qualités d'observation distinguent les romans réalistes d'Émile Leclercq (1827-1907) et surtout d'Émile Greyson (1823-1898). Caroline Gravière (1821-1878) y joint un sens aigu de l'analyse psychologique et une conscience douloureuse des mesquineries et des injustices sociales : un de ses récits, *la Servante* (1872), est une description émue et pénétrante de la vie des humbles, qui fait songer au conte de Flaubert, *Un cœur simple*. Eugène Van Bemmel (1824-1880) évoque, dans *Dom Placide* (1875), les jours troublés des temps révolutionnaires, mais c'est pour placer dans ce cadre historique la peinture d'un amour malheureux, retracé en touches discrètes, avec une sûreté de dessin qui trahit un connaisseur délicat de l'âme humaine. Hermann Pergameni (1844-1913) écrit d'une plume alerte de nombreuses nouvelles où le sens du romanesque s'allie à une observation vraie. Enfin, un souffle frais de jeunesse et comme un tressaillement d'émotion animent, par endroits, la prose décolorée et simple de Xavier de Reul (1830-1895), dont l'œuvre romanesque, du *Roman d'un géologue* (1874) au *Peintre mystique* (1906), n'est guère, d'un bout à l'autre, qu'une confession à peine déguisée.

C'est encore parmi les prosateurs que se rencontrent, à ce moment, deux écrivains fort méconnus de leur vivant, mais que les novateurs de la génération suivante se plairont à saluer comme leurs initiateurs et leurs devanciers : Charles De Coster et Octave Pirmez.

DE COSTER ET PIRMEZ

Né à Munich en 1827, Charles De Coster était le fils d'un père flamand et d'une mère wallonne, tous deux au service d'un grand seigneur belge, le comte de Mercy d'Argenteau, archevêque de Tyr et nonce apostolique. Il eut une vie fort pénible, condamné qu'il était à végéter dans de modestes emplois, dont son caractère indépendant et ses aspirations littéraires lui rendaient la sujétion insupportable. Elle fut, par surcroît, traversée par une passion malheureuse dont les émouvants témoignages nous sont conservés dans les Lettres à Élisa. *C'est à peine si quelques fidèles amitiés, quelques sympathies éveillées par son grand talent jettent un peu de lumière dans sa sombre existence. Il mourut à cinquante-deux ans, en 1879, fort ignoré en dehors d'un petit cercle d'intimes. Outre une nouvelle écrite en collaboration, le Mariage de Toulet, et un récit de voyage en Zélande, paru dans le* Tour du Monde, *l'œuvre de De Coster comprend deux recueils de contes : les* Légendes flamandes *(1858) et les* Contes brabançons *(1861); et deux romans : la* Légende d'Ulenspiegel *(1868) et le* Voyage de noces *(1872). Consulter la notice mise par Ch. Potvin en tête des* Lettres à Élisa *(1899); J. Hanse,* Charles De Coster, *Bruxelles, 1928;* Pages choisies, *publiées par G. Charlier, Bruxelles, 1942.*

Octave Pirmez, né à Châtelet, dans le Hainaut, en 1832, appartenait à la bourgeoisie riche et vécut en solitaire dans son domaine d'Acoz, tout entier à sa méditation mélancolique sur les hommes et les choses. Quelques voyages en Italie ne lui furent que des occasions de satisfaire, devant des horizons nouveaux, ses goûts de contemplatif et de penseur. Il mourut en 1883, laissant comme œuvres principales : Feuillées *(1861),* Jours de solitude *(1862),* Heures de philosophie *(1873),* Rémo, histoire d'un frère *(1878). On a publié depuis ses* Lettres à José *(1884), et Ad. Siret a recueilli sa* Correspondance *(1888). Un choix de ses meilleures pages a été donné par Maurice Wilmotte, avec une pénétrante introduction, dans l'*Anthologie des écrivains belges *(1904). Voir aussi J. Van Drunen et H. Maubel,* Octave Pirmez *(1897).*

Deux séries de récits légendaires, les *Légendes flamandes* et les *Contes brabançons*, furent les débuts de Charles De Coster dans la vie littéraire. Ils passèrent presque inaperçus, encore qu'Émile Deschanel eût chaudement loué le premier de ces recueils. L'un et l'autre révélaient cependant un véritable écrivain, à la langue savoureuse et à l'imagination vive, et surtout un artiste de race, qui adaptait avec une sûreté remarquable le cadre à l'action et la couleur au sujet. Ces contes en vieux langage, tour à tour animés d'une verve joviale ou pénétrés de naïve émotion, n'étaient cependant qu'une sorte de préparation au livre qui allait suivre : *la Légende et les aventures héroïques, joyeuses et glorieuses d'Ulenspiegel et de Lamme Goedzak au pays de Flandre et d'ailleurs*.

Ce beau livre peut se définir, en gros, une épopée héroï-comique du peuple flamand. Mais le comique s'y étale en bouffonneries rabelaisiennes, sans que l'héroïque cesse un seul instant d'y dominer. Pour son héros, De Coster a choisi un type populaire célèbre en Flandre dès le XVIe siècle. Toutefois, de cet Ulenspiegel qui n'était dans la tradition qu'un farceur médiocre et grossier, il a fait un grand cœur, un esprit ferme et avisé et surtout un patriote ardent, qui symbolise la résistance obstinée de la Flandre à la tyrannie espagnole du duc d'Albe. L'action se trouve, en effet, située en pleine révolution religieuse du XVIe siècle. Sans doute, Ulenspiegel n'a rien de grave ni de guindé; il est demeuré l'« espiègle » sur lequel couraient vingt contes malicieux, le railleur alerte, le joueur de bons tours, qui va chantant et semant la joie autour de lui. Mais un haut idéal anime ce plaisant compagnon et le hausse jusqu'à l'héroïsme. Et cette alliance intime du courage patriotique et de la raillerie satirique est sans doute une combinaison bien caractéristique de l'esprit national, puisqu'on l'a vue reparaître naguère, au cours de la lutte contre une autre tyrannie, plus impitoyable encore et plus haïe que celle du duc d'Albe.

Aux côtés du héros se carre son fidèle compagnon, Lamme Goedzak, un bon goinfre à la trogne enluminée, qui représente la Flandre des kermesses et des ripailles, celle qu'immortalise la peinture des Teniers et des Jan Steen. Mais il a aussi près de lui son amie, la mignonne Nele, qui est le cœur de la mère Flandre, comme il en est lui-même l'esprit, et dont la présence glisse parfois une clarté plus tendre dans ces rudes récits de guerres et de festins, comme dans cette page où l'idylle s'évoque avec la grâce naïve des vieilles estampes :

« On était alors à la fin d'avril : tous les arbres en fleurs, toutes les plantes gonflées de sève attendaient Mai, qui vient sur la terre accompagné d'un paon, fleuri comme un bouquet, et fait chanter les rossignols dans les arbres. Souvent Ulenspiegel et Nele erraient à deux par les chemins. Nele se tenait au bras d'Ulenspiegel et de ses deux mains s'y accrochait. Ulenspiegel, prenant plaisir à ce jeu, passait souvent son bras autour de la taille de Nele pour la mieux tenir, disait-il. Et elle était heureuse, mais elle ne parlait point. Le vent roulait mollement sur les chemins le parfum des prairies; la mer au loin mugissait au soleil, paresseuse. Ulenspiegel était comme un jeune diable, tout fier, et Nele comme une petite sainte en paradis, toute honteuse de son plaisir. Elle appuyait la tête sur l'épaule d'Ulenspiegel; il lui prenait les mains, et, cheminant, il la baisait au front, sur les joues et sur sa bouche mignonne. Mais elle ne parlait point. »

A défaut d'une action logiquement nouée et dénouée, en l'absence de toute intention d'analyse psychologique, *la Légende d'Ulenspiegel* apparaît moins comme un véritable roman que comme une suite de fresques brillantes, au relief puissant, à la couleur éclatante et hardie. Elle est écrite dans une langue archaïque et savoureuse, héritée de Rabelais, de Marnix et du Balzac des *Contes drolatiques*, avec une intensité pittoresque qui ne se rencontre peut-être au même degré que dans la prose de Théophile Gautier. Cette forme plastique et chatoyante, comme travaillée en pleine pâte, De Coster l'a faite sienne à force de maîtrise : nuancée à souhait, animée d'un mouvement irrésistible, traversée parfois de poignants accents lyriques, elle échappe complètement à la raideur contrainte du pastiche. Elle revêt par là une valeur d'art qui était encore inconnue aux lettres belges d'alors.

Pirmez disait de *la Légende d'Ulenspiegel* qu'elle était en son genre « un chef-d'œuvre de grande virilité, comme écrit en novembre aux sons de la cloche des morts ». Mais il ajoutait aussitôt : « Rien de beau ni de sentimental; on ne cesse d'y boire et d'y manger. Un effroyable monument gothique, où la musique, l'encens, l'idéal sont absents. C'est la populace qui l'emplit. » Et ces réserves

Bon buveur vidant les pots rien qu'en les regardant.

ULENSPIEGEL. Frontispice de Félicien Rops.
CL. LAROUSSE.

indiquent à merveille toute la distance qui sépare ces deux écrivains de grand talent. Autant l'œuvre de De Coster est tumultueuse et bariolée, autant celle de Pirmez est délicate et recueillie, spiritualisée et diaphane. De Coster représente le matérialisme robuste de l'art flamand; Pirmez symbolise au contraire la sensibilité plus fine et l'esprit plus subtil de la race wallonne.

Ce rêveur, qui détestait la foule et le bruit, appartenait à l'aristocratie de l'esprit. Très lettré, il fréquenta surtout les grands moralistes, avec lesquels il se sentait en communion d'idées et d'inspiration : Montaigne, Pascal et Bossuet furent ses maîtres favoris. Mais une affinité plus intime encore l'attirait vers ces penseurs, isolés dans une méditation douloureuse, que furent tour à tour Senancour, Maurice de Guérin et le Suisse Amiel. Il était, en effet, de leur famille littéraire. Comme eux, il se sentait travaillé par une sorte de mal du siècle sans éclat romantique, qui se résolvait en mélancolie douce et en analyse pénétrante et lucide de son «moi». C'est pourquoi, aussi, il retournait volontiers à Chateaubriand, dont il partageait la foi, nuancée d'inquiétude métaphysique, et la passion pour les images harmonieuses et les belles phrases noblement cadencées.

Cette personnalité originale et attirante se reflète dans une série de livres qui échappent à toute classification rigoureuse et qui sont comme autant de chapitres d'un vaste journal intime, où se traduisent, en pleine fidélité, les secrets remous et les nuances délicates d'une vie intellectuelle et morale singulièrement riche et complexe. *Feuillées, Jours de solitude, Heures de philosophie*, ce sont toujours, sous des titres divers, les confidences d'une âme qui se penche tour à tour vers la nature ou le monde intérieur, et qui affirme, au gré des heures, les préoccupations de moraliste, de psychologue ou d'esthéticien. A peine faut-il faire une place à part à *Rémo*, biographie idéalisée d'un frère très aimé et tôt disparu. Dans l'ensemble, l'œuvre de Pirmez ne laisse point, malgré la différence profonde des idées, d'évoquer la manière pensive, recueillie et poétiquement mystique du Maeterlinck du *Temple enseveli* ou de l'*Intelligence des fleurs*.

LA RENAISSANCE DE 1880

LA « JEUNE BELGIQUE »

Sur la renaissance, singulièrement intense et vivace, des lettres belges à partir de 1880, on consultera avec profit Francis Nautet, Histoire des lettres belges d'expression française, 1892; Eugène Gilbert, les Lettres françaises dans la Belgique d'aujourd'hui, 1906; Albert Heumann, le Mouvement littéraire belge d'expression française depuis 1880, 1913; Valère Gille, la Jeune Belgique, 1943.

Le chef incontesté des novateurs fut Camille Lemonnier. Né en 1844 à Ixelles, où il est mort en 1913, ce puissant écrivain, fils d'un père wallon et d'une mère flamande, a laissé une œuvre énorme et touffue, mais assez inégale. Elle comprend des essais de critique d'art, des contes, des nouvelles et une étonnante suite de fresques descriptives où revivent, en pittoresque relief, les aspects divers du sol natal : la Belgique *(1887). Mais c'est dans le roman qu'il a donné toute sa mesure. Citons comme les plus importantes ou les plus caractéristiques de ses fictions :* Un mâle *(1881),* le Mort *(1881),* Happe-Chair *(1886),* Madame Lupar *(1888),* la Fin des Bourgeois *(1892),* l'Arche *(1894),* l'Ile Vierge *(1896),* Adam et Ève *(1898),* Au cœur frais de la forêt *(1900),* le Vent dans les moulins *(1901),* le Petit Homme de Dieu *(1902),* Comme va le ruisseau *(1903). — Voir : L. Bazalgette,* Camille Lemonnier, *1904 ; Maurice des Ombiaux,* Camille Lemonnier, *1909 ; Georges Rency,* Camille Lemonnier, *1922.*

Georges Rodenbach, né à Tournai en 1855, est mort à Paris en 1898. Œuvres principales : les Tristesses *(1879),* la Mer élégante *(1881),* l'Hiver mondain *(1884),* la Jeunesse blanche *(1886),* le Règne du silence *(1891),* Bruges la morte *(1892),* les Vies encloses *(1896),* le Miroir du ciel natal *(1898). — A consulter : Pierre Maes,* Georges Rodenbach, *1926 ; A. Bodson-Thomas,* l'Esthétique de Georges Rodenbach, *1945.*

Albert Giraud (pseudonyme d'Albert Keyenberg, 1860-1929). Principaux recueils : Hors du siècle *(1888),* Héros et Pierrots *(1898),* la Guirlande des dieux *(1910),* la Frise empourprée *(1912),* le Laurier *(1920),* le Concert au musée *(1925).*

Iwan Gilkin (1858-1923). Œuvres principales : la Nuit *(1897),* le Cerisier fleuri *(1899),* Prométhée *(1899),* Savonarole *(1906). — Consulter Henri Liebrecht,* Iwan Gilkin, *1941.*

Valère Gille est né à Bruxelles en 1867. Principaux recueils : la Cithare *(1898),* le Collier d'opales *(1899),* les Tombeaux *(1900),* le Coffret d'ébène *(1901),* la Corbeille d'octobre *(1902),* le Joli Mai *(1905).*

Fernand Severin (1867-1931). Principaux recueils : le Lys *(1888),* le Don d'enfance *(1891),* Un chant dans l'ombre *(1895),* Poèmes ingénus *(1899),* Poèmes *(1908),* la Source au fond des bois *(1924). Consulter E. Willaime,* F. Severin, le poète et son art, *1941.*

Si différentes que puissent paraître les physionomies littéraires de De Coster et de Pirmez, un trait commun les rapproche : c'est, avec des moyens d'expression tout opposés, un même souci de la forme. L'un et l'autre sont des artistes du style, et, par là, ils tranchent sur leurs contemporains, qui se contentent d'un vêtement banal pour y draper leur pensée. Ils disparaissent l'un et l'autre au moment où éclate une sorte de révolution littéraire qui va réintégrer le goût de l'art dans nos lettres.

Peu avant 1880 se manifeste une certaine fermentation dans les milieux de jeunes écrivains. Des groupements se forment qui font paraître d'éphémères revues : *la Chrysalide, la Jeune Revue littéraire.* Camille Lemonnier publie ses premières œuvres et dirige *l'Actualité.* Plus important est déjà *l'Artiste* du peintre poète Théo Hannon (1851-1916). Ce modeste journal hebdomadaire devient, de 1876 à 1879, un foyer littéraire très intense. Des écrivains de France, Henry Céard, J.-K. Huysmans, même Émile Zola ne dédaignent pas d'y collaborer.

CAMILLE LEMONNIER. — CL. EUGÈNE GUÉRIN.

Le mouvement ainsi préparé va prendre une intensité nouvelle, grâce aux poètes et conteurs qui fondent, en 1881, *la Jeune Belgique.* La plupart n'avaient pas trente ans ; beaucoup sortaient à peine des universités de Louvain et de Bruxelles, où déjà ils avaient essayé leurs forces et exprimé leurs aspirations dans d'obscurs journaux d'étudiants. L'âme du groupe fut un jeune homme de vingt ans, Max Waller (1860-1889), séduisante figure de page, impertinent et délicat, railleur et charmant, qu'une mort précoce devait empêcher de réaliser les espoirs fondés sur son talent. Sous sa direction nerveuse, *la Jeune Belgique* prit une attitude agressive et intransigeante. Elle fut impitoyable aux officiels, aux solennels et aux médiocres. « Soyons nous », disait fièrement sa devise. Son ambition, en effet, était de doter la Belgique d'une littérature originale et indépendante. C'est à quoi s'efforcèrent, sous la conduite de Waller, Albert Giraud et Émile Verhaeren, Iwan Gilkin et Georges Eekhoud, qui furent bientôt les piliers de la maison. Et, en 1887, paraissait *le Parnasse de la Jeune Belgique,* qui rassemblait des œuvres de dix-huit poètes nouveaux.

Cependant, un groupement parallèle s'était constitué. Il avait pour organe *l'Art moderne* et pour chef l'avocat Edmond Picard (1836-1924), juriste éminent, esprit paradoxal, prosateur trépidant, ampoulé, parfois obscur, mais souvent savoureux. Un même culte du beau unissait les deux revues, rivales tout d'abord sans être adverses. Leurs esthétiques néanmoins différaient du tout au tout. *La Jeune Belgique,* où dominaient les poètes, affirmait une foi intransigeante dans la formule parnassienne de l'art pour l'art. Au contraire, *l'Art moderne* défendait la thèse de l'art social. Ce fut l'occasion d'ardentes et bruyantes polémiques. Peu après se livrèrent de nouvelles et non moins violentes batailles entre parnassiens et vers-libristes. Ces dissensions finirent par être fatales à *la Jeune Belgique,* qui disparut en 1897, après une glorieuse carrière. Mais l'élan était donné, de nouvelles revues étaient nées, de jeunes enthousiasmes venaient renforcer la petite phalange de 1881. Les uns et les autres triompheront à la longue de l'indifférence du public et de l'hostilité à peine déguisée des pouvoirs officiels. Et ils feront des vingt dernières années du siècle la période la plus brillante et la plus riche de l'histoire littéraire de la Belgique.

Prosateur fécond et puissant Camille Lemonnier fut, jusqu'au bout de sa longue carrière, tenu pour un chef et vénéré comme un maître par les novateurs de *la Jeune Belgique.* Il laissait à sa mort une œuvre énorme et un grand exemple. Il avait tout sacrifié à son idéal d'art ; il s'était condamné à une existence hasardeuse pour suivre sa vocation d'écrivain. Sa personnalité vivante et robuste se traduit dans un style aux couleurs violentes et au dessin flamboyant. Elle l'entraîne à des débauches de néologismes et à une furieuse ivresse verbale. Qu'il peigne, dans *les Charniers,* le champ de bataille de Sedan ; qu'il retrace, dans *Happe-Chair,* le spectacle titanique de la vie industrielle au sombre pays du fer et de l'acier ; qu'il célèbre enfin, dans *Un mâle,* avec une ferveur panthéiste et un enivrement dionysiaque, les enchantements de la solitude sylvestre et les magies de la lumière, des sons et des parfums dans une nature en fête : c'est partout, d'un bout à l'autre de son œuvre, la même manière largement picturale, dont la somptuosité un peu lourde s'apparente à celle d'un Rubens.

La splendeur travaillée de ce style éclatant fait du reste seule l'unité de l'œuvre de Lemonnier. Cet écrivain s'est renouvelé trois ou quatre fois. Il semble bien, en tout cas, qu'on puisse répartir ses romans et ses contes entre trois groupes distincts. Le premier comprend des ouvrages conçus selon l'esthétique naturaliste. Dans *Madame Lupar* ou dans *la Fin des Bourgeois*, il apparaît nettement un disciple d'Émile Zola, qui se contraint à voir l'humanité en proie à des vices odieux, et marquée de lourdes tares héréditaires. C'est la partie de son œuvre qui a le plus vieilli. Il est davantage lui-même dans ceux de ses livres qui évoquent, avec un intense lyrisme, des coins de nature primitive. Sous le

GEORGES RODENBACH. Portrait par Lévy-Dhurmer. — CL. BRAUN.

naturaliste qu'il s'efforçait d'être, il y avait un poète « naturiste », qui rêvait un impossible retour à la vie simple de l'âge d'or. De là, l'ampleur presque épique de ces poèmes en prose qui forment une autre catégorie dans sa production, et qui s'intitulent : *Un mâle, l'Ile Vierge, Adam et Ève, Au cœur frais de la forêt.* C'est encore la révolte antisociale d'un petit-fils de J.-J. Rousseau qui s'exprime dans une troisième série d'œuvres. Elle rassemble des fictions moins haussées de ton, où les personnages sont des simples, évoluant dans un décor régional dont la poésie se trouve chaque fois finement saisie et rendue : la vallée de la Meuse *(Comme va le ruisseau)*, la plaine flamande *(le Vent dans les moulins)*, le littoral de la mer du Nord *(le Petit Homme de Dieu)*. Un charme réel émane de ces récits d'une grâce plus simple et d'un accent délicieux de sympathie attendrie. Ils pourraient bien demeurer le principal titre de gloire de Lemonnier au regard de la postérité.

Celle-ci lui reprochera sans doute ce que sa psychologie eut d'inconstant et de superficiel, autant que ses outrances de vocabulaire et de syntaxe. Mais elle devra tenir compte aussi de l'étonnante continuité de son effort, de la vigueur de sa verve, de la fougue de son style, et d'un incontestable don de poésie pittoresque, qui rachète certaines erreurs de goût.

Au banquet fameux que ses disciples et ses amis offrirent à Lemonnier en 1883, pour le venger des dédains d'un jury officiel, ce fut Georges Rodenbach qui prit la parole au nom de *la Jeune Belgique* et qui sacra le maître bafoué « maréchal des lettres belges ». A vrai dire, on peut se demander si Rodenbach appartient vraiment aux lettres belges pour l'ensemble de sa carrière. Fixé très jeune à Paris, il y a publié ses œuvres caractéristiques. Quand il menait à Bruxelles le bon combat littéraire, il n'était encore qu'un disciple de François Coppée, qui ajoutait toutefois un accent assez personnel de dandysme raffiné à la sentimentalité un peu facile du poète des *Intimités*. Plus tard, le mysticisme symboliste le saisit et transforma son talent. Il devint le poète du silence; il essaya, non sans recherche alambiquée, d'exprimer l'ineffable, et il se complut dans les demi-teintes fuyantes d'un paysage de rêve. Même alors pourtant, c'est vers le sol natal que son inspiration se reporta pour lui demander ses thèmes favoris et ses images de prédilection. Le calme feutré des béguinages, la surface immobile des canaux à l'eau verte, la paix des rues désertes dans les villes des Flandres, voilà ce que ne se lassait pas d'évoquer sa muse alanguie et nostalgique. Mais mieux peut-être encore que ses vers

mélancoliques des *Vies encloses* et du *Règne du silence*, c'est un livre de prose, c'est son roman de *Bruges la morte* qui donne l'impression la plus pénétrante de cette atmosphère de paix mystique et de morne ennui où s'assoupissent, sous les brumes de leur ciel gris, les cités déchues de la Flandre.

Si Paris dispute à la Belgique Rodenbach devenu un familier du « grenier » des Goncourt, Albert Giraud est à la Belgique seule, et bien à elle. Cet admirable poète est demeuré rebelle au « déracinement », et même une sorte de pudeur hautaine et de fière indifférence à la faveur publique l'a isolé et comme cloîtré dans son art. Il n'a chanté que pour une élite de fidèles, et ce n'est qu'à la longue qu'on a rendu pleine justice à son talent harmonieux, souple et puissant.

Dans le groupe de *la Jeune Belgique*, où il mena campagne avec une verve acérée contre la médiocrité de l'ancienne littérature officielle, Albert Giraud représente la tendance parnassienne la plus accusée et la plus intransigeante. Réfugié dans son idéal, il n'a d'autre préoccupation que le souci d'une forme impassible et parfaite, et il affirme volontiers, avec une sorte de pessimisme baudelairien, son dédain des viles multitudes et son dégoût des appétits vulgaires. Ce poète aristocratique a ciselé en impeccable artiste les strophes magistrales de *Hors du siècle*, admirable suite de larges tableaux poétiques où revivent des civilisations disparues. Sur des rythmes plus légers, il a ensuite retracé, dans *Héros et pierrots*, les grâces désuètes et les frêles élégances d'un XVIIIe siècle artificiel et charmant. Puis, après un long silence, il a donné coup sur coup deux recueils nouveaux, *la Guirlande des dieux* et *la Frise empourprée*. C'étaient, cette fois, la Grèce des temples aux nobles lignes et le rêve païen d'un Olympe baigné de lumière qui s'évoquaient dans des poèmes dont la pureté classique se rehaussait de teintes éclatantes. Mais on y retrouvait la même attitude dédaigneuse du poète à l'endroit de la foule, dont la médiocrité rebutait sa finesse et sa délicatesse d'artiste.

La guerre devait changer tout cela. Le dilettante de naguère, le rêveur indifférent en apparence aux bruits de la cité allait se révéler citoyen et patriote. Les poèmes écrits par lui, entre 1914 et 1918, et rassemblés dans *le Laurier* le montrent revenu vers son peuple en détresse pour le chanter, et pour le venger, tour à tour, avec une intense émotion ou une cinglante ironie. Mais le poète ainsi sorti de sa tour d'ivoire n'allait pas tarder à retourner à sa sérénité hautaine avec les beaux sonnets du *Miroir caché* et les subtiles transpositions lyriques du *Concert dans le musée*.

Quant à Iwan Gilkin, il commença par être un baudelairien d'une magnifique outrance, le plus baudelairien des « Jeune Belgique », qui cependant demandèrent volontiers des inspirations au poète des *Fleurs du mal*. A l'exemple de ce dernier, Gilkin se pencha sur la corruption moderne. Il analysa avec une clairvoyance cruelle les perversités inquiétantes et les vices putrides d'une civilisation que son pessimisme aperçoit en proie à la décomposition des décadences, et où son mysticisme·catholique retrouve, partout et sans cesse, le péché. Ce péché, dont l'infamie épouvante son âme de croyant, séduit en revanche et retient sa curiosité d'artiste. Tel est le thème général du recueil intitulé *la Nuit*, album de sombres eaux-fortes poétiques au dessin mordant et à la manière désespérément noire.

Le contraste est absolu entre ce lyrisme de damnation et les claires et fraîches odelettes que rassemble *le Cerisier fleuri*, poésie lumineuse celle-ci, et d'une grâce aisée, familière et tendre. Mais ce n'est point le dernier avatar d'un talent singulièrement souple. Gilkin s'est complu, depuis, à évoquer de grandes figures de la légende et de l'histoire. Le mythe de *Prométhée* exprime sa foi confiante dans le triomphe final de l'esprit sur la matière. Et dans le drame historique qui a pour héros *Savonarole*, il n'a pas seulement dessiné avec un frappant relief la hautaine physionomie du réformateur de Florence, mais il a visé par surcroît à illustrer le conflit tragique de l'idéal mystique et des puissances de vie. Sans doute suffit-il à sa gloire de poète penseur de n'être pas toujours, dans l'expression ni dans la forme, demeuré trop inférieur à l'élévation de l'idée et à l'audace du dessin.

Valère Gille se rattache plus étroitement à l'esthétique parnassienne. Il est de ces poètes artistes avant tout qui cisèlent des vers comme des coupes. Dans *le Collier d'opales* et dans *la Cithare*, il révèle une inspiration délicate, au tour essentiellement plastique, et un souci constant d'haromnie et de clarté, qui font de lui un charmant et précieux lyrique d'*Anthologie*. Sa manière, parfois un peu mièvre dans sa joliesse, s'affermit et s'élargit dans *la Corbeille d'octobre*, et ce beau poème, où un sentiment rêveur s'épanche en vers d'une pure élégance, demeure l'expression la plus complète de ce talent raffiné, qui s'inscrit dans la lignée classique.

C'est un classique aussi que Fernand Severin, et nos critiques se sont plu à faire ressortir le caractère racinien de son inspiration. En effet, la discrète noblesse du lyrisme qu'il revêt d'une forme harmonieuse éveille impérieusement le souvenir des vers mélodieux et chargés de sens du plus psychologue des grands poètes français. Mais on a pu rappeler aussi, a son propos, l'éclat lumineux d'André Chénier, la gravité sereine de Vigny ou l'ardeur fiévreuse de Shelley. Et toutes ces comparaisons ont leur part de justesse. La vérité, c'est que Fernand Severin est avant tout un poète de l'âme, qui traduit en calmes et pures images les nuances et les frissons d'un paysage intérieur. Il suffit de parcourir ses *Poèmes ingénus* pour y retrouver sans cesse les émois effarouchés d'une sensibilité délicate à l'extrême, qu'effraient le bruit et l'éclat et qui ne se meut à l'aise que dans la paix du silence et la lumière atténuée et secrète des crépuscules et des aubes. *Le Don d'enfance, la Solitude heureuse, Un chant dans l'ombre*, les titres mêmes de ses poèmes en disent la simplicité candide et la virginale pureté. C'est une âme qui s'y raconte et qui avoue, avec des mots presque immatériels, ses naïves aspirations ou ses mélancoliques angoisses. Rien d'oratoire ni de pictural dans ce lyrisme d'une spiritualité subtile. C'est tout au plus si un cri plus vibrant s'y élève parfois et rompt un instant la lente mélodie de ces strophes diaphanes, qui ont l'accent atténué, mais pénétrant, d'une confidence murmurée.

LE SYMBOLISME

A côté de la tendance parnassienne représentée par la Jeune Belgique, une part doit être faite, dans le renouveau littéraire de 1880, à l'influence du symbolisme, qui rallia bientôt certains des novateurs. Il eut pour principal·organe la Wallonie, *fondée en 1886 par Albert Mockel. Celui-ci, né près de Liége en 1866, décédé en 1945, a publié de pénétrantes monographies critiques, donné des* Contes pour les enfants d'hier *(1908), mais il est surtout le poète lyrique de* Chantefable un peu naïve *(1891), de* Clartés *(1902) et de* la Flamme immortelle *(1924). — Charles Van Lerberghe, né à Gand en 1861, mort à Bruxelles en 1907, mena une existence errante et solitaire, tout entier à son rêve poétique, qu'il a tenté d'exprimer dans les* Entrevisions *(1898) et dans* la Chanson d'Ève *(1904).*

Le symbolisme a eu en Belgique un adepte ardent et convaincu dans la personne d'Albert Mockel, dont la revue accueillit les vers de Henri de Régnier et de Stuart Merrill, encore tout à leurs débuts. Ce Liégeois enthousiaste et nerveux s'est attaché à justifier l'esthétique littéraire nouvelle dans ses *Propos de littérature* (1894), et il a constamment cherché à défendre le vers libre contre ses détracteurs. Ses poèmes le montrent finement attentif à multiplier les ressources expressives de la rythmique française. Dès 1891, dans sa *Chantefable un peu naïve*, il appliquait d'une manière originale les recherches les plus hardies des métriciens symbolistes, et ce poème, modulé comme un chant et construit comme une symphonie, s'efforçait de traduire les aspirations d'une âme qui prend peu à peu conscience d'elle-même. Le même art délicat, très voisin de la musique par sa subtilité, se retrouve dans *Clartés*, à cette différence près qu'une inspiration plus sûre d'elle-même fleurit ici en beaux poèmes d'un plus large accent.

Accueilli d'abord en terre wallonne, le symbolisme a cependant trouvé sur le sol flamand des partisans passionnés, et peut-être s'accordait-il davantage avec le mysticisme latent d'une race profondément religieuse. C'est un

ALBERT MOCKEL. — CL. STANISLAS.

CH. VAN LERBERGHE. — CL. DEVOLDER.

Gantois, Charles Van Lerberghe, qui a donné son expression la plus achevée à ce lyrisme imprécis qui se joue aux confins du rêve. Un charme étrange se dégage du mince recueil qu'il a intitulé *Entrevisions*. Un monde merveilleux s'y dévoile, tout illuminé de douces clartés, et des ombres légères y ondulent en chatoyants tableaux : elles passent mi-aperçues, mi-devinées, égrenant des chansons vagues et charmantes comme elles. On dirait d'une suite ininterrompue de brèves visions, aussitôt évanouies qu'apparues : des « entrevisions », avec tout ce que ce néologisme comporte de soudain, de passager et de fondant.

On retrouve la même atmosphère irréelle et les mêmes tonalités délicates dans le grand poème de Van Lerberghe, *la Chanson d'Ève*. Mais une pensée philosophique se discerne ici sous la splendeur de l'affabulation symbolique. Ève paraît résumer, dans la pensée du poète, les sentiments et le destin de l'humanité entière. C'est d'abord son éveil joyeux à la vie dans l'innocence paradisiaque. Puis viennent la tentation et la faute, la première expérience du mal dans l'ombre du premier crépuscule. Et c'est enfin l'apaisement et la réconciliation dans la mort. Mais toute idée de peine, toute rancœur est absente du monde heureux où se joue l'imagination du poète. L'ange funèbre lui-même y rayonne d'une étrange et douce beauté. La faute d'Ève ne s'accompagne d'aucune douleur, ni d'aucun repentir. Ce monde heureux n'est que joie, lumières et rayons. Des blancs très purs, des roses frêles, de tendres teintes azurées y ressortent sur un fond d'or, comme dans les tableaux des primitifs. Et anges, dieux ou génies, toutes les figures symboliques de la légende chrétienne ou païenne, des mythologies du Nord et du Midi, y voisinent et s'y accordent, sans disparate et sans heurt, animées qu'elles sont d'une vie nouvelle par la grâce souveraine d'une poésie évocatrice.

Gantois comme Van Lerberghe, Grégoire Le Roy (1862-1941) a exprimé, dans une forme plus monotone et plus menue, mais intensément musicale, le regret mystique d'un passé disparu et l'angoisse douloureuse du malheur et de la mort. Tels sont les thèmes essentiels des cantilènes que rassemble sa *Chanson du pauvre* (1907). Il a, du reste, renoncé depuis à ces motifs légendaires et à cette métrique imprécise et berceuse : avec leurs nobles strophes au déroulement régulier, ses *Chemins dans l'ombre* (1920) attestent l'orientation classique d'un talent que la maturité a tout à la fois élargi et épuré.

Max Elskamp (1862-1931) est demeuré, lui, obstinément fidèle à une forme naïve d'enlumineur poétique, qui tient le milieu entre la litanie et la complainte. Comme l'art des imagiers gothiques, son art hésite, balbutie et grimace, mais il atteint ainsi à une puissance singulière de ferveur et d'émotion. Dans *Dominical* (1892), dans *la Louange de la vie* (1896), il a dit en rythmes rudimentaires ses aspirations mystiques, qui sont celles d'un primitif flamand. Si l'accablement de récentes détresses s'exprime avec force dans les allégories de *Sous les tentes de l'exode* (1921) et de *Chansons désabusées* (1922), ses derniers recueils font alterner avec de délicates « japonaiseries » poétiques, de lointains souvenirs de jeunesse et de tou-

chantes évocations de son vieil Anvers, comme dans sa délicieuse *Chanson de la rue Saint-Paul*.

Au symbolisme se rattache non moins étroitement la poésie de Thomas Braun (né en 1876), dont la simplicité pieuse n'est pas sans analogie avec celle de Francis Jammes, et le lyrisme nostalgique de Georges Marlow (1872-1947), l'élégiaque mélodieux et rêveur de *l'Ame en exil* (1895) et d'*Hélène* (1926). Mais le mérite majeur du symbolisme belge n'en demeure pas moins d'avoir donné l'éveil à deux grandes inspirations, qui du reste se sont bientôt libérées des préceptes d'école pour développer l'une et l'autre, en pleine indépendance, leur puissance originale. On a reconnu Maeterlinck et Verhaeren.

MAETERLINCK

MAURICE MAETERLINCK. — CL. H. MANUEL.

Maurice Maeterlinck, né à Gand en 1862, mort à Nice en 1949, reçut un prix Nobel en 1913. Œuvres principales : Serres chaudes *(1889),* la Princesse Maleine *(1890),* Trois Petits Drames pour marionnettes *(1894),* le Trésor des humbles *(1896),* la Sagesse et la Destinée *(1898),* la Vie des abeilles *(1901),* le Temple enseveli *(1902),* Monna Vanna *(1902),* l'Intelligence des fleurs *(1907),* l'Oiseau bleu *(1909),* le Grand Secret *(1921),* la Vie des Termites *(1926),* la Grande Féerie *(1929),* la Vie des Fourmis *(1931),* l'Ombre des ailes *(1933).* — A consulter : Gérard Harry, Maurice Maeterlinck, 1904; Auguste Bailly, Maeterlinck, 1931.

Van Lerberghe avait écrit, à ses débuts, un étrange petit drame, *les Flaireurs* (1889), chargé d'intentions symboliques. Par des moyens d'une étonnante simplicité, il y donnait une impression profonde de mystère angoissant et de terreur nerveuse. C'est selon une formule analogue que Maurice Maeterlinck a construit ses drames de jeunesse. L'un d'eux, *la Princesse Maleine*, imprimé d'abord à trente exemplaires, fut communiqué par Stéphane Mallarmé à Octave Mirbeau, et celui-ci osa, dans un article du *Figaro*, mettre au-dessus de Shakespeare ce débutant inconnu. Ce fut, pour l'écrivain gantois, l'aurore d'une gloire qui n'a guère connu d'éclipse depuis, et qui demeure surtout vivace dans les pays anglo-saxons.

Ses compatriotes, toutefois, l'avaient tout d'abord apprécié comme poète. Avec *Serres chaudes*, plus tard encore avec les *Douze Chansons* (1896), les raffinements les plus subtils de l'esthétique symboliste venaient s'inscrire dans les formes naïves du lyrisme populaire. Du contraste entre la délicatesse fuyante de la pensée et la simplicité presque enfantine de l'expression, un charme se dégageait, fait d'étrangeté, de vague et de mystère.

Il s'accuse davantage encore dans les *Drames pour marionnettes*. Ces courtes pièces illustrent toutes une même conception mystique de la vie. L'auteur y suggère sans cesse cette idée que les puissances secrètes de l'au-delà dirigent les hommes : les actions, les paroles ne sont que de pâles reflets d'une réalité inaperçue et plus profonde. De là l'importance, dans ce théâtre, des silences, des attitudes, de l'attente angoissée et fiévreuse. Les répliques s'y réduisent souvent à des balbutiements, les dialogues à d'obsédantes répétitions. L'hallucination y règne en maîtresse et les pressentiments s'y traduisent en signes mystérieux. Des traits irrationnels, des effets violents, empruntés à la tradition shakespearienne, ajoutent encore à l'étrangeté saisissante de cette formule dramatique. En somme, ces drames d'une technique à la fois naïve et raffinée visent à évoquer la double fatalité qui règne sur le monde : fatalité de la mort dans *la Princesse Maleine*, *l'Intruse*, *Intérieur*, *la Mort de Tintagiles* ; fatalité de l'amour dans *Pelléas et Mélisande*, *Alladine et Palomide*, *Aglavaine et Sélysette*.

C'était là une formule certes un peu étroite et dont on pouvait craindre qu'elle ne se prêtât guère au renouvellement. De fait, dans les pièces suivantes, *Ariane et Barbe-Bleue* et *Sœur Béatrice*, Maeterlinck paraît s'orienter déjà vers une technique moins exceptionnelle : la forme est plus dramatique et les caractères mieux accusés. Avec *Monna Vanna*, il revient à la tradition théâtrale : ce beau drame, écrit dans une prose poétique et rythmée, se trouve exactement construit comme une tragédie classique. Le conflit est ici dans l'âme de l'héroïne. Pour sauver sa ville et épargner le sang de ses frères, elle finit par se livrer au conquérant Prinzivalle. Mais elle ne s'y résout pas sans lutte : il lui faut triompher de sa pudeur et de la jalousie de son mari Guido ; il lui faut surtout s'élever à une conception plus haute du devoir, qui lui montre dans le sacrifice l'aurore d'une vie nouvelle.

Joyselle (1903) nous ramène à la féerie bretonne, mais interprétée par un poète qui est un penseur. Il a dessiné avec tendresse la figure touchante de l'héroïne, que l'enchanteur Merlin soumet à de dures épreuves afin de s'assurer qu'elle est digne de son fils Lancéor. Depuis ce beau conte, dont la fantaisie ailée rappelle celle du *Songe d'une nuit d'été*, Maeterlinck a donné la mesure de sa souplesse dramatique en portant à la scène les genres les plus divers. Si son *Oiseau bleu* est une féerie encore, et ravissante de fraîcheur et de grâce ingénue, il s'est essayé tour à tour dans le drame évangélique avec *Marie-Magdeleine* (1913), dans le drame patriotique avec *le Bourgmestre de Stilmonde* (1920), dans la simple farce enfin avec *le Miracle de saint Antoine* (1920).

Chacun sait, d'autre part, quel fut le succès des nombreux essais philosophiques et moraux de Maeterlinck. On leur a reproché, non sans quelque raison, de manquer un peu d'originalité. Il est vrai : des mystiques comme Ruysbroeck ou Novalis, des penseurs comme Emerson ou Guyau ont été tour à tour, ou en même temps, ses inspirateurs et ses guides. Mais il repense leurs conceptions, les harmonise et les fait siennes ; il les revêt surtout d'une belle prose, savoureuse et grave, qu'ornent de nobles images. Il n'est pas, du reste, parvenu du premier coup à une doctrine personnelle et cohérente, et dans *le Trésor des humbles*, la pensée hésite encore et tâtonne. Il y a plus d'unité dans *la Sagesse et la Destinée*, qui apparaît comme une sorte de manuel de stoïcisme, où l'énergie et la bonté sont exaltées comme les voies les plus sûres du bonheur. Ce livre a en quelque manière pour corollaire *la Vie des abeilles*, car, dans le mystère de la ruche, Maeterlinck découvre des exemples de sacrifice et de sublime dignes d'inspirer les humains. Mais c'est surtout un chef-d'œuvre de description poétique, et les admirables pages sur le « vol nuptial » resteront, à n'en pas douter, parmi les plus belles de l'auteur. Il est permis cependant de préférer *le Temple enseveli*, si l'on est plus sensible à la profondeur de l'idée qu'à l'élan lyrique de la forme. Ici, en effet, Maeterlinck part à la recherche du « moi » indépendant des intérêts et des passions. Sa lucide analyse découvre l'instinct de justice que chacun porte au fond de soi ; elle lui révèle surtout la richesse et la complexité de cette vie intérieure que n'atteignent point les agitations de la surface, et le moraliste tire de ses spéculations à la fois délicates et hardies des conclusions d'un optimisme généreux.

Il semble bien que ces trois livres contiennent déjà l'essentiel de la philosophie de Maeterlinck. D'autres, comme *le Double Jardin* (1904) ou *l'Intelligence des fleurs*, pourront la préciser, la nuancer ou la développer : ils ne la modifieront point dans l'essentiel. Dans *la Mort* (1913) ou dans *l'Hôte inconnu* (1917), le moraliste se penche sur les redoutables problèmes de l'au-delà et de l'occulte. Il donnera, avec *la Vie des termites* et *la Vie des fourmis*, de suggestifs pendants à son admirable *Vie des abeilles*. Et plus souvent encore, il rassemblera, dans des livres comme *Avant le grand silence* (1934) ou *l'Ombre des ailes*, les notes et pensées d'un agnostique qui se résigne à ignorer l'inconnaissable, sans rien perdre toutefois de son ardente curiosité à le sonder.

VERHAEREN

Émile Verhaeren, né à Saint-Amand, près d'Anvers, en 1855, est mort à Rouen en 1916. Ses recueils de jeunesse, dont les principaux sont mentionnés plus loin, ont été rassemblés en trois séries de Poèmes *(1895-1899). On peut citer comme ses œuvres essentielles :* les Villes tentaculaires *(1895),* les Visages de la vie *(1899),* les Forces tumultueuses *(1902),* la Multiple Splendeur *(1906),* les Rythmes souverains *(1910),* les Blés mouvants *(1912). On a aussi de lui quelques monographies de critique d'art et des seconds drames lyriques. Si* les Aubes *(1898) ne sont qu'un « drame lyrique », il a réellement abordé le théâtre avec* le Cloître *(1900), qu'ont suivi deux tragédies :* Philippe II *(1901) et* Hélène de Sparte *(1912). — Voir :* Edm. Estève, Émile Verhaeren, *1928 ;* Albert Mockel, Émile Verhaeren, poète de l'énergie, *1933.*

Verhaeren fit ses débuts à *la Jeune Belgique*, qu'il avait contribué à fonder. Dès 1883, il attirait l'attention par un premier recueil, intitulé *les Flamandes*. C'était de la poésie pittoresque et truculente, toute en visions matérielles d'un réalisme violent et d'une brutale énergie. Les aspects divers de la terre de Flandre s'y évoquaient en traits forts et en couleurs éclatantes, sous le pinceau d'un peintre littéraire hardiment et joyeusement matérialiste. Goinfreries et truandailles, scènes de cuisine, de ferme ou d'auberge, c'est partout la même verve sensuelle et la même fougue sanguine que dans les kermesses de Teniers ou les intérieurs d'Adrien Brouwer. Déjà, cependant, cette ardeur de jeunesse s'apaise dans les portraits des *Moines* (1886), dessinés avec une grandeur stylisée selon des procédés plus romantiques. Mais Verhaeren ne va pas tarder à passer par une crise tout à la fois physique et morale, dont les sombres étapes se trouvent marquées par ses recueils suivants : *les Soirs* (1887), *les Débâcles* (1888), *les Flambeaux noirs* (1890). Elle chasse sa foi confiante et renverse son robuste équilibre moral. Elle le torture et l'oppresse, lui tire des cris de douleur et l'entoure de visions de désespoir et d'épouvante. La tourmente passée, le poète en demeure tout d'abord accablé, et c'est un pessimisme morose qu'expriment encore *les Apparus dans mes chemins* (1891).

Une foi nouvelle va cependant éclore en lui, faite de pitié profonde et de généreux espoir. L'idéal socialiste l'a séduit, et il se traduit dans son lyrisme par un grand élan d'amour fraternel pour l'humanité. Après s'être penché sur ses douleurs dans *les Campagnes hallucinées* (1893) et *les Villes tentaculaires*, il la console en lui prédisant un avenir meilleur, tout de paix et d'amour, celui dont il annonce la venue prochaine dans son drame lyrique des *Aubes*. Il a lui-même retrouvé sur sa route les sources pures de la tendresse, et c'est une poésie confiante, lumineuse et apaisée qui s'épanche dans la trilogie des *Heures* : *Heures claires* (1896), *Heures d'après-midi* (1905), *Heures du soir* (1911).

Il est parvenu ainsi à cette hauteur de pensée et à cette

ampleur d'inspiration qui font des œuvres de sa maturité autant d'hymnes prodigieux, d'une rare puissance d'accent, où il ne se lasse point de célébrer l'énergie humaine, l'effort moderne, la beauté de la vie et du monde, tels que les a faits notre civilisation. *Les Visages de la vie* préludent à ce suprême essor de son lyrisme. Il va se déployer plus magnifiquement encore dans *les Forces tumultueuses*, *la Multiple Splendeur* et *les Rythmes souverains*. Mais ce poète humanitaire, chantre inspiré des multitudes en marche vers des destins meilleurs, apologiste enthousiaste des grandes villes de fer et d'acier, conserve cependant une prédilection pour sa terre natale. Il en exalte les aspects ou en retrace les souvenirs dans ses *Petites Légendes* (1900), dans *Toute la Flandre* (1904-1911), dans ses *Blés mouvants*. Et quand viendra la guerre, son âpre voix se mouillera d'une tendresse infinie pour chanter la patrie en deuil, ses martyrs et ses héros. C'est même dans cette tâche sacrée que la mort est venue le surprendre. Mais il n'avait rien sacrifié de son généreux idéal sous les sollicitations du moment, et son recueil posthume des *Flammes hautes* (1917) continue de l'affirmer avec une maîtrise plus sûre d'elle-même que jamais.

Ce lyrisme philosophique, Verhaeren l'a coulé dans une forme originale et puissante : un vers libre lourdement martelé, aux sonorités métalliques et parfois grinçantes; une langue tourmentée, qui allie au mépris de la syntaxe commune le goût et comme la manie de l'impropriété expressive. On dirait quelquefois d'un barbare, qui use avec effort d'un parler appris, et déconcerte l'auditeur par l'étrangeté sauvage de son accent. Nul doute que les origines flamandes de Verhaeren ne se marquent avec force dans son style comme dans sa pensée. Encore convient-il de noter que ce Germain romanisé est devenu de plus en plus sensible à la grâce et à l'harmonie latines. Puis, ce qu'il perd en correction, en facilité et en souplesse, il le regagne en saveur, en énergie, en richesse plastique. Il a inoculé un peu brutalement une vigueur nouvelle à la langue poétique. Libre aux puristes de sourciller devant ses néologismes flamboyants et ses lourdes redondances, de s'effarer devant telles de ses phrases, où l'adverbe usurpe sans vergogne la place du nom. Mais de ces défauts de son style, Verhaeren tire des effets souvent saisissants, et peut-être faut-il quelquefois de ces heureuses violences pour empêcher l'expression lyrique de se dessécher dans une fade élégance académique.

LES PROSATEURS

Georges Eekhoud (Anvers, 1854-1927). Œuvres principales : Kees Doorik (1883), Kermesses (1884), les Milices de saint François (1886), la Nouvelle Carthage (1888), le Cycle patibulaire (1892), Mes communions (1895), Escal-Vigor (1899), la Faneuse d'amour (1900), l'Autre Vue (1904), le Terroir incarné (1922). — *Consulter Maurice Bladel,* l'Œuvre de Georges Eekhoud, *1922.*

Eugène Demolder, né à Bruxelles en 1862, est mort en 1913. Œuvres principales : le Royaume authentique du grand saint Nicolas (1896), la Légende d'Yperdamme (1897), la Route d'émeraude (1899), le Cœur des pauvres (1901), l'Arche de M. Cheunus (1904), le Jardinier de la Pompadour (1904).

Henri Maubel (pseudonyme de Maurice Belval), né en 1862 à Bruxelles, est mort en 1917. Œuvres principales : Miette (1890), Quelqu'un d'aujourd'hui (1892), Ames de couleur (1895), Préfaces pour des

ÉMILE VERHAEREN. Portrait par Th. Van Rysselberghe. — CL. VIZZAVONA.

musiciens (1896), Dans l'île (1900), Théâtre (1902).

Hubert Krains (Les Waleffes, 1862-1934). Œuvres principales : Amours rustiques (1899), le Pain noir (1904), Figures du pays (1908), Mes amis (1921), Au cœur des blés (1934).

Lemonnier mis à part, ce furent surtout des poètes que groupa *la Jeune Belgique*, et, de fait, la production lyrique demeure sans doute la meilleure part de la littérature belge des cinquante dernières années. L'un des novateurs de 1880 fut cependant, avant tout, un prosateur original et savoureux. Il s'agit de Georges Eekhoud, l'âpre et robuste conteur de *Kees Doorik*, des *Kermesses* et du *Cycle patibulaire*. Nul n'a un accent plus local que ce réaliste impénitent, chez qui le souci d'exacte et amère vérité se rehausse d'une sorte de fougue lyrique et d'une tendresse infinie pour la souffrance humaine. Il aime son terroir comme Montaigne aimait Paris : jusque dans ses verrues; davantage encore : jusque dans ses abcès.

Ce terroir, c'est la Campine anversoise, la plaine sablonneuse et stérile semée de pauvres villages qui s'étend tout au nord de la Belgique, vers la frontière hollandaise. Une sympathie débordante l'entraîne vers les rustres taciturnes et brutaux de cette région déshéritée. Dans ces âmes sauvages, en proie à des passions élémentaires, il découvre des trésors de fierté loyale et de délicate candeur. Non moins que ces primitifs, il exalte les réfractaires et les hors-la-loi : les déchus, les vagabonds, les errants et aussi, à l'occasion, les produits équivoques et morbides d'une civilisation proche de la décadence. Les personnages qui l'intéressent et le passionnent sont ceux qui débordent, par quelque endroit, sur les cadres réguliers de l'organisation sociale. C'est qu'il retrouve en eux des révoltés comme lui, impatients de toute autorité et dédaigneux des conventions hypocrites. Les bas-fonds où grouille une humanité d'exception le séduisent comme ils attirent un Gorki. Il les a peints en maître, soit dans le raccourci violent de ses contes des *Kermesses*, soit encore, avec une ampleur presque épique, dans la prose touffue, tumultueuse et colorée de sa *Nouvelle Carthage*, évocation complète, bien que véhémente et partiale, du milieu anversois et de la vie intense et multiple qui anime le grand port de l'Escaut.

Dans l'art original d'Eekhoud, se retrouvent les tendances essentielles du tempérament flamand. Elles ne s'accusent pas moins chez Eugène Demolder. La manière de ce romancier s'apparente étroitement à celle des peintres qui ont fait la gloire de la terre de Flandre. Ses livres, où abondent les pages descriptives d'une vérité minutieuse, semblent autant de transpositions littéraires des œuvres caractéristiques des musées de la Belgique. Ils en ont les couleurs vives, l'opulent éclat, ou les demi-teintes finement nuancées. C'est la naïveté réaliste des primitifs flamands dans *la Légende d'Yperdamme*. Ce sont, dans *la Route d'Émeraude*, les admirables clairs-obscurs et les intérieurs somptueux de la Hollande de Rembrandt. Et plus tard, quand l'écrivain aura accoutumé sa vision septentrionale à l'atmosphère plus harmonieuse et plus fine de l'Ile-de-France, ce sera l'art délicat et léger des Lancret et des Watteau qui revivra aux pages charmantes du *Jardinier de la Pompadour*.

Incomparable de vigueur pittoresque et de souplesse descriptive, Demolder se révèle infiniment moins habile à l'analyse des caractères et des sentiments. Ce visuel n'a rien d'un psychologue. C'est, au contraire, le sens aigu de la spiritualité, l'impressionnabilité nerveuse aux palpitations les plus secrètes de l'âme qui dominent dans l'art subtil et nuancé de Henri Maubel. Ce Wallon, qui n'est attentif que par instants à la magie des couleurs et des reliefs, se complaît, dans ses nouvelles et dans son théâtre d'idées, à la notation précise de tout ce qu'il y a d'imperceptible, de fugace et de ténu dans notre vie intérieure. De là, le charme rare et la délicatesse extrême d'œuvres comme *Quelqu'un d'aujourd'hui*, *Dans l'île* ou *les Racines*. C'est en musicien que Maubel réussit à suggérer, par l'accent des mots et le rythme des phrases, l'indéfini presque insaisissable des nuances mouvantes du sentiment.

Maubel demeure toutefois une exception, et nos prosateurs ont visé de préférence à mettre en valeur les particularités locales d'un milieu restreint. Le roman, en Belgique, a été et est encore régional avant tout. Il exploite avec prédilection un pittoresque de terroir et s'intéresse de préférence aux simples et aux humbles, dépositaires plus fidèles des coutumes et des mœurs traditionnelles. Georges Virrès (1869-1946) s'est choisi pour domaine littéraire les plaines du Limbourg. Dans *la Bruyère ardente* (1900) ou dans *les Gens de Tiest* (1903), il a peint à merveille le village ou la petite ville de la Campine et leurs habitants, tour à tour sauvages ou casaniers, mais que haussent parfois au tragique la soif de liberté et l'élan d'une foi aveugle. Cependant, ce sont surtout les provinces wallonnes qui ont inspiré des conteurs nombreux et souvent charmants. Dans *Une rose à la bouche* (1896) ou dans *Marionnettes rustiques* (1899), Louis Delattre (1870-1938) a évoqué les choses et les gens du Hainaut rural avec un accent délicieux de réalisme et de sensibilité doucement mélancolique. Il y a plus de truculence et de verve fantaisiste dans la manière de Maurice Des Ombiaux (1868-1943), peintre attitré de l'Entre-Sambre-et-Meuse. Plus à l'est, Georges Garnir (1868-1939) a dit, dans *les Charneux* (1891) ou *la Ferme aux grives* (1901), la vie des paysans du Condroz, région de larges plateaux qui annonce l'Ardenne, tandis que Hubert Stiernet (1863-1939) retraçait, avec une simplicité sympathique, celle des ruraux de Hesbaye. Liège et sa banlieue se reflètent avec une netteté singulière dans les livres d'Edmond Glesener (né en 1874), et *le Cœur de François Remy* (1904) est une admirable étude de psychologie locale. Son héros, qui manque sa vie par incapacité de vouloir, résume en lui les dominantes contradictoires d'une race à la fois railleuse et sensible, vive et rêveuse, qui dissimule mal, sous une goguenardise de surface, une mélancolie désabusée et une paralysante défiance de soi. Il a donné depuis toute sa mesure dans le beau diptyque d'*Une jeunesse* (1927), où le régionalisme des milieux et des types rehausse un sujet profondément humain.

GEORGES EEKHOUD. — CL. GUÉRIN.

Ces noms sont loin du reste d'épuiser la liste des conteurs locaux. Il faut rappeler encore que la petite bourgeoisie bruxelloise, qui est une autre province, a trouvé son chantre indulgent et attendri en Léopold Courouble (1861-1937), l'auteur savoureux de *la Famille Kaekebroeck* (1902). Mais il faut surtout mettre à part Hubert Krains, qui apparaît comme celui de ces conteurs qui s'est davantage approché d'un idéal de perfection classique. Il a pour fief littéraire cette haute plaine vallonnée de Hesbaye, qui s'étend mollement au nord de la Meuse, entre Namur et Liège. Il en peint les plus humbles habitants, ouvriers ou tâcherons de village, et nul n'a mieux suggéré l'accablement de ces mornes vies courbées sur des tâches monotones ou ingrates. Dans des nouvelles au pathétique douloureux, dans un beau roman, *le Pain noir*, qui demeure son chef-d'œuvre, il excelle à retracer, avec une simplicité forte et une prenante angoisse, le drame silencieux de ces existences que voue au malheur une fatalité acceptée sans révolte. Chez Jean Tousseul (Olivier Degée, 1890-1944), un terroir voisin se trouve transfiguré par le lyrisme foncier d'un narrateur poète, celui auquel nous devons l'importante série romanesque de *Jean Clarambaux*.

A côté du récit régional, d'autres genres de fiction ont attiré les auteurs belges. Henry Carton de Wiart (né en 1865) s'est consacré au roman historique; *la Cité ardente* (1905), *les Vertus bourgeoises* (1910) et *Terres de Débat* (1941) attestent son indéniable habileté à évoquer, au moyen d'un minimum d'intrigue, les pages glorieuses, sanglantes ou suggestives du passé de la Belgique. On rangerait volontiers Henri Davignon (né en 1879) parmi les romanciers mondains, si ce mot de « monde » n'était un peu bien gros pour désigner la bonne bourgeoisie provinciale où il cherche volontiers ses héros. Du reste, cet écrivain agréable et disert s'efforce désormais de fixer les types représentatifs et d'esquisser les antinomies morales du milieu belge tout entier. Plus difficile à classer est Franz Hellens (né en 1881). Impitoyablement réaliste dans *les Hors-le-Vent* (1909), symboliste de tendances et d'esprit dans *les Clartés latentes* (1912), il a donné depuis des ouvrages étonnamment divers, mais où l'observation s'auréole volontiers d'un halo de fantaisie dont le pathétique étrangeté saisit. Et la plupart de ses livres pourraient, comme l'un d'eux, s'intituler *Réalités fantastiques*. Nous revenons à une formule réaliste moins exceptionnelle avec Horace Van Offel (1876-1945), dont la verve robuste ne se refuse à nulle outrance, et avec André Baillon (1875-1932), dont l'observation à la fois puissante et cruelle rappelle tour à tour Dostoievski et Charles-Louis Philippe.

Les vingt dernières années ont vu surtout s'affirmer, dans le genre narratif, le talent pathétique de Charles Plisnier (*Mariages*, 1936), la vigueur parfois attendrie de H.-J. Proumen, l'humour souvent triste et parfois mordant de Max Dauville, le réalisme parfois amer, mais souvent perspicace de Constant Burniaux, les tendances tour à tour psychologiques ou populistes de Robert Vivier, la puissance d'imagination de Robert Poulet (*Handji*, 1931), et la fécondité singulière de G. Simenon, dont les fictions, policières ou autres, valent par leur atmosphère saisissante de vérité. Mais elles sont marquées aussi par l'apparition, sur notre horizon littéraire, de quelques femmes qui se trouvent être des conteurs nés. Après que Neel Doff eut buriné des scènes de la vie de misère avec une âpreté pénétrée d'humaine tendresse, on a pu notamment apprécier la fraîcheur naturiste de Marie Gevers, le délicat idéalisme de France Adine, le pathétique moralisant de Julia Frézin et la curiosité psychologique de Simone Berson.

EDMOND GLESENER. Portrait gravé par Armand Rassenfosse (B. N., Cabinet des Estampes).
CL. LAROUSSE.

LE THÉÂTRE

Il n'y a pas de théâtre belge, si l'on entend par là un développement dramatique continu, original et indépendant. Entre tous les genres, celui-ci est le moins bien représenté. Ce n'est pas que les essais aient manqué. Nombre de poètes se sont laissé tenter par l'éclat de la rampe; mais, même chez un Rodenbach ou chez un Verhaeren, le lyrisme l'emporte de loin sur la force dramatique. Des tentatives plus systématiques, comme celle d'Edmond Picard, inventeur du « monodrame » et de la « comédie-drame », n'ont abouti à rien de durable, ni même simplement de vivant. Quant au théâtre de Maeterlinck, il n'est pas besoin de dire qu'il est à part et au-dessus de toute cette production.

Il n'en faut qu'admirer davantage le tenace effort de quelques auteurs dramatiques que ne découragent ni la froideur du public, ni la difficulté, presque insurmontable, d'assurer à leurs œuvres une interprétation suffisante. Gustave Vanzype (né en 1869) est tout à la fois le plus persévérant et le mieux doué. Au cours d'une carrière très longue, il a enrichi les lettres belges d'une série de pièces d'une facture solide, d'un art sobre et probe et d'une haute et saine inspiration. Il ose aborder de grands sujets et les traiter avec une sincérité austère et nue, sans une concession au goût frivole du public. Ce théâtre d'idées illustre quelques-uns des conflits les plus tragiques de la vie familiale ou sociale. Des *Étapes* (1907) aux *Semailles* (1919), des *Visages* (1922) aux *Forces* (1930) et à *Seul* (1935), une grande idée, celle de la solidarité humaine, sous-tend toute cette œuvre d'une simplicité presque austère dans la sûreté de sa conduite.

Il ne faut pas demander d'intention profonde au théâtre poétique de Paul Spaak (1870-1936). Un thème menu, mais charmant, lui suffit, qu'il traite avec un sens scénique très averti, dans une forme aimable dont le lyrisme ne manque point d'élan. Telle est du moins la formule de sa pièce de début, *Kaatje* (1908). La grâce un peu facile de cette jolie bluette lui valut un succès triomphal, que ne retrouva pas *Baldus et Josina* (1912). Un souffle plus large anime toutefois *Malgré ceux qui tombent* (1919), et cette émouvante évocation du siècle des Gueux reste la meilleure réalisation de ce poète à la scène.

Les drames shakespeariens de Paul Demasy séduisent par leur fougue romantique, et les pièces ibséniennes de Marguerite Duterme, à la fois par leur atmosphère savamment morbide et leur remarquable sûreté de forme. Georges Rency a donné quelques pièces de solide charpente. Une farce d'une cruelle outrance a tiré hors de pair le nom de Fernand Crommelynck (né en 1888). Et l'on a pu apprécier, depuis, les recherches d'un modernisme audacieux où se complaisent tour à

tour Henry Soumagne, Maurice Tumerelle, Hermann Closson et Michel de Ghelderode, ainsi que les évocations scéniques, d'originale saveur, dues à Suzanne Lilar, Charles Bertin, Charles Cordier ou Philippe Lambert.

L'ESSAI ET LA CRITIQUE

La production historique a été très copieuse au cours du XIXᵉ siècle; mais les meilleurs des nombreux érudits qui ont étudié le passé des provinces belges se sont contentés le plus souvent, pour exposer leurs recherches, d'une langue précise et correcte, mais impersonnelle et sans accent. Le plus grand d'entre eux, Henri Pirenne (1862-1935), atteint parfois au style grâce au raccourci de formules saisissantes. — Quelques essayistes, en revanche, sont de bons ouvriers des lettres belges. Il faut citer d'abord Hippolyte Fierens-Gevaert (1870-1926), qui, après s'être fait l'analyste perspicace de *la Tristesse contemporaine* (1899) et de la « psychologie » de Bruges, s'est consacré à l'esthétique et à l'histoire de l'art. Critiques d'art aussi, et des plus avertis, Charles Bernard (né en 1876) et Paul Fierens (né en 1895). Les tâches hâtives du journalisme n'ont point détourné Louis Dumont-Wilden (né en 1875) de cette spéculation à laquelle excelle son intelligence lucide, volontiers paradoxale. Qu'il creuse, dans *les Soucis des derniers soirs* (1906), les angoissants problèmes que pose au penseur l'évolution de notre civilisation occidentale; qu'il s'efforce de préciser, à travers quelques individualités d'élite et quelques œuvres représentatives, les courants de *l'Esprit européen* (1913), ou qu'il entreprenne, dans *le Crépuscule des Maîtres* (1947), une attentive revision, c'est toujours avec la même limpidité brillante, le même culte de l'idée et la même préoccupation de discipline intellectuelle. Et ses biographies du prince de Ligne, de Benjamin Constant et du dernier des Stuarts sont de pénétrantes études d'âmes. Quant à Arnold Goffin (1863-1934), il possède du parfait essayiste les curiosités averties, la compréhension délicate et même ce rien de nonchalance distinguée qui arrête souvent, au détour des idées et des choses, sa rêverie nourrie de doctrine. Il a esquissé, dans de belles monographies, les physionomies de quelques grands artistes d'autrefois et d'aujourd'hui. Il s'est plus longtemps attardé à l'évocation déférente de François d'Assise et de ses mystiques disciples. Enfin, il a rapporté d'Italie ses *Poussières du chemin* (1923), qui combinent, dans un ensemble harmonieux et délicat, des descriptions nuancées, des notations d'une pénétrante finesse et des méditations où se recueille une âme attentive et sensible à toutes les suggestions de l'art et du passé.

Le groupe de *la Jeune Belgique* comptait un critique, Francis Nautet (1855-1896), esprit sagace et fin, mort avant d'avoir pu donner toute sa mesure. Dans les rangs adverses militait Gustave Frédérix (1834-1894), critique en titre de *l'Indépendance belge*, dont on a un intéressant recueil d'articles, intitulé *Trente Ans de critique* (1900). Son successeur, après Ch. Tardieu, Georges Rency (né en 1875), a longtemps maintenu avec vaillance la tradition du feuilleton hebdomadaire. Sans rien dissimuler de ses sympathies, il apporte dans ses jugements un réel esprit d'éclectisme et infiniment de bonne volonté compréhensive. Cette tradition est continuée par Henri Liebrecht, historien de notre théâtre. Carlo Bronne (né en 1901) est un essayiste brillant, et Albert Guislain (né en 1890) en est un autre Combatif et ardent, Firmin Van den Bosch (1866-1949) subordonne toujours son jugement critique, souvent pénétrant, à des préoccupations de doctrine et de parti, ainsi qu'en avertit loyalement le titre même de ses *Essais de critique catholique* (1898). Nul, au contraire, ne s'est montré plus objectif que Charles de Spoelberch de Lovenjoul (1836-1907), puisqu'il a été avant tout un bibliographe étonnamment érudit, qui a recueilli sur Balzac, George Sand et Théophile Gautier une documentation prodigieuse, dont il a su parfois tirer lui-même bon parti dans des études d'une élégante précision.

Eugène Gilbert (1864-1919) fit, pendant un quart de siècle, la critique des livres à la *Revue générale*. Il s'acquitta de cette tâche avec une exquise courtoisie et un parti pris d'indulgence et d'optimisme. Son intention constante fut de mettre en rapports les écrivains de France et de Belgique et de servir de truchement entre les deux littératures. Pareil dessein a séduit aussi Maurice Wilmotte (1861-1942), mais il l'a poursuivi avec une activité débordante et sur un plan d'une autre ampleur. Professeur réputé, romaniste dont les travaux font autorité, il s'est révélé critique ingénieux et perspicace dans ses savantes *Études sur la tradition littéraire en France* (1909), comme dans ses mémoires érudits sur *l'Épopée française* (1939) et *les Origines du roman en France* (1940). On lui doit encore de beaux livres sur *la Belgique morale et politique* (1902) et *la Culture française en Belgique* (1912). Il s'est enfin dépensé sans compter pour la défense et la propagation de la langue et de la civilisation françaises. Après Georges Doutrepont (1868-1941) et Albert Counson (1880-1933), Paul de Reul (1871-1945) et L.-P. Thomas (1880-1948) ont représenté avec distinction la critique universitaire.

Il convient de signaler, en terminant, que, depuis la mort de Verhaeren, notre poésie offre le spectacle d'une extrême diversité où les talents ne manquent point. A preuves le stoïcisme altier de Lucien Christophe (né en 1891), la violence concentrée de Jean de Bosschère (né en 1881), et même l'hermétisme de Gaston Heux (né en 1879). Elle a eu à déplorer la perte prématurée de l'humaniste parnassien Franz Ansel (1874-1937) et surtout d'Odilon-Jean Périer (1904-1928), dont l'œuvre inachevée abondait en admirables promesses. Elle pleure encore les lyriques tôt disparus que furent tour à tour Camille Melloy (1891-1941), D.-J. d'Orbaix (1889-1943) et Auguste Marin (1911-1940). Mais elle peut faire grand fond sur le modernisme expressif de Marcel Thiry, le charme délicat d'Adrienne Reverlard, le réalisme nerveux d'Élise Champagne ou la hauteur d'inspiration de Pierre Nothomb. Elle doit revendiquer aussi, pour plus d'une heureuse réussite, ce Maurice Carême, dont le recueil intitulé *Mère* (1935) est une sorte de menu chef-d'œuvre. Et, parmi bien d'autres, Roger Bodart, Edmond Vandercammen, Mélot Du Dy, Pierre Bourgeois, Georges Linze, Jules Minne, Adrien Jans, Marcel Lecomte, Géo Libbrecht et Charles Moisse apparaissent au nombre de ses meilleurs espoirs.

Sans doute conviendrait-il de joindre à ces noms celui de Henri Michaux (né en 1899), si ce Namurois n'avait fait à Paris et un peu partout dans le vaste monde sa carrière de poète évocateur, dont l'étrangeté surréaliste apparaît à l'extrême limite des alchimies lyriques de ce temps.

Enfin, grâce à un ministre lettré et artiste, Jules Destrée (1863-1935), nos lettres ont à la fois un foyer et un centre de ralliement dans l'Académie royale de langue et de littérature françaises. Créée en 1921, et non contente de grouper l'élite de nos auteurs, elle appelle à elle des membres étrangers, comme Mme de Noailles, Colette ou Gabriele d'Annunzio, et elle travaille pour sa part, selon le vœu de son fondateur, à rattacher les uns aux autres « tous les pays où le français est parlé, honoré, cultivé, et qui sont comme la province intellectuelle de la civilisation française ».

II. — LA SUISSE ROMANDE

CARACTÈRES GÉNÉRAUX

Voir : Philippe Godet, Histoire littéraire de la Suisse française, *1895;* Virgile Rossel, Histoire littéraire de la Suisse romande, *1903;* Gonzague de Reynold, le Doyen Bridel et les origines de la littérature suisse romande, *1909;* L. Kohler, le Rôle intellectuel de la Suisse, *Lausanne, 1943.*

L'œuvre de J.-J. Rousseau, celle de Mme de Staël et l'*Adolphe* de Benjamin Constant : voilà, au XVIIIe siècle et au début du XIXe, la contribution de la Suisse à la littérature française. Mais ces trois écrivains, la Suisse les a véritablement « donnés », ne conservant avec orgueil que leurs actes d'origine.

Au XIXe siècle, la vie littéraire de la Suisse romande se développe en marge de la vie française. Comme le remarquait Sainte-Beuve, « ce pays a produit des esprits qui, à un certain tour d'idées particulier, ont uni une certaine manière d'expression, et qui offrent un mélange, à eux, de fermeté, de finesse et de prudence, un mérite solide et fin, un peu en dedans, peu tourné à l'éclat, bien qu'avec du trait... » C'est ce « tour d'idées », c'est ce « mélange » qu'il importe de faire comprendre. Des villes disciplinées par la Réforme calvinienne et par de vieilles traditions civiques, des cités qui, durant trois siècles, accueillirent des fugitifs et se les assimilèrent, où l'esprit européen ne porta nulle atteinte à l'esprit de clocher, où les mœurs furent austères, la vie de société tranquille et sans faste, toute hardiesse de ton et toute pensée malséante réprimées, où furent si longtemps préférés aux plaisirs du théâtre ces honnêtes divertissements publics que vante la *Lettre sur les spectacles :* un semblable milieu ne produira qu'une littérature sage, destinée plus encore à enseigner qu'à distraire. En Suisse, on ne s'éloigne jamais beaucoup du temple et de l'école. Le ton peut être enjoué et l'âme souriante — l'œuvre de Tœpffer le fait bien voir — il n'en est pas moins vrai que l'écrivain veut être utile, bienfaisant, donner une leçon. En cela, les auteurs romands du XIXe siècle manifestent une parenté évidente avec ceux de la Suisse allemande. Ils ne s'amusent guère au jeu des passions et n'imaginent point, par amour de l'art, de subtils et dangereux conflits. Nulle part on ne sut moins badiner avec l'amour. A la fin du XVIIIe siècle, ceux qui au goût de l'érudition et de la théologie (car depuis la Réforme notre littérature tient en ces deux termes) joignent l'amour des belles-lettres, ce sont principalement des gens d'église. Le plus fin critique suisse de ce temps-là, c'est un pasteur, H.-D. Chaillet. Celui qui le premier souhaita une « poésie nationale » inspirée de la nature et des mœurs du pays, et qui fut en réaction contre les plats imitateurs du goût français, c'est un pasteur, le doyen Bridel. Fraîcheur des paysages, solennel mystère de la conscience et de la création, paisible satisfaction qu'offrent une vie agreste, une religion simple et des souvenirs héroïques, attrait de l'idéal, tels sont les thèmes qui dominent, jusque vers 1870, dans les ouvrages de la Suisse française. Aussi n'est-il pas déplacé de reproduire au début de ce chapitre le grand Mur des Réformateurs qui se voit à Genève. Mais il y faudrait montrer encore quelqu'une de ces gravures, minutieuses et candides, des petits maîtres suisses de 1820, où se révèle le bonheur de vivre en face du Léman et des Alpes, dans ce Clarens, par exemple, que fit connaître au monde *la Nouvelle Héloïse*. Des âmes qui s'examinent, se recueillent et cherchent le vrai, des cœurs assez contents de la Destinée et beaucoup moins d'eux-mêmes, des bourgeois « amateurs de rêves et d'innocente gaieté » : ce sont tout à la fois les auteurs suisses et leurs personnages. Ajoutons que, dans les œuvres d'imagination,

LE MUR DES RÉFORMATEURS, A GENÈVE. — CL. C. A. P.

la nature toute proche, le coin de pays jouent un rôle essentiel. Le plus grand poète vaudois de ce temps, C.-F. Ramuz, fut avant toute chose un peintre du sol, ce que fut aussi le poète Juste Olivier, et avant lui, avec tant de verve, Rodolphe Tœpffer.

Mais si les évocateurs de la terre et de la race, les observateurs du pittoresque régional, tiennent une place importante dans les lettres romandes, s'ils sont cela, bien plutôt que des romanciers ou des auteurs de nouvelles, ce n'est pas d'eux qu'il faut parler d'abord. Le monument de la Réforme réserve un espace plus grand aux inscriptions, au Verbe et à l'Idée, qu'à la figure humaine et aux choses visibles. Qu'il s'agisse d'un haut-relief ou d'une littérature, on peut le déplorer; mais il faut le reconnaître, sans mêler à cet aveu une sotte humiliation. Or des trois auteurs dont le nom, au siècle dernier, a véritablement franchi les frontières suisses, sans qu'ils eussent fait, comme dit l'un d'eux, le moindre effort pour « porter de l'eau à la Seine », deux sont exclusivement des penseurs, des analystes, des manieurs d'idées. Pour l'étranger qui connaît les Suisses comme pour les Suisses eux-mêmes, le principal et le spécifique de la littérature romande se résument dans les études littéraires de Vinet et dans le *Journal intime* d'Amiel. La tradition huguenote de Vaud et de Genève, avec ses timidités et son indépendance, ses témérités et ses scrupules, son besoin de détruire et de rebâtir sans cesse, son égal souci de morale et d'affranchissement, c'est chez Vinet et chez Amiel surtout qu'il la faut chercher. Et chez combien d'autres jusqu'à ce jour — dont nous ne pourrons dire les noms — et dont toute l'œuvre tient dans quelques pages de critique perspicace et de considérations morales!

C'est donc par les critiques et les moralistes que nous commencerons cet exposé. A maintes reprises, des écrivains français ont jugé comme Sainte-Beuve que, « pour faire un petit bout de critique vraie », il était bon de se choisir l'un ou l'autre de ces « belvédères », de ces « observatoires » privilégiés : Lausanne ou Genève. « La littérature française, écrit Sainte-Beuve en 1837, envisagée de loin,

sous un aspect extérieur, et pourtant d'un lieu qui est à elle encore par la culture, me paraissait offrir une perspective nouvelle dans des objets tant de fois étudiés et connus. Vue hors de France, et pourtant en pays français encore de langue et de littérature, cette littérature française est comme un ensemble de montagnes et de vallées, observées d'un dernier monticule isolé, circonscrit, lequel, en apparence coupé de la chaîne, y appartient toujours, et sert de parfait balcon pour la considérer avec nouveauté. Il en résulte aux regards quelque chose de plus accompli. Les lignes et les grands sommets y gagnent beaucoup, et reparaissent plus nets. Quelques-uns qu'on oubliait se relèvent... Les proportions générales se sentent mieux, et les individus de génie détachent seuls leur tête. »

Mais de ce « parfait balcon », l'on ne découvre pas seulement les choses de France. Le privilège des Romands, et tout ensemble la difficulté de leur « mission », c'est d'appartenir à un pays qui parle plusieurs langues et « verse équitablement ses fleuves au Nord et au Midi ». Ils naissent avec le besoin ou l'obligation de comprendre des génies divers et opposés. Ils sont inquiets, curieux, interprètes, parfois trop éclectiques de goût, en vertu même de la topographie; ils sont plus capables assurément, en matière de littérature, d'explorer, d'expliquer, de comparer, que d'imaginer et de créer. N'est-ce pas vers 1700 déjà que, dans un village du pays de Neuchâtel, le Bernois Muralt écrivait ses *Lettres sur les Français et les Anglais*? Et au cours du XIXᵉ siècle, les explorateurs des lettres étrangères ne sont-ils pas relativement plus nombreux en Suisse française qu'en France? Mais, presque toujours, dans leur œuvre, un évident souci de la morale s'allie au jugement esthétique. Chez Vinet principalement.

CRITIQUES ET MORALISTES
ALEXANDRE VINET

Né à Ouchy-Lausanne en 1797, descendant d'une famille de réfugiés français, Vinet fait ses humanités à l'Académie de Lausanne. Bien qu'il se destine au pastorat, il étudie plus encore les classiques français que la théologie. Les ouvrages de Mme de Staël exercent sur lui à cette époque une grande influence. De 1817 à 1837, il enseigne la langue et la littérature françaises au Gymnase de Bâle. C'est là qu'il réunit les matériaux de sa Chrestomathie, et qu'il rédige une partie de ses leçons de littérature, publiées après sa mort. De Bâle, Vinet collabore par de nombreux articles au Semeur, *revue fondée à Paris en 1831 par un groupe de protestants, et dont il refusa la direction. Il prend part aussi* (Mémoire sur la liberté des cultes) *aux polémiques religieuses et politiques qui divisaient alors le canton de Vaud, et lutte pour l'Église séparée de l'État. Il est professeur, publiciste, prédicateur. Revenu à Lausanne, il accepte une chaire de théologie, puis la chaire de théologie. Il meurt en 1847.*

Sur Vinet, lire sa Vie, *par E. Rambert, revue par Ph. Bridel (Lausanne). Les* Discours, Nouveaux Discours, Études sur la littérature française, Philosophie religieuse, *etc., ont été réédités au cours de ces dernières années (20 volumes parus). La Société d'édition Vinet, à Lausanne, continue cette publication.*

« Il est juste, disait Pascal, — qu'étudia si pieusement le penseur vaudois, — de considérer dans les productions des esprits les efforts qu'ils font pour parvenir à la vérité, et de remarquer en quoi ils y arrivent et en quoi ils s'en égarent. C'est la principale utilité qu'on doit tirer de ses lectures. » Cette attitude est celle de Vinet en critique littéraire. Se prouver à soi-même, et prouver aux autres la vérité du christianisme et la perfection de sa morale, tel est en somme son propos. Or, pour cela, il faut connaître l'homme intérieur, les ambitions qui le sollicitent et les conditions véritables de son repos : c'est à cela que lui servent les livres, ou mieux encore l'âme de leurs auteurs. « Les grands peintres, écrit-il en tête d'un cours sur *les Moralistes*, je dirais presque les grands révélateurs de la nature humaine, ce sont les moralistes-poètes (Vinet fait entrer, comme on le comprend, les grands dramaturges dans cette catégorie); car les poètes sont naïfs. Ils sont aussi, dans un sens, les premiers des philosophes... Ils révèlent ce que pense l'humanité dans toute l'intimité de sa pensée. » Vinet donc confesse les auteurs, anciens et contemporains; il leur arrache des aveux, dénonce en chacun d'eux l'artifice, la réticence, telle hésitation dangereuse ou le vague de la pensée. Sur ce dernier point, les quelques pages qu'il a écrites sur le *Jocelyn* de Lamartine, sévères et pénétrantes, donneront mieux que tout commentaire une idée de sa critique.

« A chacun de ceux que nous avons jugés, dit-il, nous avons dû quelques vérités. Ils nous ont instruits surtout par leurs erreurs; leurs lacunes nous ont enrichis; ils avaient chacun le commencement de quelque vérité; l'Évangile nous a fourni le complément; comme aussi la rectification de leurs erreurs ou la solution de leurs énigmes. » Mais, dira-t-on, est-ce bien un critique que celui dont le but est de démontrer sa foi, et qui, négligeant le milieu où vécut tel poète ou tel moraliste, ignorant ou contempteur des choses du théâtre, traite du poème, du roman et de la tragédie ? L'extraordinaire compétence de Vinet dans le jugement littéraire est celle que confère à un homme de goût, si austère qu'il soit, l'habitude de la

cure d'âmes. Sans autre moyen qu'une profonde et indulgente compréhension, sans autre document que le livre lu et relu, il discerne sous l'écrivain l'homme. N'est-ce pas un des plus étonnants portraits de Chateaubriand, celui qu'a tracé Vinet? N'a-t-il pas rendu évidente, là comme ailleurs, la nécessaire et indissoluble parenté de l'esprit et du style ? Cherchant sans trêve l'équilibre intérieur, ce qu'il appelle, dans sa langue souvent abstraite et trop subtile, la « réduction des dualités », ce Romand est l'un de ceux qui ont le plus goûté et le mieux défini les classiques français. Par le sens du vrai, de l'humain et des plus délicates nuances, il reste l'initiateur de son pays à la littérature : « Quelle balance sensible et sûre, dit Sainte-Beuve, qui fut son ami, et pourtant le glaive entrevu parfois!... Je ne me lasse pas de repasser les jugements de l'auteur, qui sont comme autant de pierres précieuses, enchâssées, l'une après l'autre, dans la prise de son ongle exact et fin... Quand on songe que celui qui a écrit ce précis est un ministre protestant, et non pas un protestant socinien et vague, mais un biblique rigoureux, un croyant à la divinité du Christ, à la rédemption, à la grâce, on admire sa tolérance et sa compréhension si étendue, qui ne dégénère pourtant jamais en relâchement ni en abandon. » Le ton de gravité morale qui est celui de Vinet n'a pas attiré la foule des lecteurs. Mais la solidité de cette critique a subjugué les esprits les plus divers, séduit ou captivé ceux-là surtout que préoccupe l'importance sociale de la littérature. « Il n'est personne, dit Brunetière, à qui je doive davantage ni de qui j'aie plus appris. »

HENRI-FRÉDÉRIC AMIEL

Né à Genève en 1821, Amiel appartient à une famille originaire du Languedoc, et genevoise dès la fin du XVIIIe siècle. Après ses études à Genève, il séjourna un an en Italie et cinq ans en Allemagne. Rentré dans sa ville, il y fut successivement professeur de littérature française et d'esthétique, puis de philosophie. Il mourut en 1881.

Amiel n'a laissé, avec quelques poésies, essais et traductions, que son Journal intime, *un manuscrit de 16.900 pages. Son amie, Mlle Fanny Mercier, en publia des extraits avec l'aide de Scherer :* Fragments du journal intime d'Amiel *(2 vol., 1883 et 1884, remaniés dans la cinquième édition, 1887). Bernard Bouvier a publié de cet ouvrage une édition nouvelle, conforme au texte original et augmentée de fragments inédits (2 vol., Paris, 1927). Une édition complète a commencé de paraître en 1948 à Genève sous la direction de Léon Bopp.*

Voir sur Amiel les études de Brunetière (Revue des Deux Mondes, *1er octobre 1884), de P. Bourget* (Nouveaux Essais de psychologie contemporaine, *1899), de G. Frommel* (Études littéraires et morales, *1907); la préface d'Edmond Scherer à l'édition princeps du* Journal intime, *1883, et surtout la préface de Bernard Bouvier à l'édition de 1927. — Lire aussi H.-F. Amiel,* Essais critiques, *1932.*

ALEXANDRE VINET. Portrait par Mme Munier-Romilly. — CL. LAROUSSE.

« La vie intérieure doit être l'autel de Vesta, dont le feu doit brûler nuit et jour. Notre âme est le temple saint dont nous sommes les lévites. Tout doit être apporté sur l'autel éclairé et passé au feu de l'examen, et l'âme se doit la conscience de son action et de sa volonté... » Ce fragment d'une lettre d'Amiel est de 1841. Le « Journal intime régulier » débute avec la fin de 1847. Jusqu'à sa mort, Amiel y note quotidiennement des réflexions sur ses travaux, ses lectures, ses relations scientifiques et mondaines, aussi bien que sur sa vie intérieure et les événements politiques de la Cité. Qu'il s'agisse de critique littéraire (le *Journal* en contient d'admirables pages) ou de philosophie, qu'il soit question d'un paysage, d'une souffrance ou d'une conversation entre amis, jamais cette « passion du repliement » qu'on a reprochée aux Romands ne trouva pareille expression. Si « l'analyse tue la spontanéité », elle nuit davantage encore à l'éclosion d'une œuvre originale. « Nous sommes et devons être obscurs pour nous-mêmes, écrivait Gœthe, tournés vers le dehors et travaillant sur le monde qui nous entoure. » Amiel et ceux qu'il a séduits n'ignorent pas que telle est la loi de l'art et de l'action. Mais le grand indécis que fut l'auteur du *Journal* a su du moins faire un choix : à l'art et à l'action, il a préféré la connaissance de soi. Le plaisir de créer *son* œuvre — poésie ou philosophie —, il l'a sacrifié et, semble-t-il, sacrifié sans peine à celui d'étreindre mille possibilités et mille façons d'être.

Genève, qui fut à la fois « retraite et lieu de passage », cette ville « où l'on se recueille et où l'on voit tout défiler devant soi », « où chaque année l'élite du Nord descend », et qui est la « station naturelle et presque obligée pour l'Italie » (Sainte-Beuve), cette Genève a produit en Amiel un esprit à son image. Voilà bien un protestant qui croit, tant qu'il le peut, à la suprématie de l'ordre moral : « Ce que je crois, c'est que la plus haute idée que nous pourrons nous faire du principe des choses sera la plus vraie » (1863); mais il est tout à la fois un curieux insatiable, guettant vingt autres solutions, prêt à recevoir, pour un temps, tous les dieux inconnus. Voilà un dilettante, *in utrumque paratus*, mais qui n'a point la paix de Montaigne ni le sourire de Renan : comme s'il se reprochait de poursuivre ensemble le salut et les tentations.

Le plus accueillant, le plus souple critique des hommes et des systèmes, qu'ils fussent de France ou d'Allemagne, le plus réellement polyglotte des « interprètes » romands, Amiel fut moins et plus qu'une grande personnalité : il fut un *lieu* de jugements et de perceptions, *l'hospitalité indéfinie de la pensée* : « Je suis, quant à l'ordre intellectuel, essentiellement objectif, et ma spécialité distinctive, c'est de pouvoir me mettre à tous les points de vue, de voir par tous les yeux, c'est-à-dire de n'être enfermé dans aucune prison individuelle. » « J'ai été Espagnol et Italien, a-t-il pu dire, j'ai été Scandinave et Germain, chrétien et Grec; j'ai été érudit, mathématicien, moine, enfant, mère; j'ai été animal et plante... » Cette multiplicité de l'esprit fera comprendre le style d'Amiel. Là où tel écrivain se satisfait et satisfait ses lecteurs d'un mot, il faut à Amiel des nuances encore et des équivalences. Tant il se fait scrupule, en sa seule présence, de n'être pas la justesse et la justice mêmes !

LA CRITIQUE ROMANDE JUSQU'EN 1900

D'Amiel et de Vinet, il serait exagéré de dire qu'ils ont fait école. Mais le critère moral de Vinet, l'ample curiosité, l'esprit cosmopolite d'Amiel furent bien, au cours du XIXe siècle, les traits dominants de la critique romande. Il ne faut pas oublier que, par ses origines et par tout un chapitre de sa vie, Edmond Scherer (1815-1889) appartient

HENRI-FRÉDÉRIC AMIEL. Dessin de J. Hornung (1852). — CL. LAROUSSE.

à la Suisse. Celui qui trop facilement « confondit les artistes aimables avec les baladins, et les réalistes un peu crus avec les industriels en turpitudes » (Émile Faguet), n'incarne-t-il pas notre austérité protestante ? Et, d'autre part, n'est-il pas un « interprète », au même titre que ce causeur étincelant, Marc-Monnier (1829-1885), Français né à Naples, professeur de littératures comparées à Genève, qui sut révéler au public de France l'Italie du passé et celle du présent ? Que l'on songe aussi aux *Profils étrangers* de Victor Cherbuliez (1829-1899), à ses études sur l'Allemagne et l'Espagne; à Édouard Rod (1857-1910), que passionnèrent à tour de rôle toutes les idées du temps présent. Cette combinaison de la critique littéraire et de la critique religieuse, — trait distinctif de Vinet, — nous la retrouvons, avec plus d'inquiétude métaphysique, chez Eugène Rambert (1830-1886), qui, lui aussi, partit de la théologie; nous la retrouvons, avec une conviction aussi imposante et un pareil besoin de convertir, dans ces précieuses *Esquisses contemporaines* que laissa Gaston Frommel (1862-1906). Quant à Philippe Godet (1850-1922), le meilleur, le plus clair prosateur de la Suisse française au XIXe siècle, c'est encore à la critique et à l'histoire des lettres qu'il s'est voué surtout. Que Philippe Godet, qui fut pour sa génération le maître du style simple et vrai, n'ait été ni un romancier, ni un poète lyrique, ni un dramaturge, voilà la preuve que la critique fut en Suisse française le genre prédominant. Qu'en presque tous les écrivains romands il y ait eu un juge, un maître de morale, un commentateur, un professeur de belles-lettres, c'est ce qui donne aux ouvrages de la Suisse, du moins vus de l'étranger, cet air didactique et ce ton de grisaille qui évoquent le Mur des réformateurs.

LA POÉSIE

En consultant l'histoire littéraire de Genève au XVIIIe siècle, on constate une disette de poètes. « Une certaine légèreté d'agrément, dit Sainte-Beuve, qui est, à proprement parler, l'honneur poétique et littéraire, manque à la culture genevoise. » « Terre libre et sauvage, ajoute-t-il, mais où ne croît pas le laurier. » Puis, songeant au Lausanne de 1830-1840, il corrige ainsi son opinion : « On est poète ici, on y est peu artiste. » Ces remarques sont vraies. A l'école du « Caveau genevois », contemporaine du romantisme, appartiennent des rimeurs généreux, mais dont l'œuvre a beaucoup vieilli. Quant à ce vrai poète, le Vaudois Juste Olivier, nous trouvons en lui l'initiateur d'une poésie « nationale » ou régionale plutôt qu'un grand artiste.

Le lyrisme helvétique au siècle dernier — nous pensons ici à la Suisse allemande comme à la Suisse française — est celui d'un peuple heureux. Rares sont les poètes qui dévoilent une âme sombre et font de leur douleur la matière même de leur art. Les plus accablés conservent un espoir qui les console. On compte sur les doigts d'une seule main ceux qu'absorba la passion. Au reste, une pudeur les arrête. La plupart d'entre eux n'ont pas voulu — et n'auraient point su — exprimer tragiquement les ardeurs de l'amour. Pour « se distraire d'eux-mêmes », ils ne se réfugient guère dans « les ailleurs ». N'ont-ils pas leur Arcadie sur place ? Il y a des solitudes et des lieux de transfiguration sur leurs montagnes, des lacs d'émeraude et de lapis qui les dispensent du voyage à « quelque mer Ionienne ». D'un siècle à l'autre et d'un auteur au suivant, il est question de rester au pays bien plutôt que de s'en évader.

De ce lyrisme helvétique, la note essentielle, c'est donc l'éloge de la nature bienveillante et protectrice. Il n'est point de cité au monde qui se puisse comparer à celle dont l'enceinte est pareillement étincelante. Aussi, bienheureux est le pâtre qui vit dans ce décor, et ceux-là qui, comme lui, demeurent dans la simplicité !

> La vertu, la simple innocence
> Font des heureux à peu de frais,

chantait Jean-Jacques Rousseau. Cette satisfaction qu'offre la nature aux poètes suisses est le plus souvent d'un ordre très élevé. Leur âme semble condamnée aux enseignements de l'altitude. Tous les symboles dont le cœur a besoin, les leçons de liberté, d'endurance, de pureté, d'orgueil et de toutes perfections : cime tourmentée par mille tempêtes, et qui subsiste, mer de brouillard d'où il faut émerger, chaos de rochers durs qui « épanchent leur vie en fleuves nourriciers », à quoi bon rappeler tous ces « conseils de l'Alpe » ? (H. Warnery.) Il y a en pays romand le lyrisme des sommets et la poésie du village, la contemplation de l'infini, de la patrie visible, le simple tête-à-tête avec le paysage aimé. Mais qu'ils respirent l'éternité, le vent des siècles ou l'odeur d'un coin de terre, ces poètes ont un air de sagesse, de gratitude et de santé.

Ils sont enfants du bon sens autant que de la nature. Pour deux ou trois qui perdent pied et se lamentent, il en est vingt qui savent où ils vont, à petites journées, et ne trébuchent pas. Tel celui-ci, Marc-Monnier, exquis et prudent, qui regarde les cimes de très loin :

> Savez-vous pourquoi j'aime la colombe ?
> C'est que le bonheur n'est point aux sommets.
> Plus on veut monter, plus bas on retombe,
> Et qui va trop loin ne revient jamais...
>
> Aussi, douce et belle entre les plus belles,
> J'aime la colombe, et Dieu la bénit :
> Elle ne sait pas, bien qu'elle ait des ailes,
> Monter dans les cieux plus haut que son nid.

JUSTE OLIVIER

Né en 1807, d'une famille de paysans vaudois, à Eysins près Nyon, Juste Olivier eut une carrière agitée et difficile. Professeur de littérature à Neuchâtel, puis à Lausanne, la révolution de 1845 lui fit perdre sa chaire ; il partit pour Paris où, durant vingt-cinq ans, il dirigea un pensionnat, tout en poursuivant ses travaux littéraires. Incompris du public français, il ne trouva chez ses concitoyens que de rares admirateurs. Les Suisses ne retiennent guère de lui que des strophes patriotiques. Fidèle jusqu'au bout à sa terre ingrate et « sacrée », il passa les dernières années de sa vie dans son chalet alpestre de Gryon. Il mourut en 1876.

Voir les Œuvres choisies de Juste Olivier, publiées avec une notice d'Eugène Rambert, 2 vol., Lausanne, 1879.

Lire C. Delhorbe, Juste et Caroline Olivier *(édition Attinger, Neuchâtel et Paris, 1936).*

L'art n'est pas un domaine où l'on doive tenir compte des intentions, mais bien des réussites. Pourtant l'intention d'Olivier, qui fut de créer une poésie romande, mérite qu'on s'y arrête.

Ce lyrisme alpestre et religieux dont nous venons de donner la formule, c'est précisément le sien. Ce fils de paysans a reçu de la terre natale, plus directement qu'aucun de ses concitoyens, « l'inspiration rêveuse et grave, relevée de bonhomie doucement malicieuse, qui donne à sa poésie une saveur si originale, une saveur unique » (Ph. Godet). Ce n'est pas peu de chose que d'avoir renouvelé l'hymne patriotique, en le délivrant, ou à peu près, de la banalité. Ce qui est mieux encore, c'est d'avoir cherché et trouvé le « génie du lieu », comme disait Olivier, d'avoir peint en touches simples, larges et vraies, comme dans l'idylle

du *Messager*, l'aspect des campagnes romandes ; et surtout — c'est là, son originalité — d'avoir tiré des légendes et des traditions locales un trésor tout neuf de poésie (*Voile de neige, la Belle passant au soir*, etc.), d'avoir dégagé des chansons et des ritournelles populaires la pensée qu'elles contiennent en germe. D'un bout de refrain comme « Frère Jacques » ou « Compagnons de la marjolaine », Juste Olivier fait l'expression des thèmes éternels dont se nourrit l'âme humaine. « Cela est nouveau en France, nouveau en Allemagne, nouveau partout », s'exclamait Vinet. Et toujours, à la fin de ses *Chansons*, un doigt levé vers le ciel, la hantise du grand mystère :

> Il n'est pas là tracé pour rien
> Le chemin de toute la terre.

Juste Olivier fut l'interprète le plus pieux de son pays et de sa foi, de sa terre et de son ciel ; mais un interprète un peu gauche, un peu contourné, à qui fait trop souvent défaut l'aisance du vers et de la période.

AUTRES POÈTES ROMANDS JUSQU'A 1900

Voir l'anthologie intitulée Chants du pays, *Lausanne, 1904.*

Que les thèmes alpestres, la gravité morale et la sève mystique d'un Juste Olivier — avec moins de fantaisie — caractérisent d'autres poètes romands, les Vaudois surtout, on s'en rendra compte en lisant les recueils d'Eugène Rambert (1830-1886), d'E. Bussy (1864-1904), et de Henry Warnery (1859-1902), dont le *Tristan sur les eaux* (dans *Aux vents de la vie*, 1904) est un très émouvant poème. Chercheurs de vérité — tels nos critiques et moralistes — tout autant que poètes, ils édifient plus qu'ils ne charment. Ils ont plus d'idéal que de métier, moins de tempérament que d'élévation.

Un bohème, un Fribourgeois qui a couru l'Europe, goûté à la vie parisienne et aux fantasmagories germaniques, Étienne Eggis (1830-1867), fait, au regard de ces sages lyriques, figure de solitaire. Vers la fin du siècle enfin, c'est Genève qui révèle deux talents d'espèce nouvelle : Louis Duchosal (1862-1901), le premier et l'un de nos rares symbolistes, le seul poète romand qu'inspirent sa douleur et ses amours déçues ; et Édouard Tavan (1842-1919), ciseleur de vers, patient imitateur des Parnassiens. Il fut en retard sur son époque, si l'on veut, comme tant d'autres écrivains de ce pays. Mais, à partir de Tavan, le « métier » du vers est mieux connu et mieux pratiqué en Suisse romande. Il s'établit dès lors un lien visible entre Paris et Genève, et les poètes de la Suisse subiront d'année en année les modes et les disciplines d'outre-Jura.

ROMANS ET NOUVELLES

« Ce n'est point ici un roman, et quiconque y chercherait ce conflit de grandes passions d'où naissent des émotions puissantes, cette rapide succession d'aventures où tour à tour s'aiguise et se repaît la curiosité, serait frustré dans son attente. » Ces lignes, que Tœpffer écrivait en tête du *Presbytère*, pourraient servir d'avant-propos à la plupart des œuvres d'imagination qui furent écrites en Suisse romande. Il est bizarre, en effet, que le goût de l'observation morale ait si peu favorisé un genre dont l'essence est cette observation. Sans doute le jeu des passions fut-il compris en ce milieu protestant de façon trop sérieuse. Plus que le don inventif, c'est la hardiesse qui a fait défaut, et cette sociabilité aimable qui incita tant de Français à l'étude des sentiments d'autrui. Une libre curiosité, un certain détachement en matière de morale sont apparemment nécessaires pour décrire de façon vivante et complète les conflits intérieurs. Or, chez les auteurs romands du XIXe siècle, il y a plus de conviction que de détachement. On cherche moins à troubler l'âme qu'à lui donner une solide raison de vivre. Le roman de mœurs locales — idyllique et pittoresque — que cultivèrent si fort les écrivains romands, vise presque toujours à la louange des bonnes mœurs. L'observation y est décidément trop bienveillante pour être vigoureuse. Et l'allure du récit est souvent ralentie par le plaisir que prend le romancier — promeneur solitaire — aux spectacles de la nature.

RODOLPHE TŒPFFER

Humoriste, moraliste, esthéticien, touriste, dessinateur, caricaturiste, romancier, Tœpffer fut tout cela, et pédagogue aussi, mais combien séduisant ! Fils du peintre Adam Tœpffer, originaire de l'Allemagne du Sud, il est né à Genève en 1799. Une maladie des yeux l'empêcha de se vouer à la peinture. Il enseigne la littérature à l'Académie et dirige une institution. C'est pour divertir ses élèves qu'il compose ses fameux Albums et ses Voyages en zigzag (1844 et 1854). Ses Nouvelles genevoises datent de 1840. Ses principaux romans sont : le Presbytère *(1839),* Rosa et Gertrude *(1847). Il a discuté maintes questions d'esthétique dans ses* Réflexions et menus propos d'un peintre genevois *(1839-1847). Il mourut en 1847.*

Lire Paul Chaponnière, Notre Tœpffer, *Lausanne, 1930. —* Voir Nouvelles, romans, albums et inédits *de Tœpffer dans l'édition Skira, Genève, 1943 et suiv.*

« Socrate flâna des années, écrit Tœpffer ; Rousseau, jusqu'à quarante ans ; La Fontaine, toute sa vie. » Les œuvres de Tœpffer sont nées de la plus charmante flânerie ; par où il faut entendre la promenade autour de sa chambre, autour de sa ville et parmi les montagnes de Savoie et de Suisse : voyage en zigzag, plaisir des rencontres fortuites et des honnêtes aventures, mais aussi méditation sur le bonheur, « qui est toujours chose relative », examen de conscience quotidien, retour à la plus simple, souriante et bourgeoise sagesse. Voyez ses personnages : Jules, dans *la Bibliothèque de mon oncle*, qui est Tœpffer adolescent. Il ouvre un livre, tisonne, regarde par la fenêtre, fait l'éloge des rêves inutiles. Ne vous y trompez pas. L'âme reste au gouvernail. C'est la nature et le bon Dieu qui commandent l'équilibre... On travaille à se perfectionner. Ce petit bossu, dans *la Traversée*, qui voulait être général ou grand avocat, ses ambitions et ses déceptions ne l'empêchent guère de se ménager, comme il convient, une existence modeste. Écoutez Rosa et Gertrude, au milieu de la folle équipée où le pasteur Bernier leur apporte le salut : « Elles s'étaient promis... que si jamais Dieu leur accordait la grâce de les faire rentrer, avec le comte, au sein de leurs familles, elles feraient trêve aux exaltations passionnées de leur jeunesse, pour chercher une félicité solide dans les choses bien simples où l'épreuve leur avait appris qu'elle se rencontrait. » Ce contemporain des romantiques enseigne comment on réprime l'exaltation, comment il faut revenir, tôt ou tard, à l'humble activité, rentrer à la maison.

Mais ce bourgeois, ce pédagogue est le plus plaisant du monde. Il s'amuse plus qu'il ne prêche, s'égaie plus qu'il ne condamne. Citoyen d'une modeste république, il se divertit de toutes les prétentions. Ce qui déchaîne sa verve, c'est l'effort que tant d'autres, à tous les échelons de la société, accomplissent pour sembler au-dessus de leur condition. Il n'est pas de récit où, avec un « humour » intarissable, il ne déclare la guerre au « bourgeon », comme il dit, c'est-à-dire à l'enflure et à la suffisance. Mais où

DESSIN DE TŒPFFER extrait de son « Voyage à la Grande-Chartreuse » (Boissonnas éditeur, Genève). — CL. LAROUSSE.

trouverait-on de l'amertume ou de la haine dans ces pages où défilent les sots, les blasés, les pédants de sa chère cité ?

Un flâneur, un promeneur, un ami des paysages, c'est ce qu'il fut essentiellement. Après *la Nouvelle Héloïse* et les *Confessions*, ce sont les *Voyages en zigzag* qui révélèrent la poésie des excursions pédestres, « l'échappée d'une quinzaine à Chamouny » (Sainte-Beuve). Une nature souriante et variée, une ville pleine d'originaux, le charme d'un cœur jeune, que rien ne lasse — pas même des plaisanteries quatre fois répétées — voilà ce qu'évoquent tous les récits de Tœpffer, qui ne ressemblent exactement à rien dans la littérature. En dépit de quelque préciosité, de cet humour trop insistant, de certains archaïsmes et de maints néologismes (dont plusieurs ont cependant leur charme), cette œuvre est la plus aimable que nous laisse la première moitié du XIXe siècle.

La même fidélité au sol, le même bon sens, cette même certitude que l'air vif et frais des montagnes élève et simplifie l'âme, nous les retrouvons chez Eugène Rambert, dont le grand ouvrage, *les Alpes suisses* (1888-1889), contient, avec beaucoup de considérations botaniques et littéraires, de fraîches idylles rustiques : « le Chevrier de Praz-de-Fort », « la Marmotte au collier », « les Cerises du vallon de Gueuroz ».

Mais l'héritier de Tœpffer, celui qui a fait vivre comme lui, avec plus de verve, plus d'émotion encore, le sérieux dans la fantaisie, les gens et l'esprit d'*une* ville et d'*une* campagne, c'est un autre Genevois, Philippe Monnier

PHILIPPE MONNIER

Fils du critique Marc-Monnier, il est né à Genève en 1864. Érudit et humaniste, il a laissé deux étincelantes peintures d'histoire, le Quattrocento *(1901) et* Venise au XVIIIe siècle *(1907). Le reste de son œuvre consiste en nouvelles et croquis de Genève :* Causeries genevoises, *le* Livre de Blaise, *etc. Il est mort en 1911.*

Lire Mon village, *dans la Collection helvétique (Genève et Paris, 1919), avec une notice de Paul Seippel. Sur Monnier, voir aussi la belle étude de Ph. Godet (*Pages d'hier et d'avant-hier, *1921).*

Grâce à lui, dit Godet, « la figure de Genève dans le passé, la mission de Genève à l'heure présente, le vieux Collège et son rôle séculaire, les particularités des mœurs genevoises, les antiques vertus nationales, la beauté des sites, les traits distinctifs de la race, toutes ces choses ont revêtu pour nous un aspect nouveau, une physionomie nettement caractérisée, qui désormais s'impose et vit, non plus comme le rêve d'une imagination brillante, mais

VICTOR CHERBULIEZ. — CL. PIROU.

EDOUARD ROD. — CL. NADAR.

naîtra en Rod, et peut-être en son aîné, Cherbuliez — pour ne choisir que deux exemples — la marque de l'esprit romand.

VICTOR CHERBULIEZ

Victor Cherbuliez est né à Genève en 1829. Le succès d'un petit livre de causeries, en 1860, lui ouvre la Revue des Deux Mondes. *La catastrophe de 1870 lui inspire la décision de devenir Français. De nombreux romans « cosmopolites » ont fondé sa réputation. Il entre à l'Académie française en 1881. Il mourut en 1899.*

« Je sais bien que la vie est une personne sérieuse, mais elle n'est pas collet monté, et il ne lui déplaît pas qu'on sache par instant jouer avec elle. Assurément celui qui a créé le monde n'est pas un pédant. » Ainsi parle tel personnage de Cherbuliez; ainsi parlerait-il lui-même. Ce n'est pas le ton de Rod, ni en général celui des écrivains romands. En voici un pour qui l'invention romanesque est un plaisir, la psychologie un amusement; sur qui ne pèse ni une tradition ni la mode — Cherbuliez, le croirait-on? est un contemporain des naturalistes —; qui semble ne rien prouver, et surtout ne se confesse point. « Les vaudevilles ont leurs lois, dit-il, et la vie a les siennes, qui la dispensent d'observer les vraisemblances. » Il sait aussi que la logique ne se mêle pas de gouverner le cœur des femmes. Ce qui lui permet de créer une foule d'êtres plaisants, de leur suggérer des propos spirituels, des sentences délicieuses et des gestes fantasques. A lui tout seul, il acquitte notre dette pesante envers la folie. Il est à l'aise dans toute l'Europe, parmi les coureurs de dot et les chercheurs d'idéal, les paladins au geste large et les timides précepteurs, tous ces personnages qu'il met en scène dans *le Comte Kostia* (1863), *Ladislas Bolski* (1869), *Samuel Brohl et C*^{ie} (1877), et même à Genève, dans la famille de *Paule Méré* (1864). Au reste, ces marionnettes bizarres ne portent pas toujours ni très fort l'empreinte de leur race. Mais comme l'auteur sait tirer leurs ficelles, comme il varie et complique leurs gestes, et comme elles se meuvent!

Est-ce de Genève peut-être qu'il garde ces préférences cosmopolites, cette « hospitalité » de la fantaisie? C'est bien, en tout cas, de l'inspiration raisonnable et bourgeoise des Genevois qu'il tient, non pas sa « divine facilité de bien faire », comme dit un personnage de *Jacquine Vanesse*, mais le propos habilement caché de tous ses romans : nous inspirer « la sainte horreur des exaltations maladives, des sottes chimères, des modes absurdes et des engouements ridicules » (V. Rossel). Il emporte spirituellement son lecteur dans le bleu, mais pour lui rendre, à la fin de chaque histoire, un cœur assagi, satisfait d'un bonheur « qui est toujours chose relative ». Il n'est pas difficile de discerner en Cherbuliez un fils de Tœpffer, qui émigra.

comme une réalité historique ». Ce n'est pas l'imagination, en effet, qui fait l'éclat de ses narrations. Comme la plupart des Romands du siècle passé, il ne sait guère inventer des personnages ni des aventures. Il est peintre avant tout, peintre myope et minutieux; ces figures qu'il évoque, de collégiens, de paysans, de citoyens sérieux et responsables, il les a toutes vues. Leurs conversations, à l'école, à l'auberge, sur le banc de la ferme, il les a toutes entendues. S'il les abrège, c'est à peine s'il les stylise. Mais, humaniste et poète à la façon d'Horace, il les orne en marge parfois d'un souvenir classique : sans appuyer, par simple plaisir de marier le charme d'élégantes réminiscences à la fraîcheur des plus modestes réalités. Il sait imiter, quand il faut, et avec quelle amène ironie! la langue pauvre et précise du patricien genevois; en a-t-il besoin pour révéler les gens de son village, il use bonnement des mots du cru. Qui l'en empêcherait? N'a-t-il pas cette grâce d'allure qui se fait tout pardonner? N'est-ce pas du pays qu'il parle, et pour ceux du pays? Mais les œuvres de Monnier représentent mieux encore qu'une parfaite littérature locale. La qualité de son émotion et la couleur de son style font de lui, malgré la phrase sautillante et certaines mièvreries, un des grands évocateurs de la terre natale.

Quand le sol, les originaux d'une cité, le « pittoresque » pour tout dire, ne tiennent pas le premier rôle dans les œuvres d'imagination de la Suisse française, c'est « la crise d'une âme solitaire » qui en fait le sujet. Plusieurs des romans les plus typiques ne sont qu'une manière de *Journal intime*. L'auteur, ici encore, invente moins qu'il ne se raconte : recherche, angoisse, demi-certitude où l'on parvient. C'est un livre d'aveux qu'il prétend faire, « et qui, par sa sincérité, aide quelqu'un peut-être à vivre ». De cette « inquiétude protestante », nous trouvons la noble expression dans *le Chemin d'espérance* de H. Warnery, par exemple (1899), et dans *le Testament de ma jeunesse* de Samuel Cornut (1903). C'est à cette espèce de narration qu'il faut rattacher deux ouvrages antérieurs, les *confessions* pessimistes d'Édouard Rod : *la Course à la mort* (édition de 1886) et *le Sens de la vie* (1889).

Il nous reste à mentionner, en effet, une dernière catégorie de romanciers, dans le vrai sens du terme. Ceux-là se sont « déracinés »; ils ont « porté de l'eau à la Seine »; ils ont fait carrière d'écrivains français. Mais on recon-

ÉDOUARD ROD

Né à Nyon (Vaud) en 1857, il vint à Paris dès 1878. Le jeune romancier, familier de Zola, hôte des soirées de Médan, traverse d'abord une phase naturaliste, dont il ne nous reste que des œuvres maladroites. De 1886 à 1893, Rod enseigne à Genève les littératures comparées, puis l'histoire de la littérature française. C'est durant cette période que le romancier se fait connaître. Il retourne à Paris en 1893; il meurt en 1910. — Lire C. Delhorbe, Éd. Rod., *s. d.*

Nous n'insistons pas sur un style gris et sans beaucoup de charme, qui fut celui des premières œuvres d'Édouard Rod, mais bien sur ce goût des crises de conscience où s'exerça de façon assez exclusive son talent. « Je cherche, je songe, je crois, je doute, je vis, comme si hier ne m'avait pas trompé sans cesse, comme si demain devait m'apporter quelque chose », dit le triste héros de *la Course à la mort*. Édouard Rod, lui, a appris à traiter des thèmes subtils et dangereux, à inventer et à varier les aventures sentimentales; mais il y fait intervenir l'obligation morale plus volontiers que l'instinct. La poursuite du désir, dans un Michel Teissier comme en d'autres personnages, est nécessairement accompagnée et suivie du scrupule, du remords ou du dégoût. La « lutte d'une conscience honnête et digne contre une passion plus forte, le combat de l'amour du bien contre le mal », tel est son domaine. Curieux, il pénètre dans ce monde où le roman parisien cherche ses personnages; il ne s'effraie de rien, il s'acclimate, mais demeure plus austère qu'un autre et hanté par le devoir. Au reste, dans ses derniers récits, Édouard Rod revient à la terre de ses origines. Les conflits moraux, c'est dans son pays qu'il les situe, en accordant plus de place qu'il n'avait fait en ses premiers ouvrages à la nature et aux mœurs locales.

LA PÉRIODE CONTEMPORAINE

Voir : P. Kohler, Histoire de la Littérature française, t. III, *Lausanne, 1949; Charly Clerc*, Évolution de l'esprit romand, *Aarau, 1933. Lire C.-F. Ramuz :* Œuvres complètes, *1940 et suiv., éd. Mermod, Lausanne.*

L'esprit des lettres romandes, autant que le métier littéraire, ont subi au cours des quarante dernières années une visible évolution. Le didactisme, le souci de morale, l'éclectisme — l'esprit protestant, si l'on veut — ne se font plus sentir au même degré.

En critique, reconnaissons pourtant que Paul Seippel, l'auteur des *Deux Frances* (1905), s'est rattaché à la tradition de Vinet; et que M. Maurice Muret représenta, avec infiniment de souplesse, cette classe d'*interprètes* romands dont nous avons parlé. Mais ce rôle d'intermédiaires n'est plus autant, semble-t-il, à la mode. Dans la mesure où se sont multipliées avec la France les relations littéraires, on a perdu le goût, en Suisse romande, de s'abreuver à deux sources. Ce pays souhaite d'être autre chose que le carrefour des peuples, le lieu d'accueil et de transplantation des littératures : simplement une terre de langue française.

Naguère, en fait d'œuvres dramatiques, nous n'avions que les pièces de René Morax, jouées à Mézières dans le Jorat — synthèse ingénieuse de tous les arts —, inspirées surtout par les légendes et l'histoire des pays suisses. Aujourd'hui, plusieurs écrivains vouent leurs efforts au théâtre, en divers genres, de la pièce gaie au mystère chrétien.

Quant aux poètes, de plus en plus ils trouvent la forme aisée qui manquait à tant de leurs prédécesseurs. A défaut de puissance tragique — un Verhaeren n'a point surgi de ce sol trop heureux —, ils montrèrent le sens de l'intimité. Il en est qui, « prolongeant plus ou moins, et souvent à leur insu, une habitude héréditaire, ont transposé sur le mode lyrique leurs examens de conscience avec une émouvante sincérité » (A. Rheinwald). Comme ce fut le cas de Henry Spiess, dont le vers fluide et musical procède avant tout de Verlaine. Comme Verlaine aussi, il s'élève, puis retombe. Et plus volontiers qu'Amiel, ce Genevois accueille tous les dieux tour à tour, et se prosterne en tous les temples.

A lire Spiess et d'autres contemporains (Piachaud, Girard, d'Éternod), on éprouve qu'un paganisme, parfois inquiet et hanté de l'ancienne certitude, succède à l'inspiration grave et chrétienne des poètes romands du XIXᵉ siècle. Au cours de ces dix dernières années, la poésie romande est plus vivante et plus abondante que jamais (Gust. Roud, Gilbert Trolliet, Edm. Jeanneret, P. Beausire, J.-P. Zimmermann, etc.).

La Suisse française produit plus de peintres, d'évocateurs du terroir et de la race que de romanciers proprement dits. Les croquis, les essais sur le paysage et la cité tiennent plus de place dans ses revues que les récits où l'on fait vivre des âmes. Chacun des cantons qui la composent a trouvé son ou ses interprètes. Les *Cités et pays suisses* de G. de Reynold sont le plus bel hommage rendu à toute la patrie. Et il y a d'autres noms à citer (Ziegler, Buenzod, Rheinwald), qui font discerner cette couleur très particulière à la littérature romande, et reconnaître les authentiques descendants de l'auteur des *Rêveries*.

Dans ses romans genevois, L. Dumur raillait l'esprit et les mœurs d'une ville qu'à Paris il ne put oublier : *odi et amo.* Dans ses romans vaudois, B. Vallotton n'a songé qu'à dire la bonhomie, la sagesse innée et l'honnêteté naturelle d'un petit peuple qui est le sien. Il choisit la manière qui plaît au grand public et dans la région même, usant volontiers de la sentence pittoresque, avec l'intonation du cru.

Quant à C.-F. Ramuz(1878-1947), Vaudois lui aussi, rien que Vaudois, le plus grand et le plus vigoureux des écrivains romands, son objet est encore, avant tout, d'*exprimer* un terroir : le pays du Rhône et du Léman. Il ne songe pas à émouvoir ni à divertir au moyen du « pittoresque », du « savoureux ». Il s'est cherché un style. Il se propose, gageure difficile, d'être écrivain français en demeurant l'homme du vignoble de Lavaux. Les gens de son pays ont une démarche particulière, une façon à eux de manier

Charles-Ferdinand Ramuz.

le « fossoir » : pourquoi l'écrivain d'ici s'efforcerait-il, pour décrire cette terre, ces paysans, à une aisance, à une élégance étrangères ? « Qu'il existe un jour un livre, un chapitre, une simple phrase, qui n'aient pu être écrits que chez nous, parce que copiés dans leur inflexion sur telle courbe de colline ou scandés dans leur rythme par le retour du lac sur les galets d'un beau rivage, quelque part, si l'on veut, entre Cully et Saint-Saphorin, que ce peu de chose voie le jour, et nous nous sentirons absous. »

Toute l'œuvre, considérable, de Ramuz tend à réaliser ce vœu. Nul conteur, nul poète de ce pays n'a dit l'aspect des êtres et des choses de sa contrée avec une aussi hallucinante exactitude. Par là, par cette manière rustique et voulue, et par son attachement païen à la terre, au visible, Ramuz brise et renouvelle la « tradition romande », mais sans se rattacher pour cela à nulle tradition française. Il reste, lui aussi, et dignement, en marge. — A sa suite, il convient de nommer le Valaisan Zermatten, et le généreux conteur qu'est C.-F. Landry.

Un autre progrès, dans les lettres romandes, c'est l'apparition du roman psychologique, représenté surtout par Jacques Chenevière, R. de Traz et plus récemment par Bernard Barbey, Clarisse Francillon et J. Mercanton. Avec eux, nous voici très loin des singularités régionales, des personnages primitifs, instinctifs de Ramuz, comme de ces âmes simples auxquelles s'attachaient de préférence les narrateurs suisses. Les conflits intérieurs, vécus ou imaginaires, ils les abordent hardiment, sans autre but que de décrire, sans penser à se raconter eux-mêmes pour édifier ou attendrir.

Nous avons aujourd'hui en terre romande une éclosion du roman catholique, du récit mystique (Monique Saint-Hélier, Lucien Marsaux). C'est Fribourg qui revit, sous la plume narquoise et habile de R. de Weck, et surtout de Léon Savary. Nous avons le roman poétique, fantaisiste, avec Pierre Girard et Jean Marteau. Et puis, le roman pathétique, le conte d'anticipation scientifique, présenté par Mme Noëlle Roger; d'autres variétés encore. Horizon élargi, clavier plus étendu, comme on le voit. Aujourd'hui, la Suisse romande tient largement sa place dans les lettres françaises.

III. — AU CANADA

Le Manuel d'histoire de la littérature canadienne de langue française *de Mgr Camille Roy, Montréal, 11e édition, 1946, est un excellent guide.*

La Vie de l'esprit au Canada français, *par Mgr Émile Chartier, Montréal, 1941, contient un clair exposé du développement de la littérature canadienne de 1760 à nos jours.*

Consulter aussi : Edmond Lareau, Histoire de la littérature canadienne, *Montréal, 1874; Charles ab der Halden,* Études *et* Nouvelles Études de littérature canadienne-française, *2 vol., Paris, 1904 et 1907.*

Pour la période antérieure à 1850 les textes essentiels ont été recueillis par J. Huston dans le Répertoire national ou Recueil de littérature canadienne, *Montréal, 4 vol., 1848-1850. — Voir : Camille Roy,* Nos origines littéraires, *Québec, 1909, et Séraphin Marion, les* Lettres canadiennes d'autrefois, *4 vol., Hull, 1939-1944.*

Outre un bon choix de textes, on trouvera dans l'Anthologie des poètes canadiens de Jules Fournier et Olivar Asselin, Montréal, 1920, 3e édition remaniée, 1933, des indications biographiques et bibliographiques très complètes.

Dans son Histoire de la littérature canadienne-française, *Montréal, 1946, Berthelot Brunet établit, entre les écrivains canadiens et ceux de France, des rapprochements intéressants.*

On entend par littérature canadienne-française l'ensemble des œuvres produites par les descendants des soixante mille colons français établis sur les bords du Saint-Laurent, qui devinrent sujets britanniques en 1763. Cette production fut peu abondante pendant les quatre-vingts premières années qui suivirent la cession; c'est qu'il fallait vivre d'abord, et, pour vivre, lutter. Louis XV avait mis sous la protection d'un traité les droits essentiels des sujets qu'il abandonnait; mais cette protection était faible. De 1763 à 1774, l'Angleterre, en imposant aux fonctionnaires le serment du *test*, élimine les Canadiens de l'administration. Elle tente également de substituer la législation anglaise aux anciennes coutumes. Sur ce point, la résistance fut unanime. Sous la direction de leur clergé et de leurs anciens avocats, les Canadiens assurèrent eux-mêmes le fonctionnement de la justice dans leur langue et conformément aux lois civiles françaises. S'il existe une nation canadienne, et par elle une littérature canadienne de langue française, c'est à ces premiers lutteurs qu'on le doit.

LE MOUVEMENT INTELLECTUEL
DE 1763 A 1840

Le plus ancien et presque le seul dont les écrits nous soient parvenus est Pierre Du Calvet, descendant d'une famille noble de huguenots français. Après avoir été poursuivi comme conspirateur par le général Haldimand, gouverneur de Québec, puis enfermé pendant trente-deux mois dans la prison militaire de cette ville, il franchit l'Atlantique pour aller défendre sa cause à Londres, et y lança, en 1784, son *Appel à la justice de l'État*. Ce sont les *Verrines* canadiennes. L'éloquence de ce pamphlet est toute nourrie de réalités : les détails vécus, les anecdotes, les tableaux de mœurs y abondent. Du Calvet a fait une peinture violente de la vie à Québec sous le régime militaire des premiers temps : régime de « justice sabrante », d'espionnage, de dragonnades, d'exactions, de corvées arbitraires auxquelles les Canadiens devaient se soumettre sous peine d'être « claquemurés dans une indigne prison... Pauvres Canadiens, bridés, emmuselés, entravés et fouettés ainsi sans pitié sous le garrot! » L'ironie, les invectives hautaines, d'amples et puissants mouvements oratoires animent d'une passion continue cette première œuvre marquante de la littérature canadienne.

Mais c'est seulement à partir de 1791, lorsque chacune des deux provinces (Haut et Bas-Canada) eut été pourvue d'un simulacre de régime parlementaire que l'éloquence canadienne put se former et trouver son emploi. Dès le mois de décembre 1792, on voit Pierre Bédard, Antoine Panet, Joseph Papineau s'élever avec énergie contre la motion du député anglais Richardson, qui avait proposé que la langue anglaise fût seule reconnue comme légale; et le 21 janvier 1793, à la suite d'un discours très habile et très digne prononcé par Alain Chartier de Lotbinière, il fut décidé que les documents parlementaires seraient écrits dans les deux langues. La cause du français fut sauvée ce jour-là.

Le grand nom de l'éloquence canadienne dans la première moitié du XIXe siècle est celui de Louis Papineau (1787-1875). De sa haute taille, de son geste fier, de son regard impérieux, de sa voix puissante, ce tribun dominait l'Assemblée du Bas-Canada dont il fut président de 1815 à 1838. Son éloquence était solennelle, un peu théâtrale, coupée d'explosions de colère et d'amers sarcasmes. Il avait choisi ses modèles parmi les orateurs de la Révolution française, et on l'appelait « le Mirabeau canadien ».

A travers les agitations politiques, le souci de la culture française persistait dans les hautes classes de la société. Il y avait à Montréal, à Québec, et même dans d'humbles bourgades, des salons et cercles littéraires. C'est un fait

LA PREMIÈRE SÉANCE DU PARLEMENT CANADIEN (décembre 1792). Violente discussion au sujet de l'emploi de la langue française. Tableau de Charles Huot décorant la salle des séances de l'Assemblée législative à Québec. — CL. LAROUSSÉ.

notable que le premier journal français qui ait existé au Canada se soit appelé *la Gazette littéraire* (1778). Autour de cet organe on voit se grouper, sous le nom d'« Académie littéraire de Montréal », un certain nombre d'hommes qui se préoccupent « de devenir savants ». Or cette culture est dominée par l'influence continue de la France.

On a singulièrement exagéré, en effet, l'isolement où la cession du Canada à l'Angleterre aurait réduit les Canadiens. Sans doute, le peuple ne lisait guère; mais les lettrés suivaient fidèlement, quoique avec un peu de retard, l'évolution du goût français. Ils avaient connu Rousseau et Bernardin de Saint-Pierre et Beaumarchais bien avant la fin du XVIIIe siècle. Très vite le *Génie du christianisme* a chez eux de fervents admirateurs. Mme de Staël leur apprend que « la littérature exprime le tour d'esprit des nations », et que « les lettres fondent la liberté »; et ils s'enthousiasment pour ces formules qui sont pour eux un programme de littérature nationale. Dès 1817, le commerce de la librairie française est organisé à Québec. On lit avec avidité les ouvrages anciens et nouveaux, surtout ceux des poètes; et la jeune poésie canadienne entreprend d'adapter à des sujets locaux des formes venues de France.

Peut-être n'est-il pas inutile de noter ici que, en dehors de toute littérature, la poésie apparaît à l'état natif dans quelques chants populaires, en particulier dans ceux où s'exprime l'âme fruste et joyeuse des « forestiers et voyageurs des pays d'en haut ».

> Vive la Canadienne!
> — Vole, mon cœur, vole! —
> Vive la Canadienne
> Et ses jolis yeux doux!

Si l'on met à part ces rustiques chansons, les premières œuvres poétiques canadiennes sont dues à quelques amateurs qui rimaient pour des cercles restreints. Jusqu'aux environs de 1840, on compose beaucoup de vers galants et frivoles qui se rattachent à l'art léger du XVIIIe siècle.

Mais il faut remarquer que les deux principaux représentants de cette veine, le vaudevilliste Joseph Quesnel (1749-1809) et le journaliste Napoléon Aubin (1811-1890) ne sont pas des Canadiens autochtones : le premier est un ancien officier de la marine française, le second est venu de la Suisse romande. Le vrai représentant de la muse canadienne à cette époque est Michel Bibaud (1782-1857), qui publie, en 1830, un recueil intitulé *Épîtres, satires, chansons, épigrammes et autres pièces de vers*. Bibaud se rattache, par son tempérament et sa culture, aux poètes classiques et pseudo-classiques. Il compose ses satires et ses épigrammes à l'imitation des imitateurs de Boileau. Mais il a le bon esprit de représenter les mœurs canadiennes. Si sa peinture est gauche, du moins elle est sincère. Le riche avare qui se nourrit « de gros lard, de lait pris et de sucre d'érable »; le paysan rapace qui, pour aller de la Pointe-Lévis vendre à Québec une poularde ou une oie, risque sa vie en canot à travers les glaçons du Saint-Laurent, ces personnages ont vécu sous les yeux de Michel Bibaud. Il n'est pas jusqu'aux archaïsmes de son vocabulaire qui ne servent à relever d'une pointe de saveur locale son style un peu fade.

Des contemporains ou des successeurs immédiats de Bibaud exploitent une autre veine. Sur les airs de chansons de Béranger ou de Debraux, ils célèbrent la patrie canadienne, ses souvenirs, ses espérances. Une foule de bons citoyens traduisent leurs sentiments patriotiques en strophes pleines d'énergie. Presque tous sont des partisans de Papineau, qui mettent en couplets ce qu'il a déclamé en prose.

Les productions essentielles des grands romantiques français furent connues des lettrés canadiens peu après leur publication en France; mais l'influence ne s'en fit sentir que lentement dans la poésie canadienne. Il semble que du romantisme on n'ait pris d'abord que les oripeaux. D'après un poème satirique daté de

LOUIS PAPINEAU.

1834, le « jeune poète patriote » de Québec, est, alors, une manière de « Jeune France », un épouvantail à bourgeois. Il se fait remarquer par un costume extravagant, prend des poses langoureuses et des airs funèbres, unit au culte d'un moyen âge de fantaisie des convictions antibritanniques et farouchement républicaines :

Oh! c'est un homme à part qu'un rimeur
[patriote!
Il rêve moyen âge et tournois et castel,
Il rêve bachelette et gentil damoisel,
Et le régime sans-culotte.

Le romantisme n'aura de vrais adeptes au Canada qu'à partir de 1840 environ.

DE 1840 A 1900

HISTORIENS, ORATEURS ET PUBLICISTES

*L'*Histoire du Canada *de François-Xavier Garneau paraît de 1845 à 1848, en trois volumes; elle conduit les événements jusqu'à l'année 1792. Une seconde édition parue en 1852 s'arrête à l'acte d'union des Canadas (1840). Garneau en donne une troisième, considérablement remaniée, en 1859. La quatrième, qui est posthume (1883), offre des variantes et des corrections dont la plupart avaient été préparées par l'auteur, mais dont un certain nombre sont de son fils, Alfred Garneau. Dans la huitième (5 vol., Montréal, 1945) chacun des chapitres est suivi d'indications bibliographiques précieuses, mais le texte a été très profondément remanié par M. Hector Garneau, petit-fils de l'auteur.*

Voir : Revue des Deux Mondes, *1853, article de Th. Pavie; abbé H. R. Casgrain :* Un contemporain, François-Xavier Garneau, *Québec, 1866 ; P.-J. Olivier Chauveau,* François-Xavier Garneau, sa vie et ses œuvres, *Montréal, 1883; Gustave Lanctot,* François-Xavier Garneau, *Toronto, 1926.*

Sur l'abbé Ferland, voir un article de Gérin-Lajoie dans le Foyer canadien, *tome III, Québec, 1865.*

Études d'ensemble : Henri d'Arles, Nos historiens, *Montréal, 1921, et Camille Roy,* Historiens de chez nous, *Montréal, 1935.*

De l'opposition parlementaire toujours impuissante et trompée, les patriotes canadiens passent, en 1837, à la révolte armée : d'où une répression violente et l'instauration d'un régime politique destiné à faire rapidement disparaître leur nationalité et leur langue.

Mais la concentration des forces françaises dans la résistance légale fut le signal d'un véritable renouveau littéraire. Le haut-commissaire chargé en 1839 d'enquêter sur la situation du pays, lord Durham, avait déclaré que les Canadiens français étaient « un peuple sans histoire et sans littérature ». Ce mot cruel et injuste eut un retentissement profond. Les Canadiens s'appliquèrent à le démentir. Les trois principaux artisans de cette grande œuvre furent l'orateur Hippolyte Lafontaine (1807-1864), le journaliste Étienne Parent (1802-1874) et surtout l'historien Garneau (1809-1866).

François-Xavier Garneau naquit en 1809 à Saint-Augustin, près de Québec, d'une modeste famille dont l'ancêtre était venu du Poitou, cent quarante-quatre ans auparavant. Au sortir de l'école mutuelle, la seule qu'il ait jamais fréquentée, le jeune Garneau entra comme clerc chez un notaire et acheva son éducation lui-même. Il séjourna à

FRANÇOIS-XAVIER GARNEAU.

Londres et à Paris de 1831 à 1833, puis revint à Québec et consacra à la composition de son *Histoire du Canada* tous les loisirs que lui laissaient ses fonctions de notaire et de traducteur à la Chambre d'assemblée.

La seule histoire du Canada qui existât alors était celle du jésuite Charlevoix, vieille déjà de cent vingt ans : Garneau la reprend pour étendre le récit des faits jusqu'à son époque. Sa documentation est très vaste. On peut dire qu'il connut tous les textes imprimés et ne cessa jamais de se tenir au courant des publications nouvelles. Mais ce qu'il y a de particulièrement remarquable dans cet ouvrage, c'est l'ampleur et la sûreté du plan. Garneau a pour système de présenter les faits « comme par tableaux d'où l'on puisse voir tout l'ensemble d'un coup d'œil ». Cette histoire a l'intérêt d'un drame. Le style a parfois une certaine raideur archaïque, mais il est toujours clair et loyal. Rien de trop : çà et là quelques portraits moraux des grands hommes sont introduits pour expliquer les événements plutôt que pour embellir la narration. Dans un sujet qui prêtait aux descriptions, l'auteur n'en use qu'en cas de nécessité : il est très capable de bien peindre, mais il semble se méfier de l'excès de la couleur. Son dédain pour les détails inutiles et son goût pour une noble simplicité le servent tout particulièrement dans les récits de batailles; les pages qu'il a écrites sur les journées de Carillon et de Sainte-Foye sont parmi les plus lumineuses qu'on puisse citer dans la littérature militaire.

L'idée que Garneau se fait du genre historique est empruntée en partie à Michelet, mais elle répond à ses origines populaires et à son tempérament d'autodidacte. Ce qu'il a voulu écrire, c'est l'histoire du peuple canadien et de son ascension vers la liberté. Par là, son influence morale et politique a été considérable : suivant l'expression de son biographe Chauveau, il a « effacé pour toujours les mots de race conquise, de peuple vaincu ». Il a également donné le signal d'un réveil littéraire. C'est de son *Histoire* que procède une grande partie de la littérature canadienne de la période suivante. Enfin, il a ramené l'attention de la France vers les Canadiens. Des écrivains français, Jean-Jacques Ampère, Xavier Marmier, Adolphe de Puibusque, visitèrent alors le Canada et le firent connaître par divers ouvrages. Au mois de juillet 1855, un vaisseau de guerre, la *Capricieuse*, vint saluer, au nom de la France, Québec et Montréal; et l'officier qui le commandait, M. de Belvèze, affirma dans un discours public que le rétablissement des relations officielles avec l'ancienne mère patrie était dû au livre de Garneau.

En 1861 et 1865 parurent les deux volumes de l'*Histoire du Canada* de l'abbé J.-B. Ferland (1805-1865). Cet ouvrage, qui comprend seulement l'histoire du régime français, est conçu dans un esprit très différent de celui de Garneau. Il en est le complément et la contrepartie. Garneau racontait l'histoire du peuple canadien et il la racontait selon l'esprit de son temps; Ferland écrit l'histoire de l'Église canadienne et l'écrit selon l'esprit même qui a présidé à son établissement et à ses progrès. Le Canada, pour lui, est une « colonie catholique » fondée par la France, et qui fut sauvée par l'organisation religieuse le jour où la France lui manqua.

L'abbé Ferland est un homme d'érudition et de critique : il contrôle sévèrement ses sources, et ne s'arrête qu'aux

« autorités originales », aux témoins véridiques. Sa méthode d'exposition est analytique et non pas constructive comme celle de Garneau. Son œuvre abonde en détails pittoresques sur les premiers missionnaires et sur les mœurs des nations sauvages que les Français étaient venus civiliser. Son style ne manifeste pas une personnalité aussi forte que celui de son prédécesseur : il n'en a pas la brièveté énergique et pleine ; mais il a plus de souplesse et de variété.

L'abbé Henri-Raymond Casgrain (1831-1904) fut le principal animateur du mouvement littéraire de 1860. Son apport fut considérable. Il débuta dans l'histoire, en 1864, par une biographie de cette admirable éducatrice qu'avait été à Québec, au XVIIᵉ siècle, la mère Marie de l'Incarnation. Puis vinrent diverses *Biographies canadiennes* (1866) et l'histoire de quelques grands établissements religieux de Québec. Il consacra ensuite aux Acadiens trois ouvrages dont le premier et le plus important est son *Pèlerinage au pays d'Évangéline* (1885). Enfin, sous le titre de *Montcalm et Lévis*, il donna, en 1891, une étude passionnée sur les derniers jours du régime français. Entre temps, il avait publié des textes historiques : le *Journal des Jésuites* en 1871, et de 1888 à 1891, les *Manuscrits du maréchal de Lévis*, en douze volumes. Il dévoua sa vie aux recherches et y perdit la vue, comme Augustin Thierry, à qui on se plaît à le comparer là-bas.

Mais ce grand lecteur de vieux textes n'est en réalité qu'un homme d'imagination. L'histoire n'est pas pour lui une œuvre de science : il n'en voit que les aspects dramatiques. Il ne lui demande que l'occasion de revivre des journées décisives, de retracer des scènes émouvantes, d'évoquer des héros. Doué d'une imagination brillante et romantique, partial avec candeur, il avait plutôt les dons d'un romancier. Ses légendes canadiennes, le *Tableau de la rivière Ouelle*, les *Pionniers canadiens*, la *Jongleuse*, prouvent qu'il aurait pu être le Walter Scott du Canada. Ses meilleures œuvres sont celles où sa personnalité peut s'étaler à l'aise : tel ce *Pèlerinage au pays d'Évangéline* que l'Académie française couronna en 1888 en louant les mérites d' « un récit simple et clair, écrit en bon style et d'un sentiment tout français ».

La tradition de l'éloquence parlementaire fut dignement continuée, pendant les trente dernières années du siècle, par Honoré Mercier (1840-1894), porte-parole des Canadiens français, orateur vigoureux et net ; Joseph-Adolphe Chapleau (1840-1898), lutteur passionné et émouvant ; Wilfrid Laurier (1841-1919), grand homme d'État et conciliateur habile qui joignait au flegme britannique l'élégance et la précision françaises.

Parmi un grand nombre de chroniqueurs et de publicistes qui vécurent à cette époque, il faut mettre hors de pair un écrivain qui eut un remarquable talent de pamphlétaire : Arthur Buies, le Rochefort canadien (1840-1901). Ses chroniques, écrites en une langue très pure, offrent un mélange savoureux et rare de fantaisie, d'humour, d'ironie mordante et de fine émotion.

ROMANCIERS

Les œuvres issues du grand mouvement littéraire de 1860 ont

PHILIPPE AUBERT DE GASPÉ.

presque toutes été publiées dans les Soirées canadiennes *(revue mensuelle, Québec, 5 vol., 1861-1865), ou dans* le Foyer canadien *(Québec, 8 vol., 1863-1866).*

Voir, au tome II des Œuvres complètes de l'abbé Casgrain (1885), la biographie de Philippe Aubert de Gaspé.

Sur Gérin-Lajoie, voir : Louvigny de Montigny, Antoine Gérin-Lajoie, Toronto, 1925, et Édouard Montpetit, le Front contre la vitre, Montréal, 1936, chap. VII.

Études d'ensemble : Romanciers de chez nous, *par Mʳ Camille Roy, Montréal, 1935, et le Roman canadien français, par l'abbé Albert Dandurand, Montréal, 1937.*

Le plus populaire des écrivains canadiens, Philippe Aubert de Gaspé (1786-1869), ne vint aux lettres que sur la fin de sa vie. Dans sa jeunesse, il avait dissipé une fort belle fortune et avait été incarcéré plusieurs années pour dettes. Il s'était ensuite retiré dans sa belle seigneurie de Saint-Jean-Port-Joli dont ses créanciers lui avaient laissé l'usufruit. C'est là que, âgé de soixante-seize ans, il eut la fantaisie d'écrire un roman, *les Anciens Canadiens* (1862). Tout le Canada s'y reconnut aussitôt, car dans ce livre, dit l'abbé Casgrain, « il n'y a presque pas une ligne qui n'ait sa réalité dans la vie de notre peuple ».

L'intrigue est très simple : c'est l'histoire de deux jeunes gens de race différente à l'époque tragique où finit le régime français. Amis de collège, le Français Jules d'Haberville et l'Écossais Archibald de Locheill sont séparés par la vie et se retrouvent, dans des camps opposés, à la bataille de Sainte-Foye. Puis, la guerre finie, ils se réconcilient : les deux races ne feront qu'une nation ; Jules d'Haberville épousera même une Anglaise. Mais sa sœur ne croit pas que l'honneur lui permette d'épouser Archibald, qu'elle aime et dont elle est aimée. Elle ne peut oublier qu'il a combattu dans l'armée de Wolfe. « Il y a maintenant, dit-elle, un gouffre entre nous, que je ne franchirai jamais. »

Le sujet n'est pas sans grandeur ; mais l'essentiel ce sont les digressions dont le roman abonde. Elles servent toutes à dépeindre les mœurs des anciens Canadiens, principalement celles des paysans. Cette peinture donne au roman une délicieuse saveur de terroir.

Les *Mémoires* d'Aubert de Gaspé (1863) sont comme un complément non romancé de son principal ouvrage. Dans le décor de Saint-Jean-Port-Joli, avec sa rivière fleurie de rosiers sauvages, ses bosquets de sapins, d'aunes et d'épinettes, l'auteur nous apparaît comme une sorte de Montaigne canadien étalant ses souvenirs et sa personne avec la plus souriante bonhomie.

Parmi les autres écrivains qui se sont signalés dans le roman à la même époque, on peut citer Napoléon Bourassa, auteur de l'histoire acadienne intitulée *Jacques et Marie* (1866) ; Joseph Marmette, gendre de Garneau, qui voulut « rendre populaire en la dramatisant » la partie héroïque de l'histoire canadienne ; Joseph-Charles Taché, folkloriste érudit qui, dans ses *Forestiers et Voyageurs* (1863), créa le type populaire du père Michel, le vieux trappeur ;

et surtout Antoine Gérin-Lajoie (1824-1882) qui publia en 1862, dans *les Soirées canadiennes*, son *Jean Rivard le défricheur*. C'est l'histoire d'un jeune homme qui, au sortir du collège, fuit l'existence banale et médiocre des villes, s'enfonce en pleine forêt, défriche le sol, bâtit une maison et finit par fonder tout un village heureux et prospère. Gérin-Lajoie publia ensuite *Jean Rivard économiste* (1864) : on y voit le petit défricheur appliquer, dans le royaume créé par son énergie, des théories qu'inspire un haut idéalisme social. *Jean Rivard* est un roman moral et national; c'est aussi une idylle de couleur très canadienne qui doit à l'inexpérience même de l'auteur le charme d'un tableau de primitif.

Le premier roman d'analyse intérieure qui ait paru au Canada, *Angéline de Montbrun*, date de 1881; il est signé du pseudonyme de Laure Conan (Félicité Angers). Il narre l'histoire d'une jeune fille riche et cultivée qui voit disparaître coup sur coup les deux grands amours de sa vie : son père meurt accidentellement; son fiancé cesse de l'aimer parce que le chagrin et le malheur ont détruit sa beauté. Les sentiments sont étudiés avec une parfaite sincérité, d'où se dégage peu à peu une très fine et très noble émotion. C'est l'arrachement journalier aux souvenirs des jours heureux, les retours désolés vers le bonheur encore possible, la lente ascension vers la paix. Angéline savoure la douceur amère de ne pas oublier celui qui l'oublie. Enfin elle a le courage de sacrifier le passé : elle brûle le portrait de son fiancé d'autrefois et ses lettres. Et par un frileux après-midi d'automne, tandis que le soleil dore les champs dépouillés et que les grillons chantent dans l'herbe flétrie, elle sent naître en elle une funèbre sérénité. Or voici que celui qu'elle allait oublier a fait le chemin inverse : les souvenirs l'obsèdent; il demande à recommencer la vie. Mais Angéline refuse de le revoir. « Le rêve enchanté ne saurait se reprendre », dit-elle. C'est lui maintenant qui portera le deuil de l'amour qu'il a méconnu et du bonheur près duquel il a passé.

LES POÈTES

Poèmes épars de Joseph Lenoir-Roland, Montréal, 1916. Œuvres complètes d'Octave Crémazie, précédées d'une étude par l'abbé Casgrain, Montréal, 1882.
Voir : l'Anthologie de Fournier et Asselin; Marcel Dugas, Louis Fréchette, Paris, 1934; Mgr Camille Roy, Poètes de chez nous, Montréal, 1934; abbé Albert Dandurand, la Poésie canadienne-française, Montréal, 1933; L.-A. Bisson, le Romantisme littéraire au Canada français, Paris, 1932.

Le goût, les sujets, les procédés romantiques furent introduits dans la poésie canadienne par Lenoir-Roland (1822-1861). A partir de 1844, on trouve chez lui les scènes et les décors du romantisme truculent et macabre. Il rime des orientales où ne manque pas un seul des accessoires du genre. Puis vient le bandit brave, sympathique et aimé; puis l'Espagne des résilles et des mantilles. Mais, plus Lenoir-Roland avançait dans la carrière, plus son vers devenait personnel et plus il se rapprochait de la vérité poétique. Il mourut prématurément sans avoir donné sa mesure.

En 1855, un jeune libraire de Québec dédiait aux marins français de la *Capricieuse* une pièce de vers qui est demeurée célèbre, *le Vieux*

Soldat canadien. Octave Crémazie (1827-1879) fut dès lors le poète officiel du Canada; et sa boutique, où il s'occupait beaucoup plus à étudier les livres français qu'à les vendre, devint le centre littéraire du pays et le rendez-vous de tous les intellectuels. Malheureusement, une faillite, compliquée d'opérations irrégulières, l'obligea à quitter le Canada et à se réfugier en France. Il y traîna pendant seize ans une nostalgie atroce, consolé néanmoins par de fidèles amitiés canadiennes et françaises. Il mourut au Havre le 16 janvier 1879, et ses admirateurs lui ont élevé dans le cimetière de cette ville un modeste monument.

Ses œuvres poétiques tiennent en un mince volume, mais elles méritent d'attirer l'attention à cause de leur valeur réelle et de l'influence profonde qu'elles ont exercée. Au moment où sa carrière fut interrompue, Crémazie se dirigeait vers la poésie philosophique et macabre; mais le meilleur de son œuvre est de pure inspiration patriotique. Le sentiment est chez lui beaucoup plus original que la forme. La romance que chante sur les remparts de Québec son vieux soldat canadien fait écho à celle du *Vieux Sergent* de Béranger; mais l'idée du poème est personnelle et la vision est dramatique :

> Voyez sur les remparts cette forme indécise,
> Agitée et tremblante au souffle de la brise :
> C'est le vieux Canadien à son poste rendu.
> Le canon de la France a réveillé cette ombre
> Qui vient, sortant enfin de sa demeure sombre,
> Saluer le drapeau si longtemps attendu.

Crémazie avait le souffle épique d'un primitif : c'était là son véritable talent. On voit, dans *le Drapeau de Carillon*, les longues et pleines strophes de huit vers à rimes alternées s'avancer avec une majestueuse lenteur comme les laisses d'une chanson de geste.

Ce grand lecteur des romantiques n'emprunte rien à leur art. Il semble ignorer la valeur musicale et plastique des mots. Ses périodes poétiques ont la beauté d'une belle prose oratoire. Mais cette forme cornélienne, un peu archaïque, était précisément celle qui convenait à l'épopée canadienne. Il y avait assurément en Crémazie l'étoffe d'un grand poète. Pour remplir son mérite, il lui a manqué trois choses : la formation initiale, un public, et le temps.

En 1863 parut à Québec, sous le titre de *Mes loisirs*, le premier recueil de vers qui eût été imprimé au Canada depuis celui de Bibaud. L'auteur, Louis Fréchette (1839-1908), était un jeune étudiant en droit aux idées hardies

LOUIS FRÉCHETTE.

et porté aux aventures. Il devint dans la suite avocat, journaliste, pamphlétaire d'une violence extrême, et, de 1874 à 1878, siégea au Parlement d'Ottawa sur les bancs de l'opposition libérale. En 1880, il publie son recueil des *Fleurs boréales*, qui est couronné par l'Académie française, et dès lors, considéré comme poète national, il veut effectivement chanter les gloires nationales. Sa *Légende d'un peuple*, recueil de poèmes historiques, parut en 1887 avec un très grand succès auquel les passions politiques n'étaient pas étrangères; mais le poète eut la tristesse, quatre ans plus tard, de voir son recueil intime, *Feuilles volantes*, tomber dans l'indifférence. Sa gloire gênait quelques envieux, et les polémiques ardentes qu'il crut devoir engager pour la réforme de l'instruction publique lui firent de nombreux ennemis. Il mourut en 1908, après avoir préparé, sous le titre d'*Épaves poétiques*, un choix définitif de ses meilleures pièces auxquelles il joignit quelques morceaux inédits et un drame en vers.

Il y avait en Fréchette un excellent poète familier. Les souvenirs de sa jeunesse et les mœurs de son pays lui ont inspiré des pièces émues, spirituelles et sincères, où apparaît sous son véritable aspect la vie canadienne :

Le bonhomme Hiver a mis ses parures,
Souples mocassins et bonnet bien clos,
Et tout habillé de chaudes fourrures,
Au loin fait sonner gaiement ses grelots ;

A ses cheveux blancs le givre étincelle,
Son large manteau fait des plis bouffants ;
Il a des jouets plein son escarcelle
Pour mettre au chevet des petits enfants.

Mais une mélancolie trop cultivée, un goût naturel pour l'éloquence, la pratique du journalisme et l'influence de ses modèles romantiques firent de Fréchette un poète pessimiste, politique, satirique et oratoire. Dans sa *Légende d'un peuple*, ce qui manque le plus c'est l'élément légendaire, mystérieux et poétique. De là vient que, dans un sujet épique en apparence, le ton est presque toujours celui de l'éloquence indignée et de l'hyperbole mordante.

Néanmoins, Fréchette a mérité sa renommée pour avoir introduit dans la poésie canadienne la richesse plastique et la variété rythmique du romantisme. Il s'est imposé à l'attention de la critique française et il a été, au Canada, le chef reconnu de tout un chœur de poètes. Citons, dans le nombre, Pamphile Lemay, ciseleur de sonnets intimes et idylliques ; Adolphe Poisson, harmonieux philosophe rustique ; William Chapman, auteur d'agréables pièces à dire ; Nérée Beauchemin, le chantre délicat et précieux des *Floraisons matutinales*, dont on se rappellera toujours qu'il a célébré la cloche de Louisbourg, filleule d'une reine de France et prisonnière des Anglais :

O cloche, c'est l'écho sonore
Des sombres âges glorieux
Qui soupire et sanglote encore
Dans ton silence harmonieux !
En nos cœurs tes branles magiques
Dolents et rêveurs font vibrer
Des souvenances nostalgiques
Douces à nous faire pleurer.

VINGTIÈME SIÈCLE

LES HISTORIENS

Les ouvrages historiques de Thomas Chapais sont les suivants : Jean Talon intendant de la Nouvelle-France, *1904;* le Marquis de Montcalm, *1911 ;* Cours d'histoire du Canada, *8 vol. publiés de 1919 à 1934. On a également de Thomas Chapais quatre volumes de* Discours et conférences.

Les principales œuvres proprement historiques de Lionel Groulx sont, par ordre chronologique des sujets traités : la Naissance d'une race, *1919;* Lendemains de conquête, *1920 ;* Vers l'émancipation, *1921 ;* Nos luttes constitutionnelles, *1916 ;* la Confédération canadienne : ses origines, *1918 ;* l'Enseignement français au Canada, *2 vol., 1931;* le Français au Canada, *Paris, 1932. La plupart de ses conférences et articles historiques inspirés par l'actualité se trouvent dans les recueils intitulés* Notre maître le passé, *2 vol., 1924;* Orientations, *2 vol., 1935;* Directives, *1937.*

Le substantiel ouvrage de Jean Bruchési, Canada : réalités d'hier et d'aujourd'hui, *donne une claire vue d'ensemble de l'histoire du Canada depuis les origines*

THOMAS CHAPAIS.

jusqu'à nos jours (Préface d'Étienne Gilson, 1 vol., Montréal, 1948).

Le plus illustre représentant du genre historique au cours du dernier demi-siècle a été le sénateur Thomas Chapais (1856-1946). Amené à l'histoire par la politique et très engagé dans la vie active, Chapais a voulu demander au passé des leçons pour le présent. Ainsi s'est-il d'abord attaché à l'étude des deux moments essentiels de la colonie canadienne sous le régime français : celui où elle fut sauvée par l'intelligente et intransigeante énergie de Talon, et celui où elle fut perdue malgré l'héroïsme de Montcalm.

Son principal ouvrage, fruit des recherches et des méditations de longues années d'enseignement à l'université Laval, est un *Cours d'histoire du Canada* en huit volumes. Il se compose d'une suite de leçons dont chacune forme un tout, mais qui sont établies sur un plan rigoureusement ordonné, par où est assurée l'unité de l'ensemble. La forme est très soignée mais très oratoire. Le titre de l'ouvrage n'est pas suffisamment précis et il est trop vaste; car cette histoire du Canada ne comprend que les cent sept premières années du régime anglais et est à peu près exclusivement politique. C'est l'étude de l'évolution constitutionnelle du pays, depuis le jour où il fut séparé de la France (1760) jusqu'à l'avènement de la Confédération canadienne (1867). Les mouvements sociaux, religieux, intellectuels et économiques n'y sont exposés que dans leurs rapports avec la vie politique. L'ensemble forme un tableau magistral de la lente ascension du Canada vers l'autonomie et la liberté, sous l'égide de l'Angleterre. Mais, bien qu'il s'agisse du pays tout entier, l'auteur ne perd pas un instant de vue le fait français. Cette histoire est, avant tout, celle des luttes soutenues et des progrès accomplis par les Canadiens français, depuis l'année sombre de la défaite jusqu'à cette journée radieuse où, dans la ville de Québec en liesse, « un homme de race et de langue française vint présider à l'inauguration d'une législature française, créée par un acte du Parlement d'Angleterre, pour administrer librement une province française formée de tout le territoire qui constituait jadis la partie essentielle de la Nouvelle-France ».

Chapais est un historien d'une probité scrupuleuse qui, sur chaque question, présente exactement tous les faits de la cause, indique ses références, et reproduit, à la fin de chaque volume, le texte des principales pièces dont il a fait usage. Mais, tourmenté par la crainte d'être injuste, et passionnément désireux de comprendre et de faire comprendre les mobiles de tous ses personnages, il semble avoir parfois une indulgence excessive pour quelques-uns qui n'en sont pas dignes. On peut aussi se demander si ce grand parlementaire loyaliste, admirateur enthousiaste de l'Angleterre et de ses institutions, n'a pas tendance à attribuer trop facilement à la générosité anglaise des conquêtes et des progrès qui sont dus, avant tout, à la ténacité des Canadiens et à l'intelligence de leurs chefs.

Une tendance diamétralement opposée se révèle dans les ouvrages du chanoine Lionel Groulx (né en 1878), professeur à l'université de Montréal. Cet ardent théoricien du parti nationaliste français a mis au service de l'histoire un vigoureux tempérament d'orateur et de polémiste,

LIONEL GROULX. — CL. LAROSE.   HENRI BOURASSA. — CL. A. DUMAS.   OLIVAR ASSELIN. — DESSIN D'A. LE MAY.

et a mis l'histoire au service d'une cause : celle de la survivance de la race française en Amérique. Toute son œuvre est comme la préface et l'illustration du credo politique qu'il a solennellement proclamé au Congrès de la langue française de 1937 : « Qu'on le veuille ou qu'on ne le veuille pas, notre État français nous l'aurons; nous l'aurons jeune, fort, rayonnant et beau, foyer spirituel, pôle dynamique pour toute l'Amérique française. »

Mais la réalisation de ce rêve ne lui apparaît que comme le résultat d'un effort unanime et appliqué à toutes les modalités de la vie nationale. « Dépourvus de la puissance du nombre et de l'appoint des grandes forces matérielles et politiques, nous ne vivrons, dit-il, que par l'exceptionnelle énergie de notre armature morale. » La mission de l'historien est donc de tenir en éveil la conscience ethnique de ses compatriotes et de fortifier en eux le sentiment de leur propre valeur. Pour nourrir leur ambition d'une vie collective française indépendante et libre, il doit leur rappeler qu'en face du monde anglo-saxon et américain ils sont supérieurs en tout, sauf — provisoirement — par le nombre. Leur histoire est la plus ancienne, la plus héroïque, la plus pure; leur civilisation est la plus haute et la plus désintéressée; « la France leur a donné la plus harmonieuse et la mieux construite de toutes les langues, la plus précise et la mieux ajustée à la pensée humaine ». Ainsi, contre les forces hétérogènes qui les pressent de toutes parts, contre l'assimilation qui les menace, l'historien dresse toutes leurs fiertés et démontre que l'histoire les justifie. Nous retrouvons ici la pensée qui avait inspiré l'œuvre de Garneau; mais, au lieu de produire une œuvre de sérénité, elle s'étale en une plaidoirie d'où la violence n'est pas exclue. Lionel Groulx a un style sobre et vigoureux, parfois un peu elliptique; il possède l'art d'évoquer les grandes scènes du passé et de découvrir des symboles qui frappent l'imagination; enfin, il a le goût de la langue archaïque et populaire et veut qu'elle soit pieusement gardée. Il s'est exprimé là-dessus en un poème souvent cité :

> Tout noble mot de France est fait d'un peu d'histoire
> Et chaque mot qui part est une âme qui meurt.

PUBLICISTES, CRITIQUES ET ESSAYISTES

Voir : *Jules Fournier*, Mon encrier, *Montréal,* *1922* ; *Olivar Asselin*, Pensée française, *Montréal,* *1937* ; *Édouard Montpetit*, Au service de la tradition française, *Montréal, 1919 ;* le Front contre la vitre, *Montréal, 1936.*

Toute la vie intellectuelle et sociale du Canada français au cours du dernier demi-siècle se reflète dans les très intéressants Souvenirs d'Édouard Montpetit, 2 vol., *Montréal, 1944-1948.*

Grâce aux efforts persévérants de quelques hommes de talent, la presse canadienne, depuis le début du siècle, a puissamment contribué à maintenir la langue pure et à former le goût public. Au cours d'une carrière trop brève, Jules Fournier (1884-1918) a mené une rude bataille contre le culte de l'à-peu-près et la médiocrité satisfaite. En habituant les lecteurs à juger les livres nouveaux non par rapport à d'autres ouvrages canadiens, mais dans l'ensemble de la littérature française, il a ouvert à la critique une voie nouvelle dont elle ne sortira plus. Henri Bourassa (né en 1868), courageux défenseur des droits du français, fondateur du *Devoir* en 1910, a popularisé au Canada le journalisme d'idées. Cette œuvre a été menée pendant trente-cinq ans avec une inlassable énergie par Omer Héroux et Georges Pelletier, dont les articles toujours honnêtement informés, modérés de ton, écrits dans une langue impeccable, ont exercé sur l'élite une influence éducative des plus heureuses. Enfin, Olivar Asselin (1874-1937), qui aima la France comme le plus fidèle de ses fils et épousa toutes ses querelles, a consacré sa vie et son âpre talent à défendre, chez les Canadiens, la vie et la pensée françaises contre l'invasion des mœurs américaines et des idées anglo-saxonnes. Persuadé que ses compatriotes, pour être à la hauteur de la civilisation dont ils se réclament, doivent demander à la France, et à elle seule, le renouvellement de la sève spirituelle qu'elle leur a donnée, il se fit le champion intransigeant de cette idée. Il voyait grand, mais il ne fut compris que d'une élite et mourut à la peine. Les journaux qu'il fonda, *l'Ordre* (1934), *la Renaissance* (1936), vécurent peu, mais accomplirent une œuvre immense et offrirent des modèles de perfection qu'on n'oubliera pas.

Dans une région plus sereine, une action parallèle et non moins féconde a été exercée par un humaniste de grand talent. Professeur d'économie politique, Édouard Montpetit a élevé cette science à la dignité littéraire en des ouvrages que tout homme cultivé lit avec agrément. D'autre part, les substantiels essais où il a consigné ses impressions de voyage et de lecture contiennent des méditations riches de substance sur les réformes que ses compatriotes doivent s'imposer et les moyens qu'ils pourraient mettre en œuvre pour donner à leur pays un caractère conforme à ses traditions. Pèlerin passionné des provinces françaises, il leur a demandé leur grand secret de force et d'harmonie. Le message qu'elles lui ont confié pour la terre canadienne, il l'expose en une langue riche et pure, avec une sensibilité fine et réglée, le souci continuel du vrai et l'art bien français de trouver la formule juste et pleine qui se grave dans l'esprit du lecteur.

LES ROMANCIERS

Outre les études d'ensemble citées plus haut, voir : Louvigny de Montigny, la Revanche de Maria Chapdelaine, Montréal, 1937 ; Louis Dantin, Gloses critiques, deux séries, Montréal, 1931 et 1935 ; Maurice Hébert, D'un livre à l'autre, Québec, 1932 ; — les Lettres au Canada français, Québec, 1936.

L'abondante production romanesque de ces quarante dernières années se répartit en deux catégories : celle des romans historiques et celle des romans de mœurs. Dans la première, les ouvrages de Laroque de Roquebrune et de Léo-Paul Desrosiers méritent une particulière attention.

Robert Laroque de Roquebrune est le romancier des rébellions canadiennes. Son premier roman, intitulé *les Habits rouges* (du nom que les Canadiens donnaient autrefois aux soldats anglais), a paru en 1923. Dans la trame des événements tragiques de 1837, qui lui étaient familiers autant par la tradition orale que par les livres, et qu'il a racontés en un style clair et sobre, le romancier a introduit plusieurs drames de conscience qui rappellent ceux de la tragédie des Horaces. Un des personnages de premier plan est un jeune Canadien ambitieux qui a voulu faire une brillante carrière en s'associant avec les Anglais et qui ne peut résister à l'appel du sang quand il faut choisir entre les « étrangers » et son peuple. Sa sœur, éprise d'un officier anglais, sacrifie son rêve à demi réalisé pour aider les patriotes. On voit même, dans un moment de fatale exaltation, un jeune officier canadien-français de l'armée anglaise manquer à sa parole de soldat, sachant qu'il y risque sa tête, et se joindre à ceux de sa race dont il désapprouve cependant la révolte. L'impression qui se dégage du récit, — et elle est conforme à la vérité historique, — c'est qu'il ne s'agissait pas d'un conflit entre un gouvernement et un peuple, mais bien de la lutte de deux nations impénétrables l'une à l'autre.

La révolte des Métis de l'Ouest contre le gouvernement fédéral (1870-1885) a fourni à Laroque de Roquebrune le sujet d'un second roman historique intitulé *D'un océan à l'autre*. Le personnage central est ce Louis Riel dont l'exécution, très impolitique, fut le signal de l'organisation définitive du nationalisme canadien.

Léo-Paul Desrosiers est le romancier de l'énergie canadienne. Il a débuté en 1931 par un roman de terroir, *Nord-Sud*, dans lequel il reconstituait, avec toutes les ressources d'un folklore patiemment étudié, la vie des paysans de la province de Québec vers le milieu du XIXe siècle. Un autre roman, publié en 1938, *les Engagés du grand portage*, nous offre un tableau puissamment réel de la vie rude, périlleuse et sans pitié des marchands de fourrures dans les immenses solitudes glacées de l'Ouest. Le talent de Desrosiers s'est affirmé définitivement dans *les Opiniâtres* (1941). Le cadre de ce roman est le Canada de 1636, au moment le

plus tragique de son histoire, après la mort de Champlain. Un jeune cadet de famille, à la suite d'un chagrin d'amour, et pour refaire sa vie, a pris le bateau à Saint-Malo pour la Nouvelle-France. Là, il partage l'existence des trois cents colons français qui, dispersés sur de vastes étendues, sans nouvelles de leur patrie dont ils attendent chaque jour une aide qui ne vient jamais, constamment menacés par l'Iroquois hostile, bravent, avec une obstination surhumaine, l'isolement, le froid, le dénuement, le péril quotidien d'une mort atroce. Cette vie de défricheurs, de trappeurs, de pêcheurs et de guerriers toujours en alerte, où les femmes comme les hommes manient la bêche et portent le mousquet, donne au romancier, qui est en même temps un consciencieux érudit, l'occasion de brosser des tableaux très hauts en couleur et où l'on sent que tout est vrai. Après de sanglantes péripéties, dans lesquelles le héros principal a vu deux de ses fils massacrés par les sauvages, la petite colonie est sur le point de sombrer dans le découragement et de repasser en France. Il n'y aura plus de Canada français. Mais alors la nouvelle se répand que le roi a enfin décidé d'envoyer des renforts. Et le récit se clôt sur la description du débarquement des colons et des soldats dans le port de Québec pavoisé aux couleurs de France. Le Canada français est sauvé.

Un heureux emploi des mots anciens et une connaissance étendue du vocabulaire technique donnent à la narration un accent de vérité. Le style dru et robuste de l'auteur s'accorde à la rudesse des temps qu'il décrit.

A partir de 1925 environ, le roman de mœurs a subi l'influence profonde d'un livre écrit par un Français où les Canadiens, à part de notables exceptions, avaient été lents à reconnaître le plus bel hommage rendu au génie colonisateur et à la puissante vitalité de leur race. Suivant le mot d'un de leurs critiques, la *Maria Chapdelaine* de Louis Hémon leur révéla « des merveilles qu'ils avaient sous les yeux depuis trois siècles sans réussir à les voir ». Mais ce chef-d'œuvre définitif était difficilement imitable. Le seul ouvrage important qui soit de la même veine est celui de l'abbé Antoine Savard : *Menaud, maître draveur*. Ce roman est, en réalité, un vibrant poème en prose, l'épopée lyrique de la forêt des Laurentides vendue à des exploiteurs étrangers et livrée à l'industrie dévastatrice sous le regard impuissant de ses premiers possesseurs. L'œuvre entière est une paraphrase ardente d'un passage célèbre de *Maria Chapdelaine*, qui a eu une résonance profonde dans les consciences canadiennes : « Nous sommes venus il y a trois cents ans et nous sommes restés... Autour de nous des étrangers sont venus, qu'il nous plaît d'appeler des barbares : ils ont pris presque tout le pouvoir, ils ont acquis presque tout l'argent; mais au pays de Québec rien n'a changé. Rien ne changera, parce que nous sommes un témoignage. » Menaud, maître draveur de sa profession (c'est-à-dire maître flotteur), et grand chasseur devant l'Éternel, veut que la forêt demeure en sa beauté première et qu'elle ne cesse jamais d'appartenir aux gens de sa race. « Regarde, dit-il à son fils, regarde si c'est beau. Garde ça pour toi et ceux qui viendront... Tout cela vient de nos pères, les Français. » Mais c'est en vain qu'il s'oppose au progrès destructeur, en vain qu'il ourdit une conspiration contre l'usurpateur. Il est vaincu. Alors, brûlé d'amer-

ROBERT LAROQUE DE ROQUEBRUNE.

tume, il part avec le fiancé de sa fille et s'installe en braconnier dans les bois. Là il mourra bientôt de tristesse en répétant dans son délire ces paroles du livre de Louis Hémon : « Des étrangers sont venus..., des étrangers sont venus. »

Ce qui donne à cet ouvrage une exceptionnelle valeur, c'est la vie ardente des personnages dans sa fruste vérité et l'art avec lequel l'auteur a su capter et rendre le caractère de la nature qui les entoure. Sans aucun étalage d'érudition, et uniquement en vertu d'une communion intime avec les choses, il nous donne la description spécifique et la vision exacte de ce plateau laurentien, dont les horizons bleutés s'étendent, depuis trois siècles, sous les yeux d'un peuple qui parle français. En un style qui n'a rien de conventionnel, il restitue, avec ses couleurs, ses bruits, son atmosphère, sa végétation, sa faune, le théâtre où se passe la rude et joyeuse existence des bûcherons de la forêt canadienne et de ses « draveurs » penchés sur l'aviron. Il introduit une province nouvelle dans la littérature française.

En 1933, un grand admirateur et imitateur de Léon Bloy, Claude-Henri Grignon, publia un roman de caractère intitulé *Un homme et son péché*, qui apparut comme le contrepied de *Maria Chapdelaine*. Hémon avait choisi, dans la vie des défricheurs et des colons, ce qui en faisait le caractère essentiel, noble et humain. Grignon, dans un ouvrage d'ailleurs alerte et vivant, où l'on se plaît à rencontrer d'excellentes scènes de la vie paysanne, en a étudié les vices avec complaisance et a dessiné des caractères antipathiques d'un crayon brutal et appuyé. Le personnage principal est un usurier de village qui impose à sa jeune femme une vie d'esclave, l'oblige à se priver de tout, la fait mourir à la peine, et mène ensuite une existence de bête solitaire, traquée et apeurée, jusqu'au jour où il périt dans l'incendie de sa maison en voulant sauver son argent. Ce personnage de Séraphin Poudrier qui, grâce à la radio, est devenu populaire au Canada, est un amalgame assez habile d'Harpagon, de Gobseck et de Grandet; mais à l'égoïsme sans entrailles, aux stratagèmes sournois, à la délectation solitaire, qui sont les caractères éternels de l'avarice, Grignon a donné un cadre rustique et canadien d'une indiscutable vérité.

Il y a plus d'art et une observation plus fine dans la grande fresque rurale intitulée *Trente Arpents* qu'a brossée Philippe Panneton, en littérature Ringuet (1939). Le sujet de ce roman est l'histoire d'une famille de paysans canadiens, et de toutes ses vicissitudes, pendant les dix dernières années de l'autre siècle et les trente premières de celui-ci. Ce qui en fait l'unité, c'est la permanence du personnage principal : la terre, les *trente arpents* qui nourrissent, façonnent, asservissent les hommes. Là se déroule un drame qui est, à la fois, celui de la faillite d'une vie et de la fin d'un monde. Le paysan riche, longtemps heureux, fier de sa nombreuse famille, voit, en conséquence des changements sociaux produits par la guerre, et aussi à cause de son esprit processif, le mauvais destin s'abattre sur les trente arpents. La vie devient plus étroite et ses enfants le quittent l'un après l'autre pour s'en aller à la ville. Appauvri par un procès et finalement ruiné par la faillite de son notaire, le pauvre homme se réfugie auprès d'un de ses fils qui a émigré aux États-Unis, et traîne une vieillesse désolée loin des trente arpents qui étaient toute sa vie. L'auteur, qui est de souche terrienne, qui a beaucoup voyagé, et qui a le goût de l'histoire et de l'observation, nous a donné de la vie rurale du Canada et de la vie des émigrés canadiens en Nouvelle-Angleterre une description criante de vérité en tous ses détails, mais fortement teintée de pessimisme.

Parmi les romans publiés depuis la fin de la seconde guerre mondiale, il en est deux qui méritent particulièrement d'être signalés : *Bonheur d'occasion* de Gabrielle Roy et *le Survenant* de Germaine Guèvremont. Le premier, qui nous offre un tableau très vivant et parfois très émouvant de la pénible existence des petites gens dans un quartier ouvrier de Montréal au cours de la guerre, révèle une grande puissance d'observation, une sensibilité bien équilibrée et la connaissance du métier. On se laisse aller au charme de ce récit abondant et limpide où, avec un art sans apprêt, l'auteur fait ressortir ce qu'il y a de pathétique dans les plus humbles vies. C'est la première fois qu'un écrivain de talent s'applique à décrire le monde des déracinés et des parvenus canadiens arrachés à leurs traditions terriennes. Avec *le Survenant*, récit grouillant de vie locale et de jovialité rustique, agrémenté de fantaisie et soutenu d'une intrigue amoureuse bien conduite, nous revenons au roman de terroir. Dans celui-ci, d'ailleurs, ce ne sont pas seulement les villageois qui parlent « comme on parle au village » : c'est assez souvent, et très délibérément, l'auteur lui-même. Cette langue n'est pas dépourvue de verdeur ni de saveur, mais il s'en faut qu'elle soit toujours claire pour le lecteur moyen; et il est souhaitable que les romanciers canadiens n'en usent qu'avec une savante discrétion.

LES POÈTES

L'École littéraire de Montréal a publié trois recueils de prose et de vers : les Soirées du château de Ramesay *(Montréal, 1900),* le Terroir *(1909),* les Soirées de l'École littéraire de Montréal *(1924).*

Outre les ouvrages déjà cités, voir : Émile Nelligan et son œuvre, *préface par Louis Dantin, Montréal, 1903;* Jean Charbonneau, les Influences françaises au Canada, *tome Ier, Montréal, 1916;* Louis Dantin, Poètes de l'Amérique française, *deux séries, Montréal, 1928 et 1934.*

Aux continuateurs et imitateurs du romantisme français succéda, vers 1895, une nouvelle génération de poètes qui voulaient demander à la France plus et mieux que des artifices

CLAUDE-HENRI GRIGNON. — CL. NAKASH.   RINGUET. — CL. HARVEY RIVARD.

de composition et des procédés de style : l'art de dégager leur propre originalité et de donner « une nuance d'âme particulière » à la littérature canadienne.

Le chef de cette école était Jean Charbonneau (né en 1875) qui, dans la suite, a publié plusieurs recueils où s'expriment, en vers d'une facture très soignée, les rêveries inquiètes d'un contemplateur pessimiste en face des mystères de la nature et de la vie. Aux débutants groupés autour de lui, un de leurs aînés, Gonzalve Desaulniers, lamartinien fervent et artiste scrupuleux, apportait le concours d'un talent littéraire déjà formé et applaudi. Mais l'influence la plus profonde fut celle du peintre Charles Gill (1871-1918), élève de Gérome, qui, entre 1889 et 1894, avait fréquenté les cafés littéraires du Quartier latin à Paris. Il traduisait les odes d'Horace en des strophes d'une fermeté et d'une sonorité rares, tout en travaillant à construire un grand poème, *le Cap Éternité*, où il rêvait d'exprimer enfin la beauté des grands fleuves et des promontoires géants. De cette épopée, il n'a composé que de beaux fragments, d'une éloquence lyrique, colorée et pleine de pensée :

ALBERT FERLAND.

> J'ai drapé mon néant dans mon âme immortelle
> Et j'ai dit au soleil : « Éblouissement d'or,
> Autant que ta splendeur une pensée est belle,
> Par-delà ton éclat plane son fier essor,
> Et ton scintillement dans la nuit froide et noire
> Pénètre moins loin qu'elle au fond de l'avenir,
> Car tes feux pâliront avant le souvenir
> Que mon âme éblouie emporte de ta gloire.

Deux tendances partageaient les tenants de cette école : les uns n'avaient que le souci d'exprimer leur âme, les autres désiraient donner à leur poésie la couleur et la saveur du terroir. Parmi les premiers se rencontra un enfant prodige qui, avant d'atteindre sa dix-neuvième année où « il sombra dans l'abîme du rêve », écrivit quelques-uns des plus beaux vers que le Canada ait produits. Émile Nelligan, né en 1882, d'un père irlandais et d'une mère canadienne-française, avait les plus riches dons de cette double hérédité. Le grand malheur de sa vie fut de lire trop jeune Verlaine, Rollinat et Rimbaud. Ils lui versèrent les narcotiques qui, par un matin d'automne, endormirent à jamais sa raison. Mais il avait appris d'eux à donner une expression subtile et rare à sa géniale névrose. Sa célèbre *Romance du vin* ressemble à l'explosion d'un rire convulsif tout secoué de sanglots. Il faut noter surtout que ce pauvre écolier eut le don précieux de créer des images neuves et de sentir que celui-là seul est poète qui sait en créer.

De Nelligan à Albert Lozeau (1878-1924) il y a toute la distance qui sépare l'inspiration farouche du talent apaisé et appliqué. La poésie a tué Nelligan; exilé de la vie presque dès l'enfance, Lozeau fut sauvé du désespoir par la poésie, et c'est par elle qu'il apprit à penser car, dit-il,

> Méditer de beaux vers c'est apprendre son âme.

Aussi toutes ses impressions, pour sincères qu'elles soient, ont-elles gardé quelque chose de littéraire. C'est pour avoir lu, pendant quelques nuits d'insomnie, les *Sonnets à Cassandre* et *les Vaines tendresses*, qu'il a écrit, comme Cyrano, de belles élégies sans espoir au charme desquelles il a pu lui arriver de se laisser prendre. Mais il a in-

venté des formules d'une fine préciosité et d'une résignation dont le stoïcisme ne s'étale pas; il a embelli d'une strophe musicale les visions et les fantaisies qui étaient les compagnes de sa solitude; et pour dire l'harmonie apaisante des nuits, il a su trouver des vers qui chantent :

> Le soir nous enveloppe indiciblement doux
> Comme un regard d'amour se promenant
> [sur nous;
> L'Heure passe là-haut penchant un peu
> [son urne
> Pleine de paix divine et de rêve nocturne...

A côté de ces poètes qui vivaient mélodieusement leur rêve, il y en eut d'autres pour qui le monde extérieur existait. Albert Ferland (1872-1943) a arrêté un regard pensif sur les horizons de son pays. En quelques dessins très sobres, il donne la vision nette de la campagne canadienne. Il a une sincérité de primitif, mais ce primitif est un raffiné : on sent que, s'il dit peu, c'est qu'il choisit ce qui vraiment a une valeur de symbole. La pièce où il évoque le retour des corneilles sur les forêts grises est un printemps canadien, tardif et frileux, aussi sûrement que le printemps d'Aristophane est attique. Mais à cette vision aiguë, il joint une très personnelle sensibilité : il s'est comme enraciné parmi les arbres qu'il aime, et il est devenu un de ces « immobiles rêveurs groupés dans la savane ». Sa prière est celle de ses amis qui se dressent sans nombre, à l'horizon des Laurentides, dans la blancheur du matin :

> Sois béni dans la paix des vertes solitudes
> Où les pins nos aïeux se sont enracinés!

Son chant est celui que les pins prolongent dans les soirs, tandis que les flots de l' « air fraîchi » circulent dans leurs rameaux sombres :

> Écoute la chanson qu'en la terre du Nord
> Les pins chantent, baignés par les nuits violettes.

La versification de Ferland est souple et ferme. Sa langue est neuve et d'une belle richesse de tons. Il connaît l'art de suggérer, et chez lui l'image, si précise qu'elle soit, est tout enveloppée de rêverie.

Ce que Ferland a fait pour le décor, Englebert Gallèze (Lionel Léveillé) s'est appliqué à le faire pour l'habitant. L'auteur des *Chemins de l'âme* (1910) et de *la Claire Fontaine* (1913) donne, en des vers pleins d'humour et d'émotion, le spectacle des scènes de sa campagne natale, telle qu'il la revoit à travers sa songerie amoureuse de citadin. Ses rythmes sont très variés, bien choisis, et il fait un usage habile du parler populaire. « Son vers, dit Lozeau, est comme vêtu d'étoffe du pays. »

L'œuvre de Paul Morin (né en 1889) manifeste une réaction très nette contre la poésie du terroir. On trouve dans *le Paon d'émail* (1911) et les *Poèmes de cendre et d'or* (1922), des tableaux exotiques d'une facture achevée : de tous les poètes canadiens, Morin est celui qui a le mieux connu les secrets de son métier et aucun d'eux n'a poussé plus loin le goût de la perfection; mais, dans les produits de cet art si accompli, rien ne rappelle la patrie de l'artiste. Ce qu'il a rapporté de ses voyages en Italie, en Grèce, en Orient, c'est le culte fervent de la vie ardente, de la volupté et de la beauté antiques. Il s'est fait grec et païen comme Ronsard et Chénier; surtout comme Anna de Noailles, née Brancovan. Mais plus facilement encore sans doute, il s'est reconnu Français au contact des choses de France :

> Mon cœur français et moi, nous vîmes ce matin
> Le paisible hameau parfumé de fougère
> Où Marie-Antoinette en paniers de satin
>   Rêva d'être bergère;
>
> Et j'ai dit à mon cœur : « Le matin est si beau,
> Si clair, si bleu! pourquoi faut-il que tu tressailles!
> Ainsi que tu le fais devant un cher tombeau,
>   En revoyant Versailles ? »

On ne saurait parler de la poésie canadienne sans nommer un homme qui a surtout exercé une grande influence comme critique, mais qui a été également un remarquable artiste en vers : Louis Dantin (1865-1945). Son *Coffret de Crusoé* (1937) contient de petits poèmes très soigneusement ciselés et d'une clarté toute classique, dont les sujets, très variés, vont des chansons des rues et des bois à la méditation philosophique grave et angoissée.

Depuis le début du siècle, la part des femmes est devenue de plus en plus importante dans la production poétique. La voie a été ouverte par Blanche Lamontagne qui, dans la poésie du terroir canadien, représente la Gaspésie, ses horizons de forêts, ses falaises grises, sa mer bleue, ses petites maisons paysannes dans les vastes solitudes silencieuses, ses rudes habitants d'aujourd'hui, ses pionniers d'autrefois.

> Ils venaient de la belle France,
> Le sol des divines moissons,
> Ces hommes de toute endurance
> Qui firent ce que nous voyons.
>
> Ils ont sur nos forêts sereines
> Abattu leurs bras acharnés,
> Ils ont fait nos champs et nos plaines,
> Et c'est d'eux que nous sommes nés.

La meilleure inspiration de Blanche Lamontagne lui vient de ses souvenirs d'enfance. Elle a vivement senti la poésie de l'humble vie quotidienne et familiale. Mais il semble que cette poésie s'exprime avec plus de naturel et d'émotion dans sa prose que dans ses vers.

A son traditionalisme timide s'opposent les confessions ardentes de plusieurs poétesses qui, en vérité, ne connaissent guère que leur âme, leurs regrets ou leurs rêves, mais les expriment du moins avec une touchante sincérité et un souci de la forme qui atteste une haute culture. Nous remarquons, dans ce groupe, Simone Routier, petite-nièce de l'historien Garneau, dont le recueil des *Tentations* (1934), élogieusement préfacé par Fernand Gregh, chante l'éveil d'une âme jeune et enthousiaste à la vie sentimentale; Cécile Chabot, chez qui la prière jaillie de l'inquiétude du cœur s'unit à un amour presque panthéiste des beautés de la nature; Jovette Bernier, qui voile de fantaisie et d'ironie souriante l'expression d'un sentiment vrai et douloureux; Alice Lemieux (Mme Dion-Lévesque), qui a écrit des strophes exquises de langueur rêveuse et désenchantée.

Le poète canadien d'aujourd'hui qui manifeste le talent le plus certain est Alfred Desrochers; le premier Desrochers de sa race qui n'ait pas « ouvert une terre neuve depuis 1638 ». Il a commencé par décrire, en des raccourcis d'une vigoureuse plénitude, les scènes les plus caractéristiques de la vie rurale canadienne. Puis, en un genre tout différent, mais avec le même souci de condensation, de clarté et d'harmonie, il a écrit, en marge des œuvres de quelques poètes illustres, des élégies philosophiques riches d'émotion et de pensée.

La littérature dramatique n'est encore représentée que par un certain nombre de pièces d'amateurs, dont les meilleures, parmi les plus récentes, sont : *le Presbytère en fleurs* de Léopold Houle (1922), *les Boules de neige* de Louvigny de Montigny (1935), *la Réussite* de Mme Yvette Mercier-Gouin (1939). Le goût du théâtre est très vif chez les Canadiens français, comme le prouvent les succès de la jeune troupe dramatique des Compagnons de saint Laurent. Mais diverses causes, dont la redoutable concurrence du cinéma n'est pas la moindre, ont retardé jusqu'ici la formation d'un théâtre national.

A cette seule exception près, la littérature canadienne manifeste dans tous les genres une fervente activité. Elle exprime l'âme d'une nation jeune et forte, destinée par sa fécondité à grandir vite — passionnément attachée à son histoire, à ses traditions, à sa langue, à la terre et aux libertés qu'elle a conquises, — foncièrement joyeuse, — naturellement éloquente, — hospitalière à toutes les idées et à toutes les formes d'art, — enfin très proche parente de la nation française à l'égard de laquelle ses sentiments sont inscrits dans la devise du blason de Québec : « Je me souviens. »

L'UNIVERSITÉ DE MONTRÉAL. Cet ensemble architectural, inauguré en 1943, constitue l'édifice universitaire français le plus important du monde. — CL. EDITORIAL ASSOCIATES.

INDEX ALPHABÉTIQUE

Les chiffres qui se réfèrent au tome Ier ne sont précédés d'aucun signe ; ceux qui se réfèrent au tome II sont précédés du signe II. — Les chiffres en caractères gras signalent les passages particulièrement explicites.

TABLE DES MATIÈRES

LE DIX-HUITIÈME SIÈCLE

PREMIÈRE PARTIE

LES LETTRES DE 1680 A 1750

Cette partie a été traitée par M. Georges ASCOLI et mise à jour par M. Daniel MORNET.

DEUXIÈME PARTIE

LES LETTRES DE 1750 A 1789

Cette partie a été traitée par M. Daniel MORNET, à l'exception du chapitre IV, qui a été traité par M. Georges ASCOLI et dont la partie bio-bibliographique a été mise à jour par M. MORNET.

LE DIX-NEUVIÈME SIÈCLE

PREMIÈRE PARTIE

LA RÉVOLUTION ET L'EMPIRE (1789-1815)

Cette partie a été traitée par M. Paul HAZARD ; la partie bio-bibliographique a été mise à jour par M. Pierre MARTINO.

DEUXIÈME PARTIE

DE LA RESTAURATION AU SECOND EMPIRE (1815-1852)

M. Max FUCHS a traité le chapitre III. Les autres chapitres, primitivement traités par M. Jean GIRAUD, ont été refondus par M. Pierre MOREAU.

TROISIÈME PARTIE

LE SECOND EMPIRE (1852-1870)

Cette partie a été traitée par M. Pierre MARTINO.

QUATRIÈME PARTIE

LA FIN DU XIXᵉ SIÈCLE ET LES PREMIÈRES ANNÉES DU XXᵉ SIÈCLE

Cette partie a été traitée par M. André CHAUMEIX.

L'ÉPOQUE CONTEMPORAINE
DE 1919 A NOS JOURS

Cette partie a été traitée par M. Jean HYTIER.

LES LETTRES DANS LES PAYS ÉTRANGERS
DE LANGUE FRANÇAISE

Le chapitre Ier a été traité par M. Gustave CHARLIER, le chapitre II par M. Charly CLERC, le chapitre III par M. René GAUTHERON.

PLANCHES HORS TEXTE EN COULEURS

IMPRIMERIE LAROUSSE. 1 à 9, rue d'Arcueil, Montrouge (Seine). — Septembre 1949. — Dépôt légal 1949-3e. — No 223. — No de série Éditeur 123.
IMPRIMÉ EN FRANCE *(Printed in France).* — 136-9-1949.